《經義考》著錄「春秋類」典籍校訂與補正

楊果霖 著

臺灣學生書局印行

【誌謝】

本論文在撰寫過程之中，

曾經獲得行政院國家科學

委員會的獎助經費，使得

論文論文得以利順完成，

謹此致謝。

自序

楊果霖

民國八十九年間，筆者以「朱彝尊《經義考》研究」一文，獲得中國文化大學中文研究所博士學位，其後嘗試在此一基礎之上，希望能對《經義考》一書，做出不同的整理與研究。其後，獲得行政院國家科學委員會的獎助，先後以「《經義考》著錄『春秋類』典籍補正」、「《經義考》著錄『禮類』典籍補正」為題，獲得國家經費的獎助，乃繼續從事經學文獻的整理工作，也能獲得些許成績。其後，更有感於《經義考》一書，對於「春秋類」以下的典籍，考訂多有未精，且礙於體例之故，是以前人僅能應用其書內容，兼及考訂其誤，卻無法有效取代是書價值。因此，筆者乃致力於重編新目，擬突破原書體例之限，而能逐步能取代是書價值，遂以「明代春秋類典籍的分類與考證」、「清代春秋類典籍的分類與考證」、「宋代春秋類典籍的分類與考證」為題，再度獲得國科會計畫獎助，於是原先構想逐步實現，也能有效累積一些文獻資料，以為後續編訂考證書目，奠下初步的基礎。

本次出版「《經義考》著錄『春秋類』典籍校訂與補正」一書，實乃「《經義考》著錄『春秋類』典籍補正」計畫成果的修訂版，原先執行國科會計畫之時，曾耗費許多人力、時間，還原竹垞的引文資料，並擬藉以累積更多經學文獻資料，兼以觀察竹垞編纂之法的應用及其缺失，以為筆者後續編纂新目的參考。本書曾於民國九十七年十二月假高立圖書公司出版，書名題作「《經義考》著錄『春秋類』典籍訂補」，但是當時出版數量不多，僅供師長之間切磋之用。近二年以來，筆者重新修訂文稿，並酌添更多資料，而由於積稿漸多，擬再行出版相關內容，並且重新編製相關索引，以便於讀者查閱之需，是以交由臺灣學生書局出版，為免讀者有誤認之虞，乃將書名題作「《《經義考》著錄『春秋類』典籍校訂與補正」為題，以示區隔之用。本書的完成，乃是曾經受到喬衍琯、陳鴻森、林慶彰等諸位教授的啟迪，而筆者只是付之勞力，廣搜各類文獻，逐一校補文句，補充各類文獻，藉以充實本書內容，以供學者研治「春秋學」典籍之用。在撰寫本書的期間，也蒙　王師三慶的鼓勵與教導，更曾獲得劉兆祐教授的指正，以及蔣秋華教授惠賜資料，也間接加速論文的進度。筆者在進入台北大學服務之後，更受到本所王國良教授的指導與鼓勵，也關切本篇論文的修改進度，在論文修正完成之後，　國良師更從而推薦臺灣學生書局印行本書，並得到陳仕華教授的盛情襄助，使得本書得以問世，上述諸多師長們的協助與鼓勵，特此致上個人衷心的謝意。

本人在撰寫論文之時，除了蒙受眾多師長指導之外，也感謝家人的支持與鼓勵，使我無後顧之憂，懷抱著希望與熱忱，投入學術的研究，尤其感謝內人戴佳琪女士的辛勞付出，除了負擔小孩教養責任之外，也能持續支持我的研究工作，使我能在多年辛勤考訂之後，再度交出一張學術成績單。目錄之學，爬梳條例，體例難工，本書的完成，只能視為拋磚引玉之作，是以其中內容，難免多有疏漏之處，尚祈博雅君子，能夠給我更多提醒與指正，尤其彼岸張宗友、司馬朝軍教授也積極從事《經義考》的研究工作，使我能有更多學習的對象，也有更多熱切的學習動力，以從事《經義考》的研究。林慶彰諸位教授主編《經義考新校》一書，能在上海古籍出版社重新校訂印行，使得《經義考》的應用，能有更多的便利，也期待能有更多年輕學者，可以投入文獻的整理與研究，也能編纂更多合宜書目，藉以拓展學術的領域。

民國一○一年七月五日於台北大學

《經義考》著錄「春秋類」典籍校訂與補正

第一章　緒論

朱彝尊（1629-1709）字錫鬯，號竹垞，又號醧舫、金風亭長，晚號小長蘆釣師，其能泛覽群籍，是以學養深厚、撰著豐碩，其中又以《經義考》一書，最能受到學者的重視，此書著錄先秦以下，迄於清初的經學經籍，數量多達八千四百餘部，並於各經籍條目之下，先後輯錄各種資料，並且酌添考證案語，由於考訂精細，而有助於治經之用。竹垞撰成《經義考》之後，曾先後進呈康熙皇帝、皇太子(即日後的雍正皇帝)，皆能獲得皇室肯定，而能奠定此書的學術地位。其後，乾隆皇帝更曾親製詩篇，題識於卷首，以倡其治經功效：

> 朕閱四庫全書館所進鈔本朱彝尊《經義考》，于歷代說經諸書廣搜博考，存佚可徵，實有裨于經學，朕因親製詩篇題識卷首……。1

四庫館臣編纂《四庫提要》之時，其於撰寫經部提要之時，多取擇於《經義考》的內容，顯見此書的完成，實能深具參考價值，且由於是書能受到皇室肯定，而能間接帶動學者的重視，學者們更能紛紛從中取材，以為研治經學之助。盧見曾在〈序〉中提到：

> (《經義考》)博徵傳世之書，誌其存佚；提衡眾家之論，判厥醇疵……見淺見深，咸網羅而不失，識大識小，悉隱括以靡遺。惟舊臣纂輯之勤，即古人精神之寄，況今者續一代文獻之書，補群儒經籍之志，論說有資引考鏡，見聞可藉為參稽。較陳振孫之《解題》，更加繁富，比晁公武之《書志》，尤覺精詳。2

《經義考》的卷帙博富，允為古今簿錄之冠，且是書輯錄豐富，考辨精詳，較之《直齋書錄解題》、《郡齋讀書志》等解題書目，更具有深厚內涵，而盧氏推崇之語，實能掌握《經義考》的學術特點，而有助於學者們瞭解該書的價值，且由於竹垞撰成此書之後，曾先後受到皇室高度推崇，加以學者的諸多肯定，使得此書影響深遠，實不容等閒視之。此外，也由於乾隆皇帝的讚賞，更影響到四庫館臣的看法，是以館臣撰寫《四庫全書總目提要》之時，常能參考此書內容，以為撰寫經部提要之用3，可見此書的完成，能對於經學文的整理，乃至於考證學的發展，實具有重要的貢獻，而《四庫提要》廣泛取用是書用容，加以該書目所扮演的治學功效，更是加深《經義考》的影響力，使得後世學者考辨群經之時，多能引證竹垞此書之解題及案語，以供治經考典之用，故而是書完成之後，對於後世經學研究的發展，實具有正面的作用。

《經義考》允為經學書目的代表之作，其中匯聚各種古籍文獻資料，兼以多有考訂案語，

1朱彝尊：《經義考》，〈乾隆詔諭〉，（台北臺灣中華書局據揚州馬氏刻本影印，民國六八年二月），頁2。

2參見註1，〈盧見曾序〉，頁4至頁5。

3參考莊清輝：「四庫全書總目經部研究」（台北：國立政治大學中文研究所碩士論文，民國七七年）。

頗能便於讀者治經之用，故而自其成書之後，常能受到學者諸多讚譽，盧仁龍〈《經義考》綜論〉一文指出：

>(《經義考》)著錄了自先秦以迄清初八千四百多種經學著作，並博及人物、著作流傳等方面，實為二千年間經學的總彙，從文獻的角度，總結並反映了歷代經學發展的狀況。4

《經義考》收錄先秦以下，迄於清初以前的經學著作，其內容涵攝多方，著錄八千四百餘部的經學撰著，實為經學書目的權威之作，而三百多年以來，尚未出現任何經學書目，足以取代是書內容，且竹垞編纂該書之時，曾經創立不少體例，不僅成為目錄學家參考範例，也能提供經學家極大便利。孫永如曾有如下見解：

>清代出現的朱彝尊的《經義考》，作為經學的專科目錄，囊括了古今經學要籍，客觀地匯集了各家對經書的意見，反映了各書的內容與價值，同時，注明書籍的存、佚、闕、未見，給讀者學習研究經學提供了極大方便。5

《經義考》具有高度的學術價值，而學者多能從中取材，藉以拓展經學研究視野，則其書影響深遠，早已深獲學者肯定。然而，隨著時代逐漸推移，學術日益嚴謹，且後人論議增多，而有關於竹垞編纂是書之誤，也隨著考訂人數日漸增多，而漸為學者所知悉，惜前人之論見，多散見於單篇散論之中，而相關內容的錯誤，未能具體呈現於學者眼前，而有待後人重新訂補此書內容，並且釐析其漏誤，方能有效提供讀者正確資料，以為研經問學之助，是以若能訂補《經義考》的內容，將有助於延續是書的參考價值，這也是值得後人費心思索的議題。

第一節　研究動機

自從《經義考》成書之後，業已指引無數的學者，藉以從事經學方面的研究，則其治經功效，早已受到學者的肯定。然而，學者在運用此書之際，多視同工具之書，僅截取解題內容，以為學術論辨之用，但是由於此書「卷帙浩繁，通讀費時，流傳未廣，得書非易」之故6，是以鮮少學者從事專題研究，致使此書的研究成果，實為稍顯狹隘，未能全面開展相關研究。筆者於民國八十四年開始，即從事《經義考》的考訂工作，並將個人辛勤考訂的論見，撰成「朱彝尊《經義考》研究」一書7，其中闢有各種研究專章，用以探討《經義考》的種種問題，而在博士論文完成之後，更有意擴大是書訂補工作，期能提供學者正確資料，以供學術研究之用。總計研究動機如下：

4盧仁龍：〈《經義考》綜論〉，（台北文史哲出版社，《中國經學史論文論集》下冊，民國八十二年三月），頁415。該文原發表在《社會科學戰線》一九九○年二期，頁334至341。

5孫永如:《明清書目研究》，（合肥:黃山書社，一版一刷，一九九三年七月），頁161。

6陳祖武:〈朱彝尊與《經義考》〉（《文史》第四十輯，一九九四年九月），頁222。

7楊果霖：「朱彝尊《經義考》研究」（台北：中國文化大學中文研究所博士論文，民國八十九年六月），【510】

一、補正經學書目謬誤

《經義考》為經學書目的權威之作，如欲訂補是書解題之誤，勢必會參考各類書目資料，兼能考及各種經學書目之誤。因此，筆者擬以訂補此書內容為基礎，持續蒐求各種經學文獻，以便能校正解題內容，兼考其著錄體例之誤，期能提供讀者完善資料，以應治經之需求。自從《經義考》成書迄今，能夠享譽文壇，歷時三百年而不墜，其中必有極高的價值，可供讀者參考之用，但由於該書引證浩博，所涉內容極夥，而前人多引其解題，以為治經之助，雖兼能考訂其誤，但是考訂內容，散見於各種論著篇章，而難於聚集於一冊，甚至前人考訂之心得，竟未能付梓行世，實為可惜。整體而論，《經義考》自從成書迄今，業已歷時甚久，而礙於清初環境所限，是以竹垞編纂的內容，難免多有誤植之處，而前賢雖兼有校訂成果，或礙於思慮未周之故，而多有誤解內容；或係礙於時間不足之故，致使考辨的內容，多有未能周全之憾，而無法全面反映該書錯誤，且諸多學者的校正成果，也多散見於他籍之中，未易羅列成編，其後雖有林慶彰、蔣秋華等諸位教授《點校補正經義考》的問世，將翁方綱《經義攷補正》、羅振玉《經義考目錄．校記》、《四庫全書總目》涉及《經義考》之誤者，附於相關條目之後，以供讀者參考之用。然而，《點校補正經義考》一書，雖有校補是書解題之效，但是成果實屬有限，惟有在標點文句方面，雖然稍有誤失之處，卻能提供讀者閱讀此書之便利，從而加速此書的應用，使得《經義考》的內容，更能受到學者重視，而能擴大其影響範圍，則是書點校之功，亦應給予極高的讚譽。整體而論，《點校補正經義考》的完成，雖有推廣經學研究之功，但其校訂成果，多來自於前賢考訂內容，雖曾廣泛利用「對校法」的方式，以校諸多版本之異同，卻未能全面校訂竹垞解題內容，致使其校訂成果，顯然稍顯不足，而有重新整理的必要。其後，林慶彰教授等人在廣納學者們意見，重新校理此書內容，並將全書重新排印，以成《經義考新校》[8]一書，是書確能修正前書之錯誤，校理的內容，也容有更多成果，尤其增添文津閣本《經義考》的內容，使得「對校法」的應用，將更為全面確實，惟仍未廣泛還原引書原文，是以校理的成果，仍忽略不少有用資料。因此，筆者擬於前賢基礎之上，增加各種解題資料，並重新校訂是書解題，且嘗試釐析其錯誤，期能提供讀者更多資料，以便於治經之用。

整體而論，筆者有意擴大訂補《經義考》一書，如深究其原因，乃是受到林慶彰等諸位教授的啟迪之功，是以意欲擴大校訂範圍，酌添引文出處的考察，藉以補齊各種文獻之間的異同，而校理的成果，可以使讀者有更多參考效益。此外，筆者在訂補是書內容之時，亦能受到喬衍琯、陳鴻森二位教授的指引，而能積極從事此書的整理工作，而喬、陳二氏均曾涉足《經義考》的研究工作，其中成果可觀，有足供紹述之處[9]。喬氏嘗欲補正《經義考》的

8朱彝尊原著，林慶彰、蔣秋華、楊晉龍、馮曉庭主編《經義考新校》（上海：上海古籍出版社，二○一一年一月一日一版一刷），是書全十冊。

9例如：喬衍琯：〈經義考所引千頃堂書目彙證〉（《書目季刊》6:3/4，民61.06），頁3-58；另有〈論千頃堂書目經義考與明志的關係〉（《國立中央圖書館館刊》10:1，民66.06），頁1-10；〈經義考及補正、校記綜合引得敘例〉（《中國書目季刊》18:4，民74.03），頁32-39。陳鴻森：〈「經義考」孝經類別錄(上)〉（《書目季刊》34:1，民89.06），頁1-31；又有〈「經義考」孝經類別錄(下)〉（

內容，其於〈《經義考》及《補正》、《校記》綜合引得敘例〉一文，曾有如下見解：

> **我平日查閱《經義考》，間有批註。希望能有機會，整理付印，前附羅氏《目錄》。把《校記》、《補正》和我的批註，都附在相關各條的適當位置。這一工作，既需時日，也耗資金，衹能期之他年。10**

根據喬氏之文，其欲將翁方綱《經義攷補正》、羅振玉《經義考目錄．校記》及個人的批註成果，逐一整理付印行世，以供學者參考之用，惜礙於時間、資金之故，故遲遲無法付梓問世，只能「期之他年」，惜多年之後，喬氏也已經仙逝，也未能見及喬氏遺稿的整理及付印，致使後人未能窺知其要點，實為學界的一大損失，惟林慶彰、蔣秋華等諸位教授整理《點校補正經義考》之時，即取法於喬氏構想，是以喬氏的若干想法，雖然未能付諸完整實現，卻仍具學術影響力。筆者承繼喬氏、林氏諸位教授的指引，乃欲接續前賢訂補《經義考》的志業，除了廣泛引用前人考訂之文外，也兼能提供一己考辨心得，期能完成「春秋類」典籍的訂補工作，擬藉以延續《經義考》的治經之效

承上文所言，筆者雖欲效法喬衍琯先生的構想，重新訂補《經義考》之疏誤，惟竹垞編輯是書之時，前後歷時十年之久，所錄內容極為博富，如欲重新校訂此書內容，實非短期之內，能夠獲致其功。十餘年以來，黃忠慎教授先於《孔孟月刊》發表〈「經義考」所載今存或可考川之北宋「詩」學要籍述評〉11一文，率先針對《經義考》專類文章進行述評；而陳鴻森教授更提出「分經考辨之法」12，從事《經義考》著錄「孝經類」典籍的補正工作，其中考辨成果，條條精采確當，實乃竹垞之諍臣，而其分經考辨之法，亦頗有可取之處，其後有楊豔燕；許建平〈《經義考．論語》闕誤補正〉13、楊豔燕〈《經義考．論語》補遺〉14、陳惠美〈《經義考》孟子類金元人著述考辨〉15等文章，承繼此一概念，分別從專經整理相關內容。因此，筆者擬效「分經考辨之法」，以從事考訂專經之工作，期能彌補竹垞漏罅之失，兼能訂正其謬誤，以供讀者參考之用。其次，筆者在校理《經義考》過程之中，擬以《點校補正經義考》為基礎，逐一考核解題內容，並且增補相關考證案語，期能提供更完善的訂補之作，以供讀者採擇之用。此外，再行補入《經義考新校》的校文，期能納入最新校訂成

《書目季刊》34:2，民89.09），頁1-27；〈[(清)朱尊撰]《經義考》札迻〉（《經學研究集刊》5，2008.11[民97.11]，頁101-124。

10喬衍琯：〈《經義考》及《補正》、《校記》綜合引得敘例〉（林慶彰、蔣秋華主編《朱彝尊《經義考》研究論集》（下），台北：中央研究院中國文哲研究所籌備處，民國八十九年），頁608。

11黃忠慎〈「經義考」所載今存或可考川之北宋「詩」學要籍述評〉（《孔孟月刊》32:6=378，民83.02），頁2-8。

12陳鴻森：〈《經義考》孝經類別錄（上）〉（台北：《書目季刊》三十四卷一期，民國八十九年六月十六日），頁三。

13楊豔燕；許建平〈《經義考．論語》闕誤補正〉（《書目季刊》40:3，民95.12），頁1-8。

14楊豔燕〈《經義考．論語》補遺〉（《中國文哲研究通訊》18:3=71，2008.09）頁111-141。

15陳惠美〈《經義考》孟子類金元人著述考辨〉（《東海大學圖書館館訊》60，民95.09），頁33-44。

果，以供讀者更多參考之效益，特此說明。

當筆者決定採用分經考辨之法後，隨即需要選擇考辨主題，而由於竹垞廣泛涉獵各種知識，故能奠定淵博的學識基礎。陳廷敬於〈墓誌銘〉一文指出：

> 康熙初，北平孫公北海，老而家居，以經學詔後進，予亦往遊焉。孫公盛稱秀水朱君錫鬯之賢，一時東南文學士游京師者，其推謂為老師宿學。16

孫北海即孫承澤，其經學造詣極深，且相關撰述甚多，實為清初著名經學家及藏書家，《徵刻唐宋秘本書目．書例》嘗云：

> **近代藏書，惟北平孫北海少宰、真定梁棠村司農為冠。少宰精於經學，司農富於子集。17**

孫氏精於經學，且以經學相召文士，其中必有研經能文之士，孫氏既盛稱竹垞之賢，則竹垞的文章經術，必有過人之處，而旅游京師之文士，亦能深服竹垞深厚的學識，乃以「老師宿學」頌譽之18，顯見竹垞的經學考證實力，早已深受時賢肯定。《經義考》是經學文獻總匯，其中涉及的論證內容，多有其參考價值，惟是書卷帙浩博，內容不無訛誤，筆者既欲效法陳鴻森教授分經考辨之法，用以校訂其內容。然而，如何選擇專經為校訂題材，亦頗費思量，根據文獻資料顯示，竹垞接觸經籍時日較早，而其幼年之時，即能致力於《周官禮》、《春秋左氏傳》的研讀19，是以眾多經籍之中，竹垞理應專精於二經內容，然考及《經義考》的內容，卻未必屬實。吳騫《繡谷亭薰習錄．敘錄》一書，曾考辨竹垞撰書之誤，嘗云：

> 竹垞先生《經義考》最為賅博，然《春秋》而下，存佚、卷帙，微有訛舛，疑當時未見其書，而設以己意度之也。20

吳騫認為《經義考》所涉內容雖博，但「春秋類」以下的典籍，考訂內容稍差，而有關存佚、卷帙的部份，不僅「微有訛舛」，且常以「己意度之」，是以內容有值得訂補之空間，而今日觀察吳氏之論點，雖然含蓄點出竹垞撰書之誤，但是其相關內容漏誤，實乃不爭之事實，若能率先補正其謬誤，始能提供正確內容，以供讀者治經之需。因此，筆者幾經思考之後，乃決定以《經義考》「春秋類」典籍為題材，擬重新檢視竹垞纂輯之誤，並且嘗試補入更多資料，期能提供讀者更多參考資料。

又本文雖係訂補《經義考》「春秋類」解題的疏漏，但在校訂過程之中，亦會參酌其他

16錢儀吉纂錄：《碑傳集》四十五，錄陳廷敬所作〈墓誌銘〉之語，（台北明文書局，民國七十四年），頁566。

17黃虞稷、周在浚等撰：《徵刻唐宋祕本書目》，（台北：廣文書局，《書目五編》《觀古堂書目彙刻（五）》，民國六十一年），頁1434。

18參考註16，卷四十五，頁566。

19參考註16，卷四十五，頁568。

20轉引註4，頁四二七。盧氏條例「辨存佚不明」之例，以為朱氏《經義考》疏失之一。

經學書目，以利考證之業的進行，是以在考訂解題之時，兼能論及相關書目內容，藉以議定其誤，而透過這些訂補程序，將有助於累積個人經驗，以應日後編纂經學書目之需求，期能擁有全新的經學書目，藉以取代竹垞是書的參考價值

二、學習編纂書目之法

筆者意欲校訂《經義考》「春秋類」的解題，並且嘗試釐訂其誤，而在校訂過程之中，亦能學習如何編纂專科書目，以為日後編纂《春秋學典籍的分類與考證》一書，預作事前的準備工作。《經義考》成書迄今，已近三百年之久，其中纂輯內容雖多，卻無法滿足現代學者的使用需求，但欲重編全新書目，則需曠日廢時，是以筆者雖有意重編經學書目，但以一人之力，實則力有未殆，如能先行校訂其誤，並以《經義考》解題為基礎，則日後在重編經學書目之時，將有事半功倍之效。筆者期盼有朝一日，能在此一校訂基礎之上，重新輯錄全新書目，並酌加分類與考證，以便澈底取代其參考價值，而使學界擁有更完備的書目，以利於「春秋學」的研究。

三、拓展個人學術視野

筆者從事《春秋》學典籍的整理工作，不僅能供讀者研究考索之便，也能從中發掘各種學術議題，藉以拓展個人的學術視野。因此，筆者在校理過程之中，也能加入藏地、版刻等諸多考察，期使讀者能按圖索驥，便於尋出更多經籍資料，以便能拓展經學的探索與研究。又筆者有意從事經學方面的研究，擬先藉由經學文獻的整理工作，以便能累積相關學識與材料，以利於日後從事「春秋學」的研究工作，而藉由此次校正解題的過程，相信對於筆者日後的研究工作，定能提供一定的助益。

又《經義考》成書迄今，已能廣泛受到學者的重視，但是礙於時間、人力、經費之故，是以雖曾有學者致力於校正此書的工作，卻無法將成果公諸於世，如喬衍琯先生的批註之本，當有極高的學術價值，惜未見發表行世，而無法提供學者們使用，實令人深感歎息。又林慶彰等諸位教授《點校補正經義考》的問世，雖有點校文句之功，但在校勘解題部分，多僅承繼前人校正之作，而未能廣納各種文獻，以便全面擴大行之，是以全書的整理成效，大多限於文句標點方面，雖有推廣經學之功，但是書在糾謬、補正方面，則多襲自四庫館臣、翁方綱、羅振玉的校正成果，而未能從事全面整理與補正，是以無法收致完整成效。其後，林慶彰諸位教授利用全書重印的機會，重新補校書中文句，並納入文津閣本《經義考》，而能更全面對校《經義考》的文句，而能成就《經義考新校》一書，是書能修正前書部分之誤，且在中國大陸正式發行，對於經學研究的推廣，實有其莫大貢獻，惟是書仍未能廣泛還原解題出處，以正其文句錯謬，蓋由於《經義考》卷帙繁多，欲行全面校訂是書文句，並且補入各種文獻資料，藉以考其書謬誤，實確有其難處，是以林氏諸人雖未能全面校理是書文句，卻能完整反映各種傳本異文，而有助於讀者利用該書，是以新校之本，雖仍有不足之處，誠未能以此苛責其失，至於其餘諸賢之作，則多屬概括性的分析，是以多為舉例性質之作，而由於缺乏全面整理與考訂，致使校訂成效未彰，實有待學者持續努力，方能提供讀者更多材料，以便能拓展經學方面的研究。

第二節　研究方法

要對《經義考》的內容，進行較為全面的校訂與補正，則必先掌握其著錄內容，前人在整理是書之時，或許礙於資料繁瑣之故，而難以有效掌握材料，使得校訂成果稍弱，而如何有效掌握各種文獻，用以校訂各種異文，將是影響訂補成效的關鍵。自從吳政上《經義考索引》編纂完成之後，多少能彌補讀者考索不便之失，且吳氏另有〈校記〉，以記明相關傳本差異，對於訂補《經義考》一書，顯然有著正面貢獻。此後，各種全文檢索系統的開發，也都納入《經義考》一書，例如：「中國基本古籍庫」、「文淵閣四庫全書電子版」、「雕龍系列」屬之，從而便於讀者利用其書。然而，筆者要撰寫本書之時，不僅要能掌握《經義考》的著錄內容，也要能有效掌握其引書來源，並進而掌握典籍藏地、版本等等，才能擁有更佳的校訂成效，而諸多電子資料庫的查檢功能，適能彌補舊時查考文獻不便之失，而能更有效完成訂補工作，例如：電子版的《古今圖書集成》、《四庫全書》、《四部叢刊》、瀚典資料庫、寒泉資料庫，乃至於上述論及的資料庫等等，皆能有助於查考更多資料，尤其是還原解題來源，校訂其異文，無疑有著諸多的便利，而且基於學術研究之需，加上現今學術環境日漸完善，如若能有效訂補《經義考》的內容，糾正其疏漏，將有利於學者治經之用。

綜合上述所論內容，《經義考》是經學書目的代表著作，筆者既有意訂補此書內容，並且考訂其誤，故在具體作法方面，擬參考文獻學的整理方法，重新檢視是書內容，並且添補更多後人考訂資料，以便能提高訂補功效。因此，筆者擬採用如下幾種方法，用以訂補此書內容，兼考其謬誤之處，說明如下：

一、廣徵目錄，考其流變

《經義考》既為經學書目的權威之作，竹垞纂輯是書之時，亦能廣徵各種目錄，以利於考證的進行。然而，竹垞身為清初學者，僅能參考清初以前書目，而礙於當時學術訊息未廣，藏地資訊未明，因而漏略不少資料，甚至有誤判典籍存佚，兼以未能明言藏地，致使讀者難於有效利用其書，而有增補資料的必要。其次，如《文獻通考．經籍考》、《千頃堂書目》等諸多內容，竹垞雖能徵引其書中內容，以為解題資料，但是引證解題之時，或有缺漏之文；或有擅改之句，是以經常錯失各種資料，因而失去學術引證價值，殊為可惜。筆者有鑒於此，乃嘗試增補如下資料：

第一，廣輯清代以前的書目資料，以補竹垞漏輯、誤引之失，例如：《文淵閣書目》、《內閣藏書目錄》、《國史經籍志》、《百川書志》等書目屬之。上述諸多書目，雖多為竹垞曾經目見之籍，惜未能妥善應用相關資料，且相關資料的引用，其漏略情況嚴重，今逐一查考諸家書目，以利校正竹垞漏略解題之失。

第二，補輯清代以後的書目資料，以利於考證之用，尤其竹垞編纂書目之時，多未能從事版本的考察，是以相關版本題記，多有助於瞭解經籍的傳本，而有助於版本考訂之用，例如：《四庫全書總目提要》、《四庫簡明目錄標注》、《書目答問》、《販書偶記》、《販書偶記續編》等書目屬之。上述的諸多書目，雖為竹垞無法目見之籍，但是相關內容，均有助於補訂竹垞缺漏之處，是以筆者不嫌煩瑣，逐一輯錄各種解題，以利於讀者考察經籍版本資料。

第三，補輯各地館藏目錄，以輔助經籍存佚的判斷，也能提供正確的藏地資訊，例如：《中央研院院歷史語言研究所善本書目》、《中國人民大學圖書館古籍善本書目》等書目屬之。竹垞礙於當時訊息未廣，是以略於經籍藏地的考察，而其所訂存佚情況，多不可盡信，是以筆者逐步輯考各家館藏目錄，則對於經籍存佚情形，將有較為全面的掌握，也能使讀者能按圖索驥，以便能進一步使用該書內容，以從事更專業的研究工作。

第四，廣泛納入後人善本書志的內容，以吸取最新資訊：例如：國家圖書館特藏組《國家圖書館善本書志初稿》21；屈萬里《普林斯敦大學葛思德東方圖書館中文善本書志》22；沈津《美國哈佛大學哈佛燕京圖書館中文善本書志》23、《書城挹翠錄》24等書屬之。一般而言，「善本書志」所涉的內容，乃是包含善本書的書名、卷、冊數、版本、藏地等資訊，也廣泛涉獵編著者生平簡歷、版式行款、避諱字、藏書印章等內容，由於多為現代人的撰著，是以考訂精細，體例堪稱完善，除可提供善本書籍的導讀資料，也有助於推廣學術研究，而納入此類內容，可以更精準的展現經籍的價值，也能提供最新的資訊。

綜合上述內容，筆者有意廣泛徵引諸家書目，以便進行《經義考》「春秋類」典籍的訂補工作，為求廣泛掌握文獻資料，也嘗試將書目資料輸入電腦之中，以利於查詢、統計，如此一來，不僅能便於檢索各種著錄資料，也有助於增補著錄之用，更能有利於各朝經籍的統計工作。此外，筆者利用電腦的統計功能，用以整理各種書目資料，而藉由此一處理過程，也將有助於日後將整理成果，直接公佈於網站之上，以利於讀者查檢、使用。其次，透過電子化的處理方式，將更能掌握《經義考》的著錄資料，並得以檢出典籍排列之誤，或係掌握典籍重出之例，而也有助於補正工作的進行。目錄是治學門徑，《經義考》更為研治經學的嚮導，而透過歷來學者的考訂成果，使得是書的纂輯之誤，也漸為世人所知悉，只是前賢校正的成果，大多散見於各書之中，而難為讀者所使用，是以需要將其匯聚成冊，始便於讀者應用其資料，以為學術分析之用。因此，筆者擬大量檢閱各種文獻，並且將資料匯聚一處，而使讀者能有效掌握經籍情況，如此一來，也有助於審訂竹垞著錄之誤，而能糾出更多錯誤。

二、考訂版刻，審訂存佚

掌握版本流傳過程，將有助於判明典籍存佚情況，由於竹垞未能確實掌握版本情況，致使在經籍存佚的判定，多有誤判的情形，諸如此類的情況，實需進一步查考更多資訊，用以校訂其判別之失。其次，竹垞輯纂《經義考》之時，多忽略版本的考訂工作，昔日章學誠《論

21國家圖書館特藏組：《國家圖書館善本書志初稿》（台北：國家圖書館漢學中心出版，1996-04）。

22屈萬里：《普林斯敦大學葛思德東方圖書館中文善本書志》（臺北：藝文印書館，民國六四年一月）【５８４】

23沈津：《美國哈佛大學哈佛燕京圖書館中文善本書志》（上海：上海辭書出版社，一九九九年二月一版一刷）【９２７】

24沈津：《書城挹翠錄》（上海：上海社會科學院出版社，一九九六年三月一版一刷）【４０３】

修史籍考要略》第十二條〈板刻宜詳〉中曾經指出：

> 朱氏《經義考》後有刊板一條，不過記載刊本原委；而惜其未盡善者，未載刊本之異同也。25

竹垞未能載明經籍版本異同，致使讀者錯失參考機會，誠屬纂輯書目的重大缺失，惟衡諸《經義考》全書內容，其著錄多達八千四百餘部經籍，欲逐一考其版本，定其存佚，本屬極難之事，實難完全苛責其失。其次，竹垞對於經籍存佚的判斷、書名異稱、作者異名、卷數差異等情況，亦難以逐一分辨清楚，且多有誤判之失，而章氏有鑒於此，雖有意補其缺失，期使能「如有餘力所及，則當補朱氏《經考》之遺。」26，但是礙於經籍版本實多，而難以逐一考證清楚，是以終其一生時間，仍未能實現其構想，但是補正是書的構想，卻能提供後人參考之用，若能循著章氏之遺願，逐一補入經籍版本資料，將對於經籍的利用，有著莫大的助益。筆者在訂補此書過程之中，盡量蒐求各種經籍版本，並且結合藏地資料，以考典籍存佚情形，期使讀者能按圖索驥，得知更多的參考訊息，而有利於後續研究之用。

三、校讎文字，辨明差異

校勘為整理文獻的重要方法之一，若是考訂各種史實之時，其引證文字，內容稍有差訛，勢會影響考證的成果，是以大凡從事文獻整理的學者，都能重視校勘功效，而竹垞為清初重要的文獻學者，自能明白此一道理，常能親手校理文稿，藉以減少訛誤。蔡澄《雞窗叢話》曾指明竹垞的作法，其說明如下：

> 竹垞凡刻書，寫樣本親自校二遍，刻後校三遍。其《明詩綜》刻于晚年，刻後自校兩遍，精神不貫，乃分于各家書房中，或師或弟子，能校出一訛字者，送百錢。然終不免有訛字，《曝書亭集》中亦不免，且有俗體，可知校訂斷非易事。27

蔡氏僅論及《明詩綜》的刊印，係經過仔細校勘程序，方始送刻圖書，而《經義考》成書於竹垞晚年，且終其一生，未能真正刊印行世，是否確曾經過校勘程序，也已無從考及。然而，衡諸《經義考》的案語內容，竹垞確能展現校勘功力，筆者「朱彝尊《經義考》研究」一書，曾據以指出「精於校勘，善析異同」一項，實為竹垞治學的重要方法28，該書備有例證，以證明竹垞善於精校文句異同，且每有創見之獲，惟其例證實多，讀者可自行參閱是書例證，茲不贅述。整體而論，竹垞雖擅長校勘之法，但是驗諸《經義考》的內容，其中仍有訛誤缺漏之字，而究其原因如下：

25章學誠：〈論修史籍考要略〉，見載於《校讎通義》附錄。（台北文史哲出版社，轉引昌彼得編輯：《中國目錄學資料選集》，民國七十三年一月），頁653。

26參考註25。

27清：蔡澄撰，李文田手批：《雞窗叢話》，（清光緒間新陽趙氏刊峭帆樓叢書本，台北：國家圖書館藏本），頁12。

28參考註7，頁84至頁88。

第一，《經義考》成書之後，竹垞隨即身故，而未能親領校務，是以此書解題內容，容有錯漏之處，且其品質難以兼顧，則屬勢所難免之事，實難據以苛責其失。

第二，竹垞輯錄解題之時，多有剪裁文獻之舉，是以部份缺漏文句，或為竹垞有意剪裁文句所致，其中隱含著竹垞纂輯概念，如果不能瞭解竹垞剪裁之法，實難以瞭解其實況，而本文於校勘過程之中，兼能考及竹垞「剪裁之法」的運用，以辨明竹垞輯錄解題之失，且能補其漏句缺文，藉以增添該書參考之效。

第三，康熙二十三年（１６８４）之時，竹垞曾因私帶楷書手王綸入宮，抄錄四方所進之書，此事後為掌院學士牛鈕所劾[29]，致使竹垞獲得降級處分。然而，此時抄錄的典籍內容，或有部份文獻資料，業已編入《經義考》的內容，而抄手所抄資料，是否能符合嚴謹規範，則不可得知，驗之《經義考》全書，確有不少訛漏文句，惟是否為抄手所為，而致有所錯誤？則難以確實明之，但是驗之竹垞全書內容，不乏文字錯訛之處，實係出於手民之誤，則是無庸置疑之事。

第四，《經義考》成書於康熙年間，其後乾隆年間，由盧見曾「訪存稿於其後嗣，乃捐餘俸以成完書。」[30]。然而，竹垞存稿歷經康熙、雍正、乾隆三世，是否有緣自於字跡漫漶，而難於辨識文句之擾？或係刻工手誤，致使誤刻他字，而有文字誤植的現象。當我們檢視《經義考》「春秋類」的解題，確實發現不少漏字，而刊本都以「□□」代之，是否原稿即有遺漏文句，或係原文漫漶不清，而致難於辨識其文，今已不能得知實情，但是諸如此類情形，必會影響文字的正訛，如不能仔細推察其故，校訂其異文，將易使讀者有錯用文獻之失。

第五，《經義考》成書迄今，歷經多次刊刻過程，而每次刊印之後，由於校勘精粗不一，兼以此書內容繁博，勢必會有若干異文資料，而在改動情況之中，又以「四庫全書本」的變動最劇，是以取用何種版本為研究題材，將間接影響到訂補成效。其次，刊印過程之中，所產生的諸多訛誤，縱使在今日環境之中，亦難免有所疏漏，更何況是竹垞所處的時代，而此類錯漏情況，實屬隨處可見，筆者在【考證篇】之中，曾經詳細校訂文句，尤其針對重要漏文的情況，多能校訂其失，至於校訂的成果，也能析例以證之，可以提供讀者參考之用，相關條例，詳見本文「第三章《經義考》著錄「春秋類」解題校勘舉隅」，茲不贅述。

綜合上文所述，《經義考》在編印過程之中，或有漏失文句之失，而前賢在整理該書之時，自然也發現此一問題，是以翁方綱《經義攷補正》、羅振玉《經義考目錄．校記》、林慶彰等諸位教授《點校補正經義考》、《經義考新校》的完成，均曾耗費不少心力，從事解題校讀與補正。然而，諸書雖有校正文字之效，卻因全書卷帙繁多，校理十分不易，且竹垞未能明言文獻出處，致使還原引文之時，難以獲致完全功效，而筆者有鑒於此，乃嘗試從事訂補是書內容，是以在校勘過程之中，除了襲取前人成果之外，也能儘量還原引文內容，以便提供讀者正確校語，也能考知引文出處，而如此一來，不僅能校出更多異文資料，也能增

29羅仲鼎、陳士彪：《朱彝尊詩詞》附錄〈朱彝尊年譜〉，(杭州浙江古籍出版社，一九八九年十月)，頁227。

30朱彝尊原著，林慶彰、蔣秋華、楊晉龍、張廣慶編審《點校補正經義考》〈盧見曾奏狀〉（台北：中央研究院中國文哲所籌備處發行，全書共計八冊，民國八十六年出版），冊一，頁5。

加不少考訂內容，使其內容益加完善，而有助於讀者治經之用。此外，筆者校勘全書的文句，每每多有發現，也有助於探討竹垞編纂方式，諸如漏輯、誤輯，甚或刪削、改篡等問題，均能有所掌握，並能釐清其撰書體例之失，也便於掌握該書內容，使得竹垞著錄的書名、作者、卷數等資料，都能得到精細校勘，而錯落其間之失，也得以彰顯於世，是以有助於讀者判讀其書內容，兼能收致參證之效，而有助讀者治經之助。

四、搜集佚文，補訂內容

中國古籍眾多，實難遍知其存佚情況，或其書雖存於世間，卻難以得知藏地；或其書雖已佚失，而有輯本存世；或其書雖佚，猶存片羽隻言，而有待進行蒐訪工作，諸如此類的工作，實屬繁雜難工之事，如要確實考之，實需耗費不少心力，始能有所收穫。竹垞於纂輯《經義考》之時，除了著重經籍考訂之外，也曾親自從事輯佚工作，而其輯錄成果，析為「逸經」一類，內容雖僅三卷，卻能涉及《易》、《書》、《詩》、《禮》、《樂》、《春秋左氏傳》、《論語》、《孝經》、《孟子》、《爾雅》等佚文，今觀其作法，雖非歷朝輯錄經籍佚文之始，但對清代學者輯錄佚經之風，顯然能有所啟示。其後，《經義考》所輯「逸經」一類的內容，業經馮登府輯出刊行，成為《逸經補正》一書。張鈞衡《逸經補正．跋》云：

> 《逸經補正》三卷，朱彝尊撰。在《經義攷》中卷二百六十至二百六十二，秀水馮登府為補正之，鄞縣徐時棟又加審定，更為周密。31

由於竹垞學術地位崇高，加以輯經成果可觀，故能受到學界重視，學者紛紛效其作法，用以輯錄經籍佚文資料，而清代學者輯錄佚經之文，亦可提供後人訂補《經義考》的素材，而有利於釐清經籍的存佚，乃至於相關流傳過程，且能使讀者兼考其片語隻言，而有利於經籍內容的判讀，故對於經學史的建構與瞭解，顯然有著正面貢獻。據此，竹垞開創輯錄佚經的風潮，其功不可泯滅，而筆者在訂補《經義考》之時，也嘗試加入相關輯佚書的搜求，如遇有前人已有輯錄之籍，則率皆指明之，使讀者得以按圖索驥，以為進一步研究之用。其次，偶遇前人未及輯佚之殘文，亦指明其出處，或係直接摘錄其文，以供讀者參考之用，諸如此類的輯補成果，也確實有助於讀者治經之用。

清儒擅長於文獻考訂之學，往往為求考證之便，而盡力蒐求諸家佚文，是以輯佚成果極為可觀，可補《經義考》誤注存佚之失。民國以後，學者們重視古佚書輯本的價值，孫啟治、陳建華《古佚書輯本目錄（附考證）》32的完成，成為檢閱古籍輯佚成果的利器，筆者逐一採入相關內容，並且檢視各家輯佚成果，且酌舉各類佚文內容，以正竹垞考證之失。

五、匯聚解題，增添功效

《經義考》卷帙多達三百卷，允為古今書目之最，其輯錄內容眾多，搜羅齊備，早已獲

31朱彝尊撰、馮登府補：《逸經補正》，（台北新文豐出版公司，民國七十七年八月），頁609。

32孫啟治、陳建華：《古佚書輯本目錄（附考證）》（北京：中華書局，一九九七年八月一版一刷）【465】

致良好評價。歷來經學文獻眾多，影響層面深廣，普遍受到學者的重視，盧仁龍〈《經義考》綜論〉指出：

> 儒書在劉向、劉歆《七略》之始，就居群書之首。《隋書・經籍志》又單立經部於弁首，以後相沿成規，從未乙降。更主要的還在於，經類文獻歷代備受重視。因此，搜羅賅備的程度，遠遠超軼他類。自然，早期著錄也無需單列或別裁。它(指《經義考》一書)的產生，正是隨著經學範圍的日日擴大，經部文獻的不斷增多而出現的。33

竹垞編纂《經義考》之時，即曾廣徵各種文獻，以利於考證之業，故其書取材廣泛，卷帙繁多，已能成為學者治經的重要書目。然而，歷朝古籍文獻眾多，竹垞以一己之力，欲求遍考而無遺，實則力有未殆，其中難免有失，而隨著學術研究的需求，學者們對於經籍文獻的搜尋，也不遺餘力，早已突破竹垞當時環境的限制，是以竹垞當日所輯解題，雖然具有參考之效，卻難以滿足學者的學術需求，使得學者亟思增補各類解題，以利於治經之業。昔日，喬衍琯先生嘗欲將翁方綱《經義攷補正》、羅振玉《經義考目錄．校記》及個人的批註案語，整理刻印行世，以利讀者使用，然其事終未能實現（說法已見前文）。其後，林慶彰、蔣秋華等諸位教授整理《點校補正經義考》之時，即取法於喬氏構想，將翁方綱《經義攷補正》、永瑢奉敕編撰《四庫全書總目提要》、羅振玉《經義考目錄．校記》等書的校正結果，附於竹垞正文之末，以利讀者參考之用，今觀其作法，實為良善之法，可補竹垞考訂不足之失，然礙於《經義考》的內容博富，林慶彰等諸位教授的增補成果，雖僅限於上述三書內容，若再加上竹垞原書內容，即達八巨冊之多，實難再添其他文獻，使得此一良善構想，終究未能成其大效。筆者為求擴大訂補是書之效，兼以所補內容，僅限於「春秋類」部份，是以廣徵文獻解題，以利讀者參考之用。因此，本文輯錄眾多解題資料，不僅有利於考知竹垞之誤，也有助於添其治經功效。

六、綜整資料，酌與考證

筆者盡力匯聚各類解題，以利讀者參考之用，也嘗試綜整各種資料，以正竹垞考訂之誤。由於《經義考》解題甚多，其中或有未及考證之處；或雖有考訂之文，卻有論證未明，而有著諸多缺失，如未能及時釐正，將使得竹垞撰書之誤，未必廣為後人知悉。因此，筆者擬利用各地館藏資料，或係諸多輯本資料，以補竹垞誤注存佚之失；或係利用前人考證的結果，用以訂正竹垞纂輯之誤，例如：何廣棪：《陳振孫之經學及其《直齋書錄解題》經錄考證》34一書，曾對於陳振孫《直齋書錄解題》經部解題的內容，能有詳細的考證成果，是書的考訂內容，頗能引錄《經義考》的內容，兼能補訂竹垞考證疏漏之失，而筆者逐一輯錄何氏考證之文，以供竹垞引證「陳振孫曰」之文的參考。因此，筆者在校訂此書過程之中，除能輯錄諸家解題之文，用以增補竹垞缺漏之文獻，也能嘗試綜整各家文獻，並且提出一己考辨之見，期使讀者能明白竹垞纂輯之誤，以免會有誤用文獻之失。

33參考註4，頁416。

34何廣棪：《陳振孫之經學及其《直齋書錄解題》經錄考證》（台北：里仁書局，民國八十六年三月十五日初版）【８３４頁】。

綜合上述諸法之用，筆者綜整前賢意見之外，也能提出自己的考證心得，如此一來，將有助於讀者利用《經義考》所輯資料，以為研經之用。其次，透過上述諸法的運用，除能校訂相關錯誤之外，也能快速累積考證資料，而有助於提昇該書的參考功效。此外，筆者從實際方法的運用之中，嘗試釐測竹垞編纂書目的過程，如此一來，既能考知竹垞纂輯之例，也能有助於累積個人經驗，以便於日後能重編新目，藉以逐漸取代《經義考》的學術價值。因此，上述方法的運用，將使我們從學理的討論，邁向實際方法的運用，且能為未來編纂全新書目，能夠預作事前的準備，而本文之作，誠屬抛磚引玉之作，也期盼能有更多的年輕學者，可以投入經籍考辨的工作，使得各種經籍文獻資料，得以逐漸會聚一處，而有助於學者治經的參考。

第三節　預期成果

本文既以「《經義考》著錄『春秋類』典籍校訂與補正」為題，則其研究主題，乃是針對《經義考》「春秋類」的內容，提出一番校訂及補證。根據初步統計得知，有關《經義考》「春秋類」的解題內容，約為二十萬字左右，而這些資料內容，正是本文考訂的題材。總計本題研究成果，有著如下重點：

一、匯聚考辨成果

《經義考》雖有極高的學術價值，但其書內容廣博，所涉主題難免有誤，前賢在使用此書內容之時，兼能補正其誤，例如：翁方綱《經義攷補正》、四庫館臣《四庫全書總目提要》、羅振玉《經義考目錄．校記》、吳政上《經義考索引》附錄二〈經義考版本異文校記〉、林慶彰、蔣秋華諸位教授《點校補正經義考》、《經義考新校》等書，均有校補是書之效，至於其他專著、論文之中，偶有訂補《經義考》之誤者，亦不計其數，然諸多補正之作，如要能逐一詳查清楚，則難免會曠日廢時，徒耗人力資源，若能有學者將其收集成冊，將使後人有效節省查考時間，而能將多餘心力，轉向經學典籍的探索工作，則更能直接針對經籍內容、體例、價值等等，提出更多專業的論見。因此，筆者有志於從事《經義考》的校理工作，自當盡心搜考前人補正之作，並且重新校訂全書內容，期能提供讀者完善資料，以利於學者治經之用。

二、探討致誤緣由

《經義考》雖是經學書目的總匯，但是礙於時間、人力、環境之故，是以竹垞當日輯纂書目之時，其內容難免有誤，而有待後人重新考辨內容，始能釐清其致誤緣由。如果我們在考辨《經義考》「春秋類」解題之前，能先行檢視竹垞文字異動之由，進而瞭解其學術背景，將有助於探討其致誤之因，進而能有效改正其誤，且能提昇訂補是書之效，也能在重編纂經學書目之時，能避免犯下相同錯誤，而能提供讀者完善資料，以利於後續研究經籍之用。

三、完成著錄糾謬

《經義考》著錄的內容，凡是有關書名、作者、卷數、體例等等，都有若干錯誤之處，筆者既從事此書的訂補工作，故擬先行校其文字異動，並且糾其著錄之誤，使讀者能得知正確內容。在糾謬結果方面，筆者擬於下文【考證篇】的部份，逐一提出糾謬成果，並且補充各種書籍異名，以供讀者參考使用。其次，為使讀者能有效掌握其謬誤，乃於本文第四章〈《經義考》著錄「春秋類」典籍補正〉一文之中，擬先行析其例證，正其謬誤，期使讀者對竹垞著錄之謬，能有清楚的認識。

四、補錄漏失典籍

竹垞以一己之力，難以盡搜天下典籍，是以《經義考》收錄「春秋類」的典籍，雖然多達一千二百三十八部，但是衡諸全書內容，闕漏之處仍所難免，而清儒在徵引其書之時，亦嘗思補正是書之作，今觀前賢補正之作，多能增補竹垞漏失之籍，所收成效顯著，甚且蔚為時代風潮，例如：沈廷芳《續經籍考》四十卷、陸茂增《續經義考補遺》、翁方綱《經義考補正》十二卷、錢東垣《補經義考》四十卷、《續經義考》二十卷[35]、朱休承《續經義考》、馮浩《續經義考》、嚴元照《經義考補正》[36]、全祖望《讀易別錄》三卷、盧文弨《經籍考》、王聘珍《經義考補》、謝啟昆《小學考》、楊謙《續經義考》、馮登府《逸經補正》、胡爾滎《經義考校勘記》、林國賡《經義考補》、羅振玉《經義考目錄》、《校記》、佚名《續經義考》[37]諸作，從書名探知其內容，應是續補竹垞著錄不足之失，惜除了翁方綱補正成果之外，其餘諸書多屬未刊之作，而無從得知其確切內容，但從諸書卷帙來看，其中卷帙博富，甚至多達數十卷，可見前人續補成效可觀，有值得參考之處。因此，筆者在校理該書解題之時，也嘗試蒐求各種文獻，以補竹垞著錄典籍之失，並嘗試能分析漏輯典籍的類型及特點，以供讀者參考之用。

五、指明版本藏地

竹垞著錄眾多經籍之時，也能考察經籍存佚情況。然而，審之竹垞所考存佚情況，或有舛誤之處，說法詳見第四章第二節第六項〈存佚的誤判〉一文，該文即有詳細的分析，茲不贅述。此外，竹垞考察經籍存佚之時，未能考其版本流傳情況，致使內容多有不足之處。章學誠曾有志補考《經義考》所錄經籍版本情況[38]，惜礙於經籍數量眾多，實難逐一詳考流通情形，故終其一生時間，而未能成編，筆者擬效章氏補考版本之構想，重新考錄竹垞著錄經籍版本資料，藉以彌補竹垞漏考版本之失，且由於考錄之典籍，僅及於「春秋類」部分，兼以今日諸家館藏圖書，多已逐漸公佈於世，是以查考版本較為容易，也易於收致輯考之效。

35以上五書見於吳政上：《經義考索引．自序》，（台北：漢學研究中心編印，一九九二年三月），頁6的說明。

36以上三書參考註12，註三之文，頁1至頁2。

37以上十書，係根據張宗友〈《經義考》續補諸作考論〉一文補入，（《古典文獻研究》第十一輯，2008年），頁三一九至頁三三六。張氏將《經義考》經籍補正諸作，按其性質分為「校訂之作」、「補作」、「續作」等三種，其文有深入的分析，讀者可自行參看該文。

38參考註25。

其次，在考察版本過程之中，兼能補入諸家館藏之地，使讀者能按圖索驥，據目尋書，以從事「春秋學」的研究。又關於經籍藏地的探討，除了見載於各地館藏書目之外，也有學者致力於蒐集相關書目，並將現存經籍版本的藏地，匯聚成冊，其中又以陳恆嵩教授的成果最為顯著，而近幾年以來，陳教授在國科會資助之下，從事現存經籍版本藏地的整理，先後完成《尚書著述現存板本目錄》39、《詩經著述現存板本目錄》40、《三禮著述現存版本目錄》41、《春秋三傳著述現存版本目錄》42、《四書著述現存版本目錄》43等諸多計劃，惜其研究成果未曾印行，致使讀者無法應用其書目，以為學術研究之用。然而，根據陳教授所完成的書目簡要報告來看，實係獨立成為新目，非專為《經義考》而設，是以讀者如要參考竹垞輯錄解題，又要瞭解其存佚、藏地，則勢必要經過二道檢索程序，始能得知相關訊息，頗不便於讀者使用。其次，陳氏所編之書目資料，係以現存經籍版本為查考對象，但對於其他已佚傳本資料，則無法提供查檢結果，此乃受到編纂體例之限制，惟若要能完整呈現經籍版本資料，勢必需要補齊此一內容，始能提供讀者完善資料。因此，筆者擬逐步整合經籍版本、藏地、解題、考證於一書，期使讀者能覽此一目，即能得知經籍梗概內容，以便能有效評估其價值，進而從事專書的研究工作。

竹垞編纂《經義考》之時，既未能查考諸多版本資料，也未能提供經籍藏地之所，是以筆者訂補是書之時，經常耗費眾多時日，用以考察經籍藏地資料，期能提供正確內容，以利於讀者考索經籍藏地之用，而諸如此類訂補工作，將使讀者對於經籍版本、藏地，能有更清楚的認識，也能按圖索驥，以從事「春秋學」典籍的相關研究。

六、考察引文出處

竹垞編纂《經義考》之時，能隨手輯錄各種解題，以供讀者治學之用。然而，竹垞引用前賢解題之時，未能確實標示引文出處，致使讀者無緣得知引文來源，而難於詳考其引書種類，更無從校訂異文資料，殊為可惜。筆者有鑒於此，擬仿錢熙祚補考《古微書》之例，查考引文出處，並兼考引文異動情況，用以校對解題內容，例如：左邱子明《春秋傳》條下，竹垞曾引「張曜曰」，今考《北齊書》卷二十五作「張耀」，而《北史》卷五五題作「張曜」，然而竹垞所記人名，適作「張曜」，蓋同於《北史》的記載。因此，我們能透過校勘文字過程，得考竹垞引文來源，進而確知該書引書數量、種類，諸如此類的校理工作，由於需要耗時甚久，昔日筆者嘗從事「朱彝尊《經義考》研究」之時，曾補考部分引文來源，惜仍有為

39陳恆嵩：《尚書著述現存板本目錄》（台北：國科會研究計劃報告，NSC-89-2411-H-031-006）

40陳恆嵩：《詩經著述現存板本目錄》（台北：國科會研究計劃報告，NSC　89-2411-H-031-009）

41陳恆嵩：《三禮著述現存板本目錄》（台北：國科會研究計劃報告，NSC　91-2411-H-031-010，執行日期2002.8.1至2003.7.31日止）

42陳恆嵩：《春秋三傳著述現存版本目錄》（台北：國科會研究計劃報告，未見編號(未見簡要報告)，執行日期2003.08.01～2005.01.31）

43陳恆嵩：《四書著述現存版本目錄》（台北：國科會研究計劃報告，NSC 93-2411-H-031-014，執行日期2004.08.01～2005.07.31）

數甚多的引文資料，尚無從考知其出處，而今日針對《經義考》「春秋類」典籍的解題，提出相關訂補工作，故而耗費甚多時間、心力，用以考其引文出處，至於所考引文出處，業已超過以往考訂成果，期使讀者對此一部分的引文來源，能有更清楚的認識。其次，歷來考辨竹垞書目之誤者，大都未能核其引文來源，致使雖能訂正其誤文，卻未能明白竹垞致誤之由；或是雖能據原書來源，用以校訂其文句，但是竹垞的引文來源，卻非根據原書轉錄其文，而係轉錄其他來源，是以竹垞雖需擔負未能明示引書來源之責，但是後人補正其書之時，卻未能核校引文出處，致使校對解題內容之時，往往未能符合實情，而致平添新的誤失。整體而論，讀者於查考引文出處之時，除了能明瞭竹垞所據之籍，亦能核對歷來補正之語的正誤，以免在咎責之時，卻讓竹垞承擔不少錯誤，而本書撰寫之時，即嘗試釐清竹垞引文出處，並校正解題文字，期使能提供更正確內容，以供讀者治經之用。

七、完成異文校讎

林慶彰等諸位教授《點校補正經義考》的完成，雖有校對異文之效，然礙於時間、人力、經費之限，而無法全面校讎文字，是以校勘成果有限，今視其校文內容，多限於版本之間的對校，或係承自《四庫全書總目提要》、《經義攷補正》諸書的校正成果，再行逐一寫成校記，雖有助於讀者使用其書，但所收成效有限。其後，《經義考新校》的問世，除了改正舊作之誤外，也嘗試新增文津閣本《經義考》等資料，對於異文的釐校，也確實有著更多參考價值。惟林氏等人新校之作，仍僅限於版本之間的對校，而未能核其引書來源，是以收效仍屬有限，如能全面還原引文出處，除能校出更多異文之外，也能藉機檢視竹垞編纂之法，尤其對於「剪裁」方法的運用，能有更清楚的認識。其次，也能收集竹垞刪錄解題，重新爬梳其內容，使讀者在利用《經義考》之時，能有更多資料，以備於研經之用。因此，筆者擬全面完成《經義考》「春秋類」異文校理工作，將使讀者能審視解題內容，並考及資料正誤，也有助於讀者運用其書，以從事學術研究之用。

八、蒐求經學佚籍

竹垞注明經籍存佚情況，但礙於環境所限，所見或有疏漏，故其所注存佚情況，多不可全信，實有重新考察的必要。筆者擬於考訂經籍存佚之時，如遇經籍已佚，但是後世已有輯佚成果，則一一標注之，使讀者得知相關訊息，進而能按圖索驥，以便進行相關研究工作。其次，若是遇及經籍已佚，而後世未有輯佚成果，則儘量蒐求佚文資料，或是標示佚文來源，期能提供讀者檢索其文，以為學術研究之用。

九、增補解題資料

隨著經籍數量的增加，有關經籍文獻的收集與整理，將成為學者整理的重要工作。竹垞為求擴大經學研究範疇，並保留經籍研究資料，乃積極從事經學文獻的收集工作，而《經義考》卷帙繁多，所涉內容廣博，顯然已能收致成效。然而，竹垞廣泛收集歷朝經籍，使得經籍匯編的整理與考訂，於焉完成其工作，而學者得以透過書目內容，用以檢視經籍內容，而有助於治經之用。因此，《經義考》一書，在輯錄前人解題方面，更是不遺餘力，使得其中內容豐富，允為歷來經學書目的代表著作。然而，《經義考》收錄雖屬博富，但是歷來經籍文獻眾多，實難收錄完善資料，兼以竹垞輯錄解題之時，常能運用剪裁之法，致使刪去不少解題，其中尤多略去序跋資料，因而錯失不少內容。其次，在竹垞徵引解題之中，亦多見剪裁解題之文，不僅失其解題原貌，也錯失不少內容，若能據原書之文，以補入相關文句，則必能增加其參考價值，是以筆者逐一查考引文出處，並尋思補輯竹垞剪裁之文，且另闢專節以討論相關內容，以見竹垞剪裁的內容，實有不少參考價值。此外，《經義考》撰於康熙年間，未能收錄康熙中葉以後的文獻，而為求擴大訂補功效，筆者乃大量輯補後人解題，至於輯出的資料內容，則數倍於竹垞所輯資料，而對於瞭解經籍的作者、內容、體例、版本、價值、影響等等，也有正面的貢獻，至於輯錄的解題資料，也將成為日後編纂新目的骨幹。因此，筆者擬增補各種解題資料，藉以提供讀者更多文獻，期能完備《經義考》的內容。

綜合上文所述，《經義考》雖是經學書目的代表作，但其中錯誤頗多，而前賢的補正成果，雖有高度的參考價值，惜散見諸籍之中，難以匯聚成編，頗不便於讀者使用此書，以供治經問學之用，而透過本文的整理與研究，能先將散見各書的成果，輯錄成冊，並且能補前人訂補的不足，而能有效提昇此書研治「春秋學」典籍的助益。然而，限於時間、人力、環境所限，是以本書僅以《經義考》「春秋類」典籍為訂補對象，並期勉此書為拋磚引玉之作，能使學界更重視《經義考》的訂補工作，期有更多年輕學者，能夠逐步完成是書的訂補工作，以嘉惠年輕的學子，能夠從中學到更多知識，進而從事專經的研究工作。

第二章　前賢校正《經義考》之法析例與檢討

《經義考》為專科書目的權威之作，自從此書完成之後，隨即受到學者的重視，並以為治經入門的寶典，惟是書徵引浩繁，不無舛錯，是以前賢徵引解題之時，亦兼考其內容，偶有所得之處，乃思考補正其書內容，今視前人考辨成果，所涉內容極為廣博，議論亦多有可採之處。昔日，吳政上於《經義考索引．自序》之中，曾總論前人補正之作如下：

> 補正《經義考》者有沈廷芳先生《續經義考》四十卷（未刊）、胡爾榮先生《經義考校記》二卷（未刊）、陸茂增先生《續經義考補遺》（未刊）、翁方綱《經義考補正》十二卷、謝啟昆先生《小學考》五十卷、黎經誥《許學考》二十六卷、王朝榘先生《十三經拾遺》十六卷、錢東垣先生《補經義考》四十卷（未刊）、《續經義考》二十卷（未刊）、羅振玉先生《經義考目錄》八卷又《校記》一卷等書。1

除上述諸家補正成果之外，另根據陳鴻森〈《經義考》孝經類別錄〉的考訂成果，尚有朱休承《續經義考》、馮浩《續經義考》、嚴元照《經義考補正》諸書，亦曾對於《經義考》的內容，提出補正的成果2。此外，館臣撰寫《四庫全書總目提要》之時，亦能參考竹垞諸多撰著，其中經部提要的撰寫，多能引用《經義考》的內容，以為考證經籍之用。余嘉錫指出：

> 故觀其(指《四庫提要》一書)援據紛綸，似極賅博，及按其出處，則經部多取之《經義考》。3

館臣撰寫經部提要之時，多取資《經義考》的內容，重新改寫而成，而館臣撰寫經部提要之時，兼能考辨竹垞誤考之失，而其考辨成果，亦有助於釐清竹垞纂輯之誤，可見清儒能廣泛應用此書內容，以為治經問學之助，而前賢在引用解題之時，兼能考其謬誤，使得此書疏漏之處，也漸為讀者所知悉。然而，前賢補正《經義考》諸作，大抵皆為未刊之作，是否仍有手稿存世，業已難以確認，今多已不得見及，至於謝啟昆《小學考》、黎經誥《許學考》等書，雖存於世間，卻是補錄小學之籍，並非是糾正經籍之誤，而無益於經義考辨之用。整體而論，清儒運用《經義考》之時，多能隨手糾正其失，而從諸多補正之書，其中卷帙繁多，顯見竹垞撰書之時，其書內容多有錯誤，惜前人補正之作，雖然卷帙繁多，顯見補正內容豐富，成果極為可觀，其中必有值得參考之處，惜多屬於未刊之作，而難為後人利用其書，以為治經之用，而縱使今日偶有刊印傳世之作，例如：《四庫全書總目提要》、翁方綱《經義

1吳政上：《經義考索引．自序》，(台北：漢學研究中心編印，民國八十一年三月)，頁6。

2陳鴻森：〈《經義考》孝經類別錄(上)〉註三之文。(台北：《書目季刊》三十四卷一期，民國八十九年六月十六日)，頁1至頁2。

3余嘉錫《四庫提要辨證》，〈序錄〉(北京：中華書局出版，一九八五年一月)，頁49。

考補正》、羅振玉先生《經義考目錄．校記》諸籍，卻是各自獨立成書，且內容零散不一，難以有效反映竹垞撰書之誤，是以校正《經義考》內容之誤，實有待後人考辨補正，始能提供更多完善資料，以供讀者治經之用。

民國以後，學者對《經義考》的研究成果，多屬評介性的短文，至於糾謬補正之作，亦多屬於綜合評述，或係摘錄式的校文，如盧仁龍〈經義考綜論〉[4]、吳政上《經義考索引》附錄二〈經義考版本異文校記〉[5]、筆者「朱彝尊《經義考》研究」第九章「《經義考》的缺失研究」、[6]〈翁方綱《經義考補正》研究〉[7]、〈羅振玉《經義考目錄．校記》研究〉[8]、陳惠美「朱彝尊經史之學研究」[9]、張宗友《《經義考》研究》[10]等論著，雖能訂正竹垞輯纂之誤，卻難以凸顯補正成效，也無法完整反映其謬誤，至於大規模整理與校點，首推林慶彰、蔣秋華、張廣慶、楊晉龍等諸位教授《點校補正經義考》一書，該書將永瑢等人所撰《四庫全書總目提要》、翁方綱《經義攷補正》、羅振玉《經義考目錄．校記》諸書的考訂內容，附列於各書著錄之末，並酌加註腳說明，用以考辨異文情況，今觀其考辨成果，雖有稽覈內容之效，但是礙於經費、人力、時間之故，仍未能有效整理文字異同，也無法全面糾正其誤，更未能系統呈現是書漏誤，而未能彰顯校訂異文之效，至於所補的參考資料，未能擴及其他論著，也未能全面訂正竹垞撰書之誤，顯然僅能提供前賢考訂內容，而未能真正完成訂補之作。其後，林氏諸人再行審視《點校補正經義考》一書內容，並更正若干標點誤植之失，也採入文津閣本《經義考》的內容，重新調整校文內容，以成為《經義考新校》[11]一書，是書的完成，確能反映不同版本之間的異同，也讓《經義考》的點校內容，更能為學者所用，尤其是該書是在中國大陸出版問世，對於經學研究的推廣，也確有其成效。整體而論，由於《經義考》的內容廣博，上述諸文（書）或係點校文字異同，或是補錄解題內容，或是糾舉著錄之謬，雖能間接反映竹垞纂輯之失，然多屬條例分析，未能系統完成補正工作，此乃緣於竹垞纂輯《經義考》之時，由於內容博富，且涉及多種經籍，而以一人之力，實難逐一考辨其失，其中的論述，難免有所不足，此乃受其時勢所限，未足以此抹煞其功。陳鴻森教授有鑒

4盧仁龍：〈《經義考》綜論〉，（台北文史哲出版社，《中國經學史論文論集》下冊，民國八十二年三月）。該文原發表在《社會科學戰線》一九九○年二期，頁334至341。

5參考註1，附錄二〈經義考版本異文校記〉，頁6至頁25。

6楊果霖：「朱彝尊《經義考》研究」，（台北：中國文化大學中文研究所博士論文，民國八十九年六月）

7楊果霖：〈翁方綱《經義攷補正》研究〉（台北：《國立中央圖書館臺灣分館館刊》第七卷第一期，民國九十年三月三十一日出版），頁34至頁58。

8楊果霖：〈羅振玉《經義考目錄．校記》研究　〉（《書目季刊》　第三十三卷第四期　民國八十九年三月　），頁15至頁33。

9陳惠美：「朱彝尊經史之學研究」（台中：東海大學中文研究所博士論文，民國九十年），【５２２】。

10張宗友《《經義考》研究》（北京：中華書局；第一版（２００９年４月１日），三五六頁。

11朱彝尊原著，林慶彰、蔣秋華、楊晉龍、馮曉庭主編《經義考新校》（上海：上海古籍出版社，二○一一年一月一日一版一刷），是書全十冊。

於此，乃提出分經考辨之法，以濟歷來補正不足之憾，今觀其立論根本，乃在於「學者苟非各經一一詳為推考，細加勘覈，其隙漏誠未易形貌見也。」[12]，於是撰有〈《經義考》孝經類別錄〉[13]一文，乃系統發掘《經義考》著錄「孝經類」典籍之誤，該文另闢蹊徑，能為補正《經義考》一書，提供一個良好示範。因此，筆者不敏，擬效行陳氏之法，從事分經整理工作，並且擬分階段考之，但在從事補正《經義考》之前，擬先行分析前賢考訂方法，並且針對前人補正之得失，提出一己觀察之見解，期使讀者能知悉前賢校訂之法，並能有效應用其法，藉以改善前賢補正不足之失，並且能為日後校正此書內容，提供一個示範的作用。

第一節　前賢訂補《經義考》之法析論

《經義考》引證文獻博雜，所涉內容多方，且頗有參考價值，但是其書中所涉資料，則難免有失，是以前賢引用此書之時，兼能考訂其失，今檢視前賢補正成果，則詳略互異，雖未必盡如人意，然皆能證以一己心得，而有足供讀者參考之效。筆者曾撰有〈歷來補正《經義考》的成果綜述〉一文，逐一探討前賢考訂之法，總計歸納成七個條例，今簡列條目如下：

一、廣輯文獻資料，校其內容參差（下略）

二、運用版刻知識，審其載錄失當（下略）

三、善考目錄傳承，訂其傳錄舛錯（下略）

四、博通文字音讀，判其著錄錯判（下略）

五、善用義例分析，考其體制錯當（下略）

六、熟悉相關史實，核其內容誤繆（下略）

七、根據學術見解，斷其內容歧異（下略）[14]

該文備有詳細例證，藉以證成其說，惜刊物發行未廣，多數讀者無緣利用此文，今參考其例，並重新改寫例證，以便檢視前賢訂補之法，實有其參考價值，今說明如下：

一、廣輯文獻資料，校其內容參差

《經義考》所涉內容廣博，毛奇齡《經義考．序》謂「非博極群籍者，不能有此」[15]，實能體現竹垞撰書特色。蓋竹垞纂輯是書之時，多能採錄眾多文獻資料，用以考辨經學議題，

12參考註2，頁3。

13參考註2，分別有〈上〉、〈下〉二篇，上篇見於《書目季刊》第三十四卷第一期，頁一至頁三十二；下篇見於《書目季刊》，第三十四卷第二期，頁1至頁27。

14楊果霖：〈歷來補正《經義考》的成果綜述〉（台北：《中國文化大學中文研究所研究生論文發表會論文集》第九期，民國八十八年十二月），頁3至頁14。

15朱彝尊：《經義考》，〈毛奇齡序〉，（臺北臺灣中華書局，民國六十八年二月），頁2。

由於所涉典籍眾多，而前賢如要考其謬誤，勢需參考更多文獻資料，方能考其異同，校其謬誤。例如：丁杰考辨杜預《左傳．後序》一文之誤，則有如下見解：

> 丁杰曰：「按：《晉書・武帝紀》作『咸甯五年』，〈束晢傳〉、荀勗《穆天子傳》、傅暢《晉諸公讚》、《太公廟碑》、《東觀餘論》、《廣川書跋》、《金石錄》、《中興書目》、《書史》作『太康二年』；《書》《咸有一德》《正義》作『太康八年』；《文獻通考》作『太康六年』，俱與此序異。考王隱《晉書・束晢傳》、房喬《晉書・律志》、〈衛恒傳〉、《隋書・經籍志》及《淮海題跋》並作『太康元年』，又與此〈序〉同。」16

丁杰考證《汲冢書》的發現年代，即徵引《晉書．武帝紀》、〈束晢傳〉、荀勗《穆天子傳》、傅暢《晉諸公讚》、《太公廟碑》、《東觀餘論》、《廣川書跋》、《金石錄》、《中興書目》、《書史》、《尚書正義》、《文獻通考》、王隱《晉書．束晢傳》、房喬《晉書．律志》、〈衛恒傳〉、《隋書．經籍志》及《淮海題跋》等書，總共收錄十七種論著，合計有六種不同說法，雖然丁氏仍未提出確切看法，但是其展現深厚學養，實能令人折服。

又翁方綱《經義攷補正》卷第八，張以甯《春秋胡傳辨疑》條下云：

> 此條下云：「以甯少以《春秋》登第，作《春秋胡氏傳辨疑》，最為辨博，而《春王正月考》未就。洪武二年（1369）夏，卒業於安南之寓館，書成，逾月而卒。」按：《明史・本紀》、〈文苑傳〉、〈外國傳〉及張隆〈春王正月考跋〉參考之，以甯奉使在洪武二年六月，其留安南則在秋、冬及明年之春，此云「二年夏」，似誤。17

翁方綱考及張氏卒年之時，即綜考《明史．本紀》、〈文苑傳〉、〈外國傳〉及張隆〈春王正月考跋〉之文，以證成張氏並非卒於洪武二年（西元 1369 年）夏天18，可見前賢考辨解題之時，也能遍查各種文獻，用以審訂竹垞撰書之誤，諸如此類考訂心得，由於確有實證，是以成效卓越，可供讀者參考之用。然而，前賢考訂解題之時，雖能收致成效，但是偶有隱藏論點來源之失，例如：上述有關於翁氏論點，似乎取法於黃虞稷《千頃堂書目》卷二之文，該文考之甚詳，今徵引如下：

> 以寧，洪武二年（1369）己酉夏，使安南，著是書，明年書成，卒於安南寓館，其嗣孫隆，宣德元年始輯而刊之，其書以周正為主，本之孔孟，朱子徵之經史，而下其眾說之不齊者，則因朱子之說以釋其疑，而次於其後。19

由此可見，黃虞稷亦以為張氏當卒於洪武三年（1370），而翁方綱參考諸家之文，藉以證成

16翁方綱：《經義考補正》卷第七，（台北：新文豐出版有限股份公司．民國七十三年六月），頁96。

17參考註16，卷第八，頁119。

18有關於張以寧的卒年，可以參考明楊榮《文敏集》卷十九〈故翰林侍讀學士朝列大夫張公墓碑〉一文，該文明確指明張氏卒於「洪武庚戌」，即洪武三年（1370年）。又王德毅等所編《元人傳記資料索引》也以1370年為張以寧的卒年，顯然學界對於張以寧的卒年，已有確切的論證。

19黃虞稷：《千頃堂書目》卷二（適園叢書影十萬卷樓鈔本，不著撰述年月），頁36。

其說，卻未能徵引黃氏之說，顯然其中論點，多有相關缺失，且翁氏僅據各種文獻，以指明其疑誤之處，而未能細辨張氏確切卒年，實不如黃虞稷考據之得，而翁氏所處的時代，實晚於黃虞稷，且《經義考》多錄及黃氏之說，而翁氏理應深刻理解黃氏論點，不應完全未見黃氏之作，然在考證此條錯誤之時，竟未能徵引黃氏之論，顯然難以說服讀者，而有掠人之美的嫌疑。然而，今觀翁氏補正之法的運用，雖未能徵引黃虞稷論點，但也確能徵引眾多文獻資料，且能條析各項異同，而有其參考價值，讀者如能依循其法，而能廣泛徵引各家文獻，用以考知竹垞纂輯之誤，甚或校其內容參差，則能提供讀者正確資料，以供治經之參考。

《經義考》為經學書目的總匯，其輯錄文獻之富，實為歷來簿錄之冠，而前賢考辨其謬誤之處，勢需徵引更多文獻資料，始能證成其誤，時至今日，由於前人持續的考證、補正，使得該書謬誤之處，也漸為世人瞭解，而隨著學術日漸開展，文獻取得更為容易，而電子索引的發達，也能加速訂補成效，如能倣效前人校訂之法，用以校正是書之誤，將更易獲致其功。

二、運用版刻知識，審其載錄失當

學者纂輯書目之時，若能慎選善本之籍，用以校正解題內容，則有事半功倍之效，若未能選擇善本圖書，則易有錯用資料之失，甚至有考訂失當之誤，衡諸《經義考》的解題內容，亦有緣自輯錄來源有誤，而導致內容誤植，甚或疏漏衍誤，而有待後人糾正之處。前賢在糾正《經義考》漏誤之時，常能根據版本學的知識，用以校訂竹垞錯引文獻之失。例如：四庫館臣於王樵《春秋輯傳》條下指稱：

> 是編朱彝尊《經義考》作十五卷，又別出《凡例》二卷，注曰「未見」。此本凡《輯傳》十三卷，前有《宗旨》三篇，《附論》一篇，共為一卷，與十五卷之數不符，蓋彝尊偶誤。20

館臣根據「直隸總督採進本」，得知王樵《春秋輯傳》為十三卷，與竹垞著錄作「十五卷」不符，而由於《經義考》僅著錄王樵《春秋輯傳》、《春秋凡例》二書，未錄有《宗旨》一書，如果併合《春秋輯傳》、《凡例》言之，實為十四卷，亦與十五卷之數不符，乃訂竹垞著錄王樵之著作，其卷數偶有誤題，而由於館臣引證「直隸總督採進本」的版本資料，係根據現存圖書甄錄，故能補竹垞誤題卷帙之失，今觀其論述之法，頗具有說服力，而其考證之法，亦有值得後人效法之處，可以應用其法，藉以補正竹垞撰書之誤。

又《經義考》流傳過程之中，有著各種傳本行世，而各本之間的內容，也常有文句變動之處，而學者在補正是書之時，宜先注意傳本之間的異文，再引錄諸家版本資料，以證其文句異動。吳政上〈經義考版本異文校記〉一文，開啟對勘異本的先聲，其收錄各種《經義考》的內容，並參酌正史經籍志、鄭樵《通志略》、《玉海》、歷代〈經籍考〉等資料，用以比勘異文資料，諸如此類的考訂方式，也能豐富校語內容，使其校語資料，亦頗有可取之處。例如：馮時可《左氏討論待釋》各二卷條下，吳氏〈校記〉云：

20永瑢等撰《欽定四庫全書總目提要》卷二八（北京：中華書局，一九九七年一月一版一刷），頁231。

> 款目馬本作「左氏討論　釋　各二卷」，薈要本作「左氏討　論　釋　各二卷」，閣本作「左氏討論詮釋　各二卷」，羅目作「左氏討論二卷左氏釋二卷」（按：明史志著錄馮時可左氏討二卷左氏論二卷左氏釋二卷，續文獻通考著錄馮時可左氏釋二卷左氏討一卷左氏論一卷）**21**

吳氏利用對校異本的方式，並參酌相關文獻考之，即能有效校正版本異文，以正版本流傳之誤，今日觀其運用之法，實極為簡單易學，能供後人參考之用，而此法後為林慶彰諸位教授《點校補正經義考》之時，多襲用其校文，可見此法之用，確有提昇校勘成效之用。此外，楊晉龍〈四庫全書處理經義考引錄錢謙益諸說相關問題考述〉22、林慶彰〈四庫館臣篡改《經義考》之研究〉23等二篇文章，即能利用版本互校成果，並對於四庫館臣篡改「錢謙益曰」之說，提出詳盡的考察報告，至於其撰著動機，多是承自吳政上〈校記〉的啟發所致。據此，自從《經義考索引》成書之後，不僅能啟發二篇論文的寫作，也為日後校理《經義考》的內容，提供值得參考的方式24。

竹垞著錄《經義考》典籍之時，曾考辨經籍存佚情形，其間難免有失，而前賢校正此書內容之時，兼能考察諸家館藏之本，用以校正竹垞書目之失。李一遂於〈左氏春秋著錄書目研究〉一文，曾經審視經籍存佚情況，逐步補正竹垞誤考存佚之失，而能收致良好成效，其說法如下：

> 在著錄過程中感到一種喜悅，發現朱彝尊《經義考》所錄《左氏春秋》書目附注佚未見的書，有三十三種，目前完全可以找到，這應該感謝從事輯佚工作的清代學者。**25**

李氏重視經籍存本的考察，當其輯錄書目之時，兼能校正《經義考》誤考書籍存佚情況，並且找出罕見典籍，進而羅列其藏地資料，以供學者參考之用，諸如此類的補正內容，雖非專意糾彈竹垞之誤，但是考辨的方向，也足以提供後人補正《經義考》的參考。此外，前人考辨竹垞疏失之時，除能善用版本學知識之外，也能補入後人輯本資料，以供讀者追索殘文之用，例如：羅振玉《經義考目錄．校記》於糜信《穀梁傳注》條下云：「馬國翰均有輯本，麋氏書，黃奭亦有輯本。」26，而由於清代輯佚學者的努力，使得許多竹垞判為佚籍，或是

21參考註1，附錄二〈經義考版本異文校記〉，頁21。

22楊晉龍：〈《四庫全書》處理《經義考》引錄錢謙益諸說相關問題考述〉，（國立高雄師範大學國文學系：《第七屆所友學術討論會論文》，民國八十七年五月二十三日），頁31至頁48。

23林慶彰：〈四庫館臣篡改《經義考》之研究〉，（台北：臺灣學生書局，《兩岸四庫學--第一屆中國文獻學學術研討會論文集》，民國八十七年九月），頁239至頁262。

24林慶彰、蔣秋華、楊晉龍、張廣慶編審《點校補正經義考》（台北：中央研究院中國文哲所籌備處發行，全書共計八冊，民國八十六年出版）之時，即曾將異本之間的差異，分別做出〈校記〉，可供讀者參考之資。

25李一遂：〈左氏春秋著錄書目研究〉（台北：《書目季刊》第二十五卷第三期，民國八○年十二月），頁94。

26羅振玉：《經義考目錄．校記》，（台北廣文書局《書目續編》影印石印本，民國五十六年十二月十

注曰「未見」之籍，均能以片語隻字之貌，重現於世間，使得前賢的心血結晶，不致於付諸東流，而前賢補入諸家輯本，以示其書殘文存世，而有助於治經之需，更能有效開展經學研究的工作。因此，前人校正《經義考》內容之時，兼能指明諸家輯本資料，除能豐富考訂成果之外，也能補正竹垞考訂未善之失，更能提供後人參考之用。

綜合上述所論，前賢善用版本學的知識，藉以審明竹垞漏失之處，而能收致良好成效，是以前賢多能運用此法，藉以校明竹垞著錄之誤，也能補考經籍存佚、藏地資料，使讀者能精確掌握經籍存佚，而對於經學方面的研究，實有一定的貢獻，而隨著學術日漸演進，文物出土更加頻繁，工具索引日趨便利，若是學者能持續追索存籍，則典藏各地的罕見經籍，將陸續為世人知悉，以供學者後續研究之用，今觀前人運用之法，實能有效利用版本學知識，以為補正是書之用，則其校正之法，及其蒐羅的內容，實能提供後人參考之用。

三、善考目錄傳承，訂其傳錄舛錯

竹垞輯錄文獻的來源，許多都是承自前代書目，故其輯錄內容，或有沿襲舊目之失。前賢考訂《經義考》內容之時，多能逐一覆核原目，且能指出其誤，成效十分可觀。例如：四庫館臣於《春秋尊王發微》條下云：

> 程端學稱其《尊王發微》、《總論》二書外，又有《三傳辨失解》，朱彝尊《經義考》因之。然其書，史不著錄，諸儒亦罕所稱引。考《宋史·藝文志》及《中興書目》，均有王日休撰《春秋孫復解三傳辨失》四卷，或即日休所撰之書，端學誤以為復作歟？然則是駁復之書，非復所撰也。27

《經義考》卷一七九，頁四錄有「程端學曰」，竹垞未加任何案語說明，顯見贊同其說，認定孫氏撰有《尊王發微》、《總論》、《三傳辨失解》三書。然而，館臣根據《宋志》、《中興書目》之文，乃定《三傳辨失解》非孫復撰著，而係王日休之撰著，諸如此類情況，也顯示竹垞輯錄解題之時，由於內容繁瑣龐雜，兼以諸家記載不同，而未能細考資料正訛，難免有誤承前目之失，是以前賢考訂是書之誤，多能善考目錄傳承，以訂內容舛誤，其成效可觀。

又崔富章《四庫提要補正》於呂祖謙《春秋左氏傳說》條下，有如下說明：

> 呂祖謙《左傳類編》六卷，《直齋書錄解題》、《文獻通考》、《宋史·藝文志》、明《文淵閣書目》、《內閣書目》皆著錄。清初，朱彝尊《經義考》稱『佚』。《四庫提要》沿襲朱說，謂『久无傳本』，非也。考陸氏《皕宋樓藏書志》卷八載『東萊呂太史春秋左傳類編不分卷，舊抄本』。今中國歷史博物館藏《春秋左傳類編》不分卷，明抄本；北京圖書館、復旦大學并藏《東萊呂太史春秋左傳類編》不分卷。，清抄本。民國二十三年，上海涵芬樓借常熟瞿氏鐵琴樓藏舊抄本影印，輯入《四部叢刊續編》，先大事年表，次綱領，次取《左氏傳》文，類而析之：列國行事九則、唐虞

五日），頁830。

27參考註20，卷二六，頁214。

以來左氏所引典故十則、議論一則，計二十則。近年有重印精裝本易得。28

崔氏為考辨呂祖謙《左傳類編》一書，乃先後查考《直齋書錄解題》、《文獻通考》、《宋史．藝文志》、《文淵閣書目》、《內閣書目》、《經義考》、《四庫提要》、《皕宋樓藏書志》等書目，並參酌諸家館藏之書，以證成竹垞誤考存佚之失。由此可見，前賢在考訂《經義考》之時，常能參考諸家書目，用以釐清竹垞著錄之誤，諸如此法的應用，也確能有效利用前目資料，用以發掘竹垞纂輯之誤。

目錄是治學門徑，而透過目錄的比對、整理，能夠探查典籍的流通，也能考知學術的變化。竹垞是清初重要學者，舉凡經學、史學、金石、目錄，甚至文學等等，均有傑出的表現，其擅長考證典籍，每能徵引諸家書目，用以考察各書內容、流傳，今檢視其考證內容，也確有良好成效。《經義考》是重要的經學書目，其著錄來源，多是根據歷朝書目內容，再行參考眾多文獻，逐一增飾而成。筆者曾考其引用目錄，即高達四十六部之多29，其中尚不包含正史〈藝文志〉、《文獻通考．經籍考》等資料，竹垞運用龐大的書目資料，也因此奠定豐富的著錄資料，而後人效其方法，亦能徵引眾多書目文獻，用以補證其失，使得《經義考》著錄典籍之誤，得以彰顯於世。

四、博通文字音讀，判其著錄錯判

中國的歷史與文化，乃是透過文字的記載，始有相循之跡，人們從中吸取經驗，並將學術發揚光大。學術基礎在於撰著的流通，至於撰著的產生，則仰賴文字記錄而成，如何正確解讀前人智慧，將取擇於判讀文字的能力，如能博通文字音讀，始能博通考據，有利於考辨文獻異同，而精通音韻之學，始便於研經考史，有助於釐清諸家考辨之誤，而能收致極佳效果。竹垞重視小學典籍的價值，曾大力推行刻印字書，以利於民眾使用，錢泰吉《曝書雜記》卷二「郭氏《汗簡》」曰：

> 康熙間，錢唐（塘）汪立名從朱竹垞先生得舊鈔本，刻於一隅草堂，竹垞翁喜勸人刻字書，若吳門張氏及曹氏楝亭所刻書，多發於竹垞翁，唐宋人小學書，今得傳布，竹垞翁力也。30

除了《汗簡》之外，竹垞也極力推廣《說文解字》、《玉篇》、《集韻》、《類編》等書的刊刻31，由於選書精準，且深具價值，是以其推廣的小學典籍，也能廣受眾多學者重視，乃能帶動乾隆、嘉慶年間的考證風氣，而有助於考據學的發展。

竹垞對於文字的運用，往往有其獨到見解，《曝書亭集．合刻集韻類篇序》指出：

> 今夫聲音文字之學，講之正非易易已，五方之民，風土各異，發于聲，不能無偏，輕

28崔富章：《四庫提要補正》（杭州：杭州大學出版社，一九九○年九月一版一刷），頁162。

29參考註6，頁200。

30錢泰吉：《曝書雜記》卷二，（台北成文出版社，民國六十七年五月），頁33087至33088。

31張一民：〈朱彝尊與曝書亭藏書〉，（（湖南）《圖書館》，一九九二年，一九九二年第五期），頁71。

> 土多利，重土多濁，北人詆南為鴃舌，南人詆北為荒傖，北人不識盱眙，南人不識盩厔，此限于方隅者也。楚騷之音，殊于風雅，漢魏之音，異于屈宋，此易于時代者也，書文既同，而音不同，統歸於一，斯聲音文字，必相輔以行，而義始備。32

音韻隨時代、地域的差異，代有移轉，由字形推求音聲，由音聲得其大義，若能三者合一，將能左右逢源，論斷無礙。根據上述論點，顯見竹垞對「小學」的發展及價值，實有深刻的認識，也正緣於深厚的小學基礎，而能奠定其紮實的學術根基。然而，竹垞編纂書目之時，卻常有漏缺字句之舉，而究其漏罅原因，或係抄輯所遺，或係剪裁所致，而前賢根據字形變化，或係字音異同之理，加以推求其殊異，考辨其失漏，而有效指正竹垞漏略文句，諸如此類補正之語，實能提供後人參考之用。例如：翁方綱《經義攷補正》卷第八，蕭楚《春秋經辨》條下曰：

> 胡銓〈序〉內「多識前賢往行」，「賢」當作「言」；「右劄付胡某」，「某」當作「銓」；「其既進」，「其」當作「銓」；「明年於」，「於」當作「冬」；「然彭費之說」，「彭費」當作「冗贅」；「以□思遺老，「思」上一字是「糾」。33

上文總共校改六處文句，成效十分顯著。今觀翁氏校訂之語，雖然成果稍嫌瑣碎，但其校訂異文之效，仍有其參考價值，可使讀者瞭解〈序文〉內容，而有助於經學探索與研究。因此，歷來學者整理《經義考》一書之時，乃多從校理異文著手，而校理異文之成果，也有助於瞭解竹垞編纂過程，進而明白其改動情況，而能提供讀者正確內容，以從事經學義理的詮釋。

前賢考訂《經義考》之時，常能校正書中異文，而在眾多校改內容之中，又以校改眾多單字為多，由於數量甚多，而能收致參考效果。例如：翁方綱《經義攷補正》卷第八，華允誠《春秋說》條下，翁氏曰：「嚴繩孫條內營膳司，『膳』當作『繕』。」34，案：據翁氏所云：「膳」、「繕」字形相近，但其意義不同，「營繕司」是掌管建築營造之事，若改為「營膳司」，則不僅歷來無此單位，且直譯其義，當為掌管營造、膳食的機構，是以「膳」、「繕」雖僅一字之差，卻涉及正誤之辨，而其致誤之因，係緣自古人抄書之時，常會發生同音異字，而導致字義不同之誤，如能從音聲相近之理，再行推求其義，必能分辨其間異同，而這些考辨結論，也能提供讀者正確資料，不致於誤襲竹垞之誤，而致有錯誤認知。除了校訂單字異同之外，前賢也能補入漏刻文句，凡是遇到缺空或為「□」者，則必能推求實情，或是補入文字，或是刪其空格，例如：翁方綱《經義攷補正》卷第八，吳化龍《左氏蒙求》條下指出：

> 戴表元〈序〉內「計□種樹書」當作「計然」；「為蒙求，以便學」下脫「者」字。35

32朱彝尊：《曝書亭集》卷三六，（台北：世界書局，民國七十八年四月再版），〈合刻集韻類篇序〉，頁430。

33參考註16，卷第八，頁108。

34參考註16，卷第八，頁126。

35參考註16，卷第八，頁116。

諸如此類校訂之語，實有助於瞭解解題內容，而前賢補正是書之時，常能增補竹垞缺漏文句，而若非博通音讀，重視字義之學者，又何需逐一細校文句，且補其缺漏字句，以供後世讀者治經之用？綜觀上述學者的作為，除能增加《經義考》解題完善之外，也將使後世的學者，不致於誤承竹垞之失誤，而有助於從事經學的研究。因此，學者如能全面、審慎的校勘該書，將能提供正確內容，以供讀者參考之用。

五、善用義例分析，考其體制錯當

竹垞編纂《經義考》之時，自有撰書體例，但是全書纂輯未竟，編者即已身亡，是以全書未經定稿，致使體例不一，而有重新補正的必要，前賢校訂該書內容之時，亦能根據竹垞撰書之通則，以考其體例失當之處。例如：《經義攷補正》卷第七，石介《春秋說》條下云：「《宋史．儒林傳》，介為孫復弟子，此列介於復之前，誤。」[36]，按：翁氏明白竹垞撰書體例，乃是根據作者時代先後，依次排列，而石介既為孫復弟子，理應排於孫復之後，而此處卻將石介《春秋說》的排列順序，錯置於孫復撰書之前，而有前後倒置之失，諸如此類補正之法，實能善用體例分析之法，以考其出例情形，若非翁氏善於瞭解竹垞撰書之例，則難以考及著錄排列之失，今觀其補正內容，也確實允當。

又翁方綱《經義攷補正》卷第八，程公說《春秋分記》條下，翁氏曰：

> 案：程氏著有《左氏始終》三十六卷、《通例》二十卷、《比事》十卷，竹垞未採，應補入。37

《經義考》著錄周、秦以來，迄於清初的經籍撰著，而其博徵廣引，以求其全備，而竹垞既然收錄程公說《春秋分記》一書，理應同時錄及程氏其他經籍之作，惜卻漏記程氏《左氏始終》三十六卷、《通例》二十卷、《比事》十卷等三書，而翁氏根據竹垞著錄體例，逐一補入程氏三書，使得竹垞著錄之籍，能夠更加全備，而不致於有漏錄典籍之例。又竹垞著錄方式，除能廣徵經籍撰著之外，也在編纂書目之時，盡力避免複重之例，是以前賢考訂是書之時，每遇重複著錄之例，則能根據竹垞著錄通則，以訂其重出之誤，例如：翁方綱《經義攷補正》卷第八，王氏《春秋左翼》條下，翁氏云：

> 按：本書卷二百五載王震《左傳參同》四十三卷，而《明史·藝文志》則作王震《春秋左翼》四十三卷。今震書具存，以震所答沈仲潤及焦竑《春秋左翼·序》參考之，《左翼》即《參同》無疑；惟因《烏程縣志》云：「震，字子長」，而〈焦序〉云：「王君子省」，故朱氏前後分載而不辨其為一人一書也。38

翁氏根據竹垞著錄通則，以訂其重出之失，諸如此類內容，實需逐一審視其例，始能定其相關錯誤，而透過前人考辨成果，將使我們對竹垞撰書體例不一之處，有著更清楚的認識，而透過前人的補正內容，可使《經義考》的內容，更有參考價值，而前人補正之法，也能提供

36參考註16，卷第七，頁103。

37參考註16，卷第八，頁113。

38參考註16，卷第八，頁127。

後人參考之用。

六、熟悉相關史實，核其內容謬誤

竹垞輯錄各種解題，常能根據史籍之文，直接甄錄其文，是以解題多涉及史實內容。因此，前賢考訂竹垞之謬，也多能熟悉各種史實，以核其內容謬誤。例如：四庫館臣於高攀龍《春秋孔義》條下指出：

> 朱彝尊《經義考》：「此書之外，別有李攀龍《春秋孔義》十二卷。注曰：「未見」。今案書名、卷數同，攀龍之名又相同，不應如是之巧合。考李攀龍惟以詩名，不以經術見，其墓誌、本傳亦不云嘗有是書。豈諸家書目或有以攀龍之名同，因而誤高為李者，彝尊未及考核，誤分為二歟？39

《經義考》卷二○二，頁五著錄李攀龍《春秋孔義》十二卷；又卷二○五，頁六著錄高攀龍《春秋孔義》十二卷，館臣考見二書書名、卷數相同，攀龍之名又復相同，而館臣深知李攀龍係以詩名世，未見以經術聞名，且墓誌、本傳俱不云撰有是書，顯然未有《春秋孔義》一書，而核之竹垞的二項著錄，係未及考核撰著內容，而有重出之誤。今據《明史》卷九六，注文指出：

> 李攀龍《春秋孔義》十二卷　李攀龍，疑當作「高攀龍」·《千頃堂書目》卷二、《四庫全書總目》卷二八都作「高攀龍《春秋孔義》十二卷」40

可見《春秋孔義》一書，應為高攀龍所撰之籍，而非出自李攀龍之作，是以竹垞既然同時錄及二書，或係緣於二人姓名相近，而致誤題作者之名，導致重複著錄同書，而有典籍複重之誤。綜觀館臣考訂之文，頗能熟悉相關史實，而能核訂竹垞編纂之失，今觀其應用之法，乃是館臣熟悉相關史實，而能校訂其誤。

又《經義考》卷一百七十八，著錄《春秋十二國年歷》一書，而羅振玉指稱：

> 四庫著錄：《春秋年表》一卷。自周以下至小邾，凡二十國，則十二國者，殆二十國之誤耶？41

羅振玉依據春秋時期國家總數，來判定書名著錄之誤，雖或失之主觀，但其考訂結果，仍有其參考價值。案：《經義考》亦於注文指出：「《通考》作《二十國年表》」42，由於馬端臨《文獻通考·經籍考》多據現存之書甄錄，而能提供讀者參考之用。羅振玉根據史實情況，而定「十二」或為「二十」的誤倒，雖或失於主觀認定，卻能符合《文獻通考·經籍考》的記載，是以此處所論內容，仍具有參考價值。

39參考註20，卷二八，頁233。

40張廷玉：《明史》卷九六（北京：中華書局，一九七四年），頁二三七六。

41參考註26，頁834。

42參考註15，卷一七八，頁13。

《經義考》所涉內容廣博，雖多係經學議題，但取材多涉及學者生平、傳記，兼以「春秋類」典籍，涉及年月甚多，是以竹垞纂輯該目內容之時，能大量輯錄各種史料，以從事考證學術之用。然而，歷來史實紛雜難辨，如未能深入研究書中內容，難免會有錯用史籍之失。前賢校訂竹垞解題之謬，常能根據相關史實，用以補入正確內容，諸如此類的考證方法，實有可取之處，惟應用此法之前，必先行掌握各種文獻，方能進行補正的工作。

七、根據學術見解，斷其內容歧異

何廣棪教授嘗從事《直齋書錄解題》經部典籍的考證，以成《陳振孫之經學及其《直齋書錄解題》經錄考證》[43]一書，今觀其考辨內容，多能參校《經義考》之文，而能收致補正之效，例如：不著名氏《春秋考異》條下，有何氏案語如下：

> 廣棪案：考《宋史，藝文志》卷一《經類‧春秋類》所著錄，既有不知作者之《春秋考異》四卷，又有吳曾《春秋考異》四卷。《經義考》卷一百八十六《春秋》十九「吳氏曾《春秋考異》」條，彝尊按：「《春秋考異》，陳氏《書錄解題》云：『不著名氏。錄《三傳》經文之異者。』而《宋史‧藝文志》題作吳曾，今從之。」是《經義考》以此書為吳曾撰。然《宋志》既明分兩書，而《解題》亦不作吳曾之書，似不宜將二書隨意輕率混同之。且此書已佚，亦難以考得其真矣。[44]

《經義考》將《春秋考異》四卷判為吳曾之書，且有竹垞案語，說明其判斷準據，乃是根據《宋史．藝文志》而來。然而，何廣棪根據《直齋書錄解題》「不作吳曾之書」，且《宋志》明分為二書，而斷定竹垞不當輕意混同一書，致有錯判典籍之失。綜觀竹垞與何氏取材，雖係同出一源，但由於學術判定不同，導致判別互異，今審視二家說法，當以何氏論點較為客觀，也較為可信。筆者曾考《文獻通考．經籍考》與《經義考》的互異情況，得出竹垞著錄典籍之時，往往坐實疑偽之說[45]，使得竹垞所錄作者之名，頗與前目不同，今觀何氏之言，實較為平正公允，而較具參考功效，反觀竹垞著錄內容，則僅憑主觀認定，致使著錄作者之名，未能合乎原書內容，而有釐正的必要。

又四庫館臣考訂《經義考》之誤，曾於姜寶《春秋事義全考》條提要云：

> 《明史‧藝文志》、朱彝尊《經義考》俱載是書二十卷，而此少四卷。然檢其篇帙，未見有所闕佚，疑或別有附錄而佚之歟？[46]

《明史．藝文志》、《經義考》俱載為「二十卷」，然館臣僅見十六卷之本，乃疑其「別有附錄而佚之歟？」，諸如此類考訂方式，多是根據學者見解，而其論斷之語，多缺乏可靠論

43何廣棪：《陳振孫之經學及其《直齋書錄解題》經錄考證》(台北：里仁書局，民國八十六年三月十五日初版)。

44參考註43，頁609至610。

45楊果霖：〈《經義考》徵引《文獻通考．經籍考》考述〉(台北：《孔孟月刊》第三十八卷第十期，民國八十九年六月廿八日)，頁26。

46參考註20，卷二八，頁232。

證，使得考證的結果，往往流於臆測之語，甚至有錯糾著錄之失，而有待後人補正其說。崔富章《四庫提要補正》有詳細補證如下：

> 《四庫採進書目·浙江省第六次呈送書目》載《春秋事義全考》十六卷，明姜寶著，八本。《浙江採集遺書總錄》注明係『倦圃藏刊本』，此即庫書底本。今上海館、南京館藏明萬曆十三年李一陽刻本十六卷，有萬曆十三年寶《自序》，稱「王氏為予姻友，地近志同，家居往來印證，若有合焉，乃繕寫攜入，留曹侍御。同郡李君一陽見而謂可以傳，遂鋟諸梓，一陽亦為之序。」由是知，李本乃此書最初之刻本，曹溶（倦圃）所藏，當即此本，四庫所據以繕錄者，決無缺卷。47

崔氏之說，適能彌補館臣疑而未決之失，而能收致成效，而崔氏的考訂內容，實能提供後人參考之用。綜合上述所論內容，館臣撰寫提要之際，常能糾正《經義考》之誤，雖不乏精闢論見，有足供讀者參考之用，但其部分考訂內容，亦有未能掌握實據，隨即提出糾彈之見，且多有臆測之語，諸如此類推斷論見，往往會降低考證成效，而有重新考辨的必要。由此可見，前賢根據學術見解，用以考知《經義考》內容歧異之處，雖能收致補正成效。但是，此一方法的應用，往往偏於主觀認知，常有錯糾內容之失。

前賢考辨方法的運用，能兼顧各種主題，使其考訂之法，頗有可採之處，如能學習前人考辨之法，並且擴大行之，當使校訂成果，益發可觀。然而，考辨《經義考》的內容，易淪為廢時耗事，且訂補成果零散，不易引起學者興趣，如能有更多年輕學子，可以投入書目考訂工作，將使補正竹垞之作，得以更加完備，而隨著學術方法日益完備，研究觀念日趨嚴謹，《經義考》的編纂成果，業已不符合學界的使用需求。因此，如能順著前人研究之法，重新補正、考辨，將使竹垞撰書的價值，能夠得以延續下去，使得後人從事經學的研究，能有更好的指引工具。

第二節　前賢訂補《經義考》之法檢討

前賢校訂《經義考》之時，常能應用各種考訂方法，使得成果豐碩，而頗有參考的價值。在下文之中，筆者嘗試檢討前賢應用之法，期能習其長處，且能避其缺失，以為個人訂補竹垞纂輯書目之誤，提供一個學習的機會，也期使諸多方法的檢討，能使學者對於前賢校正之法，能有更完整的概念。

一、前賢訂補之法的優點

前賢校訂《經義考》內容之時，常能善用各種輯校方式，藉以考察竹垞撰書之誤，今觀其應用之法，可謂心思縝密，考辨翔實，可供佐證者多矣，如能效及前賢之法，並且擴大考證的內容，當能增添考訂之效。然而，究竟前人訂補《經義考》之時，究竟有何參考之處？筆者在下文之中，即依次論說其要點，說明如下：

（一）議論頗為深廣

47參考28，頁176。

前賢糾正《經義考》之誤，所涉內容廣博，而議論主題，頗見其深刻內涵，舉凡經籍的續補、書名的辨析、作者的考訂、卷數的補校、類目的修正、存佚的考察、體例的審議、解題的勘校[48]等等，都有學者從事深入探討，而前賢考訂的成果，不僅所涉主題廣泛，且議論內容，亦有相當深入之作，有足供讀者參考之效，諸如此類訂補成效，實值得我們多加重視。在下文之中，筆者嘗試逐一採證前賢訂補內容，並且參酌一己考訂心得，以便做出系統分析之用，期使讀者瞭解前賢議論要點，並能重新檢視竹垞纂輯之誤，方能有利於讀者治經之用。

在前賢研究深度方面，前人校訂的成果，也有不少參考價值，尤其為了考訂竹垞纂輯之誤，而為求掌握考證成效，且能深入問題核心，常能旁徵博引，考辨細微，使得補正成果，能夠廣受學者重視，而能充分發揮治經功能。例如：《經義考》雖有「鏤版」一項，藉以收羅版刻記錄，但是竹垞對各書版本流通情況，卻未能逐一考訂清楚，使得有關刊版、存佚、藏地的考察，常有略顯不足之處。章學誠曾於《論修史籍考要略》第十二條「板刻宜詳」中指出：

> 朱氏《經義考》後有刊板一條，不過記載刊本原委；而惜其未盡善者，未載刊本之異同也。[49]

竹垞未能載明各種經籍傳本，並析其異同，實為《經義考》纂輯之失，章氏深以為憾，並期望「如有餘力所及，則當補朱氏《經考》之遺。」[50]，章氏雖有輯錄經籍版本的構想，期能彌補竹垞未考版本之失，但是《經義考》收錄眾多經籍，如要逐一增補各種版本資料，兼能考其存佚、藏地，則定需耗費不少時日，而實非短期之內，能夠獲致其功，是以章氏終其一生，仍無法完成心願，只能留待後世學者持續努力，方能補足章氏之遺願。其後，學者常於考訂經籍存佚之時，能夠兼考各種經籍傳本，雖非全面施行之，但是相關考辨成果，亦能具有參證之效。例如：崔富章《四庫提要補正》於陸粲《春秋胡氏傳辨疑》條下指出：

> 中國科學院及江西省館藏《左氏春秋鐫》二卷《春秋胡氏傳辨疑》二卷，明陸粲撰，明嘉靖四十二年陸延枝刻本（每半葉八行，行十六字，白口，左右雙邊。）考延枝，粲子。是陸氏《辨疑》原本二卷，朱彝尊《經義考》作四卷者誤。
>
> 文溯閣庫書二卷，文瀾閣庫書原本佚，今存丁氏補抄本一冊。《善本書室藏書志》卷三著『《春秋胡氏傳辨疑》二卷，舊抄本……有明二百數十年昌言以糾正胡《傳》者，自此書始。抄手甚舊，殆康、雍間人也。』此即丁氏補抄閣書依據之本，今歸南京館。[51]

竹垞誤將陸粲《春秋胡氏傳辨疑》題作「四卷」，館臣考訂其失，惟未見深入剖析，而崔氏

48楊果霖：〈歷來補正《經義考》的成果綜述〉（台北：《中國文化大學中文研究所研究生論文發表會論文集》第九期，民國八十八年十二月），頁14至頁35。

49章學誠：〈論修史籍考要略〉，見載於《校讎通義》附錄。（台北文史哲出版社，轉引昌彼得編輯：《中國目錄學資料選集》，民國七十三年一月），頁653。

50同前註。

51參考28，頁175。

則根據諸家傳本情況，以定竹垞誤作「四卷」之非，今觀其考辨之文，由於能掌握傳本資料，可謂確有實證，且議論內容深刻，實有助於瞭解竹垞著錄卷數之誤，兼能考及經籍版本、藏地，其論證深廣，足資取證之用。

綜合上述所論，我們發現前賢議論內容方面，所涉層面廣博，且論點精闢可採，頗有可觀之處，如依前人考訂之法，而能逐步深入問題核心，再能加強論辨深度，將更能掌握竹垞纂輯之誤，也能彌補竹垞論證之失，是以前賢考訂精廣，所收成效可觀，有足供參證之效，如能順著前人考訂之法，逐一整理、論證，將能使得校正成果，益發顯得精緻、可觀。

（二）指引整理方針

前賢補正《經義考》的方法，也指引我們整理文獻的幾個方向，如能尋著前人軌跡，並且補足相關論證，將能有效提昇補正成效，也能延續是書價值。例如：竹垞輯錄資料之時，往往改動其中文句，而前賢考訂《經義考》之時，亦能嘗試校勘文字異同，由於校訂數量眾多，是以能收致校勘成效，例如：林慶彰、蔣秋華等諸位教授《點校補正經義考》的完成，除了標點斷句之外，也兼及審議相關字詞之異，而其點校成果，能助於研讀經籍之用。然而，前賢的校勘成果，多彼此相互承襲，如以林氏諸人整理成果來看，則多集中於文字標點斷句一事，至於校勘文字方面，則多吸取四庫館臣、翁方綱、羅振玉、吳政上等人的校訂成果，再行參校相關傳本內容，惟未能確實還原引文出處，致使誤襲前人之論，亦多有之。因此，如果我們能順著前人校勘方式，全面施行於全書的校理工作，必能有效改進前人校點不足之失，而能提供我們訂補《經義考》的發展方向，例如：《點校補正經義考》第五冊，孫覺《春秋經解》條下引「張萱曰」如下：

> 張萱曰：「孫覺以三家之說校其當否，而專主《穀梁》，其是非褒貶雜用《三傳》及啖、趙、陸三家，擇其說之最長者，而以胡安定之說斷焉。」52

《點校補正經義考》於「雜用《三傳》」下，有校語如下：「《三傳》」，《備要》本同，應依《補正》、《四庫》本作『《二傳》』。」53該書於點校《經義考》之時，採用翁方綱《經義攷補正》卷第八之文，逕以為「《三傳》」應改作「《二傳》」，然考之本文出處，係出自孫能傳等撰《內閣藏書目錄》卷二，頁四七六，該書題作「《三傳》」，實係同於竹垞所錄文字，是則「備要本」不誤，而「四庫全書本」《經義考》、《經義考補正》逕改其文，反而增添新的錯誤，然標點本未能考及原書文句，而致校語所錄事項，未必能合於實情，因而有所不足，今筆者擬在前人校勘成果之上，再行還原原書文句，則能有效提昇校勘成效，則前人的校勘過程，雖然未必完善，但其訂補之法，卻能提供後人參考之用。

又《經義考》卷一八二，程頤《春秋傳》條下，竹垞引程子〈自序〉一文，林慶彰教授等人於「天道」二字下，有如下校語：「『天道』，《備要》本同，應依《補正》、《四庫》本作『天運』。」。54此條校語的內容，仍係根據翁方綱《經義攷補正》卷第八之文，而逕

52參考註24，卷一八二，頁834。

53參考註24，卷一八二，頁834。

54參考註24，卷一八二，頁835。

將「天道」改作「天運」，然考《五經翼》、《國立中央圖書館善本序跋集錄》所錄的〈序〉文，實則作「天道」。歷來有許多的學者，都曾認定竹垞編纂《經義考》一書之時，曾據《五經翼》的內容[55]，直接甄錄其文，而是書既題作「天道」，且台北：國家圖書館所藏「明繡谷吳繼武校刊本」《春秋胡傳》所錄程頤〈序〉文同之，是以標點本誤襲《經義攷補正》、《四庫》本的內容，逕將「天道」改作「天運」，諸如此類校勘結果，由於未能徵引更多文獻，以證其異文現象，使其補正成果，仍有重新校補的空間，如能逐步還原其引文來源，用以校理《經義考》的解題，必能校出更多異文資料，藉以彌補竹垞纂輯之誤，使其書更具參考價值。

又前賢校理異文之時，偶能還原引文出處，而能得到若干成果，只是前人都聚焦於「黃虞稷曰」[56]、「錢謙益曰」[57]等解題，至於其他解題內容，則未能從事深入探討，成果稍顯侷限。然而，從前賢還原引文出處的作法，適能提供我們後續訂補是書的參考，如能依據前人作法，全面還原引文出處，不僅能校理出異文現象，也能考知竹垞引書種類，進而有效瞭解竹垞纂輯過程，對於相關問題的討論，實能有所助益。因此，若能效法錢熙祚補訂《古微書》之例，重考竹垞引文來源，並且確實校正解題文句，定能使讀者得知更多資料，可用以從拓展經籍的研究。

綜合上述所論內容，前賢重視《經義考》的學術價值，也汲汲於補正工作，今視前人考證成果，雖未必盡善盡美，但是已有良好成效，如能順著前人整理之法，全面探討竹垞纂輯書目之誤，則必能擁有更好成效。《經義考》成書迄今，已歷經三百年之久，如以今日學術環境而論，早已炯異於昔日，是以竹垞礙於時間、人力等諸多因素，而使該書編纂成果，未能盡人如意，但其深具學術價值，卻不容詆毀，如能站在前人基礎之上，從事相關內容的訂補，將有助於瞭解全書之誤，也有利於學者治經之用，更使竹垞所撰書目，能夠藉補正之作，得以延續其學術價值，而日後若能累積更多內容，將有助於重編新目，以便能澈底取代《經義考》的治經功效。筆者有鑒於此，乃將前人訂補之方法，有足供參考之處，詳引條例以論之，相關論述內容，詳見本文第五章第二節「訂補《經義考》的建議」一節，茲不贅述。

（三）補錄眾多解題

55周中孚：《鄭堂讀書記》卷三十二，頁596主之，其後盧仁龍：〈《經義考》綜論〉，頁427；林慶彰：〈朱睦㮮及其《授經圖》〉，(台北：文史哲出版社，《明代經學研究論集》，民國八十三年五月)，頁242。又該文原出自台北：《中國文哲研究集刊》第三期(民國八十二年三月)，頁417至445。又參考註2，頁2等等，均有上述之說。

56王重民：〈千頃堂書目考〉，見於《國學季刊》一卷七期，一九五○年七月。又收錄於《中國目錄學史論叢》，（北京：中華書局，一版一刷，一九八四年十二月)，頁185至212。又喬衍琯先生之文見於〈《經義考》所引《千頃堂書目》彙證〉，(台北：《書目季刊》六卷三、四期合刊，頁3至58，民國六十一年六月十六日出版)。又〈論《千堂書目》、《經義考》與《明志》的關係〉（台北：《國立中央圖書館館刊》(新)，十卷一期，民國六十六年六月），頁1至頁10。

57參考參考註1，附錄一〈經義考提要及版本介紹〉，頁二至頁四。又參考註22，頁31至頁48。又參考註23，頁239至頁262。

《經義考》雖曾輯錄眾多解題，藉以成其廣博，但是竹垞以一人之力，欲求遍覽群籍而無漏，則勢有未殆。後人於補正竹垞書目之時，常能補入不少敘錄，以補其纂輯不足之失，而補錄這些解題資料，將有助於經義考證之用。例如：翁方綱《經義攷補正》卷第七，賈逵《春秋左氏長義》下徵引「陸德明」之說：

> （賈）逵受詔列《公羊》、《穀梁》，不如《左氏》，四十事奏之，名曰《春秋長義》，章帝善之。58

翁氏於補正《經義考》之時，常能增補前賢解題資料，藉以補充論證資料，並且能夠吸取前人成果，藉以補竹垞不足之處。今考《經義考》「春秋類」收錄賈逵之作凡五，曰《左氏傳解詁》；曰《春秋左氏長經》；曰《春秋釋訓》；曰《春秋三家經本訓詁》59；曰《國語解詁》60，卻未能錄有《春秋長義》一書，翁氏徵引「陸德明」之說，可補竹垞著錄典籍未備之失，也能增加相關論說，對於讀者明瞭賈逵著述價值，實能有所助益。此外，翁氏也補入不少序跋資料，而有助於讀者瞭解經籍成書過程，則對於經學研究的開展，亦能有所助益，如能全面增補解題資料，將有助於讀者研治經書，進而發掘各書價值，以從事相關的研究工作。

（四）有助查考出典

從前賢考訂內容之中，我們能觀察竹垞的引書來源，大凡書籍著錄之初，皆有其依據，我們從翁方綱校訂之語，常能考知竹垞引書來源。例如：翁方綱《經義攷補正》卷第七，唐既《春秋邦典》條下，翁氏云：「按：《宋史》作『唐既濟』，此云『唐既』，蓋從《書錄解題》、《文獻通考》。」61，竹垞著錄唐氏著作之時，作者題作「唐既」，而不同於《宋史》題作「唐既濟」，顯然此條著錄來源，並非根據《宋史．藝文志》一書，而是轉錄《書錄解題》、《文獻通考》的內容，蓋竹垞輯纂書目之時，由於《書錄解題》一書極其罕見，且據《經義考》的引文，大抵引自陳振孫之言，大多同於《文獻通考．經籍考》，且竹垞自承編纂書目之初，係「倣鄱陽馬氏《經籍考》而推廣之」62，故其纂輯書目之時，乃是根據《文獻通考．經籍考》的內容，再行增飾而成，則二書之間的關係，自是相當密切，而此條文獻的記錄，乃是承自《文獻通考．經籍考》一書，故其書名題稱，實與《宋史》不同，而與《文獻通考》所載相符，足以證明竹垞所撰書目，確有不少內容襲自馬氏書目，諸如此類校正內容，將有助於查考竹垞著錄之來源，而使讀者對竹垞輯纂書目過程，能有更多的認識。

又翁方綱《經義攷補正》卷第八，王樵《春秋輯傳》下錄有案語云：

> 今傳王樵《春秋輯傳》二十三卷。此云《輯傳》十五卷，《凡例》二卷，誤與《千頃

58參考註16，卷第七，頁93。

59以上四書，見於參考註24，卷一七二，頁572至頁575。

60參考註24，卷二百九，頁535。

61參考註16，卷第七，頁104。

62參考註32，卷三十三〈寄禮部韓尚書書〉，頁414。

堂書目》同。63

又同書卷第八，鄧元錫《春秋繹通》下案語云：「《明史志》作《春秋繹》，此作《繹通》，與《千頃堂書目》同。」64，據上述所錄例證，則知竹垞引書內容，多來自《千頃堂書目》一書，是以在前賢校勘成果之中，即可發現竹垞著錄內容，則多同於《千頃堂書目》之文，則二書之間關係密切，亦能從前賢校勘過程之中，得以窺知一二。

綜合上述所論，透過校讎異文的工作，將使我們能觀察竹垞引文來源，並能進而考其種類，目前學界已有學者考及竹垞引文來源，但多屬於條舉大類，或是針對較常引用典籍，提出相關的研究報告65，但是欲大規模行之，全面詳查竹垞引書來源，則仍屬難為之事，如能透過異文的釐訂，進而考出引文來源，將有助於瞭解其引書種類、數量，而對於瞭解竹垞引書來源的考察，也將有極為正面的貢獻。

二、前賢校正之法的缺點

前人訂補《經義考》的內容，所收成效可觀，但是考證辨誤之事，難於盡善盡美，而隨著出土文獻日漸增加，或是學風日益細密，則前賢考訂成果，或有重新修正的必要，正所謂「前修未密，後出轉精」者也。綜觀前人考證成果，雖有其顯著功效，但終究未能全善，其中缺失如下：

（一）僅發其緒，而未及周全

前人補正《經義考》一書，雖然所涉內容極多，可供佐證者多矣，但多為僅發其緒，而未能整理全書內容，致使考證的成果，雖能言簡意賅，直中其要點，但是片語隻詞，難成巨構，至於所論要點，也未能周全，而有待細尋其例，重新整理、補正，方能擁有絕佳的補正成效。例如：前人對於《經義考》複重之例的探討，多僅見及二、三例證，且採取隨校隨錄的方式，而未能全面校出重出之例，使人有未竟全功之憾。

又翁方綱曾補錄竹垞缺錄的解題年月，惟亦採取隨校隨錄方式，故雖有補錄闕文之效，亦是未竟全功，仍留有許多補輯空間66，而有待學者持續努力，始能補足其闕，以供讀者參考之用。整體而論，前賢考訂方法的運用，雖然思考細密，但未能貫徹施行其法，進而凸顯其訂補成效，這是值得我們深思之處。因此，如何善用前賢訂補之法，並且擴大研究範圍，將是掌握訂補成果的關鍵。例如：前賢能利用版刻知識，校改不少缺漏字句，但未能確實還原引文出處，使得校訂的成果，則稍顯侷限，如能擴大前人訂補方式，全面校正異文資料，並且酌增刪錄文句、序跋，將使得校正成果，更增其參考功效。

63參考註16，卷第八，頁122。

64參考註16，卷第八，頁124。

65王重民、喬衍琯二先生之文，俱參考註56的說明。

66相關成果，詳見本文第三章〈附表一：竹垞刪略進表、序跋的年月資料簡表〉，該表有詳細比較，茲不贅述。

（二）失之瑣細，而難成系統

前賢校勘文字之時，常注重單字的比對，惟此類校訂的文字，雖有其校勘功效，但是整體的校訂成果，則往往失之於瑣碎，而難以反映全書解題之誤，是以不便於讀者的使用。例如：翁方綱《經義考補正》卷第七，《春秋古經》條下，翁氏曰：「董仲舒條內，上明『上明先生之道』，『先』當作『三』。」67，又該書同卷，樂遜《春秋序義》條下云：「《北史》條內『字尊賢』，『尊』當作『遵』。」68，諸如此類校勘內容，雖能呈現異文情況，但是無益於經義發揮，也難以有效改正是書漏誤，而且由於考辨內容瑣碎，雖有校訂異文之效，但是多屬於舉例性質，是以校補的成果，實稍顯侷限，至於其他許多刪略、錯簡、訛增等情況，則其訛誤情況，勢必遠勝於單字的差異，惜未見學者整理此類異文，如果深究其原因，係因竹垞引文出處的查考，實需耗費較多時日，不僅所收成效零散，且較為枯燥無趣，是以較難吸引學者的重視，而使得訂補成果，稍為受到限制。然而，如能確實還原引文來源，將能校理更多異文資料，則較之前賢校訂成果，勢能增添更多參考價值。例如：《春秋古經》條下，「董仲舒曰」為例，翁氏僅校得一字之誤，說法詳見上文。然而，如能還原其說，則知竹垞所引「董仲舒曰」，乃是出自《史記．太史公自序》、《春秋繁露》二書，而二相比較之下，則竹垞刪改文句頗多，將不僅限於一字之誤，茲繪製簡表如下：

原文	說明	出處
「先王之道」四字	「先」字，當改作「三」字。	《史記》卷一百三十，〈太史公自序〉，頁三二九七。
「定猶豫」三字下	竹垞刪去「善善惡惡，賢賢賤不肖」等九字。	《史記》卷一百三十，〈太史公自序〉，頁三二九七。
「萬物之聚散，皆在《春秋》」九字下	竹垞於「《春秋》」二字下，刪去「《春秋》之中，弒君三十六，亡國五十二，諸侯奔走不得保其社稷者不可勝數。察其所以，皆失其本已。故《易》曰『失之毫釐，差以千里』。故曰『臣弒君，子弒父，非一旦一夕之故也，其漸久矣。』等六十九字。	《史記》卷一百三十，〈太史公自序〉，頁三二九七至頁三二九八。
「後有賊而弗知」等六字	「弗」字，當改作「不」字。	《史記》卷一百三十，〈太史公自序〉，頁三二九八。

67參考註16，卷第七，頁89。

68參考註16，卷第七，頁99。

「《春秋》甚幽而明」等六字	竹垞於「《春秋》」二字下，刪去「記天下之得失，而見所以然之故。」等十三字。	《春秋繁露今註今譯》卷二，〈竹林〉第三，頁四二。
「《春秋》分十二世」等六字	竹垞於「世」字下，刪去「以為三等」等四字	《春秋繁露今註今譯》卷一，〈楚莊王〉第一，頁八。
「定、哀、昭」三字，	「定、哀」二字，原作「哀、定」二字，竹垞將二字誤倒。	《春秋繁露今註今譯》卷一，〈楚莊王〉第一，頁八。

根據上述簡表得知，竹垞改動單字各二次，並同時刪去九十五字，甚且誤倒二字一次，而翁氏僅校及單字改動一處，卻對竹垞刪去九十五字，誤倒一次，另有一次妄改文句的情形，卻是置之不論，是以目前的校勘成效，實有未足之處，而有重新校理的空間。時至今日，研究經學的環境，業已遠勝於昔日，且研究觀念更為嚴謹，若能全面補正竹垞纂輯之誤，並能校正相關闕文誤字，將能有效提高該書的使用效率，而有利於經學研究的開展，惜未有學者願意花費較多時間，全面進行此書的校勘、糾謬，畢竟此類訂補工作，實屬繁瑣難工之事，難以吸引學者的興趣，是以迄今僅見及林慶彰諸位教授《點校補正經義考》、《經義考新校》二書，稍能涉及全書文句的校理，其他則未見任何專門論著，係涉及此書的校訂工作。但是，如果學者能完成校勘工作，將功同再造，不僅能有效改正竹垞輯纂之誤，且能酌添各種考證資料，則能提昇全書價值，而有利於經學研究的發展。

（三）論證未足，而猶待補議

前賢訂補《經義考》內容之時，偶有疑而未決，論證不足之失，是以訂補的成果，乃稍顯侷限，諸如此類內容，實有待後人重新輯補文獻，復詳加考證、糾正，方能補足前人論點，進而確保補正成效。當筆者輯錄諸家考辨之文，並且同時審議各家論點，常能發現前賢訂補內容，往往結論近同，但是由於分析方法不同，而使得考證成效，則稍顯互異。例如：四庫館臣於姜寶《春秋事義全考》條提要云：

> 《明史・藝文志》、朱彝尊《經義考》俱載是書二十卷，而此少四卷。然檢其篇帙，未見有所闕佚，疑或別有附錄而佚之歟？69

《明史．藝文志》、《經義考》俱載為「二十卷」，然館臣僅見及十六卷之本，乃疑其「別有附錄而佚之歟？」，諸如此類懷疑之語，或許貼近實情，但是缺乏可靠論證之下，而使得考證結果，往往流於臆測之語，而無法得到確切實證。崔富章《四庫提要補正》一書，曾有詳細考訂，今觀其所論內容，適能彌補館臣考證疏漏之處，說明如下：

> 《四庫採進書目・浙江省第六次呈送書目》載《春秋事義全考》十六卷，明姜寶著，八本。《浙江採集遺書總錄》注明係『倦圃藏刊本』，此即庫書底本。今上海館、南京館藏明萬曆十三年李一陽刻本十六卷，有萬曆十三年寶《自序》，稱「王氏為予姻友，地近志同，家居往來印證，若有合焉，乃繕寫携入，留曹侍御。同郡李君一陽見

69參考註20，卷二八，頁232。

> 而謂可以傳，遂鋟諸梓，一陽亦為之序。」由是知，李本乃此書最初之刻本，曹溶（倦圃）所藏，當即此本，四庫所據以繕錄者，決無缺卷。70

今觀崔氏考證論點，不僅能詳考其傳本、藏地，且能目見其〈自序〉，而確知其書卷數，實為「十六卷」，是以崔氏論點，雖大抵近同於館臣論點，但是由於取證確實，適可彌補館臣疑而未決之失。由此可見，當我們輯錄前賢補正成果之時，常能發現諸家辨證差異，而前說未密，後出轉精，是以針對前賢論證未足之處，如能重新補入相關文獻，能使讀者明瞭竹垞纂輯之誤，則能有提昇補正功效。

（四）糾謬失當，而有待反正

前賢糾謬之作，亦有竹垞不誤，而後人誤考其書，導致錯糾內容，因而有誤，諸如此類錯糾之例，實有待後人重新補證，以還其確切原貌。例如：翁方綱《經義攷補正》卷第八，夏元彬《麟傳統宗》條下曰：「今傳夏元彬《麟傳統宗》十二卷。」71，今考沈初等《浙江採集遺書總錄》乙．頁四二著錄，該目確將卷數題作「十二卷」，而翁氏所據之本，或同於此。然而，考之永瑢等撰《欽定四庫全書總目．存目》所錄「浙江巡撫採進本」，卻題作「十三卷」，且據《中國古籍善本書目》著錄內容，得知現存北京故宮博物院藏有明崇禎刻本，亦題作「十三卷」，蓋北京故宮博物院藏本，原為清宮內院的藏書，既然該地藏有「十三卷」的版本，則翁氏所題內容，恐有其商榷餘地。

又翁方綱《經義攷補正》卷第七，馮繼先《春秋名號歸一圖》條下指出：「閻百詩曰：『繼先，『先』當作『元』，偽蜀朝人。』」72，林慶彰、蔣秋華等《點校補正經義考》襲之，於註腳曰：「『繼先』，應依《補正》作『繼元』」73，惟據胡玉縉撰、王欣夫輯《四庫全書總目提要補正》卷七曰：

> 翁方綱《經義考補正》云：『閻百詩曰：『先』當作『元』。』玉縉案：瞿氏《目錄》有宋刻本，作繼先。74

是則宋刻本有作「馮繼先」者，蓋與竹垞所錄相同，是以此條著錄內容，是否當據閻百詩、翁方綱之論，而逕改作「馮繼元」者，恐有其商榷餘地。

又《經義考》卷二○七，宋徵壁《左氏兵法測要》條下引李雯〈序〉曰：

> 尚木少為《左氏》之學，樂觀其治兵行師、攻謀交伐之術，因裒集其事，通其流略，

70參考註28，頁176。

71參考註16，卷第八，頁126。

72參考註16，卷第七，頁103。

73參考註24，卷一七八，頁751。

74胡玉縉撰、王欣夫輯：《四庫全書總目提要補正》（上海：上海書店出版社，一九九八年一月一版一刷），頁162。

至於輓近，皆較量而籌畫之，為《左氏兵法測要》二十卷，此真救時之書也。[75]

翁方綱《經義攷補正》卷第八，有如下考訂內容：「李雯〈序〉內：《測要》二十卷，『十』下脫『二』字。」[76]，竹垞明言宋徵壁《左氏兵法測要》為「二十二卷」，卻於李雯〈序〉中，僅言及「二十卷」，其下當脫一「二」字，且《點校補正經義考》承自翁氏之文，以明竹垞所輯序跋之誤，然考諸北京大學圖書館藏明末劍閒齋刻本，其序文明作「二十卷」，而非題作「二十二卷」，翁方綱根據竹垞所題卷數，逕將「二十卷」改作「二十二卷」，實則原書應作「《左氏兵法測要》二十卷，《卷首》二卷」，竹垞著錄卷數，蓋係併合《卷首》之數，因而卷數有異，而李雯〈序〉則據其實情，題作「二十卷」，是則應糾改竹垞所題卷數之數（或補以注文說明之），而非逕改〈序〉中文字，諸如此類校正內容，若不能重新還原引文來源，當以李〈序〉之文為誤，惟衡諸其實情，李氏序文實作「二十卷」，並無脫漏卷數，而「二十」、「二十二」之異，乃是計數方式不同所致，是以若依翁氏補正之語，逕自補入「二」字，反與李氏〈原序〉或異，是以不宜逕自補入「二」字，諸如此類訂補方式，實有待逐一反正，始能釐清其誤。

歷來許多學者投入考證心力，汲汲於《經義考》的考訂工作，其中涉及的考證內容，可謂十分廣博，且使用之法，也有完備體系，使得補正成果可觀，因而延伸其參考價值。然而，考證訂補的工作，經常繁瑣冗雜，難工其事，且難以求其全備，是以前賢補正成果，雖有極其可觀之處，但是散見諸多論著之中，而不便於讀者使用，且前賢考訂之時，難免有所誤失，是以亟需全新補正之作，以便收納前賢補正成果，並能效其考訂之法，重新整理竹垞纂輯之誤，如此一來，始能延續《經義考》的價值，而更便於讀者治經之用。惟補正《經義考》的工作，由於考證工程龐大，需要投入大量的財力、物力、人力，始能獲致其功，筆者以一己之力，雖曾獲得國科會的經費獎助，但是礙於現實之故，而難有大規模整理之作，故採取分經考辨之法，期能陸續完成校正此書的工作。在規劃訂補工作之前，如能先行瞭解前人成果，並能析其考訂方法，以便能借重前人之法，藉以提高訂補成效。整體而論，前賢校正《經義考》的成果，雖有不少的創見，也能指正竹垞所生漏誤，但是考證的工作，往往難求全備，實有重新輯考的必要。此外，如以今日學術環境而論，早已較之昔日環境為佳，卻未見更好經學書目問世，而《經義考》的治經問學之效，也就持續延續至今，而未能以其他書目替之，是以學者於治經之時，多能參證此書內容，雖能得其參考功效，卻也承襲舊目之失，是以學界需要一部更完整的校正之作，以便能提供正確內容，以供學者治經之用。

75參考註24，卷二○七，頁488。

76參考註16，卷第八，頁126。

第三章　《經義考》著錄「春秋類」解題校勘舉隅

《經義考》輯錄解題豐富，考訂內容精詳，其深具治經功效，已早為學界所知悉，但是該書所涉內容廣博，雖然不乏精闢之見，可供讀者治經之用，惟各經纂輯時間不一，精粗有別，其中「春秋類」以下的典籍，纂輯成果稍差，舉凡存佚的判別，或是卷帙的釐訂，均有欠允當，昔日吳騫曾考訂竹垞此書疏失，並且有著如下評論：

> 竹垞先生《經義考》最為賅博，然《春秋》而下，存佚、卷帙，微有訛舛，疑當時未見其書，而設以己意度之也。1

據此，吳氏認為《經義考》一書，雖然內容賅博，但其書自「春秋類」以下內容，多未能據原書著錄，是以考證微有訛舛之失，蓋以「已意度之」，顯見此書自「春秋類」以下的考訂內容，實有重新釐正的必要。

《經義考》是經學書目的重要之作，是書引證浩繁，兼能考訂各種解題，是以案語所涉內容，頗有可採之處。然而，竹垞既然引用前人文獻，則引文內容是否正確？也有重新校理的必要，若能以校勘為基礎，全面校理竹垞解題內容，不僅能還其引文原貌，也能掌握竹垞編纂原則，更能延續是書的參考價值。洪湛侯《文獻學》一書，曾經對於校勘古籍之效，提出以下論點：

> 校勘是指以精密的方法，用不同版本或其他資料，通過比較和推理，發現並校正古書中由於鈔寫或翻刻等原因而產生的字句、篇章等的錯誤，它是文獻和古籍整理的重要方法，同時又是查閱古籍的人必須具有的基本功。2

據此，若能以校勘為基礎，全面校理竹垞解題內容，將有助於釐清字句參差，或是發現其篇章錯謬之處，而有助於讀者參考是書內容，並且避免相關疏漏，是以筆者有鑒於此，乃積極校理《經義考》的引書內容，並在校勘過程之中，常能發現其字句錯謬，且多有疏漏之處，是以積極釐析條例，期能掌握竹垞纂輯之誤。本章所論內容，雖係條析舉例的性質，藉以證成竹垞解題之誤，卻能完整反映其中問題，期使讀者得知相關情況，且對於竹垞纂輯書目之誤，能有更全面的認識。

1盧仁龍：〈《經義考》綜論〉，（台北文史哲出版社，《中國經學史論文論集》下冊，民國八十二年三月），頁427。該文原發表在《社會科學戰線》一九九○年二期，頁334至341。又盧氏條例「辨存佚不明」之例，以為朱氏《經義考》疏失之一。

2洪湛侯：《文獻學》（台北：藝文印書館，民國八十五年三月初版），「第三章　校勘」，頁179。

第一節 《經義考》解題變動因素分析

古人的引書觀念，不若今人嚴謹有序，如果覈之原書文句，往往字句變動甚劇，甚至任意刪削文句，徒增後人使用之不便。林慶彰先生《明代考據學研究》指出：

> 古人引書不若今人之逐字逐句引之，故執所引覈之原書，字句每多出入，至若將引文隨意刪削，實於明人為烈。3

明儒引用前書之時，常有刪削文句之舉，致使字句出入頗多，平添考據學者的困擾。清儒承繼明朝學者的遺緒，但對於引文方式的要求，已有若干的學術規範，因而發展出「刪纂之學」4的名號，儼然成為專門的學問。筆者曾全面校理《經義考》引錄《文獻通考．經籍考》之文，面對文句異動嚴重，而有著如下感觸：

> 竹垞在字句的引用上，有頗多的出入，蓋其多有誤刪之處，致使漏失許多的參考價值，如果原文的漏列，僅是部份文字的脫漏，則可視為抄纂的疏失，尚情有可原。若是涉及整段文字的脫漏，則不僅會影響到原文的正確性，也會降低原文的參考價值。5

當我們還原《經義考》引文之時，常能發現竹垞漏輯內容甚多，且有不少剪裁資料，仍具有不少的價值，如能將資料彙聚整理，將有助於探索更多議題，而有利於經學的研究。因此，筆者校理《經義考》「春秋類」解題之前，擬先行瞭解引文的變動因素，才能有助於瞭解問題的所在，而能對於全書異文情況，做出系統分析與詮釋，說明如下：

一、竹垞剪裁文句

竹垞引證資料之時，並未言明剪裁體例，使得讀者無從掌握其法則，筆者曾就教於中央研究院陳鴻森教授，當時陳教授曾云「朱彝尊對於文獻的剪裁刪錄，似乎隱藏某種規律性，其中有研究價值。」，筆者亦深有同感，乃重檢竹垞的引文資料，並且釐析其條例，始能對於竹垞「剪裁」之法的運用，能有進一步的認識。

大凡文章的創作，易流於繁雜冗長之弊，如果不加以修飾，則連篇累牘，未免稍冗，乃需濟以鎔裁之法，並且刪去累詞贅句，使得文章精簡恰當，流暢自適，而資料的輯錄與運用，亦有如是問題，是以明儒引用前人文獻之時，常會隨意刪削文句，取其便於己用之文而錄之，至於無用之文，則隨意見棄，而使得引文字句之中，每與原文多有出入，頗不利於讀者參考之用。竹垞編纂《經義考》之時，由於所錄解題豐富，如據原書直錄其文，不事任何剪裁文獻之舉，則難免有冗雜之弊，為求避免全書的纂輯資料，陷於冗贅之弊，遂逕自剪裁解題文句，並且調整內容次第，甚且重新改寫成篇，以求達到精簡要求，諸如此類的作法，也確能掌握實用資料，而有利於讀者治學之用。然而，此類剪裁之法的應用，實不合於目前學術規

3林慶彰：《明代考據學研究》（台北：文津出版社出版，民國七十五年十月），頁123。

4永瑢等撰：《四庫全書總目》子部．卷一三六，子部類書類，《御定子史精華》條下，頁1157。

5楊果霖：〈《經義考》徵引《文獻通考．經籍考》考述〉（台北：《孔孟月刊》第三十八卷第十期，民國八十九年六月二十八日），頁32。

範，且會造成讀者誤用解題內容，甚至會錯失重要資料，則其中利弊得失，恐有商榷餘地，雖不能以此一標準，苛責竹垞之失，但是瞭解竹垞引文之法，將有助於釐清其內容，始能正式參考其書，以應學術研究之用。當我們還原竹垞引文資料，比勘其文句，觀察其詳略，不難發現其剪裁文獻之法，而瞭解這些剪裁法則，也將有助於掌握竹垞纂輯原則，說明如下：

（一）因內容重複而刪

《文心雕龍》卷七〈鎔裁篇〉論及文字鎔鑄之法，曾以意念重出，或辭句重複，視為文章創作之失。茲引其文如下：

> 規範本體謂之鎔，剪截浮辭謂之裁。裁則蕪穢不生，鎔則綱領昭暢，譬繩墨之審分，斧斤之斲削矣。駢拇枝指，由侈於性；附贅懸疣，實侈於形。一意兩出，義之駢枝；同辭重句，文之疣贅也。[6]

作家在創作文章之時，如果文句重複出現，或是意念兩出，則殊非作文之法。因此，為求避免文義重複，乃需濟以鎔裁之法，並將重出內容刪去，以達到精簡要求，竹垞纂輯《經義考》之時，常為求有效簡省篇幅，並且提供讀者更多參考資料，乃刻意使用「剪裁」之法，用以刪去繁複詞句，期能增加文獻使用功效，使其輯錄解題，能達到指引治學之效。一般而言，書目解題的輯錄，要能兼具參考價值，卻又不能過於浮濫，是以在汰選資料方面，確實需要費盡思量。《禮記．曲禮》云：「毋勦說，毋雷同。」[7]，顧炎武《日知錄》謂之「此立言之本」[8]，顧氏重視創新之論見，是以認為好的論點，要能流傳久遠，就不應抄襲前人論點，才能使見解流傳後世，而此一學術見解，實屬真知灼見，也能符合後世的學術規範。反之，竹垞為求有效精簡篇幅，乃刻意剪裁文獻之舉，使其輯錄解題，常與原書文句多有出入，頗不便於讀者的應用，今視其作法，則有商榷之處。

大凡從事考證文獻的學者，多能援據精博，以利考證之業，但如何能兼具博證、簡要的要求，往往考驗學者的智慧。筆者曾探索竹垞的治學觀念，並考其主張「簡明精要，去除繁瑣」的論點[9]，並且得到如下看法：

> 竹垞雖強調博證的工夫，也重視精要，若僅要求廣博，而不能精當切要，終究不是優秀的著作。因此，其對於文獻的考證，除要求內容的豐富之外，也能注重裁剪，使考

6劉勰著．王更生注譯：《文心雕龍讀本》下冊，卷七（台北：文史哲出版社，民國八十年九月初版四刷），頁92。

7漢．鄭玄注，唐．孔穎達等正義：《禮記正義》卷二，〈曲禮上〉（台北：藍燈文化事業公司，不著出版年月），頁35。

8顧炎武著，黃汝成集釋，欒保群．呂宗力校點：《日知錄集釋》（石家庄：花山文藝出版社，一九九○年一版一刷），頁855。

9楊果霖：「朱彝尊《經義考》研究」（台北：中國文化大學中文研究所博士論文，民國八十九年六月），頁70。

證的結果，能夠簡要精要的呈現，非單純的排比，所能比擬者。10

竹垞纂輯群書之時，常能折衷博證與精要的特點，《曝書亭集》卷三十二〈史館上總裁第七書〉曰：「纂修者，得以參詳同異，而不失之偏」11，所謂「參詳同異，而不失之偏」，即是重視剪裁文獻之效，衡諸竹垞纂輯之籍，諸如《經義考》、《明詩綜》等書屬之，則多有類似表現。因此，在竹垞眾多撰著之中，多能具備文獻參考價值，同時具有個人精闢論見，是以其撰書內容，常能獲得學者的重視，也多能引用其書內容，以為治學考證之用，例如：四庫館臣撰寫《提要》之時，即曾大量參考竹垞《經義考》、《明詩綜》等書，可見其撰書價值，早已獲得後世學者的肯定。整體而論，竹垞雖然提倡博覽群書，以利考證之業，但非一味的講究廣博，而不事任何剪裁，反而刻意應用「剪裁」之法，藉以裁剪過多材料，使其提供的資料，能有助於治經之用。因此，竹垞編纂《經義考》之時，常會刻意刪去重複資料，使其書卷帙雖博，但是重複資料不多，而不致累積無用之文，使得輯錄的解題，將更為契合實用。例如：《經義考》卷一七〇，公羊高《春秋傳》條下引文云：

羅璧曰：「《公羊》、《穀梁》自高、赤作《傳》外，更不見有此姓；萬見春謂皆姜字切韻腳，疑為姜姓假託。」12

竹垞於「萬見春謂」四字之下，刪略「《公羊》、《穀梁》」13四字，蓋或以為四字內容，實與羅璧前文重複，因而刪棄其文，以收精簡之效。

又《經義考》卷一九〇，程公說《春秋分紀》條下解題云：

王應麟曰：「《春秋分記》九十卷，推《春秋》旨義，即《左氏傳》分而記焉，又旁採公、穀諸子之說附其下，又為年表、世譜、世本及天文、疆域、禮樂、諸書，次國、小國著錄。」14

今考此文出自《玉海》15一書，原書於「九十卷」三字下，另有「程公說撰」四字，竹垞或以四字內容，實與作者姓名重複，故刪去不論，藉以達到精簡的要求，惟此一作法，已使其引文內容，實與原書文句相異，諸如此類內容，實有待學者完整校理，始能還其原文之貌。

又《經義考》卷一八〇，孫子平、練明道《春秋人譜》條下引「王應麟曰」云：

王應麟曰：「元祐中，孫子平、練明道編《春秋人譜》，凡三十八國、千七百六十五

10參考9，頁71。

11朱彝尊：《曝書亭集》卷三十二，（台北：世界書局，民國七八年四月再版），頁408。

12朱彝尊原著，林慶彰、蔣秋華、張廣慶、楊晉龍等人：（點校補正）《經義考》（台北：中央研究院中國文哲研究所籌備處，民國八十六年六月），卷一七〇，頁535。

13宋．羅璧，《羅氏識遺》（台北：藝文印書館，一九六七年），卷三，頁443。

14參考註12，卷一九〇，頁110。

15王應麟：《玉海》（台北：大化書局，「玉海」，民國六十六年十二月，景印初版）冊二，卷四○，頁803B。

人，分三卷，今合為一。」16

竹垞於「《春秋人譜》」四字之下，明顯刪去「一卷」17二字，竹垞或以二字與《宋志》著錄內容重複，且王應麟《玉海》下文之中，尚引及「分三卷，今合為一。」，明言此書分卷方式，乃已得知是書卷數，實為「一卷」，因而刪去「一卷」二字，今據原書文句，理應加入「一卷」二字，而不宜任意刪去之，以免與原書文句不合。

綜合上述所論，《經義考》引證博富，但是竹垞刻意避免重複之下，使其解題內容較為精簡，雖能達到參考成效，但是竹垞所引文句，實與原書文句差距稍大，或刪書名；或刪人名；或刪卷數，諸如此類文句，實有其參考價值，縱使內容有重複之處，但因原書文句錄之，則實應存其文句，而不應任意剪裁字句，以免混亂原書內容。因此，竹垞為求避免內容重複，而有剪裁文句的作法，實有檢討的必要。

（二）因資料冗長而刪

所謂的「剪裁」，係指刪去浮濫詞句，以符合精簡要求，書目編纂者常為求有效控制篇幅，勢必要刪去繁冗無當之文，而竹垞編纂《經義考》之時，亦明顯刪去冗長資料，以達到精簡文句的要求。因此，竹垞對於不事剪裁的撰著，常能有所批評，例如：〈夢粱錄跋〉云：

> 曩從古林曹氏借抄《夢粱錄》，係楊禮部南峰節文，止得十卷，後留京師，聞棠村梁氏有足本，其卷倍之，亟錄而藏諸笥。歲辛巳（一七〇一），寓居昭慶僧樓，取而卒讀之，嫌其用筆拖沓，不知所裁，未若泗水潛夫《武林舊事》之簡而有要也。18

竹垞比勘《夢粱錄》、《武林舊事》的優劣情形，其評論《夢粱錄》一書，「用筆拖沓，不知所裁」，其中頗有嫌惡之語，反而看重《武林舊事》的「簡而有要」的特色，是以竹垞雖重視文獻的輯錄，但非一味強調廣博，而不事剪裁之舉，若是輯錄內容雖屬博富，但是資料未經汰選，則此書縱能收錄廣博資料，卻未必屬於優秀典籍，也非竹垞追求的纂輯目標。《經義考》卷帙多達三百卷，其著錄之富，引證之博，堪稱古今書目之最，殊不知竹垞編纂書目之時，已能刪除拖沓累贅之文，藉以符合簡要原則。否則，依竹垞輯錄文獻來源，勢必會遠多於目前內容，若是其書想要刊印行世，則過多篇幅的典籍，易因刊印書籍之時，需要大量的印刷費用，反而易為市場所淘汰，長久以往，則是書的流傳，勢必會產生極大的困難。竹垞〈寄禮部韓尚書書〉一文之中，曾有如下的論述：

> （竹垞）緣已刻未刻稿未免太多，慮不足以傳遠，尚須削繁剔繆，存其十五，然後繕錄上呈記室。19

竹垞書稿內容極多，但是為求流傳久遠，也僅能「削繁剔繆」，「存其十五」，才能使撰著流傳久遠，是以竹垞經常刪除冗雜文句，藉以符合參考效益，而在《經義考》纂輯過程之中，

16參考註12，卷一八〇，頁997。

17參考註15，冊二，卷四〇，頁802D。

18參考註11，卷四十四，〈夢粱錄跋〉，頁534。

19參考註11，卷三十三，〈寄禮部韓尚書書〉，頁四一四。

雖曾輯錄大量的序跋資料，但是對於過於冗長之文，則多棄置不錄，以求精簡篇幅。竹垞曾自言剪裁標準，《經義考》卷二五七陳禹謨《經言枝指》條下，竹垞案語如下：「諸序文多冗長，故不錄。」[20]，竹垞自承刪錄序文標準，係取擇於文字的長短，若是序文過長，則刪去不錄。今查考《經義考》著錄之籍，其中不乏缺錄序跋情況，今列簡表如下：

朝代	收錄序跋	未收序跋	朝代	收錄序跋	未收序跋	朝代	收錄序跋	未收序跋
明	392	598	宋	176	303	清	67	93
元	78	73	唐	25	53	未知朝代	6	37
漢	7	24	晉	6	6	魏	2	6
周	0	5	吳	1	2	金	1	2
後蜀	0	2	魯	0	2	北周	1	1
南齊	0	1	後周	0	1	梁	0	1
隋	2	1	劉宋	0	1	秦	1	0

雖然許多現存經籍，未必擁有序跋資料，但是竹垞輯錄過程之中，確曾刪去不少序跋，則是無庸置疑之事，例如：《經義考》卷二百六錄有卓爾康《春秋辨義》一書，竹垞注曰「存」籍[21]，可見竹垞確曾見及此書，而卓氏成書於「崇禎辛未（崇禎四年，西元 1631 年）中秋」[22]，且於康熙年間之前，僅見「卓爾康自刊本」[23]、「明崇禎仁和吳夢桂校刊本」二種，今已不見卓爾康自刊本，惟能考見台北：國家圖書館藏「明崇禎間仁和吳夢桂校刊本」，其書錄有孔貞運、阮漢聞、張文光、石確、卓爾康等五篇序文，孔〈序〉見於崇禎癸酉（崇禎六年，西元 1633 年）冬十月[24]、阮漢聞〈序〉見於天啟甲子（天啟四年，西元 1624 年）秋、張文光〈序〉見於崇禎七年（西元 1634 年）仲夏望日[25]，石確〈序〉雖不詳作於何時，但是〈石序〉卻是應卓爾康邀約而作是文，顯然也是同期之作，而上述五篇序文的共通特點，都是內容豐富之作，惟其序跋文句頗多，而俱為竹垞刪去不錄，雖不知竹垞所見何本？但阮漢聞、石確、卓爾康三篇〈序〉文，定將見於卓爾康自刊本，然竹垞不錄及上述諸文，當因序文冗長之故，因而未能收錄其文。整體而論，竹垞為求內容精省恰當，乃刪去冗長序跋，今觀其作法，也確實節省不少篇幅，以便能收繫更多解題。否則，若是全數收錄所見序跋，

20參考註12，卷二五七，頁648。

21參考註12，卷二○六，頁459。

22參考卓爾康：《春秋辯義．序》（台北：國立中央圖書館編印，《國立中央圖書館善本序跋集錄》，民國八十一年），頁345。

23邵懿辰撰、邵章續錄：《增訂四庫簡明目錄標注》（台北：世界書局，民國六十八年八月三版）卷三，頁118。

24參考註22，〈孔貞運序〉，頁341。

25參考註22，〈張文光序〉，頁343。

則勢必增加上千篇序跋資料，其篇幅之多，未免嫌於冗雜，而不切實用。然而，在竹垞刪錄資料之中，不乏可供利用的材料，諸如此類資料，理應完整輯錄其文，並且探索其內容、價值，方能提高《經義考》的使用價值。

又《經義考》卷一七四，氾毓《春秋釋疑》條下引「《晉書》」如下：

> 《晉書》：「氾毓，字稚春，濟北盧人。武帝召補南陽王文學祕書郎、太傅、參軍，並不就。於時青土隱逸之士劉兆、徐苗等皆務教授，惟毓不蓄門人，清淨自守。時有好古慕德者諮詢，亦傾懷開誘，以一隅示之，合《三傳》為之解注。撰《春秋釋疑》、《肉刑論》，凡所述造，七萬餘言。」26

上文出自《晉書》卷九十一，〈儒林列傳〉第六十一，頁二三五○至頁二三五一，竹垞徵引其文，於「盧人」二字下，缺錄如下文句：

> 也。奕世儒素，敦睦九族，客居青州，逮毓七世，時人號其家「兒無常父，衣無常主」。毓少履高操，安貧有志業。父終，居于墓所三十餘載，至晦朔，躬掃墳壠，循行封樹，還家則不出門庭。或薦之。27

上述缺漏之文，合計達七十一字，內容涉及氾毓家世背景、孝親作為等事蹟，諸如此類內容，實有助於瞭解氾氏生平背景，惜竹垞動輒刪去數十字，使得解題的內容，與原書文句出入甚多，而有重新校正內容的必要。其次，此類剪裁解題之例，實屬隨處可拾，其中又以徵引正史之文，刪略情況更為嚴重，若能根據正史之文，以補入相關文句，以足全篇文氣，則能提供讀者更多資料，而有助於經學研究的評估。

（三）因資料常見而刪

《經義考》的解題資料，常會輯錄各種罕見資料28，使得全書輯錄之文，具有極高的參考價值。然而，竹垞雖輯錄各種文獻，以為解題資料，但非一味貪多務博，全數引錄眾多文獻資料，而是對於平凡易得之文，乃採取刪錄其文的作法，藉以節省書目篇幅，而有剪裁文獻之效。例如：《文獻通考．經籍考》卷十《春秋考異》條下，曾經徵引如下文句：「陳氏曰：不著名氏。錄三傳經文之異者。」29，竹垞於《經義考》卷一九二著錄其書，題作佚籍，作者為「亡名氏」，而對照《通考》所引「陳氏曰」，則其文句內容，既無益於考訂作者生平資料，且「錄三傳經文之異者」一句，也缺乏學術的價值，故略而不錄。筆者曾比對《文

26參考註12，卷一七四，頁629。

27唐．房玄齡等撰，《晉書》（北京：中華書局，一版一刷，一九七四年），卷九十一，〈儒林列傳〉第六十一，頁2350至頁2351。

28例如：《經義考》收錄二百五十一則「陸元輔曰」，應是出自陸元輔《續經籍考》一書，該書僅見於北京圖書館館藏，係屬於罕見孤本，值得取以比勘。此外，尚曾錄有「黃虞稷曰」、「《嘉興縣志》」等諸多資料，都具有輯佚價值，諸如此類內容，確能增加全書的利用價值。

29馬端臨：《文獻通考．經籍考》（上海：華東師範大學出版社，一九八五年六月），卷十，頁268。

獻通考．經籍考》與《經義考》的內容，常會發現竹垞省略整篇解題內容[30]，當檢視其內容之時，更可得知刪錄內容，實多為傳記資料，而由於易於檢得資料，竹垞乃刪去其文，諸如此類剪裁行為，確能節省解題篇幅，藉以發揮最大成效。

竹垞對於常見資料，常會採取剪裁行為，如此一來，雖有節省篇幅之效，但是資料是否常見，常隱含主觀認定與取捨，如果逕行刪去資料，則日後若是該書佚失之後，將使讀者失去參考機會。站在編目者立場而言，理應廣泛提供各種資料，再由讀者判定其價值，才不會錯估文獻價值，尤其現代電腦科技發達，可以將大量解題資料，逐一轉化成數位資料，不僅存取方便，也易於保存，且查詢便利，若能掛載於學術網路之上，則資料多寡將不受限制，若能提供更多資料，以利於讀者使用，則能將專科書目的功效，發揮得更為透徹，是以學者若能改變編輯觀念，而以讀者需求為導向，則能有助於編輯更好書目，以利於讀者的使用。

（四）因析離資料而刪

朱彝尊編纂《經義考》解題之時，曾有「析離」之法的運用[31]，所謂的「析離」，乃是視資料內容、性質，將其安插至不同著錄之下，如此一來，可使讀者便於檢閱資料，藉以提昇書目的參考效益。然而，竹垞在析離文獻之時，為求解題的流暢性，或係考量資料性質，而多有剪裁行為。例如：黃仲炎《春秋通說》一書，錄有游侶、李鳴復〈經筵講讀奏舉狀〉，竹垞徵引此狀之時，曾根據引文內容，而分別將部份內容，轉錄於《經義考》卷一百九十，頁一一八，龍淼《春秋傳》條下；又載於同卷，頁一二二，黃仲炎《春秋通說》條下，今將三文的內容，並舉於下列簡表之中，以見其剪裁情況：

出處	解題
游侶、李鳴復〈經筵講讀奏舉狀〉	……（前文略）伏見溫州布衣黃仲炎折衷是非，事為之說，證以後代，鑒戒昭然，言古驗今，切於治道，如謂經□（案：今本漫漶，竹垞題作「有」字）教戒，不為褒貶，足杜擬僭，允為潛心。吉州布衣龍淼會稡經傳，科別其條，治亂興衰，本末該貫，評以己見，多所發揮，如謂魯僭紀元，獨承正朔，其於名分，所補良多。二臣於經可謂勤矣，而其他著述，亦多可稱。……（後文略）
《經義考》卷一百九十，頁一一八，龍淼《春秋傳》條下	伏見吉州布衣龍淼會萃經傳，科列其條，治亂興衰，本末該貫，評以己見，多所發揮，如謂魯僭紀元，獨承正朔，其於名分，所補良多。」
《經義考》卷一百九十，頁一二二，黃仲炎《春秋通說》條下	伏見溫州布衣黃仲炎折衷是非，事為之說，證以後代，鑒戒昭然，言古驗今，切於治道，如謂經有教戒，不為褒貶，只杜擬僭，尤為潛心。

30參考註5，頁29至頁30。

31楊果霖：〈《經義考》引文方式的分析〉。（台北：《中國文化大學中文學報》第五期，民國八十九年六月），頁205至208頁。

今觀上述簡表，可知竹垞將游佀、李鳴復〈經筵講讀奏舉狀〉一文，一分為二。因此，原文前後客套性文句，也就刪去不論，至於如「二臣於經可謂勤矣，而其他著述，亦多可稱。」之句，則由於原文一析為二，使得此類文句，實難以併入二處解題之中，是以刪去不論。案：析離解題的文句，雖有助於讀者治學之用，但是竹垞析離資料之時，往往刪去不少內容，而對於讀者瞭解原來文句，卻也造成不少阻礙，日後如若需重輯游佀、李鳴復的論點，則根據竹垞所錄內容，僅僅是剪裁部分文章，而非完整篇章，因而失去輯佚價值。

又《經義考》卷一八三，張大亨《春秋通訓》條下引「陳振孫曰」：

> 陳振孫曰：「直祕閣吳興張大亨嘉父撰。其〈自序〉言：『少聞《春秋》於趙郡和仲先生。』東坡一字和仲，所謂趙郡和仲，其東坡乎？」32

考竹垞所引「陳振孫曰」，均係轉錄《文獻通考．經籍考》之文，原文如下：

> 陳氏曰：直祕閣吳興張大亨嘉父撰。其自序言：「少聞《春秋》於趙郡和仲先生。某初蓋嘗作《例宗》，論立例之大要矣。先生曰：『此書自有妙用，學者罕能領會，多求之繩約中，迺近法家者流，苛細繳繞，竟亦何用？惟邱明識其用，然不肯盡談，微見端兆，使學者自得之。』予從事斯語十有餘年，始得其彷彿。《通訓》之作，所謂去例以求經，略微文而視大體者也」。東坡一字和仲，所謂趙郡和仲，其東坡乎？然《例宗》考究未為詳洽。」33

今考竹垞所引內容，明顯漏失二段文句，茲表例如下：

漏失文句	說明
某初蓋嘗作《例宗》，論立例之大要矣。先生曰：『此書自有妙用，學者罕能領會，多求之繩約中，迺近法家者流，苛細繳繞，竟亦何用？惟邱明識其用，然不肯盡談，微見端兆，使學者自得之。』予從事斯語十有餘年，始得其彷彿。《通訓》之作，所謂去例以求經，略微文而視大體者也」。	案：竹垞將此張大亨〈序〉別立一項解題，置於「陳振孫曰」之上。
然《例宗》考究未為詳洽。	案：竹垞將此文置於《經義考》卷一八三，頁八五五張大亨《五禮例宗》條下，別立「陳振孫曰」。

根據上述簡表得知，竹垞將《文獻通考．經籍考》卷十，頁二五七至頁二五八所引「陳氏曰」一文，根據其中內容，乃將其引文，各自分為三項解題，其中「陳振孫曰」二處；「張大亨〈自序〉曰」一處，如以《經義考》卷一八三，張大亨《春秋通訓》條下所引「陳振孫曰」之文而論，則竹垞輯錄解題之文，相較於原文而言，竟刪去二段文句，蓋竹垞將之析置於他

32參考註12，卷一八三，頁853。

33參考註29，卷十，頁257至頁258。

處，而有剪裁行為，諸如此類情形，雖有其用意，卻使文句相差甚大，而有重新檢討的必要。

（五）因無涉主題而刪

竹垞輯錄解題之時，為求有效精簡文句，乃將無涉主題之文刪去，諸如此類作法甚多，而刪去之文，或有值得參考之處，惜為竹垞剪裁而去，未能廣為學者所知，殊為可惜。例如：《經義考》卷一八〇，家安國《春秋通義》條下云：「《姓譜》：『安國，字復禮，眉山人。初任教授，晚監郡。』」[34]，竹垞於「初任教授」四字之下，刪去「東坡以詩送歸蜀云：『岷峨有雛鳳，梧竹養脩翎。』，山谷贈詩云：『家侯口吃善著書，常願執戈王前驅。朱紱蹉跎晚監郡，吟弄風月思天衢。』」等句，或以二人所贈詩句，實與經義無涉，因而刪去其文，僅保留「晚監郡」三字，實未能合乎《萬姓統譜》之原文。

又《經義考》卷一八五，胡安國《春秋傳》條下引「何喬新曰」，其文如下：

> 何喬新曰：「宋之論《春秋》而有成書者，無如胡文定公；文定之傳，精白而博贍，忼慨而精切，然所失者，信《公》、《穀》太過，求褒貶太詳，多非本旨。」35

本文錄自何喬新：《椒邱文集》卷一，〈六經〉，頁八三。原書於「胡文定公」四字之下，另錄有「其次，則永嘉陳傅良也。」等字，竹垞以上述文句，與胡安國無涉，為求精省篇幅，乃將二句刪除，以便騰出更多空間，用以容納其他資料，以提高書目參考價值，惟此類的文句，雖與相關經義無涉，但是完整引錄原文，方能提供讀者更多資料，而今日整理相關內容，理應據原書的內容，補入相關文句，始能合乎學術使用規範。

（六）因改寫資料而刪

朱彝尊輯錄文獻之時，為求資料順暢之故，常會重新刪改原文，使其修辭一致，如出一人之手，以便符合精簡的要求，例如：《經義考》卷二○三，傅遜《春秋古器圖》條下引《嘉定縣志》云：

> 《嘉定縣志》：「傅遜，字士凱，師事歸有光，其文長於論今古成敗。倭寇圍崑山，請縋城出，詣軍府告急，乞師得解圍，人服其才，略好春秋左氏，更為之注，參互以訂杜氏之訛，具論事之得失，悉中肌理。」36

考其原文出自《嘉定縣志》卷十二〈人物〉，其文如下：

> 傅遜，字元凱，少好讀書，至老不倦。其學長於論古今成敗。師事崑山歸太僕，其馳騁文雖不能及，而持論常屈其師。倭寇圍崑山，請縋城出，詣軍府告急，竟得兵以解圍，于是縉紳服其才氣焉。尤好《春秋左氏》，更為之注，參互以訂杜氏之訛，每一事竟，以數十言具論所以得失，往往出人意表。世多能知之者。37

34參考註12，卷一八〇，頁800。

35參考註12，卷一八五，頁10。

36參考註12，卷二○三，頁407。

37(明)韓浚，張應武等纂修，〔萬曆〕《嘉定縣志》卷十二，〈人物〉，(台南縣：莊嚴文化事業有限公今持竹垞引文與原文相較，則幾乎通篇均有改動，且前後文句之間，亦有重組內容者，甚至於刪除部份文字，以求其文句順暢，諸如此類引用方式，係因原文不夠流暢，故竹垞重新改寫成篇之時，乃順勢剪裁冗繁字句，使其修辭流暢，而便於讀者閱讀其文，惟竹垞輯錄解題內容，已與原書文句之間，有著某種程度的落差，是以讀者於參考其書解題之時，宜還原其文獻出處，始能正確應用其內容。

從《經義考》改動文句之中，顯然竹垞相當重視修辭用語，故其徵引文獻之時，常會改寫引文字句，以求自然通暢，而在改寫過程之中，常有剪裁文句之舉，而此舉雖能精省篇幅，便於讀者閱讀之用，但經刪改之後的文句，已與原書內容不合，且未符合今日的學術規範，如以現今使用環境而論，則應該重新校理原書文句，使其合於引文規範，而有利於讀者使用其書，以為學術研究之用。

（七）因主觀評斷而刪

竹垞編纂《經義考》之時，常會斷以己意，當其認為毫無價值的解題，則多刪略不錄，至於刪錄內容之中，是否全無參考價值？則有商榷之處，例如：在眾多解題之末，往往會有成書年月的記載，然竹垞卻於輯錄解題之時，卻刪去相關內容，使讀者無從得知解題撰作年代。翁方綱於《經義考補正》卷第一沈該《周易小傳》條下，曾有如下評論：

> 竹垞先生此書所最失檢者，於進表及序跋多刪其歲月也。今方綱隨所見者補入，亦頗未能詳盡，謹識於此，以當發凡。38

進表及序跋之中的年月資料，可使我們瞭解進表時間，或係序跋撰作年代，均有助於經學史的研究，而不宜任意刪除其文。翁方綱於《復初齋文集》卷三二〈跋竹垞文稿〉論及：

> 先生《經義考》於著錄序跋，偶或刪其歲月者，特小史鈔胥之脫漏耳，予嘗深惜此書綱領節次，詳整有要，為功於經學匪細。安得盡得先生當日手草，一一為之追錄補正乎！39

翁氏有感於年月資料的重要性，乃與丁杰「相約補正《經義考》序尾年月」40，進行序尾年月資料的補正工作。此外，伍崇曜亦曾參與資料輯錄工作，以與翁氏相互研問41，諸如此類的年月資料，實有助於經學史的研究，惜為竹垞刪去不錄，未能廣為讀者所用。翁氏發凡體例，則所補年月資料極多42，惜猶有未善之處，筆者逐一詳考序跋之文，得補竹垞漏略資料，

司，《四庫全書存目叢書》史部二○九冊，一九九六年八月，初版一刷），頁65。

38翁方綱《經義攷補正》卷第一（台北：新文豐出版公司，民國七十三年六月），頁12。

39翁方綱：《復初齋文集》，卷三十二〈跋朱文垞文稿〉，不著頁數。（台北：國家圖館藏抄本，微卷一三三三六號）

40參考註38，伍崇曜〈跋〉，頁1。

41參考註38，伍崇曜〈跋〉，頁1。

42楊果霖：〈翁方綱《經義考補正》研究〉（台北：《國立中央圖書館臺灣分館館刊》七卷一期，民國九○年三月），頁四九。

說法詳見本章文末附表，茲不贅述。

（八）因避諱求安而刪

清代以滿族入主中原，統治者大興文字獄，鉗制學術思想，隨著文字獄的盛行，使得學者不敢議論時政，在避禍求安考量之下，對於徵引文獻方面，也儘量刪除「夷狄」、「弒君」43、「虜」44之類文句，以免觸犯清廷忌諱，而遭致殺身之禍。綜觀《經義考》的引文內容，往往整段刪除忌諱文句，或是逕改其字，以求能避禍為安，例如：《經義考》卷一九一，頁一二八「夫子約史記而修《春秋》」之下，原有「尊王賤伯，內華外夷，誅討亂賊」等十二字45，諸如此類剪裁方式，明顯是避免觸犯清廷忌諱，因而刪去相關文句。

又《經義考》卷二百三，姜寶《春秋事義考》條下，錄有姜寶〈自序〉一文，其中有「聞之程子云」一句46，然考之原文，「聞之」原題作：

> 寶聞程子云，春秋大義數十，炳如日星，一句一事，是非便見於此。朱子云，春秋是是非非、善善惡惡，誅亂臣、討賊子，內中國而外四夷，貴王賤伯，其大旨如此，未必字字有義也。故予又謂孟氏以來，惟程、朱二大儒能得聖人之宗旨，至於學是經而說之之法，亦惟二大儒能得之。47

竹垞刪去忌諱之文，而僅僅保存「程子云，以傳考經之事跡，以經別傳之真偽。」等文句，而這些保留下來的文句，顯然較不會觸及清廷忌諱，是以保存下來，至於其餘多數涉及夷狄字眼，或刪去，或改動者，蓋此類例證，實屬不計其數，讀者可自行參考下文【考證篇】，茲不贅述。

（九）因原書漫漶而刪

從竹垞剪裁文句之中，不乏可見原書版本內容，實有漫漶難識之處，而難於輯補其文，乃略去相關文句，而由於此類文句頗多，顯然也能形成基本條例，今試舉數例，繪製簡表如下：

著錄	解題	出處	說明
殷侑《公羊春	韓子答書	《經義考》卷一	霖案：「至」字下，應依《韓昌黎文集校注》

43 有關竹垞刪去「弒君」之類的言論，讀者可參看本文【考證篇】《經義考》卷一六八，「公扈子曰」、「董仲舒曰」條下註文，也散見於其他各卷之中，茲不贅述。

44有關竹垞刪去「虜」字之類的言論，讀者可參看本文【考證篇】《經義考》卷二〇七，宋徵璧《左氏兵法測要》條下「李雯〈序〉曰」（頁四八九）、「徐孚遠〈序〉曰」（頁四九〇）等條，其餘也散見於其他各卷之中，茲不贅述。

45李琪：《春秋王霸列國世紀編》，周自得〈序〉（台北：台灣大通書局「通志堂本」，民國五八年十月），頁12922。

46參考註12，卷二百三，頁394。

47參考註22，頁331。

秋注》		七七，頁七〇四至頁七〇五	補入「固鄙心□□□□□」等八字，蓋此八字，字跡漫漶難於辨識，是以刪之。
廖德明《春秋會要》	《閩書》	《經義考》卷一八九，頁九二	霖案：「進士」二字下，竹垞刪截頗多文句，且多漫漶之字。
陳琰《左氏世系本末》	《金華府志》	《經義考》卷一八九，頁一〇五	霖案：《金華府志》卷十，(《四庫全書存目叢書》史一七六冊)，頁七四六。原書漫漶難於校讀，竹垞逕行刪去其文。
吳思齊《左傳闕疑》	《金華府志》	《經義考》卷一九一，頁一五一	霖案：「丞」字下，竹垞刪去眾多文句，或因原書多有漫漶之故。
姚舜牧《春秋疑問》	舜牧〈自序〉	《經義考》卷二〇五，頁四三三至頁四三四。	霖案：「亂」字下，應依《重訂春秋疑問・敘》補入「或入于□□而」等六字。

從上述簡表得知：竹垞剪裁文句之時，或因原書漫漶難識之故，故而刪去其文，然審諸慣例，或應以「□□□□□」替之，而竹垞全書編輯之中，亦有以「□」代替漫漶之字，說法詳見本書第四章第一節「四、輯錄勘校，難求全備」條下例證，茲不贅述。

綜觀竹垞剪裁之法的應用，顯然優劣互見，總其優點如下：

第一，鎔貫剪裁，如出一手：剪裁文句的優點，乃是將前人論點，加以綜整排比，使其能精確傳達內涵，如果深究其作法，或是刪去累贅詞句，或是移易次第，使得資料能夠鎔貫整合，如出一人之手，不致因為剪裁行為，而使文義不明，甚或詞句不暢。清儒重視剪裁之效，故在徵引文句之時，除了要能刪去贅詞之外，也能加以整合，使得引證文獻的風格，能夠符合一致。四庫館臣評論《御定佩文書畫譜》如下：

> (《御定佩文書畫譜》)又似呂祖謙《家塾讀詩記》，裒合眾說，各別姓名，而鎔貫翦裁，如出一手。非惟尋源竟委，殫藝事之精微，即引據詳賅，義例精密，抑亦考證之資糧，著作之軌範也。48

可見一部好的撰著，常於徵引前賢諸說之時，能夠「鎔貫翦裁，如出一手。」，才算是一部優秀的作品。竹垞輯錄《經義考》解題之時，除能刪錄累贅資料之外，也嘗試體例的整合工作，使得解題的內容，不致於因為資料的剪裁，而致文句扞格不通，如：上文論述的法則，即有所謂「因改寫資料而刪」一項，其中論述的內容，主要在於文獻刪整工作，而究其改編目的，不外乎是鎔貫資料，使得辭通理暢，便於閱讀之用，諸如此類作法，最能看出學者用心之處，其中又以目錄之書，最能綜整前賢意見，余嘉錫《目錄學發微》論及：

> 私家著述成一家之言，可以謹守家法，若目錄之書，則必博采眾長，善觀其通，猶之

48參考註4，子部．卷一一三，子部二三，藝術類二，頁967。

自作詩文，不妨摹擬一家，而操持一朝之選政，貴其兼收並蓄也。49

《經義考》的成書，非僅排比群書而已，亦能鎔貫剪裁，博采眾家之長，而其剪裁方法的運用，亦值得我們細心品味，始能察知其用心之處。整體而論，竹垞對於訛增字句，常會採取刪整程序，而剪裁之後的資料，又會造成解讀文句之擾，為求文字通曉易懂，乃重新整合文字，鎔貫剪裁，改寫成篇，使其如出一手，以便於讀者閱讀之用。

第二，內容適當，繁簡適中：古人於編纂之時，既要求博富，又要能有所剪裁，使得內容適當，繁簡適中，若不能從事剪裁工作，則資料繁冗，未能恰當，常會招致學者批評。顧炎武《日知錄》卷十九〈文不貴多〉云：

(鄭)玄依《論語》作《鄭志》八篇，所注諸經百餘萬言，通人頗譏其繁。是解經多而不必善也。50

撰書立說，雖要講究博通之效，但過於繁瑣的內容，往往使人生厭，故宜稍事剪裁，留其精華，使得內容恰當，效果較佳。又《四庫全書總目》卷七六陶敬益《羅浮山志》條下云：

(《羅浮山志》)首有圖經，又有名峰圖，又有巖洞志，前後繁複，殊無義例，是則兼取兩家，未能融鑄翦裁之故也。51

據此，剪裁的作用，乃是刪除繁複，整合義例，如無法整理相關文獻，則未能擁有融鑄翦裁之效。在資料整合之中，若是內容過於繁蕪52，或係資料過份剪裁割裂53，則殊非剪裁良法，至於好的剪裁方法，理應達到「翦裁鎔鑄，具有簡澹之致。」的標準54，而過份剪裁，將使全書流於疏略；若不事刪選，易使全書繁冗無當，均難達到簡澹雋雅之效。

承上文所言，在剪裁文獻之時，理應達到內容恰當，繁簡適中的目標，至於如何達到上述理想？竹垞編纂《瀛洲道古錄》的過程，能夠提供我們思考的方向，〈跋洪遵翰苑群書〉謂：

予既為史官，思別撰一書，自分職以來，訖于明崇禎之季，恆囊書入直(值)，曉夜

49余嘉錫：《目錄學發微》，(臺北藝文印書館，民國七十六年十月)，頁55。

50參考註8，頁842。

51參考註4，史部，卷七六，地理類存目五，頁666。

52參考註4，史部，卷七七，史部三三，地理類存目六，頁六七○評廖文英《白鹿洞書院志》云：「意求繁富，頗失翦裁。」，由此可見，若是缺乏適當的編纂方式，則往往貪求繁富，而忽略剪裁的功效。

53例如：四庫館臣評陳壽《三國志》的註文云：「首尾完具，不似酈道元《水經注》、李善《文選注》，皆翦裁割裂之文。」，可見過份割裂的剪裁方式，亦會受到學者的批評(參見參考註4，卷四五，頁403)

54參考註4，子部，卷一四一，子部五一，小說家類二，頁1204乃是有關於何良俊《何氏語林》的評論。

> 抄撮，積一十四冊，擬刪其重複，補其闕遺，題曰《瀛洲道古錄》。55

竹垞編纂群書之時，多能運用剪裁之法，故其編纂《經義考》之時，勢必要能「刪其重複，補其闕遺」，使得該書能夠兼具「廣博」、「精要」的特色，考其剪裁之法的運用，無非是刪去重複資料，使得內容更為恰當，如此一來，可以有效節省篇幅，並且收錄更多解題，以達到繁簡適中的要求。

竹垞評判前人撰著之時，也以選材是否精詳，為其判斷準繩。〈胡氏皇王大紀跋〉云：

> 五峰胡氏所述《皇王大紀》八十卷，自盤古氏迄周赧王，舉二千餘歲事，廣摭史傳，以經義貫通之，庶幾擇之精而語之詳矣。56

所謂「擇之精」者，意指取材之時，要能精簡切要；而「語之詳」者，係指文辭要能詳盡傳達要旨。據此，輯錄資料之時，理應透過加工程序，使得內容恰當，繁簡適中，若貪多務博，不事刪裁，則全書冗雜，有待改進。竹垞瞭解剪裁之法的運用，而視其作法，則多要求解題內容，能夠精簡適當，舉凡內容重複、資料冗長、資料尋常、無涉主題等資料，多略而不錄，以達到簡約的目的，而將多餘的篇幅，用以容納更多資料，如究其作法，無非是使內容適當，以達到繁簡適宜的要求。

第三，條理秩然，體例詳明：一部好的撰著，大都能夠達到「條理秩然」、「體例詳明」的要求，而前賢評論撰著的價值，也多以此為評斷標準，如果能達到上述要求，則評價自高，例如：四庫館臣評《御定子史精華》一書云：

> （《御定子史精華》）分三十類，子目二百八十，凡名言雋句，採掇靡遺，大書以標其精要，分註以詳其首尾，元元本本，條理秩然，繁簡得中，翦裁有法。守茲一帙，可以富擬百城，於子史兩家，誠所謂披沙而簡金，集腋而為裘矣。57

由此可知，「條理秩然」正是衡量撰著價值的標準之一。竹垞編纂《經義考》之時，常能調整解題順序，使得部份離題的資料，能夠安插於合適位置，使其合乎題旨，如此一來，不僅條理秩然，也使得體例詳明。清儒重視剪裁方法的利用，如究其實際作法，則能調整解題次第，使得內容前後條貫，無所重複，考之《經義考》全書，竹垞對析離方式的運用，正是將相關資料裁出，置放於適當位置，使全書義例嚴密，能收致參考之效。

明清學者對於文獻的引用，常以是否能夠剪裁資料，以為評斷優劣的標準，而剪裁的目的，無非是求其通達而已58。竹垞亦深受當代學術風氣的影響，故於編纂典籍之時，常有剪裁文獻的行為，使得《經義考》的成書，不僅能輯錄眾多解題，且能選材精當，體例詳明，藉以提供讀者更多資料。

55參考註11，卷四十四，〈跋洪遵翰苑群書〉，頁538。

56參考註11，卷四十五，〈胡氏皇王大紀跋〉，頁543。

57參考註4，卷一三六，類書類二，頁1158。

58參考註8，卷十九〈文章繁簡〉，頁八五六指出：「辭主乎達，不論其繁與簡也。」，可見剪裁的目的，主要係以文辭的通達與否，為其評斷的標準，至於文章的繁簡與否，僅是其中的細節而已。

又竹垞剪裁之法的應用，有著如下缺點：

第一，剪裁有失真之處：竹垞對剪裁方法的運用，雖不合於現代學術要求，但考諸當代環境，則是一種普遍的現象[59]。但是，由於剪裁之法的運用，往往要刪減原文，也會因此錯刪不少資料，如要增加《經義考》的價值，勢必要重新校讎全書，並且兼考文獻來源，方能提供讀者正確資料，以為治經之用。否則，文字異動嚴重，不僅未能符合現代學術要求，也會降低讀者的信賴，從而失去參考價值。

剪裁之法的運用，如能用於考證案語的說明，則能精簡傳達前賢見解，且能有效引證前人論點，用以證明己見，如此一來，得以見其廣博識見，以及綜理文獻的能力。此外，如用於文學創作之上，則能使文句精準，革除繁瑣之弊。然而，如用於輯錄解題時，則由於多有刪削行為，不僅會錯失研究資料，也使文獻有失真之虞。今考之《經義考》的內容，竹垞輯錄解題之時，多採用剪裁方式，使得文句異動嚴重，如未能及時讎校，將增添後世學者使用之擾。因此，若能詳加校正《經義考》的文字，補正其闕漏，將能提高全書的價值。

第二，體例有未貫之處：竹垞剪裁資料之時，雖要求體例詳明，貫徹一致，但由於輯錄內容繁富，仍有體例未能貫徹之處，如：竹垞剪裁文獻的法則，有「因資料冗長而刪」之例，其對於冗雜資料，多能參酌此一條例，予以刪去不錄，但是考諸全書內容，仍有未能精選文獻之失，四庫館臣曾批評竹垞之失如下：「（《經義考》）惟序、跋諸篇與本書無所發明者，連篇備錄，未免少冗。」60，根據上文得知：竹垞明知冗長的經籍序跋，會使輯錄的文獻，流於冗雜之弊，為求達到治學功效，雖已刪去不少序跋，以符合精簡原則，卻未能貫徹一致，因而受到館臣的批評，可見關於文獻的選用，要避免過於浮濫，又要精簡適當，其中如何折衷取擇，確實考驗編者智慧，雖然竹垞於編纂書目之時，已儘量要求文獻的精省簡要，但是去取之間，仍含有主觀的認定，是以判斷難免有失，而需要重新調整其體例。

又竹垞剪裁的法則，有「因避諱求安而刪」之例，然衡諸《經義考》全書，亦多錄有「夷」、「狄」、「虜」等忌諱之語，例如：《經義考》卷一九六，吳師道《春秋胡氏傳附辨雜說》條下，引吳師道〈序〉文，其中有「用夏變夷為主」之語[61]，是則不避「夷」字。又《經義考》卷一九六，吳萊《春秋世變圖》條下，錄有吳萊〈自序〉，其中錄有「夷狄弄兵，大夫專政，是戰國之萌也。」等違礙文句[62]，是則不避「夷狄」二字，諸如此類情況，可見《經義考》全書的編輯，亦有未能符合輯錄通則之失。

第三，內容有誤刪之處：竹垞輯錄解題之時，不僅文字異動嚴重，與原文出入頗大，其中部份內容，則因為編者的主觀認知，誤認其價值不高，因而刪去不少內容，由於此類解題極多，不乏可供研究的材料，但由於竹垞的主觀見解，使得這些解題資料，無法提供讀者使用，殊為可惜。因此，筆者在下文之中，逐一分析竹垞剪裁的解題內容，以見其中價值所在。

59參考9，頁190。

60參考註4，史部四一，目錄類一，頁732。

61參考註12，卷一九六，頁244。

62參考註12，卷一九六，頁251。

綜合上述所論，竹垞輯纂解題之時，常會應用剪裁之法，藉以節省篇幅，平心而論，竹垞此舉雖能達到成效，但是由於剪裁內容甚多，往往使讀者錯失參考機會，且其引文內容，亦與原文出入頗大，而增添學者使用之擾，長久以往，若不能確實校理其引文，則《經義考》的引文內容，將會隨時代的更迭，而更難以校訂其失。筆者有感於此，乃於下文之中，逐條還原其文，所得十分可觀，可供讀者參考之用。

二、輾轉引文而異

竹垞輯錄解題之時，未必是甄錄原書文句而來，是以在解題內容方面，容易產生異文現象，蓋引文來源不同，使得竹垞所引的文句，常與原書內容不同，若是不能明瞭竹垞引文來源，而根據原書文句校之，則會產生若干異文現象，而這些校出的異文資料，雖能符合原書文句，但是並非竹垞引書來源，而對於瞭解《經義考》引書種類而言，實未能有所助益。換言之，竹垞解題的題稱，未必確實出自原書，而有些引文來源，實係輾轉引自他書之文，如要考訂竹垞引書種類，則要能確實釐清解題來源，才能有效掌握引書種類。其次，既然竹垞的解題內容，未必確實引自原書，則讀者若要參考其內容，最好能確實還原原文，才能掌握正確的解題內容。例如：《點校補正經義考》卷一六八，《春秋古經》條下引「莊周曰」：

> 莊周曰：「《春秋》經世，先王之志也，聖人議而不辯。」　又曰：「仲尼讀《春秋》，老聃踞竈觚而聽之，曰：『是何書也？』曰：『《春秋》也。』」[63]

翁方綱《經義考補正》卷七指出：「莊周條內『先生之志也』，『也』字刪。」（卷七，頁一），然而，翁氏雖據《莊子》的文句，指明「也」字當刪，惟竹垞之文，明顯是錄自《春秋本義綱領》[64]一書，而非根據《莊子》一書甄錄內容，致使文句偶有出入，若不能細考竹垞引文來源，實難完整校理此條異文。

又《經義考》卷一六八，《春秋古經》條下另有「王觀國曰」，其中內容如下：

> 前漢〈藝文志〉曰：『仲尼以魯周公之國，禮文備物，史官有法，故與左邱明觀其史記，據行事，仍人道，因興以立功，就敗以成物，假日月以定歷數，藉朝聘以正禮樂，有所褒諱貶損，不可書見，口授弟子，弟子退而異言。邱明恐弟子各安其意，故論本事而作《傳》。』審如此，則邱明親受孔子之旨也。然以闕文校之，則《漢志》之言，復窒而不通，蓋班固之言未可深信耳。」[65]

其中「各安其意」四字下，《點校補正經義考》有如下校語：「『各安其意』以下應依《補正》補『以失其真』四字。」[66]，則易使讀者誤認原文有此四字，而為竹垞刪略其文，故翁

63參考註12，卷一六八，頁486。

64程端學，《春秋本義．綱領》（台北：台灣大通書局，「通志堂經解」第二十五冊，民國58年10月。））頁13873引之。

65參考註12，卷一六八，頁494。

66參考註12，卷一六八，頁494。

氏補以四字，以足其文氣。今考翁方綱所校之語，當是直接出自《漢書．藝文志》之文[67]，然竹垞所據之文，係出自《學林》一書，是以文句稍有不同，蓋王觀國轉錄《漢志》之文，即漏去「以失其真」四字，是以竹垞據《學林》甄錄此文，當是維持原文內容，並無任何改動之處，而翁方綱據《漢志》補入「以失其實」四字，且《點校補正經義考》承襲其考證結果，則易使讀者誤認王觀國原文有此四字，今考之《學林》一書，其實並無上述四字，諸如此類情況，若不能廣校引文來源，當易有錯糾文句之失。

三、傳本刻印之誤

自從《經義考》成書之後，歷經多次的刊刻，而每次刊印過程之中，校對內容是否精細，將深刻影響解題的正確性。例如：《經義考》卷一八六，鄭剛中《左氏九六編》條下引「剛中〈自序〉曰」云：

> 剛中〈自序〉曰：「《左氏》載《春秋》卜筮頗詳，筮之遇《周易》者之卦，一十三變為二十六，无變者三；論卦體以明事，而不由筮得者八，總三十有七卦；蠱凡兩書，予志欲集為一書，久而未暇，近乃成之。凡卦之見於《左氏》者，各畫其所得象，具載事本與筮史之論，其有疑渾可加臆說，或近世推占之說似相契驗者，輒附會其後，仍以八宮分卦并逐卦之變體先之，共三卷，通號曰《左氏九六篇》，庶簡而易求也，所集成，偶讀元凱書：太康元年，自江陵還襄，會汲縣民有發其界內舊塚者，大得古書，皆科斗文字，藏入祕府，元凱晚得見之，書多雜碎奇怪，惟《周易》及《紀年》最為分了，又別一卷，純集《左氏傳》卜筮事，上下次第及其文義皆與《左氏》同，名曰《師春》，『師春』似是抄集人名。異哉！予今所作，是乃師春之意乎？其人其書，茫然千古之上，疏集同異，不可得而知矣。紹興庚午正月。」[68]

其中「自江陵還襄」一句，《點校補正經義考》於「襄」字下有注文云：「『襄』，應依《補正》、四庫本作『襄陽』。」[69]，據此，則「四庫全書本」逕據翁方綱《經義考補正》之文，將「襄」字改作「襄陽」，今考此文出自鄭剛中撰、鄭良嗣編《北山集》[70]，其文正作「襄陽」，此當為翁方綱、四庫館臣資料之所出也，是以如據四庫本《經義考》之文，則此文作「自江陵還襄陽」，而與其他傳本內容不同。然而，如果依據四庫館臣的作法，在發現異文之時，則逕改其原文，雖能合於《北山集》的原始文句，但與竹垞編纂《經義考》之原文，實有所不同，若長久以往，則許多解題內容，將會偏離原書文句，而難以考見當日纂輯情況，是以此類異文情況，實應別出注語說明，而不該逕行改正其字，始為合適的作法。

又《點校補正經義考》一書，雖為目前《經義考》的最新傳本，但是全書內容係重新刊

67范曄撰，(點校本)《後漢書》(北京：中華書局，一九七五年)卷三○，頁1715。

68參考註12，卷一八六，頁25至頁26。

69參考註12，卷一八六，頁26。

70鄭剛中撰、鄭良嗣編《北山集》(台北：臺灣商務印書館，「景印文淵閣四庫全書」冊一一三八，，民國七十五年三月，初版)卷二十五，〈左氏九六編序〉，頁265。

印，而在經過打字排版之後，也衍生許多新的問題，尤其在解題內容方面，也會出現文句訛誤之失，例如：《經義考》卷一七八，尹玉羽《春秋字源賦》條下引「王應麟曰」云：「王應麟曰：『咸平四年正月乙西，知河南府，李至上之以書，送祕閣。』」[71]，今考「乙西」二字，實為「乙酉」之誤，蓋「西」「酉」字形相近而誤入，而此文見於王應麟，《玉海》卷五九，頁一一八三錄之，亦作「乙酉」，且「四部備要」《經義考》亦作「乙酉」，顯見《點校補正經義考》於重新打字之後，未能細校原書內容，致使文句有誤，若是讀者根據此書內容，引及王應麟之文，則會產生若干錯誤。

又《點校補正經義考》卷一八八，章沖《春秋左傳類事始末》條下引「沖〈自序〉曰」，點校本於「尚冀有可教者」下，有註腳如下：「依《補正》當補『淳熙丁未十月』。」[72]，此處點校本係承翁方綱《經義攷補正》之文，補入「淳熙丁未十月」六字，未有其他校文，然考之「通志堂本」的章沖序文，於「月」字下，尚有「望日，奉直大夫知台州軍事兼管內勸農使章沖序」等二十字，不僅說明其撰〈序〉之日，也說明撰〈序〉之時的仕宦經歷，然點校本未能根據原文資料，用以校出完整內容，而僅沿用翁方綱《經義攷補正》之文，是以校訂的成果，顯然與實情不同，而有待改進之處。

又《點校補正經義考》卷一八八，章沖《春秋左傳類事始末》條下引「謝諤〈序〉曰」，點校本於「遂以喜於見所未見者報之」下，有註腳如下：「依《補正》當補『淳熙十五年十二月』。」[73]，點校本仍承襲翁方綱《經義攷補正》之文，補入「淳熙十五年十二月」，然考之「通志堂本」的謝諤序文，於「月」字下，尚有「十二日癸酉，臨江謝諤序於摛文堂」等十四字，當據以補入。

從上述例證得知：點校本多承襲前人校語，因而漏校不少文字。此外，亦有竹垞不誤，而點校本承襲前人之說，導致產生新的訛誤，若讀者不察原書文句，自會誤認為竹垞衍生之誤。例如：《經義考》卷二○○，吳廷舉《春秋繁露節解》條下，竹垞徵引《廣西通志》如下：

> 《廣西通志》：「吳廷舉，字獻臣，梧州人。成化丁未進士，累官南京兵部尚書，贈太子少保，謚清惠。」[74]

點校本有如下校語：「『兵部』，各本同，應依《補正》作『工部』。」[75]點校本根據翁方綱《經義攷補正》之文，而以「兵部」作「工部」，然考之《廣西通志》之文，正作「工部」，同於竹垞所錄之文，是則竹垞不誤，而點校本承翁方綱之說，反而產生誤校情況，諸如此類情形，實有待檢覈引書原文，方能確認其正誤。點校本在處理校勘成果之時，多採用前人校錄成果，並補以各種傳本的對校，而未能親自校以各種文獻，因而漏校許多解題內容，如要

71參考註12，卷一七八，頁750。

72參考註12，卷一八八，頁69。

73參考註12，卷一八八，頁70。

74參考註12，卷二○○，頁337。

75參考註12，卷二○○，頁337。

擴大《經義考》的治經功效，勢需重新補入竹垞闕漏之文，方能提供更多的資料，以利於讀者治經之用。因此，我們也需要重新在點校本的基礎上，重新整理異文漏字，惟校書如掃落葉，而難於完善，尤其《經義考》所涉廣博，縱使一一還原出處，仍需耗費不少時日，方能完成初步校理工作。本文在校勘成果方面，雖較前人有所進展，但礙於所尋文獻極多，雖已校出極多異文，但仍有許多的解題，尚未完成校勘程序，只能期待來日之時，能夠續補不足，但是本文的校勘成果，也能有效突破前人成果，而能提供讀者更多的參考資料。

又點校本《經義考》的完成，其成就不在於校勘，也不在於糾謬、補錄，而是完成全文標點斷句，使得讀者更便於利用全書，以為治經問學之助。然而，如果仔細檢視其標點內容，實有不少錯誤，彭林曾撰〈《點校補正經義考》第六、七冊《孝經》部分標點疑誤〉一文，專門探討「孝經類」部的標點問題[76]，讀者可以自行參閱該文。然而，審之「春秋類」的解內容，亦不乏值得商榷之處，雖說瑕不掩瑜，但是仍有討論空間，茲舉數例以明之：《經義考》卷一九○，龍淼《春秋傳》條下，竹垞引「李鳴復端平三年〈奏舉狀〉曰」，點校本題作「李鳴復端平三年奏舉狀曰」[77]，將「李鳴復」、「端平三年〈奏舉狀〉」分開，實屬正確的斷句。然而，同卷，黃仲炎《春秋通說》條下，再度引證「李鳴復〈奏舉狀〉曰」，卻誤作「李鳴復奏舉狀曰」[78]，二文僅距離四頁，題稱卻有明顯差別，案：「李鳴復」為人名，理應標以私名號，但點校本此處卻誤以「李鳴」為人名，二相對校之下，顯然標點本的斷句方式，確實會使讀者解讀文句有誤，而有所誤解。又《經義考》卷二○八，張氏《春秋說苑》條下引沈演〈序〉文曰：

> 沈演〈序〉曰：「張子吾因也，少受《經》吾家，晚多自得。會諸家言胡氏《春秋》者，著精汰秕，編曰《說苑》，蓋舉業定本也。」[79]

點校本將「吾因」視為字號，而加上私名號，今查考沈演《麟經統一．序》的內容，「因」字原作「姻」字，「吾因」，實標示沈演與張氏（杞）為姻親關係，點校本未明二人關係，亦未能確實還原原文，致使誤將「吾因」視為字號，諸如此類情形，實乃為點校本斷句之誤，而造成解題文句之誤。又《經義考》卷一七一，嚴彭祖《春秋公羊傳》條下解題云：

> 《漢書》：「嚴彭祖，字公子，東海下邳人，與顏安樂俱事眭孟，孟弟子百餘人，惟彭祖、安樂為明，質問疑誼，各持所見，孟曰：『《春秋》之意在二子矣。』孟死，彭祖、安樂各顓門教授，由是《公羊春秋》有顏、嚴之學。彭祖為宣帝博士，至河南東郡太守，以高第入為左馮翊，遷太子太傅，授琅邪王，中為元帝少府，中授同郡公孫文、東門雲，雲為荊州刺史，文東平太傅。」[80]

76彭林：〈《點校補正經義考》第六、七冊《孝經》部分標點疑誤〉（台北：《經學研究論叢》第九輯，民國九十年一月），頁287至頁294。

77參考註12，卷一九○，頁118。

78參考註12，卷一九○，頁122。

79參考註12，卷二○八，頁527。

80參考註12，卷一七一，頁560至頁561。

其中「授琅邪王，中為元帝少府，」二句，應斷作「授琅邪王中，為元帝少府，」，該文出自《漢書》卷八十八〈儒林傳〉，其內容如下：

> 嚴彭祖字公子，東海下邳人也。與顏安樂俱事眭孟。孟弟子百餘人，唯彭祖、安樂為明，質問疑誼，各持所見。孟曰：「春秋之意，在二子矣！」孟死，彭祖、安樂各顓門教授。由是公羊春秋有顏、嚴之學。彭祖為宣帝博士，至河南、東郡太守。以高第入為左馮翊，遷太子太傅，廉直不事權貴。或說曰：「天時不勝人事，君以不修小禮曲意，亡貴人左右之助，經誼雖高，不至宰相。願少自勉強！」彭祖曰：「凡通經術，固當修行先王之道，何可委曲從俗，苟求富貴乎！」彭祖竟以太傅官終。授琅邪王中，為元帝少府，家世傳業。中授同郡公孫文、東門雲。雲為荊州刺史，文東平太傅，徒眾尤盛。雲坐為江賊拜辱命，下獄誅。[81]

根據二文相較，彭祖「竟以太傅官終。」，而未曾授與琅邪王，「琅邪」實為學者籍貫，而「王中」為學者姓名，且「授」字，乃是指「傳授學問」，而非「授與王爵」之意，顯然此類標點方式，易於造成讀者誤解文句，而有重新校訂的空間。自從《點校補正經義考》問世之後，學者們多能針對其中標點斷句，給予不同的評議，其中張宗友〈《點校補正經義考》平議〉[82]一文，不僅篇幅較多，也較有完整系統，較能反映該書不足之處，也能看出各種傳本刻印過程之中，對於原書文句的異動情況。其後，林慶彰諸位教授另行出版《經義考新校》一書，該書雖係以《點校補正經義考》為基礎，卻能基本修正一些校文及標點之誤，惟本文在撰寫過程之時，該書尚未問世，是以仍以《點校補正經義考》為文本，用以訂補相關內容，特此說明。

四、抄寫誤換他字

竹垞編纂《經義考》之時，係以抄錄方式行之，而在抄錄前人文獻之時，亦會緣自於字形相近之故，而會出現各種異文，若是透過校勘程序，可以考其異動情形。例如：《經義考》卷一七七，韋表微《春秋三傳總例》條下引「《新唐書》」云：

> 《新唐書》：「表徵，敬宗時為翰林學士，遷中書舍人，尤好《春秋》，病諸儒執一概，是非紛然，著《三傳總例》，全會經趣。」[83]

竹垞作者錄作「韋氏表微」，而此處引《新唐書》作「表徵」，蓋「微」、「徵」字形相近而誤入，今考「四部備要本」《經義考》、《新唐書》俱作「表微」，可見解題的內容，易因文字字形相近，常會誤作他字，而會造成讀者識讀文字之擾。

81（漢）班固《漢書》卷八十八，〈儒林傳〉（北京：中華書局，一九七五年），頁3616。

82 張宗友：〈《點校補正經義考》平議〉，(《古典文獻研究》第十三輯，2010年6月，頁356至頁376。該文分別以「一、《點校補正經義考》之成就」、「二、《點校補正經義考》指瑕」、「三、《點校補正經義考》之標點問題」等項目，分項論述，而各項之下，復分有細目，且皆備有例證，全文多達二十一頁，是篇值得閱讀之作。

83(宋)歐陽修、宋祁撰，《新唐書》（北京：中華書局，一九七五年），卷一七七，頁5275。

又竹垞抄錄解題之時，常會因字音相近，而使用同音字替之，因而造成不少錯誤，例如：《經義考》卷一八五，胡安國《春秋傳》條下引「彭時曰」云：

> 彭時曰：「先生平生著述皆有關名教，而發明《春秋》之功為尤大。蓋《春秋》，孔子之親筆，聖人經世之志在焉，非若他經可以訓詁通。自《左》、《公》、《穀》以來，傳注之行無慮百家，文外辭煩，卒無定說，聖人之宏綱大旨往往鬱而不明，致使王安石詆以為斷爛朝報，直廢棄之，不列於學官，庸非聖經以眾說晦而安石無獨見之明故邪？先生自壯年即服膺是經，心領神悟，獨得聖人之精微，當宋南渡時，執經進講，深見獎重，及承詔作傳，乃參考百家，一折衷之以至理，推闡微辭，發明奧義，其於扶三綱、敍九法、抑邪說、正人心，與夫尊王內夏之意，尤惓惓焉，自是《春秋》之大義復明矣。於戲！周東遷而《春秋》作，宋南渡而傳義明，先聖後賢，千古一心，豈斯文之興固自有其時與？向使安石幸而生先生之後，得聞其說，將崇信是經之不暇，而何詆棄之邪？惟其不幸出於先生之前，不能超眾說以有見，是以得罪於聖人，取譏於後世也。然則先生之於是經，誠可謂繼往聖於既絕，開來學於無窮，其衛道息邪之功於是為大矣。」84

上文出自明程敏政編《皇明文衡》卷一○○，彭時〈重修胡文定公書院記〉一文85，而竹垞在引用彭時書中文句，即有若干同音異字的情形，茲條列如下：

第一，有關名教：「關」字，〈重修胡文定公書院記〉作「觀」字，然視文意內容，應作「關」字為佳。

第二，傳注之行：「注」字，〈重修胡文定公書院記〉作「註」字，「注」、「註」於古書之中，常相互通用，雖於意義並無異別，但其中文字或異，亦屬於同音異字之例。

第三，安石無獨見之明故邪：「邪」字，〈重修胡文定公書院記〉作「耶」字，二字常相互通用，亦為同音異字之例。

第四，固自有其時與：「與」字，〈重修胡文定公書院記〉作「歟」字，二字常相互通用，亦為同音異字之例。

第五，向使安石：「向」字，〈重修胡文定公書院記〉誤作「鄉」字，今審度文意，當以「向」字為宜，蓋「鄉」、「嚮」字形相近，「嚮」、「向」形義相同，因而原書版本誤作「鄉」字，竹垞根據前後文意而改作「向」字。

第六，其衛道息邪之功：「衛」字下，〈重修胡文定公書院記〉作「衞」字，二字常相互通用，亦為同音異字之例。

如果仔細校訂《經義考》「春秋類」解題之文，往往可見同音異文之例，其中有些是尋常異文，如「注」、「註」；「邪」、「耶」」；「與」、「歟」；「衛」、「衞」等四組

84參考註12，卷一八五，頁10至頁11。

85明程敏政編：《皇明文衡》（台北：臺灣商務印書館，「四部叢刊正編（大本原式精印）」，民國六十八年十一月，臺一版），卷一○○，彭時〈重修胡文定公書院記〉，頁七五七至頁七五八。

異文；而有些異文的出現，乃是原書文句偶誤，而竹垞逕改其文，因而造成異文現象，例如：「關」、「觀」；「向」、「鄉」等二組異文屬之，由此可見，竹垞引錄解題之中，經常隱藏不少異文奇字，雖然多數改動之處，並未涉及文字正誤之辨，但是竹垞逕改原文的作法，未必屬於恰當之舉，不如以注文或案語方式，逐一標示其異文，方較為合適之作法。

綜合上文所述，《經義考》的解題內容，往往會因版本流傳差異，而致產生一些錯誤，縱使如《點校補正經義考》一書，實為現代排版的最新力作，也難免會產生各種錯誤，可見校勘之事，實難以求其全備，諸如此類異文情況，若是未能及時釐正，將在輾轉刻印之後，會使錯誤益加擴大，而使得文句難於校補，恐會衍生更多問題。《經義考》成書迄今，已迄三百年之久，其間所擔負的治經重任，業已無庸置疑，若是此書的解題內容，因為傳抄刻印過程之中，而產生若干漏誤，則其書價值遞減。因此，學界需要一部完整校訂之作，將竹垞漏輯之文，甚或異文訛字，都能校訂清楚，始能提供讀者完整資料，以供後人研究之用。

《經義考》經過若干傳抄、刻寫等過程，由於抄手或刻工們習慣不同，致使著錄或有差異，或古今異字，或音同而轉，或形近而誤，甚至因為標點斷句之別，而致產生各種異文，諸如此類異文現象，若不能得到及時釐正，則是書幾經翻刻印製之後，將導致異文更為嚴重，甚且難於校理其文句，而學者若能及時釐校是書內容，則不僅能訂正異文之失，也能還其纂輯原貌，而能提供讀者更多佐證資料。

第二節　《經義考》「春秋類」解題校勘析例

《經義考》為經學書目的重要之作，其書內容廣博，所錄解題極多，向為學者治經寶典之一。然而，是書徵引既博，所錄內容難免有誤，尤其是解題數量龐大，文字異動實多，或缺字，或增文，或誤倒，或改竄，形式既不一致，而內容亦多謬誤，但持引文原書校之，則是書訛誤顯見，有待重新釐正者也。歷來雖有學者校理此書內容，也能提出補正意見，卻未能撰寫專文以述之，致使竹垞引文之誤，未能廣為學者所悉，如能校理全書內容，並且補正其謬誤，自能添其使用價值。

筆者重新校理此書內容，發現解題所錄文字，多有錯訛之處，惜該書卷帙繁多，校理不易，雖有林慶彰諸位教授《點校補正經義考》、《經義考新校》二書，嘗試點校全書內容，而能收致一定成效，惜是書校語散見全書，而未能統合校文內容，析其條例，致使相關謬誤，未能系統呈現於讀者眼前，而無法廣為學者所悉，是以筆者有感於此一特點，乃重新校理《經義考》「春秋類」解題之文，並依其重要疏失，逐一條例析之，期使讀者能知曉竹垞之誤，而在應用該目之時，能重新還原其文句，方能避免錯用解題之失。

一、誤字例舉隅

古人纂輯書籍之時，多有傳抄引文不當，因而造成錯誤之例，諸如此類情形，或稱「訛文」，或稱「誤文」，而造成錯誤之因，多係字形相近而誤；或是緣於同音異字而誤，或因字義相通而誤。然而，無論是緣自於何種原因，只要引文不符合原書文句，都是屬於誤字之例，而有待學者逐一校訂文句，始能還其原貌，衡諸竹垞引文內容，常涉及各種經學議題，或論及成書始末，或說明書籍主旨，或言明藏書情況，或申論書籍義例，其中所涉議題廣博，內容精深，常為學者研經治學之用。筆者曾於「朱彝尊《經義考》研究」之中，嘗試探討竹垞的引書內容[86]，從而釐訂多達十三種條例，可見其解題豐富，涵攝內容多方，實有值得探索之處。竹垞徵引文獻甚多，且其內容廣雜，難於逐一詳考其原文，而輾轉抄錄成文，常導致產生不少錯誤，而前賢引用解題之時，亦嘗思補正之作，也曾嘗試校勘書中文句，而能收致校補成效，例如：翁方綱《經義考補正》屬之。今考竹垞輯錄之文，文字多有改動，或出於傳抄之誤，或係有意改寫，或為後世刊印之時，為求避免文字獄流禍，乃改去忌諱諸字，因而造成文字異動頻繁，使得解題多有誤字，為了避免學者有誤用情事，或係漏失重要資料，而有待後人逐一校補內容，以還其文獻本貌。林慶彰、蔣秋華諸位教授《點校補正經義考》、《經義考新校》二書的完成，雖係根據翁方綱、羅振玉、吳政上等人的校勘成果，逐一寫成校語，而有校勘異文之效，但是取校之籍，大抵同於上述三書，至於其他妄改文句之失，卻多數未能得到釐正，而筆者於補正此書之時，逐一檢覈原文出處，得知竹垞妄改文句甚多，且源自傳抄之誤亦多，下文即約略舉其例證，釐析其條例，藉以明白竹垞所生異文極多，而其多數異文，係緣自文字異體所致，然亦不乏關鍵文句之誤植，諸如此類的錯誤，尤需逐一檢視內容，方能得其本實。在下文之中，筆者嘗試提綱挈領，酌舉各種例證，以證成其條例，藉以明此類校勘結果，實有其探索價值，說明如下：

（一）姓名有誤

《經義考》的解題內容，常能提供學者傳記資料，使讀者得以瞭解其事蹟，但從竹垞輯錄解題之中，所涉及人名字號，或因字形相近而誤；或因讀音近似而誤；或係輯錄漏失而誤；或因來源不同而誤，凡此種種情況，如不能詳加考辨其誤，將易使讀者誤襲其文，而會產生應用之謬，是以有待學者重新還原其文，甚至於考辨其文，以便能證其疏失。例如：《經義考》卷二〇四，姚咨《春秋名臣傳》條下解題引「咨〈自序〉」略云：

> 邑先達邵文莊公嘗讀《春秋左氏傳》，凡其人之嘉言善行，與其隱顯聞望、生榮死哀，可以昭旂常、炳緗素者，始於周之辛伯，以迄虞宮之奇，得一百四十八人，為書一十三卷，以準一年十二月之數，餘其一以象閏，亦例《春秋》也。書未梓行，公遽捐館，遺目錄并小論於世，或謂公時不逮志，或謂將脫稿罹鬱攸之變，豈斯文未喪，天不俾一人專之，而欲分其美於後人邪？余生也晚，末由趨公之門牆，忝交於郡博萃君明伯，明伯乃公門人補庵比部冢嗣也。[87]

其中「萃君」字，應從《春秋諸名臣傳》題作「華君」；又明焦竑《國朝獻徵錄》卷四九，〈南京刑部郎中補菴華君雲壙誌〉一文，指出華明伯為華補菴之子，顯見明代有華明伯其人，而竹垞引錄之文，其姓氏誤「華」為「萃」，蓋形近而誤入，而致姓氏有誤者也。

又《經義考》卷一七六，孔穎達《春秋正義》條下引《崇文總目》之文如下：

> 《崇文總目》：「按：漢張蒼、賈誼、尹咸、鄭眾、賈逵皆為詁訓，然參用《公》、《穀》二家，至晉杜預專治《左氏》，其後有沈文阿、蘇寬、劉炫皆據杜說。貞觀中

86參考9，頁205至頁232。

87參考註12，卷二〇四，頁412。

，穎達據劉學而損益之；長孫無忌等又復損益，其書乃定；皇朝孔淮等奉詔是正。」88

其中「孔淮」應為「孔維」之誤，今考《文獻通考》實作「孔維」，且《宋史》全書並無「孔淮」其人，然《宋史》卷四三一云：「淳化初，上以經書板本有田敏輒刪去者數字，命覺與孔維詳定。二年，詳校《春秋正義》成」（頁一二八二一），正言及宋朝之時，孔維奉詔詳定《春秋正義》一書，顯然「孔淮」實為「孔維」之誤，蓋「淮」、「維」二字，係因字形相近而誤，故應據原書之文，改正其錯誤之名。

又竹垞輯錄解題之中，其中所涉人名，亦不乏字音相近而誤入，諸如此類例證，亦需逐一校正其文，以免遺誤後學之人，例如：《經義考》卷一八九，劉伯証《左氏本末》、《三傳制度辨》條下，竹垞引證《徽州府志》如下：「《徽州府志》：『伯証，字正甫，歙縣人。』」89，其中「正甫」二字，應據《徽州府志》一書改作「証甫」90！案：此處解題內容，錯認撰者之字，雖僅一字之別，且二字常有互用情形，但卻未能符合實情，而有待糾正其字號。

又竹垞輯錄解題之時，或有緣自判斷有誤，而致產生人名誤例，例如：《經義考》卷一九一，胡康《春秋誅意讜告》條下引《徽州府志》云：

> 《徽州府志》：「康，婺源人，進《春秋誅意讜告》百卷於朝，理宗覽而嘉之，特旨與召試，調鎮江司戶參軍。」91

根據《徽州府志》之文92，此人乃胡升從子，名「康侯」（非胡安國），非名「康」，此乃竹垞誤判學者之名，而致將「胡康侯」誤作「胡康」，而致誤認作者名字之例。

又竹垞所輯解題之中，又有名號錯倒，因而致誤之例，例如：《經義考》卷一七二，李譔《左氏指歸》條下解題謂：

> 《華陽國志》：「李譔，字仲欽，涪人。為太子中庶子、右中郎將，著《左氏注解》，依則賈、馬，異于鄭玄。」93

翁方綱《經義考補正》考訂云：「《華陽國志》及陸德明條內『仲欽』皆當作『欽仲』。」（卷七，頁九），是則「仲欽」二字，實為「欽仲」之誤寫，是則撰者字號有誤也。

又竹垞輯錄解題之時，並未明示文獻出處，且所據版本不明，致使解題所錄人名，或有與今本不同之例，例如：《經義考》卷一八八，劉夙《春秋講義》引葉適〈志墓〉曰：「葉

88參考註12，卷一七六，頁679至頁680。

89參考註12，卷一八九，頁101。

90（明）彭澤，汪舜民纂修《徽州府志》，（台南縣：莊嚴文化事業有限公司，「四庫全書存目叢書」史一八○，一九九六年八月，初版一刷），頁812。

91參考註12，卷一九一，頁136。

92參考註90，史部冊一八一，頁15。

93參考註12，卷一七二，頁597。

適〈志墓〉曰：『……弟正字諱翔，字復之。』」94，在對照四部叢刊本《水心先生文集》卷十六前集〈著作正字二劉公墓誌銘〉95一文之後，我們可以發現劉夙之弟，非名「翔」字，而是「朔」字，又另考陳騤《南宋館閣錄》卷八、李俊甫《莆陽比事》卷一、謝維新《事類備要》續集卷十三「類姓名」、陳道《（弘治）八閩通志》卷七十一「人物」、凌迪知《萬姓統譜》卷五十九、鄭嶽《莆陽文獻列傳》、黃宗羲《宋元學案》卷四十七、李清馥《閩中理學淵源考》卷九〈正字劉復之先生朔〉、魯曾嶽《（乾隆）福州府志》卷四十八、《經義考》卷二十五，劉氏朔《易占》條下等書，均詳細註明劉朔，字復之，且既然《水心先生文集》明示為劉朔，則《經義考》此處所錄作「劉翔」，乃為錯誤之例，諸如此類情況，僅需透過校理異文方式，而能得知實情，惜歷來校訂其書者，未能確實還原引文來源，致使相沿其訛誤，而未能有所訂正，筆者逐一根據原書文句，可據以考訂竹垞錯失之文。

（二）仕宦有誤

竹垞解題多記學者仕宦情況，但是衡諸內容，常有不符實情之處，其中或誤中舉年月，或誤仕宦之地，或誤仕宦歷程等等，諸如此類情形，或是竹垞未校解題之文所致，或是出於原書內容，多有誤植仕宦之失，而竹垞未能釐訂其誤，致使解題所涉學者仕宦，或有未能合乎實情，而有待學者重新校正其文，藉以還其原貌，今略舉數例言之，以示見一斑，其餘諸例，讀者可自行參證下文「考證篇」，茲不贅述。例如：《經義考》卷一八九，林拱辰《春秋傳》條下引《溫州府志》，其文如下：

> 《溫州府志》：「林拱辰，字巖起，平陽人。淳熙戊戌，武舉換文登第，歷工部尚書、廣東經略安撫使，有《春秋傳》刊於婺州。」96

「戊戌」，應依《溫州府志》改作「辛丑」，且「戊戌」年的進士，並無林拱辰之名97，是則解題內容，實係誤撰者登第之年。

又《經義考》卷一九○，郭正子《春秋傳語》條下，竹垞引「王圻」之說如下：「王圻曰：『郭正子，紹定中進士，教授廬州，著《春秋傳語》十卷。』」98，又《經義考》卷一九四，郭隆《春秋傳論》條下，竹垞徵引「《長樂縣志》曰」如下：

> 《長樂縣志》：「郭隆，字德基，宋紹定進士。至元中，泉山書院山長，遷吳江州教

94參考註12，卷一八八，頁74。

95葉適：《水心先生文集》（台北：民國商務印書館四部叢刊影印明黎諒刊黑口本），民國六十八年十一月，臺一版）卷16，頁187～190。又《黃氏日抄》（京都：中文出版社，一九七九年五月，出版）卷六八引之，亦同於《水心先生文集》之文。

96參考註12，卷一八九，頁102。

97湯日昭、王光蘊合撰：《溫州府志》（《四庫全書存目叢書》史二一○冊，台南縣：莊嚴文化事業有限公司，「四庫全書存目叢書」，一九九六年八月，初版一刷），頁六一八。又同書，史二一一，頁28。

98參考註12，卷一九○，頁117。

授，再調興化。有《春秋傳論》十卷，《四書》、《易》皆有述，人稱梅西先生。」99

竹垞徵引上述二文之後，並無任何案語考訂，如據二文相訂，則郭正子、郭隉父子俱為宋時紹定時進士，則豈非一件美事。然而，李清馥《閩中理學淵源考》卷三十五，曾考訂如下：

按：《福州府·選舉志》：『郭正子，字養正，紹定五年壬辰進士，登徐元杰榜，本州解元，廉州教授。』《閩書》〈英舊選舉目次〉載亦同。及檢閱朱氏《經義考》春秋彙載郭氏隉小傳云：《長樂縣志》：郭隉，字德基。宋紹定進士，至元中，泉山書院山長云云。竟遺却父郭正子名字，以紹定進士屬之其子矣。蓋郭正子，宋人也。郭隉，元人也，未知《經義考》引用時傳寫脫落，抑《長樂志》本屬脫誤，因恐讀《經義考》者，不詳郭公隉出處大節，謹標出以待考訂者審之。乾隆戊子四月上澣清馥謹書。100

據此，可得如下幾點結論：

第一，據《福州府．選舉志》一書，則能考出郭正子的中舉時間，係在「紹定五年壬辰」，而王圻之說，蓋係約略言之，竹垞未有案語說明，實有未善之處。

第二，據《福州府．選舉志》一書，則郭正子乃是「廉州教授」，而非「廬州教授」，二地相距甚遠，實應有校語說明，而竹垞未能言之，實有待釐訂，以正其疏漏。

第三，據《長樂縣志》之文，則誤郭隉為宋紹定進士，實則紹定進士為郭正子，而非郭隉，二者年代差距頗大，且誤中舉之人，而竹垞卻未有案語說明，實有所失。

根據上文得知，竹垞徵引「王圻曰」、「《長樂縣志》曰」二文，實有多處漏誤，本當有案語說明，惟竹垞未能考辨清楚，致使二文有謬誤之處，卻未能為讀者所悉，今透過李清馥的考證內容，則知二文錯漏頗多，實有訂補的必要。

（三）地名有誤

《經義考》有許多解題內容，都涉有各種地名，然卻緣於各種原因，而致有誤認地名之失，例如：《經義考》卷一九五，鄭杓《春秋解義》條下引「《閩書》」曰：「《閩書》：『杓，字子經，福州人。泰定中，辟南安儒學教諭。』」101，翁方綱《經義攷補正》卷八有如下考證：

《閩書》：「杓，字子經，福州人。」案：杓，興化縣人，鄭僑之元孫，附載《莆田志·名臣傳》，《閩書》作「福州人」，恐誤也。102

如據翁氏考證的結果，鄭杓為鄭僑之玄孫，當從鄭僑籍貫，題作「興化縣」人，今考各家對

99參考註12，卷一九四，頁二○七。

100參考李清馥《閩中理學淵源考》，卷三十五，頁454。

101參考註12，卷一九五，頁230。

102參考註38，卷第八，頁117。

於鄭杓籍貫之說法，有著各種不同的見解，今製簡表如下：

鄭杓籍貫	出處	卷數
永福人	魯曾煜《（乾隆）福州府志》	卷六十
莆田人	邵遠平《元史類編》	卷三六
莆田人	吳升　輯《大觀錄》	元賢詩翰姓氏卷十
莆田人	鄭傑　輯《閩詩錄》	戊集卷一
福州人，一云興化人	魏源《元史新編》	卷九十一
興化人	黃虞稷《千頃堂書目》	卷三、卷二九
興化人	倪燦《補遼金元藝文志》	
興化人	翁方綱《經義攷補正》	卷八
羅源人	黃錫蕃《閩中書畫錄》	卷三
羅源人	倪濤《六藝之一錄》	卷三五八
羅源人	孫岳頒《佩文齋書畫譜》	卷三八，「書家傳十八」

綜合上述簡表內容，則鄭杓籍貫，有著各種不同的說法，而竹垞此處引《閩書》作「福州」人，而未有出案語考之，恐有誤其籍貫，而有錯置地名之失。

又《經義考》卷一八八，徐定《潮州春秋解》條下引葉適〈志墓〉曰：

> （葉適……）又墓志曰：「定，字德操，泉州晉江人，解褐授秀州崇德縣尉，歷處州、台州教授，知邵武縣，判太平州，知潮州。」103

在對照四部叢刊本《水心先生文集》卷十四〈徐德操墓誌銘〉之文，可以發現其中「歷處州、台州」的「台」字，一作「吉」字，「台」、「吉」二字字形相近，因而致誤。又《經義考》卷一九一，萬鎮《左傳十辨》條下引《姓譜》曰：「《姓譜》：『鎮，字子靜，平江人。登淳祐庚戌第，授豐州司戶參軍。』」104，其中「豐州」，一作「澧州」。「豊」、「澧」二字，亦因字形相近而誤。諸如此類異文現象，皆因字形相近，而致誤作他字，因而有失，至於所誤字詞，由於牽涉地名正誤之辨，故需要校對清楚，以免有誤認地名之失。

又竹垞或有擅改地名之舉，使得原應列於地名者，而變為官職之名，因而未合於原文，而有所失。例如：《經義考》卷一七四，孔衍《春秋穀梁傳》條下引文云：

> 《晉書》：「孔衍，字舒元，魯國人，孔子二十二世孫。中興初，補中書郎，領太子

103參考註12，卷一八八，頁81。

104參考註12，卷一九一，頁135。

中庶子，出為廣陵相。」105

此文出自《晉書》106，原書「廣陵相」三字，實作「廣陵郡」，翁方綱《經義考補正》曾有如下考訂：「《晉書》條內『出為廣陵相』，『相』當作『郡』。」107，衡諸《晉書》之文，確如翁氏所持之論，則竹垞擅改「郡」作「相」字，使得原應屬於行政區域之名，卻轉變為官職之名，因而有所誤失。

（四）書名有誤

竹垞徵引的解題內容，亦有誤題書名之失，實需率先釐正，以正其誤。例如：《經義考》卷一九一，呂大圭《春秋或問》條下引何夢申〈跋〉文，有如下文句：「(何夢申跋曰：……)有五論以開其端，有《集說》以詳其義。」108，今考「《集說》」二字，《國立中央圖書館善本序跋集錄．經部》錄作「《集傳》」109，而上文另有「先生又出《集傳》、《或問》二書」，明白講是「《集傳》」，而非「《集說》」，是則竹垞所引之文，實有誤題書名之失，而此處異文情況，實關係書名正誤之辨，不容任意混淆其文。

又《經義考》卷一九七，李廉《春秋諸傳會通》條下引「張萱曰」如下：

張萱曰：「元至正間，廬陵李廉編。先《左氏》，次《公》、《穀》，次杜氏、何氏、范氏，次疏義，總之以胡氏為主，而陳氏之《後傳》、張氏之《集傳》皆並列之。」110

翁方綱《經義考補正》指出：

張萱條內「張氏之《集傳》，皆竝列之」，「《集傳》」當作「《集注》」。按：《宋史．道學傳》，洽所著書有《春秋集注》、《春秋集傳》，洽〈進書狀〉云：「《春秋集傳》二十六卷、《春秋集注》一十一卷。」《集傳》已佚，李廉所采者乃《集注》，非《集傳》也。111

張洽《春秋集傳》早佚，李廉所采之書，當非《集傳》，而係《集注》者也。「傳」、「注」雖僅一字之別，卻涉及書名正誤之辨，宜詳細考之，方能校其謬誤，正其疏失。

又《經義考》卷一七四，范甯《春秋穀梁傳集解》條下引「楊士勛曰」，其文如下：

楊士勛曰：「魏晉以來，注《公》、《穀》者有尹更始、唐固、麋信、孔衍、江熙、

105參考註12，卷一七四，頁634。

106參考註27，卷九十一，〈儒林傳〉第六十一，頁2359。

107翁方綱撰，《經義考補正》(台北：廣文書局據廣雅堂刊本影印，民國五十七年)，卷七，頁12。

108參考註12，卷一九一，頁144。

109參考註22，頁322。

110參考註12，卷一九七，頁266。

111參考註38，卷第八，頁118。

程闓、徐仙民、徐乾、劉瑤、胡訥之等，甯以傳者雖多，妄引三傳，辭理典據不足可觀，故與門徒商略名例，博示同異。」112

翁方綱《經義考補正》曾於卷七之中，有著如下考訂內容：

楊士勛條內「注《公》、《穀》者」，「公、穀」當作「《穀梁》」；「孔衍」當作「孔演」。按：此條下引王應麟說，於楊士勛所舉十家外增多段肅、張靖二家。113

案：《監本附音春秋穀梁傳注疏．序》〈疏〉亦作「《穀梁》」，此或為翁方綱所據之本，又此詞涉及書名之誤，當據原書改正。

又《經義考》解題之中，亦有緣於書名繁簡不同，或增補文字，以足其義；或刪減文字，因而致誤，諸如此類情況，由於所題書名情況，或與原書文句不合，故應據原書之文，以正其誤字，例如：《經義考》卷一七八，陳岳《春秋折衷論》條下解題略云：

學《左氏》者則訾《公》、《穀》，學《公》、《穀》者則詆《左氏》；乃有《膏肓》、《廢疾》、《墨守》之辨設焉。謂之《膏肓》、《廢疾》者，則莫不彌留矣，亡一可砭以藥石者也；謂之《墨守》，則莫不堅勁矣，亡一可攻以利者也。114

其中「謂之《膏肓》、《廢疾》者」中的「《膏肓》、《廢疾》」四字，原書作「《膏》、《廢》」，蓋竹垞或以二字為簡稱，乃補入相關內容，以足內容，惟原書作「《膏》、《廢》」矣，諸如此類情形，實有重新校正的必要。又《經義考》卷一七五，沈文阿《春秋左氏經傳義略》條下引《南史》云：

《南史》：「文阿，字國衛，吳興武康人。通《三禮》、《三傳》，位《五經》博士，尋遷通直散騎常侍兼國子博士，所撰《儀禮》八十餘條，《春秋》、《禮記》、《孝經》、《論語義》七十餘卷、《經典大義》十八卷，並行於時也。」115

其中翁方綱《經義考補正》一書，曾有如下的考辨：

《南史》條內「《孝經》、《論語義》」，「《義》」下當補「《記》」字。按：文阿，沈峻之子。（卷七，頁十三）

《南史》實作「《論語義記》」，而竹垞輯錄解題之時，卻於書名省略「記」字，而題作「《論語義》」，致使書名與原書記載不同，而有重新校訂的必要。

又竹垞輯錄解題之中，或有緣於誤看文獻內容，而致書名的著錄，有著前後錯倒之失，諸如此類情況，亦應逐一加以校正，以免遺誤後學之人，例如：《經義考》卷一七七，高重《春秋纂要》條下引《新唐書》之文如下：

112參考註12，卷一七四，頁640。

113參考註107，卷七，頁13。

114參考註12，卷一七八，頁725。

115參考註12，卷一七五，頁658至659。

> 《新唐書》：「重，字文明，士廉五代孫，文宗時，翰林侍講學士。帝好《左氏春秋》，命重分諸國，各為書，別名《經傳略要》。歷國子祭酒。」116

翁方綱《經義考補正》考之如下：「《新唐書》條內『別名《經傳略要》』，當作『《要略》』。」（卷七，頁十六），今考《新唐書》卷五七於注文的內容，實作「《經傳要略》」，則竹垞題作「《經傳略要》」者，確有書名誤倒之失，諸如此類疏失，亦需校以原書文句，始能還其原貌。

（五）評論互異

今取竹垞所輯解題內容相校，亦有緣於文字相異，而致評論互異，例如：《經義考》卷一八三，張大亨《五禮例宗》條下引陳振孫曰：「例宗考究，亦為詳洽。」117，其中「亦」字，備要本作「亦」，而《文獻通考》、《補正》、《四庫》本均作「未」字。「亦」、「未」雖僅一字之差，但評論炯異，「亦為詳洽」，表示其書尚稱詳洽，實屬於正面之評論，而「未為詳洽」，則意示其書非詳洽之籍，顯然字義有別。案：翁方綱《經義攷補正》、林慶彰等諸位教授《點校補正經義考》二書，逕將此字改作「未」字，而何廣棪：《陳振孫之經學及其《直齋書錄解題》經錄考證》則持有相反意見，何氏考證之文如下：

> 案：《經義考》卷一百八十三《春秋》十六著錄：「《五禮例宗》，《宋志》十卷，存。陳振孫曰：「《例宗》攷究，亦為詳恰。」」是彝尊所見《解題》，字作「亦」不作「未」也。《總目》「《春秋五禮例宗》七卷」條云：「蓋《禮》與《春秋》，本相表裏。大亨是編以杜預《釋例》與經踳駁，兼不能賅盡。陸淳所集啖、趙《春秋纂例》，亦支離失真。因取《春秋》事蹟，分吉、凶、軍、賓、嘉五禮，依類別記，各為《總論》。義例賅貫，而無諸家拘例之失。陳振孫稱為考究詳恰，殆非溢美。」是撰《總目》者所見之《解題》正作「亦為詳恰」，與彝尊同。」118

然而，竹垞解題之文，多據《文獻通考．經籍考》輯錄而來，此處《通考》既作「亦」字，則原文當從《通考》之文，理應題作「亦」字，且四庫本《經義考》則改題作「未」字，顯見館臣所持見解不同，王太岳《四庫全書考證》卷四七指出：「《五禮例宗》，陳振孫曰：『《例宗》考究，未為詳洽。』刊本未訛，『亦』蓋沿《通考》之誤，今據《書錄解題》改。」，顯然考證之語，又與《四庫提要》之文，有所不同。據此，竹垞輯錄的解題內容，或有涉及相關主題的評論，然亦偶有參差之文，則此處異文資料，雖僅一字之差，但卻涉及正反評價互異，諸如此類歧異，實應逐一校出其文，而過去學者雖能校出異文，但卻緣於主觀認知不同，而致取證各異，是以讀者覽之其文，亦應細察其異，以免錯引解題內容，而有失評論公允。

（六）身分有誤

116參考註12，卷一七七，頁713。

117參考註12，卷一八三，頁855。

118何廣棪：《陳振孫之經學及其《直齋書錄解題》經錄考證》（台北：里仁書局，民國八十六年三月十五日初版），頁574至575。

竹垞所輯的解題，由於內容多有增刪，致使其中所涉對象，或有誤題身分之失，學者若不能深考其來源，將難於發現其誤，而會有誤認身分之失，諸如此類內容，實有重新糾正的必要，始能釐清正誤，例如：《經義考》卷二○九，林概《辨國語》條下引「《閩書》」曰：

《閩書》：「概，字端甫，福清人。景祐元年試禮部第一，以大理丞出知連州，遷太常博士集賢校理，著《辨國語》四十篇，曾鞏志其墓。」119

今考及《閩書》原文，曾鞏應是志其母墓，並非志林概之墓也，竹垞引作「曾鞏志其墓」，實缺一「母」字，而有所失。今查《元豐類稿》卷四五有〈天長縣君黃氏墓誌銘〉，墓銘即標示墓主乃黃氏，而黃氏即為林概之母，是以此文係為林概之母撰寫〈墓誌銘〉，然竹垞一時不察，導致誤記墓主對象，使得母子身分誤換，若是讀者未能深察其出處，定以曾鞏曾為林概撰寫〈墓志〉，而未能深究其非，實則《閩書》所記之文，非作如是見解，蓋竹垞誤記內容之故，致使墓主身分有誤。

又《經義考》卷一九三，杜瑛《春秋地里原委》條下，引馬祖常作〈碑〉曰：

（馬祖常作碑曰：……）天歷己巳，以孫秉彝貴，贈官翰林學士，階資德大夫，勳上護軍，爵魏國公，謚文獻。120

根據四部叢刊本《石田先生文集》卷十一〈皇元敕贈翰林學士杜文獻公神道碑〉之文，「孫」字應為「曾孫」之誤，此乃誤記其輩份，雖僅一字之差，卻使輩份註記，誤隔一代，而使得彼此身分有失，未能合乎原來實情。

又《經義考》卷一八六，石公孺《春秋類例》條下引「《中興聖政錄》」云：

《中興聖政錄》：「紹興初，詔鄉貢進士石公孺、李郁並令赴都堂審察。公孺，臨海人，長於《春秋傳》，不事科舉。郁，光澤人，父深，元祐黨人，母，陳瓘兄弟也，郁早從楊時學，時以女妻之。」121

其中「母，陳瓘兄弟也」，原「陳瓘」二字下，《中興聖政錄》卷十三、《建炎以來繫年要錄》卷六七均多出「女」字，衡諸前後文句，應有「女」字，竹垞漏略「女」字，使得親屬身分有誤，而有待釐正。

（七）年月有誤

竹垞所錄解題之中，常有涉及史實年代者，其中多有誤植之文，而致多有錯誤，例如：《經義考》卷一八五，胡安國《春秋傳》條下，引《宋鑑》云：

《宋鑑》：「紹興四年夏四月，新除徽猷閣待制知永州胡安國乞以本官奉祠，詔：安國經筵舊臣以疾辭郡，重憫勞之，可從其請，提舉江州太平觀，令纂修《春秋傳》，

119參考註12，卷二○九，頁547。

120參考註12，卷一九三，頁176。

121參考註12，卷一八六，頁20至頁21。

俟書成進入，以稱朕崇儒重道之意。」122

翁方綱《經義考補正》曾有如下考證：

《宋鑑》條內「紹興四年夏四月，新除徽猷閣待制知永州胡安國乞以本官奉祠」，杰按：《玉海》作「五年」，考《宋史・儒林傳》亦作「五年。」（卷八，頁四）

此條為丁杰據《玉海》、《宋史．儒林傳》考出「四年」應為「五年」之誤，筆者復考《中興聖政錄》亦列入「五年」，惟「紹興五年夏四月」諸字，應係置於卷前，非逕接「新除徽猷閣待制永州胡安國乞以本官奉祠」諸字之前，雖然所處位置不同，但是所論內容實為「紹興五年」之事。又《中興聖政錄》將此文置於「紹興五年夏四月甲辰朔」，不僅可補《宋鑑》言而未盡之失，且能補其謬誤，而丁杰僅考「四年」實作「五年」，卻未將「甲辰朔」列出，致使僅能詳其年月，而不知其確切日期，亦有些許未足之失。

又《經義考》卷一七六，陸質《集傳春秋纂例》條下引柳貫〈後序〉云：

按：金章宗之十一年，改元泰和，其三年則癸亥歲也。於時北學稱趙閑，閑公秉文即公名，知為趙氏所藏無疑。後癸亥七年，章宗復土中原，癉放兵，又二十五年而金亡矣。是書免於灰殘爛滅，以萬毀一存於壁藏，甑覆之餘，傳閱幾姓、幾室而至於余？逆而計之，亦一百一十六年物也。況今無板本，豈不尤可珍也哉？得書後，二年八月廿五日記。123

筆者根據《柳待制文集》所錄之文，考出「金章宗之十一年」實為「金章宗之十二年」之誤植。又金章宗於西元一一八九年即位，改元明昌，其後於西元一一九六年，改號承安；而於西元一二〇一年，改號泰和，此時離其登基之年，已為十二年矣。竹垞錄作「金章宗之十一年」，不僅未合於原書文句，也非合於史實，當據原書之文改正。

又《經義考》卷一八六，徐端卿《麟經淵源論》條下云：

魏了翁〈志〉曰：「武義徐君，諱端卿，字子長，紹興十一年進士，教授鎮江，嘗著《麟經淵源論》十篇。」

「紹興十一年」五字，應依〈鎮江府教授徐君墓誌銘〉改作「紹興二十一年」，二者相距十年，是則中舉年代有誤，今依原書文句改之，以符合實情。

除了年代有誤之外，也有月份誤植之例，例如：《經義考》卷一七九，賈昌朝《春秋要論》條下引文曰：

《玉海》：「景祐元年十二月，崇政殿說書賈昌朝撰《春秋要論》十卷，詔令舍人院試，二年五月詔直集賢院。」124

122參考註12，卷一八五，頁5。

123參考註12，卷一七六，頁698。

124參考註12，卷一七九，頁763。

翁方綱《經義考補正》考訂如下：「《玉海》條內『二年五月』，『五』當作『二』。」（卷七，頁十八），今考翁氏補正的資料，或來自《玉海》原書，然《玉海》一書，書中「二年五月」，實作「二年二月五日」[125]，則竹垞或將「五日」誤看為「五月」，致使月份有誤，而翁氏雖補其誤，惜翁氏補正內容，僅論及「五月」為「二月」之誤，而未及其確切日期，是以未及全備，今據《玉海》原文，不僅可訂正「五月」實為「二月」之誤，也能補入確切日期。

《經義考》解題內容，所涉年月眾多，其中不乏竹垞錯看文獻資料，而誤記年月資料者，筆者於下文【考證篇】之中，逐一徵引文獻考之，以正竹垞解題之中，所涉諸多年月之誤，讀者可自行參看下文，茲不贅述。

（八）卷帙有誤

《經義考》所輯解題之中，亦有論及典籍撰著資料，其中不乏誤植卷帙之失，而有待學者逐一審據原書文句，藉以校訂其誤，例如：《經義考》卷一七四，王長文《春秋三傳》條下解題云：

> 《華陽國志》：「王長文，字德儁，廣漢郪人。察孝廉，不就，後拜蜀郡太守。以為《春秋三傳》傳經不同，每生訟議，乃據經摭傳，著《春秋三傳》十二篇。」[126]

案：「十二篇」，應據《晉書》改作「十三篇」。案：王長文另撰有《無名子》十二篇，同見載於《華陽國志》，今竹垞記《春秋三傳》為十二篇者，蓋實為《無名子》卷帙誤植之故，今據原書改正。

又《經義考》卷一八四，王葆《春秋集傳》條下解題云：「龔明之曰：『彥光最長於《春秋》，有《集解》十五卷、《備論》五卷。』」[127]，此文係出於龔明之《中吳紀聞》卷六，頁一四九（粵雅堂叢書本），其中「五卷」二字，今考《中吳紀聞》之文，實題作「兩卷」，二者差距三卷，此為誤題卷數者也，故應當據原書改正。

又除了數量有誤之外，也有篇卷誤植他字，而致字義解讀有誤，例如：《經義考》卷一七四，黃容《左傳抄》引《華陽國志》如下：「《華陽國志》：『蜀郡太守巴西黃容好述作，著《左傳抄》數十年。』」[128]，其中「數十年」三字，《華陽國志》原文作「凡數十篇」，而竹垞誤作「數十年」者，二者意義不同，竹垞既引作「《華陽國志》」，則應據原書改正，以免使讀者錯讀解題內容，而誤解其義，而以《左傳抄》為黃容數十年力作，雖然有此可能，但是《華陽國志》的內容，顯然不是此義，諸如此類疏失，實有待重新釐正者也。

（九）國別有誤

《經義考》所涉解題之中，亦有涉及國別之名，而竹垞於纂輯過程之中，誤作其他國別，

125參考註15，冊二，卷四○，頁800。

126參考註12，卷一七四，頁632。

127參考註12，卷一八四，頁890。

128參考註12，卷一七四，頁649。

因而有誤，例如：《經義考》卷一九九，傅藻等人編纂《春秋本末》條下引宋濂〈序〉，其文略曰：

> 洪武十一年夏五月，皇太子御文華殿，命侍臣講讀《春秋左氏傳》，既而曰：『諸國之事雜見於二百四十二年之中，其本末未易見，曷若取《春秋分記》而類入之？』《分記》，眉人程公說所述，有年表、世譜、名譜、世本、附錄等類，頗失之繁，但依世本次第成書。先周，尊天王也；次魯，內望國也，次齊、晉，主盟中夏，故列之魯後，而齊復後於晉，以晉於周、魯為親，其霸視齊為長也；自齊而下，次宋、衛、蔡、陳，地醜德齊，而宋以公爵列於三國之首，衛、蔡、陳之爵皆侯也，鄭、曹、燕、秦皆伯也，陳、秦獨後，異姓也；若楚、若吳、若越，以僭號見抑於《春秋》，並居其後，而小國戎狄附焉。[129]

其中「陳、秦獨後」的「秦」字，今考宋濂〈春秋本末序〉作「蔡」字，此處所涉國名有誤，當據原書改正。

又《經義考》卷二〇八，朱鶴齡《左氏春秋集說》條下引朱鶴齡〈自序〉，其內容略云：

> 記曰：『屬辭比事而不亂，深於《春秋》者也。』今之說《春秋》，何其亂與？則凡例之說為之也。自《左氏》立例，《公》、《穀》二氏又有例，啖、趙以下亦皆有例，言人人殊，學者將安所適從？如：稱爵者，褒也，而會盂何以書楚子，則非盡褒也；稱人者，貶也，或將卑師少也，而僖公之前，何以君大夫將皆稱人，則非盡貶與將卑師少也；稱字者，貴之也。而邾儀父、許叔、蕭叔有何可貴乎？殺大夫稱名者，罪之也，而陳洩冶、蔡公子燮有何可罪乎？諸侯失國名，而夔子、萊子不名；滅同姓名，而楚滅夔、齊滅蔡不名，則其說窮矣。[130]

其中「齊滅蔡不名」的「蔡」字，翁方綱《經義考補正》云：「〈自序〉內『齊滅蔡』，『蔡』當作『萊』。」（卷八，頁二一），今考《點校補正經義考》襲其成果，云：「『蔡』，應依《補正》作『萊』。」[131]，筆者重考如下：「萊」，國別名，春秋時為齊靈公所滅，其故址約在今山東省黃縣東南，而竹垞將其改作「蔡」字，實乃誤作他國之例，致有所失。其次，竹垞引錄朱鶴齡之文，實出於《愚菴小集》卷七，〈左氏春秋集說序〉一文[132]，該文適作「萊」，可見此書原來文句不誤，而竹垞引錄其文之時，乃誤作「蔡」字。又滅蔡國者，實為楚國，而非齊國，是以證之「齊滅蔡」之說，實不足據也，而應為「齊滅萊」之誤植，此國別之名有誤，而有待訂補者也。

（十）體例有誤

129參考註12，卷一九九，頁314至頁315。

130參考註12，卷二〇八，頁500。

131參考註12，卷二〇八，頁500。

132朱鶴齡，《愚菴小集》卷七，〈左氏春秋集說序〉，（台北：臺灣商務印書館，「景印文淵閣四庫全書」冊一三一九，民國七十五年三月，初版），頁78至頁79。

每本經籍撰著，皆有其撰書體例，竹垞引錄解題之時，或有改其義例者也，使得徵引的解題內容，多有不合原書體例，例如：《經義考》卷一六九，左邱明《春秋傳》條下引一段「黃澤」之文如下：

> 左邱明或謂姓左邱，名明，非傳《春秋》者，傳《春秋》者，蓋姓左而失其名。愚謂：去古既遠，此以為是，彼以為非，又焉有定論？今以理推之，夫子修《春秋》，蓋是徧閱國史，策書、簡牘皆得見之，始可筆削；雖聖人平日於諸國事素熟於胸中，然觀聖人『入太廟，每事問』，蓋不厭其詳審，況筆削《春秋》將以垂萬代？故知夫子於此，尤當詳審也。又策書是重事，史官不以示人，則他人無由得見，如今國史自非嘗為史官者，則亦莫能見而知其詳；又夫子未歸魯以前，未有修《春秋》之意，歸魯以後，知道不行，始志於此，其作此經，不過時歲閒爾，自非備見國史，其成何以若是之速哉？策書是事之綱，不厭其略；其節目之詳，必須熟於史者然後知。是以此書若示學者，則雖高弟亦猝未能曉，若在史官，雖未能盡得聖人之旨，比之不諳悉本末者，大有逕庭矣。故愚從杜元凱之說，以為左氏是當時史官篤信聖人者。[133]

此文出自《春秋師說》一書[134]，其中「愚謂」一詞，原書題作「澤謂」而「澤」字為「黃澤」自稱之辭，而竹垞既指明此文為「黃澤」之語，乃改「澤」為「愚」，雖不妨礙解題內容的理解，但二者用字實屬不同，且「愚謂」二字，與原書體例不合，故應依原書改作「澤謂」為佳。又同條解題之中，「愚從杜元凱之說」中的「愚」字，原書題作「竊獨妄意」四字，雖然「愚」字較能使讀者理解其意，但竹垞擅改為此字，使得此一解題內容，也與原書體例不合。

（十一）數據有誤

竹垞輯錄解題之中，經常涉有各類數字，而此類數據資料，容有錯誤之處，而有待後世學者校正之，以還其原貌。例如：《經義考》卷一八一，鄭昂《春秋臣傳》條下解題云：「王應麟曰：『以人類事，凡二百十五人，附而名者又三十九也。』」[135]，翁方綱《經義考補正》曾有如下考訂：「王應麟條內『又三十九也』，當作『九十三』。」（卷七，頁十九），是則「又三十九也」，應作「九十三」，數字有誤倒現象。今考此文出自《玉海》一書[136]，原書文句適作「九十三」，此或為《補正》、四庫本《經義考》所據之來源。蓋竹垞錄及此文之時，誤將「九十三」題作「三十九」，致使人名計數有誤，而應據原書改正。

又《經義考》卷一七二，應劭《春秋斷獄》條下引文云：

> 《後漢書》：「應劭，字仲遠，汝南南頓人。中平六年，拜太山太守，撰具《律本章句》、《尚書舊事》、《廷尉板令》、《決事比例》、《司徒都目》、《五曹詔書》

133參考註12，卷一六九，頁525至頁526。

134黃澤述，趙汸編《春秋師說》（台北：台灣大通書局，「通志堂經解」第二十六冊，民國58年10月。），卷上，〈論三傳得失〉，頁14822。

135參考註12，卷一八一，頁818。

136參考註15，冊二，卷四○，頁801。又竹垞所引之文，實為《玉海》的注文，特此說明。

及《春秋斷獄》，凡二百五十篇。蠲去復重，為之節文。又集《駁義》二十篇，以類相從，凡八十二事。」137

翁方綱《經義考補正》考訂如下：「《後漢書》條下小注『汝南南穎人』，『穎』當作『頓』。」（卷七，頁八），翁氏校訂未能完整，致有所失，今考竹垞所引解題，係出自《後漢書》138，其中「二十篇」應作「三十篇」，此乃篇名數量未合，而翁氏未能校出此條異文，顯示其補正《經義考》之時，並非全面行校訂之實，而有全新檢討的必要。

整體而論，竹垞所輯解題之中，凡是涉及數據者，皆有必要檢核其內容，尤其是書中文句，係涉及篇卷內容者，則常有錯誤的情形，讀者應用《經義考》之時，宜多加注意此點，以免會承襲竹垞之誤，而使得考訂多有漏誤。

二、脫字例舉隅

大凡文獻傳抄過程之中，偶有脫漏一字，或是脫漏數字者，則稱為「脫文」，或稱「奪文」、「闕文」。《經義考》徵引博富，可供佐證者多矣，但其中解題文句，闕漏之處極多，而有待後人重新釐正者也。然而，今日檢視前賢校勘成果，大抵集中在校讎異文方面，雖有著校勘成效，惜未能有效整理竹垞剪裁之文，並且重新輯錄資料，以供讀者參考之用，殊不知此類內容，常有參考價值，而有重新輯補的必要。此外，竹垞徵引典籍之中，已有不少罕見珍籍，如不能及時入校，勢將隨著時代久遠，而致湮沒不存，如若《經義考》的引文資料，不能及時校理完畢，即縱使其書有輯佚價值，但是由於竹垞引用文獻之時，刪除文句甚多，致使漏失不少文句，若是後人據以輯錄古籍殘文，則其所得成效，也與原書文句頗有出入，平添後人整理文獻之困擾。筆者曾校理《經義考》與《文獻通考．經籍考》的文字內容，發現竹垞徵引文獻之時，不僅產生眾多異文資料，甚且刪去不少內容，而這些被刪除的資料，實具有參考功效139，惜學者不及於此，而僅僅重視異文校訂成果，卻未能全面增補闕漏文句，使得現有校勘成效，多有未能盡善之處，如若能澈底還原文獻，重新校理文字，則必能提供更多資料，以利於學者治經之用。

筆者有感於竹垞剪裁文句眾多，其中漏略內容，多有其參考價值，且前賢整理《經義考》解題之時，未能輯補闕文漏句，而失去訂補功效，是以有志於校補前人之不足，乃持續校理此書內容，尤其著重於添補竹垞漏略文句，以供讀者治經之用。在訂補竹垞漏略文句之時，逐一釐清竹垞編纂法則，更從檢索文獻過程之中，發現清代流通的引證法則，業已能形成「刪纂之學」的體系，於是將個人查考文句的心得，撰成〈朱彝尊《經義考》「剪裁之法」的運

137參考註12，卷一七二，頁591。

138參考註67，卷四八；頁1606、1609、頁1610、頁1613。竹垞併合四處解題為一，且行文順序互有改動。

139參考註5，頁32至頁34。該文將竹垞有意刪略的文字，析為「漏列評定價值」、「漏列撰注作者」、「漏列序跋資料」、「漏列成書過程」、「漏列作者他書」、「漏列參考出處」、「漏列書名異稱」等七項。

用析論〉一文[140]，藉以探討其剪裁法則，以示竹垞輯纂書目之時，乃是有意剪裁文句所致，而竹垞此一舉動，也使得全書漏略文句嚴重，而有待後人輯補資料，以冀其全。

綜觀竹垞剪裁的文句，實具有極高的價值，不當輕易棄置不論，惜歷來學者補正此書之時，多僅重視校勘異文之效，而忽略竹垞漏輯文句的價值。因此，筆者在校勘解題之時，乃針對竹垞漏略文句，逐一爬梳條例，以見其文句價值，茲條例如下：

（一）漏列落款內容

竹垞引用前人文獻之時，雖不乏通篇全錄者，卻習慣刪去落款內容，昔日翁方綱補正《經義考》之時，有感於竹垞漏失文句甚多，尤多漏略序跋年月資料，而這些資料內容，有助於查考經學發展的脈胳，實有其參考價值，故不當任意刪去，於是翁氏發凡起例，採用隨見隨錄方式，據以補入年月資料，翁氏云：

> 竹垞先生此書所最失檢者，於進表及序跋，多刪其歲月也。今方綱隨所見者補入，亦頗未能詳，謹識於此，以當發凡。141

序跋的年月資料，不僅有助於瞭解其撰作時代，也能藉以考察學說演變，而有助於學術史的探索與研究，諸如此類的內容，實不當輕易刪去其文，以免使讀者錯失參考機會。因此，翁氏發憤輯錄竹垞剪裁的序跋落款，並相約同志共行其事，期能補其書之失。伍崇曜《經義考補正．跋》指出，翁氏曾和丁杰「相約補正《經義考》序尾年月」[142]，而伍崇曜亦曾參與其事，收錄數條序跋落款資料，以與翁氏相互研問[143]。由此可見，竹垞刪略序跋年月的作法，實有不當之處，此事經翁氏指明其失，並且發凡起例，採取隨見隨錄的方式，也確實補入不少資料，而當世學者亦能參與其事，共同參與輯錄工作，而能收到一定成效。然而，清儒輯錄竹垞刪略資料，常採取隨見隨錄方式，卻非專志行之，致使增補文句之行，僅有發凡起例之功，而未能收致全效，其中遺漏內容實多，未足以反映全書漏略之失，今筆者參考前賢輯錄體例，將《經義考》「春秋類」闕漏的年月資料，製成附表一〈竹垞刪略進表、序跋的年月資料簡表〉，以示其例甚多，可供讀者佐證之用。根據簡表內容得知：翁氏諸人所補成果有限，僅有發凡起例之功，而筆者增補內容，已能有效彌補翁氏未足之處，但是遺漏猶所難免，仍需留待後人續之，甚且補入更多序跋，而不限於跋尾的年月資料。

綜觀竹垞刪略的落款內容，不僅限於序尾年月，尚及於其他內容，如單以刪略落款而言，即包含主題極廣，除了刪除年月資料之外，也包含其他內容，而前人僅校補年月資料，亦有未備之處，例如：《經義考》卷一八八，章氏沖《春秋左傳類事始末》條下引「沖自序曰」

140楊果霖：〈朱彝尊《經義考》「剪裁之法」的運用析論〉（台北：醒吾學報第二十五期，民國九十一年十二月），頁255至頁282。

141參考註38，卷第八，頁12。

142參考註38，伍崇曜〈跋〉，頁一。

143參考註38，伍崇曜〈跋〉，頁1。

[144]，竹垞引文刪去「淳熙丁未十月望日，奉直大夫知台州軍事兼管內勸農使章沖序」等二十六字[145]，而刪略的文字內容，則包含年月日、官銜、姓名等文字。又《經義考》同卷之下，另錄有「謝諤〈序〉曰」條下[146]，竹垞略去「淳熙十五年十二月十二日癸酉，臨江謝諤序於攜文堂」等二十二字[147]，則是項落款內容，亦包含年月日、籍貫、姓名、書齋名等文字。又《經義考》卷一九一，呂大圭《春秋或問》條下引「何夢申〈跋〉文」[148]，即刪去如下落款「時寶祐甲寅正陽之月，門人元公書院堂長何夢申敬跋」等二十三字[149]，是項內容包含年月、身份、仕宦、姓名等文字，諸如此類內容實多，對於查考序跋撰成年代、撰序者生平、仕宦、書齋等資料，均能提供相關文獻，而有助於建構學術史資料，對於瞭解《春秋》學說的發展，實有進一步的助益，惜皆為竹垞刪去其文，而前賢雖有輯錄文句之舉，惜所得數量不豐，雖然翁方綱曾經糾集同志，共同輯錄竹垞剪裁之文句，但僅限於序跋年月，或係單一字詞之漏，且採取隨校隨錄方式，使得收取的成效，實較為零碎，也凸顯校勘成果不彰，難以達到盡善盡美之效，而有待後人校以各類文獻，以求能補足其闕，便於讀者參考之用。

前賢校補竹垞引文之時，雖能補入若干落款內容，但在補錄解題之時，未能據書直錄其闕文，僅僅增補年月資料，至於其他落款內容，也多為學者略去不論，殊為可惜。例如：上述所引的謝諤〈序〉文，翁方綱僅補錄：「淳熙十五年十二月。」[150]等八字，點校本《（點校補正）經義考》襲之，據以補入「淳熙十五年十二月」[151]，然考之「通志堂本」的謝諤序文，於「月」字下，尚有「十二日癸酉，臨江謝諤序於攜文堂」等十四字[152]，當據以補入序文之中，而衡諸《（點校補正）經義考》一書，雖能綜整前賢校勘之作，但是相互承襲之處甚多，並未能全面校其解題，致使校勘內容之中，亦多限於異文部分，而未能全面增補竹垞刪略解題，故需全面校訂內容，方能提供完善資料，以供讀者參考之用。又章沖之〈序〉，翁方綱僅補錄「淳熙丁未十月」諸字[153]，而原〈序〉尚有「望日奉直大夫知台州事兼管內

144參考註12，卷一八八，頁68至頁69。

145章沖：《春秋左氏傳事類始末》〈自序〉（台北：大通書局據康熙十九年通志堂經解本影印，冊２２，民國六十一年出版），頁12697。

146參考註12，卷一八八，頁69至頁70。

147參考註145，〈自序〉，頁12697。

148參考註12，卷一九一，頁144至頁145。

149參考註22，頁三二二轉錄「元刊明代修補十行本」呂大圭《春秋或論》〈呂夢申序〉的序文），其中何夢申之文，係為〈序〉文，而非如竹垞所題作〈跋〉文。

150參考註38，卷第八，頁112。

151參考註12，卷一八八，頁70。註腳指出：「依《補正》當補『淳熙十五年十二月』。」，此一校語內容，實係承襲翁方綱校語而來，至於翁氏未能校出的文句，也一併從缺。

152參考註145，頁12697。

153參考註38，卷第八，頁112。

勸農使章沖序」等字[154]，有助於瞭解章沖當時的官銜，惜翁氏所補落款文字，亦僅及於年月資料，而略去相關文字，致使讀者未能發現竹垞所刪落款內容，除了年月資料之外，尚有其他重要文句，可供讀者參證之用。據此，讀者使用該書解題之時，宜細考其文字，以免錯失重要資料。其次，從前賢增補文句過程之中，也凸顯目前校勘成果，有著彼此相互承襲之跡，迄今缺乏完善的校勘之作，讀者如要獲得正確內容，仍需自行透過校勘程序，方能獲得完善資料，而平添讀者應用之擾。

（二）漏列書名撰著

竹垞刪錄的解題內容，有漏列作者撰著資料，使讀者錯失查考機會，無從得知學者的其他著作。例如：《經義考》卷一八八，蘇權《春秋解》條下引《閩書》曰：「《閩書》：『權，字元中，仙遊人，從張南軒，登淳熙第，調梧州推官，終辰州守。』。」[155]，今考《閩書》卷一百十三，〈英舊〉於「終辰州守」四字之下，尚有「有《春秋解》三卷」等六字[156]，蓋竹垞著錄典籍之時，已有相關書名、卷數，是以在引用《閩書》文句之時，乃略去相關文句，而諸如此類刪略內容，宜據原書添補文句，以供讀者參考之用。又《經義考》卷一八八，陳震《春秋解》條下引《閩書》曰：「《閩書》：『震，字省仲，晉江人，淳熙進士，累官太府丞。』」[157]，此文見於《閩書》卷八十二，〈英舊〉篇，原文於「字省仲」三字下，漏列如下文句：

> 知甌寧縣，歲旱，勸分捐俸為倡，再令新建適更新楮，以帑積舊券代下戶輸租，通判饒州，知韶州，攝憲節郤臺府，例券數千緡，召除軍監器丞，遷太府丞。奏乞減二廣丁錢，繕郡城壁，填諸州軍籍，乞祠歸，有《春秋解》雜著數十卷。[158]

上述缺漏文句，竟多達八十六字，其中「有《春秋解》雜著數十卷」等九字，即說明陳震撰有《春秋解》之外，尚有其他雜著，且撰著多達數十卷，相較於陳震《春秋解》未題卷帙多寡而言，則此類文字，實有助於瞭解陳震撰著情況，不僅得知竹垞諸多撰著，合計有數十卷，如再行查考陳氏之作，尚有《史編雜著》一書，雖非屬於經籍著作，但是此類的文句，實應該保留其文，而不應任意刪棄之，而使讀者錯失參考機會。

又竹垞徵引文獻之時，常刪略學者撰著資料，而其中多數情況，係因資料重複而見棄，而諸如此類資料，尚能藉由《經義考》的著錄，可以得知學者著述情形。然而，另有一些非關經籍之作，卻因竹垞主觀認定而見棄，是以此類撰著資料，並無法藉由《經義考》的著錄內容，得知學者的其他撰著，而需要考察其他文獻，始能得知詳情，是以增添讀者使用的困擾，例如：《經義考》卷一八九，廖德明《春秋會要》條下引《閩書》云：

154參考註145，頁12697。

155參考註12，卷一八八，頁82。

156明何喬遠：《閩書》卷一一三，〈英舊〉（台南縣：莊嚴文化事業有限公司，「四庫全書存目叢書」史二○七冊據福建省圖書館藏明崇禎刻本影印，一九九六年八月，初版一刷），頁66。

157參考註12，卷一八八，頁82。

158參考註156，卷一一三，卷八十二，〈英舊〉，頁180。

> 《閩書》：「廖德明，字子晦，延平人，受業朱文公，舉進士，累知廣州，遷吏部左選郎官奉祠。」159

是文出自《閩書》卷一○三，〈英舊〉篇，頁六○○至頁六○一160。竹垞輯自《閩書》之文，惜刪略文句甚多，難於逐一列舉其文，惟在眾多刪除資料之中，《閩書》文末原有「有《文公語錄》、《春秋會要》、《槎溪集》」等字161，可以瞭解廖氏所撰之籍，除《春秋會要》之外，尚撰有《文公語錄》、《槎溪集》等書，而《經義考》僅著錄《春秋會要》，卻因著錄的範圍，不及於其他諸類典籍，是以未能收錄其餘二書，而竹垞於引用《閩書》之時，卻因「《文公語錄》」、「《槎溪集》」非屬於經籍著作，是以棄置不錄，顯然有不足之處，如果讀者僅據竹垞之文，只能得知廖氏經籍著作，而往往忽略學者其他撰著，是以如要查考廖氏之籍，則需檢視其他文獻，方能得知詳情，諸如此類情形，實有待改進之處。

又《經義考》卷一九九，李衡《春秋集說》條下，竹垞錄及張萱之語如下：

> 張萱曰：「洪武中，臨川李衡著。其說宗吳艸廬，參以李廉《會通》、汪德輔《纂疏》，凡五十餘家。」162

竹垞於「《纂疏》」二字下，明顯漏列「胡氏《傳注》」等四字，而與張萱之文不符。今觀竹垞引文內容，顯係參考黃虞稷《千頃堂書目》之文163，非出自張萱之語，而根據竹垞漏列四字，足證李衡纂輯《春秋集說》之時，確曾參考胡安國撰著，惜竹垞或以文末有「凡五十餘家」，復舉李廉《會通》、汪德輔《纂疏》二書為代表，即可證明李衡《春秋集說》參考各類撰著，而以為「胡氏《傳注》」為累贅文句，因而刪棄其文，如若讀者未能細審原書內容，將難以得知相關資料，且李衡《春秋集說》一書，久未見傳本，當已久佚於世，讀者如據「張萱」之言，僅能得知是書宗法吳澂之說，復曾參以李廉《會通》、汪德輔《纂疏》等五十餘家撰著，將無法得知該書纂輯之初，亦曾引用胡氏《傳注》一書，諸如此類刪略之文，不僅能查考李衡撰書依據，也能得知胡安國撰書影響，實有其參考價值，惜為竹垞刪去文句，而有待學者輯錄內容，以補其不備之處。

（三）漏列版本內容

竹垞編纂《經義考》之時，雖有「鏤版」一項164，藉以收羅版刻記錄，卻未能逐一考

159參考註12，卷一八九，頁92。

160參考註156，卷一一三，〈英舊〉，頁600至頁601。

161參考註156，卷一一三，〈英舊〉，頁601。

162參考註12，卷一九九，頁319。

163黃虞稷《千頃堂書目》（台北：廣文書局，「書目叢編」「適園叢書影十萬卷樓鈔本」，民國五十六年七月，初版。）卷二曰：「洪武間，臨川人，一作《集說》，其說宗吳草廬，而參以《會通》、《纂疏》諸說，凡五十餘家。」（頁三十七），今觀竹垞之言，大抵近於《千頃堂書目》，而略異於張萱之說。

164參考註12，卷二九三，頁723至頁743。

訂經籍版本資料，是以竹垞輯錄解題之時，凡是涉及版本資料者，也多刪棄不錄，使得讀者錯失參考機會。例如：《經義考》卷一九九，高允憲、楊磐《春秋書法大旨》條下引「張萱」曰：

> 張萱曰：「洪武中，國子博士高允憲、助教楊磐奉旨編修。因聖《經》以考《三傳》，依啖、趙《纂例》分類，刪繁節要，凡二十三則。」165

此文見於《內閣藏書目錄》卷二，頁四七九166，其文悉同於黃虞稷《千頃堂書目》之文，而與張萱之文，有著較大出入，今繪製簡表如下：

撰者	出處	解題
張萱	《內閣藏書目錄》卷二，頁四七九。	國子博士高允憲、助教楊磐奉旨編次，悉因聖經以考三傳，及杜、何、范、啖、趙、程、胡、陳、張之說，依啖、趙《纂例》分類，刪其繁冗，撮其樞要，凡二十三則。鈔本。
黃虞稷	《千頃堂書目》卷二，頁三十六	洪武中，國子博士高允憲，助教楊磐奉旨編次，依啖、趙《纂例》分類，刪繁節要，凡二十三則。
朱彝尊	《經義考》卷一九九，頁三一六至頁三一七	洪武中，國子博士高允憲、助教楊磐奉旨編修。因聖《經》以考《三傳》，依啖、趙《纂例》分類，刪繁節要，凡二十三則。

根據上表得知，《內閣藏書目錄》所錄內容，明顯有著「鈔本」二字，顯示明代內閣所藏之本，實為鈔本之樣貌，惜為竹垞剪裁文句之時，棄去此二字。又《經義考》卷一九九，李衡《春秋集說》條下，竹垞錄及張萱之語如下：

> 張萱曰：「洪武中，臨川李衡著。其說宗吳艸廬，參以李廉《會通》、汪德輔《纂疏》，凡五十餘家。」167

是文見於《內閣藏書目錄》卷二，頁四七九168，原文於「凡五十餘家」五字下，亦有「鈔本」二字，而竹垞亦將此類文字略去，使得讀者無從得知傳本情況，殊為可惜。案：竹垞於李衡《春秋集說》條下，注曰「未見」，而是書未見傳本行世，當已久佚於世。然而，透過《內閣藏書目錄》的「鈔本」二字，能夠得知明代內閣尚有存本，且是書僅見鈔本行世，而未見其他刊本問世，則該書在世間罕見流傳，可據以得知詳情，惜此類用語，亦多為竹垞刪

165參考註12，卷一九九，頁316至頁317。

166孫能傳等撰：《內閣藏書目錄》卷二，（北京：書目文獻出版社，「明代書目題跋叢刊（上冊）」，一九九四年一月一版一刷），頁479。

167參考註12，卷一九九，頁319。

168參考註166，卷二，一九九四年一月一版一刷），頁479。

去，而使讀者喪失參考機會。又竹垞見《內閣藏書目錄》明言存有「鈔本」二字，言之鑿鑿，頗有值得採信之處，惟竹垞未見全書傳本，僅注曰「未見」，以矜其慎，而此一方法的運用，雖合於竹垞注書體例，卻使讀者錯失參考機會，故宜重新補訂相關文句，始能還其原貌，且能做出各種考證工作。

（四）漏列序跋詩篇

竹垞輯錄解題之時，常於著錄典籍之下，輯入相關序跋資料，以供讀者參考之用，但是有許多序文內容，由於文字過於冗長，乃將整篇序跋刪去169，今觀其作法，也確能節省不少篇幅，藉以收繫更多解題。否則，若是收錄所有序跋，勢必增加上千篇的資料，在古代刊刻典籍耗費甚鉅，其篇幅愈多，不僅嫌於冗雜，而不切實用，且不便於刊印行世，則是書傳數世之後，易於流於散失，是以竹垞輯錄資料之時，實有其特殊考量。然而，在竹垞刪錄資料之中，不乏可供利用的材料，諸如此類的資料，理應重新輯錄其文，並且探索其內容、價值，方能提高《經義考》的使用價值。整體而論，由於序跋資料，所涉內容實多，或交代撰書背景，或言明經學源流，或考及經書內容，或評論歷來撰著，或談及成書年月，諸如此類內容，若是因為序文冗長，因而棄置不錄，不僅使讀者錯失參考之效，也使竹垞面臨撰書體例不一之失，而有待改進之處。陳鴻森教授〈《經義考》孝經類別錄〉一文170，嘗於補正是書之時，不辭辛勞，補入若干序跋資料，顯見其重視序跋價值，而能善考竹垞體例未善之失，至於輯錄的序跋資料，除能提供讀者參考之用，也能彌補竹垞體例不一之失，而本書在訂補《經義考》「春秋類」典籍之時，亦能效法陳氏之作法，也能兼收序跋資料，以備讀者參考之用，相關內容詳見下文【考證篇】。

又竹垞輯錄解題之時，亦有刪去整首詩歌者，或以詩文過於冗長之故，是以見棄，諸如此類詩文內容，原有助於瞭解解題內容，但被竹垞刪去之後，不僅喪失原文的完整性，也有礙於全文的理解與認知，而無法提供讀者參考之用。例如：《經義考》卷二一○，張以寧《春王正月考》條下引張隆〈跋〉文，其中有「庚戌春，書成，踰月，疾革，作自輓詩而逝，時年七十矣。」171，今查考張以寧：《春秋春王正月考》〈張隆跋〉，原跋於「自輓詩」下，有如下文句：

> 一首云：『一世窮愁老翰林，南歸旅櫬越山岑。覆身粗有黔婁被，垂槖都無陸賈金。稚子啼飢憂未艾，慈親槖葬痛尤深。經過相識如相問，莫忘徐君掛劍心。』，詩成是日172

169參考註12，卷二五七，頁六四八，陳禹謨《經言枝指》條下，曾經指出：「諸序文多冗長，故不錄。」

170陳鴻森：〈《經義考》孝經類別錄（上）〉註三之文。（台北：《書目季刊》三十四卷一期，民國八十九年六月十六日），頁1至頁2。

171參考註12，卷二一○，頁567。

172張以寧：《春秋春王正月考》〈張隆跋〉（台北：大通書局據康熙十九年通志堂經解本影印，冊二十七，民國六十一年出版），頁15516。

竹垞刪略如上文句，其中包含一整首詩歌，而此首詩歌的創作，見於張以寧《翠屏集》〈翠屏詩集卷之二〉，今視其內容，實係作者回顧一生遭遇，而有其感觸，今讀其自撰〈輓詩〉，當有助於瞭解其生平際遇，而張氏一生窮愁困頓，仍堅守治經之業，可見其治學精神可嘉，著實令人感佩不已。然而，竹垞卻以〈輓詩〉冗長，且無益於經義的解讀，因而棄置其文，使得讀者無從參考詩文內容，而對於張氏治經的堅持，難有進一步的認識。此外，竹垞因刪去此詩，而於「時年七十矣」下，另外刪去「是書并詩，皆先祖之絕筆也。」等十一字[173]，使其文筆一致，然較諸原書文句而言，已有過多刪改之跡，且與原來〈跋〉文不同。綜合上文所述內容，竹垞有意刪略冗長序跋，或係刪去整篇詩文，不僅使讀者錯失參考機會，也凸顯《經義考》的編纂體例，有著前後不一之弊病，諸如此類的疏失，實有待學者持續努力，增補相關缺文逸篇，方能彌補竹垞未善之失，如果行有餘力，更能進而編纂完善書目，藉以取代是書的參考價值。

（五）刪錄相關例證

竹垞輯錄《經義考》解題之時，常以文句繁多之故，增添讀者使用此書之擾，乃刪除諸多例證，以求其篇幅精省。例如：《經義考》卷一八三，任伯雨《春秋繹聖新傳》條下引晁公武之說如下：「晁公武曰：『皇朝任伯雨德翁撰，解經不甚通例。』」[174]，今考此文出自《郡齋讀書志》卷第三，頁一○四[175]。又出自《文獻通考．經籍考》卷十，頁二五四，原文於「解經不甚通例」條下，另有如下文句：

> 如解「桓十三年二月，公會紀侯、鄭伯。己已，及齊侯、宋公、衛侯、燕人戰。齊師、宋師、衛師、燕師敗績」。取《穀梁》之說，戰稱人，敗績稱師，重眾」之說，殊不知「齊人伐衛，衛人及齊人戰，衛人敗績」，何獨不重眾也?[176]

所謂「義例」之說，多出於後人歸納所致，而任伯雨所析例則，由於未能通曉全經義理，難以自圓其說，故晁氏評其不通例則，信有之矣。然而，晁氏原文舉例稍多，以備讀者理解之用，卻為竹垞刪略不錄，僅舉「解經不甚通例」一語，草草帶過，而任伯雨《春秋繹聖新傳》一書，久未見傳本，當已久佚於世間，今觀晁氏之言，實有助於瞭解任氏經學的主張，但如據竹垞所錄文句，僅能得知相關評價，而未能詳其體例，使讀者不明原書內涵，是以竹垞刪略例證的行為，確有不當之處。

又《經義考》卷一八二，程頤《春秋傳》條下引「朱子曰」如下：「朱子曰：『伊川《春秋傳》中，間有難理會處，亦不為決然之論也。』」[177]，本文出自《文獻通考．經籍考》

173參考註172，頁15516。

174參考註12，卷一八三，頁848。

175晁公武：《郡齋讀書志》卷第三，(京都：中文出版社，據「清光緒十年王先謙校刊本」影印，一九七八年七月，出版)，頁104。

176參考註29，頁254至頁255。

177參考註12，卷一八二，頁835。

卷十，頁二五二。又《朱子語類》卷八十三，頁八五四亦引之[178]。今考《文獻通考》於「也」字下，尚有如下文句：

> 如說「滕子來朝，」以為滕本侯爵，後微弱服屬於魯，自貶降而以子禮見魯，則貢賦少力易供。此說最好。程沙隨之說亦然」。[179]

《經義考》徵引朱子之說，只論及程頤「不為決然之論也」，並未能舉證事例，而《文獻通考．經籍考》保留程頤解說「滕子來朝」一事，以滕子國力薄弱，不足以應天子貢賦，只能降爵事魯，諸如此類解說，雖未必符合實情，卻也提供不同看法，而有其參考功效。綜合上述所論，竹垞刪略許多例證，而相關例證，可供讀者理解經籍內涵之用，惜盡皆為竹垞所棄，而諸如此類例證，實有其參考價值，不應任意棄置不錄，如能重加輯錄例證，必能提供讀者更多資料，以利於經籍理解之用。

（六）漏列卷數多寡

竹垞著錄典籍之時，經常刪略卷帙多寡，使得《經義考》所錄解題，往往漏略卷數的記錄，而與原書記載不同，今觀其作法，實未合於現代學術引用規範。例如：《經義考》卷一八二，蘇轍《春秋集解》條下引張萱之文如下：

> 張萱曰：「轍以時人治《春秋》多師孫明復，盡棄《三傳》；後王安石解經，至《春秋》漫不能通，則詆以為斷爛朝報，致學者不能復明《春秋》，故著此書，取諸家之說而裁之以義。」[180]

張萱之文，見於《內閣藏書目錄》卷二，頁四七六至頁四七七，其文末「裁之以義」之下，另有「凡十二卷」等四字[181]，竹垞或以卷數已見於著錄，故刪去不論。又《經義考》卷一八七，呂祖謙《春秋集解》條下，竹垞引張萱之文如下：「張萱曰：『呂祖謙博考《三傳》以來至宋儒諸說，摭其合於經者，撮要編之。』。」[182]，今考此文見於《內閣藏書目錄》卷二，頁四七七，原書於「之」字下，另有「凡三十卷」[183]，而竹垞僅著錄「《宋志》三十卷」，雖然二者所錄卷數一致，但是張萱之文，既然明言其書「凡三十卷」，顯示明代宮廷尚存其書，與《宋志》錄作「三十卷」，二者代表意義不同，且由於彼此出處各異，理當保存其原文，以供讀者參考之用，而不宜逕自刪略其文，以免破壞原文的完整性。

（七）漏列仕官功業

178朱熹：《朱子語類》卷八三，（台北縣：漢京文化事業有限公司，「四部善本新刊」，民國69年7月31日，初版。），頁八五四。

179參考註29，卷十，頁254至頁255。又同書，卷十，頁252。

180參考註12，卷一八二，頁841。

181參考註166，卷二，頁477。

182參考註12，卷一八七，頁54。

183參考註166，卷二，頁477。

古代經學家多有功名，但是一生之中，也常會調動各種職務，是以擁有官銜名稱極多，恐難於一一列舉，而竹垞徵引前人文獻之時，為求簡省篇幅之故，通常僅僅標示重要官銜，而刪去次要職稱、功業。例如：《經義考》卷一八八，陳震《春秋解》條下引《閩書》曰：「《閩書》：『震，字省仲，晉江人，淳熙進士，累官太府丞。』」[184]，此例見於上文「刪略書名撰著」項，竹垞於「字省仲」三字下，漏列如下文句：

> 知甌寧縣，歲旱，勸分捐俸為倡，再令新建適更新楮，以帑積舊券代下戶輸租，通判饒州，知韶州，攝憲節邻臺府，例券數千緡，召除軍監器丞，遷太府丞。奏乞減二廣丁錢，繕郡城壁，填諸州軍籍，乞祠歸，有《春秋解》雜著數十卷。[185]

今觀上述剪裁之文，多與撰者仕宦、功業有關，諸如此類內容，實有助於瞭解其仕宦過程，但卻與經籍內容無關，故竹垞將其刪去，僅保留「太府丞」的重要職務，以其官位尊顯之故，惜卻破壞引文完整性，也使讀者需查考其他文獻，始能得知陳震一生所任官職，因而失去研究資訊，假設《閩書》一書已佚，而學者如據《經義考》所錄文句，輯錄相關佚文殘句，也會與原文差距頗大，平添學者考證之擾。因此，竹垞任意刪削原書文句，勢必會降低《經義考》輯錄佚文之效，而縱使能輯錄各種佚文，但是因為竹垞剪裁文句甚多，而未能合於原書文句，使得此類殘文之句，將同時失去輯佚價值。

又《經義考》卷一八九，林拱辰《春秋傳》條下引《溫州府志》曰：

> 《溫州府志》：「林拱辰，字巖起，平陽人。淳熙戊戌，武舉換文登第，歷工部尚書、廣東經略安撫使，有《春秋傳》刊於婺州。」[186]

此文見於《溫州府志》卷十一，原文如下：

> 林拱辰，字巖起，平陽人。淳熙戊戌，武舉轉文，歷太府丞、工部尚書、通金國謝使、除淮西安撫，直寶謨閣、淮東運判兼提舉，知揚州，後知婺州，廣東經畧安撫，立朝剛介，不附史韓，有詩傳刊於平江，《春秋傳》刊于婺州。[187]

二文相較之下，竹垞共刪去「太府丞」、「通金國謝使」、「淮西安撫使」、「直寶謨閣」、「淮東運判兼提舉」、「揚州知府」、「婺州知府」等諸多官銜及經歷，由於方志、史傳之文，所涉傳記資料極多，竹垞僅錄及部份職銜，因而漏失不少資料，諸如此類文句，由於篇幅差距不大，應該一併輯入，以求其完整，而不該自行刪略其文，甚且改寫文句，使得內容差異過大，而難於徵引、運用，是以讀者應用該書解題之時，仍需透過校勘程序，始能掌握相關資料，徒增讀者使用的不便。

（八）刪除忌諱文句

竹垞處於明末清初時期，在其編纂《經義考》之時，已是康熙年間，其時文網漸密，文

184參考註12，卷一八八，頁82。

185參考註156，卷一一三，〈英舊〉，頁180。

186參考註12，卷一八九，頁102。

187參考註97，卷十一，頁28。

字獄的風行，使得許多學者於編纂典籍之時，為求避禍求安，乃刪去一些忌諱文句。例如：《經義考》卷一七八，《春秋十二國年歷》條下引「陳振孫曰」如下：

> 陳振孫曰：「不知何人作。周而下，次以魯、蔡、曹、衛、滕、晉、鄭、齊、秦、楚、宋、杞、陳、吳、邾、莒、薛、小邾。按：《館閣書目》有《年表》二卷，元豐中楊彥齡撰。自周之外，凡十三國。又按：董氏《藏書志》，《年表》無撰人。自周至吳、越凡十國，又有附庸諸國別為表，凡征伐、朝覲、會同皆書。今此表止記即位及卒，皆非二家書也。」188

今考此文出自《直齋書錄解題》卷三，頁四五九。又《文獻通考．經籍考》卷九，頁二四四錄之，其中「十三國」之下，應依《文獻通考》補入「仍總記蠻夷戎狄之事。」等九字，如深究其原因，乃因避諱求安之故，而致刪除其文。又書中解題涉及「弒君」之事者，則亦多為竹垞略去，例如：《經義考》卷一六八，《春秋古經》條下引及「公扈子曰」，其文如下：

> 公扈子曰：「有國者，不可以不學《春秋》。生而貴者，驕；生而富者，傲；生而富貴又無鑒，而自得者，鮮矣。《春秋》，國之鑑也。」189

此文見載於《說苑》卷三，頁二九、《後漢書》卷五二，頁一七一九、《四庫提要》卷二十九，經部二九春秋類四，頁二三四均有之，竹垞於「國之鑑也」之下，缺錄如下文句：

> 《春秋》之中，弒君三十六，亡國五十二，諸侯奔走不得保其社稷者，甚眾。未有不先見而後從之者。190

顯然此類的文句，不為清廷所喜，是以往往見棄其文，其餘類此之例甚多，說法詳見於下文【考證篇】，茲不贅述。然而，審諸《經義考》的解題內容，仍有多二十五處的資料，係直接標示「弒君」二字。因此，此類避諱之文句，並非嚴謹形成慣例，其中亦有刪改未盡之失，讀者理解此一條例之時，宜稍加注意之。

（九）刪略學說評價

又竹垞所輯解題之中，常涉及各經學家的學說理念，而竹垞隨著主觀去取，乃經常略去各家學說，例如：左邱明《春秋傳》條下引「孔穎達曰」有如下文句：「及歆治《左氏》，引《傳》文以釋《經》，轉相發明，由是章句義理備焉。」191，其中「章句義理備焉」之下，竹垞刪去如下內容：

> 歆以為左丘明好惡與聖人同，親見夫子，而《公羊》《穀梁》在七十二弟子後，傳聞之與親見其詳略不同。歆數以問向，向不能非也。及歆親近，欲建立《左氏春秋》及

188參考註12，卷一七八，頁757-758。

189參考註12，卷一六八，頁486-487。

190劉向，《說苑》（台北：世界書局，「四部刊要」影明程榮校本，民國六十七年三月，三版。）卷三，頁29。

191參考註12，卷一六九，頁515。

> 《毛詩》《逸禮》《古文尚書》皆列於學官，哀帝令歆與五經博士講論其義，諸儒博士，或不肯置對，歆因移書於太常博士責讓之。[192]

從竹垞刪略文句之中，可知劉歆主張左丘明的時代，較之公羊高、穀梁赤為早，且曾親見孔子，加以好惡同於孔子，是以所見較為詳盡，而公羊高、穀梁赤時代較晚，且根據傳聞之見，難免有誤解之處，是以主張立《左氏春秋》於學官，而竹垞刪略上述文句，使學者容易忽略劉歆主張，甚且不瞭解其學術成就，致使對其個人評價，也就難免有偏頗之失。

竹垞漏列解題之中，亦有刪略價值評判者，例如：《經義考》卷二○九，左邱明《春秋外傳國語》條下引「朱子《語錄》」曰：

> 朱子《語錄》曰：「《國語》委靡繁絮，真衰世之文耳。是時語言議論如此，宜乎周之不能振起也。」[193]

此文出自《文獻通考．經籍考》卷十，頁二七二，其文於「不能振起也」下，尚有「《國語》文字極困沓振作不起。」[194]等十一字，竹垞刪去上述文字，而這些被刪除的文句，係針對《春秋外傳國語》提出評斷，雖不免失之主觀，但對讀者瞭解原書文字的修辭而言，亦有其參考作用。

（十）刪略人名諡號

竹垞所刪解題之中，經常刪去人名、學說，如此一來，容易造成讀者的誤判，例如：《經義考》卷一六九，左邱明《春秋傳》條下引「孔穎達曰」有如下文句：「和帝元興十一年，鄭興父子創通大義，奏上《左氏》，始得立學，遂行於世。」等語[195]，考孔穎達之語，見於《春秋左傳正義》，其中「鄭興父子」四字下，應有「及歆」二字[196]，當據以補入。「歆」即「劉歆」，由此可見，和帝元興十一年，奏上《左傳》，使得其書得立於學，其功匪淺，但非僅是鄭興父子之功，也包含劉歆在內，如若刪去劉歆之名，則易使讀者將《左傳》立於官學的功勞，全歸於鄭興父子，則稍離實情，而劉歆對《左傳》的影響作用，也就易於被學者所忽略，諸如此類內容，由於文字僅及二字，不當逕自刪略其文，以免與史實不符。

又考諸竹垞解題之中，亦有刪略諡號者，例如：《經義考》卷一七七，許康佐《春秋三傳總例》條下解題云：「《新唐書》：『許康佐，貞元中舉進士，宏辭為翰林侍講學士，遷禮部尚書。』。」[197]，其中「書」字之下，應依《新唐書》補入「卒，贈吏部，謚曰懿」[198]

192孔穎達等撰：《春秋左傳正義》卷一，（台北：藍燈出版事藍燈文化事業有限公司影印嘉鳫二十年江西南昌府雕本，年代不詳），頁1（總頁數頁一七○三「〈春秋序〉」字下〈疏〉文）。

193參考註12，卷二○九，頁532。

194參考註29，卷十，頁272。

195參考註12，卷一六九，頁515。

196參考註192，卷一，頁1。

197參考註12，卷一七五，頁654-655。

198參考註83，卷二○○，頁5722。

等七字。，此乃涉及許氏謚號者也。

竹垞解題之中，多有未據原書甄錄，使得引文內容，常與原書文句不合，其中不乏學者姓名或謚號者，如果考察竹垞剪裁之因，除了想要精簡篇幅數量，是以刪去多餘資料之外，也可能緣於個人偏好之故，是以刪除一些特定學者資料，例如：有關於劉歆的記錄，多未能出現於《經義考》全書之中，雖不能明其原因為何？但是劉歆資料多被刪除，則是不爭的事實，諸如此類學者資料，不應任憑喜好而刪之，也不能為求精簡篇幅之故，而刪去相關姓名、謚號，使得引文內容，未能合乎原書文句，而使讀者喪失一些參考機會。

（十一）刪略地名籍貫

竹垞所輯之文，或有漏略籍貫之失，諸如此類地名，實有助於查考作者籍貫，而有助於學風的探索，是以不應任意刪去，以免喪失其參考價值。例如：《經義考》卷一七〇，穀梁赤《春秋傳》條下引錄「〈儒林傳〉云：

> 〈儒林傳〉：「太子既通《公羊》，復私問《穀梁》而善之。宣帝即位，聞衛太子好《穀梁》，以問韋賢、夏侯勝及史高，皆魯人也。言穀梁子本魯學，公羊氏乃齊學，宜興《穀梁》。時蔡千秋為郎，召與《公羊》家並說，上善《穀梁》說，擢千秋為諫議大夫。甘露元年，召名儒大議殿中，多從《穀梁》，由是《穀梁》之學大盛。」[199]

其中「史高」二字之前，應依《漢書》補入「侍中樂陵」[200]四字，其中「樂陵」二字，實為史高之籍貫也，竹垞略其籍貫，實有改進之處。又《經義考》卷一七二，服虔《春秋音隱》條下引錄「《後漢書》」云：

> 《後漢書》：「服虔入太學受業，作《春秋左氏傳解》，行之至今；又以《左傳》駮何休之所議漢事十六條。中平末，拜九江太守。」[201]

其中「服虔」二字下，應依《後漢書》補入「字子慎，初名重，又名祇，後改為虔，河南滎陽人也。少以清苦建志，」[202]等二十五字，竹垞以前文引及《漢南紀》之文，即涉及服氏之字、籍貫等等，乃刪去相關文句，殊不知此處所錄內容，更涉及服氏改名始末，不當任意刪除，當據原書補入相關文句。

（十二）刪略朝代國別

《經義考》解題之中，經常涉及朝代、國別等內容，此類的解題資料，實有助於讀者治經之用，惜竹垞在纂輯書目之時，亦多刪除此類文句，而有重新訂補的空間。例如：《經義考》卷二〇八，劉城《春秋左傳地名錄》條下解題云：

> 城〈自序〉曰：「《五經》志地理者，〈禹貢〉而外，《詩》亦頗著，然無若《春秋

199參考註12，卷一七〇，頁539。

200班固撰，《漢書》（北京：中華書局，一九七五年）卷八八，頁3617。

201參考註12，卷一七二，頁589。

202參考註67，〈儒林傳〉，卷七九下，頁2583。

》之專且多矣。少讀左氏傳，苦繁多，欲小撮之，便記識也。已按《文獻通考》及《國史經籍志》，漢嚴彭祖、晉裴秀、杜預、宋楊湜、張洽、鄭樵、元杜瑛、明楊慎，各有《春秋》地名圖譜書，私擬得其本，綜同異，覈事情，畫方輿，紀因革，可判若列眉矣；而藏書弗廣，載籍亦湮，每以為憾。茲者消夏九華，參觀《三傳》，輒有疏議，與諸家相出入，因以其餘別錄地名二卷，此在《經》義最為麤末，然可備遺忘云，顧不知於諸圖譜為何如也？崇禎癸酉。」203

竹垞於「顧不知於」四字之下，刪略「漢、晉、宋、元」四字204，此為朝代之名，不應任意刪除之，今據原書補入。

又《經義考》卷一七〇，虞卿《春秋微傳》條下引文曰：

《史記》：「虞卿說趙孝成王為上卿，故號虞卿。既以魏、齊之故去趙，困於梁，不得已，乃著書。」205

此文出自《史記》206，其中「為」字下，原書另有「趙」字，此字涉及虞卿所處國別，惜竹垞或以其重複而刪之，諸如此類文句，實應保存其原文為宜。

（十三）漏略師承關係

竹垞剪裁資料之中，不少涉及師承傳授資料，使得相關學說之間的授受，需重新補證資料，始能為讀者所知悉，例如：《經義考》卷一七〇，穀梁赤《春秋傳》條下解題云：

〈儒林傳〉：「太子既通《公羊》，復私問《穀梁》而善之。宣帝即位，聞衛太子好《穀梁》，以問韋賢、夏侯勝及史高，皆魯人也。言穀梁子本魯學，公羊氏乃齊學，宜興《穀梁》。時蔡千秋為郎，召與《公羊》家並說，上善《穀梁》說，擢千秋為諫議大夫。甘露元年，召名儒大議殿中，多從《穀梁》，由是《穀梁》之學大盛。」207

「復私問《穀梁》而善之」諸字之下，宜據《漢書》補入如下文句：

其後浸微，唯魯榮廣王孫、皓星公二人受焉。廣盡能傳其《詩》、《春秋》，高材捷敏，與《公羊》大師眭孟等論，數困之，故好學者頗受《穀梁》。沛蔡千秋少君、梁周慶幼君、丁姓子孫皆從廣受。千秋又事皓星公，為學最篤。208

從上述諸文，可知穀梁赤《春秋傳》的傳授體系，而竹垞或以條列其師承系統，無助於理解《穀梁傳》的經義，是以刪其文句，然此文可知其授受系統，而對於瞭解下文「時蔡千秋為

203參考註12，卷二〇八，頁495。

204明劉城：《春秋左傳地名錄．序》，（台南縣：莊嚴文化事業有限公司，《四庫全書存目叢書》經一二八冊，一九九六年八月，初版一刷），頁553。

205參考註12，卷一七〇，頁543。

206司馬遷，《史記》（台北：鼎文書局，「點校本」，民國81年7月，十二版），卷七六，頁2370-2375。

207參考註12，卷一七〇，頁538-539。

208參考註200，卷八八，頁3617。

郎，召與《公羊》家並說，上善《穀梁》說，擢千秋為諫議大夫。」[209]，實能有所助益，惜為竹垞剪裁略去，今審視前後文句，宜據《漢書》原文補入漏略文句。

又《經義考》卷一七四，郭瑀《春秋墨說》條下解題云：

> 《晉書》：「郭瑀，字元瑜，敦煌人。精通經義，隱於臨松薤谷，鑿石窟而居，作《春秋墨說》、《孝經錯緯》，弟子著錄千餘人。」[210]

「敦煌人」三字下，竹垞刪略「也。少有超俗之操，東游張掖，師事郭荷，盡傳其業。」[211]等十九字，其中「師事郭荷」四字，可知郭瑀的師授體系，係來自於郭荷，且其學問，能「盡傳其業」，雖然郭瑀之作品，業已不存於世間，且其師郭荷未見錄有任何「春秋學」撰著，但是相關字句不多，卻能考及郭瑀的師承關係，惜為竹垞刪去其文，故應據原書補入為宜。

又《經義考》卷一九七，陳大倫《春秋手鏡》條下解題指出：「《紹興府志》：『陳大倫，字彥理，諸暨人。學於吳淵穎，絕意仕進，以教授為業。』。」[212]，今考「學於吳淵穎」諸字，《紹興府志》作「始學於從兄洙，後事吳淵穎。先生」[213]等十三字，竹垞僅錄及「學於吳淵穎」，實漏略陳氏之學，乃是承自陳洙，且漏略其求學經過，是以未能表達實情，而諸如此類資料，亦需參及原書文句，以補入相關內容。

（十四）漏略書籍體例

古今學者撰述經籍之時，往往會述及書籍體例，而學者探索前人著述之時，亦會述及經籍體例，以供讀者參考之用。然而，衡諸《經義考》的解題內容，亦有漏略書籍體例者，使得讀者無從參考資料，而欲進一步檢索其他文獻，始能瞭解該書體例，平添後世學者使用之不便，例如：《經義考》卷一八五，胡安國《春秋傳》條下解題云：

> 《玉海》：「紹興五年四月，詔徽猷閣待制胡安國經筵舊臣，令以所著《春秋傳》纂述成書進入，十年三月書成，上之，詔獎諭除寶文直學士，賜銀幣，傳凡三十卷十萬餘言，載孟氏而下七家，發明綱領之辭於首，傳外復有總貫條例與證據史傳及學徒問答二百餘章，子寧集錄，名曰《通旨》一卷。」[214]

此文出自《玉海》一書[215]，其中「於首」二字，《玉海》作「于卷首」三字，於「首」字前多一「卷」字，當據以補入。又「首」字之下，《玉海》另有「事按《左氏》，義采《公》、

209參考註12，卷一七〇，頁538。

210參考註12，卷一七四，頁647。

211參考註27，卷九十四，〈隱逸列傳〉第六十四，頁2454。

212參考註12，卷一九七，頁271。

213（明)蕭良幹，張元忭等纂修《紹興府志》(台南縣：莊嚴文化事業有限公司，《四庫全書存目叢書》史部二○一冊，一九九六年八月，初版一刷)，頁327a。

214參考註12，卷一八五，頁6。

215參考註15，卷四○，頁802。

《穀》之精者，大綱本《孟子》，而微詞多以程氏之說為證。」等二十七字，事涉胡安國《春秋傳》的撰書體例，實不當任意刪去其文，使讀者無從參考相關文句。

竹垞漏略解題之中，除了涉及個別經籍體例之外，也有綜整各家學說體例者，例如：《經義考》卷二〇七，來集之《春秋志在》條下解題曰：

> 孫廷銓〈序〉曰：「說《春秋》如說《詩》，皆以意逆志之書也。《詩》之志在乎美刺，衛宏、毛、鄭說人人殊；《春秋》之志存乎褒譏，《左氏》、《公》、《穀》說人人殊，要無達乎美刺、褒貶之正而止爾。漢置《春秋》博學之士，《左氏》獨後，世為《公羊》、《穀梁》者從而非之；然《公》、《穀》去聖人差遠，為《左氏》者亦非之，膏肓、墨守、廢疾蓋交譏也。至宋儒削斷《三傳》，胡氏遂盡廢其書，創為新例；然立乎趙宋以指春秋，其於隱、桓加遠矣，則未知聖人之志果在彼歟？在此歟？我友來子初獨成一書，其意頗異乎四家，蓋以諸儒之說可以理裁聖人之旨，斷難例拘，其或《經》有微文，前後互見，為《傳》所未見者，則表而出之；其有《經》意顯白，本無義例，而《傳》好為曲說，以致失實滋疑者，則辨而正之；其有此《傳》所引而彼《傳》或殊，此《傳》所進而彼《傳》或退之，排詆紛紜、樊然淆亂，則折衷而求其必合，皆比《經》發義，錯《傳》成文，綴以世史，附以新意，著為百有八篇，號曰《春秋志在》，蓋言聖人之志之所在也。來子之書，蓋不失褒譏之正者矣。」216

此文出自於「《沚亭文集》」一書217，竹垞所引之文，乃於「蓋言聖人之志之所在也」之下，漏略如下文句：「或云：先儒說《春秋》者，皆兼總條貫，分別義類章句，而訓注之，其言皆有統緒，故雖繁稱博舉，終歸整齊。今來子之書，自喻已志而已，卽一言一事，不憚諄復，往往文止而復起，義盡而更生，非意所及，卽君或數年，年或數事，事或數人，人數十人，闕然無一詞焉，豈聖人之志，固有至，有不至歟？何詳畧之異也。夫善解紛者不複言，善治獄者不煩辭，從其大而斷定之，掇其隱而微中之，卽有不及，而其全理固已渙然，于吾所及之中矣。」等字，其中「或云：先儒說《春秋》者，皆兼總條貫，分別義類章句，而訓注之，其言皆有統緒，故雖繁稱博舉，終歸整齊。」諸句，即綜括前人撰著《春秋》學的體例，諸如此類文句，實有其參考價值，惜竹垞輯錄解題之時，亦常刪略此類內容，殊為可惜。

（十五）漏略尊稱之詞

《經義考》解題之中，不乏對於學者敬稱之詞，其中以「先生」、「夫子」等詞彙，實屬於常見之詞語，然竹垞引錄前書之時，或有刪去相關詞彙，使得引文內容，實未合於原書文句，而有待商榷之處。例如：《經義考》卷一九六，吳儀《春秋五傳論辨》條下解題云：

> 宋濂曰：「金谿吳先生儀明善登鄉先達虞文靖公之門，博極群書。至正丙申，舉於鄉會，海內兵起，無意北上，下帷講授，凡所敷繹，皆《五經奧義》，不拘泥於箋記，

216參考註12，卷二〇七，頁485。

217清孫廷銓撰，《沚亭文集》卷下，（台南縣：莊嚴文化事業有限公司，《四庫全書存目叢書》集二〇〇冊，一九九六年八月，初版一刷），頁54至頁55。

而大旨自暢，晚尤專心於《春秋》，且謂聖人之經一而諸家異傳，大道榛塞，職此之由，乃著三書，曰《稗傳》、曰《類編》、曰《五傳論辨》，辭義嚴密，多先儒所未言。」218

上述引文出自《宋文憲公全集》219，而原書於「無意」二字之前，另有「先生」二字，竹垞刪去此敬稱之詞，今應據原書補入二字。又《經義考》卷一七九，孫復《春秋尊王發微》條下解題云：

黃震曰：「先生力貧養親，讀書泰山之陽，魯之名士石介以下皆師事之，丞相李迪妻以弟之女；給事中孔道輔聞其風，就見之；范公、富公薦之天子，為直講；行無隱而不彰，積力久，效固應爾。張貴妃幼隨其父堯封常執事先生左右，既貴，數遣使致禮，先生閉門拒之。所謂求福不回，非與？」220

此文出自黃震《黃氏日抄》一書221，該書於「數遣使致禮」五字下，另有「先生」二字，係屬於敬稱之詞，然竹垞或因二字重複，因而刪除之，惟衡諸文句，此二字雖有重出，但句讀各自不同，故不宜刪除其文，而應據原書補入。

又《經義考》卷一七六，陸質《集注春秋》條下引文如下：

程伯子曰：「陸淳得啖、趙而師之，講求其學，積三十年始大光瑩，絕出於諸家外；雖未能盡聖作之蘊，然其攘異端，開正途，功亦大矣。」222

今考程顥、程頤撰，胡安國原編，元譚善心重編《二程文集》中的《明道文集》卷五錄及此文223，其中「啖、趙」二字，實作「啖先生、趙夫子」，蓋竹垞省略「先生」、「夫子」二詞，皆係對於學者的尊稱，蓋或以二詞無助於經義解讀，然衡諸原書文句，應該保存原文為宜。

（十六）漏略家世背景

學者的家世背景，雖有助於釐清其成長歷程，但因此類內容，所涉文句較多，且與經學主題相距較遠，故竹垞引文之時，每多刪略此類資料，藉以精簡篇幅也。例如：《經義考》卷二〇〇，饒秉鑑《春秋會傳》條下解題云：

何喬新〈志墓〉曰：「先生諱秉鑑，字憲章，世家廣昌麟角里。初從監察御史聶宗尹

218參考註12，卷一九六，頁252至頁253。

219宋濂：《宋文憲公全集》（中華書局聚珍倣宋版印本，台北：中華書局，民國五十四年）卷六，〈故東吳先生吳公墓碣銘〉，頁4至頁6。

220參考註12，卷一七九，頁767。

221參考註95，卷五○，頁603下。

222參考註12，卷一七六，頁691。

223程顥、程頤撰，胡安國原編，元譚善心重編《二程文集》中的《明道文集》卷五（台北：臺灣商務印書館，「景印文淵閣四庫全書」冊一三四五，民國七十五年三月，初版），頁625。

> 受《春秋》，又從教諭羅濬受《尚書》。正統甲子，領江西鄉薦，兩試禮部，俱名在乙榜；景泰三年，除肇慶府同知，遷知廉州府；歸，建雯峰書院，與修撰羅應魁講學其間，著有《春秋提要》、《春秋會傳》傳於世。」224

此文出自於《椒丘文集》一書225，原書於「麟角里」三字之下，另有「曾祖仲實，祖文遠，父希明，累世不仕，而以長厚稱，母揭氏。公生長巨室，思以文學顯其身，以及其親。」等三十八字，蓋事涉饒氏曾祖、祖父、父、母等資料，惜此類內容，多因冗雜之故，而為竹垞略去。

又《經義考》卷一八六，李繁《春秋集解》條下解題云：

> 魏了翁〈誌〉曰：「公字清叔，蜀人。紹興十八年進士，倉部員外郎，總領四川財賦、軍馬、錢糧，郎中太府少卿，自號桃溪先生。公講學臨篇，皆探源尋流，取法前古，有《春秋至當集》、《春秋機關》、《春秋集解》、《經語提要》。」226

此文出自於《鶴山先生大全文集》一書227，其中「蜀人」二字，原書題作系出趙郡，趙郡始於秦司徒曇，曇生璣，璣生牧，牧相趙，因家焉。牧之孫曰左軍，左軍之曾孫曰秉，徙潁川。秉之六世孫就，徙江夏。秉之七世孫頡，徙南鄭。頡生郃，郃生固，皆漢三公，繇[由]是李氏為蜀望。」等字，上述相關文句，事涉李繁的家世譜系，惟其似譜錄式的記載方式，顯得十分單調、累贅，是以被刪去不錄。

綜合上述所論，竹垞為求有效精簡文句，是以刪去單調累贅之文，然並非所有涉及學者家世背景的內容，都是無益於治經之用。例如：《經義考》卷一七二，陳元《春秋訓詁》條下解題云：

> 《後漢書》：「陳元，字長孫，蒼梧廣信人。少傳父業，為之訓詁，銳精覃思，至不與鄉里通。建武初，與桓譚、杜林、鄭興俱為學者所宗。帝立《左氏》學，太常選博士四人，元為第一。」228

此文出自《後漢書》229，原書於「蒼梧廣信人」五字之下，另有「父欽，習《左氏春秋》，

224參考註12，，卷二〇〇，頁332。

225何喬新：《椒丘文集》，卷三十一，〈雯峯先生饒公墓表〉，(台北縣：文海出版社，「明人文集叢刊」，民國五十九年三月，初版)，頁1383-1388。又四庫本，冊1249-470-31《椒邱文集．雯峰先生饒公墓表》。

226參考註12，卷一六八，頁30。

227全文出自魏了翁《鶴山先生大全文集》(台北：臺灣商務印書館，「四部叢刊初編縮本」，民國六十四年六月，臺三版)卷七八，〈朝奉大夫府卿四川總領財賦累贈通奉大夫李公墓誌銘〉，頁638-644。

228參考註12，卷一七二，頁568。

229參考註67，卷三六，頁1229；又同書，同卷，頁1230；又同書，同卷，頁1233。合計三處的文句，竹垞將其貫串成篇。

事黎陽賈護，與劉歆同時而別自名家。王莽從欽受《左氏》學，以欽為猒難將軍。元」等三十八字，事涉陳元之父，且從內容得知陳元承繼父學，而能成為「春秋學」的大師，諸如此類內容，實有其參考價值，而不同於一般譜錄式的記錄，然竹垞刪去相關文句，使得讀者無從得知內容，實為可惜。

（十七）漏略撰書動機

每位經學家撰書之時，皆有其寫作動機，而前賢述及前人之作，亦多有類似陳述，使後人得知前人撰述動機，而更瞭解是書的成書經過。然而，竹垞在輯錄解題之時，或有漏略學者的撰書動機，使讀者喪失不少參考機會。《經義考》卷二〇六，陳禹謨《左氏兵略》條下解題略曰：

> 又〈進呈疏〉曰：「臣聞《司馬法》曰：『天下雖安，忘戰必危。』故自古帝王未有能去兵者，恭惟我皇上御極以來，天下見為已治已安矣，抑臣猶切隱憂，不勝過慮，因濫竽樞寮之末，每究心韜略之編。230

此文出自原書〈疏〉文231，其中「臣聞」二字之前，另有「為進《左氏兵畧》，以效愚衷，以裨戎務事。」等句，此事雖涉及其呈書動機，但亦可得知陳氏撰著此書動機，乃是希望能有助於軍事，雖則從「《左氏兵略》」的書名，可以得知此書內容，但從陳氏自言希望能以此書「以裨戎務事」，更能清楚瞭解其撰書，並非只是表明看法，而是希望能有助於國家軍事之用，由其短短數字，可以得知其撰書動機，非同於一般的學者，僅是傳立學說、見解，而是多了一份用心與責任。

（十八）漏略年代資料

又竹垞引錄解題之中，常漏略相關年代者，諸如此類內容，常有助於學術編年史的建構與整理，習竹垞多將其略去不論，殊為可惜。例如：《經義考》卷一七二，李育《難左氏義》條下引《後漢書》云：

> 《後漢書》：「李育，字元春，扶風漆人。少習《公羊春秋》，嘗讀《左氏傳》，雖樂文采，然謂不得聖人深意。以為前世陳元、范升之徒更相非析，而多引圖讖，不據理體，於是作《難左氏義》四十一事。建初元年，舉方正為議郎，後拜博士，詔與諸儒論《五經》於白虎觀，遷尚書令侍中。」232

翁方綱《經義考補正》考之如下：「《後漢書》條內『更相非析』，『析』當作『折』。」（卷七，頁八），今考翁方綱《經義考補正》僅錄字句之異，未能完整考及全篇解題，是以未能細校竹垞有漏略年代之舉，致失其原文要旨，而有重新校理的空間。今據《後漢書》之文，可知竹垞於「後拜博士」四字之下，刪去「四年」二字，則易使讀者錯認李育「拜博士」

230參考註12，卷二〇六，頁461至頁462。

231原〈進呈疏〉題作「〈進左氏兵畧疏〉」，本文出自陳禹謨，《左氏兵畧》（台南縣：莊嚴文化事業有限公司，《四庫全書存目叢書》子部冊三二，一九九六年八月，初版一刷），頁242至頁243。

232參考註12，卷一七二，頁577。

之年，係為「建初元年」，顯然有錯考年代之失，今依《後漢書》補入「四年」233，則讀者將知二者授官之年，實相距三年之久，將不致於有誤考年代之失。

又《經義考》卷一九七，王相《春秋主意》條下引劉三吾〈表墓〉云：

> 劉三吾〈表墓〉曰：「相，字吾素，吉水人。元延祐中宋本榜進士，以吳當、余闕薦，官國子助教，尋擢翰林修撰兼國史編修官。」234

「元延祐中宋本榜進士」八字，今據《坦齋文集》卷之下〈元翰林修撰兼國史編修國子博士王吾素先生墓表〉一文，實作「元延祐甲寅，科目初興，先生以三經教授，一時登膴仕者多出其門。又七年領庚申鄉薦。明年，辛酉擢進士第狀元宋本榜。」235，蓋王相中舉之時，時為辛酉年間，而「辛酉」已入「至治元年」（西元 1321），是時已入元英宗之時，而非延祐（仁宗之年號），此處以為王相「元延祐中宋本榜進士」，實應為「元至治中宋本榜進士」，此處所論年代未合也。又竹垞於引文之時，刪略不少學者卒年，例如：《經義考》卷一七二，楊終《春秋外傳》條下引《後漢書》云：

> 《後漢書》：「楊終，字子山，蜀郡成都人。年十三，為郡小吏，太守奇其才，遣詣京師受業，習《春秋》。顯宗時，徵詣蘭臺，拜校書郎，著《春秋外傳》十二篇，改定章句十五萬言。」236

竹垞於「改定章句十五萬言」諸字之下，刪去「永元十二年，徵拜郎中，以病卒。」237等十二字，事涉楊氏卒年，不應任意刪棄之，今據《後漢書》原文補入相關文句，使讀者得知楊氏卒年，又其餘類此之例甚多，讀者可詳見下文【考證篇】。

綜合上述所論，竹垞輯錄解題之時，有意刪略部份內容，以達到精簡要求，而其刪略文句，少則一字；多則數百字，標準不甚一致，也不合於今日引證法則，而針對上述諸多情況，筆者有如下幾點結論：

第一，竹垞纂輯《經義考》之時，曾經輯入大量解題，而諸如此類內容，確能反映經籍內涵，也能提供讀者治經之用，但是竹垞編纂書目之時，曾經大量刪略各式文句，其中不乏可供佐證之資，而使讀者錯失許多資料，實為可惜。此外，前賢整理竹垞書目解題之時，多能校勘文句，尤能訂正異文資料，惜忽略輯補竹垞刪略文句，使得校勘成效未彰，而翁方綱雖能校補相關文句，但僅限於序跋年月的輯補，或係增補單一字詞，所補的解題內容，實稍

233參考註67，卷七九下，頁2582。

234參考註12，卷一九七，頁272。

235明．劉三吾撰，《坦齋文集》卷之下〈元翰林修撰兼國史編修國子博士王吾素先生墓表〉，（台南縣：莊嚴文化事業有限公司，《四庫全書存目叢書》集二五冊，，一九九六年八月，初版一刷），頁147D至148B。

236參考註12，卷一七二，頁576-577。

237參考註67，卷四八，頁1597；又同書，同卷，頁1601。竹垞併合二處解題為一，其中刪略文句眾多，難於逐一校補。

顯狹隘，未能全面反映竹垞漏略之文，如要提高《經義考》的參考價值，後世學者必須重輯解題文句，以供讀者參考之用。

第二，竹垞刪略文句甚多，其中不乏重要資料，惜未有學者精校此書內容，並將結果公佈於世，本文僅是發凡體例，將竹垞漏略資料，逐一整理、析例，但礙於時間、人力之故，仍未能做出完善分析，讀者可自行參看下文【考證篇】，該文隨校隨補，而能補入竹垞大量剪裁文句，而這些補入的文句，實能提供讀者參考之用。

第三，《經義考》為經學書目的重要之作，其書影響深遠，早已成為學者治經的重要之籍。然而，竹垞輯錄解題之時，常有剪裁文獻之舉，因而漏失不少內容，為求避免學者錯用解題資料，或係略去參考資料，而需要更好的校證之作，以補竹垞纂輯不足之失。然而，校勘工作難於全善，其中耗費心力甚大，難以吸引學者投入整理工作，如要重新輯證此書，其工程浩大，且受限於原書體例，而難於盡善，若能根據《經義考》的內容，重新匯聚資料，並且補入考證案語，將有助於取代該書價值，且利於保存更多文獻，以利於經學探索之用。

第四，學者校勘《經義考》的工作，雖能收致初步成效，但學者們的校勘成果，有著彼此相承之跡，迄今未見學者確實還原引文，用以校其異文，且能補其缺漏，此乃緣於是書卷帙博富，且未能明示出處，致使還原不易，自難吸引學者投入其間，用以校補各種文句，使得竹垞纂輯的漏誤，未能廣為學者知悉，因而錯失不少資料。然而，如以今日的校勘環境，早已遠勝於昔日，且兩岸之間交流頻繁，典籍流通迅速，許多罕見珍籍，早已化身千百，而能為學者使用，兼以電子資料庫的廣泛使用，帶動查檢資料的便利，有利於資料的還檢，如台灣中央研究院「瀚典資料庫」、故宮博物院「寒泉資料庫」，乃至於「四庫全書電子全文檢索系統」、「四部叢刊檢索系統」、「古今圖書集成全文檢索系統」等電腦檢索系統的完成，均有助於查考引書來源，減少校補所需時間，以增加校勘成效。

《經義考》輯錄大量的文獻，早已成為學者治經材料，但歷來學者僅限於引用其文，卻未見大規模校訂之作，林慶彰等諸位教授《（點校補正）經義考》的完成，雖有利於讀者使用該書，但是書的校訂工作，多集中於異文部份，且多承自前人校勘成果，未能針對竹垞刪略之文，逐一校補內容，而有重新校補的空間。其後，《經義考新校》的問世，雖能彌補前書部分之誤，但是校理異文之時，仍只是善用版本之間的對校，而未及於還原引書，是以相關內容的漏誤，仍未能完整呈現於學者眼前，而隨著文獻日漸散佚，《經義考》所輯解題來源，已有若干罕見珍籍，如未能取其原書入校文句，並且補足闕漏文句，則日後學者輯佚之時，必將錯以節文為珍寶，甚至誤考相關內容，諸如此類情況，實應及早因應，而趁著目前文獻掌握較易，可以逐一校理、補正，藉以還其原貌，然此一工作，易於耗費時日，且成果實顯零碎，而難以吸引學者重視，筆者雖有志於整理是書內容，還原其引文資料，但是礙於該書內容博富，實難全面進行整理，也只能分階段行之，冀望能透過逐步整理、校訂的程序，以全其原貌。

三、衍文例舉隅

洪湛侯在《文獻學》第二編「方法編」之中，曾對於衍文例提出解釋，其說法如下：

> 古人讀書，常於書眉地腳，字裏行間，記下自己校讀、注釋、評論之詞，後世傳鈔翻

刻，往往將這些旁注的文字誤入正文，造成衍文。238

常見衍文之例，乃是將原書注文誤入正文，因而造成文字歧異，導致衍生出多餘內容，而這些擅增內容，原本係屬於注文，卻因編者一時不察，而誤將注文誤入正文，因而造成文字衍誤，而有待及時訂正。然而，衡諸《經義考》「春秋類」解題內容，其中雖不乏注文誤入衍文之例，但是仍有許多衍文，乃是竹垞為求文句通暢之故，常有擅加文句之舉，是以造成不少衍文之例，總其情況如下：

（一）擅增姓氏名號

竹垞輯錄解題之中，常為使讀者能明瞭學者姓氏、家世，乃擅加相關文句，是以造成不少衍文之例。例如：《經義考》卷一七〇，鄒氏《春秋傳》條下解題云：「《漢書》：『王吉兼通《五經》，能為《鄒氏春秋》。』」239，「王」字，《漢書》原文位置無此字240，當係竹垞根據文意所加，此係添其姓氏也。綜觀《經義考》解題之中，常見竹垞為求前後文意通暢，乃任意增添姓氏之舉，其中「應」241、「蔡」242、「孔」243、「陸」244、「何氏」245等姓氏，均有其例證，讀者可參見下文【考證篇】。

又《經義考》卷一九四，王申子《春秋類傳》條下解題云：「吳澂曰：『巽卿《春秋類傳》極佳，雖有一二處與鄙說不同，然大綱領皆精當。』」246，今考《吳文正集》之原文，並無「巽卿」二字247，而「巽卿」二字，實為王申子之字，此乃竹垞根據文意添加之字句，當據原書刪正二字。

238參考註2，「第三章　校勘」，頁188。

239參考註12，卷一七〇，頁541。

240參考註200，卷七二，頁3066。

241參考註12，卷一七二，頁591，應劭《春秋斷獄》條下引「《後漢書》」條下「應劭」二字，其中「應」字乃竹垞所增姓氏，原書無之。

242參考註12，卷一七〇，頁538，穀梁赤《春秋傳》條下引「〈儒林傳〉」條下「時蔡千秋為郎」，其中「蔡」字乃竹垞所增姓氏，原書無之。

243參考註12，卷一七二，頁569，孔嘉《左氏說》條下引「《後漢書》」條下「孔奮晚有子嘉」一句，其中「孔」字乃竹垞所增姓氏，原書無之。

244參考註12，卷一七六，頁685，啖助《春秋例統》條下引「《新唐書》」條下「陸質所稱為趙夫子者」一句，其中「陸」字乃竹垞所增姓氏，原書無之。

245參考註12，卷一七二，頁578，戴宏《解疑論》條下引「徐彥曰」條下「何氏『恨先師觀聽不決，多隨二創』」諸語，其中「何氏」二字乃竹垞妄增之字，原書無之。

246參考註12，卷一九四，頁206。

247吳澂：《吳文正集》（臺灣商務印書館影印四庫全書本，冊一一九七，民國七十五年三月，初版）卷三，〈答海南海北道廣訪副使田君澤問〉，頁39。

又《經義考》卷一八一，狄遵度《春秋雜說》條下解題謂：

> 《宋史》：「狄遵度，字元規，長沙人。少舉進士，一斥於有司，恥不復為，以父棐任為襄縣主簿，居數月棄去。好為古文，著《春秋雜說》，多所發明。」248

《宋史》無「棐」字249，係竹垞根據文意所加，當據以刪正。其中「棐」字，乃是狄遵度父親之名。

又竹垞訛增內容之中，亦有姓名者也，例如：《經義考》卷一九三，敬鉉《明三傳例》條下解題云：

> 黃溍曰：「金之鉅儒大寧敬先生有《春秋備忘》，久未及行於世，暨入國朝，先生之諸孫公儼以憲節來涖於婺，槖其稿，請張樞子長為校讎，乃因近臣以聞而刻焉。」250

此文出自《金華黃先生文集》一書251，今審原書文句，實無「張樞」二字，僅有「子長」之名，蓋竹垞或懼讀者不知「子長」為何人，乃根據文意加上「張樞」二字，此二字實為學者姓名也。又《經義考》卷一九五，張樞《春秋三傳歸一義》條下引文云：

> 黃溍作〈墓表〉曰：「徵士金華張樞子長言學《春秋》者必始於《三傳》，而其義例互有不同，乃辨析其是非，會通其歸趣，參以儒先之說，裁以至當之論，為《三傳歸一義》。」252

此文出自《金華黃先生文集》一書253，蓋「徵士金華張樞子長言」等九字，《金華黃先生文集》僅題作「謂」字，係論及張樞之言，竹垞恐讀者不識此文內容，實為張樞之言，乃根據文義補入「徵士金華張樞子長」等字，此乃補入相關姓名也。

根據上文所論，竹垞經常根據文意內容，自行加入學者姓名、字號等資料，以免因為摘錄原文之故，而使得文意不夠明確，此舉雖有助於讀者理解內容，但因變動文句之故，實與原書內容不合，而未合於今日學術引證慣例。

（二）擅增師學傳承

學者的師承關係，有助於查考學說演變之跡，對於瞭解學術發展而言，實有若干的助益。

248參考註12，卷一八一，頁823。

249脫脫撰，《宋史》（北京：中華書局本，一九七五年），卷二百九十九，〈郎簡孫祖德列傳〉第五十八，頁9926。

250參考註12，卷一九三，頁178。

251黃溍撰，張儉編《文獻集》（台北：台灣商務印書館影印「文淵閣四庫全書」本，冊一二〇九，民國75年3月，初版）卷十下，頁58下。又《四部叢刊》本，名為《金華黃先生文集》（台北：臺灣商務印書館，「四部叢刊初編縮本」，民國六十四年六月，臺三版），卷三十，頁308錄之。

252參考註12，卷一九五，頁237。

253參考註251，卷三十，〈張子長墓表〉，頁308錄之。

竹垞在輯錄解題之時，亦有擅加師承關係，或是表明師生情誼之文，此舉雖能提供讀者完整資料，但衡諸原書文句，已有衍文的現象。例如：《經義考》卷一八九，王介《春秋臆說》條下云：

> 真德秀〈志墓〉曰：「介，字元石，世家於吳，徙金華，受學於呂成公，紹興庚戌進士，三人及第，歷官國子監祭酒，以右文殿修撰知嘉興府，改知慶元，兼沿海制置。」[254]

本文出自真德秀《真文忠公文集》一書[255]，書中並無「受學於呂成公」等六字，而此六字實非真德秀原書文句，當是竹垞擅自補入之文，諸如此類內容，雖有助於讀者瞭解王介的師承關係，卻應刪棄之，始能符合原書文句。

又《經義考》卷一九〇，王綽《春秋傳紀》條下解題云：

> 《溫州府志》：「字誠叟，永嘉人。趙汝談在史館奏充編校不就，有《春秋傳紀》，門人尤熩、薛蒙守建與括皆為刊於學。」[256]

本文出自《溫州府志》[257]，原書並無「門人尤熩、薛蒙守建與括皆為刊於學。」等字，上述十五字的內容，乃是涉及王綽所傳門人之姓名，雖有助於瞭解王綽學說的傳授系統，但實非原書文句，應是竹垞據他書之文，擅增文句所致。

綜合上述所論，竹垞所增文句之中，不乏有關於師承關係的論述，雖有助於讀者治經之用，藉以考知學者學說的授受系統，但是竹垞所引文句，經常並非出自原書文句，而使得原書文句變動過劇，未能合乎現代學術引用規範，而讀者應用其解題之時，若未能確實查考原書文句，則易有誤考文獻之失，衡諸上述情況，再度凸顯竹垞的解題內容，雖然內容廣博，極具參考效益，但是引文多有擅增之文，若是讀者在應用其書之時，不能精校其文句，則難免有誤用之失，是以學界若在短期之內，無法放棄《經義考》的治經功效，卻引此書為入門之徑，則應有精密校勘之作，以補其不足之處。

（三）擅增學術評價

《經義考》解題之中，不乏涉及經籍內容的評價，然有些相關內容，係竹垞擅增文句所致，核之原書文句，實無類似之語。例如：《經義考》卷一七九，孫立節《春秋三傳例論》條下解題云：

> 《贛州府志》：「孫立節，字介夫，寧都人。皇祐五年進士，判桂州，著《春秋三傳

254參考註12，卷一八九，頁九二。

255真德秀：《真文忠公文集》卷四六，〈宋集英殿修撰王公墓誌銘〉，（台北：民國商務印書館四部叢刊本　），民國六十八年十一月，臺一版），頁712-722。又《西山文集》（四庫本，冊一一七四，臺灣商務印書館印行），頁744-745亦錄其文。

256參考註12，卷一九〇，頁109。

257參考參考註97，卷十二，〈人物二〉，史二一一冊，頁63。

例論》，孫復見之，歎曰：『吾力所未及者，介夫盡發之矣。』」[258]

原書文句之中，未有「著《春秋三傳例論》，孫復見之，歎曰：『吾力所未及者，介夫盡發之矣。』」，此數句內容，顯見孫復對於孫立節《春秋三傳例論》的高度評價，惜上述文句，並非出自《贛州府志》之文[259]，乃係竹垞擅加之衍文。

又《經義考》卷一七四，范甯《春秋穀梁傳集解》條下云：

王應麟曰：「《穀梁》先有尹更始、唐固、麋信、孔衍、江熙、段肅、張靖等十餘家，范甯以為膚淺，乃商略名例，為《集解》十二卷，《例》一卷。蓋杜預屈經以申傳，何休引緯以汩經，惟甯之學最善。」[260]

今考「《穀梁》先有尹更始、唐固、麋信、孔衍、江熙、段肅、張靖等十餘家，范甯以為膚淺，乃商略名例，為《集解》十二卷，《例》一卷。」諸文，係出於王應麟《玉海》一書[261]，惟遍查該書內容，並未錄有「蓋杜預屈經以申傳，何休引緯以汩經，惟甯之學最善。」三句，顯然這三句內容，係竹垞根據他書擅增之文，如果再仔細核其出處，則上述三句訛增之文，係出自王應麟《困學紀聞》一書[262]，顯然竹垞有妄併書文之失，雖然前後二段文章，均出自王應麟之書，但是檢核《玉海》一書，並無「蓋杜預屈經以申傳，何休引緯以汩經，惟甯之學最善。」等三句，則三句內容，實能視同衍文，而上述三句之文，係針對杜預、何休、范甯三人的經籍撰著，提出學術評價，也能看出王應麟對於范甯撰著的肯定，然畢竟前後段文章，實係屬於不同出處，如按竹垞輯書慣例，應以「又曰」的方式，藉以區隔不同說法，而不當逕自併合其文。

《經義考》具有治經的功能，主要在於解題內容，所涉十分廣博，尤其對於各家撰著的評價，更能提供讀者參考之用，而竹垞為求提供更多參考效益，乃妄自併合諸書之文，使得核之原書文句，竟未能符合一致，諸如此類缺失，實有值得商榷之處。

（四）擅增科舉仕宦

竹垞解題之中，常涉有學者的科舉內容，其中不乏妄增之文，例如：《經義考》卷二〇六，賀仲軾《春秋提要》條下云：

黃虞稷曰：「仲軾，字景瞻，獲嘉人。萬歷庚戌進士，為武德兵備副使，家居聞甲申

258參考註12，卷一七九，頁778-779。

259明余文龍．謝詔等纂修《贛州府志》卷十六，（台南縣：莊嚴文化事業有限公司，《四庫全書存目叢書》史部二○二冊據北京圖書館藏明萬曆刻本影印，一九九六年八月，初版一刷），頁550。竹垞所引之文，多有改編，與原書文句差異甚大。

260參考註12，卷一七四，頁642。

261參考註15，卷四十，頁796。

262翁元圻，《翁注困學紀聞》（台北：世界書局，民國七十三年四月三版）（中冊），卷七，頁432。

> 寇難，衣冠北向，題字几上，自經死，妻妾五人感其義，皆同死。」[263]

上文見於黃虞稷《千頃堂書目》一書[264]，惟其文中未有「萬歷庚戌進士」諸字，此六字涉及賀氏中舉之年，蓋係竹垞據他書補入之文，考核其出處，實非出自黃氏之語。

又《經義考》卷二〇九，林概《辨國語》條下解題云：

> 《閩書》：「概，字端甫，福清人。景祐元年試禮部第一，以大理丞出知連州，遷太常博士集賢校理，著《辨國語》四十篇，曾鞏志其墓。」[265]

「景祐元年試禮部第一」等九字，原書無之[266]，或是竹垞據他書文句補入；或係根據「年二十四，舉甲科」等資料，再考其中舉之年而補入，今既原書無此九字，當據以刪正其文，以符合實情。又「以大理丞知連州」，乃是康定元年（1040）之事，而竹垞由於省略若干文句，反置此文於「景祐元年試禮部第一」之下，易使讀者誤認其出知連州之年，是為景祐元年（1034 年），則二者差距七年之久，是則再誤者也。

又《經義考》卷一八八，陳震《春秋解》條下解題謂：「《閩書》：『震，字省仲，晉江人，淳熙進士，累官太府丞。』」[267]，今考「晉江人，淳熙進士」七字，《閩書》原文無之[268]，係竹垞據他文補入，此乃妄增學者科舉內容也。

科舉仕宦的內容，雖然未必有助於探索經學內容之用，但是事關學者生平事蹟，亦不能隨易擅增文句，以免淆亂原書文句，而在《經義考》解題之中，亦多含此類例證，只是其中內容，不乏竹垞據他書文句補入者，諸如此類內容，亦需確實還原全書內容，方能釐清其異。筆者在校理《經義考》內容之時，亦曾耗費頗多時日，逐一還原引文出處，其中不乏可見竹垞擅增之文，係涉及學者科舉仕宦的內容，讀者可以參閱下文【考證篇】，茲不贅舉。

（五）擅增書籍撰著

《經義考》收錄古今經學家的撰著，而解題內容之中，亦有涉及各種撰著資料，但在竹垞輯錄解題之時，常有根據文意內容，擅自補入各種撰著，用以補足語意，諸如此類擅加之詞，雖有助於理解全文之用，但實非原書文句矣！例如：《經義考》卷一九九，劉永之《春秋本旨》條下引用「永之〈自述〉」略曰：

> 大較說《春秋》者，其失有三。尊《經》之過也，信《傳》之篤也，不以《詩》、《書》視《春秋》也。其尊之也過，則曰聖人之作也；其信之也篤，則曰其必有所受也

263參考註12，卷二〇六，頁458。

264參考註163，卷二，頁46。

265參考註12，卷二〇九，頁547。

266參考註156，卷七九，〈英舊〉，頁116-117。

267參考註12，卷一八八，頁82。

268參考註156，卷八十二，〈英舊〉，頁一八○。

；其視之異乎《詩》、《書》也，則曰此見諸行事也，此刑書也。[269]

此文出自《皇朝文衡》一書[270]，原書並無「《春秋》」二字，此二字係竹垞擅加之詞，是為書籍之名。又《經義考》卷二〇九，韋昭《春秋外傳國語注》條下解題云：「黃震曰：『《國語》文宏衍精潔，韋昭注文亦簡切稱之。』」[271]，上文出自黃震《黃氏日抄》一書[272]，其中「文宏衍精潔」諸字之前，並無「《國語》」二字，係竹垞根據前後文意，而擅加書名之故，乃酌添此二字，諸如此類情況，實宜避免為宜。

衡諸竹垞全書內容，不乏竹垞擅加之文，其中亦有涉及學者撰著，或係為求文意清楚，而酌添書籍之名，諸如此類內容，雖有助於理解全文之意，但是此一作法，卻使解題與原文之間，文句差異頗大，而有重新檢討的必要。

（六）擅增敬稱之詞

竹垞輯錄解題之時，常會針對特定的學者，給予一些敬稱之詞，是以會額增一些特殊詞彙，其中又以「先生」一詞，屬於常見之詞。例如：《經義考》卷一八五，胡安國《春秋傳》條下引錄「彭時曰」，解題略云：

彭時曰：「先生平生著述皆有關名教，而發明《春秋》之功為尤大。蓋《春秋》，孔子之親筆，聖人經世之志在焉，非若他經可以訓詁通。[273]

此文出自明程敏政編：《皇明文衡》一書[274]，「先生」二字，原書題作「其」字，蓋竹垞引錄此文之時，刪去前文達三百七十五字，因而造成文意解讀不順，乃逕改「其」字為「先生」二字，以示敬稱之意。

又《經義考》卷一九四，安熙《春秋左氏綱目》條下引錄「蘇天爵〈狀〉曰」，其文如下：

蘇天爵〈狀〉曰：「先生深於《六經》，病近世治《春秋》者第知讀《左氏》，不考正《經》，因節《左氏傳》文議論敘事始末，依倣《通鑑綱目》，作小字分注經文之下，以類相從，凡《左氏》浮夸乖戾之語悉去之，秦、漢以來大儒先生之言及諸家之說可取者，附注其後，庶觀《春秋》者可以考《傳》，讀《左氏》者亦知有《經》。其大旨一以朱子為本，而達於程、張，以求聖人之意，絕筆於莊公十二年。」[275]

269參考註12，卷一九九，頁308。

270《皇朝文衡》卷二十六，〈答梁孟敬書〉，頁236。又四庫：《稗編》12-8下錄之。

271參考註12，卷二〇九，頁540。

272參考註95，卷五二，「雜史」，頁620上。

273參考註12，卷一八五，頁11。

274參考註85，卷一○○，彭時〈重修胡文定公書院記〉，頁757-758。

275參考註12，卷一九四，頁214-215。

此書見於蘇天爵《滋溪文稿》一書[276]，原書並無「先生」二字，係竹垞根據文意擅加之詞。

又除了添補「先生」敬稱之詞外，另有增補其他詞彙，例如：《經義考》卷一七九，歐陽修《春秋或問》條下引文云：

> 黃震曰：「歐陽公論《春秋》，謂學者不信《經》而信《傳》，不信孔子而信三子，隱公非攝、趙盾非弒、許世子止非不嘗藥，亂之者，三子也；起隱公，止獲麟，皆因舊史而修之，義不在此也。卓哉之見，讀《春秋》者可以三隅反矣。」[277]

此文出自《黃氏日抄》一書[278]，其中「歐陽公論《春秋》」等六字，《黃氏日抄》原文僅作「春秋論」三字，蓋竹垞根據前後文意，擅自加入「歐陽公」三字，並參酌文句改寫所致，蓋「歐陽公」三字，實為敬稱之詞也。

綜合上文所述，竹垞在輯錄解題之時，常為了精簡篇幅，而剪裁過長之文，致使前後文意未暢，為使文意暢通之故，乃加入一些敬稱之詞，其中又以「先生」一詞，實屬最為常見之例，蓋此類妄增文句，並非屬於特例[279]，也常見通篇解題之中，是以能形成基本條例。

（七）擅增籍貫家世

《經義考》解題之中，常有涉及學者籍貫者，惟許多籍貫內容，多係竹垞妄增之文，核之原書文句，並無相關內容，今將相關情況，試製簡表二〈竹垞擅增學者籍貫家世表〉（詳見本章末附錄）。根據簡表二得知如下情況：竹垞妄增文句之中，多有涉及作者籍貫內容者，雖然竹垞或有所據，但是所引之文，由於竹垞妄加文句之故，使得脫離原書內容，讀者如要應用《經義考》的解題，勢必要能重新還原引文來源，以免有誤用出處之失，例如：竹垞於辛德源《春秋三傳集注》條下，明引「《北史》」之文」，但是「隴西狄道人」五字，卻非《北史》之文，而係出自《隋書》之文，若是讀者應用其解題，但是未能考及出處，則易有誤判資料之失。

學者的家世背景，有助於瞭解其學說傳承，或係得知其個人偏好，衡諸竹垞引文內容，其中不乏擅增家世者，例如：《經義考》卷二〇三，袁仁《春秋鍼胡編》條下解題云：

> 仁〈自序〉曰：「左氏、公羊氏、穀梁氏皆傳《春秋》者也，《傳》未必盡合乎《經》，故昔人詩云：『《春秋三傳》束高閣，獨抱遺經究終始。』卓哉！宋胡安國憤王氏之不立《春秋》也，承君命而作《傳》，志在匡時，多借《經》以申其說，其意則忠矣，於經未必盡合也；況自昭、定而後，疏闕尤多，歲中不啻十餘事止《一傳》或

276蘇天爵：《滋溪文稿》（台北：國立中央圖書館，「元代珍本文集彙刊」，民國五十九年三月，初版），卷二二，〈默庵先生安君行狀〉，（元代珍本文集彙刊），頁857-858。又此書另有適園叢書本，卷二二，頁240。

277參考註12，卷一七九，頁773。

278參考註95，卷六一，頁690。

279其他參考註12，卷一九六，頁252，吳來《春秋世變圖》條下引「宋濂作〈碑〉曰」；又如該書，同卷，同頁，吳儀《春秋五傳論辨》條下引「宋濂曰」等，均有相關例證。

> 《二傳》焉，其閒公如晉、公如齊、公會吳於鄫之類，皆匪細事，皆棄而不傳，則非全書也明矣。吾祖菊泉先生以《春秋》為仲尼實見諸行事之書，不可闕略也，潛心十載，別為《袁氏傳》三十卷，校之胡氏傳幾五倍之，吾父怡杏府君復作《或問》八卷以闡其幽，釋《春秋》者，於是乎有完書矣。虛心觀理，靡恃己長，故不為訶斥之論，折衷群說，理長則從，亦未嘗有意擊胡。予謂世業《春秋》者，所尊惟胡，而胡多燕說，不可不闡發以正學者之趨。夫《春秋》大一統，吳、楚僭王，孽庶奪嫡，皆其所深誅也，主《傳》而奴《經》，信《傳》而疑《經》，是僭王也，是奪嫡也，烏乎可？作《鍼胡編》。」280

今衡諸原書序文，並無「吾祖菊泉先生以《春秋》為仲尼實見諸行事之書，不可闕略也，潛心十載，別為《袁氏傳》三十卷，校之胡氏傳幾五倍之，吾父怡杏府君復作《或問》八卷以闡其幽，釋《春秋》者，於是乎有完書矣。虛心觀理，靡恃己長，故不為訶斥之論，折衷群說，理長則從，亦未嘗有意擊胡。」諸句，上述文句，實為竹垞擅加之文，而文句內容，乃是涉及學者從事「春秋學」的研究，實乃承自父祖影響所致。

（八）擅增寫作動機

每位學者在撰著圖書之時，多有論及寫作動機者，竹垞在輯錄解題之時，由於所涉內容廣博，是以亦不乏此類內容，惟其引文之中，亦不乏竹垞擅加之文，諸如此類擅加之文句，實屬於衍文也。《經義考》卷二〇三，袁仁《春秋鍼胡編》條下解題指出：

> 仁〈自序〉曰：「左氏、公羊氏、穀梁氏皆傳《春秋》者也，《傳》未必盡合乎《經》，故昔人詩云：『《春秋三傳》束高閣，獨抱遺經究終始。』卓哉！宋胡安國憤王氏之不立《春秋》也，承君命而作《傳》，志在匡時，多借《經》以申其說，其意則忠矣，於經未必盡合也；況自昭、定而後，疏闕尤多，歲中不啻十餘事止《一傳》或《二傳》焉，其閒公如晉、公如齊、公會吳於鄫之類，皆匪細事，皆棄而不傳，則非全書也明矣。吾祖菊泉先生以《春秋》為仲尼實見諸行事之書，不可闕略也，潛心十載，別為《袁氏傳》三十卷，校之胡氏傳幾五倍之，吾父怡杏府君復作《或問》八卷以闡其幽，釋《春秋》者，於是乎有完書矣。虛心觀理，靡恃己長，故不為訶斥之論，折衷群說，理長則從，亦未嘗有意擊胡。予謂世業《春秋》者，所尊惟胡，而胡多燕說，不可不闡發以正學者之趨。夫《春秋》大一統，吳、楚僭王，孽庶奪嫡，皆其所深誅也，主《傳》而奴《經》，信《傳》而疑《經》，是僭王也，是奪嫡也，烏乎可？作《鍼胡編》。」281

竹垞著錄此書作「《春秋鍼胡編》，然此書傳本多題作「《春秋胡傳考誤》」，僅有黃虞稷《千頃堂書目》錄作「《鍼胡編》，略與竹垞著錄書名近同。然而，今考及原書序文，並無「而胡多燕說，不可不闡發以正學者之趨。夫《春秋》大一統，吳、楚僭王，孽庶奪嫡，皆其所深誅也，主《傳》而奴《經》，信《傳》而疑《經》，是僭王也，是奪嫡也，烏乎可？

280參考註12，卷二〇三，頁401。

281參考註12，卷二〇三，頁401。

作《鍼胡編》。」諸句，而上述諸多文句，乃是述及袁仁撰著此書的動機，實係糾正胡安國《春秋傳》內容之誤，雖能合乎實情，但是非袁仁原書〈序〉文，則其中亦有可議者。又〈原序〉於「所尊惟胡」下，尚有「余懼其沿派而失源也，作《春秋胡傳考誤》，知我罪我亦任之而已。袁仁撰。」等二十八字，竹垞所錄之〈序〉無之，是則顧此失彼，而有待學者糾正其失。

又《經義考》卷二〇八，魏禧《左傳經世》條下解題云：

> 禧〈自序〉曰：「讀書所以明理也，明理所以適用也。故讀書不足經世，則雖外極博綜，內析秋毫，與未嘗讀書同。經世之務，莫備於史，禧嘗以為；《尚書》，史之大祖；《左傳》，史之大宗。古今治天下之理，盡於《書》；而古今御天下之變，備於《左傳》。明其理，達其變，讀秦、漢以下之史，猶入宗廟之中，循其昭穆而別其子姓，瞭如指掌矣。嘗觀後世賢者，當國家之任，執大事，決大疑，定大變，學術勳業，爛然天壤，然尋其端緒，求其要領，則《左傳》已先具之。蓋世之變也，弒奪、烝報、傾危、侵伐之事，至春秋已極；身當其變者，莫不有精苦之志，深沈之略，應猝之才，發而不可禦之勇，久而不回之力，以謹操其事之始，終而成確然之效，至於兵法奇正之節，自司馬穰苴、孫、吳以下，不能易也。禧少好《左氏》，及遭變亂，放廢山中者二十年，時時取而讀之，若於古人經世大用，《左氏》隱而未發之旨，薄有所會，隨筆評注，以示門人。竊惟《左傳》自漢、晉至今歷二千餘年，發微闡幽，成一家言者，不可勝數，然多好其文辭篇格之工，相與議論而已。唐崔日用工《左氏》學，頗用自矜，及與武平一論三桓七穆，不能對，乃自慚曰：吾請北面。徐文遠從沈重質問《左氏》，久之辭去，曰：先生所說，紙上語耳。禧嘗指謂門人：學《左氏》者，就令三桓七穆口誦如流，原非所貴，其不能對，亦無足慚，此蓋博士弟子所務，非古人讀書之意。善讀書者，在發古人所不言，而補其未備，持循而變通之，坐可言，起可行而有效，故足貴也。禧評注之餘，閒作《雜論》二十篇、《書後》一篇課諸生，作《雜問》八篇，用附卷末，就正於有道。《左氏》好紀怪誕，溺功利禍福之見，論時駁而不醇；然如石碏誅吁、厚，范宣子禦欒盈，陰飴甥爰田、州兵之謀，晏嬰不死崔杼，子產焚載書，及子皮授子產政諸篇，皆古今定變大略；而陰飴甥會秦伯王城，燭之武夜縋見秦伯，蔡聲子復伍舉，則詞命之極致，後之學者，尤當深思而力體之也。」282

竹垞著錄魏禧《左傳經世》一書，注曰「未見」，是以其輯錄魏禧〈自序〉一文，必是據他書而來。今考魏禧原書〈序〉文283，書中並無「禧評注之餘，閒作《雜論》二十篇、《書後》一篇課諸生，作《雜問》八篇，用附卷末，就正於有道。」等字，上述諸多文句，論及「閒作《雜論》二十篇、《書後》一篇課諸生」，則《雜論》二十篇」、《書後》一篇，乃是課諸生之作；至於「《雜問》八篇，用附卷末，就正於有道。」，乃是欲與學者請益之作，諸如此類敘述，皆是述及學者的撰述動機，惜諸多引用文句，並非原書〈序〉文內容，而是

282參考註12，卷二〇八，頁506-507。

283魏禧：《左傳經世．自敘》，(上海：上海古籍出版社，「續修四庫全書本」，一九九五年)，頁287。

竹垞據他書文句補入，諸如此類的作法，實有商榷之處。

（九）擅增注文內容

竹垞所錄解題內容，有許多正文、注文不分，是以引用解題之時，往往有涉注文而衍之例，將原屬於注文內容者，混入正文之中，致使解題之中，多出許多額外衍文，而有待學者逐一校正文句，以還其真。例如：《經義考》卷一七二，賈逵《左氏傳解詁》條下引文云：

> 《後漢書》：「逵弱冠，能誦《五經》，兼通五家《穀梁》之說，尹更始、劉向、周慶、丁姓、王彥。尤明《左氏傳》、《國語》，為之解詁五十一篇，注《左氏》三十篇、《國語》二十一篇。永平中，上疏獻之。顯宗重其書，寫藏秘館。建初元年，詔逵入講北宮白虎觀、南宮雲臺，帝善逵說，使出《左氏傳》大義長於《二傳》者，逵於是摘出《左氏》三十事，帝嘉之，令逵自選《公羊》嚴、顏諸生高才者二十人，教以《左氏》，與簡紙經、傳各一通。」284

此文出自《後漢書》285，其中「尹更始、劉向、周慶、丁姓、王彥。」諸句，以小文夾注於「兼通五家《穀梁》之說」之下，尚能合乎原書內容，但是「注《左氏》三十篇、《國語》二十一篇」諸句，則大小一同於正文，今考諸原書文句，上述諸句實為注文，而標示「注」字，即表明其下內容，實為注文之語，然卻未如上文「尹更始、劉向、周慶、丁姓、王彥。」等句，係採用注文型態標示，易使讀者誤認「注《左氏》三十篇、《國語》二十一篇」諸句為正文，是為注文誤入正文之例。

又《經義考》卷二〇九，劉城《春秋外傳國語地名錄》條下解題云：

> 城〈自序〉曰：「予既詮次《內傳》地名，置之篋中，蓋數歲矣。後此讀《春秋》輒觀大義，不復比類求之，近偶一巡攬焉，亦自謂麤有考索也。旋以《國語》參定其間，同者什之七，異者什之三，又周、晉采地多散見卿士姓號中，如召、樊、范、單、趙、欒、羊舌之類。予鈔《內傳》時，皆棄而勿取，今併裒采，補其闕遺，試以合諸前錄，庶幾備《春秋》之版籍云爾。雖甚寥寥，為猶賢乎鷄肋也。崇禎丁丑夏五月。」286

此文出自原書〈自序〉287，然原書並無「如召、樊、范、單、趙、欒、羊舌之類。」諸字，上述諸多文句，實為注文者也，是以竹垞將正文、注文誤混而為一，而此文既引其正文，則注文應以夾注小字方式，出自相關條文之下，今以正文方式行之，因而造成衍文之例。

（十）擅增朝代年號

284參考註12，卷一七二，頁572-573。

285參考註67，卷三六，頁1235。

286參考註12，卷二〇九，頁551。

287劉城《春秋外傳國語地名錄・序》，(台南縣：莊嚴文化事業有限公司，《四庫全書存目叢書》經一二八冊，一九九六年八月，初版一刷)，頁581a。

竹垞擅增文句之中，不乏有關於朝代、年號者，例如：《經義考》卷一九七，陳大倫《春秋手鏡》條下引文如下：「黃虞稷曰：『永豐人，元李齊榜進士，官翰林待制。』」[288]，上文見於黃虞稷《千頃堂書目》[289]，原書文句並無「元」字。今考《元史》卷八一云：

> 元統癸酉科，廷試進士同同、李齊等，復增名額，以及百人之數．稍異其制，左右榜各三人，皆賜進士及第，餘賜出身有差。科舉取士，莫盛於斯。[290]

陳大倫既與李齊同榜，則應為元朝進士，是以竹垞根據文意，擅加「元」字，乃是朝代之名也。

又《經義考》卷一七二，應劭《春秋斷獄》條下解題云：

> 《後漢書》：「應劭，字仲遠，汝南南頓人。中平六年，拜太山太守，撰具《律本章句》、《尚書舊事》、《廷尉板令》、《決事比例》、《司徒都目》、《五曹詔書》及《春秋斷獄》，凡二百五十篇。蠲去復重，為之節文。又集《駮義》二十篇，以類相從，凡八十二事。」[291]

此文出自《後漢書》一書[292]，原書文句並無「中平」二字，蓋竹垞為恐讀者不知「六年」實屬那一年份？乃根據前後文意，加入「中平」二字，此二字乃是東漢靈帝的第四個年號，而竹垞擅加此二字，雖能使讀者得知更多詳情，但實與原文不符。又《經義考》卷一七九，賈昌朝《春秋要論》條下引文曰：

> 《玉海》：「景祐元年十二月，崇政殿說書賈昌朝撰《春秋要論》十卷，詔令舍人院試，二年五月詔直集賢院。」[293]

此文出自《玉海》一書，原書並無「景祐元年」四字[294]，而此四字之文，乃是竹垞根據前文位置所加之文，衡諸原書內容，實無此四字，而此四字雖涉及確切時間，實有參考價值，但原書相關位置，並無此四字，故應刪去其文，以符合原書內容。

（十一）擅增卷帙資料

《經義考》解題之中，常有錄及卷帙資料者，惟核之原文資料，其中不乏竹垞據他書之文補入者，諸如此類內容，實有重新校訂的必要，例如：施氏仁《左粹類纂》條下引錄如下解題：

288參考註12，卷一九七，頁270。

289參考註163，卷二，頁50。

290參考註249，卷八一，頁2026。

291參考註12，卷一七二，頁591。

292參考註67，卷四八；頁1606、1609、頁1610、頁1613。竹垞併合四處解題為一，且行文順序互有改動。

293參考註12，卷一七九，頁763。

294參考註15，冊二，卷四○，頁800。

> 黃省曾〈序〉略曰：「近世好《左氏》者，若吳郡守溪王公、無錫二泉邵公、河南空同李公，皆游涉二傳，樂而忘疲。予友施宏濟，博古敦行，潛心下帷，以《春秋》舉，乃析別《二傳》之文，自制命至於夢卜，定為十有五目，以轄萃其言，凡十二卷，命曰《類纂》。於其隱而難通者，務酌諸家而曲暢其義，使學者不勞披觀，可以因類而求，沿文以討，若八音殊奏，聽之者易入而領也，其心可謂勤矣。」295

「十二卷」三字，《左粹類纂》〈黃省曾序〉原文未題卷數，僅含混題作「若干卷」296，而竹垞或據他書考之，認為卷數應作「十二卷」，是以逕改解題之文，實則原書未明言卷帙為何？此乃竹垞擅增卷數內容也。

又《經義考》卷二○九，宋庠《國語補音》條下引文如下：

> 庠〈自序〉曰：「班固〈藝文志〉種別《六經》，其《春秋》家有《國語》二十一篇注，左邱明著。至漢司馬子長撰《史記》，遂據《國語》、《世本》、《戰國策》以成其書。當漢出《左傳》，祕而未行，又不立於學官，故此書亦勿顯，惟上賢達識之士好而尊之，俗儒勿識也。逮東漢，《左傳》漸布，名儒始悟向來《公》、《穀》膚近之說，而多歸《左氏》。及杜元凱研精訓詁，木鐸天下，古今真謬之學一旦冰釋，雖《國語》亦從而大行。蓋其書並出邱明，自魏、晉以後，書錄所題，皆云《春秋外傳國語》，是則《左傳》為內，《國語》為外，二書相副以成大業，凡事詳於內者略於外，備於外者簡於內，先儒孔晁亦以為然。自鄭眾、賈逵、王肅、虞翻、唐固、韋昭之徒，竝治其章句，申之注釋，為《六經》流亞，非復諸子之倫自餘，名儒碩士好是學者不可勝記。歷世離亂，《經》籍亡逸，今此書惟韋氏所解傳於世，諸家章句遂無存者。然觀韋氏所敘，以鄭眾、賈逵、虞翻、唐固為主而增損之，故其注備而有體，可謂一家之名學。惟唐文人柳子厚作《非國語》二篇，捃摭《左氏》意外微細以為詆訾，然未足掩其鴻美，左篇今完然與經籍並行無損也，庸何傷於道？若夫古今卷第，亦多不同，或云二十一篇，或二十二卷，或二十卷，然據班〈志〉最先出，賈逵次之，皆云二十一篇，此實舊書之定數也，其後或互有損益，蓋諸儒章句煩簡不同，析簡併篇，自名其學，蓋不足疑也，要之〈藝文志〉為審矣。又按：先儒未有為《國語》音者，蓋外、內傳文多相涉，字音亦通故邪？然近世傳《舊音》一篇，不著撰人名氏，尋其說乃唐人也，何以證之？據解犬戎樹惇，引鄯州羌為說。夫改鄯善國為州，自唐始耳。然其音簡陋，不足名書，但其閒時出異聞，義均鷄肋，庠因暇輒記其所闕，不覺盈篇，今因舊本而廣之，凡成三卷，其字音反切除存本說外，悉以陸德明《經傳》釋文為主，亦將稽舊學、除臆說也。惟陸音不載者，則以《說文》、《字書》、《集韻》等附益之，號曰《國語補音》。其閒闕疑，請俟鴻博，非敢傳之達識，姑以示兒曹云。」297

295參考註12，卷二○一，頁368。

296施仁，《左粹類纂》〈黃省曾序〉，（台南縣：莊嚴文化事業有限公司，《四庫全書存目叢書》子部一七八，一九九六年八月，初版一刷），頁655。

297參考註12，卷二○九，頁544-545。

其中「或二十二卷」等五字，今考《國語補音．敘錄》實作「或二十二」，無「卷」字，是以竹垞據下文補入「卷」字，雖能完足文意，但其所補「卷」字，實乃擅增之字，當據原書刪正。

綜合上述所論內容，竹垞在輯錄解題之時，往往為求文意通順，或是要求內容豐富，因而擅加各種資料，而這些資料之中，雖能補充解題原有內容，但是並非原來解題，若是讀者未能還原原始文獻，將致錯用文獻資料，而會影響到研究品質，其餘相關例證甚多，讀者可以自行參看下文【考證篇】，茲不贅述。

四、錯倒例舉隅

筆者在校勘《經義考》引文之時，常見解題內容與原文錯倒，因而導致文句錯誤之例。程千帆、徐有富《校臨廣義(校勘編)》一書，對於書面材料錯誤類型之中，即歸納出「倒」的類型，而其說明如下：

> 倒指原稿文字具存，並無訛誤、缺脫或衍羨，但在流傳過程中，文字的先後次序都被弄顛倒了的現象。先後次序被弄顛倒了的文字稱倒文，糾正則稱為乙正或乙轉。字數較多的倒文習慣上稱錯简。這其中又有字倒、句倒、篇章倒等不同情況，甚至目錄、表格也有錯亂現象。298

今援引程氏、徐氏歸納之例，並參酌校訂《經義考》的引文內容，而將相關錯誤情況，釐析條例如下：

(一)字倒例

筆者在校勘引文之時，常會發現上下兩字，常被調換位置，致使引文內容，與原書文句之間，有著若干的誤差，其中不乏關鍵字詞誤倒之例，影響所及，也會造成內容錯謬，而有礙於讀者的應用。例如：《經義考》卷一七二，李譔《左氏指歸》條下引《華陽國志》云：

> 《華陽國志》：「李譔，字仲欽，涪人。為太子中庶子、右中郎將，著《左氏注解》，依則賈、馬，異于鄭玄。」 299

其中「仲欽」二字，《華陽國志》原作「欽仲」，今考《三國志》卷四十二指出：「李譔字欽仲，梓潼涪人也。」（頁 1026），可見李譔，實作「欽仲」，而竹垞誤作「仲欽」，乃是誤倒之例，此處乃是涉及學者字號之誤，說法已見前文，茲不贅述。

又《經義考》卷二○七，吳希哲《春秋明微》條下引錢謙益(序》云：

> 錢謙益〈序〉曰：「淳安睿卿吳公世授《春秋》起家，成進士，以治行第一擢居掖垣，天子知其能，特命督賦江南，暇手一編，據案呻吟，援筆塗乙，若唐人所謂兔園冊者，則其所著《春秋明微》也。給諫承籍家學，專精覃思，於是經注疏、集解以及宿

298 程千帆、徐有富著《校讎廣義(校勘編)》(濟南:齊魯書社, 一九九八年四月一版一刷)，頁57。

299參考註12，卷一七二，頁597。

> 儒講論、經生經義，窮其指歸，疏其蕪穢，窮年盡歲，彙為是書。昔者漢世治《春秋》，用以折大獄、斷國論；董仲舒作《春秋決事比》，朝廷有大議，使使者就其家問之，其對皆有明法，何休以《春秋》駁漢事，服虔又以《左傳》駁何休，所駁漢事十六條，故曰：『屬辭比事，《春秋》教也。』胡文定生當南渡之時，懲荊舒之新學，閔靖康之遺禍，數陳進御，拳拳以大義摩切人主。今《春秋》取士，斷以文定為準，士子射策決科，朝而釋褐，日中而棄之矣。給諫於是《經》，童而習之，進取不忘其初，箧衍縱橫，朱墨狼藉，誠欲使天下學者通《經》學古，以董子、胡氏為的也，給諫之意遠矣。」300

其中「駁漢事十六條」諸字，應依錢謙益《牧齋初學集》卷二十九，〈麟旨明微序〉改作「駁漢事六十條」，而竹垞逕改作「駁漢事十六條」，致使服虔駁漢事之數量，實與原書數量不合，因而有誤。

又《經義考》卷一六八，《春秋古經》條下錄有「董仲舒曰」如下:

> 《春秋》分十二世，有見，有聞，有傳聞。有見三世，有聞四世，有傳聞五世。故定、哀、昭，君子之所見也；襄、成、文、宣，君子之所聞也；僖、閔、莊、桓、隱，君子之所傳聞也。所見六十一年，所聞八十五年，所傳聞九十六年。」301

其中「哀、定、昭」三字，應依《春秋繁露》卷一之文，改作「哀、定、昭」三字，而竹垞或為一時不察之故，或依魯國世系表的排列，而將「哀」改置於「定」之後，殊不知此處所引世系表，係由近而遠，故應為「哀、定、昭」為是，而竹垞改作「定、哀」二字，反而不合乎原書文句，而有錯倒文句之失。

又《經義考》卷二〇九，宋庠《國語補音》條下引宋庠〈自序〉，其文摘錄如下：

> 夫改鄯善國為州，自唐始耳。然其音簡陋，不足名書，但其閒時出異聞，義均鷄肋，庠因暇輒記其所闕，不覺盈篇，今因舊本而廣之，凡成三卷，其字音反切除存本說外，悉以陸德明《經傳》釋文為主，亦將稽舊學、除臆說也。惟陸音不載者，則以《說文》、《字書》、《集韻》等附益之，號曰《國語補音》。其閒闕疑，請俟鴻博，非敢傳之達識，姑以示兒曹云。302

其中「鄯善國」三字，《國語補音．敘錄》誤作「善鄯國」，其中「鄯善」二字互倒，但是史冊之中，僅見及「鄯善國」，而未有「善鄯國」，是以《國語補音．敘錄》所題「善鄯國」，應是傳抄之誤，而竹垞所據版本或作「鄯善國」，或竹垞見及〈敘錄〉誤作「善鄯國」，而逕自改其文詞，雖能合乎史實記錄，但是與今本《國語補音．敘錄》之文，或有不合之處。

除了前後文字，易於互倒之外，而有些倒文現象，彼此相隔數字之遠，也造成不同程度的錯誤，例如：《經義考》卷一八一，鄭昂《春秋臣傳》條下錄及王應麟之語如下：「王應

300參考註12，卷二〇七，頁480-481。

301參考註12，卷一六八，頁488。

302參考註12，卷二〇九，頁545。

麟曰：『以人類事，凡二百十五人，附而名者又三十九也。』。」303，案：原文出自王應麟《玉海》卷四〇的注文，而「三十九」三字，原書內容實作「九十三」，是以竹垞誤倒作「三十九」，此乃涉及統計人數之誤，昔翁方綱《經義考補正》已糾正其失，茲不贅述。

綜合上述所論內容，竹垞所引解題之中，常有文詞互倒之例，其中又以前後文字誤倒情況，實屬最為常見之例，而在眾多常見字倒之例，其中不乏關鍵字詞的誤倒，今將相關內容，繪製簡表三〈《經義考》解題文詞互倒之例簡表〉，讀者可以參看該表內容，至於其他類此之例，更是難以計數，說法詳見本文【考證篇】茲不贅述。

(二)句倒例

《經義考》解題文句之間，常會發現前後句子相倒，因而有所謬誤，而諸如此類疏失，常是竹垞擅自調動文句，使其合乎閱讀之便，然此舉卻使解題內容，常與原書文句不合，而有文句錯倒之失。例如：《經義考》卷一七九，王沿《春秋集傳》條下引「晁公武曰」，其解題如下：

> 晁公武曰：「沿，字聖源，大名人。好《春秋》，所至以《春秋》斷事。是書集《三傳》解經之文，仁宗朝嘗奏御詔直昭文館，後官至天章閣待制。」304

其中「集《三傳》解經之文」一句，《郡齋讀書志》原文置於「沿，字聖源」諸字之前，而竹垞引錄此文之時，卻將其中文句，反置於「是書」二字之下，而使得此句內容，實與原文錯倒，因而有失。

又《經義考》卷一八六，李繁《春秋集解》條下解題云：

> 魏了翁〈誌〉曰：「公字清叔，蜀人。紹興十八年進士，倉部員外郎，總領四川財賦、軍馬、錢糧，郎中太府少卿，自號桃溪先生。公講學臨篇，皆探源尋流，取法前古，有《春秋至當集》、《春秋機關》、《春秋集解》、《經語提要》。」305

此文出自於《鶴山先生大全文集》一書306，其中「自號桃溪先生」六字，〈朝奉大夫府卿四川總領財賦累贈通奉大夫李公墓誌銘〉原置於「《經語提要》」諸字之後，而竹垞引錄此文之時，以此六字內容，乃是事涉李繁生平事蹟，乃將其提前至「郎中太府少卿」六字之後，而有句倒之誤。

又《經義考》卷一八六，徐端卿《麟經淵源論》條下云:

> 魏了翁〈志〉曰：「武義徐君，諱端卿，字子長，紹興十一年進士，教授鎮江，嘗著

303參考註12，卷一八一，頁818。

304參考註12，卷一七九，頁763。

305參考註12，卷一六八，頁30。

306全文出自魏了翁《鶴山先生大全文集》(台北：臺灣商務印書館，「四部叢刊初編縮本」，民國六十四年六月，臺三版)卷七八，〈朝奉大夫府卿四川總領財賦累贈通奉大夫李公墓誌銘〉，頁638-644。

《麟經淵源論》十篇。」307

此文出自《鶴山先生大全文集》卷七七，〈鎮江府教授徐君墓誌〉，頁六三四至頁六三五，其中：「教授鎮江」一句，原應出於「武義徐君」諸字之前，而竹垞或以其文意不順，乃將其調動位置，置於「進士」二字之後，雖較能合乎文意的解讀，但是離原書文句稍遠，而有句倒之誤。

又竹垞引證原書解題之時，除了單句引文易有錯置之失，未能合乎原書文句之外，另有雙句解題內容，亦產生同樣的錯誤，諸如此類疏失，實是竹垞任意調整引文位置，因而有所謬誤，例如：《經義考》卷一九一，許瑾《春秋經傳》條下云：

《紹興府志》：「許謹，字子瑜，世居剡之東林。宋運既改，徵辟不就，學者稱高山先生。」308

此文出自《紹興府志》卷四十三，頁三二三，其中「宋運既改，徵辟不就」二句，原應置於「高山先生」四字之下，而竹垞反將其置於相關文句之前，而有句倒之失。

綜合上述所論內容，竹垞引用前人文獻之時，常會調整文句先後，以符合讀者閱讀之便，並且兼具文采價值，雖然調整文句的次序，確實較原書文句精簡洗練，但是解題內容，卻不能合於原文順序，而諸如此類引證方式，實不合乎後世學術引用規範，而有著重新校理的空間。

(三)錯簡例

竹垞引用前書文句之時，除了經常調整個別文句，使其符合閱讀之便，也常有整段文句內容，並且挪動其位置，而有「錯簡」之誤。所謂的「錯簡」，原意專指簡牘文字，因為韋編斷絕，使得文句多有錯亂，而易致文句解讀有誤，今考竹垞《經義考》引文內容，應多來自於線裝古籍，本應無此類「錯簡」的問題，而縱使有錯簡之例，也是緣於古書流通之時，業已承襲前代錯簡內容，而致於有所失誤。然而，衡諸《經義考》的解題，不乏有長篇的引文內容，前後位置不同，因而有失，例如：《經義考》卷一七八，陳岳《春秋折衷論》條下引述陳岳之文如下：

岳〈自述〉曰：「聖人之道，《春秋》而顯；聖人之文，以《春秋》而高；聖人之文，以《春秋》而微；聖人之旨，以《春秋》而奧。入室之徒既無演釋，故後之學者多失其實，是致三家之傳並行於後，俱立學官焉。噫！絕筆之後，歷戰國之艱梗，經暴秦之焚蕩；大漢初興，未暇崇儒術；至武帝，方設制策，延天下英雋，有董仲舒應讖記而通《春秋》。仲舒所業惟《公羊傳》，仲舒既歿，則有劉向父子，向受業《穀梁》，歆業《左氏》，《左氏》之道假歆而振，自斯學者愈茂，欲存《左氏》而廢《公》、《穀》，則西漢鴻儒向焉欲存《公》、《穀》而廢《左氏》，則邱明與聖人同代，是以皆各專一傳。夫經者，本根也；傳者，枝葉也。本根正，則枝葉固正矣；本根

307參考註12，卷一八六，頁37-38。

308參考註12，卷一九一，頁152。

非，則枝葉曷附焉？矧《公羊》、《穀梁》第直釋經義而已，無他蔓延，苟經義是，則傳文亦從而是矣；經義非，則傳文亦從而非矣。《左氏》釋經義之外，復廣記當時之事，備文當時之辭，與二傳不類。或謂邱明授經於仲尼，豈其然歟？苟親受之經，則當橫經請問，研究深微，閒不容髮矣，安得時有謬誤，致二傳往往出其表邪？蓋業《左氏》者，以二傳為證，以斯為證，謂與聖人同時，接其聞見可也；謂其親受之經，則非矣。聞不如見，見不如受，邱明得非見歟？《公羊》、《穀梁》得非聞歟？故《左氏》多長；《穀梁》多短，然同異之理十之六七也。鄭玄、何休、賈逵、服虔、范甯、杜元凱皆深於《春秋》者也，而不簸糠蕩粃，芟稂抒莠，掇其精實，附於麟經；第各醲其短，互鬥其長，是非千種，惑亂微旨。其弊由各執一家之學：學《左氏》者則訾《公》、《穀》，學《公》、《穀》者則詆《左氏》；乃有《膏肓》、《廢疾》、《墨守》之辨設焉。謂之《膏肓》、《廢疾》者，則莫不彌留矣，亡一可砭以藥石者也；謂之《墨守》，則莫不堅勁矣，亡一可攻以利者也。」309

此文出自《群書考索續集》卷十二〈三傳總論〉頁一○六○。今審視竹垞引文內容，其中「或謂邱明授經於仲尼，豈其然歟?苟親受之經，則當橫經請問，研究深微，閒不容髮矣，安得時有謬誤，致二傳往往出其表邪？蓋業《左氏》者，以二傳為證，以斯為證，謂與聖人同時，接其聞見可也；謂其親受之經，則非矣。 聞不如見，見不如受，邱明得非見欺？《公羊》、《穀梁》得非聞欺？故《左氏》多長；《穀梁》多短，然同異之理十之六七世。」諸多文句，《羣書考索續集》原置於〈辨三傳聞見同異〉一文，錄於「皆各專一傳」之下，而竹垞在引錄此文之時，錯亂其位置，而改置於〈辨《左氏》與《二傳》不同〉一文之下，而有錯簡之失。

又《經義考》卷一八五，胡安國《春秋傳》條下引「黃澤」之文如下：

《春秋》遵用周正，理明義正，無可疑者。胡文定公始有夏時冠周月之說，蔡氏雖自謂晦庵門人，而其《書傳》乃直主不改月之說，亦引商、秦為證，是不改月之說開端於文定，而遂成於蔡氏。按胡氏云：『以夏時冠月，垂法後世；以周正紀事，示無其位，不敢自專。』據此，所謂以夏時冠周月最害大義，於聖經之累不小，據所引商、秦不改月為證，是周亦未嘗改月；據夏時冠周月，是孔子始改時，又云仲尼無其位而改正朔，則是正月亦皆孔子所改，其外誤最甚。蓋由所見實未明，而欲含糊兩端，故雖主周正，而又疑於時之不可改；既主夏時，而亦疑於建子之非春，是以徒費心思而進退無據，其誤在於兼取用夏從周，是欲兩可，而不知理實不通，古人註釋縱謬，卻不至此。晦庵先生曰：『某親見文定家說，文定《春秋》說：夫子以夏時冠周月，以周正紀事，謂如公即位依舊是十一月，只是孔子改正作春正月。某便不敢信，恁地時二百四十二年，夫子只證得箇行夏之時四箇字。據今《周禮》有正月、有正歲，則周實是元改作春正月，夫子所謂行夏之時，只是為他不順欲改從建寅，如《孟子》說「七八月之間旱」，這斷然是五六月，十一月徒杠成、十二月輿梁成，這分明是九月十

309參考註12，卷一七八，頁723-724。

月。』晦庵之說明白如此，而不能救學者之惑，可勝歎哉！310

此文出自《春秋師說》一書311，其中「晦庵先生曰……」以下諸文，《春秋師說》列於「春秋遵用周正」諸句之前，而竹垞引錄解題之時，反置於後，明顯有錯簡情事，諸如此類情況，實有待逐一詳校文句，始能得知原書內容，然讀者在應用《經義考》解題之時，恐怕都沒有完整還原文出處，是以對於竹垞擅自改動文句順序之舉，實在沒有清楚概念，而透過本文校理的成果，可使讀者瞭解其中情況。

又竹垞引錄前人文獻之時，常有隨意穿插文句之舉，蓋其引用文獻極繁，為求擴大徵引功效，是以任意併合文句，且為求解題兼具閱讀功效，是以隨意調整篇章順序，致使解題多有錯簡之失，而衡諸竹垞產生錯簡之因，與古書錯簡的成因，實多有不同，但是形成的狀態，實則並無二致，都是屬於長篇引文錯亂，而有著「錯簡」的情況，由於此類情況，並非屬於偶發之例，顯示竹垞是有意為之，是以讀者應用其解題之時，宜稍加注意此點，而筆者在校理過程之中，由於經常還原原始文獻出處，是以發現不少此類例證，讀者可以參照下文【考證篇】，茲不贅述。

綜合上述所論內容，竹垞纂輯《經義考》之時，常在引用前人資料之時，只是大略摘引前人資料，而非據書直錄其文，尤其經常擅自調整書文次第，或是任意剪裁書中文句，使得文句內容，離其原書文句，實則相距甚遠，而後世讀者於應用其書之時，往往未能還原解題出處，致使錯失不少經學資料，甚或可能造成考證之誤，諸如此類疏誤，往往會造成後人應用此書之困擾。換言之，過去雖有學者從事此書校訂工作，但是內容不夠全面，且多僅採用隨校隨錄方式，雖然能有益於後人的應用，卻因為校訂內容不全，是以離實際應用價值，尚有較大的差距。筆者透過多年辛勤考訂與校對，雖能彌補前人校訂不精之失，也有助於查考相關漏誤之文，但是本文只是一個實驗之作，而只有針對其中「春秋類」的解題內容，提出一些校訂的成果，是以並未能針對竹垞全書內容，提出更完整的校訂心得，而無法全面取代《經義考》的參考價值。此外，如要全面校訂《經義考》的內容，恐怕耗費過多時日，且受限於原書體例，而無法達到應有成效。因此，如要全面提供更多材料，以便於讀者治經之用，則不應侷限於《經義考》的內容，而應重新編輯新目，方能澈底取代其書價值，而能提供學者更全面資料，以供治經之用。

附表一：竹垞刪略進表、序跋的年月資料簡表

書名	作者	卷	頁	撰序者	缺漏年月	參考說明
春秋	董	171	551	歐	景祐四年四月四	台北：國家圖書館藏「明正統間黑口本」，編號

310參考註12，卷一八五，頁8-9。

311黃澤述，趙汸輯《春秋師說》卷中，（台北：台灣大通書局，「通志堂經解」第二十六冊，民國58年10月），頁14835。

繁露	仲舒			陽修	日書	００６０錄有歐陽修〈序文〉。 《國立中央圖書館善本序跋集錄》頁三八一錄之。
春秋繁露	董仲舒	171	552	樓鑰	嘉定三年中伏日	台北：國家圖書館藏「明正統間黑口本」，編號００６０錄有樓鑰〈序文〉。 《國立中央圖書館善本序跋集錄》頁三八三錄之。
春秋繁露	董仲舒	171	557	樓郁	慶曆七年二月	台北：國家圖書館藏「明正統間黑口本」，編號００６０錄有樓郁〈序文〉。 《國立中央圖書館善本序跋集錄》頁三八四錄之。
集傳春秋纂例	陸質	176	695	朱臨	慶曆戊子	台北：國家圖書館藏「明嘉靖庚子吳縣知縣汪旦刊本」，編號００６７５錄有朱臨〈序文〉。 《國立中央圖書館善本序跋集錄》頁三九二錄之。
春秋辨疑	陸質	176	700	華察	是歲（嘉靖）庚子（十九年）三月既望	台北：國家圖書館藏「明嘉靖庚子吳縣知縣汪旦刊本」，編號００６７５錄有華察〈序文〉。 《國立中央圖書館善本序跋集錄》頁三九三錄之。
春秋經傳類對賦	徐晉卿	180	788	徐晉卿	皇祐３年正月望日	翁方綱《經義攷補正》卷第七，頁一○四錄之。（台北：新文豐出版公司據商務民國二十六年初版依粵雅堂叢書本排印本）
春秋經解	孫覺	182	832	邵輯	紹熙四禩仲春陽羨邵輯序	孫覺撰，《春秋經解．原序》（台北：臺灣商務印書館，「景印文淵閣四庫全書」冊一四七，民國七十五年三月，初版），頁五五三至頁五五四。
春秋傳	程頤	182	837	程頤	宋崇寧二年癸未四月乙亥	台北：國家圖書館藏「明繡谷吳繼武校刊本」，編號００５２８錄有程頤〈序文〉。 《國立中央圖書館善本序跋集錄》頁三二○
春秋集解	蘇轍	182	840	蘇轍	(元符)二年閏九月八日志	蘇轍，《春秋集解．春秋集解引》（台北：臺灣商務印書館，「景印文淵閣四庫全書」冊一四八，民國七十五年三月，初版），頁三。
春秋	張	183	853	張	崇寧元年二月二	張大亨《春秋通訓》卷六，〈春秋通訓後敘〉，

通訓	大亨			大亨	日	（台北：商務印書館「景印文淵閣四庫全書本」，民國七十五年三月初版），冊一四八，頁六三三。
春秋指南	張根	183	859	汪藻	紹興十年七月	翁方綱《經義攷補正》卷第八，頁一○七錄之（台北：新文豐出版公司據商務民國二十六年初版依粵雅堂叢書本排印本）
春秋傳	葉夢得	183	865	真德秀	開禧乙丑九月一日	翁方綱《經義攷補正》卷第八，頁一○八（台北：新文豐出版公司據商務民國二十六年初版依粵雅堂叢書本排印本）
春秋傳	葉夢得	183	867	葉筠	開禧乙丑歲九月一日	葉適：《葉氏春秋傳》卷二十，冊二一，頁一二○二一（台北：大通書局據康熙十九年「通志堂經解本」影印，民國六十一年出版）
春秋後傳	陳傅良	187	52	樓鑰	開禧3年冬至日	翁方綱《經義攷補正》卷第八，頁一一一（台北：新文豐出版公司據商務民國二十六年初版依粵雅堂叢書本排印本）
春秋後傳	陳傅良	187	53	周勉	嘉定元年七月朔日	陳傅良《止齋先生春秋後傳》，冊二一，頁一二○二四（台北：大通書局據康熙十九年「通志堂經解本」影印，民國六十一年出版）
左氏博議	呂祖謙	187	56	呂祖謙	乾道九年五月初四日	胡玉縉撰、王欣夫輯《四庫全書總目提要補正》頁一七一（上海：上海書店出版社，一九九八年一月一版一刷）
春秋左傳類事始末	章沖	188	69	章沖	淳熙丁未十月	翁方綱《經義攷補正》卷第八，頁一一二（台北：新文豐出版公司據商務民國二十六年初版依粵雅堂叢書本排印本）
春秋左傳類事始末	章沖	188	70	謝諤	淳熙１５年１２月	翁方綱《經義攷補正》卷第八，頁一一二（台北：新文豐出版公司據商務民國二十六年初版依粵雅堂叢書本排印本）
春秋集注	張洽	189	90	納蘭成德	康熙丁巳二月	張洽：《春秋張氏集注》〈清江張氏春秋集注序（納蘭成德）〉，冊二三，頁一三一一四。（台北：大通書局據康熙十九年「通志堂經解本」影印，民國六十一年出版）
春秋五論	蔡沆	189	96	熊禾	至元癸未仲夏端陽日	《蔡氏九儒書》，《四庫全書存目叢書》集三四六冊，頁七五五。（《四庫全書存目叢書》影印遼寧省圖書館藏清雍正十一年蔡重刻本）

春秋五論	蔡沆	189	96	蘇天爵	大德丁酉十月立冬日	《蔡氏九儒書》，(《四庫全書存目叢書》集三四六冊，頁七五五。(《四庫全書存目叢書》影印遼寧省圖書館藏清雍正十一年蔡重刻本)
春秋五論	蔡沆	189	97	余用賓	泰定甲子重陽日	《蔡氏九儒書》，(《四庫全書存目叢書》集三四六冊，頁七五五。(《四庫全書存目叢書》影印遼寧省圖書館藏清雍正十一年蔡重刻本)
春秋通說	黃仲炎	190	122	李鳴復	端平三年七月□日	黃仲炎：《春秋通說》，冊二三，頁一二九八四。(台北：大通書局據康熙十九年「通志堂經解本」影印，民國六十一年出版)
春秋王霸列國世紀編	李琪	191	128	李琪	嘉定辛未七月	翁方綱《經義攷補正》卷第八，頁一一四(台北：新文豐出版公司據商務民國二十六年初版依粵雅堂叢書本排印本)
春秋王霸列國世紀編	李琪	191	129	周自得	至正乙酉歲八月壬子朔	根據「通志堂本」，周自得序文，冊二二，頁一二九二二。(台北：大通書局據康熙十九年「通志堂經解本」影印，民國六十一年出版)
春秋左傳節解	朱申	191	138	王鏊	正德癸酉二月既望	台北：國家圖書館藏「明朝鮮舊刊本」，編號００６２２錄有王鏊〈序文〉。 《國立中央圖書館善本序跋集錄》頁三六八錄之。
春秋或問	呂大圭	191	145	何夢申	寶祐甲寅正陽之月	翁方綱《經義攷補正》卷第八，頁一一五(台北：新文豐出版公司據商務民國二十六年初版依粵雅堂叢書本排印本)
春秋外傳	郝經	193	180	郝經	中統六年春二月十三日	《郝文忠公陵川文集》卷二八，〈春秋外傳序〉，冊三九九，頁四八三。(台北：世界書局景印擒藻四庫薈要本，民國七六年十月十五日出版)
春秋制作本原	郝經	193	183	郝經	中統五年歲舍甲子三月晦	《郝文忠公陵川文集》卷二八，〈春秋制作本原〉，冊三九九，頁四七七。(台北：世界書局景印擒藻四庫薈要本，民國七六年十月十五日出版)
春秋三傳	郝經	193	192	郝經	中統六年春二月辛丑朔	《郝文忠公陵川文集》卷二八，〈春秋三傳折衷〉，冊三九九，頁四八二。(台北：世界書局

折衷						景印擒藻四庫薈要本，民國七六年十月十五日出版）
春秋本義	程端學	195	226	程端學	泰定丁卯四月既望四月程端學序	翁方綱《經義攷補正》卷第八，頁一一七(台北：新文豐出版公司據商務民國二十六年初版依粵雅堂叢書本排印本）；又「通志堂經解本」程端學《春秋本義．序》，冊二十五冊，頁一三八五六。
春秋本義	程端學	195	227	張天祐	至正五年十二月望日金華張天祐書	「通志堂經解本」程端學《春秋本義》〈張天祐序〉，冊二十五冊，頁一三八五五。（台北：大通書局據康熙十九年「通志堂經解本」影印，民國六十一年出版）
春秋讞義	王元杰	196	256	干文傳	至正十年，歲在庚寅仲夏下澣嘉議大夫禮部尚書致仕吳郡干文傳壽道序	《春秋讞義．原序》（台北：臺灣商務印書館，「景印文淵閣四庫全書」冊一六二，民國七十五年三月，初版），頁四。
春秋左氏傳類編	魏德剛	197	269	楊維楨	至正十四年秋七月朔	四部叢刊縮編本《東維子文集》卷六，頁四四。（台北：臺灣商務印書館據上海商務印書館縮印江南圖書館藏鳴野山房舊鈔本影印，臺一版，民國六十八年十一月）
春秋集傳	趙汸	198	285	汪元錫	嘉靖１１年７月	翁方綱《經義攷補正》卷第八，頁一一八(台北：新文豐出版公司據商務民國二十六年初版依粵雅堂叢書本排印本）
春秋胡傳附錄纂疏	汪克寬	199	301	虞集	至正元年辛巳七月十有八日	台北：國家圖書館藏「元至正八年建安劉叔簡日新堂刊本」，編號００５４４錄有虞集〈序文〉。 《國立中央圖書館善本序跋集錄》頁三二八錄之。
春秋胡傳附錄纂疏	汪克寬	199	301	汪澤民	時至元再元之四年，歲在戊寅春三月一日	台北：國家圖書館藏「元至正八年建安劉叔簡日新堂刊本」，編號００５４４錄有汪澤民〈序文〉。 《國立中央圖書館善本序跋集錄》頁三二七錄之。
春秋胡傳附錄	汪克寬	199	303	汪克寬	至正六年，倉龍丙戌二月甲寅，後學新安汪克寬謹書	汪克寬撰，《春秋胡傳附錄纂疏．凡例案語》(台北：臺灣商務印書館，「景印文淵閣四庫全書」冊一六五，民國七十五年三月，初版），頁九。

纂疏					于富川任氏書塾。	
春秋胡傳附錄纂疏	汪克寬	199	303	吳國英	至正八年，歲在戊子正月人日	台北：國家圖書館藏「元至正八年建安劉叔簡日新堂刊本」，編號００５４４錄有吳國英〈序文〉。 《國立中央圖書館善本序跋集錄》頁三二八錄之。
春秋詞命	王鏊	200	335	王鏊	正德十一年序	黃虞稷《千頃堂書目》卷第二，頁三八（台北：廣文書局「書目叢編本」影印「適園叢書影十萬卷樓鈔本，民國五十六年七月，初版」
左觿	邵寶	200	338	邵寶	（嘉靖元年）是歲冬十月朔	邵寶《左觿》〈序〉，《四庫全書存目叢書》經冊一一七，頁一九三。（《四庫全書存目叢書》影北京大學圖書館藏明崇禎四年曹荃編刻邵文莊公經史全書五種本）
春秋正傳	湛若水	200	347	高簡	嘉靖甲午歲秋七月穀且門人西蜀高簡謹序	湛若水《春秋正傳》，高簡〈春秋正傳序〉（台北：臺灣商務印書館，「景印文淵閣四庫全書」冊一六七，民國七十五年三月，初版），頁三九。
春秋私考	季本	201	358	唐順之	嘉靖庚戌歲秋九月既望，武進友人唐順之序。	《春秋私考》〈唐順之序〉（《四庫全書存目叢書》經一一七冊，頁二九一。）（《四庫全書存目叢書》影天津圖書館藏明嘉靖刻本）
左粹類纂	施仁	201	368	黃省曾	嘉靖己丑七月四日	《左粹類纂》〈黃省曾序〉，（《四庫全書存目叢書》，子部一七八冊，頁六五四）。（《四庫全書存目叢書》影揚州市圖書館藏明嘉靖錫山安國弘仁堂刻本）
春秋正旨	高拱	201	381	高拱	萬曆甲戌七月望	高拱：《高文襄公集》卷三十二，〈春秋正旨序〉，集一○八冊，頁四二九。（《四庫全書存目叢書》影北京圖書館藏明萬曆刻本）
春秋質疑	楊于庭	205	438	楊于庭	萬曆己亥春王正月穀且	台北：國家圖書館藏「鈔本」，編號００５５２錄有楊于庭〈序文〉。 《國立中央圖書館善本序跋集錄》頁三三四
春秋匡解	鄒德溥	205	439	錢謙益	崇禎六年六月	錢謙益《初學集》卷二九，頁八七八（上海：上海古籍出版社，一九九六年）
春秋胡傳	錢時	206	455	錢謙	萬歷辛亥	黃虞稷《千頃堂書目》卷二，頁四三（台北：廣文書局「書目叢編本」影印「適園叢書影十萬卷

翼	俊			益		樓鈔本，民國五十六年七月，初版」
春秋辨義	卓爾康	206	459	卓爾康	崇禎辛未中秋	台北：國家圖書館藏「明崇禎間仁和吳夢桂校刊本」，編號００５５９錄有卓爾康〈序文〉。 《國立中央圖書館善本序跋集錄》頁三四五
春秋左傳分國紀事	孫范	206	469	孫范	崇禎戊寅序	黃虞稷《千頃堂書目》卷二，頁四六（台北：廣文書局「書目叢編本」影印「適園叢書影十萬卷樓鈔本，民國五十六年七月，初版」
春秋左翼	王氏名未詳	208	526	焦竑	萬曆癸卯秋日	《春秋左翼》焦竑〈序〉，經一二二冊，頁二九三。（《四庫全書存目叢書》影山東圖書館藏明萬曆三十一年刻本）
春王正月考	張以寧	210	567	張以寧	洪武３年三月三日	翁方綱《經義攷補正》卷第八，頁一二九（台北：新文豐出版公司據商務民國二十六年初版依粵雅堂叢書本排印本）

簡表二〈竹垞擅增學者籍貫家世表〉

著錄	解題	出處	說明
樊儵《刪定嚴氏春秋章句》	《後漢書》	《經》卷一七二，頁五七六。	霖案：「南陽湖陽人」五字，《後漢書》無此五字，係竹垞根據樊儵之父（樊宏）的籍貫而來，因而加入在樊儵傳記之下，惟審度內容，雖合於實情，但與《後漢書》的原文不合，當刪。
應劭《春秋斷獄》	《後漢書》	《經》卷一七二，頁五九一。	霖案：《後漢書》卷四八，頁一六○六「應奉字世叔，汝南南頓人」，而應奉為應劭之父，故竹垞以其父籍貫論之，實則《後漢書》於「字仲遠」三字下，未有「汝南南頓人」諸字，故應據原書刪除。
李譔《左氏指歸》	《華陽國志》	《經》卷一七二，頁五九七。	霖案：「涪人」二字，《華陽國志》無之，當是竹垞所妄增之文。

沈文阿《春秋左氏經傳義略》	《南史》	《經》卷一七五，頁六五八至頁六五九。	霖案：「吳興武康人」五字，係根據《南史》卷七一，〈儒林傳〉，頁一七四○，有關「沈峻」的敘述而增入，「沈峻」為「沈文阿」之父，因而取其籍貫之地。
辛德源《春秋三傳集注》	《北史》	《經》卷一七五，頁六六七。	霖案:「隴西狄道人」五字,《北史》無之，蓋竹垞據《隋書》卷五八，〈辛德源列傳〉，頁一四二二之文所加。
家安國《春秋通義》	《姓譜》	《經》卷一八○，頁八○○。	霖案：「眉山人」三字,《萬姓統譜》無此三字，疑竹垞參酌「家勤國」條下注文，增此三字，以明家安國之籍貫，當據原書文句刪此三字。
狄遵度《春秋雜說》	《宋史》	《經》卷一八一，頁八二三。	霖案：「長沙人」三字,《宋史》無之，當是竹垞妄加之文，今刪。
周武仲《春秋左傳編類》	楊時作〈墓誌〉	《經》卷一八四，頁八七四。	霖案：「浦城人」三字,《閩書》文句未見此三字，當是竹垞妄加之文。
李繁《春秋集解》	魏了翁〈誌〉	《經》卷一八六，頁三○。	霖案：「蜀人」二字,〈朝奉大夫府卿四川總領財賦累贈通奉大夫李公墓誌銘〉題作「系出趙郡，趙郡始於秦司徒曇，曇生璣，璣生牧，牧相趙，因家焉。牧之孫曰左軍，左軍之曾孫曰秉，徙潁川。秉之六世孫就，徙江夏。秉之七世孫頡，徙南鄭。頡生郃，郃生固，皆漢三公，繇［由］是李氏為蜀望。」等字，竹垞當係根據「繇［由］是李氏為蜀望」一句，而綜整李氏籍貫為蜀人。
羊永德《春秋發微》	《括蒼彙紀》	《經》卷一八六，頁四二。	霖案：《括蒼彙紀》無「縉雲人」三字，當為竹坨擅加所致。
蘇權《春秋解》	《閩書》	《經》卷一八八，頁八二。	霖案：「仙遊人」，原書無此四字，當據刪正。

陳震《春秋解》	《閩書》	《經》卷一八八，頁八二。	霖案：「晉江人，淳熙進士」七字，《閩書》無之，當是竹垞妄加之文。
鄭可學《春秋博議》	《閩書》	《經》卷一八九，頁九二。	霖案：「莆田人」，《閩書》無此三字。
廖德明《春秋會要》	《閩書》	《經》卷一八九，頁九二。	霖案：「延平人」三字，《閩書》無此三字，當刪。
陳宓《春秋三傳抄》	《宋史》	《經》卷一八九，頁九九。	霖案：「莆田人」三字，《宋史》無之，當是竹垞妄加之文。
陳思謙《春秋三傳會同》	《閩書》	《經》卷一八九，頁一〇〇。	霖案：「龍溪人」三字，係竹垞根據《閩書》前文補之，原文於「字退之」三字下，未有「龍溪人」三字。
劉伯証《左氏本末》、《三傳制度辨》	《徽州府志》	《經》卷一八九，頁一〇一。	霖案：「歙縣人」三字，《徽州府志》無之，係涉「劉伯諶」條下之文，而有是語。劉伯諶，伯証之兄也。
繆烈《春秋講義》	《閩書》	《經》卷一九〇，頁一二二。	霖案：「福安人」，《閩書》無此三字，當據刪正。
胡康《春秋誅意讜告》	《徽州府志》	《經》卷一九一，頁一三六。	霖案：「婺源人」三字，《徽州府志》無此字，竹垞據「胡升」條下注文「字潛夫，號愚齋，婺源清華人。」諸字，而胡康侯既為胡升從子，籍貫當亦同之，故竹垞擅加此三字，雖合乎其籍貫，但與《徽州府志》不同。
呂椿《春秋精義》	《閩書》	《經》卷一九四，頁二〇七。	霖案：「晉江人」三字，《閩書》無此三字，當據以刪正。
李應龍《春秋纂例》	《閩書》	《經》卷一九四，頁二一六。	霖案：「光澤人」三字，《閩書》無此三字，當是竹垞根據他處之文補之，今據原書刪正。
黃清老《春秋經旨》	《閩書》	《經》卷一九五，頁二二	霖案：「邵武人」三字，《閩書》無之，竹垞添補籍貫也。

		八。	
潘著《聖筆全經》	貢師泰〈志墓〉	《經》卷一九五，頁二四一。	霖案：「嘉興人」三字，《玩齋集》題作「其先大梁人，幾世祖權，官至某處提刑扈。宋南來，生子振，仕通判，累贈朝請大夫，始占籍嘉興焉。」等字，竹垞根據文義改作「嘉興人」。
吳儀《春秋五傳論辨》	宋濂	《經》卷一九六，頁二五二至頁二五三。	霖案：「金谿吳先生」五字，《宋文憲公全集》無之，竹垞根據前後文意所加，當據刪正。

簡表三〈《經義考》解題文詞互倒之例簡表〉

著錄	解題	出處	說明
《春秋古經》	董仲舒	《經》卷一六八，頁四八八。	霖案：「定、哀」二字，應依《春秋繁露今註今譯》卷一改作「哀、定」二字，二字互為乙倒。
左邱明《春秋傳》	啖助	《經》卷一六九，頁五一八。	霖案：「出一」,《五經翼》作「一出」，二字互倒。
董仲舒《春秋繁露》	程大昌	《經》卷一七一，頁五五三。	霖案：「正定」,「明正統間刊黑口本」作「定正」，二字互倒，竹垞逕改之矣。
董仲舒《春秋繁露》	樓鑰〈後序〉	《經》卷一七一，頁五五五。	霖案：「程公」,「明正統間刊黑口本」作「公程」，二字互倒，竹垞逕將二字改正。
李譔《左氏指歸》	《華陽國志》	《經》卷一七二，頁五九七。	「仲欽」，應依《補正》作「欽仲」。　霖案：《華陽國志》作「欽仲」，當為翁方綱《補正》所本之源頭，又二字互倒，且有關於字號的正訛，而應該據原書改正。又「欽」字下，應依《華陽國志》補入「仁子也。少受父業，又講問尹默，自五經、四部、百家、諸子、技藝、筭計、卜數、醫術、弓弩、機械之巧，皆致思焉。」等四十一字。
李譔《左氏指歸》	《華陽國志》	《經》卷一七二，頁五九七。	「仲欽」，應依《補正》作「欽仲」。　霖案：陸德明《經典釋文》卷一，頁十四正作「李欽仲」，當為翁方綱《補正》所據之本，又二字前後互倒，

			當據原書改正。
葉清臣《春秋纂類》	《中興書目》	《經》卷一七九，頁七六一。	霖案：「類編」二字，應依《玉海》改作「編類」，蓋二字前後互倒也，雖於義無礙，但與原書文句不合，今據改正。
李堯俞《春秋集議略論》	《玉海》	《經》卷一七九，頁七六四。	霖案：「表進」二字，應依《玉海》改作「進表」，二字有互倒情事，雖於義無礙，但與原文不合，今據改正。
孫復《春秋尊王發微》	黃震	《經》卷一七九，頁七六七。	「妻以弟之女」，《黃氏日抄》卷五○題作「以弟之女妻之」，竹垞改寫原來文句，以便精簡文句。
劉敞《春秋權衡》	敞〈自序〉	《經》卷一八○，頁七八二。	霖案：「懷恐」二字，《五經翼》卷十二引作「恐懷」，二字互倒也，衡諸文意，應以《五經翼》之文為佳。
鄭昂《春秋臣傳》	王應麟	《經》卷一八一，頁八一八。	「三十九」，應依《補正》、《四庫》本作「九十三」。霖案：《玉海》原文適作「九十三」，當為《補正》、四庫本所據之來源。蓋竹垞錄及此文，將「九十三」誤作「三十九」，致使人名計數之誤，今據原書改正。
胡安國《春秋傳》	《宋鑑》	《經》卷一八五，頁五。	霖案：「書成」二字，應依《中興聖政錄》改作「成書」，二字互倒也。
張洽《春秋集注》	洽〈進書狀〉	《經》卷一八九，頁八六。	霖案：「生平」，《春秋集注》題作「平生」，竹垞引文，二字互為乙倒。
張洽《春秋集注》	洽〈進書狀〉	《經》卷一八九，頁八六。	霖案：「覽觀」，《春秋集注》題作「覽觀」，竹垞引文，二字互為乙倒。
張洽《春秋集注》	曾孫庭堅〈後序〉	《經》卷一八九，頁八八。	霖案：「行御史臺」，應依《五經翼》作「御史臺行」，竹垞引文，四字互為乙倒。
蔡沆《春秋五論》	余用賓〈跋〉	《經》卷一八九，頁九七。	霖案：「精，義」，應依《蔡氏九儒書》改作「義精」字，蓋二字互倒，而使得標點本斷句錯誤之失。
趙鵬飛《春	鵬飛〈自	《經》卷一	霖案：「例」字，趙鵬飛〈序〉置於「說」字下，

秋經筌》	序〉	九一，頁一三〇。	而非於「者」字之下。據此，則「者，例」二字有互倒之情事。
齊履謙《春秋諸國統紀》	柳貫〈跋〉	《經》卷一九四，頁二一三。	霖案：「名號」二字，《柳待制文集》題作「號名」，二字互倒也，竹垞或以「號名」意義不甚通達，乃改作「名號」也。
吳師道《春秋胡氏傳附辨雜說》	師道〈自序〉	《經》卷一九六，頁二四四。	霖案：「反覆誦詠」，《吳禮部文集》題作「誦咏反覆」，蓋文句互為乙倒。
吳萊《春秋世變圖》	萊〈自序〉	《經》卷一九六，頁二五〇。	霖案：「處此」，《五經翼》題作「此處」，竹垞二字互為乙倒。
趙汸《春秋集傳》	汸〈自序〉	《經》卷一九八，頁二七八。	霖案：「公嫁女」三字，《趙氏春秋集傳．序》題作「公女嫁」，竹垞引文，互為乙倒。
趙汸《春秋師說》	金居敬〈總序〉	《經》卷一九八，頁二九五。	霖案：「索考」，「元末商山義塾刊本」題作「考索」，二字互為乙倒。
傅藻《春秋本末》	宋濂〈序〉	《經》卷一九九，頁三一五。	霖案：「次序」，宋濂〈春秋本末序〉題作「序次」，二者互為乙倒。
傅藻《春秋本末》	宋濂〈序〉	《經》卷一九九，頁三一五。	霖案：「齊、晉」二字的次第，以下文視之，則「齊復後於晉」，是則「齊、晉」應為「晉、齊」之互倒。
饒秉鑑《春秋會傳》	何喬新〈志墓〉	《經》卷二〇〇，頁三三二。	霖案：「俱名」，《椒丘文集》作「名俱」，二字互倒。
傅遜《春秋古器圖》	《嘉定縣志》	《經》卷二〇三，頁四〇七。	霖案：「今古」，應依《嘉定縣志》作「古今」，二字互倒。
姚咨《春秋名臣傳》	咨〈自序〉	《經》卷二〇四，頁四一二。	霖案：「宮之」，應從《春秋諸名臣傳》改作「之宮」，蓋二字互倒也。
陳禹謨《左氏兵略》	〈進呈疏〉	《經》卷二〇六，頁四	霖案：「漫焉嘗試」，應依原〈疏〉作「嘗試漫為」，其中「焉」字為「為」字之誤植，且「嘗試」、「漫

		六一。	為」二詞互倒，今據原〈疏〉改正。
吳希哲《春秋明微》	錢謙益〈序〉	《經》卷二〇七，頁四八一。	「十六」，應依《補正》作「六十」。　霖案：錢謙益：《牧齋初學集》卷二九，〈麟旨明微序〉作「六十」，蓋二字互倒，此或係翁方綱《經義考補正》所據之本。
宋徵璧《左氏兵法測要》	李雯〈序〉	《經》卷二〇七，頁四八八。	霖案：「交伐」二字，李雯〈序〉題作「伐交」，二字互倒，今依原〈序〉改作「伐交」二字。
左邱明《春秋外傳國語》	司馬光	《經》卷二〇九，頁五三一。	霖案：「厚薄」二字，《溫國文正司馬公集》作「薄厚」，二字有互乙的情事。
左邱明《春秋外傳國語》	黃震	《經》卷二〇九，頁五三三。	霖案：「衰周之邪說」五字，《黃氏日抄》作「周衰之崇虛邪說」七字，其中「衰周」當為「周衰」之互乙，且竹垞所錄之文，缺錄「崇虛」二字，僅以「邪說」代之，未足以反映實情。
韋昭《春秋外傳國語注》	昭〈自序〉	《經》卷二〇九，頁五三九。	霖案：「唐、虞」，應依《補正》作「虞、唐」。　霖案：如據翁方綱《經義考補正》之語，則二字互倒，惟《國語・解敘》亦作「虞、唐」字。
韋昭《春秋外傳國語注》	昭〈自序〉	《經》卷二〇九，頁五三九。	「所以」，應依《補正》作「以所」。　霖案：《國語・解敘》亦作「以所」二字，二字互倒。
韋昭《春秋外傳國語注》	昭〈自序〉	《經》卷二〇九，頁五三九。	「事情」，「四庫本」作「情事」。　霖案：《國語・解敘》亦作「事情」二字，則四庫本《經義考》二字互倒也。
柳宗元《非國語》	戴仔	《經》卷二〇九，頁五四二。	霖案：「詛盟」二字，應依《溫州府志》改作「盟詛」，二字互倒也。
宋庠《國語補音》	庠〈自序〉	《經》卷二〇九，頁五四五。	霖案：「鄯善國」，《國語補音·敘錄》作「善鄯國」，其中「鄯善」二字互倒。
張以寧《春王正月考》	以寧〈自序〉	《經》卷二一〇，頁五六六。	霖案：「明著」，《春秋春王正月考．序》題作「著明」，竹垞引文，二字互為乙倒。

第四章《經義考》著錄「春秋類」典籍補正

《經義考》輯錄內容豐富，考訂精詳，其治經功效，早為學界所悉，且能獲得極佳的評價。然而，有關「春秋類」以下的典籍，凡是關於存佚、卷帙的釐訂，則稍欠允當，說法詳見吳騫《纑谷亭薰習錄．敘錄》一文[1]。《經義考》既是經學書目的重要之作，歷來備受學者的肯定，而竹垞深厚的考證基礎，兼以輯錄為數眾多解題，使得此書參考價值極高，但是本書引證浩繁，其中難免有誤，而前人引證浩繁，兼能糾謬補正，其中訂補內容，不僅涉及各類議題，且能議論專精，頗有深刻內涵，雖非全面行之，但是訂補的成果，亦頗有可採之處。因此，筆者擬綜整前賢補正成果，並參以一己考見心得，條舉各項例證，藉以證成條例，以見《經義考》之缺失。本章所論內容，雖係舉證性質，藉以條析竹垞錯漏之失，但是能夠完整反映竹垞疏漏，而有足供讀者參考之處。

第一節　《經義考》謬誤成因分析

在進入研究主題之前，必先瞭解竹垞謬誤成因為何？方能在應用《經義考》內容之時，能夠避免其疏漏之處，才能正確應用其內容，以為治經之用。此外，若是日後擬重編新目之時，才能避免犯下相同錯誤。今考竹垞全書內容，所涉主題眾多，欲求考辨精當，毫無錯誤，實有過於苛責之失，其中謬誤複重，實所難免之事，筆者曾於「朱彝尊《經義考》研究」之中，撰寫專文探討《經義考》的謬誤成因，總計有如下幾種原因：

一、援據廣博，不無舛錯

二、經籍藏地，未能遍知

三、體例多方，難於劃一

四、輯錄勘校，難求全備

五、目錄工具，未能週全

六、文獻徵引，未據善本

七、輾轉傳聞，相沿而誤[2]

各項子題均備有例證，藉以證成其說，而考諸《經義考》「春秋類」的錯誤原因，大抵同於前文所述諸例，惟考量竹垞解題變動甚劇，乃酌添「刪削改篡，異動頻繁」一項，是以略增條例以證之，今酌取例證，並且重新改寫內容，藉以證成竹垞致誤之由。

1轉引盧仁龍〈《經義考》綜錄〉一文，（台北文史哲出版社，《中國經學史論文論集》下冊，民國八十二年三月），頁427。盧氏條例「辨存佚不明」之例，以為朱氏《經義考》疏失之一。

2楊果霖：「朱彝尊《經義考》研究」（台北：中國文化大學中文研究所博士論文，民國八十九年六月），頁368-374。

一、援據廣博，不無舛錯

《經義考》輯錄解題極廣，兼以著錄龐雜，難以逐一檢查來源，使得解題內容，常與著錄資料之間，無法妥善契合，難免產生纂輯之誤，所謂「援據博則舛誤良多」3，實屬此類崇尚博雅之作的最佳寫照。羅振玉嘗評是書之誤，謂「卷帙既富，疏失自不能免。」4，最能體現該書問題所在，而竹垞雖為清初文獻學家，但因《經義考》全書卷帙繁富，自然萬事求備，是以考辨難免漏失，而有待後人輯補文獻，以證其書之謬。

綜觀《經義考》全書，難免會因內容繁雜，而致前後缺乏呼應，使得全書有所謬失。例如：竹垞收錄廣博，而所輯經籍數量，雖多達八千四百餘部，其中收錄「春秋類」典籍，亦多達一二三八部，是為竹垞考察經籍類型之中，僅次於「易經類」的典籍。然而，審之竹垞所輯解題之中，仍有不少撰著資料，實可彌補竹垞漏輯之籍，顯見竹垞輯錄解題雖富，卻未必能全數應用解題之文，而致喪失許多著錄典籍的機會。例如：《經義考》卷一八六，鄧名世《春秋四譜》條下引《姓譜》之文如下：

> 《姓譜》：「鄧名世，字元亞，臨川人。先是議臣禁學《春秋》，名世獨嗜之，試有司，屢以援《春秋》見黜，乃益研究經旨，考《三傳》同異，往往發諸儒所未及。御史劉大中宣諭江南，錄其書以進，遂以布衣上殿賜出身，除敕令所刪修，官兼史館校勘，又有《春秋論說》、《春秋類史》、《春秋公子譜》、《列國諸臣圖》、《左氏韻語》。」5

竹垞既明引《姓譜》之文，當知鄧名世尚撰有《春秋論說》、《春秋類史》、《春秋公子譜》、《列國諸臣圖》、《左氏韻語》諸書，惜竹垞俱皆不錄及各書，或以諸書既見《姓譜》之文，而為求避免複重之故，因而刪棄其書；或緣於竹垞引文博富，難於一一取用其文，因而漏略不少典籍，諸如此類缺錄之籍，實能藉由竹垞引文資料，而能逐一補入典籍，惜竹垞未能善用解題資料，致使缺錄不少「春秋類」典籍，實為可惜。又《經義考》卷一百七十五，崔靈恩《春秋序》條下引《南史》云：

> 《南史》：「靈恩先習《左傳》服解，不為江東所行，乃改說杜義，每文句常申服以難杜，遂著《左氏條議》以明之。時助教虞僧誕又精杜學，因作申杜難服以答靈恩，世並傳焉。靈恩《左氏經傳義》二十二卷、《左氏條例》十卷、《公羊穀梁文句義》十卷。」6

3該文出自《列朝詩集小傳·丙集》評楊慎詩文之誤，文出劉大杰《中國文學發展史》，（台北華正書局，民國七十三年），頁943。

4羅振玉《經義考目錄·序》，（台北：廣文書局《書目續編》影印石印本，民國五十六年十二月十五日），〈序〉頁1。

5林慶彰、蔣秋華等人《點校補正經義考》，（台北：中央研究院中國文哲所籌備處發行，全書共計八冊，民國八十六年出版），卷一八六，頁28。

6參考註5，卷一七五，頁657。

竹垞於此條內容之下，明引虞僧誕撰有《申杜難服》一書，惜竹垞未能立有此目，今據陳明恩〈魏晉南北朝《春秋》學初探〉頁一九七之文，補入虞氏之書。又據《南史》之文，則崔靈恩另撰有《左氏經傳義》二十二卷，書名、卷數俱不同於《春秋經傳解》，當非同屬於一書，而應據以補入相關典籍，另據《南史》指出崔氏尚有《左氏條例》十卷、《公羊穀梁文句義》，竹垞亦未能著錄二書，當據以補入其書。綜合上文所論，竹垞徵引解題甚多，惜未能一一運用其文，如今據其引文資料，得補竹垞未錄之籍，顯見竹垞援據廣博，內容難免有失，而有待改進之處。

又竹垞徵引解題甚多，甚且記載的內容，也與竹垞其他撰著不符，卻也未見任何案語說明，例如：翁方綱《經義攷補正》卷第八，徐應聘《春王正月辨》條下云：「顧湄條內，公字端銘。案：《明詩綜》云：『字伯衡。』」[7]，而《明詩綜》為竹垞所輯之書，其著錄內容，理應最能代表竹垞的見解，此書既考應聘，字伯衡，今考張大復《崑山人物傳》卷十、萬斯同《明史》卷三○一、張廷玉《明史》卷二○七、馮桂芬《（同治）蘇州府志》卷九三俱指明應聘之字，實為「伯衡」，是則顧湄條內指稱「公字端銘」，應為誤植所致。今再考「端銘」二字，實為應聘之號，蓋清張鴻、來汝緣、王學浩等人《〔道光〕崑新二縣志》卷十六、金吳瀾、李福沂、汪堃、朱成熙《〔光緒〕崑新二縣續修合志》卷十八俱指明此點，顯然顧湄條內所云「公字端銘」，實乃誤應聘之「號」為「字」，因而有誤，而翁氏所考內容，業已點出顧湄條下解題，實與竹垞《明詩綜》所錄內容相左，可見竹垞引文資料甚多，實難逐一觀照內容，而有待釐正者也，諸如此類疏誤，實乃因為竹垞輯纂之書，內容廣博多方，且引證解題豐富，是以無法觀照各書內容，因而有所疏漏，諸如此類缺失，實應逐一考察其失，始能提供讀者參考之用。

二、經籍藏地，未能遍知

古代典籍往往藏諸宮廷內閣，或係藏之私人閣樓秘室，而由於缺乏索引指引之故，兼以許多藏書家多秘藏善本之籍，致使許多秘本珍籍，無緣為世人所悉，衡諸竹垞判定經籍存佚之時，由於缺乏有效查檢工具，兼以未能遍知經籍藏地資料，致使竹垞考訂結果，未能符合原來實情，其中竟有一九七部典籍，注曰「未見」，諸如此類典籍，實有重新考察的必要。例如：《經義考》卷一九○，曾錄有魏了翁《春秋要義》一書，竹垞注曰「未見」[8]，四庫館臣考證如下：

> 原本六十卷，朱彝尊《經義考》注曰「未見」。此本僅存三十一卷，末有萬歷戊申中秋後三日龍池山樵彭年手跋一篇，稱「當時鏤帙不全，後世無原本可傳，甘泉先生有此書三十一卷，藏之懷古閣中，出以相示，因識數言於後」，則亦難覯之本矣。[9]

雖然跋文的內容，尚有令人質疑之處，但是其書為罕見之本，則是無庸置疑之事，而竹垞未

7翁方綱《經義考補正》卷第八，（台北：新文豐出版有限股份公司．民國七十三年六月），頁129。

8參考註5，卷一九○，頁107。

9永瑢等撰：《欽定四庫全書總目》（整理本）上冊，卷二十六（北京：中華書局，一九九七年一月一版一刷），頁336。

見此書內容，蓋其書久藏於秘閣，外人實難得知實情，是以竹垞注曰「未見」，實乃受其時代所限，雖未足以此非之，但是此書世間仍有殘本，如按竹垞撰書體例，理應改注曰「闕」籍，方能符合實情。

又《經義考》卷二○五，曹學佺《春秋闡義》條下，竹垞注曰「未見」，考四庫館臣有如下說明：

> 《春秋闡義》十二卷　浙江汪啟淑家藏本
>
> 明曹學佺撰。學佺有《易經通論》，已著錄。是書朱彝尊《經義考》注曰「未見」，蓋不甚傳。大抵捃摭舊文，無所闡發。10

曹氏此書傳抄未廣，是以竹垞未得目見其書，僅能注曰「未見」，然其書輾轉流通至汪啟淑之家，後為汪氏進獻皇室，始為世人所知，惟此時竹垞業已逝世多年，自然無緣利用此書內容，是以難免有誤判情事，此乃受其環境所限，自難苛責其失。整體而論，竹垞以一介書生，欲求遍考經籍資料，而無任何遺漏，實有其為難之處，故其所注存佚資料，容有若干錯失之處，但是衡諸竹垞所處時代，實乃受其環境限制，惟館臣雖知其失頗多，但已為之諒矣。

三、體例多方，難於劃一

竹垞編纂《經義考》之時，由於歷經十年之久，雖然經過綜整程序，但是頻有出例情況，而難於劃一體例，因而有所謬誤。例如：竹垞每於序跋進表諸文之下，刪去年月資料，翁方綱《經義攷補正》卷第一，沈該《周易小傳》條下云：

> 竹垞先生此書所最失檢者，於進表及序跋，多刪其歲月也。今方綱隨所見者補入，亦頗未能詳，謹識於此，以當發凡。11

翁氏增補內容甚多，然考之《經義考》全書，並非所有序跋及進表，均刪去其年月資料，例如：《經義考》卷一八九，張洽《春秋集注》條下引「洽〈進書狀〉曰」，則是完整錄及序跋資料，茲錄之如下：「端平元年九月日，朝奉郎直祕閣主管建康府崇禧觀賜緋張洽狀。」12，此處不僅未刪任何落款，甚且連張洽職稱，都能一一具錄其文，諸如此類引文方式，實未能合乎一致，而令人難以掌握其纂輯標準，至於較好的輯錄方式，則是具錄其文，而不更動任何內容，苟遇有疑義之處，則出案語說明，以證其異說，兼考其疑義。整體而論，《經義考》涵攝多方，要能統整全書體例，自是有其難度，兼以竹垞纂輯是書，前後歷時甚久，難免前後標準不同，是以該書體例多方，難求完整一致，實所難免之事，而筆者訂補此書之時，尤能注意全書纂輯體例，每能應用其纂輯通則，以核竹垞出例之失。

又竹垞著錄各家經籍資料，常依時代先後排列，但有些經籍的排列，前後順序有誤，實因竹垞誤判作者所處朝代，而有錯置典籍順序之失。例如：《經義考》卷一七六，王玄度《注

10參考註9，(整理本)上冊，卷三○，頁390。

11參考註7，卷第一，頁12。

12參考註5，卷一八九，頁88。

春秋左氏傳》條，竹垞因《唐志》著錄此書，而將其置入「唐代」典籍之列[13]，李一遂〈左氏春秋著錄書目研究〉曰：「《經義考》入唐人著作，誤以王元度為唐時人。」[14]，李氏考出王氏實為晉人，並復據竹垞著錄體例，而定此處有錯置典籍順序之失，諸如此類錯誤，不僅著錄典籍排列有誤，也涉及誤判作者時代之失，而有待重新補正者也。

又《經義考》卷一九七錄有魯真《春秋案斷》[15]，其書已佚，而考之《經義考》卷一九五，另錄有鍾伯紀《春秋案斷補遺》[16]，案：鍾書既題作《春秋案斷補遺》，當是補錄魯真《春秋案斷》不足之失，然竹垞卻將魯書置於卷一九七，反置於鍾書於前，則是未據時代先後排列，諸如此類情況實多，不一一贅舉[17]。由上述所論內容，竹垞當初著書之立意，亦可謂良善矣，可用來「辨章學術，考鏡源流」，但歷來學者眾多，甚至某些學者生卒傳記不明，難於有效排列其順序，而有前後誤置之失。筆者在補正是書之時，也能適時糾舉其失，用以釐清書籍排列次第，如此一來，將有利於讀者判別成書先後，也能得知竹垞編纂原則，而有助於讀者參考之用。

竹垞編纂《經義考》之時，由於歷時甚久，加以卷帙繁多，雖設立諸多良法，用以輯證經籍資料，但在編纂書目之時，由於曾經不斷改變著錄體例，使得體例難於劃一，其他諸如存佚之考察，甚至題稱之標示等等，均有難於劃一之失，而致出例情況頻仍，有待學者糾正其失。蓋由於竹垞晚年歲月，多致力於全集的修訂與校對，而對於《經義考》的編纂內容，似乎未能投注更多心力，用以校訂內容之誤，使得終其一生，而未能釐定書稿，刊印行於世間，致使書目體例錯雜，而難於統一其例，其中多有舛誤之失，則勢所難免，而本書訂補過程之中，亦嘗試多方釐清該書體例之誤，以備讀者參考之用。

四、輯錄勘校，難求全備

竹垞重視文字的正誤，當其刊印圖書之時，常能親領校勘工作，雖然不能以校勘名家，但其校勘精神，著實令人深感敬佩。筆者曾於「朱彝尊《經義考》研究」中，嘗試探討竹垞治學之方法，而有如下的看法：

> 《雞窗叢話》云：「竹垞凡刻書，寫樣本親自校二遍，刻後校三遍。其《明詩綜》刻于晚年，刻後自校兩遍，精神不貫，乃分于各家書房中，或師或弟子，能校出一訛字者，送百錢。然終不免有訛字，《曝書亭集》中亦不免，且有俗體，可知校訂斷非易

13參考註5，卷一七六，頁682。

14李一遂〈左氏春秋著錄書目研究〉（台北：《書目季刊》第二十五卷第三期，民國八○年十二月），頁118。蓋「玄」、「元」二字之異，實係緣自避康熙皇帝之諱，因而著錄或異，惟同指一人，則是無庸置疑之事。

15參考註5，卷一九七，頁270。

16參考註5，卷一九五，頁238。

17例如：萬鎮師事饒魯，而其撰著處於饒魯《春秋節傳》一書之前，實不合於竹垞輯纂慣例，蓋誤也。

> 事。」，其能重視作品的正確性，凡是刻書之時，皆能親自校讀五遍，始發行於世，縱使仍有疏漏，學者亦能諒之。《明詩綜》刻印於康熙四十一年（１７０２）四月，其時已為七十四歲的老翁，猶能親自校讀二遍，後因精神不貫，才將其發送各書房，請人校勘，並許以校一錯字，「一字百錢」的酬金。至於《曝書亭集》在刊印之時，甚至能以八十一歲的高齡，「每日刪補校刊，忘其疲勞。」，這種學術的熱忱，的確能讓人感佩不已。18

考之《經義考》一書，由於是書未經最後定稿，是以文句多有漏誤，而有待糾正者也，今略舉數例以明之，說明如下：

《經義考》	原文	說明
豈特某得以□思遺老而已哉	豈特某得以糾思遺老而已哉	《經義考》卷一八四，頁八七○「胡銓〈序〉曰」
不但□□也	不但遽巳也	《經義考》卷一八九，頁九六「蘇天爵〈後序〉曰」一文
尋計□種樹書	尋計朦種樹書	《經義考》卷一九四，頁二○二「戴表元〈序〉曰」一文
南□山	南華山	《經義考》卷一九九，頁三一二「陸元輔曰」一文
□中崇禎丁丑進士	颾中崇禎丁丑進士	《經義考》卷二○七，頁四八三「陸元輔曰」一文

綜合上表內容，竹垞輯錄解題之時，多有未經考辨之字，而率皆以「□」字代之，然上述諸多文字，均能有效考出其文字，是以此類解題之誤，實乃竹垞未能精校內容所致。又竹垞引錄解題之時，常有若干關鍵詞句，皆因校勘未善，因而誤植他詞，說法已見於本書第三章第二節〈《經義考》「春秋類」解題校勘析例〉一文，茲不贅述。

五、目錄工具，未能周全

竹垞編纂經學書目之時，雖能盡心蒐求各種書目，但是限於當時目錄、索引的編纂，實未能及於全善，致使無法有效檢閱資料，因而產生不少錯誤。例如：《經義考》卷二○八，錄有《春秋質疑》一書，竹垞題作「楊氏名未詳」19，考竹垞所引李光縉之文，實係抄自邱應和《春秋質疑．序》一文，又邱〈序〉為楊于庭《春秋質疑》之序，「楊氏名未詳」、「楊于庭」二者題稱暗合，故此處所題「楊氏名未詳」，實為「楊于庭」之誤，又《經義考》另錄有楊于庭《春秋質疑》一書20，則二處又因作者誤認之故，而致重複著錄此書，因而再現

18參考註2，頁84-85。

19參考註5，卷二○八，頁527。

20參考註5，卷二○五，頁437。

錯誤，藉由此例得知：竹垞當時未有完善目錄工具，得以檢出楊于庭《春秋質疑》的藏地資料，而未能逐一還原其序文，是以未能甄錄邱應和〈序〉，自然也影響到《經義考》卷二〇八，楊氏名未詳《春秋質疑》的著錄判斷，今考知台北：國家圖書館藏有楊于庭《春秋質疑》的鈔本，其下錄有邱〈序〉，因而得知李光縉之文，悉同於邱應和〈序〉文，而由於竹垞未能目見此書，故無從比勘其序跋，而致有誤認、重出之失，考其謬誤之源，實係目錄工具索引，未能及於周全之故。

六、文獻徵引，未據善本

竹垞徵引文獻之時，未能仔細挑選善本圖書，致使所錄內容，未能確實符合原書面貌，例如：《經義考》卷一六八，《春秋古經》條下，竹垞徵引莊周之說如下：「莊周曰：『《春秋》經世，先王之志也，聖人議而不辯。』[21]，此文原係出自《莊子．齊物論》，然審諸其書原文，則無「也」字，而翁方綱《經義考補正》卷第七的考訂內容，乃據以刪去「也」字[22]，此乃未知竹垞引文出處，蓋非根據《莊子》文句甄錄，而係轉錄《春秋本義綱領》的內容，致使文句稍有差異，若不知竹垞引文來源，將不知其致誤之由。據此，竹垞所引之文，既是莊周之文，而《莊子》一書尚存人間，理當據《莊子．齊物論》之文錄之，惟竹垞反據《春秋本義綱領》之文錄之，實未能妥善還原其引文，致使後儒校勘異文之時，乃有上述校語，而不明其文出處，實據他書引文而來，如果竹垞當日引錄前人解題之時，均能據書直錄其文，當不致於增添後人之擾，也能保存完整文句，以利於後儒輯佚殘文，或係校勘文句之用。

又《經義考》卷一七五，李謐《春秋叢林》條下，竹垞徵引《冊府元龜》之文如下：

> 《冊府元龜》：「李謐，涿郡人。鳩集諸經，廣校同異，比《三傳》事例，名《春秋叢林》十二卷。徵拜著作佐郎，辭以授弟郁。」[23]

今考其書原文，實係出自《魏書．逸士傳》，而原文如下：「（謐）鳩集諸經，廣校同異，比三《傳》事例，名《春秋叢林》，十有二卷。」[24]，今考兩文內容，實出一轍，而竹垞引錄此文之時，理應輯自《魏書．逸士傳》之文，而非輾轉引自《冊府元龜》之文，且《冊府元龜》所錄之文，於「涿郡人」三字下，另有「年十八，詣太學，受業後」等九字；又「十」字下，應依《冊府元龜》補入「有」字，可見竹垞雖據《冊府元龜》之文，引錄相關文句，卻有剪裁文句之舉，而使得解題內容，多未能合於原書文句，顯見竹垞引文雖多，卻未能確實比勘原文出典，反而是輾轉引自後人之書，而輕忽前代書籍之文，如此一來，其所引錄解題，實未能符合原書題旨，而有修正的必要。

根據上文得知：竹垞徵引文獻之時，未能根據原書文句甄錄，而多輾轉輯自後書之文，

21參考註5，卷一六八，頁486。

22參考註7，卷第七，頁89。

23參考註5，卷一七五，頁669。

24魏收：《魏書》（台北：鼎文書局，「點校本」，民國七十九年七月，六版。），頁1938。

致使引錄的文句，或與原書內容不同，甚至根據後書輾轉引文，亦多有剪裁之舉，使得全書文句內容，亦未合於後書之文，諸如此類歧異，實需重新校理文句，始能得著正確資料，而讀者若不能廣校異文，則難知其引文來源，易有誤用文獻之擾。

七、輾轉傳聞，相沿而誤

《經義考》輯錄文獻眾多，難於一一詳考，難免沿襲舊說，因而致生衍誤。例如：《經義考》卷一百七十九，竹垞錄有孫復《三傳辨失解》[25]一書，而根據四庫館臣的考辨結果，則有如下說法：

> 程端學稱其《尊王發微》、《總論》二書外，又有《三傳辨失解》，朱彝尊《經義考》因之。然其書史不著錄，諸儒亦罕所稱引。考《宋史・藝文志》及《中興書目》，均有王日休撰《春秋孫復解三傳辨失》四卷，或即日休之書，端學誤以為復作歟？然則是駁復之書，非復所撰也。[26]

根據館臣考訂的內容，孫復未曾撰有《三傳辨失解》一書，今考《宋史·藝文志》及《中興書目》，均有王日休撰《春秋孫復解三傳辨失》四卷，則此書或即日休之書，是以館臣考訂結論，實有其參考價值。今考竹垞錯誤之由，乃是誤襲程端學論點，而誤將王日休之書，錯置於孫復條目之下，致有誤判作者之失。又《經義考》卷一八八另錄有王日休《春秋孫復解三傳辨失》[27]一書，則此書另有重複著錄之失。

又《經義考》卷一八四，錄有呂本中《春秋集解》一書[28]，又卷一八七，另錄有呂祖謙《春秋集解》一書[29]，據四庫館臣考訂結果，則呂氏《春秋集解》實為本中之作，而同時錄有呂本中、呂祖謙各撰一書，俱題作《春秋集解》者，實是緣自《宋志》之誤[30]，而竹垞更是承襲《宋志》之誤，致使重複著錄同一書籍，而需要後人重新辨明異同，以還其實情。根據館臣考訂之後，其說已為定說，其後翁方綱《經義攷補正》卷第八、羅振玉《經義考目錄．校記》、何廣棪：《陳振孫之經學及其《直齋書錄解題》經錄考證》俱有考訂之語，說法詳見下文【考證篇】，茲不贅引。

八、刪削改篡，異動頻繁

竹垞輯錄解題之時，常有刪削改篡之舉，致使所錄內容，未能符合原書文句，而有待讀者還原引書文句，以釐清其誤，而此一疏失，實與前項所論「輯錄勘校，難求全備」近同，惟前述所論之例，乃是無意為之，但因一時疏忽，而造成文句的漏略，惟竹垞刪削改篡文句，

25參考註5，卷一七九，頁768。

26參考註9，(整理本)上冊，卷二十六，頁336。

27參考註5，卷一八八，頁63。

28參考註5，卷一八四，頁881。

29參考註5，卷一八七，頁54。

30參考註9，(整理本)上冊，卷二十七，頁344。

乃是刻意為之的舉動，且有些異動情況嚴重，因而造成不少誤失，諸如此類失誤，均有待後人校理全書，以還其實況。例如：竹垞引文之中，多有訛增、改動之舉，是以錄及的解題內容，未能符合原書文句，而使得文字變動頗劇，有待讀者進一步校訂其文，始能還其原貌。例如：《經義考》卷一六八，《春秋古經》條下引「呂大圭曰」，其文如下：

> 呂大圭曰：「《春秋》，魯史爾，聖人從而修之。魯史之所書，聖人亦書之，其事未嘗與魯史異也，而其義則異矣。世之盛也，天理明，人心正，則天下之人以是非為榮辱；世之衰也，天理不明，人心不正，則天下之人以榮辱為是非。孔子之作《春秋》，要亦明是非之理，以詔天下來世而已。蓋是非者，人心之公理，聖人因而明之，則固有犁然當於人心者。彼亂臣賊子聞之，不懼於身，而懼於心；不懼於明，而懼於暗；不懼於刀鋸斧鉞之臨，而懼於倏然自省之頃；不懼於人欲浸淫日滋之際，而懼於天理一髮未亡之時。此其扶天理、遏人欲之功，顧不大矣乎？自世儒以《春秋》之作，乃聖人賞善罰惡之書，而所謂天子之事者，謂其能制賞罰之權而已。彼徒見《春秋》一書，或書名、或書字、或書人、或書爵、或書氏、或不書氏，於是為之說，曰：其書字、書爵、書氏者，褒之也；其書名、書人、不書氏者，貶之也。褒之故予之；貶之故奪之，予之所以代天子之賞；奪之所以代天子之罰。賞罰之權，天王不能自執，而聖人執之，所謂章有德、討有罪者，聖人固以自任也。夫《春秋》，魯史也；夫子，匹夫也，以魯國而欲以僭天王之權；以匹夫而欲以操賞罰之柄。夫子本惡天下諸侯之僭天子，大夫之僭諸侯，下之僭上，卑之僭尊，為是作《春秋》以正名分，而已自蹈之，將何以律天下？聖人不如是也。蓋是非者，人心之公，不以有位、無位而皆得以言，故夫子得因魯史以明是非；賞罰者，天王之柄，非得其位則不敢專也，故夫子不得假魯史以寓賞罰。是非，道也；賞罰，位也；夫子者，道之所在，而豈位之所在乎？且夫夫子，匹夫也，固不得擅天王之賞罰；魯，諸侯之國也，獨可以擅天王之賞罰乎？魯不可擅天王賞罰之權，乃夫子推而予之，則是夫子不敢自僭，而乃使魯僭之，聖人尤不如是也。大抵學者之患，往往在於尊聖人太過，而不明乎義理之當然，欲尊聖人而實背之。或謂《春秋》為聖人變魯之書；或謂變周之文，從商之質；或謂兼三代之制，其意以為夏時、殷輅、周冕、虞韶，聖人之所以告顏淵者，不見諸用而寓其說於《春秋》，此皆繆妄之論。夫四代禮樂，孔子所以告顏淵者，亦謂其得志行道則當如是爾，豈有無其位而修當時之史，乃遽正之以四代之制乎？夫子魯人，故所修者魯史；其時周也，故所用者時王之制，此則聖人之大法也。謂其修於春秋之時，而竊禮樂賞罰之權以自任，變時王之法，兼三代之制，不幾於誣聖人乎？學者妄相傳襲，其為傷教害義，於是為甚。後之觀《春秋》者，必知夫子未嘗以禮樂賞罰之權自任，而後可以破諸儒之說；諸儒之說既破，而後吾夫子所以修《春秋》之旨，與夫孟子所謂天子之事者，皆可得而知之矣。」31

今考此文出自《春秋本義綱領》一書32，竹垞改動文句甚多，讀者可自行參看本章〈附錄一：

31參考註5，卷一六八，頁500-502。

32「呂大圭曰」，參見程端學，《春秋本義綱領》（台北：台灣大通書局，「通志堂經解」第二十五冊，民國58年10月。），頁13877，下欄至頁13880上欄引之，題作「朴鄉呂氏曰」，竹垞逕改作「呂大竹垞徵引「呂大圭曰」一文漏誤文句表〉，至於更動的文字數量，總計二十六處，各項異動情況如下：

情況	總計次數	影響字數	情況	總計次數	影響字數
訛增	二處	二字	異文	三處	四字
缺漏	二十一處	一二一三字			

從上述簡表得知，竹垞徵引「呂大圭曰」的異文內容，即多達二十六處，而其影響文字總數，竟高達一千二百一十九字，其更動文句之多，確實令人咋舌，而面對漏略嚴重的解題，是否仍保有參考價值，恐怕有待學者重新評估其價值，並且補入闕漏的文句，以免讀者錯失重要資料。

又《經義考》卷一八六，羊永德《春秋發微》條下，竹垞曾引錄如下解題：

《括蒼彙紀》：「羊永德，縉雲人，紹興中進士，官奉議郎、徽州通判，師事呂成公。」33

「羊永德」三字之下的文句，《括蒼彙紀》係採用雙行夾注方式行之，僅是正文註解而已，而竹垞採錄此文之時，不僅正文、注文未分，且隨意綜整各處引文，且前後文句互倒，而有待改進之處。又「羊永德」之下，應接「師呂成公，著《春秋發微》，由進士終奉議郎、徽州通判。」等夾注之文，竹垞引錄此文之時，將「師呂成公」四字，移至解題之末，且在「師」字下，另加「事」字，而與原注文位置、文句皆為不合。又竹垞刪除「著《春秋發微》」五字，以其出現於著錄之下，故不錄相關文句，顯然也與實際內容不合。又「縉雲人」三字，原注文未能見及相關文字，疑是移自他處之文，並且綜整文句而來，今考此三字，或是來自黃宗羲《宋元學案》卷七十三，該文於文末亦有「見《括蒼彙紀》」等五字，顯然可能出自於此，惟考及《括蒼彙紀》原文，實無「縉雲人」三字。又原注文僅作「由進士」三字，其中「由」字或為「中」字之誤，然注文未見「紹興」二字，當是竹垞擅加之文，由此文可見，竹垞於短短數句解題之中，竟有多種刪削改纂之情形，顯見《經義考》所錄解題，應有重新校對的空間。

又竹垞所引解題資料，不僅文句刪削改纂嚴重，且幾經改動文句之後，則出現引文題稱的錯誤，而有重新檢討的必要。例如：《經義考》卷一九九，高允憲、楊磐《春秋書法大旨》條下，竹垞引證「張萱曰」之文，然考之《內閣藏書目錄》，則二篇解題相距甚遠，而竹垞引文內容，實近於黃虞稷《千頃堂書目》之文，今試繪簡表如下，以見彼此異同：

作者	出處	解題
張萱	《內閣藏書目錄》卷二，頁四七九。	國子博士高允憲、助教楊磐奉旨編次，悉因聖經以考三傳，及杜、何、范、啖、趙、程、胡、陳、張之說，依啖、趙《纂例》分類，刪其繁冗，撮其樞要，凡二十三則。鈔本。

圭曰」。

33參考註5，卷一八六，頁42。

黃虞稷	《千頃堂書目》卷二，頁三十六	洪武中，國子博士高允憲，助教楊磐奉旨編次，依啖、趙《纂例》分類，刪繁節要，凡二十三則。
朱彝尊	《經義考》卷一九九，頁三一六至頁三一七	洪武中，國子博士高允憲、助教楊磐奉旨編修。因聖《經》以考《三傳》，依啖、趙《纂例》分類，刪繁節要，凡二十三則。

根據上述簡表的文字，雖然三種解題內容，有著某種程度的近同，但竹垞所引的解題，明顯近於黃虞稷之說，而與張萱之文句，有著較大歧異，但是竹垞卻題作「張萱曰」，此處解題名稱，是否近於實情，恐有再議之處。

綜合上文所述，《經義考》的解題文字，由於竹垞有意剪裁之故，加以其書編纂之時，未經竹垞最後定稿，是以文字異動嚴重，而產生許多錯誤。因此，如要使《經義考》更具參考價值，勢必要重新校理此書內容，使其符合現代學術規範，方能增加其學術價值，以利於學者治經之用。筆者訂補竹垞書目之時，也盡力還原引文出處，至於所得異文資料，業已突破前賢校訂成果，而提供讀者更多異文資料，以供學者參考之用，也期盼來年之後，能夠逐文考錄內容，使學界能有更完善的校證之作，以供讀者參考之用。

《經義考》成於清代康熙年間，且是書未經正式定稿，竹垞隨即身故，是以全書體例多有不一，內容多有漏誤，實乃勢所難免之事，而相較之下，此書仍能獲得極佳評價，惟審視其內容，實有需要重新校訂之處。今釐析竹垞致誤之由，除有助於掌握竹垞錯誤之原因，也得知竹垞纂輯此書之時，實乃受其環境囿限，而難有更佳表現，是以全書雖有疏失，卻不能因此貶低其價值。平心而論，《經義考》著錄典籍廣博，所錄內容豐富，實屬極為重要的經學書目，雖然其書內容，有著若干的疏誤，但是衡諸竹垞所處環境，則其輯纂成果，業已極為難能可貴，如果沒有全新經學書目問世，而足以取代是書之前，則此書的纂輯內容，仍將發揮其影響力，而具有指引讀者治經之效，惟站在指導讀者立場而論，此書既有若干缺失，則後人應該持續訂補其書，方能提供更完善的資料，以供讀者參考之用，而筆者撰著此書的目標，實乃著眼於此，至於相關訂補之文，乃至於析例證之，則詳見下文說明。

第二節　《經義考》著錄「春秋類」典籍補正析例

《經義考》卷帙浩繁，所錄內容難免有誤，歷來學者雖有糾謬訂補之作，得考此書之謬誤，惜其內容零散，且未能具體釐析條例，未足以顯現相關要點，而筆者重新校理「春秋類」內容，亦能發現其中錯訛，是以本文參酌前賢考辨之作，並參以一己考證心得，而能析成各種條例，藉以考見竹垞著錄「春秋類」典籍之謬。本文為舉例性質，以見竹垞訛謬之失，也兼補其內容不足之處，至於其他謬誤者，則見於下文【考證篇】，茲不贅舉。

一、經籍的闕漏

《經義考》收錄典籍眾多，上起自周、秦之籍，下迄於明、清之書，其收錄典籍博富，輯錄解題繁多，堪稱古代經學書目的鉅著。然而，中國古籍之眾多，迄今難有確切數據，足以考其實際數量。劉兆祐《中國目錄學》一書，曾估計中國古籍數量，有著如下的說明：

> 圖書浩如煙海，今存古籍，去其重複，猶有一百餘萬冊之多。如此眾多之圖書，勢非窮其一生所可盡讀，事實上，亦非每一部書都必讀，以治經學者而言，詩詞之書，不必盡讀，擇其重要及個人所好者誦讀即可；又如治小說者，經部之書，注疏甚多，亦無須盡讀，每一經擇重要之注本涉覽即可。[34]

據劉氏估計今存古籍數量，即多達一百餘萬冊，然歷來亡於天災人禍之籍，更是難以勝數，自當遠逾上述數量數倍之多，而竹垞以一己之力，雖盡力蒐求歷朝經籍撰著，詳加考訂各種解題，總計輯錄多達八千四百餘部經籍，猶不免仍有缺漏之失，而有待學者糾正其漏誤，是以學者在徵引《經義考》著錄之時，亦嘗思補正之作，其中輯補竹垞漏錄經籍，業已蔚為一種風潮，且輯錄成果可觀。吳政上《經義考索引．自序》指出：

> 補正《經義考》者有沈廷芳先生《續經義考》四十卷（未刊）、胡爾滎先生《經義考校記》二卷（未刊）、陸茂增先生《續經義考補遺》（未刊）、翁方綱《經義考補正》十二卷、謝啟昆先生《小學考》五十卷、黎經誥《許學考》二十六卷、王朝榘先生《十三經拾遺》十六卷、錢東垣先生《補經義考》四十卷（未刊）、《續經義考》二十卷（未刊）、羅振玉先生《經義考目錄》八卷又《校記》一卷等書。[35]

其中如沈廷芳《續經義考》、陸茂增《續經義考補正》、錢東垣《補經義考》、《續經義考》諸書，皆係輯補竹垞漏輯之籍。又根據陳鴻森教授的研究成果，則另有朱休承《續經義考》、馮浩《續經義考》、嚴元照《經義考補正》諸作[36]，惜多屬於未刊之作，學者無從得知前賢增補之成效，但是諸書卷帙博富，甚至多達數十卷，可見前賢續補成效，必定十分可觀。又張宗友〈《經義考》續補諸作考論〉一文[37]，曾將《經義考》經籍補正諸作，按其性質分為「校訂之作」、「補作」、「續作」等三種，該文有深入的分析，讀者可自行參看該文，茲不贅述。

今日雖未能見及沈廷芳、陸茂增、錢東垣諸人的增補成效，但翁方綱《經義攷補正》曾大力輯補竹垞漏輯之書，筆者曾考翁氏輯錄成果如下[38]：

書名	作者	《補正》卷頁	書名	作者	《補正》卷頁
周易五相類	魏伯陽	1：4	大衍論	王弼	1：4
周易釋音	陸德明	1：6	周易并注音	陸德明	1：6

34劉兆祐：《中國目錄學》（台北：五南圖書出版公司，民國八十七年七月），頁427。

35吳政上：《經義考索引．自序》，（台北：漢學研究中心編印，一九九二年三月），頁6。

36參考陳鴻森：〈《經義考》孝經類別錄（上）〉註三之文。（台北：《書目季刊》三十四卷一期，民國八十九年六月十六日），頁1至頁2。

37張宗友〈《經義考》續補諸作考論〉，（《古典文獻研究》第十一輯，2008年），頁319-336。

38楊果霖：〈翁方綱《經義攷補正》研究〉（台北：《國立中央圖書館臺灣分館館刊》第七卷第一期，民國九十年三月三十一日出版），頁38-39。

易老通言	程大昌	1：12	易要義	魏了翁	2：15
喪服	庾蔚之	5：71	禮答問	何佟之	6：75
中庸解	石𡍼	6：80	中庸輯略	石𡍼	6：80
三禮解詁	盧植	6：83	春秋左氏傳條例	劉歆	7：93
春秋左氏長義	賈逵	7：93	春秋條例	潁容	7：95
左傳義疏	蘇寬	7：100	左氏始終	程公說	8：113
（春秋）通例	程公說	8：113	（春秋）比事	程公說	8：113
論語續注	宋明帝	9：134			

從上述簡表得知：翁氏雖能輯補竹垞漏錄之籍，但是輯補數量不多，且所補經籍之中，並非全屬於「春秋類」典籍之作，是以仍有重新輯纂的必要。筆者從事《經義考》「春秋類」典籍的補正工作，也開始輯補竹垞漏輯之籍，總計補錄多達一千餘部的《春秋》學撰著，而相關輯補成果，業已較前人豐富，至於輯補典籍資料，則詳見於下文，今僅就各朝撰著加以統計，可以繪製簡表如下：

朝代	數量	朝代	數量	朝代	數量	朝代	數量
清	942	明	378	宋	239	元	50
？	44	漢	44	民國	39	日本	37
晉	24	魏	16	韓國	8	南朝梁	6
唐	5	北魏	4	南朝宋	4	南齊	4
六朝	2	周	2	金	2	梁	2
朝鮮	2	蜀漢	2	五代	1	北朝	1
金朝	1	後蜀	1	後魏	1	陳	1
瑞典	1						

根據上述簡表，我們有如下幾點說明：

（一）竹垞漏輯「春秋類」的典籍，多屬於明、清時期的著作，此乃受限於當時索引不足，訊息不廣所致。竹垞卒於康熙四十八年（1709），是以未能有效輯錄清代典籍，而致缺漏眾多清代典籍，實乃受其成書之限制，未足以非議也。但是，為求顧及作者編纂原意，原應先行刪除清代以下典籍，或以康熙四十八年為斷限，如此一來，可以回歸竹垞撰述之背景，而能展現實質效益。然而，筆者為求提供讀者完善資料，是以仍不嫌累贅，逐一錄出相關簡目，以見歷來「春秋類」典籍之全貌，特此說明。其次，依序為明朝、元朝、漢朝、民國、宋朝等等，也大致符合各期學術發展概況，然而明朝典籍漏失嚴重，亦係當時資訊流通不易，書目資料不夠完善，是以無法全面掌握相關典籍，致使漏略情況嚴重，而有待後人輯補相關典籍。

（二）竹垞輯錄的典籍，僅限於中國本土撰著，而未能擴及韓國、日本的典籍，此乃礙於當時資訊不足之故，是以未能收錄域外漢籍資料。根據筆者所輯文獻顯示，日本對於《春秋》學的研究成果，亦具有一定的數量，值得從事專題探索之用，至於韓國一地，雖有相關典籍問世，但是相較於日本成果而言，顯然仍有未足之處，而透過筆者輯補成果，能使我們得知鄰邦學者的經學成果，更能按目尋書，以從事域外「春秋學」的研究與探索。

（三）《經義考》的著錄內容，雖有若干缺漏之處，若能加上筆者增補的資料，再參考簡宗梧、周何主編：《十三經論著目錄（五）左傳、春秋公羊、春秋穀梁、春秋總義論著目錄》的內容39，將能有效完成《春秋學總目》的普查工作，如能再行仿照竹垞撰書體例，重新輯證相關解題，並附以考證案語，則將有助於經學的研究。筆者近幾年來，仍持續搜求相關文獻，期能逐步完成考訂工作，惟礙於時間、人力之故，尚處於持續整理的階段，只能期之於來年，能先行將整理較為完善的宋代、明代、清代的「春秋類」典籍，先行印製出版，以供讀者參考之用。

綜合上述所論，竹垞漏輯「春秋類」的典籍，係以清朝為盛，明朝、元朝次之，一般而言，距離竹垞成書年代較近的朝代，則缺漏較為嚴重，蓋早期的經學撰著，多經由史傳目錄的傳錄，是以著錄來源較多，收錄較為齊備，是以漏輯情況較少，至於距離較近的朝代，則因資訊流通不易，是以漏略典籍的情況，也就相較嚴重，而有待學者投注更多心力，方能有效掌握相關典籍，進而彌補竹垞著錄不足之失。在竹垞漏輯典籍之中，大抵以時代較近者居多，惟有漏略漢代典籍較為嚴重，此係因為《漢志》的登錄，係屬於草創時期，是以內容收錄不廣，加以清朝輯錄古注的學者益多，是以輯佚成果較佳，而在無形之中，使得原本沒沒無聞的撰著，得以斷簡殘篇之貌，以顯現於人世。因此，在筆者增補典籍之中，有關於漢代經籍數量，也較其他諸朝多些數量，算是較為特別的情況。整體而論，竹垞輯錄「春秋類」的典籍，詳於唐、宋之籍，而略於元、明、清之籍，如能重新仿效《經義考》的著錄條例，普查歷朝各代的典籍，並補入大量解題與考證之語，將能逐漸取代是書價值，而有更完善的春秋學書目。

二、書名的誤題

古代書籍的名稱，常會隨著時代的移轉，或著錄的差異，或梓印的不同，或手民的誤植，而產生各種不同的異稱。胡楚生〈漢書藝文志與隋書經籍志比勘舉例〉指出：

> 書名有所改易，常隨時代而轉移，此姑舉其例，以見其餘，至於書名改易之原因，每一書籍，或不盡同，唯有每書各為細察，始能得其真相，於此文中，則不能詳也。40

39簡宗梧．周何主編：《十三經論著目錄（五）左傳、春秋公羊、春秋穀梁、春秋總義論著目錄》（台北：洪葉文化事業有限公司，民國八十九年六月，初版一刷）。

40胡楚生：〈漢書藝文志與隋書經籍志比勘舉例〉，（《國立中央圖書館館刊》，民國七十六年十二月，古書多無定稱，如《戰國策》一書，或稱《國策》，或稱《國事》，或稱《短長》，或稱《事語》、或稱《長書》，或稱《修書》，書名雖有不同，實則同為一書，然書籍異名眾多，徒增學者判別書籍之擾。

目錄學家在著錄書名之時，往往惑於書籍異稱，而致取擇不同，因而產生諸多異名，如果未能細察其故，勢將無法釐清異同，辨明真假，因而有誤認典籍之失。當我們檢視竹垞著錄典籍之時，常發現其輯錄書名，偶有著錄失當之處，如果未能辨明清楚，將使讀者惑於書名異稱，因而造成辨識典籍之擾。在下文之中，筆者嘗試撰文分析，以見竹垞誤題書名之失，以供讀者參考之用。

（一）誤合二書為一

竹垞編纂《經義考》之時，由於輯錄來源眾多，綜理書名異稱，實屬不易之事，加以收錄典籍眾多，且未能一一寓目，甚且世間已無存籍，而難以辨明典籍異同。因此，有誤繫二書為一書，致生訛謬情況。例如：《經義攷補正》卷第七，賈逵《春秋左氏長經》條下：

> 案：此引徐彥語系之《長經》條下，非也。蓋朱氏誤合二書為一爾，今據陸氏《釋文》改正于此。41

竹垞於賈逵《春秋左氏長經》條下錄有徐彥之語，而徐彥明言賈氏撰有《長義》四十一條，且陸德明《釋文》亦載其說，然竹垞卻將《長義》列之《長經》之下，顯係誤認典籍之名，而致併合二書為一書，因而有所錯誤。

又翁方綱《經義攷補正》卷第八，馮時可《左氏討論》條下稱：

> 《明史・藝文志》時可所著《左氏討》二卷、《左氏論》二卷、《左氏釋》二卷，此「討論」二字連書，誤以兩書為一書也。42

羅振玉《經義考目錄．校記》一書，亦有類似的見解：「《四庫存目》作《左氏討》一卷、《左氏論》一卷，又四庫著錄《左氏釋》二卷。」43，今考《明史．藝文志》、《四庫全書總目提要》分別錄有《左氏討》、《左氏論》二書，雖然卷帙稍異，但是確為二書，則毫無疑義。然而，竹垞誤作《左氏討論》，則是併合《左氏討》、《左氏論》為一書，衡諸竹垞全書，處處可見此類疏失，是以絕非特例情況，其他如鄭昀《春秋解義》44、饒秉鑑《春秋會傳》45、張以寧《春秋胡傳辨疑》46等等，均有如是情形，而有待學者重新釐清文獻，始

新二十卷第二期），頁42。

41參考註7，卷第七，頁93。

42參考註7，卷第八，頁124。

43參考註4，〈校記〉，下冊，頁845。

44參考註7，卷第八，頁117。

45參考註4，〈校記〉，下冊，頁841。

46參考註5，卷一九九，頁317。

能糾正其錯誤，而考其誤併之失。由於古籍常有析併情況，兼以經籍數量眾多，而難以確實詳考，是以竹垞判定結果，雖明顯有所誤失，但不宜過於苛責其失，畢竟古代索引工具較為匱乏，加以經籍數量眾多，未能逐一寓目，則其判定結果，難免有所錯誤，而隨著學術日益進展，是以此類的錯誤，也漸為讀者所悉，如果讀者取用其書之時，若能先行辨明其誤，必能降低誤判典籍的機率。

（二）書名前後互倒

目錄學家在著錄書名之時，由於取材互異，各家著錄的書名，或有所異同，兼以書目傳抄過程之中，常會產生誤倒情況，而竹垞著錄經籍之時，也有類似的錯誤，前人補正是書之時，亦能兼考其誤。例如：翁方綱《經義攷補正》卷第八，章氏沖《春秋左傳類事始末》條下，翁氏曰：「案：『類事』當作『事類』」。[47]，案：「類事」、「事類」二詞，詞義近同而致互為乙倒，現今流通之本，多題作「事類」，然古代書目著錄此書之時，亦有題作「類事」者，例如：《直齋書錄解題》卷三，頁四六四、《文獻通考．經籍考》卷十，頁二六九均題作《春秋類事始末》。因此，翁方綱以其當作「事類」，亦僅得一隅，未必得其正名，但「類事」、「事類」之名，易於前後互倒，則是不爭的事實。

又翁方綱《經義攷補正》卷第七，啖助《春秋例統》條下，翁氏云：「按：《新唐書．儒學傳》訛作『例統』，當作『統例』。」[48]，今考《欽定四庫全書考證》卷四六史部有較為詳細的考訂，今徵引如下：

> 《春秋統例》，刊本《統例》二字互倒，蓋沿《新唐書・儒學傳》誤，今據啖助〈自序〉、陸淳〈自述〉改。[49]

「例統」、「統例」二詞，易於互倒誤認，甚至同出一書，而有不同的題稱，例如：余蕭客《古經解鉤沈》卷一下錄之，題作《春秋例統》，而同書卷十五，卻題此書作《春秋統例》，顯見二者易於誤倒。根據翁方綱的論點，此書「當作『統例』」，是以「統例」應為正名，考啖助〈自述〉、陸淳〈自述〉、《白孔六帖》卷八八均題作《統例》，是以唐代典籍題作《統例》者，當較合於實情，而翁氏所論內容，雖或失之主觀，但是較符合原說，可供讀者取證之用。

目錄學家在著錄書名之時，或緣自取證來源不同，或是一時誤失，而使書名前後互倒，因而產生不同異稱，諸如此類情況，亦屬屢見不鮮，雖然書名互倒之例，未必全屬於竹垞之錯誤，而其中有些例證，僅是取證來源互異所致，但竹垞於著錄之時，若能同時校錄各種異名，則無論何種書名，均能反映在書目之中，也能提供讀者更多判斷準據，將更具參考價值。因此，筆者補正《經義考》錯誤之時，也提供各種書籍異稱，使讀者能瞭解各書異名，才不致有誤判之失。

（三）書名相近而誤

47參考註7，卷第八，頁112。

48參考註7，卷第七，頁100。

49清高宗敕撰，《欽定四庫全書考證》卷四六，史部，(台北：藝文印書館，民58)，頁54b至頁55a。

書名相近，易於相混而誤入，而混淆的書名異稱，常會涉及正誤之辨，如不能細察其異，將難於訂正其誤。因此，讀者若能仔細分辨書名異稱，則能糾正竹垞錯題之失。例如：翁方綱《經義攷補正》卷第七，成元《公穀總例》條下指稱：「案：《唐志》作《穀梁總例》。」[50]，二者題稱稍有異同，但竹垞明引《唐志》之文，理應題作《穀梁總例》，然卻訛作《公穀總例》，題名稍有小誤，但所涉內容炯異，也涉及正誤之辨，翁氏根據《唐志》以訂其訛，確實證據充分，可供參考之用。今考《唐書》卷五七錄之，確實題作「《穀梁總例》」，再考《通志》卷六三、《玉海》卷四○之文，則題此書為《公穀總例》，是以竹垞所錄內容，非據《唐志》之文，而係根據《通志》、《玉海》之文，惟其後刪改未盡，而致書名有些出入，諸如此類歧異情況，若是未能還原其書，實難發現其中異同，而竹垞既係徵引《通志》、《玉海》之文，不當於著錄之時，單獨標示《唐志》之名，以免使讀者誤認《唐志》題作《公穀總例》，而有錯認書名之失。

又《經義攷補正》卷第七，《春秋成套》條下，翁方綱云：「『套』當改『奪』」[51]，案：「套」、「奪」二字，形近而致誤用，由於竹垞根據《隋志》甄錄，理應題作「《春秋成奪》」，而非「《春秋成套》」，是以翁方綱查考《隋志》著錄，得知其書名題作《春秋成奪》，而非《春秋成套》，乃逕將「套」字改作「奪」字，又此書《通志》卷六三、《授經圖義例》卷十六俱錄作《春秋成奪》，顯見題作《春秋成套》者，實因字形相近而誤植，其他如黃佐《續春秋明經》一書，翁方綱《經義攷補正》卷第八改作《纘春秋明經》[52]，「續」、「纘」形近而誤，諸如此類情況，例證隨處可拾，如究其謬誤之因，或出於抄手誤植，或係梓印之時，刻工所誤，如能逐一還原出處，當能校改許多誤題書名之失，惜學者補正是書之時，未能全面還原出典，而翁氏雖能補之部分內容，但是所錄不廣，猶有待重新校理，始能釐清竹垞著錄書名之誤，使得《經義考》更具參考價值。

（四）書籍著錄重出

古人普遍缺乏現代索引觀念，故在編目之時，常有重複著錄的情況，因而有失。竹垞著錄圖書之時，雖力求避免重複著錄，但由於輯錄典籍數量甚多，收錄達八千四百餘部典籍，其間難免有重出之例。雖然竹垞在輯錄之初，已能利用卡片形式[53]，用以避免重出情況，但是由於書名接近，或係作者姓名接近，或是朝代判別不一，或是書名繁簡不同，難免有所重複，而前賢訂補竹垞之錯失，亦能逐一審視著錄之籍，並且剔除竹垞重複著錄之籍，而有助於讀者掌握相關典籍，才不會誤襲竹垞之誤。例如：翁方綱《經義攷補正》卷第八，王氏名未詳《春秋左翼》條下云：

> 按：本書卷二百五載王震《左傳參同》四十三卷，而《明史・藝文志》則作王震《春秋左翼》四十三卷。今震書具存，以震所答沈仲潤及焦竑《春秋左翼・序》參考之，

50參考註7，卷第七，頁102。

51參考註7，卷第七，頁99。

52參考註7，卷第八，頁121。

53參考註2，頁161。

> 《左翼》即《參同》無疑；惟因《烏程縣志》云：「震，字子長」，而〈焦序〉云：「王君子省」，故朱氏前後分載，而不辨其為一人一書也。54

今考竹垞著錄王氏《春秋左翼》一書，見載於《經義考》卷二○八，頁十三；而王震《左傳參同》見載於《經義考》卷二○五，頁九，如果未能細辨之，則二書書名、作者各有不同，實難知其同為一書，而透過翁氏考辨成果，則知二書實為同書異名，只是著錄來源不同，因而造成錯判典籍之失，今觀翁氏考證成果，可謂確有實證。

又翁方綱《經義攷補正》卷第八，呂祖謙《春秋集解》條下，翁氏曰：

> 案：此書今刻於《通志堂經解》，而納蘭容若〈序〉疑其或是呂本中所作，其卷內則書呂伯恭。又按：此書竹垞兩載於此卷內，一以為呂本中，一以為呂祖謙，蓋誤複耳。55

據此，竹垞誤以為呂祖謙、呂本中各自撰有《春秋集解》，實則一書二出，原書應當為呂本中所撰，而非呂祖謙之作，說法已見前文，茲不贅述。

綜合上述所論，竹垞著錄「春秋類」典籍之時，偶有重複著錄的情況，但是此類重出情形，已較其他諸經為少，今繪一簡表，以見一斑：

書名	作者	出處一	出處二
《春秋質疑》	楊氏于庭 楊氏名未詳	205：437	208：527
《春秋左翼》 《左傳參同》	王氏未名詳 王震56	208：525	205：446
《春秋集解》	呂祖謙 呂本中57	187：54	184：881
《左氏本末》 《春秋序事本末》	曹元博 曹宗儒58	197：268	204：422
《春秋經解》 《春秋學纂》	孫覺 孫覺59	182：825	182：834

54參考註7，卷第八，頁127。

55參考註7，卷第八，頁111。

56參考註7，卷第八，頁127。

57參考註7，卷第八，頁111。

58參考註14，頁112。

《三傳辨失解》60	孫復	179：768	
《春秋孫復解三傳辨失》	王日休		188：63

根據上述簡表得知，竹垞雖對「春秋類」典籍的考辨與掌握，已有良好的基礎，卻仍有重複著錄典籍之失，但較之《經義考》其他類目而言，其中重複收錄的數量，已有明顯的改進，顯見竹垞確實較能掌握「春秋類」的典籍，是以重出情況較少，而能擁有較好的考訂成績。此外，除了簡表所列六項重出之例外，尚有未能確認之書，例如：《經義考》卷一九○，頁一一七錄有郭正子《春秋傳語》一書，又竹垞另於《經義考》卷一九四，頁二○七錄有郭隍《春秋傳論》，二書同為十卷，且均被判為佚籍，而郭正子、郭隍為父子關係，兼以《閩中理學淵源考》將「《春秋傳語》」題作「《春秋傳論》」，是以二書或為同書而重出，然礙於文獻難徵之故，故特別標出此例，以俟後考之用。

（五）書名增刪不一

《經義考》著錄書名之時，常有增刪不一的情況，前賢考訂此書之時，也能考及相關錯誤。例如：翁方綱《經義攷補正》卷第七，劉熙《古春秋極論》條下云：

> 按：「古」字應旁□（案：原字漫漶不清，依他本應作「寫」字），劉熙古即劉蒙正之父，《宋史》有傳，此誤將「古」字大書，連下《春秋極論》為書名，今據《宋史》及《玉海》改正。檢《曝書亭集》、涪陵崔氏〈春秋本例序〉中引劉熙《演例》，亦刪「古」字，與此處誤同。61

審視竹垞著錄的書名，實訛增一「古」字，原來「古」字應據作者直書，作者非為劉熙，而是「劉熙古」，由於劉熙亦為古代學者之名，曾撰有《釋名》一書，竹垞《經義考》曾輯錄其說，因而誤將「劉熙」視為《春秋極論》的作者，兼以「古」字與書名相配，是以不僅誤認書名題稱，同時造成作者姓氏誤植之失，諸如此類情況，由於事涉書名正誤之辨，而有待學者重新釐正其失，以便還其確切真象。

又竹垞著錄書名之時，除了訛增部份文字之外，也曾因為書名冗長之故，而刪去原來題稱，致使書名未能符合原稱，因而有所錯誤，例如：翁方綱《經義攷補正》卷第八，蘇軾《閏月不告朔論》條下，翁氏曰：「當作「《閏月不告朔猶朝于廟論》」62。案：蘇軾之文，見於《東坡全集》卷四十一，原僅是一篇考辨《春秋》的單篇論文，題作「〈論閏月不告朔猶朝于廟（文六年）〉，竹垞裁篇而出，係採錄書籍篇名的簡稱，而將書名題作《閏月不告朔論》，實未能符合實情，諸如此類刪去書名，而致題稱不合，因而錯誤之例，實屬頻繁易見

59參考四庫館臣《四庫全書總目提要》卷二六；何廣棪：《陳振孫之經學及其《直齋書錄解題》經錄考證》（台北：里仁書局，民國八十六年三月十五日初版），頁557-558的考證。

60參考註9，（整理本）上冊，卷二十六，頁336。據館臣的意見，則孫復未撰有《三傳辨失解》，而此內容，實乃王日休《春秋孫復解三傳辨失》之誤，今參館臣之見，則此書實有重出情形。

61參考註7，卷第七，頁105。

62參考註7，卷第八，頁129。

之例證，說法詳見下文【考證篇】，茲不贅述。

書名增減不一，除了造成書籍異名之外，也會產生錯誤的情形，是以此類的著錄方式，實有檢討的必要。古代典籍的流通，常因學者的主觀認定，而致著錄書名之時，或增或刪，因而多有異稱，因而增加學者判讀的困擾，也因未能符合實情，而有商榷餘地，如果學者著錄書名之時，均能據書直錄，而不事增刪之舉，將使著錄書名合於一致，不致於產生各種異稱，惜歷來學者在著錄書籍之時，往往各行其法，致使古今書名多無定論，而有著各種不同異稱。竹垞著錄書名之時，亦有標準不一之例，是以前賢在補正《經義考》之時，亦能注意書名著錄方式，並且對於竹垞妄增書名，或是擅改書名的情況，特別提出糾彈之舉，今觀前人補正之語，雖聊聊數語，卻也涉及正誤之辨，如能全面針對該書異名情況，提出考察、校正，當能提供讀者更多內容，而有助於判別書籍的種類。筆者補正該書之時，也能補入各種書籍異稱，使初學者不致惑於書籍異名，而造成誤判典籍的情況。

（六）書名異稱未全

古籍流通過程之中，往往會出現各種異名，《經義考》在刊成之時，曾保留若干小注，以注明諸多異稱，例如：《經義考》卷一九六，吳師道《春秋胡氏傳附辨雜說》條下，有小注曰「《吳淵穎集》作《補說》」[63]，用以注明其他異稱，然他處遇有書名異稱者，多不見行此例，易有紊亂之嫌，讀者如若按目尋書，恐有錯失典籍之失。例如：《經義考》卷一九三，敬鉉《續屏山杜氏春秋遺說》一項，竹垞徵引「張萱曰」如下：

> 張萱曰：「敬氏續杜屏山遺說，從孫儼編。內曲折辨論，扶持《左氏》，罔敢訂砭，為《左》設也。」[64]

今考張萱之說，見於《內閣藏書目錄》卷二，頁四七八，書名標目題作《太寧先生敬氏春秋備忘續遺說》，書名與竹垞所題的題稱，有著明顯的差異。又黃虞稷《千頃堂書目》卷二，頁四七、頁四八著錄，書名題作《大寧先生續屏山杜氏遺說》，也與竹垞著錄不同，諸如此類異名情況，卻未見竹垞注明各種異稱，易使讀者陷入求索無門之失。因此，筆者考訂書籍異名之時，每遇書籍異稱之時，則標示異名於著錄之下，使讀者得考其異名情況，而不致於惑於異名之故，因而失去參考機會。

又《經義考》卷一九四，頁一九七錄有俞皋《春秋集傳釋義大成》一書，未注有其他異稱，今補考異名於下：

書籍異稱	出處
《春秋集說》	《徵刻唐宋秘本書目》頁一四四二至一四四三著錄。
《春秋釋義集傳》	《元史藝文志輯本》卷三，頁五二著錄。
《春秋釋義》	張萱《內閣藏書目錄》卷二，頁四七八錄之。

63參考註5，卷一九六，頁243。

64參考註5，卷一九三，頁178。

《徵刻唐宋秘本書目》係竹垞與黃虞稷諸人發起的書目，張萱《內閣藏書目錄》亦為竹垞時常引用的書目，不當未見其中所錄異名，惟竹垞卻未有案語說明異名情況，今補其異名如上，期使讀者能夠瞭解更多異名，至於其他緣於字形相近而異者，亦常混淆書名題稱，筆者於補正是書之時，乃逐一輯錄各種異名，以供讀者參考之用。

（七）竹垞自定書名

古代有不少佚籍資料，由於缺乏簿錄記載，致使撰著成果，不為後人所悉，而使得前賢心血，往往付諸東流，實為可惜。竹垞著錄圖書之時，曾廣徵諸家之說，而對於佚籍的甄錄，亦頗有成就，使讀者得覽其一目，而知古今經學之流變。然而，礙於某些古籍已佚，而難於查考其實情，兼以缺乏簿錄記載，竹垞僅據諸家引述之文，却未能確實考知經籍之名，乃自定書名，聊備一格。例如：《經義考》卷一九○，時少章《春秋志表日記》一項，竹垞徵引「吳師道曰」如下：「吳師道曰：『時子《春秋》四《志》、八《表》、《日記》二十餘冊。』。」65，今考吳師道之說，見載於《吳禮部文集》卷十八，〈時所性文鈔後題〉，「續金華叢書本」，頁一八七至頁一八八。考時氏之書，未見諸家著錄，而根據吳師道之語，則時氏撰有《春秋》四《志》、八《表》、《日記》二十餘冊，竹垞併合言之，題作「《春秋志表日記》」，其實此類的書名題稱，究竟是否合適？恐有商榷餘地。

又竹垞根據著錄「春秋類」典籍之時，往往為求強調書籍內容，係涉及「春秋類」的典籍，乃自行補入「《春秋》」二字，如此一來，不僅題稱與原來著錄不合，也使書名訛增「《春秋》」二字，因而造成異名情況，徒增讀者識讀的困擾。例如：《經義考》卷一九二，頁一七三錄有亡名氏《春秋三傳分門事類》一書，考其著錄出自《宋史》卷二百七，〈藝文六〉，子部．類事類，頁五二九八，書名原題作「《三傳分門事類》」，然此書名未能凸顯其「《春秋》」本質，竹垞根據「三傳」之名，而逕自加入「《春秋》」二字，至於所訂的書名，已與原目著錄不合，而有待改進之處。

三、作者的誤題

《經義考》輯錄一二三八部「春秋類」典籍，竹垞著錄作者之時，難免會有誤考作者之失，今舉其犖犖大項如下：

（一）誤題姓氏之例

古代史傳人物甚多，而各家題名不一，致使「同人異名」之例，屢見不鮮。竹垞著錄典籍之時，亦有緣自姓氏誤題，而致作者題名有誤，例如：《經義考》卷一七二，段肅《春秋穀梁傳注》66，竹垞題作「段肅」者，蓋從《隋志》、《新唐書》之文，惠棟曾考段肅即漢弘農功曹史殷肅，說法詳見吳承仕《經典釋文序錄疏證》，又陳明恩〈魏晉南北朝《春秋》學初探〉頁一九一，註三六有更詳細的說明：

案：《隋志》云：「段肅注，疑漢人。」《冊府元龜・學校部・注釋一》列段肅於晉

65參考註5，卷一九○，頁117。

66參考註5，卷一七二，頁597。

> 代。王欽若編：《冊府元龜》（北京：中華書局，１９６０年），頁１９６０。丁國鈞《補晉書藝文志》據以著錄，列「存疑類」。見《二十五史補編》，頁３６９６。今附載於此。67

此處將作者題為「段肅」，蓋從《隋志》之文，考《漢書》卷四十上，〈班彪列傳〉有「殷肅」，可見古本當作「殷肅」。今考《異體字字典》曾錄及「段」、「殷」二字的異體字形，其中「段」字有如下字形：

A02089

【段字異體字】

【「段」字異體字字形表】68

又「殷」字有如下各種字形：

A0209
0

【殷字異體字】

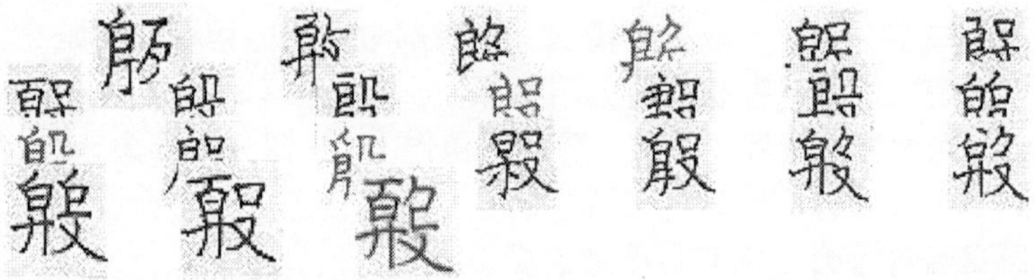

【「殷」字異體字字形表】69

二相比對之下，「段」、「殷」二字的古字字形，確實非常相近，因而常有混淆現象，而竹垞所錄文字，多從《隋志》、《新唐志》甄錄而來，是以誤「殷」為「段」，翁方綱《經義攷補正》卷第一，段嘉《易傳》下云：

> 《漢書・儒林傳》作「殷嘉」，蓋漢隸書「殷」字有類於「段」字，形近而訛耳。宋胡一桂《周易啟蒙傳》中篇云：「京房授東郡殷嘉，〈藝文志〉：「京氏殷嘉十二篇

67陳明恩〈魏晉南北朝《春秋》學初探〉（林慶彰主編：《經學研究論叢》第九輯，臺北：臺灣學生書局，西元二○○一年一月初版），頁191，註三六。

68教育部國語推行委員會編製：《異體字字典》（網路版）<http://140.111.1.40/yitia/fra/fra02089.htm>(瀏覽日期:民國九十四年二月二日)。

69參考註68。

」，是知古本《漢書藝文志》作「殷」也。70

據此，「殷」、「段」之異，係緣自文字隸變所致，而古字作「殷」者，後世多混作「段」字，而「段」、「殷」皆為姓氏，且二者字形相近，而易於相互混用，翁氏根據古本所錄文字，而定竹垞未據善本之誤，且竹垞相關例證不止一處，蓋誤「殷肅」為「段肅」，即為其中一例。

又《經義考》卷一七四，汪惇《春秋公羊傳音》一條，作者題「汪惇」，今考陳明恩〈魏晉南北朝《春秋》學初探〉頁一九三著錄，作者題為「江惇」。又《隋書》卷三二，頁九三○，王愆期《春秋公羊經傳》條下注文著錄此條，題作「《春秋公羊音》，李軌、晉徵士江淳撰，各一卷。」71，惟《隋書》卷三五，「晉尚書令《顧和集》五卷」條下有「徵士《江惇集》三卷」，其下有〈校記〉云：「江惇　『惇』原作『淳』，據本志經部春秋類及晉書江統傳改」72，則《隋書》卷三二，頁九三○錄作「晉徵士江淳」，實當作「晉徵士江惇」，而竹垞著錄此條之時，係題作「汪氏惇」（即汪惇），蓋「汪」、「江」字形相近，因而誤入混用，今據上述所有證據，將此條著錄改作「汪氏惇」，此乃姓氏誤也。

（二）坐實疑說之例

《經義考》所錄的經籍文獻，多係根據前目甄錄而來，然審諸前目所述內容，或僅疑及典籍作於何人，而未有確切實據，然竹垞多坐實其說，致使判定作者之時，恐多有不確之處。例如：《經義考》卷一八一錄有王安石《左氏解》一書73，竹垞明言其書為「王安石」所作，惟其後錄有「陳振孫曰」，有如下論點：「專辨《左氏》為六國時人，其明驗十有一事，題王安石撰，其實非也。」74，根據陳氏之言，《左氏解》實非「王安石」所撰，而竹垞羅列其說，當知陳氏持論主張，惟仍據《宋志》之文，而題為安石之作，然《宋史》為元人編撰之書，其時已坐實疑說之例，而竹垞襲其論點，卻又明引振孫之言，二說論點互有牴觸，應別出案語證之，惜未見竹垞有任何說明，導致坐實疑說之例，而題此書為「王安石」之作，諸如此類著錄結果，未免有過於主觀之失，而有待修正之處。

又《經義考》卷一八八錄有沈棐《春秋比事》一書75，此書本名《春秋總論》，陳亮為之改名，並以其書「或曰是沈文伯之所為也。文伯名棐，湖州人，嘗為婺之校官，以文字稱而不聞以經傳也。」76，試觀陳亮〈序〉文所論，則其書未必確為沈棐之作，昔日何廣棪：

70參考註7，卷第一，頁3。

71魏徵等撰，《隋書》（台北：鼎文書局，「點校本」，民國79年7月，六版。），卷三二，頁930，王愆期《春秋公羊經傳》條下注文。

72參考註71，卷三五，頁1101，〈校記〉第十八條。

73參考註5，卷一八一，頁824。

74參考註5，卷一八一，頁824。

75參考註5，卷一八八，頁71。

76參考註5，卷一八八，頁72。

《陳振孫之經學及其《直齋書錄解題》經錄考證》從之[77]，且《經義考》曾徵引都穆之說，而以此書為劉朔所作[78]，由於其說言之鑿鑿，當具有可信度，是則此書未必確為沈棐之作，而竹垞坐實陳亮疑說結論，而以此書為沈棐所作，諸如此類存有疑說者，宜立案語考訂，方能釋去讀者心中之疑，惟竹垞未有案語說明，實為可惜。綜觀竹垞全書，每於著錄作者之時，往往坐實疑說之例，此類例證所在多有，使得原本有疑慮的作者，卻因竹垞坐實疑說之例，而致作者誤繫他人之手。然而，諸如此類情況，宜酌加注語，以析其異同，筆者於下文【考證篇】時，採取隨校隨證方式，以明竹垞之作法，確有值得商榷之處。

（三）錯考作者先後

竹垞著錄作者之時，常能依據時代先後排列，如此一來，能收致「辨章學術，考鏡源流」的功效。然而，綜觀竹垞所用之法，雖說立意良善，但執行之際，卻難以貫徹行之，畢竟許多作者時代不明，且歷來學者過多，如要一一細考作者時代之先後，實有實質的困難度。因此，在《經義考》全書之中，常見竹垞誤考作者時代，因而導致排列順序有誤。例如：《經義考》卷一七六，王玄度《注春秋左氏傳》一書，竹垞將其置入「唐」代，蓋其未考確切時代，僅據《唐志》著錄，而判此書實為唐人撰著。然而，李一遂〈左氏春秋著錄書目研究〉曾考其時代錯置之失：「《經義考》入唐人著，誤以王元度為唐時人。」[79]，李氏所云「王元度」，即竹垞著錄的「王玄度」，蓋「玄」、「元」二字，由於避清康熙諱，而致清刊本多改「玄」作「元」，故常有合用情況。根據李氏之說，竹垞誤將此人列為唐代學者，實乃誤考作者朝代，如果核其實情，理當改作「晉人」，諸如此類錯誤，實有糾正的必要。

又《經義考》卷一九七，竹垞錄有魯真《春秋案斷》一書[80]，然卻於同書卷二三八，錄有鍾伯紀《春秋案斷補遺》[81]，案：二書俱佚，雖不知其成書時代，也不知二書內容，但鍾書既題作《春秋案斷補遺》，當係增補魯真之書而成，但是《經義考》卷一九七錄有魯書，反置於鍾書之後，實有誤置書籍排列之失，理應重新調整其次第，以符合時代的先後。

今考竹垞著錄體例，係根據時代先後排列，雖能收致「辨章學術，考鏡源流」之效，但此法執行不易，且依朝代劃分，容易引起各種爭議，如其人生存年代，係橫跨二個朝代，則應如何措置？實難以拍板定案。然而，如不依時代先後排列，僅依筆劃多寡，依次著錄，則又無法達到「辨章學術，考鏡源流」之效，是以有關作者排列問題，勢難有完善解決之道。筆者校理竹垞之書，雖知其典籍的排列，係依據作者時代先後排列，也知此法的運用，實有難於確認之困難，但取顯而易見之誤，以示其錯排時代先後，因而有所錯誤，也藉以標舉歷來的目錄學家，常以「考鏡源流」為編纂目標，只是此法未必可行，至於要以何種方式為善法，恐有待學者多加思量。

77參考註59，頁599-600。

78參考註5，卷一八八，頁73。

79參考註14，頁118。

80參考註5，卷一九七，頁270。

81參考註5，卷一九五，頁238。

（四）作者同人異名

竹垞根據諸家書目，而著錄作者之名，然諸家所題姓名，往往題名不同，而實為同一學者，如不加以注明，勢將不利於讀者的使用。因此，筆者在校錄《經義考》「春秋類」典籍之時，常能根據前目著錄，或係根據現存之籍，而將各種作者異名，逐一條列，期能提供讀者參考之用。例如：翁方綱《經義考補正》卷第八，袁希政《春秋要類》下指出：「《宋志》：『希政』，一作『孝政』。」[82]，又同卷，張幹《春秋排門顯義》下亦云：「《宋志》：『幹』一作『翰』」。[83]，是以雖同出於《宋志》的著錄，但記載卻有所不同，究竟孰是孰非，暫時難有定論，姑且存其異名，以俟後考。然而，從上述補正內容之中，得以看出古籍著錄之時，由於取材不同，甚或所用版本不同，多少會產生著錄差異，前人雖已校出諸多異名，但筆者取證諸多書目之時，常發現作者之名，有著各種不同的稱呼，或稱名，或稱字，或稱號，或誤植，諸如此類情況，實有重新整理的必要，方能使讀者得知作者的諸多異名。因此，筆者在校理是書之時，也逐一標示作者異名，並附註各家書目於下，以供學者參考之用。

又同人異名的現象，除緣自著錄差異之外，也有少數作者的異稱，係緣自改名所致。例如：《經義考》卷一八九，虞知方《春秋大義》[84]一書，考「虞知方」應即「蔡沆」也，事蹟具載於《閩書》傳中，與真德秀〈序〉所述內容相符，且真德序〈序〉文直言蔡沆「雖出後虞氏」，則知其曾經過繼給他人為嗣，竹垞將虞知方的撰著，置於蔡沆撰著之下，乃是有意為之，竹垞當知二者關係，然未出案語注明作者異稱，則疏漏頗甚，易使讀者誤認為二人，今據《閩書》與真德秀〈序〉之文，而訂為一人。

（五）漏合撰者之名

竹垞著錄作者的通則，凡是遇到諸人合撰之籍，多於作者之下，標示「等」字，用以示之區隔[85]，但考諸《經義考》「春秋類」典籍的著錄，卻多有出例之處。例如：《經義考》卷一九○錄有林希逸《春秋三傳正附論》[86]，然翁方綱《經義攷補正》卷第八考訂如下：「《宋志》作陳藻、林希逸《春秋三傳正附錄》十三卷，似是二人同撰。」[87]，根據翁氏所言，《春秋三傳正附錄》應為陳藻、林希逸二人同撰之書，則竹垞漏去「陳藻」之名，如據竹垞著錄通則，理應題作「林氏希逸　等《春秋三傳正附錄》」。據此，竹垞著錄作者之名時，亦有漏略合撰者之名，而單以一人代之，諸如此類的著錄方式，實與竹垞通例未合，而有待糾正。

又《經義考》卷二○六錄有周希令《春秋談虎》[88]，案：張壽平《公藏先秦經子注疏書

82參考註7，卷第八，頁7-15。

83參考註7，卷第八，頁7-15。

84參考註5，卷一八九，頁98。

85參考註2，頁260。

86參考註5，卷一九○，頁117。

87參考註7，卷第八，頁117。

88參考註5，卷二○六，頁460。

目》頁一四三著錄此書，作者題作「周希令等撰」，則是書非出一人之手，如據周希令〈序〉文，尚有徐二孺參與撰書工作。又根據《中國古籍善本書目》（經部）頁二八○所錄，則作者尚有「方尚恂」，可見是書纂輯，曾經經過多人之手編輯，而竹垞以周希令一人代之，實有未善之處，應當於「周氏希令」之下標一「等」字，實較為恰當。諸如此類例證實多，顯示竹垞著錄作者之時，常以一人姓名代其作者，惟於作者之下，應該酌加一「等」字，以代其全數作者，然審之全書著錄，亦有未能標示「等」字[89]，而未能完整反映作者實況，而有重新整理的必要，始能還其原貌。

（六）誤認作者名字

歷來目錄學者著錄作者姓名之時，或稱名，或稱字，或稱號，名號既不一致，徒增讀者使用的困擾。竹垞於編纂書目之時，能考量異名帶來的困擾，故著錄作者姓名之時，能統一改以作者姓名，而不錄以其他字號，如此一來，能便於讀者參考之用。然而，竹垞著錄作者姓名之時，常會誤判作者之名，而致誤繫典籍於他人名下，因而有所錯誤，例如：《經義考》卷一九一，胡康《春秋誅意讜告》條下引《徽州府志》之文曰：

> 《徽州府志》：「康，婺源人，進《春秋誅意讜告》百卷於朝，理宗覽而嘉之，特旨與召試，調鎮江司戶參軍。」[90]

按《徽州府志》之原文，此人乃胡升從子，名「康侯」（非胡安國）[91]，非名「康」，竹垞誤為「胡康」，今據《徽州府志》的內容，當改「胡康」為「胡康侯」，以恢復其確實本名。

又《經義考》卷一九五錄有鄧淳翁《春秋集傳》一書[92]，疑「淳翁」非其本名。蓋竹垞著錄典籍之時，常取自於序跋之文，此目即取自袁桷〈序〉也，〈袁序〉原題作〈鄧淳翁春秋集傳序〉，竹垞即以「鄧淳翁」為作者姓名，今疑「翁」字實為敬稱之辭，而「鄧淳」始為姓名，今查《宋史》卷四十二，〈理宗本紀〉「淳祐二年」條下，有「八月丁卯，詔：淮東先鋒馬軍鄧淳、李海等揚州撻扒店之戰，宣勞居多，各官兩轉，餘推恩有差。」（頁八二四），其時代較袁桷稍早，但是所處年代稍近，袁桷所論「鄧淳翁」者，或即此人也。

又《經義考》卷一九五錄有鍾伯紀《春秋案斷補遺》[93]，戴良〈序〉曰「《春秋案斷補遺》者，大梁鍾伯紀先生之所著也。」[94]，今考王逢《梧溪集》卷五云：「鍾伯紀，名律，

89除了周希令之例外，另參考註5，卷一七四，頁643，京相璠《春秋土地名》條，亦有類似情況，說法詳見下文【考證篇】。

90參考註5，卷一九一，頁136。

91(明)彭澤，汪舜民纂修《徽州府志》，(《四庫全書存目叢書》，史一八一，台南縣：莊嚴文化，初版(影印本) 1996)，頁15。

92參考註5，卷一九五，頁230。

93參考註5，卷一九五，頁238。

94參考註5，卷一九五，頁238。

汴人。」（頁一九五），實則「伯紀」，其名「律」，而「伯紀」應為其字，此乃尊稱其字，諸如此類著錄方式，與其他以名為著錄常規者，或有不同之處，雖然作者題稱無誤，但與編輯慣例不合，應該酌加案語說明，始較為妥當。

（七）漏考作者全名

竹垞著錄作者之時，多盡力考出全名，至於不詳作者之名者，則以「某氏」代之，今重考其姓名，實有部份題作「某氏」者，實能考其確切全名，可補竹垞漏考作者全名之失。例如：《經義考》卷二○八，《春秋質疑》條下，竹垞題作「楊氏名未詳」[95]，則未知楊氏之名，今考竹垞所引李光縉之文，實係抄自邱應和《春秋質疑．序》，又邱〈序〉又為楊于庭《春秋質疑》之序，「楊氏名未詳」、「楊于庭」二者題稱暗合，故此處所題「楊氏名未詳」，實為「楊于庭」，又《經義考》錄有楊于庭《春秋質疑》一書，則二處又因作者誤認，而致重複著錄，因而再誤。又《經義考》卷二百八，錄有張氏《春秋說苑》一書[96]，竹垞未考張氏之名，今考《四庫全書存目叢書》，則此書為張杞所撰，可補竹垞漏考作者全名之失。又《經義考》卷一七五，錄有孔氏《春秋公羊傳集解》、《春秋穀梁傳指訓》二書[97]，竹垞題作者為「孔氏」，不詳作者名氏，根據陳明恩〈魏晉南北朝《春秋》學初探〉頁一九八的著錄，則其書作者實為「孔君措」，可據以補正竹垞漏考作者全名之失。綜合上述所論，竹垞著錄作者之時，或有漏去作者之名，然其姓名未必無考，是以竹垞題作「某氏」，甚或「無名氏」的經籍，均應重審其姓名，以補竹垞漏考學者全名之失。

（八）標示體例不一

竹垞標示作者姓名之時，往往稱名不稱字之例[98]，相較於歷來簿錄學家的著錄方式，已有較為嚴密的體例，能有效改善舊目之失，但是《經義考》輯錄眾多文獻，以成其廣博，是以在作者標示方面，難免體例未能一致，而有待糾正之處。例如：《經義考》卷一九四，葉正道《左氏窺斑》條下，竹垞引戴表元〈序〉云：「君名某台，寧海人。」[99]，明顯言及葉氏「名某台」，然竹垞著錄題作「葉氏正道」，與其著錄慣例不合，由於葉氏傳記不詳，不及考其確切名、字、號等等，但戴表元明言其「名某台」，則「正道」二字，或為其號，或為其字，然不當為作者之名，而與著錄體例未合。

又《經義考》卷一九五，鄧淳翁《春秋集傳》[100]，案：「淳翁」二字，疑非其本名。蓋竹垞著錄經籍之時，常取自序跋之文，而此一著錄來源，即取自袁桷〈序〉也，其序題曰〈鄧淳翁春秋集傳序〉，其中「翁」字疑係敬稱之辭，說法已見前文，故此處「淳翁」二字，

95參考註5，卷二○八，頁527。

96參考註5，卷二○八，頁527。

97參考註5，卷一七五，頁670。

98參考註2，頁256。

99參考註5，卷一九四，頁201。

100參考註5，卷一九五，頁230。

當非鄧氏之名，則此處所錄作者題稱，實與竹垞著錄作者慣例不合，故宜加案語述之，以明其故。

綜合上述所論，竹垞著錄作者之時，或因取材不同，或因體例未貫，導致著錄作者姓名之時，往往產生各種誤失，但是由於事關體例、正誤，是以必須逐一審視相關內容，以免有誤用的情形，讀者運用《經義考》之時，宜仔細核其出處，方能避免誤用的情形。

四、卷數的訛誤

《經義考》著錄卷數之時，往往會隨字形相近，或係傳抄漏誤，而產生錯植數字的現象，前賢考訂竹垞謬誤之時，亦多涉及卷數的校訂，今審其要項，並參照筆者考見心得，則有如下幾點情況：

（一）缺漏卷帙多寡

竹垞著錄卷數之時，亦有缺漏卷數的情況，其中或以「□卷」代之，例如：《經義考》卷二百八，朱鶴齡《讀左日抄》一書，即注曰「□卷」[101]，考翁方綱《經義攷補正》卷第八有如下考訂：「今傳朱鶴齡《讀左日抄》十二卷又補二卷。」[102]，本書實作「十二卷」，而竹垞不辨其卷數為何？乃以「□卷」代之，今當據翁氏補正之語，補入正確的卷數。又羅振玉《經義考目錄．校記》、張壽平《公藏先秦經子注疏書目》頁一一七錄之，俱從《四庫全書》本作「十二卷」。案：《四庫全書總目提要》卷二十九，頁三七一著錄此本，係來自於「浙江巡撫採進本」，非後世輯佚之書，而竹垞未見其書，故於卷數判定方面，或有漏失卷數的缺失。

又《經義考》卷一百九十，錄有洪咨夔《春秋說》一書，題作「三卷」[103]，而翁方綱《經義攷補正》卷第八，頁一一四考之如下：

> 案：此書今從《永樂大典》內抄輯，分為三十卷，僖公內有闕文；吳任臣謂三卷者，恐是脫十字耳，此書非三卷所能該也。[104]

羅振玉《經義考目錄．校記》更申論之：

> 《四庫》輯《大典》本三十卷，〈提要〉稱《永樂大典》載吳潛所作咨夔行狀，載《春秋說實》三十卷，朱氏引吳任臣言止三卷者，誤也。[105]

可見竹垞所錄洪咨夔《春秋說》一書，確實漏去「十」字，原書當題作「三十卷」，而非「三卷」，今存「四庫全書本」、「清洪氏晦木齋抄本」均題作「三十卷」，又清荃孫撰《藝風

101參考註5，卷二○八，頁502。

102參考註7，卷第八，頁127。

103參考註5，卷一九○，頁123。

104參考註7，卷第八，頁114。

105參考註4，〈校記〉，下冊，頁840。

堂文續集》卷四(清宣統二年刻,民國二年印本)、清曾廉《元書》卷三(清宣統三年刻本)、清丁丙藏、丁仁編《八千卷樓書目》卷二(民國本)、《清史稿》卷一百二十七卷(民國十七年清史館本)也均題作三十卷,顯見原書卷數已被更正為「三十卷」。據此,竹垞著錄卷數之時,往往有缺漏卷數多寡的情形,諸如此類情況,理應逐一校出,始能呈現正確的卷數,而讀者應用竹垞書目之時,應該確實還原其卷數,始不致於有誤用情形。

(二)卷數前後誤倒

竹垞著錄卷數之時,亦有前後誤倒,而致有錯題卷數之失。例如:《經義考》卷二○七,孫承澤《春秋程傳補》一書,竹垞錄作「十二卷」[106],然考「清康熙刻本」《春秋程傳補》一書,實應題作「二十卷」,其他如《清通志》卷九七(清文淵閣四庫全書本)、《清文獻通考》卷二一五(清文淵閣四庫全書本)、《文選樓藏書記》卷一(越縵堂鈔本)、清徐乾學藏《傳是樓書目》(清道光六年劉氏味經書屋抄本)、《四庫全書總目》卷三十一(清文淵閣四庫全書本)、(光緒《順天府志》卷二一五(清光緒十二年刻,十五年重印本)均題作「二十卷」,而竹垞題作「十二卷」,顯然所錄書籍卷數,或有誤倒之失,當據以改正。

又《經義考》二○三,姜寶《春秋讀傳解略》條下,竹垞注曰「二十卷」[107],而萬斯同《明史》卷一三三、清朱睦㮮《授經圖》卷十六、黃虞稷《千頃堂書目》卷二、張廷玉《明史》卷九六、趙宏恩《(乾隆)江南通志》卷一九○等書,均題作「十二卷」,翁方綱《經義攷補正》卷第八,頁一二三曾據《明史志》以補正竹垞誤倒卷數之失,諸如此類缺失,或係抄輯之時的漏誤,應該逐一改正卷數,以符合其實情。

(三)卷數析併而異

竹垞著錄典籍之時,往往因典籍析併不同,而致卷數合計或異,因而有誤題卷數之失。例如:《經義考》卷二一○,張以寧《春王正月考》條下,竹垞錄作「二卷」,翁方綱《經義攷補正》卷第八,考訂如下:「或作一卷。案作二卷是也。蓋合其《辨疑》一卷,通為二卷耳。」[108],竹垞題此書為「二卷」,然此書既題作「《春王正月考》」,理應題為「一卷」,蓋題二卷者,實合《辨疑》一卷,合計為「二卷」,翁氏既知其始末,而猶認為題作「二卷是也」,審度其實情,實不該題作「二卷」,而應正之為「一卷」。又朱睦㮮《授經圖》卷十六、黃虞稷《千頃堂書目》卷二、萬斯同《明史》一三三均題作「一卷」,而竹垞《經義考》多承自《授經圖》及《千頃堂書目》而來,是以理應題作「一卷」,而非「二卷」,而題作二卷者,乃是併合「《辨疑》」一書而來。

又《經義考》卷一七二,何休《春秋公羊解詁》條下,竹垞引《隋志》作「十一卷」,其下注文曰「《唐志》:『十三卷』」[109],案:如據《經義考》的著錄內容而言,此書卷數僅有「十一卷」、「十三卷」二種,並未言及其他卷數,而何廣棪:《陳振孫之經學及其

106參考註5,卷二○七,頁482。

107參考註5,卷二○三,頁394。

108參考註7,卷第八,頁129。

109參考註5,卷一七三,頁579。

《直齋書錄解題》經錄考證》曾考之如下：

> 此書卷數，各朝著錄略有異同。《讀書志》及《宋志》均作十二卷。惟《隋志》與《通志・藝文略》作十一卷，《新》、《舊唐志》作十三卷，與《解題》著錄不同。」110

又《直齋》、《通考》均題作「十二卷」，大抵言之，卷數雖有不同，卻相差不大。然而，此書亦有併合他書而刊者，如併合唐．徐彥疏文之本，則卷數題作「二十八卷」，則卷數差異較大。又另有陸德明音義本，又阮元曾另有校本行世，使得卷數差異稍大，諸如此類析併不同，而產生不同卷數者，宜仔細校之，方能使讀者明瞭其卷帙多寡，也能知其析併之變化。

（四）卷數未合今本

竹垞所注的卷數，如果核之今本卷數，多有參差不同者，例如：《經義考》卷一七三，杜預《春秋左氏經傳集解》條下，竹垞注曰：「《隋志》：『三十卷。』」111，然考之今本卷數，或殘或存，卷數多有不同，筆者校之如下：

【卷數】本書卷數差異如下：

一、一卷（殘）：張壽平《公藏先秦經子注疏書目》頁一一〇著錄。

二、二十八卷（殘）：張壽平《公藏先秦經子注疏書目》頁一一一著錄。

三、二十九卷（殘）：張壽平《公藏先秦經子注疏書目》頁一一一著錄。

四、二十六卷（殘）：張壽平《公藏先秦經子注疏書目》頁一一一著錄。

五、十二卷（殘）：張壽平《公藏先秦經子注疏書目》頁一一一著錄。

六、六十卷：張壽平《公藏先秦經子注疏書目》頁一一二著錄。

七、二十九卷（殘）：張壽平《公藏先秦經子注疏書目》頁一一二著錄。

八、三十一卷（殘）：張壽平《公藏先秦經子注疏書目》頁一一三著錄。

九、二十三卷（殘）：瞿鏞編纂・瞿果行標點・瞿鳳起覆校《鐵琴銅劍樓藏書目錄》卷五，頁九七著錄。

十、五卷（殘）：駱兆平《新編天一閣書目》頁一五五著錄。

十一、三十六卷：《杭州大學圖書館善本書目》頁七著錄。

綜合上述所論差異，可見自古以來，卷數著錄多有不同，故僅供讀者參考之用，未必全為可信，竹垞根據《隋志》題作「三十卷」，然古籍析併嚴重，殘全各自不同，因而卷數互有異同，如能逐一校理各家著錄卷數，當能提供讀者更多資訊，而諸家著錄或不一致，但就其實情而言，多少能反映出事實真象，除了顯而易見之誤外，其餘諸家說法異同，亦能提供讀者

110參考註59，頁517。

111參考註5，卷一七三，頁606。

參考功效。

又四庫館臣考訂姜寶《春秋事義全考》一書，有如下看法：

> 《明史·藝文志》、朱彝尊《經義考》俱載是書二十卷，而此少四卷。然檢其篇帙，未見有所闕佚，疑或別有附錄而佚之歟？112

《明史．藝文志》、《經義考》俱載為「二十卷」，然館臣僅見及十六卷本，乃疑其「別有附錄而佚之歟？」，諸如此類懷疑之語，由於缺乏可靠論證，未能擁有肯定答案。其後，崔富章《四庫提要補正》有詳細補證如下：

> 《四庫採進書目·浙江省第六次呈送書目》載《春秋事義全考》十六卷，明姜寶著，八本。《浙江採集遺書總錄》注明係『倦圃藏刊本』，此即庫書底本。今上海館、南京館藏明萬曆十三年李一陽刻本十六卷，有萬曆十三年寶《自序》，稱「王氏為予姻友，地近志同，家居往來印證，若有合焉，乃繕寫携入，留曹侍御。同郡李君一陽見而謂可以傳，遂鋟諸梓，一陽亦為之序。」由是知，李本乃此書最初之刻本，曹溶（倦圃）所藏，當即此本，四庫所據以繕錄者，決無缺卷。113

如據崔氏之論點，適足以釋館臣疑惑之處，而有較為肯定答案。由此可見，由於竹垞未能目見所有經籍，致使所錄卷數多寡，僅能根據諸家書目甄錄，未能細審確切數據，是以著錄卷數的情況，僅能提供讀者些許的幫助，而難據以考訂卷帙之分合，若能透過現存典籍的校理，可知各種經籍卷數差異，進而釐析其析併異同，而對於經籍的流通過程，將有更清楚的認識。

（五）卷數相近而誤

竹垞著錄經籍卷數之時，常因字形相近而誤，例如：「一」、「二」、「三」、「七」、「十」諸字，常有相互混用的情形，而「三」、「五」二字，亦多有所混淆的現象，諸如此類情形，實應逐一校出其異同，藉以還其原貌。例如：《經義考》卷一八三，沈括《春秋左氏紀傳》條下，注文引「《通考》作「三十卷」114，考《文獻通考．經籍考》卷十錄有此書115，原書題作「五十卷」，是則注文誤將「五」作「三」，因而有此謬誤。

又《經義考》卷一九九，張以寧《春秋胡傳辨疑》條下，竹垞錄作「三卷」，惟注文題作「或作『《論斷》』」116，考黃虞稷《千頃堂書目》卷二，頁三十六同時錄有張以寧《辨疑》一卷；《春秋論斷》三卷等二書，可見《經義考》注文題作「或作《論斷》」者，應為卷數相近而誤入，不僅卷數有誤，甚且誤併二書為一書。

又《經義考》卷二○一，王崇慶《春秋斷義》條下，竹垞錄作「一卷」，翁方綱《經義

112參考註9，卷二八，頁232。

113崔富章：《四庫提要補正》（杭州：杭州大學出版社，一九九○年九月），頁176。

114參考註5，卷一八三，頁856。

115馬端臨：《文獻通考·經籍考》卷十，（上海：華東師範大學出版社，一九八五年六月），頁270。

116參考註5，卷一九九，頁317。

攷補正》卷第八，有如下考訂：「《明史志》：「《斷義》作《析義》，一卷作二卷。」[117]，案：「一卷」、「二卷」之異，係因卷數相近之故，因而致誤，考《明史志》的文獻來源，多來自《千頃堂書目》，而竹垞撰書多取自此書，故以《明史志》考之，於理頗為適當。

整體而論，竹垞著錄典籍卷數之時，常因卷數相近而誤植，顯示後人刊刻其書之時，亦未能妥善校勘文字，致使卷數出入者有之，諸如此類差異，實需逐一檢視原始文獻，不宜逕自引用，方能避免其失。

綜合上述所論，竹垞著錄卷數之時，或因字形相近而誤，或因數字相近而誤，或因析併而異，或異於今存之本，因而造成卷數著錄有誤，而需逐一釐訂內容。因此，讀者若要引用相關資料之時，勢必要經過還原原書之文，才能避免有誤用情形，筆者在校理《經義考》「春秋類」內容之時，常能標示卷數異同情況，以供讀者參考之用，讀者可自行參看【考證篇】。

五、類目的失當

竹垞的分類觀念，實有其獨特法則，係按照學術體系加以分類，不全出於前代書目體系，其大膽創新的分類方式，對於後世專科書目的編纂，實有啟示的作用。總計竹垞在「春秋類」的分類方面，有著如下幾點缺失，需要進一步的改進。

（一）類目缺乏細目，過於粗疏

竹垞對於「春秋類」典籍的分類，由於僅分一目，而未能酌分細目，對於讀者瞭解個別典籍性質，實有諸多不便之處，尤其是「春秋類」典籍，兼及《春秋》、《左傳》、《公羊傳》、《穀梁傳》等書，卻僅用「春秋類」的單一類目，即涵攝所有相關典籍，實不便於讀者使用。案：竹垞對於三禮類典籍的歸併方式，則採用「周禮」、「儀禮」、「禮記」、「通禮」四類，諸如此類的分類方式，較能合乎學術的體系，但在「春秋類」典籍的分類方式，卻混同經傳典籍的作法，而未能釐析細目，致使讀者無法確認其性質，而需逐一審議典籍內容，方能瞭解其實情。例如：陳明恩〈魏晉南北朝《春秋》學初探〉於王延之《春秋旨通》、吳氏略《春秋經傳說例疑隱》、梁簡文帝《春秋發題》、沈氏宏《春秋五辨》、《春秋經傳解》、《春秋文苑》、《春秋嘉語》、崔靈恩《春秋申先儒傳論》諸條之下，均注記如下文句：「《隋志》廁諸《左傳》類，應為《左傳》類著作。」，以示上述諸書性質，實為《左傳》之類的典籍，今觀其說法，實能供讀者參考之用。由此可見，由於竹垞未能細分類目，致使讀者混同類目，而未能確知其書性質，如能重新分成四類，甚或係酌更多細目，將使春秋學典籍的類型，更易為讀者所悉，也能據以統計各類典籍之數據，始能做出更多的學術判斷。

（二）經籍歸併原則，炯異前代

竹垞編纂《經義考》之時，為求調和「崇質」、「依體」的分類歧見，完全依據書目本質歸併類目[118]，使得原來歸併於史部、子部、集部的相關典籍，得以回歸其本質，而併於

117參考註7，卷第八，頁120。

118參考註2，頁361-362。

經學範疇，因而擴大收錄成效。因此，當我們持《經義考》與其他書目相較，往往發現竹垞的分類觀點，實與其他簿錄學者不同。例如：《經義考》卷一七九，錄有楊湜《春秋地譜》[119]，然考之《文獻通考．經籍考》卷三一，頁七四九錄有此書，卻將其列入「地理類」，顯見竹垞與馬端臨在分類觀點方面，實有所不同。蓋馬端臨將中國典籍分為經、史、子、集，可依其體裁歸併類目，而竹垞卻僅能錄及經部，且為求擴大收錄成效，而將原來歸屬於史部．地理類的相關典籍，改置於「春秋類」，如此截然不同的歸併方式，也使得類目分隸結果，有許多典籍的分類，實與前代書目不同。又如楊均《魯史分門屬類賦》[120]，竹垞將其隸屬「春秋類」，而馬端臨將其置入「子部．類書類」[121]，其餘類此之例頗多，說法詳見下文。

整體而論，竹垞在類目歸併上，與前代書目不同，故其綜整前代書目之時，由於取材方式不同，而致分類互異，甚至於歸併原則不一，致使分類的方式，也有前後牴觸的情況。例如：《經義考》卷一七一錄有冥都《春秋》一書，其書已佚，但觀賈公彥之語，以「冥氏作《春秋》，若《晏子》、《呂氏春秋》之類。」[122]，然竹垞將《晏子春秋》、《呂氏春秋》[123]列於「擬經」類，卻將冥都《春秋》列於「春秋類」，顯然在類目歸屬方面，有其矛盾之處。

竹垞在分類方式上，由於能打破以往著錄慣例，使其著錄典籍之時，得以擴大收錄範圍，而有著更大的彈性，是以在分類類目方面，常有別於四部分類法，而能有所變化，是以影響所及，也讓專科書目的編纂者，能夠取法竹垞分類類例，而從中學習更好的分類方式。然而，竹垞的分類觀念，仍有其疏漏之處，蓋由於竹垞編纂書目之時，雖能打破既有慣例，是以在分類觀念方面，常有較大的突破，從某種意義看來，這是一種創新的分類方式。然而，竹垞卻未能形成完善的分類體系，如以《經義考》「春秋類」典籍的分類而論，其「春秋類」典籍的收錄範疇，則稍嫌過於寬鬆，兼以「正經」、「擬經」之典籍歸屬，互有矛盾之處，使其分類方面，雖有其深遠影響，但猶難避免其失，而讀者應用此書之時，宜需逐一審視其分類方式，方能正確瞭解每部書籍性質。

六、存佚的誤判

竹垞將經籍存佚情況，區分為「存」、「佚」、「闕」、「未見」四種體例，而其判斷法則，也多為後世簿錄學家們接受，成為編纂專科書目的準繩。然而，歷來經學典籍眾多，竹垞以一己之力，欲求遍考而無誤，則力有未殆，此乃受其時代之限，誠不能過於苛責其過。昔日四庫館臣雖曾糾舉其失，卻能體諒其處境，館臣云：

119參考註5，卷一七九，頁760。

120參考註5，卷一七九，頁760。

121參考註115，卷五五，頁1270。

122參考註5，卷一七一，頁564。

123參見《晏子春秋》、《呂氏春秋》二書，竹垞將其置入「擬經」，參考註5，卷二七七，頁321及頁324之文。

> 然冊府儲藏之祕，非人間所得盡窺。又恭逢我　皇上稽古右文，蒐羅遺逸，瑯嬛異笈，宛委珍函，莫不乘時畢集。圖書之富，曠古所無。儒生株守殘編，目營掌錄，窮一生之力，不能測學海之津涯，其勢則然，固不足為彝尊病也。[124]

中國古籍之富，縱使資訊流通的現代，欲求遍考而無遺，卻仍免受到環境限制，而難以竟其全功，至於未能傳世之作，或是未經書目登錄，而致前賢心血付諸東流者，更是所在多有，是以欲明辨典籍存佚情況，實有為難之處。竹垞以一儒生之力，欲求搜訪古今經籍而無誤，誠屬難為之事，雖不能苛責其過，但其失亦當正之，以免遺誤於後世學者。因此，身為後世學者的我們，自當盡力搜訪經籍，藉以補正竹垞編纂誤判之失。

綜觀竹垞對經籍存佚的判定，各經皆有誤判之例，但誤判較為嚴重之類別，則集中於《春秋》類以下的典籍，吳騫《續谷亭薰習錄．敘例》曾有如下評論：

> 竹垞先生《經義考》最為賅博，然《春秋》而下，存佚、卷帙，微有訛舛，疑當時未見其書，而設以己意度之也。[125]

綜觀《經義考》著錄春秋類典籍，其中所注存佚情況，多標以「未見」，或以己意度之，而多有誤判情事，是以學者參考其書之時，尤需仔細審議，以免誤判其存佚，而致錯失研究題材。

（一）所考存籍，實則已成佚籍

竹垞編纂書目迄今，已歷經三百年之久，而其所考存籍，已有佚失之籍，是以古人心血結晶，無法確實保留至今日，實為可惜者也。李一遂〈左氏春秋著錄書目研究〉指出：

> 在朱彝尊《經義考》所著錄的有關《左氏春秋》書目三百二十八種中有二百五十七種朱彝尊注「未見」和「佚亡」，注「留存」的僅七十一種。到今日七十一種中有二十五種已經亡佚，……（下略）。[126]

由此可見，竹垞所注存籍之中，已有大量的典籍，在歷經三百年之後，業已不見世間存本，例如：《經義考》卷二○四，張事心《春秋左氏人物譜》條下，竹垞注曰「存」[127]，今考諸家館藏，未見錄藏此書，且李一遂〈左氏春秋著錄書目研究〉頁一○三著錄此書，亦未見任何存本，可見此書歷經多年之後，業已成為佚書，而不存世間。

又《經義考》卷二○五，王世德《左氏兵法》條下，竹垞注曰「存」[128]，然考諸各家書目著錄，亦未能見及此書，李一遂〈左氏春秋著錄書目研究〉頁九九著錄此書，亦未見任何存本，可見本書早已佚失多時，竹垞注曰「存」，或當時曾目見此書，但經過一段時間之後，

124參考註9，卷八五，史部·目錄類一，頁732-733。

125參考註1。

126參考註14，頁95。

127參考註5，卷二○四，頁417。

128參考註5，卷二○五，頁451。

此書已經成為佚書，不復見其原貌。由此可見，竹垞當日所注「存」籍，亦有重考存佚之必要，如要使讀者確切掌握存書情況，猶需後人多費心思，始能得其實情。

（二）所考存籍，實有佚文輯本

竹垞所注「存」籍，其中某些經籍，雖有存籍流傳世間，但是多為輯本，諸如此類典籍，理應改「存」為「闕」，使後世學者得知原書雖佚，卻仍有佚文輯本存世，以便進而考索其內容。筆者考訂「春秋類」典籍之時，亦嘗試補入諸家輯本，使得片語隻字，猶能為世人所重視，進而考得原書內容、體例。例如：《經義考》卷一六九，左邱明《春秋傳》條下，竹垞注曰「存」，但其書雖有存書但是內容多有遺漏，而另有佚文輯本問世，筆者考之如下：

【存佚】本書另有諸家輯本，說明如下：

一、《春秋左氏傳遺句》　（清）朱彝尊輯　《經義考．逸經下》

二、《春秋左氏經遺文》　（清）王朝　輯

（一）《十三經拾遺》卷十二（清嘉慶五年刻本）

（二）《王氏遺書．十三經遺文》

（三）《豫章叢書》（陶福履輯）第三輯．十三經拾遺卷十二

三、《春秋左傳》（古解鉤沈）　（清）余蕭客輯

《古經解鉤沈》卷十五至卷二十一下（清乾隆間刻本），現藏於吉林省圖書館。又有嘉慶中刻本、光緒二十一年杭州竹簡齋石印本、民國二十五年陶風樓影印本。

【霖案】程金造編著《史記索隱引書考實》頁七〇至頁九七曾輯錄其文。

【增補】孫啟治、陳建華編《古佚書輯本目錄（附考證）》曰：「朱彝尊從《通典》載徐禪《議》採得引《左傳》文一節，不見於今本。王朝　以《經》、《傳》分輯，所採多為《公羊》、《穀梁》二經異文及《唐石經》、山井鼎《七經孟子考文》所載異文，以充《左氏經》、《傳》之佚文，殊為不類。夫《春秋》三家，各傳其學，家派不同，經本亦有今、古文之別，豈得互較異同，補文增字，以為各家之遺文乎？至《唐石經》、《七經孟子考文》所引，乃《左傳》版本之異文，亦不得視為遺文。王氏又輯有《公羊》、《穀梁》經傳遺文，其法亦如是輯，皆不足據。」（頁五五）

諸如上述補證之語，可使讀者瞭解其書已有佚文，而這些佚文輯本的出現，也有助於讀者瞭解其內容，以便能從事進一步研究之用。

又《經義考》卷一七○，公羊高《春秋傳》條下，竹垞注曰「存」，雖然此書確有存本問世，但是由於該書流傳甚廣，也有佚文存世，後世學者亦能輯錄成冊，諸如此類訊息，亦宜一併注明，以收參證之效。筆者考之如下：

【存佚】本書尚有諸家輯本，說明如下：

一、《春秋公羊氏經遺文》　（清）王朝　輯

（一）《十三經拾遺》卷十三（清嘉慶五年刻本）

（二）《王氏遺書》．十三經遺文

（三）《豫章叢書》（陶福履輯）第三集．《十三經拾遺》卷十三

二、《公羊傳佚文》一卷　（清）王仁俊輯

《經籍佚文》

三、《春秋公羊〔古解鉤沈〕》　（清）余蕭客輯

《古經解鉤沈》卷二十二（清乾隆間刻本），古林省圖書館有藏本；又清嘉慶中刻本、清光緒二十一年杭州竹簡齋石印本、民國二十五年陶風樓影印本。

【增補】孫啟治、陳建華編《古佚書輯本目錄（附考證）》曰：「王朝　是輯多採《左傳》、《穀梁傳》、《唐石經》等異文，視為《公羊傳》之缺佚，名曰『遺文』，殊為不類，參《春秋左氏經遺》遺文、《春秋左氏傳遺文》。王仁俊僅從《周禮．考工記》鄭玄注採得一節，其文見《公羊傳》昭公二十五年，較之今本多一句。」（頁六〇）

綜合上述所論，竹垞所考之存籍，縱使其書已有存本流傳，但由於傳本甚多，已出現不同的佚文資料，後世學者亦能重視其間價值，乃重新輯錄成冊，雖然片語隻言，實難成巨構，且無礙於「存」籍的注明，但其書多少仍具參考價值，若未能詳見注明，則此類輯佚之作，將易為讀者所忽略，而正式存籍之中，卻又遺漏部分文句，是以顯得不夠完善。因此，針對此類的情況，筆者將於下文【考證篇】之中，已有更多的考訂內容，藉以提供更多學術訊息，期能有助於讀者治經之用。

（三）所考佚籍，後世已有輯本

竹垞所注「佚」籍眾多，這些經籍的內容，猶有其參考價值，清儒有不少的輯佚學家，窮盡個人畢生之力，用以輯錄古籍佚殘文句，諸如此類後世學者的輯佚之作，雖非竹垞所能親自目見，但由於涉及經籍存佚判別，可以增補相關文句，以供讀者參考之用，是以筆者於補正相關資料之時，亦納入此類內容，期能提供讀者更多參考資訊。例如：《經義考》卷一七一，嚴彭祖《古今春秋盟會地圖》條下，竹垞注曰「佚」[129]，考本書世間多有輯本，筆者考證如下：

【版本及藏地】本書版本及藏地如下：

一、漢學堂叢書本：（漢）嚴彭祖撰　（清）黃奭輯《春秋盟會圖》一卷　馬來西亞大學圖書館有藏本（二部）。

【增補】〔校記〕黃奭有輯本。（《春秋》，頁四四）

【增補】孫啟治、陳建華編《古佚書輯本目錄（附考證）》曰：「嚴彭祖，參《公羊

129參考註5，卷一七一，頁560。

嚴氏春秋》。《隋志》云：『梁有漢太子太傅嚴彭祖撰《古今春秋盟會地圖》一卷，亡。』兩《唐志》復載作《春秋圖》七卷。按此書梁代祇為一卷，《隋志》已云亡矣，兩《唐志》居然見載，且多至七卷，其不為僞託，即為後人所增竄無疑。王謨從《路史》採得二十餘節，其中多唐以後州名，王氏以為或後人就嚴氏本書作疏改之，亦臆測之詞，是輯徒存其名，不可據信。黃奭全襲輯。」（頁六二）

二、清嘉慶三年（１７９８）金溪王氏刊《漢魏遺書鈔》本：(漢)嚴彭祖撰《春秋盟會圖》一卷，《國立故宮博物院善本舊籍總目》，上冊，頁九十著錄，台北：故宮博物院有藏本。

三、清光緒十年(1884)湘遠堂刊本：(漢)嚴彭祖撰《公羊嚴氏春秋》一卷，台北：國家圖書館有藏本。

四、清道光甘泉黃氏刊民國十四年（１９２５）王鑒修補印本

五、民國五十九年(1970)藝文印書館四部分類叢書集成續編影印清嘉慶三年(1798)金溪王氏刊本：(漢)嚴彭祖撰《春秋盟會圖》一卷，台北：國家圖書館有藏本。

六、民國六十一年(1972)藝文印書館四部分類叢書集成三編影印清道光中甘泉黃氏刊民國十四年(1925)王鑒修補印本：(漢)嚴彭祖撰《春秋盟會圖》一卷，台北：國家圖書館有藏本。

嚴彭祖《古今春秋盟會地圖》一書，確實未有傳本問世，但是經過輯佚學者努力之下，則此書已有諸多輯本，且輯本內容，業已歷經多次傳刻，顯示其書內容，亦能受到世人重視。據此，可補竹垞考訂存佚之失。又同卷，嚴彭祖《春秋公羊傳》條下，竹垞亦注曰「佚」[130]，今考其書頗有各家輯本，說明如下：

【存佚】本書有諸家輯本，說明如下：

一、《公羊嚴氏春秋》一卷　（漢）嚴彭祖撰　（清）馬國翰輯

《玉函山房輯佚書》·經編春秋類　馬來西亞大學圖書館有藏本。

二、《春秋公羊嚴氏義》一卷　（漢）嚴彭祖撰　（清）王仁俊輯

《玉函山房輯佚書續編》·經編春秋類

【增補】孫啟治、陳建華編《古佚書輯本目錄（附考證）》曰：「嚴彭祖，字公子，官至太子傅，東海下邳人。與顏安樂俱事眭孟習《公羊春秋》。彭祖，安樂各專門教授，由是《公羊》有嚴、顏之學。（《漢書·儒林傳》、何休《公羊序》徐彥疏引鄭玄《六藝論》）。《隋志》載嚴彭祖《春秋公羊傳》十二卷，兩《唐志》並五卷。馬國翰從《左傳正義》、《公羊傳注疏》、《通典》各採得一節，又從《漢書·韋元成傳》採得嚴彭祖等議一節附後。王仁俊補馬輯之缺，採鄭玄三《禮》注所引《公羊》之文三節，並引惠棟《九經古義》說，以此三節引文乃據嚴氏本。王氏又自輯《嚴氏

130參考註5，卷一七一，頁560。

春秋逸義述》，從《漢書》採承宮、致惲、樊鯈諸人說凡八節，以其人皆習顏氏《公羊》者，其說本諸嚴氏也。」（頁六〇）

【增補】〔校記〕馬國翰有輯本。（春秋，頁四四）

三、清光緒九年(1883)長沙琅嬛館補校刊本：(漢)嚴彭祖撰《公羊嚴氏春秋》一卷，台北：國家圖書館有藏本。

根據上述所論內容，竹垞所注「佚」籍，已有許多的典籍，後世學者已有輯本問世，如未經深入考證，廣泛補入各種輯本資料，則竹垞的判定結果，將導致讀者誤認其書已無存文，因而錯失許多參考資料。今透過筆者考訂整理之後，可以提供相關文獻資料，而能使讀者得以據目尋書，進而從事深入的探討，如此一來，將有助於瞭解古代經籍存佚情況。

（四）所考佚籍，世間尚有存本

竹垞所注「佚」籍之中，亦有世間尚有存本，而竹垞礙於識見不足，因而誤注存佚，例如：《經義考》卷一八○，杜諤《春秋會義》條下，竹垞注曰「佚」[131]，今考其書尚存於世間，筆者整理相關版本及藏地如下：

【版本及藏地】本書版本及藏地如下：

一、碧琳琅館叢書本：宋杜諤撰《春秋會義》十二卷，馬來西亞大學圖書館有藏本。《現存宋人著述目略》頁十八著錄。

二、鈔本：丁丙善本書室藏本。

三、清光緒十八年榮城孫氏山淵閣刊本：台中東海大學圖書館有藏本。

【增補】〔校記〕丁氏善本書室藏鈔本四十卷，孫葆田有刊本廿六卷。（春秋，頁四八）

竹垞未能目睹此書，故注曰「佚」，然丁丙善本書室藏有四十卷鈔本，孫葆田另有刊本二六卷，顯示此書於清初時期，世間尚有存本，或以其書罕見，是以竹垞未得見及此書，而注此書為佚籍，今日參考各項資訊，理當改注此書為存籍。

又《經義考》卷一八三，張大亨《春秋通訓》條下，竹垞注曰「佚」，然其書《永樂大典》尚存其文，不僅卷帙相符，且文句無所佚脫，四庫館臣曾據以收錄其書，筆者復考之如下：

【版本及藏地】本書版本及藏地如下：

一、墨海金壺本：宋張大亨撰《春秋通訓》六卷，二冊，《現存宋人著述目略》頁十九著錄，馬來西亞大學圖書館有藏本。

二、文淵閣四庫全書本：(宋)張大亨撰《春秋通訓》六卷，三冊，《國立故宮博物院善本舊籍總目》，上冊，頁九十五著錄，台北故宮博物院有藏本。

131參考註5，卷一八○，頁790。

【增補】永瑢等撰《欽定四庫全書總目》曰：「春秋通訓六卷　永樂大典本

宋張大亨撰。是書自序謂『少聞《春秋》於趙郡和仲先生。』考宋蘇軾《年譜》，軾本字和仲。又蘇洵《族譜》稱為『唐相蘇頲之裔孫，系出趙郡』。今所傳軾《題烟江疊嶂圖詩》石刻，末亦有『趙郡蘇氏』印。然則趙郡和仲先生即軾也。蘇籀《雙溪集》載：『大亨以《春秋》義問軾，軾答書云：『《春秋》儒者本務。然此書有妙用，學者罕能領會，多求之繩約中，乃近法家者流。苛細繳繞，竟亦何用！惟左丘明識其用，終不肯盡言，微見端兆，欲使學者自求之』云云，與大亨所序亦合。蓋其學出於蘇氏，故議論宗旨亦近之。陳振孫《書錄解題》及《宋史・藝文志》并作十六卷，朱彝尊《經義考》云已佚。此本載《永樂大典》中，十二公各自為卷，而隱公、莊公、襄公、昭公又自分上下卷，與十六卷之數合。然每卷篇頁無多，病其繁碎，今併為六卷，以便省覽，其文則無所佚脫也。』（卷二十七，頁三四二至頁三四三）

【增補】邵懿辰撰、邵章續錄：《增訂四庫簡明目錄標注》卷三曰：「《春秋通訓》六卷，宋張大亨撰，原本久佚，今從《永樂大典》錄出。

墨海金壺本。」（頁一〇八）

【增補】〔校記〕《四庫》有輯《大典》本六卷。（《春秋》，頁四八）

【增補】胡玉縉撰、王欣夫輯《四庫全書總目提要補正》卷七曰：「陸氏《儀顧堂續跋》云：『答書今見《欒城遺言》。』（頁一六八）

三、藝海樓鈔本：復旦大學圖書館有藏本。

【增補】《嘉業堂藏書志》卷一曰：「《春秋通訓》六卷　藝海樓鈔本　宋張大亨撰。大亨字嘉父，湖州人，登元豐乙丑乙科，官至直秘閣。此書《書錄解題》、《宋藝文志》均著錄，皆十六卷。《經義考》注「已佚」。此從《大典》輯出者。原第一公一卷，隱、莊、襄、昭，各分上、下。館臣復併為六卷，以便省覽，其文則無所佚脫也。後有崇寧元年自序。此亦藝海海鈔本。（繆稿）」（頁一五八）

四、民國辛酉(十年,1921)上海博古齋影印本：(宋)張大亨撰《春秋通訓》六卷，台北：國家圖書館有藏本。

五、民國五十九年(1970)藝文印書館百部叢書集成初編影印本：(宋)張大亨撰《春秋通訓》六卷，台北：國家圖書館有藏本。

此書久未見單行本流通於世間，其中的內容，僅保留於《永樂大典》之中，且卷帙、內容悉合於全書內容，雖未見單行本問世，但館臣錄之，且後世多有刊本行世，理應補入相關內容，並改注曰「存」籍，使讀者得以按圖索驥，進而利用相關典籍。

（五）未見之籍，世間尚有存本

竹垞所注「未見」之籍，亦有當時世間尚有存籍，而藏諸於內府之中；或係藏之富室，而不得其見，其後乾隆時期開館纂修《四庫全書》，世間秘本屢現於世，而知竹垞昔日所注存佚，或礙於見識所限，致使所注未見之籍，實有存本行世，因而致誤。例如：《經義考》

卷二○○，童品《春秋經傳辨疑》條下，竹垞注曰「未見」132，然考其書世間尚有存本，甚至還有明抄本行世，筆者考證於下：

【版本及藏地】本書版本及藏地如下：

一、明抄本：明童品撰《春秋經傳辨疑》一卷，上海圖書館有藏本，堪稱傳世最早之本，崔富章《四庫提要補正》頁一七五有考辨。

二、明朱絲欄棉紙抄本：駱兆平《新編天一閣書目》頁二七三著錄，為寧波天一閣舊藏之物。

三、文淵閣四庫全書本：(明)童品撰《春秋經傳辨疑》二卷，《國立故宮博物院善本舊籍總目》，上冊，頁一〇四著錄，台北：故宮博物院有藏本。

【增補】永瑢等撰《欽定四庫全書總目》曰：「春秋經傳辨疑一卷　內府藏本

明童品撰。品字廷式，號慎齋，蘭溪人，弘治丙辰進士。朱彝尊《經義考》稱其官至兵部員外郎。朱國楨《涌幢小品》則稱其登第後為兵部主事，僅兩考，引年致仕，家居十九年，以讀書喪明而卒。其學問、行誼不後於章懋，而以有傳有不傳為惜。所述本末甚詳，知《經義考》以傳聞誤也。是書前有自序，題『成化戊戌冬十一月』，末又有弘治壬戌二月跋云：『是歲品以儒學生，教授於陸生震汝亨之家，成此一帙，距今二十五年』云云。考國楨所紀品以成化丙午始舉於鄉，是書之成在前八年，故自稱曰『儒學生』。其登第在弘治丙辰，下距壬戌七年正僅滿兩考之歲，蓋序作於未第時，跋作於致仕後也。《春秋》三傳，《左氏》採諸國史，《公》《穀》授自經師，草野傳聞，自不及簡策之記載，其義易明。是編論《左氏》所載事　，凡九十三條，於三傳異同者，大抵多主《左氏》而駁《公》、《穀》，蓋由於此。然於『宋師圍曹』，則疑《左氏》所載不甚明曉，於『華元出奔晉』一條，亦有疑於《左氏》，則亦非堅持門戶、偏黨一家者也。刻本久佚，故朱彝尊《經義考》注云『未見』。此蓋傳鈔舊本，幸未佚亡者，固宜亟錄而存之矣。」（卷二十八，頁三六二）

【增補】邵懿辰撰、邵章續錄：《增訂四庫簡明目錄標注》卷三曰：「《春秋經傳辨疑》一卷，明童品撰。

四庫箸錄，係天一閣鈔本，云刻本久佚。

〔續錄〕續金華叢書本，民國十三年永康胡氏夢選樓刊。」（頁一一六至頁一一七）

【增補】〔校記〕此書四庫著錄。（《春秋》，頁五一）

【增補】崔富章《四庫提要補正》曰：「考康熙間纂修《金華府志》載：廷式授南武庫主事，再遷武選員外郎。武庫頗有羨餘，同官以『啞庫』訊之，公不可。又云：居官與楊廉、邵寶、蔡清、葉釗、余祐相友善，僅兩考，遂引年家居十九年，以讀書喪明，貧不自振而卒。《金華徵獻略》所載亦同。然則《經義考》並非傳聞之誤，仍係

132參考註5，卷二○○，頁340。

《涌潼小品》所述有罅漏也。（胡宗楙《金華經籍志》）

《經義考》卷二百載『童氏品春秋經傳辨疑一卷，未見』，僅十三字而已。「官至兵部員外郎」云云，乃出自《浙江採集遺書總錄》：「春秋經傳辨疑一冊，開萬樓寫本。右明兵部員外郎蘭溪童品撰，凡九十三篇。自序云，只據《大全》及《左傳》而言，然而辨正頗有原本也。

關於庫書底本，《總目》注云『內府藏本』，《提要》謂『此蓋傳抄舊本，幸未佚亡者，固宜亟錄而存之矣。』檢《天祿琳琅書目》、《故宮善本書目》、《故宮普通書目》皆不見著錄。《四庫全書簡明目錄標注》云：『四庫著錄係天一閣抄本』。然《范懋柱家呈送書目》載《春秋諸傳辨疑》（朱睦　撰），并無童品《春秋經傳辨疑》，邵氏《標注》失誤。檢《四庫採進書目》，當年選呈此書者，只有僑寓杭城小粉場的汪啟淑開萬樓寫本一種耳，是為四庫抄本所從出，不知流落何處。今上海圖書館藏明抄本一部，堪稱傳世最早之本。」（頁一七四至一七五）

【霖案】崔氏的相關考訂，仍有失誤之處，如云「《經義考》卷二百載『童氏品春秋經傳辨疑一卷，未見』，僅十三字而已。「官至兵部員外郎」云云，乃出自《浙江採集遺書總錄》」云云，考《經義考》卷二百載童品《春秋經傳辨疑》條下，確實未有其他解題，然而竹垞《經義考》卷五一，童品《周易翼義》條下，曾徵引《人物考》之文，其中即有「官兵部員外郎」之字，是以館臣考辨之說，係併合二處著錄的內容，同時提出糾謬之說，而崔氏僅覆查《經義考》卷二百之文，而未及卷五一之文，是以所論猶有小失。

四、藍格舊鈔本：明童品撰《春秋經傳辨疑》一卷一冊，臺灣大學圖書館善本書室有藏本。

五、民國六十一年(1972)藝文印書館四部分類叢書集成三編影印永康胡氏夢選樓刊本：(明)童品撰《春秋經傳辨疑》一卷，台北：國家圖書館有藏本。

六、續金華叢書本：明童品撰《春秋經傳辨疑》一卷，馬來西亞大學圖書館有藏本。

七、民國十三年(1924)永康胡氏夢選樓刊本：(明)童品撰《春秋經傳辨疑》一卷，扉頁刊記「永康胡氏夢選樓刊」，台北：國家圖書館有藏本。

今考童品《春秋經傳辨疑》一書，歷來多以抄本傳世，或藏於宮廷秘府，或藏於藏書名家，而難得一見，其後四庫館臣纂修《四庫全書》之時，收錄童品此書，兼以其後多有叢書本傳世，則是書已非珍罕祕本，應據以補入相關版本及藏地，並改注曰「存」籍，使讀者得以利用此書內容，以進行學術的討論。

又《經義考》卷一九○，程公說《春秋分記》條下，竹垞注曰「未見」[133]，筆者考世間多有傳本，說明如下：

【版本及藏地】本書版本及藏地如下：

133參考註5，卷一九○，頁109。

一、清陽湖孫氏平津館鈔本：(宋)程公說撰《春秋分紀》九十卷，17 冊;20.1x15.4 公分，10 行, 行 22 字. 單欄. 版心白口, 上方記書名, 中間記卷第, 下方書葉次，有微捲，朱筆批校，正文卷端題「春秋分記卷第一　年表一　宋程公說撰」，序：「淳祐三年夏四月乙卯南光游侶序」、「淳祐三年癸卯歲立秋節... 程公許序」，藏印有「群碧樓」朱文長方印、「鈔本」朱文長方印、「校本」朱文長方印、「奇文共欣賞」朱文橢圓印、「十萬卷樓藏書」白文方印、「臣印星衍」白文方印、「東方督漕使者」白文方印、「國立中央圖書館考藏」朱文方印、「正闇學人收藏墨本」白文方印、「披玉雲齋」朱文方印、「昔者吾友當從事於斯矣」朱文方印、「王端履字福將號小穀」朱文方印、「子孫永保」朱文方印等等，孫星衍、嚴可均各手校並題記，又近人鄧邦述手書題記，台北：國家圖書館有藏本。

【增補】孫星衍〈題記〉曰：「全祖望集春秋分記序云，其弟滄洲閣學曾上之秘府，而又開雕於宜春，予得故明文淵閣藏本，其後入於蘭溪趙少師書庫。卷首有云，大德十有一年，中書劄付行省下浙江提舉印上國子監脩書籍者，其後列官吏等名。

郡齋讀書附志春秋分記九十卷，右克齋程公說伯剛所編也，其弟公許守宜春，刻於郡齋，游丞相似為之序。

宋程公說春秋分記九十卷，卷數與書錄解題及文獻通考合。公說，眉山人，官止邛州校官，書作于開禧時，其弟公許牧宜春，刊行之。尚有左氏始終三十六卷、通例二十卷、比事十卷。生平為春秋之學，甚精詣，其書略如通典、會要體例，始年表，次世譜、名譜，次曆書、天文、五行、地理、禮樂、征伐、職官諸書，次周魯及列國世本，次小國，四夷終焉。條理明晰，南宋人著述之最善者。其世譜稱，得杜預世族譜、及春秋世系一書，世本見傳注則采之，以備遺亡；曆書稱，杜預仿周曆作經傳長曆，考諸家曆書、開元大衍云云，是公說所見古書，採錄甚多，今杜氏世族譜及長曆、開元大衍曆無全本，春秋世系，即崇文總目疑為顧啟期撰者，俱藉此書以存矣。地理書亦有補杜氏釋地所缺者，列國世本應有盧子國，據應劭注，在盧江郡，公說不載，豈即以盧戎當之？似非一地也。前有指掌圖，各篇後為之論，頗能該括春秋時勢，惟附載啖趙及宋人疑經蹈典之論，至不信魯郊禘受賜之說，猶是宋時結習，學者勿為所惑，而不能掩全書之長。此本借自曲阜孔氏抄帙，未見刻本，文字或有　脫，悉依原本，不敢輕改，獨怪通志堂經解刊宋人經學之書，遺其有裨經學者，何也？孫星衍書。

乙丑四月廿九日，雨，手校于安德使署。」（轉錄《標點善本題跋集錄》頁二六至頁二七）

【增補】嚴可均〈題跋〉曰：「嘉慶乙亥歲正月三十日，校曆書、天文書、五行書訖。烏程嚴可均記。」（轉錄《標點善本題跋集錄》頁二七）

【增補】鄧邦述〈題記〉曰：「此書淵如先生論之甚當，當是淵如傳鈔而自校之者，每卷皆記年月，大半在安德使署，簿書雜廁，不廢丹黃，極見前輩之篤嗜。嚴鐵橋先生專校曆書、天文、五行三種，以墨筆題書眉上，至可寶愛。惜卷帙稍繁，不然，當已刻諸平津、岱南兩叢書中矣。余藏經部書極少，此在鈔本中可為甲觀。庚申四月，

正閭。」（轉錄《標點善本題跋集錄》頁二七）

二、舊鈔本：(宋)程公說撰《春秋分紀》九十卷，40 冊;(全幅 27.5x18.2 公分, 原紙高 24.8 公分，有微捲，序文有「淳祐三年夏四月乙卯南光游侶序」、「㷿開禧二年歲在乙丑春正月丙戌眉桂枝程公說伯剛甫序」、「淳祐三年癸卯歲立秋節季弟... 程公許序」，正文卷端題「宋程公說撰」，12 行，行 22 字，藏印有「國立中央圖書館收藏」朱文長方印、「澤存書庫」朱文方印、「訒菴藏書」朱文方印、「吳正有號」朱文長方印四周飾以花紋、「櫨燕緒字翼夫」朱文方印、「家在蘇州望信橋」朱文方印、「寶芝堂」白文方印、「燕緒」朱文方印、「翼夫手勘之本」朱文長方印、「金衍登印」白文方印、「吳大成號」朱文長方印四周飾以花紋、「納三萬鐵等稊米」朱文方印等等，有清查燕緒手校，台北：國家圖書館有藏本。

三、清南海孔氏嶽雪樓鈔本：(宋)程公說撰《春秋分紀》九十卷，26 冊，全幅 28.6x17.3 公分，有微捲，正文卷端題「丹陵　克齋程公說　撰」，序文有「淳祐三年夏四月乙卯南光游侶序」，「開禧二年歲在乙丑春正月丙戌眉桂枝程公說伯剛甫序」、「淳祐三年癸卯歲立秋節季... 程公許序」，8 行, 行 21 字. 版心中間記書名卷第, 版心下方書葉次，首序第一葉鈐有：「孔氏嶽雪樓影鈔本」朱字，藏印有「國立中央圖書館保管」朱文方印，台北：國家圖書館有藏本。

四、精鈔本：(宋)程公說撰《春秋分紀》九十卷，20 冊；全幅 37.3x23.3 公分，有微捲，8 行, 行 21 字. 版心中間記書名卷第, 下方書葉次，正文卷端題「丹稜　克齋程公說　撰」，序文有「淳祐三年夏四月乙卯南光游侶序」、「開禧二年... 眉桂枝程公說伯剛甫序」、「淳祐三年... 程公許序」，藏印有「國立中央圖書館收藏」朱文長方印，台北：圖書館有藏本。

五、鈔本：(宋)程公說撰《春秋分記》九十卷，20 冊 ; 28 公分，有宋開禧二年(1206)程氏自序，宋淳祐三年(1243)程公許等序，清孫星衍序，有「愛日精廬藏書」「秘冊」「張印月霄」「禹生父秘賞」「黃岡劉氏校書堂藏書記」「黃岡劉氏紹炎過眼」諸印記，有朱筆校，排架號: 1-1-6. 光碟代號: OD004A.台北：中研院史語所有藏本。

【增補】《中央研究院歷史語言研究所善本書目》曰：「《春秋分紀》九十卷二十冊宋程公說撰　鈔本。」（頁八）

六、文淵閣四庫全書本：(宋)程公說撰《春秋分紀》九十卷，三十冊，《國立故宮博物院善本舊籍總目》上冊，頁九十七著錄，台北：故宮博物院有藏本。

【增補】永瑢等撰《欽定四庫全書總目》曰：「春秋分紀九十卷　兩淮馬裕家藏本

宋程公說撰。公說字伯剛，號克齋，丹稜人。居於宣化，年二十五登第，官邛州教授。吳曦之亂，棄官攜所著《春秋》諸書匿安固山中，修之甫成而卒，年僅三十七。是書前有開禧乙丑自序。淳祐三年其弟公許刊於宜春。凡年表九卷，世譜七卷，名譜二卷，書二十六卷，周天王事二卷，魯事六卷，大國世本二十六卷，次國二卷，小國七卷，附錄三卷。其年表則冠以周及列國，而后夫人以下與執政之卿皆各為一篇。其世譜則王族、公族以及諸臣，每國為一篇，魯則增以婦人名、仲尼弟子，而燕則有錄無書，蓋原闕也。名譜則凡名著於《春秋》者，分五類列焉。書則歷法、天文、五行、疆理、禮樂、征伐、職官七門。其周、魯及列國世本，以及次國、小國附錄，則各以經傳所載分隸之，條理分明，敘述典贍，所采諸儒之說與公說所附《序論》亦皆醇正，誠讀《春秋》者之總匯也。明以來其書罕傳，故朱彝尊《經義考》注曰『未見』。顧棟高作《春秋大事表》，體例多與公說相同。棟高非剽竊著書之人，知其亦未見也。此本出揚州馬曰璐家，與《通考》所載卷數相合。內宋諱猶皆闕筆，蓋從宋刻影抄者。劉光祖作公說墓誌，稱所作尚有《左氏始終》三十六卷，《通例》二十卷，《比事》十卷。蓋刻意於《左氏》之學者。宋自孫復以後，人人以臆見說《春秋》，惡舊說之害己也，則舉三傳義例而廢之。又惡《左氏》所載證據分明，不能縱橫顛倒、惟所欲言也，則併舉《左傳》事　而廢之。譬諸治獄，務毀案牘之文，滅佐證之口，而是非曲直，乃可惟所斷而莫之爭也。公說當異說坌興之日，獨能考核舊文，使本末源流犂然具見，以杜虛辨之口舌，於《春秋》可謂有功矣。」（卷二十七，頁三四八至頁三四九）

【增補】邵懿辰撰、邵章續錄：《增訂四庫簡明目錄標注》卷三曰：「《春秋分紀》九十卷，宋程公說撰，取左傳事　，以史家表志之例分編，凡年表九卷，世譜七卷，名譜三卷，書二十六卷，周天王事二卷，魯事六卷，世本三十五卷，附錄三卷。

路有鈔本，四庫箸錄係影鈔宋本，袁漱六有舊鈔本，蔣生沐有鈔本。

〔附錄〕陸有朱竹垞藏書舊鈔本。（紹箕）朱有鈔本九十卷，附例要一卷。（懿榮）（疑盛昱筆，章記）

〔續錄〕宋淳祐三年刊本。」（頁一一〇至頁一一一）

【增補】胡玉縉撰、王欣夫輯《四庫全書總目提要補正》卷七曰：「全祖望《鮚埼亭集》有此書序云：『其為例，仿太史公《史記》，有年表，有譜，有書，有世本。間附以諸儒之說，用功既核，取材又博。』陸心源《儀顧堂續跋》云：『首為《例要》，其目曰《名諱例》，曰《說綱領》，曰《敘傳授》，年表之目十云云。游侶序，謂其書仿《史記》而作，年表仿〈十二諸侯年表〉，世譜仿〈功臣〉、〈王子侯年表〉，世本仿〈世家〉；惟既仿《史記》，則周天子宜仿〈本紀〉，魯宜列世本之首，國、小國亦宜為〈世家〉，乃周天王、魯及次、小國獨否，何也？〈疆理志〉，每國有〈指掌圖〉，頗為詳核，其所論辨，如謂似褒非國名，州來非兩地，皆足證杜預《釋例》、《釋地》之誤。預之《春秋世族譜》為《釋例》之一，今《永樂大典》所採，寥寥數條，顧啟期《春秋世系》，今已失傳，伯剛皆見全書，《世譜考異》屢引之，《世族譜》可補今本《釋例》之缺，世系可藉是以見崖略。其《敘傳授》曰：『以聖經為本而事則案《左氏》，《左氏》近誣則采《公》、《穀》及先儒義之精，文句有未安則用啖、趙例頗加刪削。論述大綱本《孟子》，而微詞多取程、胡之論』，可以見其宗旨矣。』玉縉案：《史記》有〈周本紀〉，如何再仿，此周天王事、魯事另為卷，一不仿〈本紀〉，一不列世本，最允洽，以《春秋》本為魯史也。次國、小國承大國世本而下，亦見斟酌，何必復為〈世家〉。」（頁一七三至頁一七四）

【增補】〔校記〕四庫著錄《春秋分記》九十卷。（《春秋》，頁五十）

七、民國二十三年(1934)至二十四年(1935)上海商務印書館四庫全書珍本初集影印文淵閣本：宋程公說《春秋分記》九十卷，四十六冊，扉頁有「商務印書館受教育部中央圖書館籌備處委託景印故宮博物院所藏文淵閣本」，鈐有「國立中央圖書館籌備處之章」朱文方印，台北：國家圖書館有藏本。

又馬來西亞大學圖書館有藏本（二部）。

【增補】游似〈序〉曰：「司馬子長始為紀、傳、表、書，革左氏編年之舊，踵為史者咸祖述焉。近歲程君伯剛又取左書釐而記之，一用司馬氏法，然則編年果紀、傳、表、書之不若乎？按詩王政廢興，大小分載，是為二雅，十五國事各以條列則曰國風，此固紀及世家之權輿也。懷襄既定，邦賦以成，厥有禹貢，前代時若分職以訓專為周官，此則八書之端緒也。左氏身為國史，讀夫子之春秋，將傳焉以翼之，遂為席卷載籍、包舉典故、囊括萬務、并吞異聞之規摹。然事雜而志繁、義叢而詞博，非胸臆之大，或得此而遺彼；非精力之強，或舉始而忘終，折異合同，彙分區別。君蓋善學左氏者，匪編年不記傳若也。始君為邛南校官，嘗過漢嘉。我先忠公實為守，君入謁，以春秋官制贄焉，先公異之，俾似往丹鉛點勘，不以旅寓輟。後三十餘載，書既藏秘府，君弟季與自頌臺薇省作牧宜春，鋟而廣之，以敘見屬，於是從君之子子壬取權書繙閱焉。年表之卷九、世譜七、名譜二、書二十有六、周天王事二、魯六、晉至吳世本之數與書等，次國、小國、四夷附錄十有三，其餘諸書力尤浩大。凡厥典制，宗王揭周，侯度不恭，是非自辨，封建廣狹，閏餘舛差，說多紛紜，訂使歸一。當曦之叛，棄官入山，茹涕修之事定，竟死。子壬語我猶記遺言，吾書始周終肅，謹氏金源自出，臣子可忘。嗚呼！夫子春秋有事、有文、有義，尊王抑霸，貴夏賤夷，此所謂義非耶？今事與文，君既殫精竭思矣，其於義也，不惟□之，抑又身之。自唐以來，或欲獨究遺經，閣束三傳，不知鑿空而立己見，與比事而探聖心，所謂孰多歟？與君同時獲見此書，必將曰吾改是。君名公說，藉敘宣化，故□〔眉〕徙云。淳祐三年夏四月乙卯，南光游似序。」（轉錄《國立中央圖書館善本序跋集錄》經部，頁三六四至頁三六五）

【增補】程公說〈序〉曰：「周禮有史官掌邦國四方之事、達四方之志，諸侯亦各有國史，大事書之以策，小事簡牘而已。春秋魯史也，仲尼加筆削為垂世之經，孟軻氏發明宗旨曰，世衰道微，邪說暴行有作，孔子懼，作春秋。春秋，天子之事也。是故孔子曰，知我者，其惟春秋乎！罪我者，其惟春秋乎！又曰，王者之　熄而詩亡，詩亡然後春秋作。晉之乘，楚之檮杌，魯之春秋，一也。其事則齊桓晉文，其文則史，其義則丘竊取之以。烏乎！孟子之言則春秋傳心之要也。夫春秋為天子之事，當本之周，曷為本之魯也？本之魯而元年春王正月加王乎？其間以魯而系之王，示天下諸侯皆當宗王也。列國之事不一以，事有隱惡，安得盡見之？赴告冊書所可見者，大綱存焉。舉其大綱，則妙而天道、微而物變，與夫國異政、家殊俗可以推見，此春秋詳於內魯而亦該夫侯國之政也。左氏傳經，紀載博備，兼列國諸史之體，使後之訟事以求經不為無取，然或謂艷而富，其失也誣。公穀二傳解經多而敘事略，亦蔽於短俗。學者高則束傳而談經，下則絢文而違理，嘗竊病之，　推春秋旨義即左氏傳分而記焉。事雖因於左氏，而義皆本諸聖經，又旁采公、穀及諸子之說精且要者附正其下，冠有周尊王也，次以魯內魯也，自晉以下為世本者十有二，次國小國各自著錄，又為年表世譜，書總九十卷，目曰春秋分記。曲明聖人遺意以示來世，至於得失盛衰之變，亦備論其故，蓋春秋則以見天下之當一乎？周而分記則以見列國之所以異，因其異而一之，此分記所為作也，尚春秋意也。開禧二年歲在乙丑春正月丙戌，眉桂枝程公說伯剛甫序。」（轉錄《國立中央圖書館善本序跋集錄》經部．頁三六五至頁三六六）

【增補】程公許〈序〉曰：「先兄伯剛自童丱至強仕，殫思於春秋一書，不自覺其心力之耗，重以感時憤懣，殄其元身，言之可為楚愴，猶幸先一年而分記書脫　，持是以待後之學者，其為壽也，不亦多乎哉！兄早登進士科，須次親庭，及為廣都主簿、臨邛教官，公許皆得侍左右。每見其窮晝夜廢食寢節，玩索探討，鉤纂竄易，前後積如山。先君子、先夫人一日閱所坐團蒲穿破，意竊嘉之，而亦憂之，或□以惜精神養壽命。兄拱手答日，學不可已，而修短不可期，苟得就此書，庶無負大人及吾母教誨。二親固疑其語之不詳，後一年而卒，死生出入，意者自有見而然耶？公許幼刻意欲自見於詩文，所習博雜，兄責之甚厲。忝繼名弟，偶以組繡鞶帨見知於當代，文章家游揚引重，謬承人乏載筆入直禁省，而經訓突奧，未之有省，多以是有愧於吾先兄。是書嘗得備四庫之儲，塵乙夜之覽，學春秋者多欲傳抄，苦於編帙之夥，誤□□恩職，牧宜春六閱月，綱條粗整，因有餘力刻梓公帑，廣其傳於四方。兄玉立頎秀，蜀之儒先若李文懿公、楊恭惠公、劉文節公、游忠公、劉清惠公、寶謨宇文公皆深知之，而鄧元卿、薛中章、宋正仲、李德秀、馮公輔、程元甫、李貫之、張義立與今秀巖李微之太史諸賢，則同志而相與講論者也。東南鉅公將指使蜀，兄與之際遇，尤加賞，而敬愛之厚莫若大諫溫陵傅公，傅公在朝訝嗣音之間闊，適有故吏上謁，亟問以安否狀何如？吏具以答，傅公歎惋不已。兄之學於春秋為專門，然每與仲遜兄揚搉今古，所著金石刻辭極精詣，詩亦雅淡，銳欲以不朽自樹立，而皆不克壽，可悲也已。宇文公正父從南軒最久，以學行著西南，兄事之期年，得南軒講論理性之說，益以茲事自任，天假之年，其所成就詎止是耶？猶子子壬頃歲避地下峽，乃盡以兄遺文篋藏與俱，油口風濤，獨分記得免，適經進副本留京邑得參校舛誤，斯文之不墜失也，而忍使之堙晦無傳可乎？若夫仲氏之詩文甚富，不幸併燬於狄難矣。兄之言行得文節劉公誌墓足以詔永久，論著之法，亦已詳所自為序及知院資政宏毅堂游公冠篇端之作。手足鍾情，愴慕奚極，凡夙昔所親見兄稽古之勤、求益之切、取友之端，具載如上方，抑以表見吾兄此書非與淺學編類，以備遺忘者，同覽者當自知之，公論在人，小人不敢得而私也。淳祐三年癸卯歲立秋節，季弟朝奉大夫、直寶謨閣、知袁州軍州事、借紫，程公許序。」（轉錄《國立中央圖書館善本序跋集錄》經部．頁三六六至頁三六七）

八、清抄本：宋程公說撰《春秋分記》九十卷，存四卷，卷十九至卷二十二，有清羅士琳校並跋，又錄清翁方綱校跋，《中國古籍善本書目》（經部）頁二六八著錄，北京圖書館有藏本。

九、清抄本：宋程公說撰《春秋分記》九十卷，存四十卷，有清翁公綱校，清羅士琳注，存一至四十等四十卷，《中國古籍善本書目》（經部）頁二六八著錄，北京圖書館有藏本。

十、清抄本：宋程公說撰《春秋分記》九十卷，有清丁丙〈跋〉，南京圖書館有藏本。

十一、清抄本：宋程公說撰《春秋分記》九十卷，北京圖書館有藏本。

十二、清影宋抄本：宋程公說撰《春秋分記》九十卷，四庫底本，《中國古籍善本書目》（經部）頁二六八著錄，上海圖書館有藏本。

十三、鈔本：宋程公說撰《春秋分記》九十卷，王重民：《中國善本書提要》頁二五著錄，十行，二十一字，北京大學圖書館有藏本。

【增補】王重民：《中國善本書提要》曰：「【春秋分記九十卷】十六冊（《四庫總目》卷二十七）（北大）

鈔本〔十行二十一字〕

原題：「宋程公說撰」，或題：「克齋程公說」，疑原題如此，其作「宋程公說撰」者，後人所改也。卷內無印記，然有校籤，稱有「底本同」，或「底本亦誤」等語，校以文淵閣《四庫全書》本，大致已改從所校，則校籤頗似過錄四庫館臣校本。此仍保存本來面目，為較勝庫本處。

游侶序〔淳祐三年（一二四三）〕

自序〔開禧二年（一二〇六）〕

程公許序〔淳祐三年（一二四三）〕

《春秋分紀墓誌銘》〔劉光祖撰〕」（頁二五）

十四、宋淳祐三年刊本：邵懿辰撰、邵章續錄：《增訂四庫簡明目錄標注》卷三，頁一一三著錄。

根據上述考訂得知，此書世間尚有存本，故當改注「存」籍。此外，據邵懿辰撰、邵章續錄：《增訂四庫簡明目錄標注》卷三所錄，則「陸有朱竹垞藏書舊鈔本。（紹箕）」，是以竹垞尚曾藏有此書，或是此處題作「未見」，僅是竹垞一時失檢所致；或是竹垞編纂《經義考》之時，尚未錄藏此書，而錯考其存佚情形。

綜合上述所論，竹垞所注「未見」之籍，實則世間多有傳本，然礙於一人識見有限，兼以清初時期未有完備書目索引，以供學者查檢經籍藏地之用，因而不少未見之籍，實則世間尚有存本，理應改注「存」籍，卻因竹垞一時失察之故，而致錯失參考機會，筆者於查考竹垞所定經籍存佚之時，多能補考其失，其相關考訂成果，能提供一定的參考成效。

（六）未見之籍，世間尚有殘本

竹垞所注未見之籍，亦有世間尚存殘本，當據以改注「闕」籍，例如：《經義考》卷一九○，魏了翁《春秋要義》條下，竹垞注曰「未見」[134]，筆者考訂如下：

134參考註5，卷一九○，頁107。

【版本及藏地】本書版本及藏地如下：

一、清乾隆間寫文淵閣四庫全書本：(宋)魏了翁撰《春秋左傳要義》三十一卷，七冊，《國立故宮博物院善本舊籍總目》上冊，頁八十七、《現存宋人著述目略》頁十七著錄，台北：故宮博物院有藏本。

【增補】永瑢等撰《欽定四庫全書總目》曰：「春秋左傳要義三十一卷　兩江總督採進本

宋魏了翁撰。亦所輯《九經要義》之一也。其書節錄注疏之文，每條之前，各為標題，而系以先後次第，與諸經《要義》體例并同。考了翁《序李明復春秋集義》云：『余嘗覽諸儒之傳，至本朝先正謂此為經世之大法，傳心之要典，余　益深。乃裒萃以附於經，尚慮觀書未廣，擇理未精，故未敢輕出。李君乃先得我心，而為是書』云云。是了翁亦嘗裒輯眾說以注《春秋》，其書未就，而其取之於注疏者，則尚見於是編。凡疏中日月、名字之曲說煩重瑣屑者，多刊除不錄。而名物度數之間，則削繁舉要，本末燦然。蓋《左氏》之書，詳於典制，三代之文章、禮樂，猶可以考見其大凡，其遠勝《公》、《穀》，實在於此。了翁所輯，亦可謂得其要領矣。原本六十卷，朱彝尊《經義考》注曰『未見』。此本僅存三十一卷，末有萬歷戊申中秋後三日龍池山樵彭年手跋一篇，稱『當時鏤帙不全，後世無原本可傳，甘泉先生有此書三十一卷，藏之懷古閣中，出以相示，因識數言於後』，則亦難覯之本矣。然甘泉為湛若水之號，若水登弘治乙丑進士，至萬歷戊申，凡一百四年，不應尚在。彭年與文徵明為姻家，王世貞序其詩稿，稱年死之後，家人鬻其遺稿，則萬歷末亦不復存。且《九經要義》皆刪節注疏，而跋稱其『訂定精密，為先儒所未論及』，尤不相合。疑殘本偶存，好事者偽為此跋，而未核其年月也。」（卷二十七，頁三四八）

【增補】邵懿辰撰、邵章續錄：《增訂四庫簡明目錄標注》卷三曰：「《春秋左傳要義》三十一卷，宋魏了翁撰，亦其九經要義之一，原本六十卷，今佚其二十九卷。

〔續錄〕此書本末有萬曆戊申中秋後三日龍池山樵彭年手跋，宋刊本，最佳。」（頁一一〇）

二、民國二十三年上海商務印書館《四庫全書珍本初集》本：宋魏了翁撰《春秋左傳要義》三十一卷，《首》一卷，十二冊，扉頁印記有「商務印書館受教育部中央圖書館籌備處委託景印故宮博物院所藏文淵閣本」，鈐有「國立中央圖書館籌備處之章」朱文方印，台北：國家圖書館有藏本。

又台灣師範大學圖書館有藏本。

又馬來西亞大學圖書館有藏本（二部）。

【增補】〔校記〕四庫著錄本存三十一卷。（《春秋》，頁五十）

三、臺灣商務印書館印本

據此，魏了翁《春秋要義》一書，原本六十卷，而今存之本，僅見《春秋左傳要義》三十一卷，已係殘存之本，但此書非後人輯佚之書，而係兩江總督進獻之本，其書罕見流傳，是以竹垞注曰「未見」。然而，此書實有殘本存世，若於補正《經義考》之時，能夠補入相關資料，將使讀有更多參考資料，以應讀者治經之需，是以筆者整理「春秋類」典籍之時，亦補入許多此類訊息，說法詳見下文【考證篇】，茲不贅錄。

（七）未見之籍，世間已無傳本

竹垞所注「未見」之籍，有許多的典籍，世間已無傳本，理應改注曰「佚」，例如：《經義考》卷一七五，沈宏《春秋嘉語》[135]、沈仲義《春秋穀梁傳集解》[136]等書屬之，而衡諸竹垞著錄體例，諸如此類典籍，理應改注曰「佚」，以符合其實情，說法詳見下文【考證篇】，茲不贅錄。

根據上述考證得知：《經義考》著錄經籍之時，兼注其存佚情況，然竹垞將其分為「存」、「佚」、「闕」、「未見」四例，其中「未見」之例，界於「存」、「佚」、「闕」三者之中，未能明白考出典籍存佚情況，實有重考的必要。筆者逐一檢視相關文獻，藉以審議其實情，可以重新補證者多矣。又竹垞考察典籍存佚方面，誤考情況嚴重，此乃礙於當時環境所限，實難以避免，昔日四庫館臣曾糾舉其失，但已能體諒竹垞當時的環境，是以能為之諒矣。筆者在重考經籍存佚之時，除了補訂竹垞誤考之失外，也嘗試加入版本、藏地的說明，藉以補正竹垞誤判、漏略之失，說法詳見下文【考證篇】。

七、體例的失當

竹垞編纂《經義考》之時，由於卷數浩繁，校理不易，兼以成書之後，未能親自領校刊刻，致使其間體例，多有出其體例者也。在下文之中，筆者酌取例證，以見竹垞編輯體例，或有失當之處，說明如下：

（一）著錄來源，標示不一

竹垞在作者、書名之下，多標注著錄來源，以示資料有所依據，非憑空杜撰者也，例如：《經義考》卷一八六，洪興祖《春秋本旨》條下，竹垞注曰：「《通考》：『二十卷。』」[137]，則是書著錄之來源，當係根據《通考》甄錄而來。又《經義考》卷一九二，亡名氏《春秋扶懸》條下，竹垞曰：「《宋志》：『三卷。』」[138]，則是書的著錄來源，係來自《宋志》一書，諸如此類標注方式，將有助瞭解其著錄來源，然審之《經義考》「春秋類」典籍的部份，其中多有未能標示著錄來源者，而徒增讀者考索之不便。例如：《經義考》卷一九四，劉淵《春秋例義》條下，竹垞錄曰：

劉氏淵《春秋例義》

135參考註5，卷一七五，頁656。

136參考註5，卷一七五，頁670。

137參考註5，卷一八六，頁39。

138參考註5，卷一九二，頁168。

佚。139

關於此類的著錄來源，多出自文章載記而來，惜未能標示來源，使讀者無從得知其引用文獻，今考及此條著錄來源，實係摘自歐陽玄〈元故承務郎建德路淳安縣尹眉陽劉公墓誌銘〉一文，案：歐陽玄之節文，見於《經義考》卷一九四，頁二一五，劉彭壽《春秋澤存》條下，其所記墓主即為劉彭壽，彭壽為劉淵之子，竹垞案語云：「按：壽翁為象環先生淵之子，其曰《春秋澤存》者，衍父書而作。」140，竹垞在閱讀文章（序、跋、誌、傳……）之時，如若發現「春秋類」著作之時，便先著錄於端，然後附以相關解題，但此處卻未能標示出處，使得讀者無從考其確切來源，也無法取得相關傳記資料，諸如此類情況，理應直接標示出處，或間接標示參見「劉氏彭壽《春秋正經句釋》」條下，再將相關完整資料，附於劉彭壽條下，如此一來，將使讀者更能瞭解資料之所出，甚且掌握更多著錄來源。

又竹垞漏記書目來源，不僅於佚籍作如是處理，甚且連存籍的著錄，亦無一語論及其中內容，例如：《經義考》卷一九○，劉克莊《春秋揆》條下141；又卷一九一，陳深《清全齋讀春秋編》條下142等資料，竹垞都標示「存」籍，卻無任何片語隻字，以考及是書內容，也未能說明資料出處，諸如此類情況，實需進一步考索各種文獻，始能補足其缺闕。

（二）著錄排列，或有小異

竹垞著錄的通則，凡遇一人數書，俱作分行排列，翁方綱《經義攷補正》卷第一，陳易《易解》、《先天圖說》條下，有如下考訂：

> 《經義考》體例，凡一人數書，俱分行排列，此獨以《先天圖說附於《易解》之下，想其說既佚，不能辨其是一是二，故附於此，後此者同之。143

竹垞著錄的排列方式，如遇一書數書，確實都作分行處理，例如：《經義考》卷一七四，胡訥有四部春秋學撰著，其排列如下：

> 胡氏訥《春秋穀梁傳集解》
>
> 　《七錄》：「十卷。」
>
> 　佚。
>
> 《春秋三傳評》
>
> 　《隋志》：「十卷。」
>
> 　佚。

139參考註5，卷一九四，頁193-194。

140參考註5，卷一九四，頁215。

141參考註5，卷一九○，頁119。

142參考註5，卷一九一，頁153。

143參考註7，卷第一，頁11。

《春秋集三師難》

《七錄》：「三卷。」

佚。

《春秋集三傳經解》

《七錄》：「十卷。」 《唐志》：「十一卷。」

佚。144

衡諸《經義考》的著錄方式，大抵如上排列，然亦有出例者，茲列簡表如下：

作者	書名	出處
劉之遴	《春秋大意》、《左氏》、《三傳同異》	175：654
王元規	《春秋發題辭》、《義記》	175：662
崔子方	《春秋本例》、《例要》	185：845
黃開	《春秋妙旨》、《麟經總論》	186：42
薛季宣	《春秋經解》、《指要》	187：45
范士衡	《春秋本末》、《尊經傳》	189：91
劉伯証	《左氏本末》、《三傳制度辨》	189：101
胡炳文	《春秋集解》、《指掌圖》	194：194

根據上述簡表，我們有如下幾點補充說明：

（一）《經義考》的體例，凡遇一人數書，俱作分行排列，此為常法，但是衡諸全書之中，亦多有出例之處，如劉之遴雖撰有三部典籍，卻僅作一行，實不合於常規。

（二）《經義考》卷一七五錄有四部王元規的撰著，其中《續春秋左氏傳義略》、《左傳音》二書，俱作分行排列，惟《春秋發題辭》、《義記》二書合為一行。又《經義考》卷一八三錄有三部崔子方撰著，其中《春秋經解》作分行處理，而《春秋本例》、《例要》卻合為一行，諸如此類情況，可見其體例安排，實未能完善。

（三）著錄圖書，標準不一

竹垞著錄經籍之時，由於編纂過程費時甚久，是以纂輯體例不斷變化，導致許多未能合乎著錄標準，而有若干出例情況，如以著錄典籍而論，其中裁篇而出，別立一條著錄者多矣，但是許多同出一書的單篇論述，或錄或漏，致使其著錄標準，頗為不一致，而有檢討的必要。例如：《經義考》卷一八八，周孚《春秋講義》一條之下，竹垞按語云：「按：周氏《講義》

144參考註5，卷一七四，頁635。

止及隱公，凡一十六條，附載《蠹齋鉛刀編》。」[145]，而竹垞於《經義考》卷二一○，頁五五五另錄周孚《春王正月說》一篇，惟周氏《講義》收錄十六篇文字，筆者考之如下：

一、〈春秋〉

二、〈元年〉

三、〈春王正月〉

四、〈三月公及邾儀父盟于蔑〉

五、〈五月鄭伯克段于鄢〉

六、〈秋七月天王使宰咺來歸惠公仲子之賵〉

七、〈九月公及宋人盟于宿〉

八、〈祭伯來〉

九、〈冬十有二月公子益師卒〉

十、〈二年公會戎于潛〉」

十一、〈夏五月莒人入向無駭帥師入極〉

十二、〈秋八月庚辰公及戎盟于唐〉

十三、〈九月紀裂繻來逆女冬十月伯姬歸于紀〉

十四、〈紀子伯莒子盟于密〉

十五、〈十有二月乙卯夫人子氏薨鄭人伐衛三年春王二月己巳有食之三　月庚戌天王崩夏四月辛卯尹氏卒〉

十六、〈秋武氏子來求賻〉

上述諸多篇章，合計十六篇，確實同於竹垞所錄之數，而竹垞僅將〈春王正月〉一篇裁篇而出，別立一條著錄，至於其餘十五條內容，則未能同時裁出，且未說明其著錄準繩，顯然造成著錄圖書體例，有著前後不一的缺失。

又竹垞著錄某些典籍，明顯分為若干部分，卻未比照裁篇之法，將其分列條目列之，顯然也有未合著錄法則之失，例如：《經義考》卷二○七，頁四七九錄有張溥《春秋三書》，此書實含《春秋列國論》、《春秋諸傳斷》、《春秋書法解》三書，而竹垞亦僅錄及一處，並未將其他內容裁出，而在著錄體例方面，顯然也有體例未貫之失。

又《經義考》卷一七一，頁五六三錄及冥都《春秋》一書，其下錄及賈公彥之論「賈公彥曰：『冥氏作《春秋》，若《晏子》、《呂氏春秋》之類。』」[146]，而冥都《春秋》一

145參考註5，卷一八八，頁64。

146參考註5，卷一七一，頁564。

書，置入「春秋類」，恐屬不當之舉。案：下文引賈公彥之言，以「冥氏作《春秋》，若《晏子》、《呂氏春秋》之類。」，然竹垞將晏子、呂不韋之書置入「擬經類」，卻將冥氏《春秋》置入「春秋類」，如此的著錄方式，顯然有違其著錄體例。

（四）注明存佚，標準不同

竹垞在纂輯過程之中，兼具經籍存佚的判明，然其判明標準，偶有違乎存佚著錄體例，使得內容有待考訂補正，例如：《經義考》卷一八一，頁八一八錄及劉熙《古春秋極論》一書[147]，該條著錄內容，顯然未能注明存佚為何？亦有標準不一的疏失。又《經義考》卷一八一，頁八二三另錄有馮山《春秋通解》一書，竹垞注明該書為「佚」籍，惟竹垞按語云：「按：《春秋通解》，山自為〈序〉，予家藏集本闕之。」[148]，顯然竹垞家藏典籍之中，尚有殘闕之本，故本應注明「闕」籍，而非以「佚」籍稱之，諸如此類內容，顯然在體例認定方面，多與著錄慣例不合，而有待後世學者訂補者也。

整體而論，竹垞於著錄排列方面，雖多作分行處理，但出例者亦多，諸如此類的情況，雖不會影響讀者判讀其資料，但在編纂方式上，處處可見編纂過程之中，未能確實綜整條例，使其合乎標準規範，顯然《經義考》的內容，尚有若干需要訂正之處。

竹垞在《經義考》的纂輯上，由於編纂時日頗長，是以體例前後之間，偶有錯訛之處，再加上其書纂輯之後，未經竹垞最後定稿，是以在編纂體例方面，難免有前後不一的情況，學者們在利用該書之時，宜稍加注意其編輯體例，才能有效應用其書內容。

八、解題的更竄

竹垞解題的內容，文字異動甚多，或缺字，或增文，或誤倒，或改竄，形式既不一致，但持他書校之，則其訛誤顯然易見，有待重新釐正者也。筆者校理竹垞解題內容，總計有如下幾點情況：

（一）解題漏鈔文句

竹垞解輯錄解題之時，每刪去年月資料，翁方綱《經義攷補正》卷第一，沈該《周易小傳》條下指出：

> 竹垞先生此書所最失檢者，於進表及序跋，多刪其歲月也。今方綱隨所見者補入，亦頗未能詳，謹識於此，以當發凡。149

翁氏對竹垞刪去相關歲月資料，使讀者無從詳考撰作時代，有著無限的感慨，蓋序跋、進表的年月資料，實有助於瞭解成書的時代，也有助於瞭解學術觀念的演變，諸如此類的年月資料，實有其重要價值，但是卻為竹垞所刪略，實為可惜。翁氏有感於此，乃發憤輯錄其漏略

147參考註5，卷一八一，頁818。案：此書實為劉熙古《春秋極論》，而非劉熙《古春秋極論》，說法詳見【考證篇】

148參考註5，卷一八一，頁823。

149參考註7，卷第一，頁12。

資料。據伍崇曜《經義考補正．跋》指出，翁氏曾和丁杰「相約補正《經義考》序尾年月」[150]，而伍崇曜亦自承參與其事，曾經收錄數條資料，以與翁氏相互研問[151]，可見竹垞刪略序跋年月的作法，實有未當之處，而翁氏發凡起例，也引起清儒輯錄序跋年月的興趣，以冀能補其缺失。然而，清儒輯錄相關資料，常以隨見隨錄的方式，用以輯錄序跋的年月資料，是以所收錄的內容，則未能盡善，今參考其輯錄方式，將《經義考》「春秋類」典籍的解題闕漏年月，製成〈附表二〉《經義考》輯錄序跋漏略年月表，附於本章之末，讀者可以參看該表內容，進而瞭解竹垞漏略的序跋年月資料。從簡表內容得知：竹垞刪略序跋年月資料，其數量頗多，而透過筆者整理的簡表，業已超出清儒整理的成績，然仍需進一步整理資料，以冀其全。此外，其餘類此之例甚多，竹垞不僅有意刪去序跋年月資料，也同時刪去其餘資料，且其剪裁之法，實隱含一定的法則，由於所涉甚雜，說法已見於第三章第一節「《經義考》解題變動因素分析」，茲不贅述。據此，竹垞解題的內容，實與原書文句多有出入，是以讀者若僅查考《經義考》的內容，而未能確實還原引書來源，將致喪失許多參考的文獻，是以讀者應用此書之時，宜特別細加注意。

（二）解題多有異文

《經義考》的解題內容，所涉及各經學家的傳記資料，而其中多有異文之誤，惜歷來校勘其書的學者，多未能仔細審訂文句，因而錯失訂正機會，而相關異文之例證，詳見本書第三章第二節〈《經義考》「春秋類」解題校勘析例〉一文，該文有詳細說明，茲不贅述。透過校讎異文之過程，我們能確實發現竹垞引文之誤，但是並非所有異文，都是竹垞衍生之訛誤，其中某些異文內容，係版本流通過程之中，輾轉產生的疏漏，例如：點校本《經義考》的句讀或文字，亦多有疏誤之處，諸如此類疏失，在在顯示出此書難於整理，若無法從事大規模的校理工作，將無法有效發現竹垞引文的價值，是以有關朱書解題異文的整理，實有待學者們糾集人力，始能確實為之。

又古書保存極其不易，雖有珍籍善本之籍，能夠流傳至今，但在流傳過程之中，往往會因各種的情況，而造成古籍闕損之情況；或因原書刊印不良，而造成許多傳本文字，或有闕漏之文，或是漫漶難識，而有破損情況。因此，如要正確的運用《經義考》的全書內容，必先透過校勘程序，才能掌握正確資料，以進行經學的研究工作。筆者從校理解題過程之中，發現其書雖多異文，但是並非所有異文，都是竹垞擅改、誤奪所致，其中有不少內容，亦能補訂現今傳本漫漶不清之處。例如：《經義考》卷一八八，劉夙《春秋講義》條下，竹垞引「葉適〈志墓〉」如下：「葉適〈志墓〉曰：『……自出新義，爾雅獨至。』」[152]，今考之四部叢刊本《水心先生文集》卷十六，〈著作正字二劉公墓誌銘〉一文[153]，其中「至」字，原文漫漶而難識，今據竹垞所見之本，得以補錄「至」字，由此可見，竹垞所引之文，

150參考註7，伍崇曜〈跋〉，跋1。

151參考註7，伍崇曜〈跋〉，跋1。

152參考註5，卷一八八，頁74。

153葉適：《水心先生文集》卷十六，〈著作正字二劉公墓誌銘〉，（台北：民國商務印書館四部叢刊影印明黎諒刊黑口本），頁187-190。

由於所見版本的時代，較於現代早三百年之久，卻已有版本校讎之效，可據該書內容，以補錄今本闕漏之處。

又《經義考》卷一八八，徐得之《春秋左氏國紀》條下，竹垞引陳傅良〈序〉文，有如下文句：「陳傅良〈序〉曰：……《左氏》亦始合事言，二史與諸書之體，依經以作傳。」154，今查考四部叢刊本《止齋先生文集》卷四○，〈徐得之左氏國紀序〉一文，其中「二史與諸書之體」之「二史」二字，一作□□，則竹垞所引之文，適能訂補原文闕空之處。

又《經義考》卷一八九，鄭可學《春秋博議》條下，竹垞徵引《閩書》之文如下：

> 《閩書》：「可學，字子上，莆田人，受業朱文公，晚以特科授惠州文學，補衡州司戶。」155

今檢得《四庫全書存目叢書》．史部二○六冊，福建省圖書館藏「明崇禎刻本」，即有許多漫漶文句，而難以識讀其文，惟透過竹垞解題內容，適能補入「可學」二字，是以竹垞之引文，雖多為節文，但是亦有其校勘功效。又《經義考》引用《閩書》的解題，即多達一五一條之多，如單以「春秋類」部份，亦有十五筆之數，如取《經義考》所引《閩書》之文，持與原書內容相互校讎，確能增補多處漶漫之文，至於其他相關引書內容，亦有如是功效，由此可見，《經義考》具有高度的校勘成效，實不能等閒視之。

（三）解題名稱錯誤

《經義考》卷帙繁多，允為歷來書目之最，竹垞編纂是書之時，乃是仿效輯錄體書目，遍輯諸家解題，以成其廣博，但在引書題稱方面，則常有錯誤情形。筆者於「朱彝尊《經義考》研究」之中，曾專文探討《經義考》「題稱的標示」，且有如下的感觸：

> 竹垞在《經義考》的編纂，係仿照馬端臨《文獻通考·經籍考》的體例，多輯錄序跋、書目、文集等資料，並兼及方志、墓誌等等，其採書之博，輯錄之富，不得不使人嘆其編纂的用心，也增添本書的研究價值。早期涉於學風未密，訊息不廣，增添學者編纂的困難，尤其涉及文獻收錄的複雜，更增添整合的困難。《經義考》呈現出輯錄體書目的豐富內涵，但是在引書的題稱上，卻有前後不一的情形，這正是輯錄體書目的共通弊病。156

《經義考》的解題眾多，單是解題的題稱，即有不少的錯誤，總計有如下幾項要點，值得我們多加注意：

1、解題標示，多有出例之失

筆者曾檢視竹垞解題的標示，有如下幾點條例：

一、書名、篇名並稱（下略）

154參考註5，卷一八八，頁76。

155參考註5，卷一八九，頁92。

156參考註2，頁166-167。

二、書名（下略）

三、篇名（下略）

四、人名、書名並稱（下略）

五、人名、篇名並舉（下略）

六、人名（下略）

七、人名加上敬稱（下略）

八、缺錄題稱（下略）157

上述諸項條文，係筆者檢視《經義考》全書的引文情況，所得出的共通條例，但衡諸《經義考》「春秋類」典籍的部份，亦多有類似情況。題稱多變的情況，使得體例無法統一，未嘗不是一種缺失。例如：竹垞輯錄解題之時，常渾稱「某人曰」，以代其出處，但是往往某人之論點，或有諸多撰著，而難於一一查考引文來源；或是其解題內容，曾經廣為諸家撰著所引，而竹垞究竟轉引何處，實難於詳考，如能人名、書名並稱，則有助於還原解題出處。

又竹垞於人名標示方面，亦有加上敬稱之詞者，如韓愈（韓子）、周敦頤（周子）、邵雍（邵子）、張載（張子）、程顥（程伯子）、程頤（程子）、朱熹（朱子）等等，均會造成還原原書來源的困擾。又竹垞於親友師長，常會加上「公」、「先生」等尊稱，常會增添讀者考索之難。翁方綱曾考竹垞引作「某公」者，以其不是慣例而非之，例如：《經義攷補正》卷第一，李鼎祚《周易集解》條下云：

> 此條下有潘恭定公序曰一條，其偁潘諡者，潘恩，字子仁，上海人。明嘉靖癸未進士。南京工部尚書，諡恭定，竹垞祖母徐之祖父也。竹垞此書終以家學自敘，儼若用馬班史例自成一家之言，故於所親不敢偁名如此，然義取尊經，考當紀實，司徒掾班彪，尚偁於漢書贊語，則於潘獨偁其諡，徒以留待後人考索耳。158

觀翁氏考訂的內容，指明竹垞有「親長不敢稱名之例」，並對於此項的作法，頗不以為然，以其「徒以留待後人考索耳」，因而贊成竹垞原來稱名之例，而審之《經義考》「春秋類」典籍的解題，亦有稱「某公」之例，如《經義考》卷一六八，《春秋古經》條下，有如下引文：

> 鄭公曉曰：「杜氏謂獲麟而作《春秋》，范氏言作《春秋》而麟至，杜說是也。司馬公言『《春秋》文成數萬』，張晏數之，纔得萬八千字；李氏數之，更闕一千四百二十八字。《公》、《穀》書『孔子生』，《左氏》書『仲尼卒』，皆非《春秋》本文。」159

苟若不知竹垞有稱「公」之例，則遍尋「鄭公曉」之名，將難於查考引文出處，今查考鄭曉：

157參考註2，頁166-170。

158參考註7，卷第一，頁7-8。

159參考註5，卷一百六十八，頁506。

《端簡鄭公文集》卷一，〈春秋說〉之文，即得上述引文，乃是出自「鄭曉」之書，非係出自「鄭公曉」之書，而「公」字，乃係尊稱者也。

又竹垞解題標示方式，由於未能標示全稱，易於造成讀者的誤解，其中又以〈序〉、〈跋〉之文為甚。例如：《經義考》卷二百八，張氏《春秋說苑》條下引沈演〈序〉如下：

> 沈演〈序〉曰：「張子吾因也，少受《經》吾家，晚多自得。會諸家言胡氏《春秋》者，著精汰秕，編曰《說苑》，蓋舉業定本也。」160

由於此文置於張氏《春秋說苑》條下，會讓讀者誤認此序係《春秋說苑．序》，然考其所錄序文，當係《麟經統一．序》，而非《春秋說苑．序》，竹垞未能明白標示全稱，易使讀者產生錯誤認知，若是讀者不察其故，必會誤認此文的全稱。

又竹垞標示題稱方式，有同出於一書，但標示方式不同，致有錯誤之例，例如：《經義考》卷一七三，士燮《春秋傳注》條下引「《吳錄》」之文如下：

> 《吳錄》：「士燮，字彥威，蒼梧廣信人。少游學京師，事潁川劉子奇，治《左氏春秋》，補尚書郎，遷交趾太守，耽翫《春秋》，為之注解。陳國、袁徽與尚書令荀彧書曰：『交趾士府君官事小閡，輒翫習《書》、《傳》，《春秋左氏傳》尤簡練精微，吾數以咨問傳中諸疑，皆有師說，意思甚密，又《尚書》兼通古今，大義詳備。聞京師古今之學是非忿爭，今欲條《左氏》、《尚書》長義上之，其見稱之。』」161

翁方綱《經義考補正》指出：

> 此條下所引《吳錄》當作《吳志》；其「見稱之」，「之」字當作「如此」二字。（卷七，頁九）

今考本文出自《三國志．吳書》卷四九，頁一一九一。依據《經義考》卷一七三，頁六○五，張昭《春秋左氏傳解》條下、卷二○九，頁五三七，韋昭《春秋外傳國語注》條下俱引作「《吳志》」之例，此條解題應題「《吳志》」，然竹垞同出於《三國志．吳書》之文，一題作「《吳志》」，一題作「《吳錄》」，二者標示方式並不一致，而衡諸使用慣例，應以《吳志》為宜，此或即翁方綱補正所據之本，今從之，應改作「《吳志》」，此為引書書名體例不一，因而有誤者也。

綜合上文所述，竹垞標示解題的方式，往往未能統一體例，不僅編纂標準不一，且易使讀者有誤認之失，故而標示題稱宜用全稱，不僅能使解題出處易於還原，且不致於使讀者有錯認解題標示之失，諸如此類的情況，其例證隨處可拾，茲不贅舉，讀者使用《經義考》解題之時，宜審慎用之，最好能夠確實還原原文，方能避免有誤用之失。

2、解題名稱，漏題撰者之名

竹垞在解題名稱方面，往往僅取一人之名以代之，惟審視其實情，或有無法確實反映實

160參考註5，卷二百八，頁527。

161參考註5，卷一七三，頁604。

情，甚至漏題撰者之名，因而產生錯誤之情形。例如：竹垞兩載於李明復〈奏舉狀〉一文，一見於《經義考》卷一百九十，頁一一八，龍淼《春秋傳》條下；又載於同卷，頁一二二，黃仲炎《春秋通說》條下，所題均以「李明復」為代表，然該〈狀〉實為游佀、李鳴復合撰之文，如僅題作「李鳴復」者，則漏去「游佀」之名，如據其實情，當題作「李鳴復、游佀等端平三年〈奏舉狀〉曰」。

又竹垞屢次徵引「張萱曰」，惟考其出處，係出於《內閣藏書目錄》，然此目係張萱奉敕編撰之籍，同時參與編撰者，還有大理寺左寺副能孫能傳及中書舍人秦焜、郭安民、吳大山等人，若僅以「張萱曰」代稱所有撰書之人，則是否合適，恐有待商榷之處。

竹垞於解題名稱方面，往往漏題撰者之名，如徵其原因，或為求省便所致。此外，也受限於題稱方面，未能使用作者、書名俱題之例，諸如此類題稱方式，實有待商榷之處。如果面臨上述情況，若是同屬二人撰著之書文，則應同出二人之名；如遇眾人合撰之籍，則舉一人代稱，但應於人名之末，加入一「等」字，以示其書非一人之作，如此一來，方能反映其真實情況。

3、解題名稱，偶有錯題之失

審之竹垞解題的名稱，偶有緣於文字相近，或係內容相似，而有錯題解題之失。例如：《經義考》卷一六八，《春秋古經》條下引「孔復曰」，其文如下：「孔復曰：『《春秋》有貶而無褒。』」[162]，王樵《春秋輯傳》所錄《春秋宗旨》曾徵引及上文[163]，惟作者題為「孫復曰」，故「孔復」實為「孫復」之誤，蓋因「孫」、「孔」二字相近，因而誤題解題名稱。

又竹垞徵引前人文獻之時，常輒轉引錄他人二手資料，而未能確實還原引文出處，使得解題的題稱內容，未必確切符合實情。例如：《經義考》卷一百七十五，李謐《春秋叢林》條下，竹垞引《冊府元龜》之文如下：

> 《冊府元龜》：「李謐，涿郡人。鳩集諸經，廣校同異，比《三傳》事例，名《春秋叢林》十二卷。徵拜著作佐郎，辭以授弟郁。」164

今考此文的原始出處，當是出自《魏書．逸士傳》之文，竹垞僅見《冊府元龜》所錄內容，並且加以轉錄其文，而未能根據原始出處，使得解題的名稱，實未合原始出處，而終究未能完善。又此類例證隨處所拾，茲再引一例，以見一斑。案：《經義考》卷二百八，楊氏《春秋質疑》條下，竹垞徵引「李光縉曰」之文如下：

> 李光縉曰：「胡康侯當宋南渡時，折衷《春秋傳》以進，其意主於納牖，不無附會，

162參考註5，卷一六八，頁492。

163王樵：《春秋輯傳》（台北：臺灣商務印書館，「景印文淵閣四庫全書」冊一六八，民國七十五年三月，初版），頁340下欄。

164參考註5，卷一七五，頁669。

先生讀《春秋》，不滿胡氏說，輒致疑焉，彙而成書。」165

楊氏《春秋質疑》一書，實為楊于庭所撰，《經義考》兩見於卷二○五，頁四三七、卷二○八，頁五二七，竹垞未見其書，故不知李光縉之說，悉數抄自邱應和《春秋質疑．序》，故此處所引「李光縉曰」之文，若能改錄邱〈序〉之文，將更能契合實情，也能提供讀者更多參考資料。

又竹垞參考諸多文獻，常有改動解題之舉，是以幾經改動併合之下，使其所引解題內容，已與題稱來源不合，反而近似他籍之文，因而增加讀者使用的困擾，也使竹垞引錄解題名稱，猶有重新考校之處。例如：《經義考》卷一九九，高允憲、楊磐《春秋書法大旨》條下，竹垞引「張萱曰」之文如下：

張萱曰：「洪武中，國子博士高允憲、助教楊磐奉旨編修。因聖《經》以考《三傳》，依啖、趙《纂例》分類，刪繁節要，凡二十三則。」166

今考《內閣藏書目錄》卷二，高允憲、楊磐《春秋書法大旨》條下，有解題如下：

國子博士高允憲、助教楊磐奉旨編次，悉因聖經以考《三傳》，及杜、何、范、啖、趙、程、胡、陳、張之說，依啖、趙《纂例》分類，刪其繁冗，撮其樞要，凡二十三則。167

二相比較之下，雖重複之文頗多，但是內容變動頗大，今考黃虞稷《千頃堂書目》卷二，亦有近似解題如下：

洪武中，國子博士高允憲，助教楊磐奉旨編次，依啖、趙《纂例》分類，刪繁節要，凡二十三則。168

據此，竹垞所引之文，近同於黃虞稷之說，雖然黃氏之文，或是直接根據《內閣藏書目錄》之文改編而成，但是竹垞引文接近黃說，則是不爭的事實。因此，由於竹垞未能據書直錄，致使此處所錄的解題，多參考黃虞稷之說，而非張萱之文，惟其解題卻題作「張萱曰」，則與實情相去較遠，而有商榷餘地。

4、所引之文，非據存書甄錄

竹垞所引之文，常據他書轉錄，卻逕自題作「某某書」者，易使讀者有誤判之失。許鳴鏘《隋書經籍志研究》指出：

165參考註5，卷二百八，頁527。

166參考註5，卷一九九，頁316-317。

167孫能傳等撰《內閣藏書目錄》卷二，(北京：書目文獻出版社，「明代書目題跋叢刊」(上)，一九九四年一月一版一刷)，頁479。

168黃虞稷：《千頃堂書目》卷二，(台北：廣文書局，「書目叢編」「適園叢書影十萬卷樓鈔本」，民國五十六年七月，初版。)，頁36。

唯就清人論之，學者考辨群書，雖據《隋志》所載亡書為言，往往逕稱《七錄》，甚者或沒有出處，狀若親見《七錄》者，以姚振宗《考證》所引書觀之，朱彝尊《經義考》已有此患。169

又喬衍琯先生〈《經義考》及《補正》、《校記》綜合引得敘例〉亦有類似的看法，其說法如下：

朱氏引書，皆現存者，惟阮孝緒七錄已佚，而僅見於隋書經籍志注文，稱「梁有某某書卷若干」者。而朱氏皆直書七錄，一似七錄至今存者，似有未合。然據法應著「隋志著七錄云云」，方合於例，而其亦繁累無取。且此事本亦人所共知，朱氏不為欺人。七也。170

引書當據現存之書甄錄，否則宜標示出處，以明其文之出處，以便於讀者還原其文。竹垞轉錄《隋書．經籍志》所錄《七錄》一書，而逕題作「《七錄》」云云，狀似親見其書，易使讀者誤認《七錄》一書，於清初時期尚存於世間，徒然造成讀者的使用困擾，是以在題稱標示方面，理應根據存書甄錄，如若原書已佚，而係轉錄他書之文，也應標明出處，以示確有實證，方為合宜之作法。

綜合上述所論，竹垞或是誤題標示，致使難以詳考引文出處；或係漏題撰者之名，致使解題內容，全部歸於一人之手，而與實情不符；或係轉錄後出之文獻，而未能還原其原始出處，使得題文未必契合；或係轉錄佚籍殘文，未能根據存書甄錄，諸如此類標示方式，實有重新檢討的必要，筆者於還原引文之時，得考其相關錯誤，說法詳見下文【考證篇】。

（四）解題排列有誤

竹垞編纂《經義考》之時，由於輯錄解題甚多，是以排列方式，大致依據時代先後，加以排列其順序，前人糾舉其失之時，常能針對竹垞解題的排列方式，提出若干的修正。例如：翁方綱《經義攷補正》卷第一，《春秋古經》條下，翁氏云：

莊周條內「先生之志也」，「也」字刪。

又按：莊周以下三條應移置孟子條後。171

根據姜亮夫《歷代人物年里碑傳綜表》的考證，孟軻生於周烈王四年，西元前三七二年；而莊周生於周烈王七年，西元前三六九年172，二者相較之下，孟軻出生時代略早於莊周，故

169許鳴鏘：「隋書經籍志研究」，（台北：《國立臺灣師範大學國文研究所集刊》二十九號，民國七十四年六月），頁769。

170喬衍琯：〈《經義考》及《補正》、《校記》綜合引得敘例〉（台北：《書目季刊》，民國七十四年三月，十八卷第四期），頁35-36。

171參考註7，卷第七，頁89。

172姜亮夫纂定、陶秋英校《歷代人物年里碑傳綜表》（台北：文史哲出版社，民國七十四年二月再版），頁4。

翁氏修正「莊周」、「女子」、「公扈子」、「孟軻」四條解題的排列順序，實有其獨到見解。

解題排列的次第，除了便於檢閱諸家說法之外，也能查考學說演變順序，是以排列順序之誤倒，除了不便於讀者使用之外，也涉及排列次第正誤之辨。例如：《經義考》卷一八三，葉夢得《春秋讞》條下，竹垞引真德秀之文如下：

> 《春秋讞》、《考》、《傳》三書，石林先生葉公之所作也。自熙寧用事之臣倡為『新經』之說，既天下學士大夫以談《春秋》為諱有年矣。是書作於絕學之餘，所以闢邪說，黜異端，章明天理，遏止人欲，其有補於世教為不淺也。公之聞孫來守延平，出是書鋟木而傳之，蓋有意於淑斯人如此，學者其勉旃。173

翁方綱《經義攷補正》卷第八曾有如下考訂：

> 「真德秀曰」，「曰」上脫「〈跋〉」字，下脫「右」字；「公之聞孫」，「聞」當作「文」。
>
> 按：西山此〈跋〉在《春秋傳》後。174

竹垞所引真德秀之說，實出於葉夢得《春秋傳》的〈跋〉文，理應置於《春秋傳》之末，而竹垞反置於《春秋讞》之後，未能調整解題次第，使得解題排列有誤，而有待學者重新釐正其順序，以免使讀者有錯認之失。

又《經義考》卷二○二，王樵《春秋凡例》條下，竹垞引「樵〈自序〉曰」，由於此篇序文置於《春秋凡例》之下，又題作王樵〈自序〉，當使讀者誤以此〈序〉為《春秋凡例．序》，然考此序出自王樵《方麓集》卷二，頁一三七至頁一三八，題作〈春秋私錄序〉，故此文非但不是《春秋凡例．序》，也非《春秋輯傳．序》，故是篇序文雖為王樵之〈序〉，但是不當置於《春秋凡例》條下，也不應稱作〈自序〉，是則題稱方式，不僅排列順序有誤，且其題稱俱誤，讀者若不能細考之，將易有錯認序跋之失。

（五）解題出典未明

明末清初之際，學風流於空疏，公然剽竊之舉，亦時處可見，今考竹垞的引書情況，雖未有剽竊之舉，但是所錄內容，未能正確標示引文來源，平添讀者考索之困擾，而此一編纂之失，實係承自前人之弊，且多屬於此期學者的共同產物。盧仁龍〈《經義考》綜論〉曾有如下評斷：

> 朱、孫原書(指《授經圖》、《五經翼》等書)本沒有詳明出處，清初學風未密，所以朱彝尊難免也承此弊，不應深責。175

清代學風未密，竹垞承自《授經圖》、《五經翼》之弊，而未能詳引文獻出處，而竹垞襲其

173參考註5，卷一八三，頁865。

174參考註7，卷第八，頁108。

175參考註125，頁427。

體例，實係受到時代的限制，雖不宜深責其過，但是學者在應用其引文之時，實應仔細核其出處，以免有誤用之情形。洪湛侯《中國文獻學新編》曰：

> 編纂圖書資料，其中的重要引文，必須注明出處。重編的書，出處漏載、誤載的，都要覆核、增補或訂正。（176）

編纂圖書資料，理應注明出處、卷頁，方能便於讀者覆核、訂補，也有助於徵引、利用，如此方能確實「反映出所編書籍資料的質量」（177）。竹垞雖然深知引文之法，但在輯纂《經義考》之時，卻未能完全標示出處，而僅僅標明「某人曰」，以代其出處，例如：引「錢謙益曰」，其出處的來源有三種，一是《列朝詩集小傳》，二是《初學集》，三是《有學集》178，是以同引「錢謙益」者，實出自三部典籍，如未能詳考其出處，又如何得知其確切出處。又或是題稱不同，但其來源卻同屬一書，例如：竹垞引自《文獻通考．經籍考》的資料，其標示有「陳振孫」、「晁公武」、「《通考》」、「朱子」、「《中興藝文志》等七十二種不同的題稱179，係來自《文獻通考．經籍考》一書，諸如此類的標示方式，皆因出典未明所致，而觀其此類作法，也必將增加讀者查考困難，而不便於使用。今觀竹垞輯錄前人解題之法，雖不致於公然剽竊前人之說，但是不便於讀者轉用，卻是不爭的事實。因此，筆者擬仿錢熙祚查考《古微書》出處的方式，並附記在各項引文之下，以補竹垞編纂體例之失。

綜合上述所論，《經義考》輯錄眾多解題，雖有助於經義的考證，但礙於未能指明其出處，使得讀者無法妥善利用其書，以進行相關的研究，且竹垞的引文資料，刪裁訛增之例有之，如能還原相關文獻，將有助於考證工作的進行，也能尋出更多文獻資料，如此一來，才能真正有助於治經之業。

（六）妄自併合解題

竹垞在輯錄解題之時，有妄自併合解題之失，筆者曾於〈《經義考》引文方式的分析〉一文之中，如著有下評論：

> 竹垞在整編文獻時，常會併合資料，導致原應獨立成為二筆的資料，卻因竹垞的處理不當，使得引文未能符合原文，雖有助於參考之用，但非原來的文句，故離其本實甚遠。180

176洪湛侯：《中國文獻學新編》，（杭州：杭州大學出版社，一九九五年六月），頁236。又此書在台灣重新發行，書名改作《文獻學》（台北：藝文印書館，民國八十五年三月初版）

177參考註176，頁236。

178楊晉龍：〈四庫全書處理經義考引錄錢謙益諸說相關問題考述〉，（高雄：國立師範大學國文學系，《第七屆所友學術討論會論文集》，民國八十七年五月），頁31至48。

179楊果霖：〈《經義考》徵引《文獻通考．經籍考》考述〉（台北：《孔孟月刊》第三十八卷第十期，民國八十九年六月二十八日），頁29。

180楊果霖：〈《經義考》引文方式的分析〉（台北：《中國文化大學中文學報》第五期，民國八十九年三月），頁203。

衡諸《經義考》的引文，則多有類似情況，例如：《經義考》卷一六八，《春秋古經》條下引徐彥曰：

> 徐彥曰：「古者謂史記為《春秋》，孔子未修之前，已謂之《春秋》矣。據百二十國寶書以為《春秋》，非獨魯也。」

本文見載於《春秋公羊傳注疏》卷六，第三十四頁，「雨星不及地尺而復」之下〈注〉、〈疏〉，惟「古者謂史記為《春秋》」八字，為何休〈注〉文，非徐彥〈疏〉文，竹垞妄自併合，因而致誤，且「據百二十國寶書以為《春秋》，非獨魯也」等十五字，雖為徐彥之〈疏〉，然原文置於《春秋公羊傳注疏》卷六，「內諱奔，謂之孫。」六字之下〈疏〉文，竹垞併合二處〈疏〉文，實則二文非一貫者也。據此，竹垞轉錄「徐彥曰」之文，實係併合何休〈注〉及二處徐彥〈疏〉之文，實則分為三處，作者為二人，而非一人。綜觀竹垞全書，其中涉及併合之例實多，尤其又以方志、史傳、序文等情況最多，讀者徵引其解題之時，宜細加審視，方能避免誤用情事。

（七）解題內容錯置

筆者重考《經義考》解題，發現內容有錯置情形，例如：《經義考》卷一七六，陸質《集傳春秋纂例》、《春秋辨疑》二條著錄之下，各引一篇朱臨〈序〉，竹垞於陸質《集傳春秋纂例》條下的朱臨序文，漏輯「慶曆戊子，吳興朱臨謹序」等十字；卻於陸質《春秋辨疑》條下的朱臨序文，訛增「慶歷戊子」四字，案：「慶歷戊子」當出於朱臨《集傳春秋纂例．序》，竹垞反將其置於朱臨《春秋辨疑．序》，雖同為朱臨〈序〉文，但是一增一減之間，卻造成兩處解題俱誤，實有修正的必要。

又《經義考》卷一九三，杜瑛《春秋地里原委》條下引馬祖常〈碑〉文曰：

> 馬祖常作〈碑〉曰：「公諱瑛，字文玉，其先霸州人。金將亡，避地河南緱氏山中，世祖徵為大名、彰德、懷孟等路提舉學校官，不就。杜門謝客，著書窮學，於世之貴富賤貧，一無所動其心，以優游厭飫於道藝以終其身，所著有《春秋地里原委》十卷、《語孟旁通》八卷、《皇極引用》八卷、《皇極疑事》四卷、《極學》十卷、《律呂禮樂雜說》三十卷。天歷己巳，以孫秉彝貴，贈官翰林學士，階資德大夫，勛上護軍，爵魏國公，諡文獻。」181

馬祖常之文，見之《石田先生文集》卷十一，〈皇元勑賜贈翰林學士杜文獻公神道碑〉，頁二六三至頁二六五。案：如據《石田先生文集》所錄之文，則「天歷己巳」以下諸文，原書置於〈碑〉文之前，竹垞反置之於後，則有前後錯簡之失。

綜合上述所論，竹垞輯錄眾多文獻解題，以成其富博，但是解題內容異動嚴重，甚且多有謬誤之處，實有待重新釐校其文，始能提供讀者正確的內容，惟礙於《經義考》全書內容，其卷帙博富，兼以蒐錄文獻頗多，是以難難逐一校改全書，若是讀者在使用朱書之時，仍應力求慎重，以免有錯用解題之失。

181參考註5，卷一九三，頁175-176。

九、案語的漏誤

竹垞於「春秋類」典籍之中，共有五十六項的案語，係涉及相關典籍的考訂，其中案語總數，位居《易》、《逸經》、《毖緯》、《承師》、《書》、《禮記》六種類目之後[182]，而於五經之中，僅略勝於《詩》類典籍，在眾多案語之中，或考辨偽書風貌，或補證解題內容，或說明作者事跡，或輯錄原書佚文，其所涉內容眾多，遍及各類議題。然而，考諸竹垞案語，或有缺漏，或有謬誤，均有待重新輯證資料，以發其謬誤，補其缺失。總計竹垞案語之謬誤，有著如下幾點缺失：

（一）漏題資料卷帙

竹垞案語內容之中，有部份考訂之文，實有過於簡略之失，而有待學者補足資料，始能提供讀者參考之用，例如：《經義考》卷一七八，尹玉羽《春秋字源賦》條下，有竹垞案語如下：

> 按：尹玉羽，京兆長安人，以孝行聞。杜門隱居，劉鄩辟為保大軍節度推官；仕後唐至光祿少卿。晉高祖召之，辭以老，退歸秦中。《春秋》二書之外，又著《自然經》五卷、《武庫集》五十卷，其行事散見於《冊府元龜》。[183]

竹垞提及尹玉羽的行事，散見於《冊府元龜》，但此書卷帙繁多，究竟出自何卷之中，則未見任何說明，而筆者重檢《冊府元龜》之原文，得知尹玉羽之行事，乃是見於卷五一一、卷七二九、卷七五六、卷八○六、卷八五四、卷八九九等六處，雖未能輯錄相關內容，以利於讀者使用，但是較之竹垞所論內容，則筆者補考之文，更偏於讀者得以參照資料，而有利於查檢尹氏行事。

又《經義考》卷二一○，歐陽修《五石六鷁論》條下，竹垞案語如下：「按：是篇《六一居士集》不載，見《皇宋文選》。」[184]，竹垞僅言其文出自《皇宋文選》，並未言明其卷帙為何？筆者據其指引之文，乃考知此文出自《宋文選》卷一，頁十四至十五，可補竹垞言而未盡之失。

（二）漏略佚文資料

竹垞於考訂案語之中，亦有舉其佚文，藉以證其內涵，例如：《經義考》卷一七二，服虔《春秋左氏傳解義》條下，竹垞案語如下：

> 按：劉昭注《續漢書·禮儀志》引《春秋釋痾》文曰：「漢家郡守行大夫禮，鼎俎籩豆工歌縣。」[185]

竹垞引《春秋釋痾》之文，能使讀者得知其佚文情況，然《春秋釋痾》的佚文，不僅見於此

182參考註2，頁277。

183參考註5，卷一七八，頁751。

184參考註5，卷二一○，頁578。

185參考註5，卷一七二，頁588。

劉昭注文，也見於《初學記》卷二十六「招虞　遺越」條下云：「《春秋釋痾》：何休敏曰：遺越人以章甫冠，終不為惠。」（頁三），筆者於查檢之時，亦能檢得佚文資料，並且補入相關資料之下，能使讀者得知更多資料。

又《經義考》卷一九五，萬思恭《春秋百問》條下，竹垞案語如下：「按：《春秋百問》作於萬思恭，汪氏《纂疏》嘗采其說。」[186]，竹垞僅言汪克寬《春秋胡傳附錄纂疏》嘗采其說，並未錄佚文資料，以供讀者參考之用。筆者考見佚文共計兩條，分別見於《春秋胡傳附錄纂疏》卷一，「首誅其意，以正人心，示天下為公，不可以私亂也，垂訓之大義大矣。」條下，汪克寬徵引「鄱陽萬氏曰：『殺則不言克，克則未嘗殺。』」[187]；又《春秋胡傳附錄纂疏》卷四，「豈無豐年，而不見於《經》，是仲尼於他公皆削之矣。」條下，汪克寬徵引「鄱陽萬氏曰：『諸公之不書有年，不勝其書也。』」[188]，上述二條佚文，均可提供讀者參考之用。

（三）誤考文獻資料

竹垞考訂內容之中，容有謬誤之處，筆者逐一查考案語資料，發現竹垞引證的資料，往往涉有學者生平資料，惜竹垞在引用資料之時，卻有錯看文獻之失。例如：《經義考》卷一八八，陳持《左氏國類》條下，竹垞案語如下：「按：持，字守之，金華人，官迪功郎、筠州高安縣主簿，呂伯恭為作墓志。」[189]，今考呂祖謙（伯恭）所撰之墓志，墓主實為陳亮之從祖，而陳亮為永康人，該篇墓誌亦題作〈永康陳君迪功墓誌銘〉，則陳持為永康人，而非金華人！誌文內說得極其明白。今查檢《東萊集》（四庫本）其後一篇之文，所涉墓主正是金華人。據此，恐竹垞誤看資料內容，而錯將陳持視為金華人。

又《經義考》卷一七一，董子仲舒《春秋繁露》條下案語云：「按：《藝文類聚》有引《決獄》君獵得麑一事。」[190]，今考《藝文類聚》卷六六錄及「田獵」事，其中述及君獵得麑之事，乃是出自「韓子曰」，非「《決獄》」也，原引文作「韓子曰：『孟孫獵得麑，使西秦』」（頁一一七二），係出自《韓非子》卷二二〈說林〉篇，非出自《決獄》之文，又考《白孔六帖》卷二十六，「放麑」條下注文錄有「董仲舒《春秋決獄》」之文，其文曰：「君獵得麑，使大夫持以歸，大夫道見其母，隨而鳴感而縱之，君慍議罪未定，君病，恐死，欲託孤，乃覺之大夫其仁乎，遇麑以恩，況人乎！乃釋之，以為子傅，於議何如？」[191]是以竹垞以為「《藝文類聚》有引「《決獄》君獵得麑」一事，實乃「《白孔六帖》」錄及該

186參考註5，卷一九五，頁236。

187汪克寬：《春秋胡傳附錄纂疏》卷一，(台北：臺灣商務印書館，「景印文淵閣四庫全書」冊一六五，民國七十五年三月，初版)，頁35。

188參考註187，卷四，頁113。

189參考註5，卷一八八，頁65。

190參考註5，卷一七一，頁558。

191白居易《白孔六帖》(台北：臺灣商務印書館影印四庫全書本，冊八九一，民國七十五年三月，初版)，頁423。

一事蹟，此乃竹垞誤記文獻來源，因而考訂有誤也。

（四）統計數據有誤

竹垞案語的統計數據，容或有所疏失，例如：《經義考》卷一八七，陸九淵《太學春秋講義》條下，竹垞案語如下：「右陸氏《講義》凡二十二條。」[192]，竹垞案語說明過於簡略，實有待持續增補訂正，始能明其實情。案：竹垞於《太學春秋講義》卷數注曰「一卷」，然考其所出，係出自《象山先生全集》卷二十三，陸九淵《講義》一卷，但是此卷內容，共分為〈白鹿洞書院講義〉、〈大學春秋講義〉、〈荊門軍上元設廳講義〉等，竹垞將〈大學春秋講義〉裁篇而出，題作《太學春秋講義》，「大」、「太」二字相通。又〈白鹿洞書院講義〉考辨《論語》內容；〈荊門軍上元設廳講義〉考辨《尚書》內容，均與《春秋》經無涉，然《太學春秋講義》是否仍能稱為「一卷」，恐有商榷之處。此外，根據《象山先生全集》卷二十三所錄之文，共有二十四條講義，而非竹垞所題作「二十二條」，是以竹垞統計的數量，蓋一時誤計所致。又根據《象山先生全集》的注文，得考《太學春秋講義》的完成年月，在其考訂講義之中，總計成於「淳熙九年八月十七日」者，計六條；成於「淳熙十年二月七日」者，計九條；成於「淳熙十年七月十七日」者，計五條；成於「淳熙十年十一月二十二日」者，計四條，合計二十四條，歷時一年三月始成，諸如此類的重要內容，卻未見竹垞有任何案語說明，亦有未善之處，今日重考如上，以供讀者參考之用。

（五）引據書名有誤

又竹垞案語所引書名，或有誤失之處，例如：《經義考》卷二一○，俞成《矢魚于棠》條下案語云：

> 按：俞成，字元德，東陽人，宋慶歷中著《螢雪叢談》。其詮矢字，謂三十六家《春秋》皆以矢為觀，非也，引《周禮》「矢其魚鱉而食之」，直作射解。[193]

今考《螢雪叢談》一書，今本全作「《螢雪叢說》」，則竹垞所錄之書名，或有引據失當之處。又「《春秋》」二字，俞成〈矢魚于棠〉一文題作「《春秋解》」，衡諸文意，應以「《春秋解》」為宜。據此，竹垞案語所錄書名，蓋有所失也。

（六）引據內容有誤

竹垞案語內容之中，或有引據前書之文，惟書中文句與原書校勘，或有內容失誤者也。例如：《經義考》卷一七七，韓滉《春秋通例》條下案語云：

> 按：顧著作況撰〈韓公行狀〉云：「賦《春秋》七篇，著《通例》六卷。」與《唐志》不同。[194]

192參考註5，卷一八七，頁60。

193參考註5，卷二一〇，頁574。

194參考註5，卷一七七，頁702。

竹垞所引內容，實出自《華陽集》一書[195]，書中「七篇」實作「七章」，而竹垞題作「七篇」，實有未合於原文之失。

綜合上述所論之文，竹垞於考證案語之中，雖有若干參考功效，但是內容或有漏誤，讀者於應用《經義考》案語之時，宜再仔細分辨其文，藉以避免其失。整體而論，竹垞案語內容，或有若干問題，值得後人仔細釐正。

〈附錄一：竹垞徵引「呂大圭曰」一文漏誤文句表〉

位置	異動數量	文字異動
「聖人從而修之」六字之下	缺漏二百九十七字	則其所謂扶天理而遏人欲者何在？曰『惟皇上帝降衷于下民，若有恤性而綏猷之責，則后實任之，堯、舜、禹、湯之聖達而在上，所以植立人極，維持世道，使太極之體，常運而不息，天地生生之理，常發達而不少壅者，為其能明天理以正人心也。』周轍東，王迹熄，政教失，俗敗壞，修道之教不立，而天命之性，率性之道，幾若與之俱泯泯昧昧而不存者，君臣之道不明也，上下之分不辨也，義利之無別也，真偽之溷淆也。諸侯僭天子，大夫僭諸侯，而世莫知其非也。臣弒君，子弒父，強并弱，下簒上，而世莫知其亂也，其所施為盡反王制，而失人道之正，而世莫知其不然也。孔子雖聖，不得位則綏猷修道之責，誰實尸之，然而不忍絕也，於是以其明天理、正人心之責，而自任焉，六經之書，皆所以垂世教也，而《春秋》一書，尤為深切。故曰『我欲載之空言，不如見諸行事之深切著明也。』
「其義則異矣」五字下	缺漏二百三十二字	魯史所書，其君臣之義，或未明也，而吾聖人則一正之以君臣之義，魯史所書其上下之分，或未辨也。而吾聖人則一正之以上下之分，夷夏之辨，未有明者，吾明之，長幼之序，有未者，吾正之。義利之無別也，吾別之；真偽之溷淆也，吾析之，其大要則主於扶天理於將微，遏人欲於方熾而已，此正人心之道也。故曰：『禹抑洪水，而天下；平周公膺戎狄，驅猛獸而百姓寧。』孔子成《春秋》，而亂臣賊子懼，孔子之成《春秋》，不過空言爾，而其功配於抑洪、膺戎狄，豈非以其正人心之功，尤大於放龍蛇、驅虎豹之功乎！故曰：『《春秋》，天子之事也』，何者？人性之動，始於惻隱，而終於是非，側隱發於吾心，而是非公乎天下。
「天理」二字下	缺漏一字	素

195文見於顧況《華陽集》(台北：臺灣商務印書館，「景印文淵閣四庫全書」冊一○七二，民國七十五年三月，初版)卷下，頁558-561。又原篇名為〈檢校尚書左僕射同中書門下平章事上柱國晉國公贈太韓公行狀〉，竹垞案語所云，僅為省稱。

「人心」二字下	缺漏一字	素
「以榮辱為是非」六字下	缺漏二百九十八字	世之所謂亂臣賊子，恣睢跌蕩，縱人欲以滅天理者，豈其悉無是非之心哉？故雖肆意所為，莫之或制，而其心實未嘗不知其非，而意夫人之議己，此其一髮未亡之天理也。惟其一髮未亡之天理，不足以勝其浸淫日滋之人欲，是以迷而不復，為而不厭，而其所謂自知其非者，終自若也，則其心未嘗不欲變亂天下之是非以託己於莫我議之地，既幸而上無明君為之正王法，以定其罪，而又幸而世教不明，人心不正，習熟見聞，以為當然，曾莫有議其非者，則為亂臣賊子者，又何其幸之，又幸邪？是故唐虞三代之上，天理素明，人心素正，是非善惡之論素定，則人之為不善者，有不待刑罰加之，刀鋸臨之，而自幾若無所託足於天地間者，世道衰微，天理不明，人心不正，是非善惡之論，幾於倒置，然後亂臣賊子始得以自容於其間，而不特在於禮樂、征伐之無所主而已也。
「以詔天下」四字下	缺漏一字	與
「蓋是非者」四字	訛增一字	蓋
「人心之公理」五字下	缺漏一字	而
「固有犁然當於」	異文一字	「於」當改作「乎」字。
「操賞罰之柄」五字下	缺漏十六字	借曰：道之所在，獨不曰位之所不可得乎！
「不」字之前	缺漏二字	固將
「不大矣乎」四字下	缺漏一百零三字	孟子斷然以為有一治之效，蓋真有見乎此，夫使先王之紀綱法度，既已蕩然不存，天子之禮樂征伐，既已不能自制，其所恃以僅不泯者，獨有人心是非之公理爾，而又顛倒錯亂，貿貿不明，則三極果何恃以立人道，果何恃以存乎，此固《春秋》一書，所以有功於萬世也。
「世儒」二字下	缺漏八字	不明乎孟子之說，遂
「賞罰之權而已」六	缺漏六十	夫謂天子之事，止於制賞罰之權，而綏猷修道之責，乃不暇問，則是劉漢以後之天子，而非唐虞三代之天子矣，為是說者，不惟不知《春秋》，抑

字下	五字	亦不知所謂天子之事者也。
「聖人」二字下	缺漏一字	宜
「位之所在乎」五字下	缺漏一三九字	或曰：夫子之為是也，非以諸己也。夫子以魯有可以變而至道之質，是以託諸魯律天下之君大夫，其賞之也。非曰：吾賞之也，魯賞之也，其罰之也。非曰：吾罰之也，魯罰之也，魯周公之後，而聖人之祚嗣也，賞罰之權，夫子不以自執，推而予之於魯，魯亦不能以自有，推而本之於周，周之典禮，周公之為也，以周公之後而行周公之典禮，或者其庶幾乎，此聖人意也。
「乃」字	異文一字	而
「夫子」二字下	缺漏二字	乃固
「夫子」二字下	缺漏十一字	為其實，而魯獨受其名，夫子
「不敢」二字下	缺漏一字	以
「義理之當然」五字下	缺漏七字	於是過為之論，意
「虞韶」二字	異文二字	韶樂
「繆妄之論」四字下	缺漏二十二字	其大要則皆主於以禮樂賞罰之權，為聖人自私之具爾。
「孔子」二字下	缺漏一字	之
「謂其修於」四字	訛增一字	「於」字當刪。
「學者」二字下	缺漏四字	學不知道

〈附錄二〉《經義考》輯錄序跋漏略年月表

書名	作者	卷	頁	撰序者	缺漏年月	出處
《春秋繁露》	董仲舒	171	551	歐陽修	景祐四年四月四日書	《國立中央圖書館善本序跋集錄》頁三八一
《春秋繁露》	董仲舒	171	552	樓鑰	嘉定三年中伏日	《國立中央圖書館善本序跋集錄》頁三八三。
《春秋繁露》	董仲舒	171	557	樓郁	慶曆七年二月	《國立中央圖書館善本序跋集錄》頁三八四。
《集傳春秋纂例》	陸質	176	695	朱臨	慶曆戊子	《國立中央圖書館善本序跋集錄》頁三九二。
《春秋辨疑》	陸質	176	700	華察	是歲（嘉靖）庚子（十九年）三月既望	《國立中央圖書館善本序跋集錄》頁三九三。
《春秋經傳類對賦》	徐晉卿	180	788	徐晉卿	皇祐 3 年正月望日	翁方綱《經義攷補正》7:104
《春秋傳》	程頤	182	837	程頤	宋崇寧二年癸未四月乙亥	《國立中央圖書館善本序跋集錄》頁三二○
《春秋通訓》	張大亨	183	853	張大亨	崇寧元年二月二日	張大亨《春秋通訓》卷六，〈春秋通訓後敘〉，四庫全書本，月一四八，頁六三三。
《春秋指南》	張根	183	859	汪藻	紹興十年七月	翁方綱《經義攷補正》8:107
《春秋傳》	葉夢得	183	865	真德秀	開禧乙丑九月一日	翁方綱《經義攷補正》8:108
《春秋傳》	葉夢得	183	867	葉筠	開禧乙丑歲九月一日	葉適：《葉氏春秋傳》卷二十，頁一二○二一
《襄陵春秋集傳》	許翰	184	887	李綱	建炎己酉歲正月五日武陽李綱書	李綱《梁谿集》卷一六三，〈書襄陵春秋集傳後〉，頁七一九。
《春秋後	陳傅	187	52	樓	開禧 3 年冬至日	翁方綱《經義攷補正》8:111

傳》	良			鑰		
《春秋後傳》	陳傅良	187	53	周勉	嘉定元年七月朔日	陳傅良《止齋先生春秋後傳》，頁一二○二四
《左氏博議》	呂祖謙	187	56	呂祖謙	乾道九年五月初四日	胡玉縉撰、王欣夫輯《四庫全書總目提要補正》頁一七一
《春秋左傳類事始末》	章沖	188	69	章沖	淳熙丁未十月	翁方綱《經義攷補正》8:112
《春秋左傳類事始末》	章沖	188	70	謝諤	淳熙１５年１２月	翁方綱《經義攷補正》8:112
《春秋集注》	張洽	189	90	納蘭成德	康熙丁巳二月	張洽：《春秋張氏集注》〈清江張氏春秋集注序（納蘭成德）〉，冊二三，頁一三一一四。
《春秋五論》	蔡沆	189	96	熊禾	至元癸未仲夏端陽日	《蔡氏九儒書》((《四庫全書存目叢書》集三四六冊，頁七五五。
《春秋五論》	蔡沆	189	96	蘇天爵	大德丁酉十月立冬日	《蔡氏九儒書》((《四庫全書存目叢書》集三四六冊，頁七五五。
《春秋五論》	蔡沆	189	9７	余用賓	泰定甲子重陽日	《蔡氏九儒書》((《四庫全書存目叢書》集三四六冊，頁七五五。
《春秋通說》	黃仲炎	190	122	李鳴復	端平三年七月□日	黃仲炎：《春秋通說》，頁一二九八四。
《春秋王霸列國世紀編》	李琪	191	128	李琪	嘉定辛未七月	翁方綱《經義攷補正》8:114
《春秋王霸列國世紀編》	李琪	191	129	周自得	至正乙酉歲八月壬子朔	根據「通志堂本」，周自得序文，頁一二九二二。
《春秋左	朱申	191	138	王	正德癸酉二月既望	《國立中央圖書館善本序跋集錄》頁

傳節解》				鍪		三六八
《春秋或問》	呂大圭	191	145	何夢申	寶祐甲寅正陽之月	翁方綱《經義攷補正》8:115
《春秋外傳》	郝經	193	180	郝經	中統六年春二月十三日	《郝文忠公陵川文集》卷二八，〈春秋外傳序〉，頁七二五。
《春秋制作本原》	郝經	193	183	郝經	中統五年歲舍甲子三月晦	《郝文忠公陵川文集》卷二八，〈春秋制作本原〉，頁七二一。
《春秋三傳折衷》	郝經	193	192	郝經	中統六年春二月辛丑朔	《郝文忠公陵川文集》卷二八，〈春秋三傳折衷〉，頁七二四。
《春秋諸國統紀》	齊履謙	194	209	齊履謙	延祐四年丁巳夏六月乙未朔沙鹿齊履謙謹書	《春秋諸國統紀》目錄．（通志堂經解本冊二十四），頁一三八○八。
《諸國春秋統紀》	齊履謙	194	212	柳貫	泰定二年八月廿一日東陽柳貫序	《柳待制文集》卷十六，頁二一二。
《春秋左氏綱目》	安熙	194	214	蘇天爵	至治二年三月丙子門生蘇天爵狀	《滋溪文稿》卷二十二，頁八五八。
《春秋本義》	程端學	195	226	程端學	泰定丁卯四月既望四月程端學序	翁方綱《經義攷補正》8:117；又「通志堂經解本」程端學《春秋本義．序》，冊二十五冊，頁一三八五六。
《春秋本義》	程端學	195	227	張天祐	至正五年十二月望日金華張天祐書	「通志堂經解本」程端學《春秋本義》〈張天祐序〉，冊二十五冊，頁一三八五五。
《春秋左氏傳類編》	魏德剛	197	269	楊維楨	至正十四年秋七月朔	四部叢刊縮編本《東維子文集》卷六，頁四五。
《春秋集傳》	趙汸	198	285	汪元錫	嘉靖１１年７月	翁方綱《經義攷補正》8:118
《春秋胡傳附錄纂疏》	汪克寬	199	301	汪澤民	時至元再元之四年，歲在戊寅春三月一日	《國立中央圖書館善本序跋集錄》頁三二七
《春秋胡	汪克	199	301	虞	至正元年辛巳七月十	《國立中央圖書館善本序跋集錄》頁

傳附錄纂疏》	寬			集	有八日	三二八
《春秋胡傳附錄纂疏》	汪克寬	199	303	吳國英	至正八年，歲在戊子正月人日	《國立中央圖書館善本序跋集錄》頁三二八
《春秋詞命》	王鏊	200	335	王鏊	正德十一年序	黃虞稷《千頃堂書目》2:38
《左觿》	邵寶	200	338	邵寶	（嘉靖元年）是歲冬十月朔	邵寶《左觿》〈序〉，《四庫存目叢書》經冊一一七，頁一九三。
《春秋私考》	季本	201	358	唐順之	嘉靖庚戌歲秋九月既望，武進友人唐順之序。	《春秋私考》〈唐順之序〉（《四庫存目叢書》經一一七冊，頁二九一。）
《左粹類纂》	施仁	201	368	黃省曾	嘉靖己丑七月四日	《左粹類纂》〈黃省曾序〉，（子部一七八冊，頁六五四）。
《春秋正旨》	高拱	201	381	高拱	萬曆甲戌七月望	高拱：《高文襄公集》卷三十二，〈春秋正旨序〉，集一○八冊，頁四二九。
《春秋質疑》	楊于庭	205	438	楊于庭	萬曆己亥春王正月穀旦	《國立中央圖書館善本序跋集錄》頁三三四
《春秋匡解》	鄒德溥	205	439	錢謙益	崇禎六年六月	錢謙益《初學集》29:878
《春秋胡傳翼》	錢時俊	206	455	錢謙益	萬歷辛亥	黃虞稷《千頃堂書目》2:43
《春秋歸義》	賀仲軾	206	458	賀仲軾	崇禎十有五年歲在癸未孟夏之吉賀仲軾自序	賀仲軾《春秋歸義》，〈序〉，（續修四庫全書本），頁一八六。
《春秋辨義》	卓爾康	206	459	卓爾康	崇禎辛未中秋	《國立中央圖書館善本序跋集錄》頁三四五
《春秋左傳分國紀	孫范	206	469	孫范	崇禎戊寅序	黃虞稷《千頃堂書目》2:46

事》						
《春秋左翼》	王氏名未詳	208	526	焦竑	萬曆癸卯秋日	《春秋左翼》焦竑〈序〉，經一二二冊，頁二九三。
《春秋外傳國語地名錄》	劉城	209	551	劉城	[崇禎丁丑夏五月]戊辰	劉城《春秋外傳國語地名錄》，經一二八冊，頁五八一。
《春王正月考》	張以寧	210	567	張以寧	洪武 3 年三月三日	翁方綱《經義攷補正》8:129
《春秋名臣傳》	姚咨	211	411	皇甫汸	隆慶辛未秋八月朔，賜進士第天官大夫敕僉雲南憲使吳郡皇甫子循撰。	明邵寶撰,姚咨續補《春秋諸名臣傳》，(四庫全書存目叢書本,史部九八，頁四六四。
《春秋名臣傳》	姚咨	211	412	姚咨	隆慶辛未春三月既望句	明邵寶撰,姚咨續補《春秋諸名臣傳》，(四庫全書存目叢書本,史部九八，頁四六五。

第五章　訂補《經義考》的價值與建議

中國經學的發展，歷經各個朝代的演變，而有著不同形態和特點，王俊義、趙剛在〈窺見清初經學堂奧的力作—評《清初的群經辨偽學》〉中指出：

> 經學歷經兩漢、魏晉、隋唐、宋元、明清等各朝代，在發展演變的過程中，也呈現不同的形態和特點，諸如漢學、宋學(理學)和清代漢學(考據學)等，而魏晉、晚唐宋初、明末清初等時期，都是經學發展演變的關鍵時期。就經學演變的大勢而言，漢人建立了訓詁考據的經學學風，到了宋代，學者們認為漢學未能盡「聖人」之精微，甚至譏刺「漢儒窮經而經絕」，遂大反漢儒之經說，又建立起以闡發義理為主要特徵的「宋學」經說系統，此後全然是宋學籠罩的時代。但至明中葉之後，理學從專講義理走向空談心性，甚至篡改經書本義以合己義，使經學漸失古義，日趨淺薄，遂導致經學衰落。於是明末清初的學者又對宋學進行反省修正，他們擬將經學中非「聖人」所傳的部分加以釐清，重新重視經學研究中的文字、音韻、訓詁工作，由宋返漢，使經學逐漸復興，直接開啟了乾嘉漢學。[1]

上述短短篇幅之中，即對中國經學史的傳承及變化，能做出精闢的解析。經學的傳承，多來自經典著述的解讀，而中國儒學的典籍，在歷經二千多年以後，儒者的研究、訓釋、註疏之後，業已累積成龐大數量，且能形成完整體系。因此，有關二千年來的經籍撰著，也確實需要學者們的整理與編排，始能有利於讀者探索與利用，否則先賢的思想結晶，往往易隨典籍亡佚之後，而漸為世人遺忘。誠然，前賢所撰的經籍撰著，或許已有許多圖書著錄，業已亡佚殆盡，但是盡力搜集相關撰著及解題，將能有助於瞭解經籍內容、體例、價值等等，而這些前人的構思與智慧，卻得以為後人所知曉，縱使原書或已遺佚，而不存於世間，但是相關解題的介紹，卻足以啟發後人研究的構想，也有助於學術的分析，因而有助於經學研究的拓展。

清代初年時期，隨著政治趨於穩定，經濟日趨富裕，再加上科舉制度的重啟，使得民眾的習經之風，日漸風行於世，加以在「回歸原典」[2]的認知之下，學者們對經籍的存佚，以及闕損的狀態，勢必會有一番整合與考訂，而《經義考》的纂輯與成書，即在此一背景之下，以考存輯亡，搜羅歷代經籍為目的，使得經籍的統合工作，邁向一個全新的里程。《經義考》是治經寶典之一，是書內容極為廣博，是以學者多能取法其內容，藉以拓展學術視野，但在取法此書之時，兼能糾正是書之謬，並且補其不足之失，惜後人的考證成果，卻散見於諸書之中，而未能匯聚成冊，是以難以成為讀者治經之用。筆者有鑒於此，乃欲匯聚前賢考辨成

1王俊義、趙剛：〈窺見清初經學堂奧的力作—評《清初的群經辨偽學》〉，(臺北《中國文哲研究通訊》，民國八十三年十二月，四卷四期)，頁99。

2參見林慶彰《明代考據學研究》頁30-31言及「明代考據學之內容」第一項「考經書」即申明此意。(臺北：文津出版社，修訂再版，一九八六年十月)。另外參考林氏〈晚明經學的復興運動〉一文(臺北《中國書目季刊》，民國七十三年十二月，十八卷三期)。

果，並且重考竹垞著錄之誤，更能增補若干解題，以供學界參考、使用，遂以「《經義考》著錄『春秋類』典籍校訂與補正」為題，以考辨專經的方式，逐一審視其中解題，兼考其著錄之籍，補其版本資訊，期能逐步完成訂補的工作，以利學者治經之用。

第一節　訂補《經義考》的價值

《經義考》卷帙博富，解題眾多，而自其成書之後，往往成為學者案頭必備之籍，其書的學術價值，早已無庸贅述。然而，此書由於「卷帙浩繁，通讀費時，流傳未廣，得書非易」之故3，是以學者雖勤於翻讀此書，但是未能全面校理其文，致使此書錯謬之處，未能得到及時釐正，而有待學者重新訂補此書，以正其謬誤，方能延續其參考價值。筆者有感於此，乃欲重新訂補此書內容，期能正其文句，定其謬誤，藉以提供讀者治經之用，惟是書卷帙浩繁，實難逐一校理全書內容，乃以竹垞著錄「春秋類」典籍為訂補對象，期能先行校訂相關解題，並能補其缺失，以為讀者研治「春秋學」的參考。本書僅為拋磚引玉之作，期能有更多學者投入校理此書的工作，使得《經義考》的學術價值，不至於隨時間移轉而遞減，而會因為學者的整理與補正，得以更添其參考功效。在下文之中，筆者嘗試綜論整個補訂工作的價值，並且應用相關內容，以見此一訂補工作，實有其參考價值，說明如下：

一、校正經學書目之誤

《經義考》為經學書目的權威之作，然是書非專為《春秋》典籍而設，是以所錄「春秋類」典籍雖多，但卻未能完整反映歷來春秋學的成果，是以缺錄典籍眾多，而有待後人輯補者也。如果回顧竹垞當日纂輯環境，由於所處時代較早，兼以當時索引工具不足，是以經籍傳本、藏地等資訊，亦顯得不夠透明，而未為學者所深知，是以《經義考》的纂輯內容，極少論及藏地資料，而未能提供讀者按圖索驥之資，以為後續研究之用。其次，竹垞撰書時代稍早，是以僅能利用清代之前的書目資料，以為考訂典籍之資，然其內容多有錯誤，若是初學者持續應用此書，以為治經之助，恐有遺誤後學之失，而本文透過校正程序，除了能夠補訂《經義考》「春秋類」解題之誤，也能補正其著錄之誤，並且添其漏錄之籍，而能有助於竹垞書目的應用，至於本文補正竹垞纂輯之誤，條例詳見於本文第三章、第四章，茲不贅述。此外，本文在校正過程之中，兼引一些後世的經學書目，以供補訂參證之用。然而，後人編纂的相關書目，內容不乏錯植之處，而本文在訂補《經義考》著錄典籍之餘，亦嘗思校正相關書目之誤，所收成果匪淺，今以周何教授等人編纂《十三經論著目錄》為檢覈對象，並以本文校訂成果證之，以見後世所編之經學書目，仍存有不少缺失，而有待後人持續努力，始能提供更完善的經學書目，以供初學者參考之用，說明如下：

（一）存佚判定失當

《十三經論著目錄》考訂經學典籍之時，兼能考及經籍存佚情況，而其中考訂成果可觀，可以提供讀者參考之用。但是，其中誤考典籍存佚之失，亦所在多有，如果細就其中原因，主要是未能掌握各館藏書，且易於承襲前說所致。例如：李氏濂《夏周正辨疑會通》條下，

3陳祖武：〈朱彝尊與《經義考》〉（《文史》第四十輯，一九九四年九月），頁222。

朱彝尊《經義考》注曰「未見」[4]，而《春秋總義論著目錄》注曰「佚」[5]，今考台北：故宮博物院藏有「藍格鈔本」，則此書現今仍存於世間，理當改注曰「存」。又邵寶《左觿》條下，《左傳論著目錄》題作「未見」[6]，今考北京大學圖書館藏有一部「明崇禎四年曹荃編刻邵文莊公經史全書五種本」，其後《四庫全書存目叢書》乃據此本影印行世，則是書猶有存籍在世，而《左傳論著目錄》卻題作「未見」，顯見該目對於經籍存佚的掌握，顯然仍有不足之處，尤其是國內易見之本，竟屢被誤判為「佚」、「未見」，而透過筆者考訂之文，適能彌補此目錯判存佚之失。

又《十三經論著目錄》所錄之籍，多有重出之例，而重複著錄典籍之中，竟有判別互異之失，致使讀者無所適從，尤需進一步查檢藏地資料，始能進一步辨明典籍存佚情況，因而平添讀者使用之擾。例如：王樵《春秋輯傳》一條，《春秋總義論著目錄》注曰「未見」[7]，而同書，頁六六注曰「佚」[8]，而同書，頁二一七卻注曰「存」[9]，該書同出於書目之中，竟然同時著錄三次，而三處有關於典籍存佚之判別，竟各自不同，諸如此類情況，尤需進一步考訂其存佚，始能提供讀者更多的參考便利。今考此書傳本有「明萬曆刻本」[10]、「文淵閣四庫全書本」、「民國二十三年上海商務印書館影印《四庫全書珍本初集》本」、「商邱宋氏鈔本」[11]等諸多傳本，而上述各種版本之中，除「商邱宋氏鈔本」不知流落何處之外，其餘的各種傳本，皆是易於考見藏地之版本，惜《十三經論著目錄》未及於此，顯有考據失當之處。又此類考訂失據之證，例證隨處可拾，絕非個案之例，例如：周希令《春秋談虎》條，《春秋總義論著目錄》錄作「佚」[12]，而同書頁二一七卻注曰「存」，而同一書目，不僅重複著錄此書，且考訂結果，差異極大，今考台北：國家圖書館；北京師範大學、中國科學院、上海等圖書館等地，均藏有「明天啟四年刊本」，故有關於此書的存佚判別，理應題作「存」籍。

4朱彝尊撰，林慶彰等人點校《點校補正經義考》卷二一○，（台北：中研院文哲所籌備處編印，民國八十六年），頁570。

5周何《春秋總義論著目錄》（台北：洪葉文化事業有限公司，《十三經論著目錄》（五），二○○○年六月初版一刷），頁91。

6參考簡宗梧《左傳論著目錄》（台北：洪葉文化事業有限公司，《十三經論著目錄》（五），二○○○年六月初版一刷），頁13。

7參考註5，頁31。

8參考註5，頁66

9參考註5，頁217

10中國古籍善本書目編輯委員會《中國古籍善本書目》（經部）（上海：上海古籍出版社出版，一九九八年四月一版三刷），頁278著錄，中國科學院自然科學史研究所、上海、浙江圖書館有藏本。

11邵懿辰撰、邵章續錄《增訂四庫簡明目錄標注》卷三，（台北：世界書局，民國六十六年八月三版），頁117著錄。

12參考註5，頁69

綜合上述所論，《十三經論著目錄》對於經籍存佚的判定，顯然有著諸多錯誤，甚且著錄同一書籍，竟有「存」、「佚」、「未見」三種不同的判例，易使讀者無從參考其內容，因而降低其參考價值，本文雖非針對《十三經論著目錄》的內容，提出完整的考訂結果，但是對於此書考訂失據之處，也能逐一釐訂其誤，可供讀者參考之用。

（二）版本藏地不全

《十三經論著目錄》錄有經籍版本資料，但仔細檢視其內容，往往採取隨見隨錄之方式，並未真正考及相關資料，例如：余光、余颺《春秋四傳存俟》條下，《春秋公羊傳論著目錄》著錄此書[13]，惟僅收《中國古籍善本書目》所錄明刊本一種，今考原目所錄之本，實作「明弘光元年文來閣刻本」，則《春秋公羊傳論著目錄》竟然只題作「明刊本」，顯然與原來書目的著錄內容，有著不同的差異，雖然「明弘光元年文來閣刻本」亦為「明刊本」，但是該目既是根據《中國古籍善本書目》著錄，則理應符合原書的著錄內容，而不宜妄自改之，始能提供正確的資料，以供讀者判別之用。又此目所記藏地資料，實難以全面反映各家館藏情況，如以上述余氏之書，又有王重民《中國善本書提要》錄有北京大學圖書館藏「明崇禎間刻本」[14]，則《春秋公羊傳論著目錄》竟未錄及此本；又漏略孫殿起《販書偶記續編》所錄「光緒乙酉中冬刊」本[15]，顯見《十三經論著目錄》所考版本藏地資料，也明顯有所不足。

又《左傳論著目錄》著錄傅遜《左傳奇字古字音釋》一書[16]，則僅見及明萬曆間日殖齋刊本，而未見其他版本，今考此書版本如下：

1、明萬曆癸未(11 年, 1583)吳郡傅氏日殖齋原刊本：(明)傅　遜撰《春秋左傳註解辨誤》二卷，《補遺》一卷，《古字奇字音釋》一卷，附《古器圖》一卷，8 行，行 18 字，小字雙行字數同. 左右雙欄. 版心白口，單白魚尾，2 冊;19.7x14.5 公分，台北：國家圖書館、中研院傅斯年圖書館有藏本有藏本。

2、明萬曆十三年日殖齋刻本：明傅遜撰《古字奇字音釋》一卷，《左傳論著目錄》頁一○六著錄，謂「傳本：明萬曆間日殖齋刊本　　考證：附於其所刊《春秋左傳注解辨誤》之末。」，可見本書有「明萬曆間日殖齋刊本」。又李一遂〈左氏春秋著錄書目研究〉頁一一五著錄，指出本書有廣東華南圖書館藏本。

又北京大學、清華大學、中國人民大學、北京師範大學、中國科學院、上海、復旦大學、吉林大學、東北師範大學、山東大學、安徽省博物館、重慶市等地圖書館均有藏本，《中國古籍善本書目》（經部）頁二四七著錄。

3、明萬曆十三年日殖齋刻，十七年重修本：明傅遜撰《古字奇字音釋》一卷，北京．

13參考周何《春秋公羊傳論著目錄》〈凡例〉（台北：洪葉文化事業有限公司，《十三經論著目錄》（五），二○○○年六月初版一刷），頁25。

14王重民《中國善本書提要》，（上海：上海古籍出版社，一九八六年四月一版二刷），頁30

15孫殿起《販書偶記續編》卷二，（台北：漢京文化事業有限公司，民國七三年七月一日初版），頁17

16參考註6，頁106。

湖南省等地圖書館均有藏本，《中國古籍善本書目》（經部）頁二四七著錄。

4、明萬曆十三年日殖齋刻十七年二十六年遞修本：明傅遜撰《古字奇字音釋》一卷，蘇州市．福建師範大學．湖北省等地圖書館均有藏本，《左傳論著目錄》頁二八、《中國古籍善本書目》（經部）頁二四七至頁二四八著錄。

綜合上文所述內容，即使同為「萬曆間日殖齋刊本」，卻各有不同時期的刻本、重修本、遞修本等諸多差異，而《左傳論著目錄》只錄及「萬曆間日殖齋刊本」，實未能完整呈現其版本差異，若讀者想藉由此目資料，以考知經籍版本資料，則有未能盡善之處，應再輔以其他目錄，方能得到完整的資料。

又《十三經論著目錄》所錄經籍藏地資料，多僅偶一及之，並非所有存籍資料，均能附有藏地資料，或是雖能錄及藏地，卻未能遍考各地館藏，甚且未能有效掌握臺灣地區館藏資料，因而降低是目的參考價值。例如：饒秉鑑《春秋會傳》條下，《春秋公羊傳論著目錄》錄及此書傳本，謂：「國立中央圖書館藏一種，十六卷，四冊；《中國古籍善本書目》收明刻殘本一種，十六卷，缺第九至十二」[17]，上述所錄「國立中央圖書館藏一種」，卻未能明言其版本資訊，今考國家圖書館（即原國立中央圖書館）所藏之本，實為「明刊黑口本」，而此本除了國家圖書館藏有其書之外，另台北：故宮博物院另藏有同一版本，而《春秋公羊傳論著目錄》卻未能錄及該本資訊；此外，亦未能著錄故宮博物院另藏「藍格舊鈔本」一種，顯然考證內容疏漏甚多，而有待後人糾正者也。又其他諸多經籍的館藏資料，亦多有不足之處，例如：張岐然《春秋五傳平文》條下，《春秋公羊傳論著目錄》錄及此書傳本，云：「《中國古籍善本書目》收明刻本一種，北大圖書館藏明崇禎間刻本一種。」[18]，然此書除北大圖書館有藏本之外，另有清華大學、中國人民大學、中共中央黨校、北京故宮博物院、上海、東北師範大學、福建師範大學等圖書館，均有若干的藏本，而該目未能考及各大圖書館的館藏情況，顯然都有再行修正的空間。

綜合上述所論，《十三經論著目錄》所錄版本及藏地資料，多有不足之處，而近幾年以來，已有學者積極蒐集現存經籍版本資料，以供學者們研究之用，如：陳恆嵩教授在國科會的資助下，先後從事現存經籍版本藏地的整理，業已完成《尚書著述現存板本目錄》[19]、《詩經著述現存板本目錄》[20]、《三禮著述現存版本目錄》[21]、《春秋三傳著述現存版本目錄》[22]、《四書著述現存版本目錄》[23]，從其參考書目之中，顯然要較《十三經論著目錄》所錄

17參考註13，頁12。

18參考註13，〈凡例〉，頁8。

19陳恆嵩：《尚書著述現存板本目錄》（台北：國科會研究計劃報告，NSC-89-2411-H-031-006）

20陳恆嵩：《詩經著述現存板本目錄》（台北：國科會研究計劃報告，NSC 89-2411-H-031-009）

21陳恆嵩：《三禮著述現存板本目錄》（台北：國科會研究計劃報告，NSC 91-2411-H-031-010，執行日期2002.8.1至2003.7.31日止）

22陳恆嵩：《春秋三傳著述現存版本目錄》（台北：國科會研究計劃報告，未見編號(未見簡要報告)，執行日期2003.08.01～2005.01.31）

版本資料更加齊備，且陳恆嵩教授正擬逐步完成《十三經著述現存版本目錄》，以期蒐集各大館藏的經籍資料，以利於讀者使用，則該目完成之後，將有助於查考經籍館藏之地，也能成為《十三經論著目錄》的輔助之作。然而，本文雖僅考及《經義考》著錄「春秋類」典籍的版本及藏地，卻能補訂相關錯誤，可見本文的考證內容，實有其參考價值。

（三）作者著錄有誤

《十三經論著目錄》著錄作者之時，常有重複著錄之失，甚至有著錄錯誤之例，而有待學者糾正者也，例如：金賢《春秋記愚》一書，今考《春秋總義論著目錄》錄及此書，作者題為「金賢」[24]，而同書頁六九卻錄作「天金賢」，訛增一個「天」字，故其錄及相同一書，而作者著錄互異，這種訛增姓氏之誤，亦會造成讀者識讀之擾，衡諸全目著錄情況，常有作者題稱有誤，而有待後人糾舉其誤，始能更加完善，茲再舉數例以明之：

書名	作者	說明
《春秋文權》	劉敞	《春秋總義論著目錄》頁二一九作「劉敝」，「敝」、「敞」形近而誤入，當題作「劉敞」。
《夏時周月論》	董穀	《春秋總義論著目錄》頁九一誤作「黃穀」，當據《經義考》改作「董穀」。
《春秋因是》	梅之熉	《春秋總義論著目錄》頁二一八錄作「梅之煩」，蓋「煩」、「熉」形近而誤，當題作「梅之熉」。
《泣麟圖說》	金寔	《春秋總義論著目錄》頁六三據《經義考》甄錄，惟作者誤題為「全寔」，今考《經義考》卷二一○，頁五八四著錄此書，作者為「金寔」，蓋「全」、「金」字形相近而誤入，審之實情，應作「金寔」。
《春秋談虎》	周希令	《春秋總義論著目錄》頁六九僅錄及「周希令」一人，而《春秋總義論著目錄》頁二一七則錄及「周希令　方尚恂撰」，二者著錄實有不同。
《春秋左氏鉤玄》	王廉	《左傳論著目錄》頁十九錄作「王濂」，考《明史》錄有王廉、王濂二人，惟黃虞稷《千頃堂書目》卷二，頁三十七及李一遂〈左氏春秋著錄書目研究〉頁一一九均題作「王廉」，且王廉為儒士，撰有《迂論》十卷，卻未見王濂有其他典籍，又《左傳論著目錄》既據《經義考》甄錄，而《經義考》亦作「王廉」，當據以改作「王廉」。

23陳恆嵩：《四書著述現存版本目錄》（台北：國科會研究計劃報告，NSC 93-2411-H-031-014，執行日期2004.08.01～2005.07.31）

24參考註5，頁64

根據上述簡表得知:《十三經論著目錄》所錄作者姓名,多有訛誤之處,其中多數著錄之誤,係源自字形相近而誤,顯見該目成書之際,實未能仔細校訂文字內容,因而產生不少錯誤,而由於此類例證甚多,是以讀者在查考此目之時,宜仔細還檢書目資料,以免有誤用文獻之失。

（四）書名題稱不確

《十三經論著目錄》著錄書名之時,亦多有誤失之例,而其中錯誤,多緣自於文字誤植之失,例如:鍾惺《鍾伯敬評公羊穀梁二傳》一書,《春秋穀梁傳論著目錄》誤作「《鍾佰敬評公羊穀梁二傳》」[25],「佰」、「伯」二字,實因字形相近而誤寫。又王錫爵《春秋日錄》一書,《春秋總義論著目錄》錄作「《春秋曰錄》」[26],「日」、「曰」二字,亦因形近而誤入,諸如此類書名題稱之誤,易於造成讀者使用之擾。

又《十三經論著目錄》著錄書名之時,亦會產生其他錯誤,例如:余光《春秋四傳存俟》一書,《春秋公羊傳論著目錄》錄之,書名題作「《春秋四傳存俟》」[27],然考諸《經義考》、《中國古籍善本書目》所錄書名,均題作「《春秋存俟》,未有「四傳」之名。又某些書名題稱,亦會沿襲前目之誤,而未及訂正,例如:吳希哲《春秋明微》一書,丁氏《八千卷樓書目》題作「《麟旨明微》;《中國古籍善本書目》(經部)頁二八二同之。又錢謙益《牧齋初學集》卷二十九,錄有〈麟旨明微序〉,都明顯得知此書之書名,理應題作《麟旨明微》,而竹垞未見其書,且據轉輾傳聞,誤作《春秋明微》,而《春秋總義論著目錄》又據《經義考》的著錄,理應題作「《春秋明微》」,竟又誤作「《春秋明徵》」[28],蓋「徵」、「微」字形相近而誤,今考諸家書目內容,理當改作「《麟旨明微》」。據此,《十三經論著目錄》所錄書名多有謬誤,實未能提供讀者正確內容,是以極需重新釐正其誤,始能提供讀者正確資料。然而,透過本書的考訂內容,易使讀者得知各種異名,甚且得以校正錯誤的書名,故而本書所從事的校訂工作,實有其參考價值。

（五）經籍複重闕漏

《十三經論著目錄》著錄典籍之時,或有重複著錄之失;或有闕漏典籍之誤,諸如此類情形,勢必會影響書目品質,而難為讀者參考之用,是以有待學者重新訂正內容,始能成為完善書目,說明如下:

1、重出典籍:《十三經論著目錄》纂輯之時,由於收錄各種書目資料,兼以該目收錄典籍眾多,難免會有判斷不周之處,兼以該目纂輯體例不同,而致重出情況嚴重,究其原因如下:

25周何《春秋穀梁傳論著目錄》(台北:洪葉文化事業有限公司,《十三經論著目錄》(五),二○○○年六月初版一刷),頁22

26參考註5,頁31

27參考註13,〈凡例〉,頁25。

28參考註5,頁68

第一，難定書籍性質：編者在編纂書目之時，由於難定書籍性質，是以重出情況嚴重，或許此類情形，可以視為互著之法的應用，但是檢視〈凡例〉所述條例，卻未能言明此一例則，可見此一情況，乃是純粹無法判斷典籍性質所致，例如：黃正憲《春秋翼附》條，分別見於《春秋總義論著目錄》頁三一、頁六七、頁二一九著錄此書，且各自分屬不同類別，而致有重複著錄之失。又王樵《春秋輯傳》條，也見到《春秋總義論著目錄》頁三一、頁六六、頁二一七等頁數，皆同時著錄此書，卻分屬於不同類目之下，諸如此類情形，例證隨處可拾，不一一贅舉，若是編者在編纂書目之初，即先淘汰重複之籍，再根據經籍性質加以分類，將不致有重複著錄之失。

第二，未能分辨異同：編者在編輯書目之時，未能仔細分辨典籍異同，致使同為一書，或因書籍異名，而有重出之誤；或因作者姓名不一，而誤作二部經籍，是以會有重出情形，諸如此類錯誤，尤應率先更正其失，以免讀者有錯用文獻之失，例如：包文舉《春秋微意發端》條，《春秋總義論著目錄》錄有包文舉《春秋微意發端》[29]，惟該書頁十三又錄有包仕登《春秋微意發端》，實則包文舉，字仕登，二書實為一書，只是各家書目著錄情況或異，致使作者題稱，或有異同，是以編者未能細審異同，致有重複著錄之失。又馮夢龍《春秋大全》一書，係商賈偽冒馮氏《春秋衡庫》[30]，篡改書名以求謀利所致，二者實為同書，編者不察其故，因而有重出情形[31]，諸如此類情況，由於筆者訂補資料之時，常引證許多書目資訊，是以能考及該目重出之例。

第三，著錄來源不同：著錄來源不同，若是未能逐一核對書名、作者，或係書名、作者題稱互異，都可能造成編者誤判典籍，而致產生重出之例，例如：石光霽《春秋鉤元》條，《春秋總義論著目錄》根據《經義考》、《四庫全書總目》、《叢書子目類編》、《中國古籍善本書目》著錄，列入「義例書法」[32]，而同書頁六三根據《郘亭知見傳本書目》、《江南通志》著錄，列入「專題論著」，同為一書，卻分屬不同類目，且書名一作「《春秋書法鈎玄》」，一作「春秋鈎元」，易於造成讀者誤認為二書，而有重新糾謬的必要。又戴良《春秋經傳考》條，《春秋總義論著目錄》據《浙江通志》錄作「三十二卷」[33]；而同書頁六三據《補三史藝文志》著錄，不錄卷數多寡，二者著錄來源不同，且卷帙不一，兼以分類歸屬不同，因而造成重出情形。

綜合上述所論，《十三經論著目錄》著錄經籍之時，由於重出情形嚴重，是以讀者應用此書之時，宜仔細分辨異同，以免造成誤用文獻之擾。然而，本書雖非校正此目之作，但相關考訂內容，卻能提供讀者正確資料，兼能考及《十三經論著目錄》重複著錄典籍之失，使

29參考註5，頁12

30參見沈津《美國哈佛大學燕京圖書館中文善本書志》，(上海：上海辭書出版社，一九九九年二月一版一刷)，頁46-47的考證說明。

31參考註5，頁30錄有馮氏《春秋大全》一書，又參考註5，頁三二、頁六七著錄馮氏《春秋衡庫》一書。

32參考註5，頁46

33參考註5，頁29

讀者更能掌握「春秋學」的典籍，以為後續研究之用。

2、闕漏典籍：《十三經論著目錄》著錄廣博，以明代「春秋類」典籍而論，總計收錄五一一部的明代春秋類典籍，較之《經義考》所收明代春秋類之籍，已能增補二百三十八部典籍，能較為全面反映明代「春秋學」典籍數量。然而，民國九十二年開始，筆者接受國科會的委託案，從事「明代春秋學典籍的分類與考證」的研究，乃綜整諸多文獻資料，復參以洪葉出版《十三經論著目錄》一書，總計普查明代春秋類典籍，即多達六七一部，較之該目所錄的明代典籍，已逾一百六十部之多，可見《十三經論著目錄》著錄之籍，雖然極為豐富，卻仍有待學界持續努力，以便能反映各朝經籍實況。又《十三經論著目錄》編輯群所據書目不同，劉兆祐教授《周禮論著目錄》所據文獻達一五五部典籍，而鄭卜武教授等人《羣經總義論著目錄》僅錄及十六部書目，若是除去複重的參考書籍，以有餘而補不足，定能增補不少典籍，而有助於建構較為全面的經學書目。

任何一套書目資料，若想要求著錄全備，實有過於苛求之失，但是能在書目編纂之初期，即能仔細審核重複情形，並能廣收各種文獻，將使書目著錄更加完備，也更能反映歷朝學術發展變化。

（六）考訂引證失當

《十三經論著目錄》考證典籍之時，容有失當之處，尤其有錯判作者時代，而致經籍排列失序，例如：徐梅龜《春秋指掌圖》一書，《春秋總義論著目錄》將此書置入明代撰著[34]，今考《經義考》卷一九十錄及此書，並引證如下解題：

> 《嚴州府志》：「徐梅龜，字臞叟，壽昌人，霍邱縣尉，嘉熙間，蒙古兵至，父子力戰死，贈宣教郎霍邱知縣。」[35]

徐氏因抗元兵而死，實應列入宋人，而非置入元人。又洪皓《春秋紀詠》一條，《春秋總義論著目錄 》將洪氏列入「明」人[36]，考《宋志》錄及《春秋紀詠》一書，是以此書應屬於宋人撰著，《春秋總義論著目錄》誤將此書置入明代撰著，顯然有誤考作者朝代之失。又劉敞《春秋文權》條，《春秋總義論著目錄》將劉氏列為「明」人[37]，考《春秋文權》一書，《宋志》、《玉海》皆有著錄，故當改列宋人撰著。又《十三經論著目錄》未能考及某些撰者時代，而以「□」代替，今考諸家文獻之中，能補其考證失當之處，例如：陳中州《青田三傳》一書，《春秋公羊傳論著目錄》、《春秋穀梁傳論著目錄》分別錄及此書[38]，將其置入明人撰著，而《春秋總義論著目錄》卻將撰者判為「□」（不詳）[39]，二者判斷的結果，

34參考註5，頁219

35參考註4，卷一九○，頁122。

36參考註5，頁219

37參考註5，頁219

38參考註13，〈凡例〉，頁13；又參考註25，頁12-13

39參考註5，頁34

明顯有所差異；又沈束《春秋解》一書，《春秋總義論著目錄》未能考其作者朝代，將其列入「□」[40]，今考《明史》有傳[41]，當列為明人撰著。據此，《十三經論著目錄》雖附有作者朝代，並且依據作者先後排序，但由於撰者時代判別有誤，而致經籍排列失當，亦有重新檢討的必要。其次，編者對於典籍存佚的判斷，或係藏地的考訂等等，亦有考證失當之處，讀者參考其書之時，宜仔細分辨之，以免有誤用文獻之失。筆者在校訂《經義考》著錄之時，兼能引用《十三經論著目錄》的內容，也能順便考其失當之處，而所考內容甚多，讀者可參看下文【考證篇】，茲不贅述。

又《十三經論著目錄》於引證資料之時，亦多有考訂失當之處，例如：陸釴《春秋輯略》條下，《春秋總義論著目錄》據《浙江通志》甄錄此書，題作「陸釴元《春秋輯略》」[42]，今考《浙江通志》所錄，係為「陸釴」之作，非「陸釴元」，是以此目據《浙江通志》內容甄錄，但是著錄內容，明顯有所不符，而有錯題作者姓名之失，如究其原因，實係引證失當所致。又《春秋公羊傳論著目錄》著錄「《中國古籍善本書目》」的內容，明言張榜《春秋公羊穀梁傳合纂》一書，係出於「《中國古籍善本書目（２９１８－２９２０）》」[43]，今考是書編號，實為「２９２８至２９３０」。又林俊《泣麟解》條下，《春秋總義論著目錄》謂《經義考》曾錄及此書[44]，然遍考《經義考》全書，卻未見竹垞錄有此書，疑《春秋總義論著目錄》引證有誤，致使誤記內容，因而有失，諸如此類情形，筆者於下文之中，亦能逐一審訂其誤，至於考訂的結果，則可供讀者參考之用。

（七）卷數錯謬誤植

《十三經論著目錄》著錄經籍之時，亦常有誤植卷數之失，例如：孫范《左傳紀事本末》條下，《左傳論著目錄》著錄題作「三十二卷」[45]，然《經義考》著錄此書，實題作「二十卷」[46]，而《東北師範大學圖書館藏古籍善本書目解題》著錄明崇禎版，卷數題作「二十二卷」[47]，同於《明史志》的著錄，又《欽定續文獻通考》同作「二十二卷」[48]，惟獨未見「三十二卷」之本，是以此目所錄卷數，當為「二十二卷」之誤，蓋「三」、「二」形近而誤入。

40參考註5，頁34

41張廷玉等奉敕修《明史》卷二百九，(台北：臺灣商務印書館，「景印文淵閣四庫全書」冊三○○，民國七十五年三月，初版)，頁447-448。

42參考註5，頁65

43參考註13，〈凡例〉，頁7。

44參考註5，頁64

45參考註6，頁28。

46參考註4，卷二○六，頁468。

47王繼祥、王綸等人編撰　《東北師範大學圖書館藏古籍善本書目解題》(長春：東北師範大學圖書館，一九八四年三月)，頁32

48清嵇璜、曹仁虎等奉敕撰《欽定續文獻通考》卷一六七，(台北：臺灣商務印書館，「景印文淵閣四庫全書」冊六三○，民國七十五年三月，初版)，頁271。

又馮伯禮《春秋羅纂》條下，《春秋總義論著目錄》錄作「十二卷」[49]，同於諸家說法，也同於現存版本的卷數，然同一書目，頁六七之下，卻錄作「十卷」[50]，蓋為同一典籍，卻有二種不同著錄，故應併合一處，酌加案語說明。馮伯禮《春秋羅纂》一書，諸家著錄多題作「十二卷」，且存本亦作「十二卷」，理應題作「十二卷」為宜。

綜合上述所論內容，《十三經論著目錄》的錯誤，係出於校勘未精所致，是以書名、作者、卷數諸項，均有明顯錯誤，而有待後人持續訂補，藉以補正其失。其次，該目編纂者眾多，且在編纂書目之初，疑似未能有效統合體例，致使體例未能一致，兼以參考文獻來源不同，且詳略差距頗大，凡此種種情況，都易於影響書目品質，而難為讀者參考之用。其次，編者對於典籍判斷不同，都可能造成各種錯誤，而透過筆者考校之後，則能提供讀者更多內容，可考其書目謬誤，而且筆者訂補《經義考》「春秋類」典籍之時，即曾參考諸家書目，而對於各家書目之誤，兼能考其錯誤，是以考訂成果豐碩，可供讀者參考之用。上文係根據《十三經論著目錄》的錯誤，提出相關的考訂說明，但是本文由於參酌各種書目，是以也兼能釐清書目著錄之間的差異，讀者可詳見下文【考證篇】，茲不贅述。

二、提供讀者治經材料

《經義考》為經學書目的總匯，自其成書以來，即擔負著治經重任，而學者在研究經學文獻之時，莫不取法此書內容，以為治經之用。歷來學者在推介經學書目之時，皆能推崇此書功效，例如：翁方綱《經義考補正·序目》云：「竊念先生是書，綜覈賅貫，為經訓淵藪。」[51]，翁氏雖能補正竹垞撰書之謬，但仍然盛讚其價值，此乃著重其治經功效。梁啟超在《中國近三百年學術史》一書之中，亦曾指出：

> 朱竹垞的《經義考》三百卷。這部書把竹垞以前的經學書一概網羅，簿存目錄，實史部譜錄類一部最重要的書，研究「經史學」的人最不可少。[52]

梁氏將《經義考》列入研究「經史學」的重要書籍，可見此書涵攝內容極廣，多能成為學者治經的重要資料。然而，《經義考》歷經三百年的學術變革，而竹垞當日所輯解題內容，或有闕遺、誤失之處，均有待後世學者重新輯證，方能提供正確資料，以利後人治經之用。本文收錄各類文獻，逐一考訂是書之誤，諸如剔除重複、校勘文句、重考存佚、審訂版刻、補考藏地等等，所錄內容極為廣博，除能彌補歷來書目不足之處，也能成為查考「春秋學」典籍的最佳書籍之一，尤其本文所錄內容極多，早已超越《經義考》的解題資料，而對於學者研治「春秋類」典籍而言，尤有其參考功效。

三、完成經籍普查工作

49參考註5，頁33

50參考註5，頁67

51翁方綱《經義考補正》，（台北：新文豐出版股份有限公司，一九八四年六月），頁1。

52梁啟超：《中國近三百年學術史》，（台北：里仁書局，民國八四年），頁二四二。

歷朝經籍撰著的多寡，往往與經學盛行程度有關，後世學者如要研究古代經學的發展情況，勢必要能先行掌握典籍資料，始能從事經學史的研究。《經義考》輯錄典籍雖多，卻是廣錄各種經學典籍，並非針對《春秋》學典籍而設，是以其一人之力，獨力纂輯而成的書目，其中漏略典籍眾多，自是難以避免之事，故有重新輯補的必要，而透過本文整理之後，已能有效掌握歷朝經籍數量，不僅有效補足《經義考》著錄不足之失，也能超越周何教授主編《十三經論著目錄》所錄典籍，而對於學者查考「春秋類」典籍而言，實有若干的參考價值。在下文之中，筆者嘗試以朝代分期方式，對比於《經義考》的著錄數量，以見所補內容之中，實有其參考價值，也能初步完成「春秋類」典籍的普查工作，今繪製簡表如下：

朝代	《經義考》	筆者收錄	朝代	《經義考》	筆者收錄
清	25	967	宋	487	726
明	292	671	元	124	174
漢	71	115	?	49	93
晉	61	85	唐	53	58
民國	0	39	日本	0	37
魏	16	32	梁	16	18
隋	12	12	南齊	6	10
陳	8	9	吳	6	6
南朝梁	0	6	韓國	0	8
南朝宋	1	5	後魏	4	5
北魏	0	4	周	4	6
後蜀	2	3	六朝	0	2
北齊	2	2	金	0	2
蜀漢	1	1	劉宋	1	1
五代	0	1	北周	1	1
北朝	0	1	金朝	0	1
瑞典	0	1			

從上述統計數據來看，可知歷朝「春秋學」的發展狀態，而從上述簡表之中，我們有如下幾點說明：

第一，依筆者統計結果來看，「春秋學」論著最多的朝代，依次為清、宋、明、元、漢等五朝，而《經義考》收錄典籍的情況，大抵近於上述統計簡表，可見竹垞收錄經籍數量，雖然礙於環境所限，而多有誤失之處，但是由於取材宏富，是以仍能反映經學撰著概況，惟清代典籍僅錄及二五部，則與竹垞收錄斷限有關，蓋竹垞卒於康熙年間，自不能收錄其身後經籍，是以會有較大差距。

第二，竹垞未能收錄海外的經籍撰著，而筆者在校正典籍之時，兼收國外學者的撰著，總計收錄日本三七部、韓國八部，而瑞典亦有一部，雖未能完全反映國外「春秋學」撰著之情況，但卻能補訂竹垞未收海外撰著之失。

第三，民國時期撰著，僅錄及三九部，此係以民國初期學者撰著為主，而非指近期所有經學專著，特此說明。

第四，從筆者增補典籍之中，可以補竹垞漏略之處，尤其是增補明代典籍多達三百七十九部；而增錄宋代「春秋類」的典籍，亦多達二百三十八部，是以筆者的訂補成果，成效已有可觀，能有助於掌握歷朝「春秋學」典籍的數量。

第五，從歷朝研究「春秋學」成果來看，宋代相關典籍雖多，卻鮮少學者從事專題的研究，顯然現有的研究成果，尚未能真正反映實際內涵，而有待學者投注更多心力，以從事相關學術的研究。其次，明代經學撰著雖多，但是成果優劣夾雜，也與實際撰著數量，未能等量齊觀，惟投入相關研究的學者較多，也能獲致一定的研究成果。

綜合上文所述，《經義考》著錄各種經籍，而非限於「春秋類」典籍，是以缺錄典籍眾多，而未能完整反映實況，此乃受限於體例之故，而屬於難以避免之事，惟有透過專經的整理與補訂，將使我們更能掌握歷朝「春秋學」典籍的數量，而有助於後世學者研究之用。然而，從《經義考》收錄數量來看，雖然也能反映歷來「春秋類」典籍概況，但是由於缺錄典籍眾多，而有待後人輯補校訂，始能符合後人的研究需求，而透過筆者有效增補與校訂，已能有效掌握歷來「春秋學」典籍的數量，而有助於學者參考之用。

四、瞭解師承親屬關係

經學家的學說主張，往往承繼師學淵源，或緣自於父兄引導，是以瞭解師承親屬關係，將有助於考察學說變革，尤其是師承親屬之間，往往能形成一個學術集團，而彼此學說相互呼應、修正，亦能提供相互比較之用，是以瞭解此類師承親屬關係，將有助於探索學說演變之跡。透過筆者本文的考訂內容，可以瞭解學者師承親屬關係，今以焦千之為例，可以繪出如下架構圖：

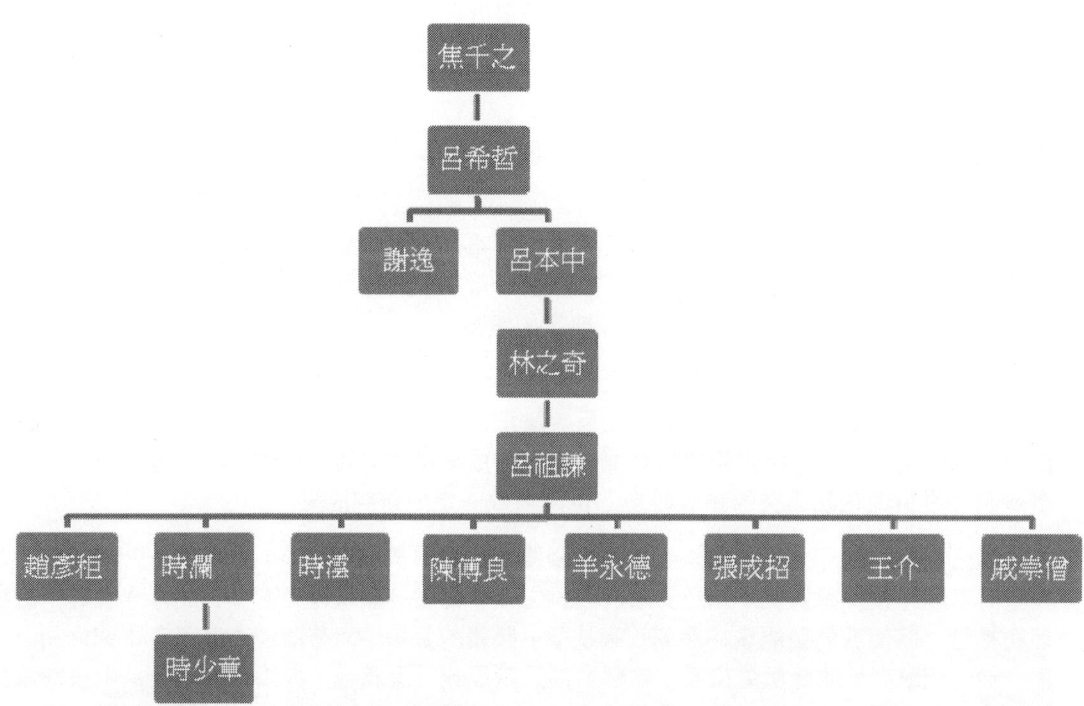

焦千之的經學聲望不高，但是影響到呂希哲一人，而呂氏族人相傳，而有呂本中、呂祖謙承繼之，又以呂祖謙集其大成，而呂氏又傳至趙彥秬、時瀾、時澐、羊永德、張成招、王介、陳傅良、戚崇僧諸人，又時少章為時瀾季子，而諸多學者之間，或有各自的撰著，或有各自傳人，自能形成一股學術的力量，雖然諸多學者的撰著，多已不傳於世，但是自焦千之以下諸人，已能形成學術集團，對於當時經學的發展，肯定會興起一定作用，而筆者有感於此，乃補入不少解題資料，藉以提供讀者考索各期「春秋學」師授表，而讀者若能透過撰著之間的分析及比對，將更能探索學說的承繼與影響。

五、瞭解學者分布情形

學術風氣的養成，往往會受到時空差異，而有著不同表現，在經學傳承過程之中，也會師友相互承襲觀點，因而形成學術集團，而使得某地的學術風氣，呈現獨特的學術偏好。因此，瞭解學者的分布情形，將有助於釐清學術的發展與變動。史念海〈兩《唐書》列傳人物籍貫的地理分布〉一文指出：

> 若一細究其籍貫分布，也因地而具有特色。有的地區人物前后相望，絡繹不絕，有的地區卻不免寥若晨星，屈指可數。這固然可以說，各人的際遇難得盡屬一律，而其本貫鄉里久居之地，環境熏陶習染，也不能就沒有一點關係。探索其中的特點曲折，對

於知人論世，董理史籍，也許不至于就沒有若何幫助53。

學者籍貫的分布，往往會影響到學風變化，某些地方人文鼎盛，乃是受其環境熏陶所致，而本文在輯錄眾家解題之時，兼能考及作者籍貫，而透過有效統計之後，則能看出歷朝「春秋學」學者的分布情形，而這些區域現象的釐清與整理，將有助於瞭解各地的學術發展。例如：以宋代「春秋學」學者分布來看，可以依其分布情形，繪製簡表如下：

籍貫	總計	籍貫	總計	籍貫	總計	籍貫	總計
?（不明）	195	兩浙路	153	福建路	95	成都府路	74
江南西路	64	江南東路	40	京西北路	14	京東西路	12
淮南東路	10	河東路	9	潼川府路	8	永興軍路	7
利州東路	5	京畿路	5	河北西路	5	荊湖南路	5
夔州路	4	河北東路	3	荊湖北路	3	京西南路	2
京東東路	2	京都東路	2	京西東路	1	秦鳳路	1
淮南西路	1						

從上述簡表得知，宋代春秋學典籍的分布情形，主要集中於兩浙路、福建路、成都府路、江南西路、江南東路等地，顯然學者的分布狀態，係以江南為發展重鎮，總其原因如下：

第一，從唐代積極開發江南之後，江南文治之風，乃逐漸盛行，是以自從唐代以來，即屬於人文薈萃之地，使得學者人數日漸增多，而宋代延續此一風尚，是以江南人才輩出，學者人數眾多，尤其是南宋偏安江左，更是促成江南學術的發展，加上江南地區出現重要學者，如朱熹、呂祖謙等人，能積極提倡經學的研究工作，而其推倡經學之功，自然不容輕忽，是以在統計數據方面，也呈現出集中化的傾向。

第二，江南為漁米之鄉，經濟條件十分優異，自然會帶動讀書風氣的盛行，兼以此地盛產竹、木，可供造紙、印板之用，是以歷來印刷術的盛行，也會間接促成學術的發展，更何況科舉考試的科目，多以經學為應試重點，也會帶動江南地區研治經學的風氣。

從上述說明之中，我們得知宋代江南地區的開發，實具良好的發展條件，是以經學家聚集在江南地區，實屬於意料之事。然而，如果我們再行交叉比對其次級行政區，則更能得到精確數據，而其學風分布情形，也就更具特色，今繪製簡表如下：

路	州	總計	路	州	總計
?（不明）	?（不明）	195	成都府路	眉州	56
兩浙路	婺州	41	福建路	福州	35

53史念海：〈兩《唐書》列傳人物籍貫的地理分布〉，《紀念顧頡剛學術論文集》下冊，（大陸成都：巴蜀書社，1990年），頁571。

兩浙路	明州	26	江南西路	吉州	23
福建路	建州	22	兩浙路	溫州	21
江南東路	歙州	19	福建路	興化軍	18
江南西路	撫州	15	京西北路	河南府	14
兩浙路	杭州	14	江南西路	臨江軍	13
江南東路	信州	10	兩浙路	湖州	10
兩浙路	越州	10	福建路	南劍州	10
京東西路	應天府	8	兩浙路	衢州	8
福建路	泉州	6	永興軍路	華州	5
利州東路	洋州	5	京畿路	開封府	5
兩浙路	睦州	5	河東路	太原府	5
淮南東路	高郵軍	5	江南西路	洪州	4
江南東路	饒州	4	兩浙路	常州	4
荊湖南路	潭州	4	成都府路	崇慶府	3
成都府路	隆州	3	成都府路	嘉州	3
江南西路	贛州	3	兩浙路	平江府	3
兩浙路	崑山	3	兩浙路	嚴州	3
夔州路	涪州	3	永興軍路	寧州	2
成都府路	淮安軍	2	成都府路	陵州	2
成都府路	漢州	2	江南西路	建昌軍	2
江南東路	亳州	2	江南東路	鎮江丹陽	2
京西南路	襄陽府	2	京東西路	徐州	2
京東西路	濟州	2	京東東路	濟南府	2
兩浙路	處州	2	兩浙路	蘇州	2
河北西路	相州	2	河北西路	真定府	2
河北東路	濱州	2	河東路	忻州	2
河東路	澤州	2	淮南東路	亳州	2

淮南東路	揚州	2	福建路	南建州	2
潼川府路	廣安軍	2	潼川府路	潼川府	2
成都府路	邛州	1	成都府路	蜀州	1
成都府路	綿州	1	江南西路		1
江南西路	江州	1	江南西路	泰和	1
江南西路	虔州	1	江南東路	池州	1
江南東路	宣州	1	江南東路	廣德軍	1
京西東路	兗州	1	京都東路	青州	1
京都東路	萊州	1	兩浙路	吳郡	1
河北西路	趙州	1	河北東路	開德府	1
秦鳳路	鳳翔府	1	荊湖北路	安州	1
荊湖北路	岳州	1	荊湖北路	荊門軍	1
荊湖南路	郴州	1	淮南西路	壽州	1
淮南東路	楚州	1	福建路	建寧府	1
福建路	漳州	1	潼川府路	合州	1
潼川府路	梓州	1	潼川府路	遂寧府	1
潼川府路	潼川	1	夔州路	忠州	1

根據上述簡表，我們得知宋代「春秋學」的學術分布，顯然和當地知名學者的推倡，有著密不可分的關係。例如：眉州為三蘇（蘇洵、蘇軾、蘇轍）父子的故鄉，而此地因三蘇成名之故，是以對於學風的推展，顯然具有深遠影響。其次，婺州則因呂祖謙在籍之故，而有推倡經學之功，使得此地「春秋學」的發展，也呈現出集中化傾向，此地學術撰著頗豐，成果斐然，也是不容忽視的區域。又福州一地，則是受到朱熹啟迪之功，是以帶動經學發展日盛，撰著極具特色，也是重要的經學重鎮。此外，若能透過典籍的交叉比對，再分析其學者情況，則對於學風分布情形，將有更細密的瞭解與認識，而各地的治經風尚，由於取材或異，且分析論點不同，若能集合相關撰著，相互串連分析，將能對於「春秋學」的發展脈絡，能有更深刻的認識。其次，同屬一地的現存撰著，若能取其書籍文句校讎，不僅能見其師承關係，也能見及版本差異，則對於明瞭經籍異文方面，無疑會有更多參考效益。本書廣泛蒐集歷朝「春秋學」的論著，兼能考及作者籍貫，而透過相關統計分析，將有助於瞭解學風分布狀態。

六、考察典籍存佚情形

筆者補訂《經義考》「春秋類」典籍之時，多能加入版本及藏地的考察，是以對於瞭解

「春秋類」典籍的存佚情形，尤有極佳的參考功效。今將筆者考訂的結果，繪製簡表如下：

	《經義考》	筆者考訂結果
存	289	310
佚	749	860
未見	196	0
闕	1	66
存闕	1	0

從上述簡表得知：

第一，在竹垞注明「存」籍之中，《經義考》「春秋類」典籍的判別，有多達二八九部典籍，被竹垞注明「存」籍者，而筆者考訂內容之中，更多達三一○部，足足多出二一部典籍，而各種典籍的流傳經過，也多有考訂內容，使讀者得以據目尋書，以供後續研究之用。

第二，在竹垞判明佚籍之中，竟有高達七四九部典籍，而筆者重新審視存佚情況，判定八六○部的典籍，已成為佚籍，而差距較大的原因，多因竹垞注明「未見」之籍，多已不見於各家館藏，而轉判為佚籍，是以此一部分，呈現出明顯的數據變化。

第三，在竹垞注明「未見」、「存闕」之籍，筆者逐一審視相關之籍，而改判「存」、「佚」、「闕」等項，此一部分，乃是筆者耗費較多心力，逐一考知結果，以還其確切實情。

第四，竹垞「春秋類」典籍之中，僅有一部典籍注明為「闕」籍，而筆者重新審訂佚籍內容之中，發現不乏後人輯補之書，而這些後人輯佚之籍，並非完帙之書，是以改判為「闕」籍，而在筆者判定典籍之中，竟有多達六十六部典籍，應重新判定為「闕」籍，是以此一部分的判定，也有著較大的差異。

綜合上述所論內容，竹垞考察典籍存佚之時，常有誤判之情事，而究其主因，乃是當時諸家藏書自珍，很少公佈於世，是以難為學者所用，而竹垞雖有機會接觸內府藏書，更曾於康熙二十三年（1684），因私自攜帶楷書手王綸入宮抄錄四方進呈之書，而遭掌院學士牛鈕所劾54，獲致降級處分，但是究竟當時抄錄多少資料？也沒有任何文獻佐證，是以回歸竹垞的時代背景，實難以確實考知典籍存佚情況，僅能採取隨見隨錄的方式，兼考其存佚情形，是以竹垞考訂經籍存佚情形，常有疏漏未考之失，而筆者重新補其闕漏，至於所得內容，則能提供讀者參考之用。

又從個別典籍的差異，再行交叉分析比對，可以再繪製如下簡表：

《經義考》	筆者審訂	數量	《經義考》	筆者審訂	數量

54羅仲鼎、陳士彪：《朱彝尊詩詞》附錄〈朱彝尊年譜〉，（杭州浙江古籍出版社，一九八九年十月），頁227。

未見	存	29	未見	佚	165
未見	闕	2	存	存	263
存	佚	25	存	闕	1
存闕	存	1	佚	存	17
佚	佚	670	佚	闕	62
闕	闕	1			

從上述簡表內容，我們可以得到如下結論：

第一，竹垞判為未見之籍之中，經過筆者重新審議之後，竟有多達二九部典籍，係世間尚有存書，而筆者逐一考訂其版本、藏地，可供讀者按圖索驥，以供進一步研究之用。其次，另有多達一六五部的未見之籍，在經過筆者多次查考之後，並未見及諸家館藏其書，當已久佚於世，應該列入佚籍之列。又尚有二部典籍，竹垞注曰「未見」，而後世尚有輯本問世，可據以訂為「闕」籍。

第二，在竹垞判為存籍之中，尚有高達二百六十三部典籍，世間尚有存本，可供讀者考索之用。又另有二五部典籍，世間已無存書，而應改列為佚籍。其次，另有一部典籍，應改列為「闕」籍；而竹垞尚有一部，注曰「存闕」者，則應明白改列為「存」籍。

第三，在竹垞判為佚籍之中，有十七部典籍，世間尚有存本，可據以改注曰「存」籍。其次，有多達六七○部典籍，世間已無存本，則維持原判，注曰「佚」籍。又有多達六二部典籍，後世多有輯佚之本，可據以改注曰「闕」籍，顯見後人輯經風氣之盛，實受到《經義考》的影響所致，說法已見前文，茲不贅述。

綜合上述所論內容，本文從事《經義考》「春秋類」典籍訂補之時，兼考歷朝經籍存佚情形，其中所訂內容，可補竹垞考證之不足，而有足供後人參考之處。

七、校補竹垞漏誤解題

竹垞輯錄《經義考》之時，由於所涉主題甚多，為求精省文句，以便提供更多參考資料，是以刪略不少解題，以為變通之道。其次，也因抄寫過程之中，或有妄改資料之失，而致解題內容多有漏誤，諸如此類缺失，筆者均能逐一校補內容，藉以補足其失，說法詳見本書第三章第二節「《經義考》「春秋類」解題校勘析例」「二、脫字例舉隅」一項，茲不贅述。其次，由於本書第三章第二節所述內容，僅是約略舉例性質，實未足以反映全面漏略情形，是以讀者可以參看下文【考證篇】之中，有關於「《經義考》「春秋類」解題校錄」的內容，則能得到更完整的資料。

八、考知竹垞引書種類

筆者在訂補過程之中，逐一還原引書來源，以訂補其異文漏句，是以透過本文的訂補成果，可以考知竹垞引書種類，今依四部分類原則，將其數量繪製簡表如下：

經部.春秋類	345	(待考)	165	史部.政書類	164
史部.正史類	157	集部.別集類	144	史部.目錄類	136
史部.地理類	90	子部.類書類	77	子部.雜家類	60
經部.五經總義類	41	子部.儒家類	36	史部.傳記類	19
集部.總集類	13	子部.小說家類	12	史部.別史類	8
史部.史評類	6	史部.紀事本末類	5	經部.四書類	5
經部.禮類	5	子部.道家類	3	子部.藝術類	3
史部.編年類	3	集部.詩文評類	3	經部.小學類	3
史部.職官類	2	經部.孝經類	2	子部.術數類	1
史部.詔令奏議類	1	史部.雜史類	1	經部.易類	1

從上述簡表來看，我們可以得到如下看法：

第一，竹垞引用解題最多的類型，還是來自「經部．春秋類」的典籍，總計引用三四五次之多，其次為「史部．政書類」、「史部．正史類」、「集部．別集類」、「史部．目錄類」、「史部．地理類」、「子部．類書類」、「子部．雜家類」等類別，從竹垞引用書籍種類來看，顯然能兼備四部典籍，並非只是單一來自某類典籍，而從竹垞引書類型來看，顯然提供訂補《經義考》解題的參考，例如：「春秋類」、「正史類」、「地理類」等典籍，均為竹垞大量引文的來源，如能依其纂輯原則，多採相關典籍之文，定能增補更多解題，以利於治經之用。

第二，竹垞引書來源多元化，除了顯示其博學多聞之外，也可考見《經義考》的纂輯難度，而在眾多引用典籍之中，有些典籍的引用次數，甚至只有一次，而其勤於翻考典籍之心，更值得我們多加學習。

第三，筆者盡力還原竹垞引文來源，但限於個人能力未備，且時間不足，是以仍有一六五條解題，未能考知其引文出處。其次，在未能還原解題之中，尚有多數的引文，係清代以後的典籍資料，由於此類內容，較為缺乏電子索引資料庫，是以需要更多時間，始能還原其文，而有待日後持續努力，始能補足此一缺憾。

綜合上述簡表內容，筆者在訂補《經義考》「春秋類」典籍之時，常能耗費許多時間、人力，逐一還原竹垞引文出處，對於瞭解竹垞纂輯的用心，實有不小的助益。其次，前人未能逐一還原引文出處，致使許多纂輯過程，乃至於資料來源等等，均未能瞭解其真象，而透過本文的考訂與整理，可以有效輯考竹垞引文出處，雖仍有未能盡善之處，但相較於前人研究成果而論，則此文的研究成果，已有若干的貢獻，可供讀者參考之用，更能提供後人輯考經籍的參考。

又如果針對特定引書的引證頻率，我們可以另繪製簡表如下：

引書書名	統計結果	引書書名	統計結果	引書書名	統計結果
文獻通考	157	千頃堂書目	50	玉海	46
春秋本義	34	春秋師說	31	困學紀聞	30
後漢書	28	續經籍考	25	晉書	20
隋書	20	漢書	20	內閣藏書目錄	19
經典釋文	19	宋史	16	閩書	14
五經翼	13	史記	12	列朝詩集小傳	12
春秋左傳正義	12	黃氏日抄	12	萬姓統譜	12
北史	10	江西通志	10	中興書目	9
新唐書	9	監本附音春秋穀梁傳注疏	9	論衡	9
朱子語類	8	郡齋讀書志附志	8	春秋公羊傳注疏	7
吳文正集	6	春秋本義綱領	6	春秋經解	6
嚴州府志	6	史通	5	左氏兵法測要	5
東里續集	5	直齋書錄解題	5	春秋五論	5
春秋胡傳附錄纂疏	5	春秋通說	5	春秋集傳纂例	5
春秋傳	5	春秋辨疑	5	春秋繁露	5
郡齋讀書志	5	集傳春秋纂例	5	監本附音春秋公羊注疏	5
三國志	4	別錄	4	金華府志	4
長編紀事本末	4	南史	4	春秋皇綱論	4
春秋啖趙集傳纂例	4	春秋集傳	4	浙江通志	4
國語補音	4	清容居士集	4	淵穎吳先生文集	4
紹興府志	4	通志	4	椒邱文集	4
新喻梁石門先生集	4	群書考索	4	徽州府志	4
舊唐書	4	剡源戴先生文集	4	九經三傳沿革例	3
九靈山房集	3	中興兩朝聖政錄	3	孔叢子	3

水心先生文集	3	冊府元龜	3	北堂書鈔	3
江湖長翁集	3	宋文鑑	3	孟子	3
東維子文集	3	金華黃先生文集	3	春王正月考	3
春秋毛氏傳	3	春秋集注	3	春秋經筌	3
春秋說題辭	3	春秋諸國統紀	3	春秋質疑	3
皇明文衡	3	唐文粹	3	唐柳河東集	3
唐詩紀事	3	郝文忠公陵川文集	3	國史經籍志	3
崇文總目	3	庶齋老學叢譚	3	華陽國志	3
愚谷集	3	溫州府志	3	韓昌黎文集校注	3
鶴山全集	3	九雲山房集	2	十一經問對	2
三傳折諸	2	公羊引言	2	文忠集	2
日知錄	2	止齋集	2	世說新語	2
左氏兵略	2	左氏始末	2	吉安府志	2
名臣事略	2	存雅堂遺稿	2	西山題跋	2
吳錄	2	吳禮部文集	2	宋文憲公全集	2
攻媿集	2	赤城新志	2	兩浙名賢錄	2
周禮注疏	2	居業錄	2	杭州府志	2
東維子集	2	南昌府志	2	後漢書注	2
括蒼彙紀	2	春秋左氏人物譜	2	春秋左氏傳說	2
春秋左氏經傳集解	2	春秋左傳類事始末	2	春秋左傳屬事	2
春秋正傳	2	春秋列傳	2	春秋名臣傳	2
春秋命曆序	2	春秋直解	2	春秋後傳	2
春秋書法鉤玄	2	春秋尊王發微	2	春秋集傳詳說	2
春秋集傳辨疑	2	春秋集傳釋義大成	2	春秋集解	2
春秋意林	2	春秋經傳闕疑	2	春秋詳說	2
春秋屬辭	2	春秋辯義	2	春秋霸王列國世紀編	2
范文正集	2	唐會要	2	唐摭言	2

真文忠公文集	2	習學記言	2	莊子	2
通典	2	隆平集	2	愚菴小集	2
慈湖遺書	2	新刻麟經統編	2	葉氏春秋傳	2
寧波府志	2	實錄	2	漢書注	2
廣平府志	2	廣信府志	2	墨子	2
禮經會元	2	藝文類聚	2	洺水集	2
識遺	2	三朝北盟會編	1	大易緝說	1
小學紺珠	1	中吳紀聞	1	中說	1
五經蠡測	1	元史類編	1	元城語錄解	1
公羊傳	1	升庵集	1	太平御覽	1
太平寰宇志	1	巴西鄧先生文集	1	文苑英華	1
文章正宗	1	文獻集	1	水經注	1
王忠文集	1	北山集	1	北齊書	1
古微書	1	司空表聖文集	1	台州府志	1
四傳權衡	1	左氏春秋鐫	1	左記	1
左傳杜解補正	1	左傳經世	1	左觿	1
平齋集	1	白雲稿	1	石田先生文集	1
休寧名族志	1	圭齋集	1	安晚堂集	1
安陽集	1	有學集	1	朱一齋先生文集	1
朱子實紀	1	老學庵筆記	1	西山文集	1
西京雜記	1	吳淵穎集	1	吳禮部集	1
困知記	1	孝經援神契	1	孝經鉤命決	1
宋大事記講義	1	宋元學案	1	宋文選	1
宋宰輔編年錄	1	志粹類纂	1	阮嗣宗集	1
坦齋文集	1	姑溪居士前集	1	孟子註	1
定宇集	1	東里集	1	東觀漢紀	1
東觀餘論	1	林蕙堂全集	1	河南程氏外書	1

河南程氏遺書	1	玩齋集	1	初學記	1
金華志	1	金華府新志	1	長谷集	1
長樂縣志	1	青箱雜記	1	非國語	1
信古餘論	1	則堂先生春秋集傳詳說	1	南宋館閣續錄	1
南昌縣志	1	南窗紀談	1	南齊書	1
南濠居士文跋	1	建昌新城縣志	1	待制集	1
思玄集	1	急就篇	1	拾遺記	1
春秋二十編	1	春秋人名錄	1	春秋三書	1
春秋五傳平文	1	春秋公羊傳序疏	1	春秋公羊解詁	1
春秋孔義	1	春秋四傳糾正	1	春秋外傳國語人名錄	1
春秋外傳國語地名錄	1	春秋外傳國語注	1	春秋左氏傳補注	1
春秋左傳分國紀事	1	春秋左傳地名錄	1	春秋左傳典略	1
春秋左傳注評測義	1	春秋左傳注解辨誤	1	春秋左傳節解	1
春秋左傳釋附	1	春秋左翼	1	春秋本末	1
春秋本例、例要	1	春秋正旨	1	春秋正義	1
春秋列國圖說	1	春秋匡解	1	春秋存俟	1
春秋自得篇	1	春秋別典	1	春秋志	1
春秋志注	1	春秋志禮	1	春秋私考	1
春秋事義考	1	春秋宗旨	1	春秋或問	1
春秋非左	1	春秋胡氏傳辨疑	1	春秋胡傳考誤	1
春秋胡傳翼	1	春秋胡譯	1	春秋記愚	1
春秋貫玉	1	春秋通義略	1	春秋野篇	1
春秋備考	1	春秋備覽	1	春秋提要	1
春秋提綱	1	春秋握成圖	1	春秋詞命	1
春秋集傳談說	1	春秋集義	1	春秋集錄	1
春秋微旨	1	春秋會傳	1	春秋經世	1

春秋經傳類對賦	1	春秋補傳	1	春秋演孔圖	1
春秋疑問	1	春秋管見	1	春秋綱	1
春秋億	1	春秋穀梁傳集解	1	春秋談虎	1
春秋諸君子贊	1	春秋諸傳會通	1	春秋輯傳	1
春秋辨義	1	春秋翼附	1	春秋斷義	1
春秋歸義	1	春秋類對賦	1	春秋纂言總例	1
春秋纂例	1	春秋闡微纂類義統	1	春秋蠡測	1
春秋讀意	1	春秋鍼胡編	1	春秋讞義	1
皇朝文衡	1	皇極經世書解	1	耄餘雜識	1
唐書	1	唐國史補	1	唐語林	1
師山集	1	書小史	1	浪語集	1
浮溪集	1	烏程縣志	1	袁州府志	1
授經圖	1	梁書	1	梁谿集	1
梧溪集	1	淵穎集	1	莊子集釋	1
通雅	1	傅子	1	景迂生集	1
椒丘文集	1	象山全集	1	開封府志	1
雲陽集	1	傳家集	1	傳習錄	1
瑞州府志	1	節孝集	1	群書考索續集	1
資治通鑑外紀	1	道鄉集	1	嘉定縣志	1
壽昌縣志	1	漢南紀	1	漢藝文志考證	1
熊先生經說	1	端簡鄭公文集	1	管窺外篇	1
翠屏集	1	聞過齋集	1	聚樂堂書目	1
說苑	1	閩中理學淵源考	1	廣西通志	1
廣東通志	1	撫州府志	1	樂全集	1
樂圃餘?	1	穀梁引言	1	論語注	1
震澤長語	1	學林	1	學齋佔畢	1
歷代名臣奏議	1	澠水燕談錄	1	盧溪文集	1

豫章文集	1	遼金元文彙	1	龜山集	1
隸續	1	禮記集說	1	簡端錄	1
職官分紀	1	鎮江府志	1	雙槐歲抄	1
魏書	1	魏略	1	三國志注	1
續文獻通考	1	蘇州府志	1	蘇軾文集	1
蘇魏公文集	1	釋名	1	釋名疏證	1
鐵山先生春秋提綱	1	儼山外集	1	權載之文集	1
讀春秋日抄	1	巖下放言	1	麟傳統宗	1
蠹齋鉛刀編	1	贛州府志	1	鹽鐵論	1
弇州續稿	1	菉竹堂書目	1	塵史	1

根據上述簡表，我們可以得到如下結論：

第一，《經義考》「春秋類」典籍的引書種類，可以明顯考知典籍出處者，即多達四百二十一種書籍，顯示竹垞引證種類繁多，也正因為引用書籍眾多，而能有助於讀者治經之用。從筆者上述簡表內容，可以釐清竹垞引書來源及其頻率，對於瞭解《經義考》「春秋類」解題的引書來源，能有更清楚的認識。

第二，從引用頻率來看，其中《文獻通考》的引用頻率最高，可以證知竹垞自言纂輯書目之初，乃是據《通考》之書而擴編之。《曝書亭集》卷三十三〈寄禮部韓尚書書〉指出：

> (朱氏)見近日譚經者，局守一家之言，先儒遺編，失傳者十九。因倣鄱陽馬氏《經籍考》而推廣之。自周迄今，各疏其大略，微言雖絕，大義間存，編成《經義考》三百卷。分存、佚、闕、未見四門，於十四經外，附以逸經、毖緯、擬經、家學、承師、宣講、立學、刊石、書壁、鏤板、著錄，而以通說終焉。55

除朱氏之文外，另朱稻孫〈經義考後序〉主之、《國朝耆獻類徵》初編卷百十八詞臣四、《清史列傳》卷七十一、孫詒讓《溫州經籍志·敘例》等從之，而從《經義考》「春秋類」解題的來源來看，確能反映此一特點，顯見竹垞撰書之初，確曾以《文獻通考》為藍圖，藉以成其骨幹。

第三，從竹垞輯纂來源之中，其中不乏友朋之論見，是以《千頃堂書目》（黃虞稷）、《續經籍考》（陸元輔）、《五經翼》（孫承澤）、《列朝詩集小傳》（錢謙益）、《日知錄》（顧炎武）等撰著，皆曾大量引用其文，顯示竹垞非僅輯自古人之書，藉以證成經義內涵，也能羅列時人論點，使其纂輯內容，能保有最大參考的效益。

55朱彝尊:《曝書亭集》卷三十三〈寄禮部韓尚書書〉,（台北：世界書局，民國七十八年四月），頁414。

第四，從竹垞引用撰著之中，竟有多達二百五十一部典籍，僅只引用一次而已，雖然這些引用之籍，也可能再度出現於《經義考》其他卷帙之中，但是引用頻率不高的典籍眾多，顯示竹垞收錄之廣，並非隨意拼湊幾部典籍，即能成就其博大，而竹垞輯纂之用心，亦有足供後人參考之處。

綜合上述內容，歷來學者訂補《經義考》內容之時，多僅偶一為之，而在校訂文句之時，亦多採用隨校隨錄方式，不僅校訂未能精細，且無助於瞭解竹垞的引書種類，而筆者有鑒於此，乃在校錄竹垞書目之時，不辭耗費心力，逐一校訂其文，而此一舉動，除了能精細呈現出異文現象之外，也能有助考知竹垞引書種類，而使讀者對其引文現象，能有更多觀察與瞭解，而有助於讀者參考之用。

第二節　訂補《經義考》的建議

自從《經義考》成書之後，由於著錄典籍極多，兼以輯錄解題豐富，是以該書深受學者的重視，已成為治經問學的重要著作。然而，學者們在使用此書之時，多視同工具之書，僅截取解題內容，以為考訂經籍之用，且由於此書「卷帙浩繁，通讀費時，流傳未廣，得書非易」之故56，是以較乏學者的專題論著，而有重新整理的必要。筆者有鑒於此，乃在十數年之前，即嘗試考訂其書內容，並將研究心得，撰成「朱彝尊《經義考》研究」一書57，其中能發其謬誤，補其缺失，而成為研究是書的專門著作，待論文完成之後，更有志於校訂是書內容，乃重新蒐求各類文獻，用以補正《經義考》纂輯之誤，期能突破前賢成果，而能提供豐富內容，以供初學者治經之用。民國九十年開始，筆者在國科會資助之下，相後從事「《經義考》著錄『春秋類』典籍補正」、「《經義考》著錄『禮類』典籍補正」的研究工作，其中「《經義考》著錄『春秋類』典籍補正」的研究成果，業已達到一百一十萬字之多，但是由於整理時日稍短，兼以人力較少之故，是以雖能完成補正之稿，卻仍有未善之處。近幾年以來，筆者重新整理各類文獻，擬先行將「《經義考》著錄『春秋類』典籍補正」的委託案，重新擴大整理範圍，期能將成果出版，以供學者參考之用，乃以「《經義考》著錄『春秋類』典籍訂補」為題，曾交由高立圖書公司於民國九七年十二月出版，由於當時出版數量不多，是以流通在外的書稿不多，而今年以來，筆者再度整理舊稿，重新刪定書中文句，酌添各種資料，期能再度印製修訂稿，期能提供學者參考之用，乃以「《經義考》著錄『春秋類』典籍校訂與補正」為題，重新委由臺灣學生書局重新排版發行。又筆者在校正過程之中，對於訂補《經義考》一書，頗有些許心得，並擬同時寫出各項建議，以供後人校理此書的參考，說明如下：

一、稽考引文出處

竹垞纂輯經學書目之時，能夠蒐求各種資料，以利於經籍考訂之用，而這些解題資料，

56參考註3，頁222。

57楊果霖：「朱彝尊《經義考》研究」，（台北：中國文化大學中文研究所博士論文，民國八十九年六月）。

實能提供讀者治學之用。然而，竹垞引用前賢解題之時，未能明白標示引文出處，是以不便於讀者使用，當我們確實還原引文來源之時，常能發現其中多有謬誤，例如：《經義考》卷二百八，張氏《春秋說苑》條下引沈演〈序〉如下：

> 沈演〈序〉曰：「張子吾因也，少受《經》吾家，晚多自得。會諸家言胡氏《春秋》者，著精汰秕，編曰《說苑》，蓋舉業定本也。」58

竹垞將上文置於張氏《春秋說苑》條下，易使讀者誤認該文為《春秋說苑》的序文，惟考其所錄之文，實為《麟經統一》之〈序〉，而非《春秋說苑．序》，竹垞未能完整標示解題名稱，易使讀者產生誤判情形。

又《經義考》卷一百八十二，孫覺《春秋經解》條下59，竹垞先後徵引孫覺〈自序〉、楊時〈序〉、周麟之〈跋〉、邵輯〈序〉等序文，往往會使讀者誤認孫覺、楊時、周麟之、邵輯諸文，皆係屬於孫覺《春秋經解》的序文，然則周麟之〈跋〉，實非孫覺《春秋經解》的跋文，此文見於《直齋書錄解題》卷三60、《文獻通考．經籍考》卷十61，然所錄之文，實乃節錄之文，而其全篇序文，係見載於周麟之《海陵集》卷二十二，〈跋先君講春秋序後〉62，今視其標題之文，係周麟之跋其父講經之文，而非孫覺之作的跋文，諸如此類題稱之誤，易使讀者產生誤認情況，如能確實還原引文出處，勢能糾正其誤。因此，筆者擬援引錢熙祚補考《古微書》之例，逐一稽考引文出處，用以校對解題內容，藉以瞭解其異文情況，兼考其確切出處。例如：竹垞曾於《經義考》卷一六八，《春秋古經》條下，輯錄如下引文：「莊子曰：『《春秋》經世，先王之志也，聖人議而不辯。』」63，今考《莊子．齊物論》錄有上文，惟未見「也」字，而翁方綱《經義攷補正》卷第七根據《莊子》之文，因而刪去「也」字64，實未知竹垞引文出處，並非錄自《莊子》原書文句，而係根據程端學《春秋本義綱領》65一書，間接引證其文句，是以脫漏「也」字，乃是承繼程書漏略之文，而翁氏考訂之文，雖係根據《莊子》之文，雖有其直接證據，然未能確實稽考竹垞引書來源，是以翁氏的考訂內容，雖有訂正解題之效，卻有未及周全之失。

承上所言，當我們校正《經義考》解題之時，不僅得知各種異文情況，也能藉以稽考引

58參考註4，卷二百八，頁527。

59參考註4，卷一八二，頁825。

60陳振孫：《直齋書錄解題》卷三（京都：中文出版社，一九八四年五月再版），頁459。

61馬端臨：《文獻通考．經籍考》卷十（上海：華東師範大學出版社，一九八五年六月），頁247。

62周麟之：《海陵集》卷二二，〈跋先君講春秋序後〉（「文淵閣四庫全書本」冊一一四二，臺北：臺灣商務印書館印行），頁174-175。

63參考註4，卷一六八，頁486。

64參考註51，卷第七，頁89。

65程端學：《春秋本義．綱領》（台北：台灣大通書局，「通志堂經解」第二十五冊，民國58年10月。），頁13873引之。

文來源，進而得知其引書種類、數量，諸如此類的校訂工作，迄今未見學者從事相關研究，筆者雖曾於「朱彝尊《經義考》研究」一書，考及部分引文出處，惜考訂未能全備，尚有未能考知出處者，而有重新考訂的必要。在考察引文來源之時，由於需要耗時甚久，而且成效零散，是以歷來學者補正《經義考》內容之時，多僅偶一為之，未能大規模還原引文來源，用以校訂文句訛謬之失，使得歷來學者校正此書內容之時，不僅成效未彰，也無法知悉竹垞引書種類，更遑論統計其引書頻率，諸如此類不足之處，實有待學者們群策群力，逐一還原竹垞引文出處，方能補其不足之處。然而，如何有效稽考引文出處，又不必耗費太多時間呢？關於此一問題的解決方式，若能輔以各種電子資料庫的使用，將能有效節省時間，藉以達到最佳的補正成效，例如：中央研究院漢籍全文資料庫、各大圖書館的四庫全書電子全文檢索系統、四部叢刊檢索系統、古今圖書集成檢索系統、台北故宮博物院寒泉資料庫、中國基本古籍庫、雕龍系列等查詢系統的應用，不僅能有效檢得引文出處，且能節省查檢時間，使得還原引文的工作，將有事半功倍之效。

二、補勘文字異同

校勘為整理文獻的重要方法之一，當我們考訂各種史實之時，如若文字稍有出入，勢必會影響考證結果。竹垞是一位著名的文獻學者，其博通考據，尤能重視校勘工作，蔡澄《雞窗叢話》指出：

> 竹垞凡刻書，寫樣本親自校二遍，刻後校三遍。其《明詩綜》刻於晚年，刻後自校兩遍，精神不貫，乃分於各家書房中，或師或弟子，能校出一　字者，送百錢。然終不免有畱字，《曝書亭集》中亦不免，且有俗體，可知校訂斷非易事也。66

據此，竹垞刻印圖書之時，特別強調文字的正確性，雖然刊刻之籍，猶不免有所錯誤，但其治學觀點正確，實有值得效法之處。衡諸《經義考》的案語內容，竹垞充分展現校勘功力，筆者在「朱彝尊《經義考》研究」之中，曾據以指出「精於校勘，善析異同」一項，實為竹垞治學的重要方法之一67，竹垞雖擅長校勘之法，且驗之《經義考》的案語內容，不乏此類校勘之語，而有助於經籍考訂工作。然而，驗諸《經義考》全書解題內容，仍不免出現各種異文，其中不乏重要詞句的誤植，而有礙於讀者識讀其文，蓋此書未經最後定稿，且前後體例未能一致，是以內容難免有誤，而前賢在整理其書之時，自然也發現此類錯誤，是以翁方綱《經義攷補正》、羅振玉《經義考目錄．校記》、林慶彰等諸位教授《點校補正經義考》的完成，均曾耗費不少心力，用以校訂文字異同，然檢視諸家校勘成果，實未能全面還原引文資料，致使校訂的成果，實未能甄於全善，而有待學者重校此書內容，用以審訂其文字異同，以免誤襲前賢校訂之文，而未明其故。例如：林慶彰、蔣秋華諸位教授《點校補正經義考》卷一八八，章沖《春秋左傳類事始末》條下引「謝諤〈序〉曰」，點校本於「遂以喜於

66清：蔡澄撰，李文田手批：《雞窗叢話》，（清光緒間新陽趙氏刊峭帆樓叢書本，台北：國家圖書館藏本），頁12。

67參考註57，頁84-88。

見所未見者報之」下，有註腳如下：「依《補正》當補「淳熙十五年十二月」。68，點校本承襲翁方綱《經義攷補正》之文，補入「淳熙十五年十二月」，然考之「通志堂本」的謝諤序文，於「月」字下，尚有「十二日癸酉，臨江謝諤序於摛文堂」等十四字69，如若能夠確實還原引書出處，當據以補入諸多文句，惜翁氏僅補其部份文字，而《點校補正經義考》則襲其漏失，致使缺漏文句尚多，而有待學者重新還原引文出處，方能補入更多完整資料，而諸如此類例證實多，讀者如不能還原引文出處，將會喪失不少參考資料。筆者有鑑於此，乃大量檢校各類文獻，用以校訂竹垞異文情況，其中多能提供正確校語，以供讀者治學之用。其次，筆者校補解題之時，亦能發現前賢未校文句之誤，不僅有利於讀者治經之用，且能使讀者瞭解竹垞編纂過程，兼能明其錯誤，說法詳見本書第三章的析例，茲不贅述。

當我們還原引文之時，即能輕易檢得異文情況，而有利於判斷竹垞引文之誤，例如：《經義考》卷一八八，劉夙《春秋講義》輯錄葉適〈志墓〉一文，有著如下文句：「葉適〈志墓〉曰：『……弟正字諱翔，字復之。』」70，筆者在對照四部叢刊本《水心先生文集》〈著作正字二劉公墓誌銘〉71一文之後，即能發現劉夙之弟，實係劉朔，而非劉翔，諸如此類錯誤，僅需透過校勘程序，即能探知異同，而能有助於掌握實情，今考李俊甫《莆陽比事》卷二、林光朝《艾軒集》卷七、佚名撰《群書通要》癸集「《方輿勝覽》下」、陳道撰《（弘治）八閩通志》卷七十一「人物」林光朝條下注文；又同書，卷七十九，興化府「寺觀丘墓」條下、陳士元《名疑》卷三、黃仲昭《未軒文集》補遺卷下〈方翥、劉夙、劉朔、陳士楚、黃芻列傳論〉條下、凌迪知《萬姓統譜》卷十八，「陳昭度」條下注文、湯日昭《（萬曆）溫州府志》卷八「秩官志」、鄭嶽《莆陽人獻列傳》、朱衡輯《道南源委錄》卷十「黃季野」條下、黃宗羲《宋元學案》卷四七，〈縣丞黃先生芻〉條下、李清馥《閩中理學淵源考》卷八〈主簿黃季野先生芻〉等條下，均為劉夙、劉朔並存於文中，其中《未軒文集》補遺卷下〈方翥、劉夙、劉朔、陳士楚、黃芻列傳論〉條下，更明言：「劉夙暨其弟朔，皆師事未軒，而得其傳。」，顯見劉夙之弟，乃是劉朔，則是不爭的事實。我們從校勘成果之中，不難發現此類疏失甚多，實有重新校勘的必要，惟此類校訂之舉，所收成效零碎，是以不為學者所重，而未見學者全面校訂文句，致使《經義考》異文之誤，不能廣為學者所悉，而易有錯用解題之失。

三、補刊版刻異同

掌握版本流傳的過程，將有助於判明典籍存佚，竹垞注明典籍存佚情況，將其分為「存」、

68參考註4，卷一八八，頁70。

69章沖：《春秋左氏傳事類始末》，謝諤〈序〉（台北：台灣大通書局，「通志堂經解」，冊二二，民國58年10月。），頁12697。

70參考註4，卷一八八，頁74。

71葉適：《水心先生文集》（台北：民國商務印書館四部叢刊影印明黎諒刊黑口本　），卷十六，頁187-190。又《黃氏日抄》（京都：中文出版社，一九七九年五月，出版）卷六八引之，亦同於《水心先生文集》之文

「佚」、「闕」、「未見」四項，但是未能掌握經籍傳本資料，致使判定結果有誤，而未能確實符合實情。章學誠《論修史籍考要略》第十二條「板刻宜詳」中曾經指出：

> 朱氏《經義考》後有刊板一條，不過記載刊本原委；而惜其未盡善者，未載刊本之異同也。72

竹垞未能詳載經籍版本資料，使其判明典籍存佚、書名異稱、作者異名、卷數差異等情況，也頗有疏漏之處。章氏有鑒於此，乃欲補其缺失，期能「餘力所及，則當補朱氏《經考》之遺。」73，今觀章氏所持論點，可謂立意良善，如能確實行之，當為學者治經之福，而有助於經學的研究。然而，終章氏一生之力，卻未能實現此一構想，實乃歷朝經籍眾多，實難逐一補入相關資料，而平心而論，此類工作耗時廢力，實非單一學者能夠畢竟其功，是章氏雖有補考經籍版本的構想，卻限於現實環境不足，而未能確實行之，惟其補正是書的構想，卻能提供後人參考之用。筆者從事「《經義考》著錄『春秋類』典籍補正」之時，曾經隨輯隨錄，輯入大量經籍版本資料，不僅能考其流傳過程，也能兼考藏地資料，至於所得結果，亦有值得讀者參考之用。例如：嚴彭祖《春秋公羊傳》條下，筆者考其版本如下：

> 【存佚】本書有諸家輯本，說明如下：
>
> 一、《公羊嚴氏春秋》一卷　（漢）嚴彭祖撰　（清）馬國翰輯
>
> 《玉函山房輯佚書》‧經編春秋類　馬來西亞大學圖書館有藏本。
>
> 二、《春秋公羊嚴氏義》一卷　（漢）嚴彭祖撰　（清）王仁俊輯
>
> 《玉函山房輯佚書續編》‧經編春秋類
>
> 【增補】孫啟治、陳建華編《古佚書輯本目錄（附考證）》曰：「嚴彭祖，字公子，官至太子傅，東海下邳人。與顏安樂俱事眭孟習《公羊春秋》。彭祖，安樂各專門教授，由是《公羊》有嚴、顏之學。（《漢書‧儒林傳》、何休《公羊序》徐彥疏引鄭玄《六藝論》）。《隋志》載嚴彭祖《春秋公羊傳》十二卷，兩《唐志》並五卷。馬國翰從《左傳正義》、《公羊傳注疏》、《通典》各採得一節，又從《漢書‧韋元成傳》採得嚴彭祖等議一節附後。王仁俊補馬輯之缺，採鄭玄三《禮》注所引《公羊》之文三節，並引惠棟《九經古義》說，以此三節引文乃據嚴氏本。王氏又自輯《嚴氏春秋逸義述》，從《漢書》採承宮、致惲、樊儵諸人說凡八節，以其人皆習顏氏《公羊》者，其說本諸嚴氏也。」（頁六〇）
>
> 【增補】〔校記〕馬國翰有輯本。（春秋，頁四四）
>
> 三、清光緒九年(1883)長沙琅嬛館補校刊本：(漢)嚴彭祖撰《公羊嚴氏春秋》一卷，

72章學誠：〈論修史籍考要略〉，見載於《校讎通義》附錄。（台北文史哲出版社，轉引昌彼得編輯：《中國目錄學資料選集》，民國七十三年一月），頁653。

73參考註72，頁270。

台北：國家圖書館有藏本。74

根據上述的版本資料，可補竹垞未考經籍版本之失，惟所涉經籍眾多，實難逐一詳考內容，僅能盡力考及相關版本，以供讀者參考之用，而其事之難，實非短期之內，能夠獲致其功。然而，如能分經逐步考之，將能彌補竹垞漏考版刻之失，進而瞭解版刻流傳過程，也能得知卷帙分合、作者異名、書籍異稱，存佚情況，乃至於藏地等資料，而有助於讀者利用《經義考》的資料。又陳恆嵩教授曾經在行政院國科會資助之下，從事現存經籍版本藏地的整理，先後完成《尚書著述現存板本目錄》75、《詩經著述現存板本目錄》76、《三禮著述現存版本目錄》77、《春秋三傳著述現存版本目錄》78、《四書著述現存版本目錄》79等諸多計劃，惜其計畫成果，未能廣為刻印傳世，使得讀者無從利用書目內容，以供治經之用。此外，從陳氏所提計畫名稱來看，係以現存經籍版本為考察對象，而未及於已佚之籍，然已佚的版本資料，仍有助於查考經籍流傳過程，雖然讀者無從利用其版本，但其中的片語隻字，仍能提供讀者參考之效。其次，陳氏所編之書目，係以簡目為主，未能兼及解題資料，雖有助於讀者按圖索驥，進而查考相關圖書內容，但是相關資料難以兼備，使得讀者無從判斷圖書價值，而僅能根據其他文獻，始能評估各種經籍的學術價值，亦稍顯可惜，此乃受其體例限制，實未足以苛責其失，但是若能提供更多資料，將有助於讀者治經之助。綜合上述所論，昔日章學誠欲考《經義考》經籍版本的異同，惜礙於時間、人力之限，未能有效考知經籍版本異同，而近來陳恆嵩教授雖能補足現存版本資料，惜所編書目未能出版問世，且非針對《經義考》內容而設，使讀者意欲參考竹垞解題資料，又要瞭解其傳本資料，則多有未足之憾。因此，若能整合相關解題，並能補入版本資料，則能有助於讀者應用其書，以供後續研究之用。

四、補輯漏失經籍

中國古籍眾多，迄今難有確切數據，劉兆祐教授於《中國目錄學》之中，曾經估算中國古籍數量如下：

> 圖書浩如煙海，今存古籍，去其重複，猶有一百餘萬冊之多。如此眾多之圖書，勢非窮其一生所可盡讀，事實上，亦非每一部書都必讀，以治經學者而言，詩詞之書，不必盡讀，擇其重要及個人所好者誦讀即可；又如治小說者，經部之書，注疏甚多，亦無須盡讀，每一經擇重要之注本涉覽即可。80

74楊果霖：「《經義考》著錄『春秋類』典籍補正（上冊）」（台北：國科會研究計劃報告，NSC-90-2411-H-148-001，執行日期2001.8.1至2002.7.31日止），頁189。

75參考註19。

76參考註20。

77參考註21。

78參考註22。

79參考註23。

80劉兆祐：《中國目錄學》（台北：五南圖書出版公司，民國八十七年七月），頁427。

劉氏估計現存古籍數量，即多達一百餘萬冊，然歷來亡於天災人禍之籍，更是難以計數，而且歷來撰著數量極豐，自當遠甚於百萬之數。竹垞雖以一己之力，盡力搜求各種典籍，逐一考訂其內容，合計多達八千四百餘部經典，然闕漏經籍的情況，實所難免之事，而歷來學者徵引《經義考》內容之時，亦謀思補正之舉，其中增補竹垞漏失之籍，業已蔚為一時風潮，例如沈廷芳《續經籍考》四十卷、陸茂增《續經義考補遺》、翁方綱《經義考補正》十二卷、錢東垣《補經義考》四十卷、《續經義考》二十卷[81]、朱休承《續經義考》、馮浩《續經義考》、嚴元照《經義考補正》諸書[82]，均能涉及相關內容的補正工作，但是此類的補正書目，大多屬於未刊之作，使得讀者無從得知詳細內容，惟從書名卷帙考之，應為增補竹垞漏失之籍，且從諸家補正書目之卷帙，竟多達數十卷，可知前賢增補經籍的成效，必定十分可觀，顯見竹垞漏失經籍眾多，實有重新訂補的必要。

筆者於九十學年度獲得國科會計畫的獎助，從事「《經義考》著錄『春秋類』典籍補正」的工作，總計增補達千餘部的《春秋》學撰著，已能突破前人增補成效，今依其時代、數量，繪製簡表如下：

朝代	數量	朝代	數量	朝代	數量	朝代	數量
清	663	明	161	元	48	漢	41
？	38	民國	38	宋	38	日本	37
晉	22	魏	14	南朝梁	6	韓國	6
北魏	4	南朝宋	3	六朝	2	唐代	2
梁	2	蜀漢	2	五代	1	北朝	1
周朝	1	金朝	1	南齊	1	後蜀	1
後魏	1	陳	1				

根據上述簡表內容，我們有如下幾點說明：

（一）竹垞未能著錄之籍，多屬於明清時期撰著，此乃受限於當時索引不足，訊息未廣所致。竹垞卒於康熙四十八年（1709），未能有效輯錄清代典籍，是以未能著錄之籍，多屬於清代的經籍，惟大多數漏失之籍，係屬於清代中葉以後的撰著，此乃成書時限所致，無關於竹垞纂輯好壞，但是為求顧及作者編纂原意，故在補正竹垞漏失之籍的同時，最好能先行刪去清代以下典籍，或是以康熙四十八年為限，方能回歸竹垞著作原意。因此，有關竹垞漏輯的清代典籍，宜另行輯錄與考訂，錄為一冊，以補竹垞輯錄不足之失，但此舉已屬「續修」的範疇，宜另行處理為宜。其次，分別為明朝、元朝、漢朝、民國、宋朝等等，也大致符合各期學術發展的概況，然明朝典籍漏失嚴重，尤需先行輯證資料，若是行有餘力，再行增補

81吳政上：《經義考索引．自序》，（台北：漢學研究中心編印，民國八十一年三月），頁6。

82參考陳鴻森：〈《經義考》孝經類別錄（上）〉註三之文。（台北：《書目季刊》三十四卷一期，民國八十九年六月十六日），頁1-2註腳三之文。

其餘各朝典籍，方能建構更完善的經學書目。

（二）今觀竹垞輯錄之籍，僅限於中國本土的經籍撰著，而無法搜求韓國、日本等鄰邦學者之作，諸如此類漏失之籍，宜仿《經義考》的編輯體例，另行增補成冊，以冀其全，但是此類的纂輯疏失，乃是受到環境所限，實難苛責其失。此外，廣徵鄰邦學者的經籍撰著，雖能彌補竹垞編纂不足之失，但竹垞編纂書目之時，原本就是未能收錄外邦文獻，是以輯錄相關典籍之作，已屬於「續修」之作，今暫時排除此一工作，始能符合真實情況。

（三）衡諸《經義考》的著錄內容，雖有缺漏典籍之失，若能加上筆者增補的經籍資料，再行參考簡宗梧、周何主編：《十三經論著目錄（五）左傳、春秋公羊、春秋穀梁、春秋總義論著目錄》的內容[83]，將能有效完成《春秋學總目》的普查工作，如能再行仿照竹垞撰書體例，重新輯錄相關解題，並附以案語考證，將有助於探討經學議題，而能提供讀者更好的經學書目。

竹垞身處於清代初期之時，必會受到當時環境的限制，而致蒐訪圖書極為不易，且竹垞以一人之力，雖能廣搜各種書目，藉以撰成書目一編，卻仍有未能著錄之籍，而無法成為完善的經學書目，如能逐一輯補考辨，並能細分子目，則能提供完善的資料，以利於讀者治經之用。

五、重考存佚實況

竹垞將經籍存佚情況，區分為「存」、「佚」、「闕」、「未見」四種體例，而其注明例則，也多為後世目錄學家們所接受，成為編纂專科書目的準繩。然而，歷來經學典籍眾多，實難逐一寓目，是以難免有所闕漏，學者若以此深責之，不免有過於苛責之失。昔日，四庫館臣曾糾舉其失，卻能體諒其處境，館臣云：

> 冊府儲藏之祕，非人間所得盡窺。又恭逢我　皇上稽古右文，蒐羅遺逸，瑯嬛異笈，宛委珍函，莫不乘時畢集。圖書之富，曠古所無。儒生株守殘編，目營掌錄，窮一生之力，不能測學海之津涯，其勢則然，固不足為彝尊病也。[84]

中國古籍極為豐富，且散佈於世界各地，縱使資訊流通的現代，欲求遍考典籍存佚情況，亦會受到環境所限，而難以畢竟其功，至於未能傳世之作，或是未經書目登錄，而致前賢心血付諸東流者，亦所在多有，如欲確實辨明存佚情況，實會受其環境所限，而難以全善。竹垞以一儒生之力，雖能盡力搜訪古今文獻，以考經籍存佚情況，然礙於時代環境之限，致使考訂成果有限，難免會有謬誤之失，而身為後世學者的我們，雖不能苛責其過，但是亦當正之，以免後世讀者承襲其誤，而錯失研究先機。因此，我們在補正《經義考》內容之時，應當盡力搜訪經籍資料，以補竹垞誤考經籍之失，藉以提供正確的資訊，以供後世學者參考之用。

83簡宗梧．周何主編：《十三經論著目錄（五）左傳、春秋公羊、春秋穀梁、春秋總義論著目錄》（台北：洪葉文化事業有限公司，民國八十九年六月，初版一刷）。

84永瑢等撰：《四庫全書總目提要》卷八五，史部·目錄類一，（北京：中華書局，一九九二年一版五刷），頁732-733。

竹垞對於經籍存佚的判定，各經皆有誤判之例，但誤判情況嚴重之目，則集中在「春秋類」以下的典籍，吳騫《繡谷亭薰習錄．敘例》曾有如下評論：

> 竹垞先生《經義考》最為賅博，然《春秋》而下，存佚、卷帙，微有訛舛，疑當時未見其書，而設以己意度之也。85

綜觀《經義考》著錄春秋類典籍，其中所注存佚情況，多標以「未見」，或以己意度之，其中誤注存佚之例，亦所在多有，學者參考其書之時，尤需仔細審議其內容，以免誤判經籍存佚，而致錯失研究資料。例如：《經義考》卷二○○，童品《春秋經傳辨疑》條下，竹垞注曰「未見」86，然考其書世間猶有存本，甚至還有明抄本行世，筆者考其存本如下：

> 一、明抄本：明童品撰《春秋經傳辨疑》一卷，上海圖書館有藏本，堪稱傳世最早之本，崔富章《四庫提要補正》頁一七五有考辨。
>
> 二、明朱絲欄棉紙抄本：駱兆平《新編天一閣書目》頁二七三著錄，為寧波天一閣舊藏之物。
>
> 三、文淵閣四庫全書本：(明)童品撰《春秋經傳辨疑》二卷，《國立故宮博物院善本舊籍總目》，上冊，頁一〇四著錄，台北：故宮博物院有藏本。
>
> 四、藍格舊鈔本：明童品撰《春秋經傳辨疑》一卷一冊，臺灣大學圖書館善本書室有藏本。
>
> 五、民國十三年(1924)永康胡氏夢選樓刊本：(明)童品撰《春秋經傳辨疑》一卷，扉頁刊記「永康胡氏夢選樓刊」，台北：國家圖書館有藏本。
>
> 六、續金華叢書本：明童品撰《春秋經傳辨疑》一卷，馬來西亞大學圖書館有藏本。
>
> 七、民國六十一年(1972)藝文印書館四部分類叢書集成三編影印永康胡氏夢選樓刊本：(明)童品撰《春秋經傳辨疑》一卷，台北：國家圖書館有藏本。87

童品《春秋經傳辨疑》一書，歷來多以抄本之貌傳世，或藏於宮廷秘府，或置於私家庫藏，而致難於一見，但是四庫館臣纂修《四庫全書》之時，猶能收錄童品之書，顯見此書在竹垞存世之時，仍確實存於世間，且是書後來有多種叢書本問世，早已非世間秘本之籍，學者如據竹垞之言，將難以確知其存佚情況，諸如此類情形，理應重新整理考訂，方能有效瞭解經籍存佚情形，而不致於誤信竹垞之言。其次，現存經籍善本的資料，多見存於各大圖書館，

85轉錄盧仁龍：〈《經義考》綜論〉，（台北文史哲出版社，《中國經學史論文論集》下冊，民國八十二年三月），頁427。盧氏條例「辨存佚不明」之例，以為朱氏《經義考》疏失之一。

86參考註4，卷二○○，頁340。

87楊果霖：「《經義考》著錄『春秋類』典籍補正（上冊）」（台北：國科會研究計劃報告，NSC-90-2411-H-148-001，執行日期2001.8.1至2002.7.31日止），下冊，頁684-685，原文考訂較長，難於具引，此處引文僅是摘其要點，以供讀者參考之用，至於詳細內容，詳見本文【考證篇】，茲不贅述。

若能提供館藏情況，將使讀者按圖索驥，以供考索內容之用，則將有助於擴大讀者應用範圍，而使得經學研究的發展，能有更好的成果。

六、審訂類目安排

竹垞在《經義考》類目安排方面，頗具有個人特色，筆者於「朱彝尊《經義考》研究」之中，曾據以指出：

> 《經義考》的分類觀點，不侷限於前代的分類類目，而能依據學術的特性，來安排其相關的類目，觀其所立的類目，足以形成嚴密的分類系統，影響所及，其後專科書目的編纂，也多能效法其例，重新考量新的類目，促成分類類目的變革。[88]

竹垞在類目安排方面，確實異於前代書目編排方式，而有其個人特色，但是由於收錄典籍不同，兼以類目安排互異，是以在歸併經籍類目之時，往往會產生許多問題，學者如要補正其書，必須注意其分類情況，說明如下：

（一）考訂類目隸屬關係

竹垞在類目歸併方面，明顯與前代書目分類方式，有著許多不同之處，如果細究其原因，係因為古代的文獻學者，在歸併書籍類目之時，或依書籍本質而分，或依書籍體裁而分，而導致分類的結果，有著極大的歧異。竹垞在編纂《經義考》之時，完全依據書籍本質歸併類目[89]，使得原來歸併於史部、子部、集部的相關典籍，得以回歸其本質，而併入經部範疇，因而擴大收錄成效。因此，當我們檢視《經義考》的類目安排，往往與其他書目互異，例如：《經義考》卷一七九，錄有楊湜《春秋地譜》[90]，然考之《文獻通考．經籍考》卷三一，頁七四九錄有此書，卻將其列入「地理類」，顯見竹垞與馬端臨的分類觀點，確實有著不同概念。蓋馬端臨將中國典籍分為經、史、子、集，可以依其體裁歸併類目，而竹垞卻僅能錄及經部，且為求擴大收錄成效，而將原來歸屬於史部．地理類的相關典籍，置入「春秋類」，如此截然不同的歸類方式，也使得類目分隸不同。又如楊均《魯史分門屬類賦》[91]，竹垞將其隸屬「春秋類」典籍，而馬端臨將其置入「子部．類書類」[92]，其餘類此之例甚多，學者於補正《經義考》之時，宜特別注意類目的歸併差異，並能說明竹垞分類緣由。

88參考註57，頁365。

89參考註57，頁361-362。案：所謂的「崇質」，乃是以書籍的「本質」為分類依據，例如：「易經」、「書經」等類目屬之；至於「依體」，乃是依據書籍的「體裁」為分類準繩，例如：「類書類」、「編年類」等屬之。這種分類標準的不一，往往會造成分類觀點的歧異，竹垞在分類之時，由於沒有史．子．集諸類，故在分類觀點上，與四部分類法，有著極大的歧異，讀者於考較《經義考》類目之時，宜審慎檢視相關文獻，以免錯失參考資料。

90參考註4，卷一八三，頁851。

91參考註4，卷一七九，頁760。

92參考註61，卷五五，頁1270。

（二）檢視分類出入情形

竹垞在類目安排方面，有「同書異類」、「質近類異」、「誤繫類目」之失[93]，這是因為歷來經籍數量眾多，竹垞難以逐一審視內容，而致相互出入者，亦復不少，學者如要補正其書，勢必要能審視竹垞分類原則，方能檢得其中錯誤。

整體而論，《經義考》「春秋類」的分類過廣，未能細分各類，使得許多典籍的歸併結果，未能安排妥當，而且竹垞的分類觀點，常與前代書目不同，顯然有其檢討的必要。當我們在校理《經義考》「春秋類」典籍分類之時，若能適度檢討其分類方式，或許能有更好的訂補成效，而有助於讀者治經之用。

七、增補解題資料

《經義考》卷帙高達三百卷，允為古今書目之最，其搜羅廣博，早已獲致良好評價。然而，歷來經學文獻輩出，所需蒐求的文獻，也就日漸增多，盧仁龍〈《經義考》綜論〉指出：

> 儒書在劉向、劉歆《七略》之始，就居群書之首。《隋書·經籍志》又單立經部於弁首，以後相沿成規，從未乙降。更主要的還在於，經類文獻歷代備受重視。因此，搜羅賅備的程度，遠遠超軼他類。自然，早期著錄也無需單列或別裁。它(指《經義考》一書)的產生，正是隨著經學範圍的日日擴大，經部文獻的不斷增多而出現的。[94]

竹垞編纂《經義考》之時，雖然曾經廣徵各種文獻，以利考證經籍之用，但是礙於古籍文獻眾多，實難蒐求全備，其中漏失的解題資料，尤有待學者輯補文獻，以補其不足之處。昔日，喬衍琯整理《經義考》之時，欲將翁方綱《經義攷補正》、羅振玉《經義考目錄．校記》及個人的批註案語，整理出版行世，以利讀者使用，然其事終未能實現[95]。其後，林慶彰、蔣秋華等諸位教授整理《點校補正經義考》之時，即取法於喬氏之構想，將翁方綱《經義攷補正》、永瑢奉敕編撰《四庫全書總目提要》、羅振玉《經義考目錄．校記》等書的校正結果，附於竹垞正文之末，以便於讀者使用，今觀其法之行，實為良善之法，可以匯聚前賢考訂成果，以補竹垞解題不足之失，然礙於《經義考》的內容廣博，林慶彰等諸位教授僅增補三部典籍的內容，再配合竹垞原書，即達八巨冊之多，實難再添其他文獻，如要擴大參考功效，勢必要能重輯解題資料，以利學者考證之用。

《經義考》輯錄解題甚多，故能擁有治經之效，但是歷來文獻眾多，竹垞未能遍覽古籍內容，兼以為求精省之故，而無法輯錄更多解題，此乃受到時代所限，後人未能過於苛責其失。然而，以今日索引便捷的程度，加以書籍廣為流通，如能重新輯錄解題，勢將有利於考證工作，學者如要輯補竹垞漏失解題，需先行增補如下幾類資料：

93參考註57，頁三九四至頁四○二。

94參考註85，頁416。

95喬衍琯：〈《經義考》及《補正》、《校記》綜合引得敘例〉（林慶彰、蔣秋華主編《朱彝尊《經義考》研究論集》（下），台北：中央研究院中國文哲研究所籌備處，民國八十九年），頁608。

（一）序跋資料

竹垞著錄典籍之時，常於典籍之下，錄有各書序跋資料，以供讀者參考之用。但是，亦有為數眾多的序跋資料，卻因內容冗長之故，而為竹垞棄置不錄[96]，諸如此類序跋內容，實有其參考價值，而有重新輯錄的必要。近年以來，中央研究院林慶彰、蔣秋華教授在國科會資助之下，已經積極從事經籍序跋的輯錄工作[97]，並擬將相關序跋資料上網，以供讀者查詢使用，顯見經籍序跋的重要性，已漸漸受到學者們的重視，竹垞雖能輯錄部份序跋，惜輯而未盡，而有待學者們群策群力，方能補其缺失，如今中央研究院的研究人員，能夠親自帶領經籍序跋的輯錄工作，並擬將輯錄成果上網，此舉勢將有功於學林者也。又在具體作法方面，可參考蔣秋華教授《歷代尚書學專著序跋輯錄》之例，逐一檢閱《文淵閣四庫全書》、《續修四庫全書》、《四庫全書存目叢書》、《四庫未收書輯刊》、《四庫禁燬書叢書》、《叢書集成初編》、《叢書集成續編》、《叢書集成三編》、《百部叢書集成》、《北京圖書館古籍珍本叢刊》、《通志堂經解》等諸多叢書內容，用以輯錄各種序跋資料，以利於讀者治經之用，而筆者訂補《經義考》著錄「春秋類」典籍之時，也多能輯錄若干序跋資料，而有助於讀者治經之用。

（二）書目資料

竹垞著錄經學典籍之時，雖曾輯錄眾多書目，但由於書目多屬條文方式，故僅徵引其著錄內容，而未能另立解題以繫之，是以解題之中，甚少直接引用書目資料，而致缺錄內容甚多，實有待學者輯補文獻，以補其缺失。其次，明清之際，書目盛行於世，其中不乏版刻記錄，或係解題資料，均有助於治經之用，若能逐一輯錄其內容，不僅可考經籍存佚情形，也能有助於瞭解版刻的流傳，對於經學方面的研究，實能有所貢獻。在工具書的使用方面，可採用《古籍版本題記索引》、《十三經論著目錄》、「書目叢編」、「書目類編」等書目，兼及諸家館藏及解題目錄，用以查考版本流傳及藏地資料，而本書訂補過程之中，雖能大量採用相關書目，卻仍有不足之處，若能持續訂補、考證，則對於經籍流通情形，將有極高的參考價值。

（三）方志資料

竹垞徵引解題之時，曾經大量引證方志資料，其對方志的重視及利用，足令後人感佩不已。然而，竹垞徵引的方志資料，刪略文字的情況，的確十分嚴重，實需逐一校補原書，並補其漏略文句，方能提供讀者完整資料，以利於考證之業。在查考方志方面，可先行參考「大人物知識管理集團」出版的「中國方志庫」（電子版），該資料「收錄一萬種方志，合計二

96參考註4，卷二五七，頁648，陳禹謨《經言枝指》條下錄有竹垞案語曰：「諸序文多冗長，故不錄。」，顯見竹垞常因序文冗長之故，而棄置不錄。案：竹垞刪略序跋甚多，筆者曾有相關研究，詳見〈朱彝尊《經義考》『剪裁之法』的運用析論〉（台北：《醒吾學報》第二五期，民國九十一年十二月），頁262。

97蔣秋華：《歷代尚書學專著序跋輯錄》（台北：國科會九十學年度研究計畫）、林慶彰：《歷代詩經學專著序跋輯錄》（台北：國科會九十二學年度研究計畫）。

十餘億字」[98]，是為目前查考方志圖書內容的最佳資料庫，學者若能補入相關資料，將能充實許多考證資料，以備於研究之用。

（四）傳記資料

竹垞徵引的解題內容，亦多傳記資料，尤多正史的內容，然其徵引群書之時，亦多刪略正史傳記之文，而有待補足文句，始能提供讀者完整的資料，以為學術研究之用。又竹垞雖然徵引為數甚多的墓志、誄文等資料，但是漏失內容甚多，而有待重新輯補內容，藉以增添《經義考》的參考價值。在工具書的使用方面，可以採用電子版的《古今圖書集成》、《四庫全書》、《四部叢刊》、瀚典資料庫、寒泉資料庫、中國基本古籍庫等相關資料庫，又書面索引方面，亦可參考《四庫全書文集篇目分類索引》、《宋元明清四朝學案人名索引》等索引，以便能提供更多的傳記資料。

綜合上述所論，若能逐步補足序跋、書目、方志、傳記等資料，則能形成龐大的資料系統，而這些資料的補足，將有助於彌補竹垞漏輯文獻之失，也有助讀者治經之用，而筆者在撰著此書之時，亦能補入若干資料，但要能要求全善，則力有未殆，只能逐步增加各種資料，並且定期修正內容，始能提供完善解題，以供學者考辨經學議題之用。

八、指明典籍藏地

近幾年以來，學者積極蒐求經籍版本的藏地資料，以供學術研究之用，其中又以陳恆嵩教授的整理成果，實最為顯著。陳教授在國科會資助之下，先後從事現存經籍版本藏地的整理工作，業已完成《尚書著述現存板本目錄》[99]、《詩經著述現存板本目錄》[100]、《三禮著述現存版本目錄》[101]等三部目錄，目前正在執行《春秋三傳著述現存板本目錄》的計畫[102]。然而，陳教授所完成的書目，係獨立成書，非為《經義考》專設的書目，是以讀者如要參考解題資料，以進行考證工作，又想要瞭解典籍藏地資料，則勢必需要經過二道檢索程序，方能有效運用其書。此外，上述著作尚未正式出版，學者無法得知其內容，猶需一段時日的等待，方能檢閱其中資料，用以瞭解經籍的存佚情況。因此，筆者在訂補《經義考》「春秋類」典籍之時，也嘗試補入典籍藏地資料，期使讀者能覽目而知存佚，復能按圖索驥，以便據目尋書，進而從事經籍的研究工作，例如：程公說《春秋分記》條下，竹垞注曰「未見」，筆者考其世間多有藏書，且能得知其版本情況，並輯錄諸家書目解題於後，期使讀者能瞭解其傳本情況，茲舉例示之：

---

98 大人物知識管理集團「中國方志庫」（<http://www.greatman.com.tw/fangchiku.htm> 瀏覽日期：2008/11/8）

99參考註19。

100參考註20。

101參考註21。

102陳恆嵩：《春秋三傳著述現存板本目錄》（台北：國科會研究計劃報告，未知編號，執行日期2003.8.1至2004.7.31日止）

【版本及藏地】本書版本及藏地如下：

一、清陽湖孫氏平津館鈔本：(宋)程公說撰《春秋分紀》九十卷，17 冊;20.1x15.4 公分，10 行, 行 22 字. 單欄. 版心白口, 上方記書名, 中間記卷第, 下方書葉次，有微捲，朱筆批校，正文卷端題「春秋分記卷第一　年表一　宋程公說撰」，序：「淳祐三年夏四月乙卯南光游侶序」、「淳祐三年癸卯歲立秋節... 程公許序」，藏印有「群碧樓」朱文長方印、「鈔本」朱文長方印、「校本」朱文長方印、「奇文共欣賞」朱文橢圓印、「十萬卷樓藏書」白文方印、「臣印星衍」白文方印、「東方督漕使者」白文方印、「國立中央圖書館考藏」朱文方印、「正闇學人收藏墨本」白文方印、「披玉雲齋」朱文方印、「昔者吾友當從事於斯矣」朱文方印、「王端履字福將號小穀」朱文方印、「子孫永保」朱文方印等等，孫星衍、嚴可均各手校並題記，又近人鄧邦述手書題記，台北：國家圖書館有藏本。

二、舊鈔本：(宋)程公說撰《春秋分紀》九十卷，40 冊;(全幅 27.5x18.2 公分, 原紙高 24.8 公分，有微捲，序文有「淳祐三年夏四月乙卯南光游侶序」、「𤍞開禧二年歲在乙丑春正月丙戌眉桂枝程公說伯剛甫序」、「淳祐三年癸卯歲立秋節季弟... 程公許序」，正文卷端題「宋程公說撰」，12 行，行 22 字，藏印有「國立中央圖書館收藏」朱文長方印、「澤存書庫」朱文方印、「訒菴藏書」朱文方印、「吳正有號」朱文長方印四周飾以花紋、「樝燕緒字翼夫」朱文方印、「家在蘇州望信橋」朱文方印、「寶芝堂」白文方印、「燕緒」朱文方印、「翼夫手勘之本」朱文長方印、「金衍登印」白文方印、「吳大成號」朱文長方印四周飾以花紋、「納三萬鐵等稊米」朱文方印等等，有清查燕緒手校，台北：國家圖書館有藏本。

三、清南海孔氏嶽雪樓鈔本：(宋)程公說撰《春秋分紀》九十卷，26 冊，全幅 28.6x17.3 公分，有微捲，正文卷端題「丹陵　克齋程公說　撰」，序文有「淳祐三年夏四月乙卯南光游侶序」，「開禧二年歲在乙丑春正月丙戌眉桂枝程公說伯剛甫序」、「淳祐三年癸卯歲立秋節季... 程公許序」，8 行, 行 21 字. 版心中間記書名卷第, 版心下方書葉次，首序第一葉鈐有：「孔氏嶽雪樓影鈔本」朱字，藏印有「國立中央圖書館保管」朱文方印，台北：國家圖書館有藏本。

四、精鈔本：(宋)程公說撰《春秋分紀》九十卷，20 冊；全幅 37.3x23.3 公分，有微捲，8 行, 行 21 字. 版心中間記書名卷第, 下方書葉次，正文卷端題「丹稜　克齋程公說　撰」，序文有「淳祐三年夏四月乙卯南光游侶序」、「開禧二年... 眉桂枝程公說伯剛甫序」、「淳祐三年... 程公許序」，藏印有「國立中央圖書館收藏」朱文長方印，台北：圖書館有藏本。

五、鈔本：(宋)程公說撰《春秋分記》九十卷，20 冊 ; 28 公分，有宋開禧二年(1206)程氏自序，宋淳祐三年(1243)程公許等序，清孫星衍序，有「愛日精廬藏書」「秘冊」「張印月霄」「禹生父秘賞」「黃岡劉氏校書堂藏書記」「黃岡劉氏紹炎過眼」諸印記，有朱筆校，排架號: 1-1-6. 光碟代號: OD004A.台北：中研院史語所有藏本。

六、文淵閣四庫全書本：(宋)程公說撰《春秋分紀》九十卷，三十冊，《國立故宮博物院善本舊籍總目》上冊，頁九十七著錄，台北：故宮博物院有藏本。

七、民國二十三年(1934)至二十四年(1935)上海商務印書館四庫全書珍本初集影印文淵閣本：宋程公說《春秋分記》九十卷，四十六冊，扉頁有「商務印書館受教育部中央圖書館籌備處委託景印故宮博物院所藏文淵閣本」，鈐有「國立中央圖書館籌備處之章」朱文方印，台北：國家圖書館有藏本。

又馬來西亞大學圖書館有藏本（二部）。

八、清抄本：宋程公說撰《春秋分記》九十卷，存四卷，卷十九至卷二十二，有清羅士琳校並跋，又錄清翁方綱校跋，《中國古籍善本書目》（經部）頁二六八著錄，北京圖書館有藏本。

九、清抄本：宋程公說撰《春秋分記》九十卷，存四十卷，有清翁公綱校，清羅士琳注，存一至四十等四十卷，《中國古籍善本書目》（經部）頁二六八著錄，北京圖書館有藏本。

十、清抄本：宋程公說撰《春秋分記》九十卷，有清丁丙〈跋〉，南京圖書館有藏本。

十一、清抄本：宋程公說撰《春秋分記》九十卷，北京圖書館有藏本。

十二、清影宋抄本：宋程公說撰《春秋分記》九十卷，四庫底本，《中國古籍善本書目》（經部）頁二六八著錄，上海圖書館有藏本。

十三、鈔本：宋程公說撰《春秋分記》九十卷，王重民：《中國善本書提要》頁二五著錄，十行，二十一字，北京大學圖書館有藏本。

十四、宋淳祐三年刊本：邵懿辰撰、邵章續錄：《增訂四庫簡明目錄標注》卷三，頁一一三著錄。[103]

據此，如欲查得程公說《春秋分記》一書，可以到台北國家圖書館、中研院史語所、故宮博物院、馬來西亞大學、北京圖書館、南京圖書館、上海圖書館等地，都能找到該書的版本資料，如此資訊的提供，將有助於讀者按圖索驥，以利於相關典籍的研究工作。

九、蒐求佚文殘籍

竹垞注明經籍存佚情況，但礙於環境所限，所見或有疏漏之處，故其所注存佚資料，多不可全信。在蒐求佚文之時，尤需注意清儒的輯佚成果，雖有許多輯佚之書，係出於竹垞歿後，但其輯錄成果，能提供學者考辨經籍之用，進而瞭解其內容梗概，以便從事相關研究工作。清儒擅長於考證之學，往往為求考證之便，而盡力蒐求諸家佚文，是以輯佚成果可觀，如能廣集此類資料，可補《經義考》誤注存佚之失。民國以後，學者們重視古籍輯本價值，

103參考註85，下冊，頁525-530，原文考訂較長，難於具引，此處引文僅是摘其要點，以供讀者參考之用。

孫啟治、陳建華《古佚書輯本目錄（附考證）》[104]的完成，能有助於檢閱古籍輯佚成果，故筆者於訂補《經義考》之時，乃逐一採入此書內容，以利考訂竹垞之誤，使讀者得知經籍輯佚成果，以供後續研究之用。此外，若能檢得相關佚文資料，更能附於條目之下，以補竹垞考訂疏漏之失。例如：《經義考》卷一七二，服虔《春秋左氏傳解義》條下，竹垞案語如下：

> 按：劉昭注《續漢書·禮儀志》引《春秋釋痾》文曰：「漢家郡守行大夫禮，鼎俎籩豆工歌縣。」[105]

竹垞徵引《春秋釋痾》之文，以使讀者得知其佚文情況，然《春秋釋痾》的佚文，不僅見於此劉昭注文，也見於《初學記》卷二十六「招虞　遺越」條下云：「《春秋釋痾》：何休敏曰：遺越人以章甫冠，終不為惠。」[106]，學者如要蒐求佚文，亦需隨檢隨補，進而仿效沈秋雄《三國兩晉南北朝春秋左傳學佚書考》[107]之例，能夠逐句考訂補證，使讀者得知更多資料，以利於考證之用。此外，學者在蒐求佚文之時，除需注意經注、類書之外，尤需注意《永樂大典》的內容，該書卷帙頗多，雖有殘佚情況，但所錄內容眾多，實有許多殘存佚文資料，可供學者佐證之用。昔日，四庫館臣嘗利用此書，用以輯錄殘存佚籍，其中收效顯著，早已深受學者肯定。時至今日，《永樂大典》已有索引本[108]行世，便於檢閱相關資料，如在補正《經義考》之時，能夠善用此書內容，用以輯錄更多佚文，將能收致更多成效。因此，當我們訂補《經義考》之時，如遇經籍殘佚不全，而後世已有輯佚之成果，當仿孫啟治、陳建華《古佚書輯本目錄（附考證）》[109]的體例，逐一標注輯佚之書，使讀者得知相關訊息，進而取得輯本內容，以進行經籍的研究工作。其次，若是後世學者未有輯佚成果，則應仿效沈秋雄《三國兩晉南北朝春秋左傳學佚書考》[110]之例，進行佚文的蒐求與考訂，將能有效提高訂補功效，以供學者參考之用。

綜合上述所論之文，《經義考》為經學書目的權威之作，學者在研究經學典籍之時，莫不取法此書內容，以為治經問學之用。然而，昔日竹垞所錄解題，已不符今日學界的使用需求，其中引證內容，或有缺漏，或有謬誤，均有待後人重新整理、輯證，方能提供讀者完善資料，以利學者考證之用。歷來學者雖有補正成果，但是考證之道，難於精工，且前賢補正之作，散聚各方，難以彙整成冊，實有重新整理的必要。透過上文的分析，我們有如下幾點

104孫啟治、陳建華：《古佚書輯本目錄（附考證）》（北京：中華書局，一九九七年八月一版一刷）【４６５】

105參考註4，卷一七二，頁588。

106徐堅：《初學記》卷二十六，（台北：鼎文書局，民國六十五年十月，再版），頁3。

107沈秋雄：《三國兩晉南北朝春秋左傳學佚書考》（台北：國立編譯館主編印行，民國八十九年初版），【８１８】。

108欒貴明：《永樂大典索引》（北京：作家出版社，一九九七年）。

109參考註104。

110參考註107。

說明：

第一，《經義考》收錄廣博，允為專科書目的代表之作。然而，是書收錄既廣，不無舛錯，前賢雖有補正該書之舉，也多少能夠收致成效，但是礙於時間、人力、環境的限制，而無法擁有更好成果，是以訂補《經義考》一書，理應持續進行下去，直至有更新的經學書目，足以取代是書價值為止。其次，前人整理該書內容之時，也承襲不少前代學者的錯誤，諸如此類疏失，猶有待後人重新考訂、修正，方能提供正確內容，以利於學者治經之用。筆者有感於歷來補正成果，或僅發其緒，而未及週全；或失於瑣細，而難成系統，乃揭示幾點補正方案，以供學界整理是書的參考。

第二，《經義考》為經學書目的權威著作，但是其中錯誤仍多，而前賢雖有若干訂補成果，卻散見於各書之中，迄今未能匯整成冊，而不便於讀者使用，如要重新訂補此書內容，勢先匯聚前賢考訂成果，並且增補其不足，方能有效提昇是書的參考價值。

第三，透過上述的訂補方案，將使我們擴大補正成效，而有利於治經之用，也有助於延續《經義考》的參考價值。然而，補正考訂之作，雖能有助於彌補竹垞之誤，但是受限於原書體例，而未能多所突破，僅能附驥以行，無法確實取代該書價值，而執行上述的訂補方案，僅能彌補竹垞纂輯之誤，卻非整理是書的終極目標，如能藉由訂補過程，能夠累積更多的文獻資料，並且仿效竹垞撰書體例，重新輯錄全新經學書目，將能提供更完善的資料，也能有效取代該書價值，而使學界擁有更好的經學書目，惟此舉需要更多人力、經費與時間的配合，始能成之，在學界未能擁有全新書目之前，僅能先行補正是書，以應學界的使用需求，而治本之道，仍需完成全新書目，方能澈底取代是書價值。

第四，衡諸《經義考》的著錄資料，其中缺漏之籍甚多，是以我們在補正該目之時，亦應輯補竹垞漏失典籍，但應以康熙四十八年為限，且應排除鄰邦學者的撰著，方能符合竹垞撰書的背景。因此，我們除了針對全書纂輯之誤，提出一些糾正成果之外，也應針對竹垞漏失之籍，逐一輯錄簡目，並仿其編撰之法，輯錄相關解題，並附以一己考證案語，以供讀者參考之用。如果短期之內，無法重新完成全新目錄，理應先行補證相關內容，始能提供更多資料，以利於讀者使用，至於這些訂補內容，也將有助於建構更完善的經學書目。

自從《經義考》成書迄今，由於輯錄內容甚多，能夠提供讀者治經之效，但隨著時代的演變，而竹垞當日的編輯成果，已有不少的修正空間，如果未能及時釐正其失，將致遺誤後學，進而阻礙經學研究的發展。透過上文的說明與整理，將使我們有效改進竹垞纂輯之誤，進而提供完善書目，以供讀者治經之用。然而，由於受限於竹垞撰書體例，迄今難有良好的訂補之作，更遑論能有全新書目，可以取代是書價值，但是隨著學術環境的改變，我們已有良好的學術條件，足以完成全新的經學書目，也期盼不久的將來，能有更完善的經學書目，足以完全取代是書價值，以應讀者的使用需求。

第六章　結論

自從《經義考》成書之後，隨即受到學者的重視，並且成為案頭必備之書，凡是從事古代經學研究的學者，多數都會引用此書內容，以為治經問學之用，惟是書卷帙浩繁，內容不無謬誤，學者在利用此書之時，亦嘗思糾正其內容，兼補其疏漏之處，惜前賢補正之作，多屬於未刊之作，而無法成為學者治經之用。筆者從事《經義考》的研究工作，業已歷時數載之久，其間偶有考見心得，乃欲擴大校補的規模，而擬將個人考訂成果，並且結合前賢補正成果，會聚成冊，以便能糾其謬誤，正其缺失，期能提供學者參考之用，惟是書卷帙浩博，補正不易，乃先以是書著錄「春秋類」典籍為訂補對象，故以「《經義考》著錄『春秋類』典籍校訂與補正」為題，持續從事此書的整理與考訂，希望能透過校訂程序，逐步整理相關文獻，並且糾正《經義考》的錯誤，以便提供更多考訂內容，以供讀者參考之用。此外，為求擴大參考成效，乃逐一還原竹垞引文來源，用以校訂文字歧異，並且匯聚前賢考辨成果，酌添經籍藏地之所，期使讀者能覽目求書，以得知更多研究材料，而有助於經學研究的參考。又筆者擬以訂補《經義考》「春秋類」典籍為基礎，親自體驗專科書目的編纂過程，以便於日後能編纂全新書目，藉以取代《經義考》的部分功能，且輯纂新目的內容，能提供讀者治經之用。其次，透過「春秋類」典籍的訂補工作，也將有助於拓展筆者的研究視野，期盼未來能夠從事「春秋學」典籍的研究，是以本文的整理與研究，僅是學術進階之始，雖然已有相關訂補成果，可供學界參考之用。然而，卻有著更多的自我期許，期勉自己能在此一基礎之上，能夠持續整理更多資料，以便能完成更好的經學書目，以利於讀者參考之用。

第一節　本題研究成果

《經義考》徵引浩博書文，所錄解題難免有誤，歷來學者雖有糾謬、補訂之作，然卻散見於諸書之中，難以匯聚成冊，以利讀者研經之用。昔日喬衍琯教授欲輯錄諸家考訂之文，附以一己考見心得，以便於讀者治經之用，然礙於經費短絀之故，而難於成書發行，實為可惜。其後，陳鴻森教授撰有〈《經義考》孝經類別錄〉[1]一文，以分經考訂之法，用以從事相關內容的整理工作，今視其作法，適能成為補正《經義考》的良好示範，故筆者擬效其方法，用以訂補《經義考》著錄「春秋類」典籍之失，由於增補、考訂之文甚多，已逾原書內容數倍之多，所增的文字字數，業已近乎百萬字，而諸多訂補內容，實有助於讀者研究「春秋學」者也。此外，筆者亦總結研究內容，逐一析例證之，用以收繫考訂成果，期使讀者能瞭解此一補訂工作，實有其參考價值。總計本書研究成果如下：

一、綜論前賢方法

在訂補《經義考》「春秋類」典籍之前，必先瞭解前人校訂此書之法，才能掌握前賢研

1陳鴻森　〈《經義考》孝經類別錄（上）（下）〉（台北：《書目季刊》第三十四卷第一期；第三十四卷第二期，民國八十九年六月十六日；又民國八十九年九月十六日），頁1-31；又頁1-27。

究成果，進而改進其疏失，方能提昇訂補功效。筆者在從事訂補《經義考》「春秋類」典籍之前，嘗試先行釐析前人考辨之法，以為日後補正此書的參考，今將前人考訂之法，釐析成如下要點：

（一）廣輯文獻資料，校其內容參差

（二）運用版刻知識，審其載錄失當

（三）善考目錄傳承，訂其傳錄舛錯

（四）博通文字音讀，判其著錄錯判

（五）善用義例分析，考其體制錯當

（六）熟悉相關史實，核其內容誤繆

（七）根據學術見解，斷其內容歧異

今審視前人研究之法，可謂心思縝密，考辨翔實，而所涉內容豐富，可供佐證者多矣，如能效其方法，並且擴大訂補規模，當使《經義考》的訂補成效，能夠獲致更佳效果。然而，前賢考訂竹垞之謬漏，其中應用之法，亦有未能周全之處，其中或失於主觀見解，而難於言傳，例如：「根據學術見解，斷其內容歧異」一項屬之，是以前賢雖偶有精闢見解，以正竹垞纂輯之誤者，然易流於主觀認定，且隨學者涵養不同，訂補之成效，實難以維持穩定，故在學術見解方面，也會精粗不一，而會影響考證功效，是以前人雖有補正成效，而後人卻難以有效傳襲其法，是以稍顯可惜。其次，前賢考訂方法的運用，雖然思考細密，卻未能貫徹行之，且多屬隨讀隨校，隨校隨補，是以補正之成效，實顯得極為零散，而後世學者如能交錯運用其法，並且凸顯補正重心，將是掌握補正成效之關鍵。例如：前賢能利用版刻知識，校改不少缺漏文句，卻未能確實還原出處，使得前賢的補正成果，似乎稍顯侷限，如果能擴大校訂規模，全面還原引文來源，用以校改異文資料，兼考其引書種類，並且酌增各種序跋解題，將使得補正成效，能夠更為可觀。整體而論，古籍考證之工作，實屬於繁瑣難工，且難求全備，而透過筆者考察之成果，將使我們能有效掌握前賢論點，並且針對其中缺失，提出有效改進之道，如此一來，將有助於考察竹垞編纂方式，且能整理其疏誤，進而能有效運用前賢之法，且能擴大訂補《經義考》的規模，並使得是書的參考價值，能夠延續下去。

二、探討致誤緣由

《經義考》雖是經學書目的總匯，但是礙於時間、人力、環境之故，是以著錄內容難免有誤，而有待學者重新考辨清楚，始能避免誤用其謬誤，而能正確應用是書內容，以為治經之助。如果我們能在訂補此書內容之前，先行檢視竹垞致誤緣由，將有助於瞭解其編纂疏失，而在參考相關文獻之時，將能有效避免其失，而能強化是書的使用價值。筆者在「朱彝尊《經義考》研究」之中，曾嘗試探索竹垞致誤緣由，總計有如下幾點結論：

（一）援據廣博，不無舛錯

（二）經籍藏地，未能遍知

（三）體例多方，難於劃一

（四）輯錄勘校，難求全備

（五）目錄工具，未能周全

（六）文獻徵引，未據善本

（七）輾轉傳聞，相沿而誤2

雖然本文的研究範圍，限定於《經義考》著錄「春秋類」典籍的部份，但是檢視竹垞所生漏誤之因，大抵同於上述要點，惟再增添「刪削改篡，異動頻繁」一項，以補前說之不足，是以筆者酌取各種例證，逐一證成條例，期使讀者瞭解竹垞致誤之因，進而能覺察其謬誤，始能正其疏失。由上述條例可知，竹垞身處明末清初之際，礙於當時學風未密，索引未善，是以編纂書目之內容，難免有所錯誤，當我們瞭解其致誤緣由之時，方能針對問題之癥結，以提出各種補救之法，並能嘗試補訂其失。此外，如要重編全新書目，勢必要能吸收前人優點，且能避免其失，方能有所收穫，而透過本書的釐析與考訂，可以瞭解竹垞纂輯的各種問題，不僅有助於補訂竹垞之誤，也能有效累積各種文獻，以供日後重編新目之用。

三、完成補正析例

朱彝尊《經義考》「春秋類」的內容，引錄博富，是以難免有誤，筆者陸續完成相關內容的考訂工作，並且將其中錯誤，逐一舉例說明，總計將其中錯誤，釐析為如下九項：

（一）經籍的闕漏

（二）書名的誤題

（三）作者的誤題

（四）卷數的訛誤

（五）類目的錯置

（六）存佚的誤判

（七）體例的失當

（八）解題的更竄

（九）案語的漏誤

上述諸多要項之下，均備有各種例證，藉以證其成例，雖係屬於舉例性質，但是條例細膩，且具有系統，是以對於讀者而言，將能透過條例的舉證及說明，而更能掌握《經義考》「春秋類」的錯誤，而不致於誤襲其失。其次，若要全面性瞭解各種錯誤的例證，亦可參看下文【考證篇】，該文詳述竹垞所生各種謬誤，並補及各種疏漏，而讀者應用其內容，將可對於《經義考》常見之謬誤，能有更深刻的認識。

2楊果霖：「朱彝尊《經義考》研究」（台北：中國文化大學中文研究所博士論文，民國八十九年六月），頁368-374。

四、補錄漏失典籍

《經義考》著錄雖富，但是收錄典籍難免有缺，筆者逐一增補漏失典籍，期能建構更完備的《春秋》學書目，至於補正典籍的數量如下：

朝代	數量	朝代	數量	朝代	數量	朝代	數量	朝代	數量	朝代	數量	朝代	數量
清	942	明	379	宋	238	元	50	漢	44	不明朝代	44	民初	39
日本	37	晉	24	魏	16	南朝梁	6	韓國	8	唐	5	北魏	4
南朝宋	4	南齊	4	六朝	2	周	2	金	2	梁	2	蜀漢	2
五代	1	北朝	1	金朝	1	後蜀	1	後漢	1	陳	1	瑞典	1

為使讀者清楚《經義考》漏輯「春秋類」典籍的資料，筆者乃將經籍細目條列於文末，以供讀者參考之用，惟竹垞原來撰書之年代，僅限於康熙年間，原本為求顧及竹垞著作原意，擬先行刪去清代以下的典籍，如此一來，較能回歸竹垞的撰述背景，畢竟竹垞身沒之後的典籍，自然無緣見及相關典籍，也不可能收錄其籍，若能正確回歸竹垞撰述之背景，對於理解竹垞纂輯之狀態，將能有更合適的評價。然而，筆者幾經思量之下，為求提供讀者更完善的經籍資料，仍將清代以下典籍列出，以便提供讀者參考之用。其次，為求擴大訂補成效，筆者也將歷來收集各朝「春秋學」典籍的相關解題，業已運用於此書的考訂工作，故能收致良好成效，惟礙於本書撰寫的格式，而未能完全顯現於此書之中，是以擬在來年之後，再行仿照竹垞撰書體例，逐一輯錄相關解題，並附以考證案語，以供讀者參考之用。此外，臺灣地區的學界，曾在周何教授領導之下，從事《十三經論著目錄》的編輯工作，而該書的編纂完成，正是目前搜羅較為完善的經學書目，惟此書著錄經籍之時，多有校勘未精之失，且視其著錄資料，內容多有參差誤植之失，筆者已於第五章第一節「補訂《經義考》的價值」一節之中，簡述其中錯誤，期能提供讀者參考之用。然而，筆者在訂補《經義考》「春秋類」典籍之時，亦能取其著錄之籍入校，是以《十三經論著目錄》有關於「春秋類」的部分，雖有若干疏漏之處，但是其著錄之籍，亦能提供本文輯補歷朝「春秋類」典籍參考之用，是以筆者對於《十三經論著目錄》編輯群的辛勞與努力，特此致上誠摯的謝意。

五、指明典籍藏地

近幾年以來，學者積極蒐集現存經籍版本、藏地，期能提供學術研究之用，其中又以陳恆嵩教授所收成果，最為顯明。陳氏在國科會經費資助之下，先後從事現存經籍版本、藏地的整理工作，業已完成《尚書著述現存板本目錄》[3]、《詩經著述現存板本目錄》[4]、《三禮著述現存版本目錄》[5]、《春秋三傳著述現存版本目錄》[6]、《四書著述現存版本目錄》[7]等

3陳恆嵩:《尚書著述現存板本目錄》(台北：國科會研究計劃報告，NSC-89-2411-H-031-006)

4陳恆嵩:《詩經著述現存板本目錄》(台北：國科會研究計劃報告，NSC　89-2411-H-031-009)

5陳恆嵩:《三禮著述現存板本目錄》(台北：國科會研究計劃報告，NSC　91-2411-H-031-010，執行日期2002.8.1至2003.7.31日止)

諸多計劃。然而，陳氏所完成之書目，係為獨立成書之作，非專為《經義考》而設，是以讀者如要參考竹垞解題內容，以應經籍研究需求，又要瞭解其確切存佚、藏地情形，勢必要經過二道檢索程序，方能有效運用材料，以為學術研究之用，而增加許多評估的時間。筆者在訂補《經義考》「春秋類」典籍之時，也嘗試加入典籍藏地之考察，期使讀者能覽目知書，以知其存佚、藏地，進而能夠據目尋書，用以從事經學典籍的探索與研究，雖然礙於時間之限制，筆者所考之藏地資料，勢必無法達到盡善盡美之境界，但是筆者於輯考各種經籍之時，將盡力提供各家館藏資料，期使讀者能夠按圖索驥，以供日後研治「春秋類」典籍之用。

六、從事版本審議

《經義考》雖有「鏤版」一項，藉以收羅版刻記錄，但對於各書版本的流通，卻未能逐一考訂清楚，使得有關刊版、存佚、藏地的考察，常有不足之處。昔日章學誠曾期望「如有餘力所及，則當補朱氏《經考》之遺。」[8]，章氏雖有輯錄經籍版本之心，擬補足竹垞漏考版本之失，惟經籍數量十分龐大，如要逐一增補各種經籍版本資料，定要耗費不少時日，始能完成版本考察的工作，而以章氏一人之力，實難以能在短期之內，得以獲致其功，故而終其一生，也未能如願完成是書的補正工作。其次，陳恆嵩教授已能系列收集各類經籍的現存版本，雖有助於讀者查考版本之用，惟是書收錄之範圍，係僅限於現存經籍傳本資料，而未能錄及已佚傳本，兼以未能著錄各種佚籍版本，是以考及的版本資料，終究未能全善，此乃限於纂輯體例之限，未足以議定其失。筆者在訂補《經義考》「春秋類」典籍之時，每能採用隨輯隨錄方式，輯入大量的版本資料，以從事版本的審議工作，但是由於所涉經籍眾多，且要過濾的書目資料甚多，僅能盡力考之，雖然尚未能齊備，但是較為常見的版本資料，業已涵攝入內，可供讀者查考經籍版本之用，並得以考察經籍存佚情況，相較於陳恆嵩教授僅採錄現存經籍版本而言，則本文對於曾經流通的經籍版本，也能做出一些整理與考訂，使得考訂成果更為全面，能有助於考察「春秋類」典籍的流通情況。

七、考察引文出處

竹垞編纂《經義考》之時，能隨手輯錄各種解題，以供讀者治學之用，因而成就可觀。然而，竹垞引用前賢解題之時，未能標示引文出處，致使讀者無法有效還原文獻出處，兼以竹垞輯錄解題之時，常有剪裁文句之舉，是以引文與原文之間，其中的字句出入甚大，而使讀者錯失不少研究材料，諸如此類的情況，將使讀者應用其書之時，常會不經意漏失研究材料，實為可惜。筆者有鑒於此，乃仿錢熙祚補考《古微書》之例，查考引文的出處，並且兼

6陳恆嵩:《春秋三傳著述現存版本目錄》(台北：國科會研究計劃報告，未見編號(未見簡要報告)，執行日期2003.08.01～2005.01.31)

7陳恆嵩:《四書著述現存版本目錄》(台北：國科會研究計劃報告，NSC 93-2411-H-031-014，執行日期2004.08.01～2005.07.31)

8章學誠〈論修史籍考要略〉，見《章氏遺書》嘉業堂刊本，１９２２年。(轉引《目錄學研究文獻匯編》頁二七○，彭斐章、謝灼華、喬好勤編，修訂版一刷，一九九六年六月)

考異文情況，諸如此類校理解題之工作，由於需要耗時甚久，迄今未見學者整理與研究，雖然林慶彰諸位教授《點校補正經義考》一書，也能校訂一些異文，惟其採用之法，大抵為「對校法」的應用，兼以採用翁方綱《經義考補正》等前人考訂之作，而未能親自還原引文出處，致使部分校訂成果，顯然多有承襲前人之誤，甚且漏略不少資料，而使讀者難於掌握《經義考》「春秋類」解題之失，也未能提供更多資料，以應讀者治經之用。筆者有感於此，乃重新考察引文來源，雖亦承繼前人點校成果，但是由於校勘過程之中，已能儘力考出原文出處，而對於其間異文變動情形，也能有更多的認識，是以本書在校理異文方面，實能擁有較多成果，可補前人校理文句不足之失。其次，從引文出處考察之中，也發現竹垞偶有轉引他書引文，而逕歸於原書之例，顯然竹垞標示的引書書名，未必皆為目見原書之文，因而有誤植文句之失。因此，讀者在引用此書解題之時，宜特別注意此一特點，以免有誤引文句之失，而透過本書校理文句之後，可使讀者對於《經義考》「春秋類」的解題內容，能有更完整的認識，也能瞭解竹垞引書之種類，進而釐清其文句異同，而對於竹垞是書的參考功效，能有更完整的利用。

八、完成異文校讎

林慶彰教授等人《點校補正經義考》、《經義考新校》的完成，雖有校對異文之效，然礙於各種的限制，而無法全面校讎文字異同，是以全書雖有校勘成效，但是視其校訂成果，似乎稍有侷限，今視其校語內容，多採用「對校法」的應用，尤多採用「四庫全書本」《經義考》一書的改正文句，或係根據《四庫全書總目提要》、《經義攷補正》諸書的校正成果，逐一寫成校記內容，雖有助於讀者利用此書，卻猶有重新校理的空間。筆者訂補《經義考》「春秋類」典籍之時，常能逐步還原引文內容，用以校對異文資料，並增補竹垞漏輯解題，而此一訂補之舉，將有助於瞭解竹垞剪裁體例，而對於校訂異文方面，尤能擁有奇效，是以本書校訂《經義考》的解題異文，已能突破前人整理成效，而能提供讀者更多資料，以從事治經之用。

綜觀《經義考》的解題內容，其中異文變動情況嚴重，例如：《經義考》卷一六八，《春秋古經》條下引「呂大圭曰」，其文改動甚多，雖然僅是一篇解題內容，但是竹垞徵引文句之中，竟有多達二十六處變動，至於影響的文字總數，也多達一千二百一十九字，其中更動頻率之繁，影響之劇烈，著實令人訝異，至於變動的文句內容，無論是否為竹垞有意為之，或係源自於取材不當所致，但其文字與原文差距頗大，則是不爭的事實，而面對如此眾多的異文情況，如果未能校理清楚，將致喪失許多參考材料。因此，筆者在校訂此書之時，乃不嫌繁瑣，逐一校理異文資料，而所收成效，自是十分可觀，有可供參考之處。此外，筆者另將校勘解題的結果，依其校理內容，條析成各種例證，說法詳見本文第三章〈《經義考》著錄「春秋類」解題校勘舉隅〉，該文備有例證，總計分為「誤字例舉隅」、「脫字例舉隅」、「衍文例舉隅」、「錯倒例舉隅」等四種細項，而「誤字例舉隅」合計有十一項分項內容；「脫字例舉隅」合計十八項分項內容；「錯倒例舉隅」合計十一項分項內容；「錯倒例舉隅」合計有三項分項內容，各細目之下，皆備有例證，讀者可以參看相關內容，茲不贅述。

九、增加解題資料

竹垞輯錄的解題，僅限於清初以前的典籍，且漏輯許多的序跋、論說，筆者一一增補其文，所收成效顯著。其次，《經義考》撰於康熙年間，未能收錄康熙中葉以後的文獻，筆者為求擴大訂補成效，乃大量補入後人解題，至於輯出的資料內容，則數倍於竹垞所輯解題，對於瞭解經籍的作者、內容、體例、版本、價值、影響等等，也有正面的貢獻，而輯錄的解題資料，也將成為日後編纂全新書目的骨幹，對於讀者瞭解經籍內涵，也能具有良好成效。

綜觀上述論點，總計本書的研究成果，有著如下幾點收穫：

（一）補正《經義考》的漏誤

本書的研究成果，係針對《經義考》著錄「春秋類」典籍之誤，提出一番糾正、訂補。首先，在具體作法方面，先行匯聚前賢考訂成果，以利考證的進行，由於歷來已有許多學者，從事是書的補正工作，且能收致良好成效，但是前賢校訂《經義考》的成果，雖有若干的成效，卻多屬於未刊之作，或係雖有刊刻行世之本，卻散見於各書，而未能匯聚成編，是以讀者想要利用前賢補正之作，則需遍考諸多補正之籍，方能有所收穫，因而增加讀者使用的不便。筆者訂補此書解題之時，乃先行收集諸家考訂之作，並依次置放於相關條目之下，以供讀者參考之用。其次，針對前賢考訂未周之處，提出補正說明，尤能補錄前賢校訂異文之漏，並針對異文的諸多情況，提出綜合性的考評，而有助於讀者瞭解相關內容，以利於後續之應用。此外，筆者亦能針對竹垞所生訛誤，逐一分項論之，期使讀者能快速掌握其錯誤，才能避免誤襲其失。

（二）瞭解竹垞剪裁之法的運用

竹垞輯錄解題之時，往往有意剪裁文句，致使漏略情況嚴重，筆者校錄異文之時，也嘗試觀察其法，總計有「因內容重複而刪」、「因資料冗長而刪」、「因資料常見而刪」、「因析離資料而刪」、「因無涉主題而刪」、「因改寫資料而刪」、「因主觀評斷而刪」、「因避諱求安而刪」等諸多條例，形式既不一致，而致優劣互見。在優點方面，有「鎔貫剪裁，如出一手」、「內容適當，繁簡適中」、「條理秩然，體例詳明」諸項，是以明清學者對文獻的引用，常以是否能夠剪裁資料，成為評斷優劣的標準，而剪裁的目的，無非是求其精省而已。在缺點方面，竹垞剪裁之法的運用，或「剪裁有失真之處」，或「體例有未貫之處」，或「內容有誤刪之處」，故其運用之法，實有值得商榷之處。今觀竹垞此法的運用，雖有其歷史背景，但核之今日學術要求，則有重新檢討的必要，而透過本文的研究與討論，將使讀者對於竹垞剪裁之法的運用，能有更為清楚的認識，也有助於瞭解竹垞編纂過程與用意。

（三）提供讀者研治《春秋》的題材

《經義考》輯錄眾多的解題，可為讀者治經的參考，然「春秋類」的部份，所錄內容有限，約為二十餘萬字，對於瞭解各種典籍內涵，實有所不足。筆者有感於此，乃重新增補、考訂，是以本書的訂補內容，已逾百餘萬字，相較於竹垞昔日輯錄內容，已有大幅度的成長，對於查考經籍的書名、篇名、卷數、存佚、藏地、版本、體例、流通、價值等等，均能有所助益，可供讀者治經的參考。

（四）完成《春秋》學典籍的普查

《經義考》著錄先秦迄於清初的經籍，其中「春秋類」典籍即達一二三八部，然筆者增補過程之中，也兼及搜考歷朝各代典籍，雖猶有漏輯之處，但所錄「春秋類」典籍合計三千一百餘部，較之竹垞所收典籍，已近二千部，初步完成「春秋類」典籍的普查工作。然而，本書在撰寫過程之中，業已發現周何等諸位教授主編《十三經論著目錄》一書，堪稱經學書目的總目之作，惜雖能採以入校，卻未能全數完成校理工作，惟筆者已完成的校理過程之中，也能突破《十三經論著目錄》的收錄內容，更能校理其衍生之誤，他日若能持續採錄相關書目，勢能完成更完善的經籍簡目，對於初學者治經而言，無疑能有極佳的助益。

綜合上述所論，本書在開發研究議題方面，已有些許的成績，至於目前的訂補成果，雖尚未能夠全備，但較於過去學者的校訂成效而言，已有某種程度的進展，日後若能在此一基礎上，持續努力增補、考訂，相信定能完成全新書目，以便取代《經義考》的參考功效。

第二節　未來工作展望

在下文之中，筆者嘗試提出未來的工作展望，期盼能逐步完成目標，以供學界參考之用，說明如下：

一、完成經籍的普查

近代學者於治經之際，勢必參考《經義考》的內容，以利學術研究之資，然是書卷帙雖博，乃是輯錄通經之作，非專為「春秋學」而設，是以其中所涉典籍，錯漏訛誤之處，實在所難免之事，而有重新整理的必要。其後，張壽平《公藏先秦經子注疏書目》、李一遂〈左氏春秋著錄書目研究〉、劉明宗〈元代春秋學撰著分類考述〉等論著，或依館藏地，或依專書，或依朝代，逐一整理相關典籍，其所論內容雖有價值，卻僅能片面反映《春秋》學典籍的狀況，而未能完成全面普查的工作，究竟歷來「春秋學」撰著的總量為何？學界仍無有效的統計數據，以供讀者參考之用，使得初學者猶如霧裏看花，無法確實瞭解歷來經籍數量，更無從深探其中內涵。

近二十年以來，經學文獻的整理，似乎已有較大的進展，其中林慶彰、周何等諸位教授的推廣與整理，實屬功不可沒。周何等諸位教授主編《十三經論著目錄》的完成，可謂初步完成經籍普查工作，惟是書發行未廣，且售價偏高，兼以未編有索引，頗不便於讀者使用，且完成書目之後，並未經過持續追索與修正，則有關經籍的普查工作，實有待學者持續努力，才能完成全面性的普查，始能真正有利於讀者的利用。筆者為求擴大「春秋學」典籍的整理與研究，擬先行完成典籍的普查工作，以為後續考察的題材。在過去幾年之間，業已掌握三千餘部的典籍，而整理的數量，較諸《經義考》著錄的「春秋學」典籍，已有倍數的成長，期待日後能在此一基礎之上，能夠持續努力增補修訂，並且廣納諸家著錄之典籍，期能全面整理「春秋類」典籍，以供學者治經之用。

二、完成分類與輯證

完成典籍普查之後，筆者擬將歷來「春秋學」的典籍，重新依據《十三經論著目錄》的分類方式，加以歸併細目，並仿《唐以前小學書之分類與考證》之例[9]，廣泛收集歷來的各種文獻，並酌添案語考辨，惟歷來「春秋學」撰著的收錄，已逾三千餘部典籍，實非短期之內，能夠完成所有輯證工作，故筆者擬分期考之，至於初期的構想，擬以《經義考》漏輯嚴重的明代典籍為輯證目標，先行將明代《春秋》學撰著，重新加以分類與考證，以完成《明代春秋學典籍之分類與考證》一書，其後再持續整理「清代」、「元代」、「宋代」、「唐代」、「唐以前」的相關典籍，反覆增刪修訂，總計完成事項如下：

（一）輯錄各種的解題

（二）指明典籍的藏地

（三）完成版本的審議

（四）完成解題的考辨

（五）完成典籍的分類

（六）完成索引的編製

（七）完成佚書的考證

總計上述項目的完成，原擬需要耗時六年之久，而期間也獲得三次國科會計畫的獎助，也逐漸累積近二百餘萬字的資料，只是因為教學、研究並重，兼以家中小孩的出生，也日漸耗去個人的時間、精力，是以《春秋學典籍之分類與考證》一書的完成，只能再延盪些時日，才能真正問世。近幾年以來，在有限時間之內，重新整理舊稿，也能先行完成本書的定稿作業，也期待來年之後，能夠陸續消化二百餘萬字的文稿，並酌添已收集的資料，再行改寫成定稿，並以分年發表之方式，逐漸公布相關文稿，以供學者研治「春秋學」典籍之用。其次，期待相關書目的完成，能夠真正取代《經義考》「春秋類」典籍的治經功效。

三、完成學術的編年

學者若要從事學術研究與評估，勢必要能瞭解各期時代背景，更要明瞭其發展概況，歷來從事年譜、學術編年的學者，為數眾多，而他們或從個人學術年譜的纂輯，或以朝代為綱，逐年排比相關事蹟，頗便於初學者的使用。然而，卻未見以專經為編年主題，逐一排比出相關事實，以利於讀者研判之用。筆者整理《經義考》解題之時，有感其刪略序跋年月，實有許多的參考價值，若能再參以歷來版刻時代、科舉仕宦、學者行實、成書時代、出土文物、年譜等相關年月的排比，當有助於讀者評估其撰著價值，以利於學者研究之用。然而，此一學術編年之議，雖有利於初學者應用各種文獻，但是實屬小道，而對於宏觀學術而言，卻難有太大的成績，是以智者不為也。但是，若能完成《春秋學的學術編年》一書，則對於推廣「春秋學」的研究，將有極為正面的助益。筆者擬以諸多解題為基礎，並參酌重要名人年譜資料，期待能在未來編輯事業之中，能夠逐步完成《春秋學的學術編年》一書，以供初學者

9林明波：《唐以前小學書之分類與考證》一書，由中國學術著作獎助委員會出版，民國六十四年十月。

研究查考之資。

四、完成專著的研究

上述的整理與研究，多係針對典籍外圍問題，逐一歸併討論，但是對於經籍所涉的內容、體例、義理、價值等諸多問題，尚未見深入的討論。因此，筆者在完成文獻考訂之後，勢必要針對較有價值的專著，提出系統的探索與研究，藉以深入其學術核心。根據筆者初步的構想，將集中於元代、清初二個時期，期能提出專案討論，但是此事涉及筆者未來研究方向的規劃，只能逐步推動相關構想，冀能獲致基本成效。

綜合上述所論，筆者未來幾年的研究重心，自當積極開拓《春秋》學的領域，以從事相關文獻的整理與研究，期盼能利用數年的研究時間，能對於《春秋》學文獻的整理，做出一定的貢獻。在研究過程之中，筆者擬全面電腦化，將過去所習的電腦管理概念，全面使用於《春秋》典籍的整理與考辨，以便於日後將研究成果上網，有利於讀者檢索與使用。此外，筆者將嘗試運用電腦的檢索與統計的功能，使傳統的文史研究工作，能夠結合科技的運用，而有更多的詮釋方法，並能掌握更多研究素材，以為學術研究之用。然而，學術的瀚海，極其浩博，追索不盡，但是致力於斯者，方能領略其艱辛與喜樂。筆者生性不敏，但追尋學術的熱忱，卻是至今未減，倘若能持之以恆，持續累積相關文獻，將在未來歲月之中，持續從事經學文獻的整理工作，如此一來，必能擁有更多收穫，也期盼能結合教學與研究，將傳統文化的精髓，能夠傳授給更多的學子認識。

【考證篇】《經義考》「春秋類」解題訂補

【訂補凡例】

一、本文以中央研究院．中國文哲研究所籌備處發行，林慶彰、蔣秋華、楊晉龍、張廣慶編審《點校補正經義考》為底本，但為求標點體例貫通，將該書採用浪線書名號（ ），改為雙書名號（《 》），使其能夠體例一致。

二、本文以《點校補正經義考》為底本，訂補的內容，則限於「春秋類」解題，凡是屬於《點校補正經義考》的正文部分，均採用「華康中黑體」的字體，至於筆者的訂補文句，則以「標楷體」字體行之，以為文字的區隔，而在註腳部分，則一如前述作法，惟筆者所加內容之前，酌添「【霖案】」二字，以示二者之區隔。

三、本文以解題校訂為主，相關內容增補為輔。在校訂解題方面，除了大量採用前人文獻之外，也能補入更多相關內容，而在訂補過程之中，除了納入林慶彰諸位教授《經義考新校》一書之外，也補入更多參考資料。

四、本文訂補的另一重點，將放在經籍版本的考察，以補昔日章學誠未竟之業。其次，在版本考察方面，並不限於現今流傳之本，而能及於已佚傳本資料，可藉以考察版本流通狀態。又現存版本之中，則酌添藏地資料的考訂，可使讀者得以按圖索驥，以為日後據目查書之參考。

七、為了方便讀者檢索，本文於文末增加〈重要人名、書名索引〉的編輯，使讀者可以較為便利的查考到資料，特此說明。

卷一百六十八　春秋一經義考卷一百六十八春秋一

《春秋古經》

【書名】葉程義《禮記正義引書考》頁六七五著錄，書名題作《春秋》。

《漢志》：「十二篇，《經》十一卷。」注：「《公羊》、《穀梁》二家。」

【卷數】本書卷數異同如下：

一、一卷：《直齋書錄解題》卷三著錄。

二、二卷：張壽平《公藏先秦經子注疏書目》頁一一〇著錄。

三、不分卷：《西北大學圖書館善本書目》頁四著錄。

【增補】〔補正〕按：此條即班氏本文，但以小字綴系於下耳，不得云《注》也，豈竹垞先生誤以此為顏師古所注邪？此《注》字當刪去。

又按：《漢志》：「《春秋古經》十二篇。」此一句是總敘之詞；「《經》十一卷」，則專指《公》、《穀》二家所傳之《經》言之。蓋漢時已不見《左氏》所傳之原《經》專本矣，所以漢末皇象所寫《左氏傳》，亦是合《經》與《傳》者耳。班氏此句先《傳》敘《經》，故連上古經句。言篇者，其本書也；言卷者，其承師之家所編束次弟也。（卷七，頁一）

存。

【霖案】程金造-編著《史記索隱引書考實》頁六四曾輯錄其文。

【版本及藏地】本書版本及藏地如下：

一、廣德軍所刊古監本：《直齋書錄解題》卷三，頁四五五。

【增補】何廣棪《陳振孫之經學及其《直齋書錄解題》經錄考證》曰：「《四庫》本《解題》據《永樂大典》將此條與下二條，分作三條；惟《文獻通考》卷一百八十二《經籍考》九《經・春秋》著錄引『陳氏曰』，三條合為一條，文字亦有異同，如此條即闕最後之『也』字。又案：葉德輝《書林清話》卷三『《宋司庫州軍郡府縣書院刻書》』條中，葉氏歷引群籍以述宋世州軍刻書，計有江陰學、宣州軍州學、惠州軍州學、建昌軍學、興化軍學、衢州軍州學、邵武軍學、撫州軍學、泉州軍州學、全州軍州學、象州軍州學、高郵軍學、建昌軍學、興國軍學、武岡軍學、臨江軍學、袁州軍學等地所刻書，而獨闕《解題》此條所著錄之廣德軍刊古監本《春秋經》一卷。是則《書林清話》所記，仍不免有所遺漏。後見同卷所記郡齋刻書則載：『淳熙丙申，（三年）張杅守桐川，用蜀小字本《史記》改中字本，重雕於廣德郡齋。越二年，趙山甫涖郡，取褚少孫所續別為一帙。至辛丑，（八年）。澄江耿秉始次其卷第，合而印之，見陸《志》陸《跋》。』考陸心源《儀顧堂題跋》卷二正有『《宋耿秉槧本史記跋》』條，足證葉氏之書亦有記及廣德一地之刻書。惟《解題》所記《春秋經》一卷，乃廣德軍所刊，而《儀顧堂題跋》所言之《史記》，乃廣德郡齋所刊耳。」（頁五〇四至頁五〇五）

二、朱熹刻於臨漳四經本：《直齋書錄解題》卷三，頁四五五。

【增補】何廣棪：《陳振孫之經學及其《直齋書錄解題》經錄考證》曰：「廣棪案：此書朱子有《序》，曰：『某之先君子好《左氏》書，每夕讀之，必盡一卷乃就寢，故某自幼未受學時已耳熟焉。及長，稍從諸先生長者問《春秋》義例，時亦窺其一二大者，而終不能有以自信於其心；已故未嘗輒措一詞於其間，而獨於其君臣父子大倫大法之際為有感也。近刻《易》、《詩》、《書》於郡帑，《易》用呂氏本《古經傳》十二篇，而絀《詩》、《書》之《序》置之經後，以曉當世，使得復見古書之舊，而不錮於後世諸儒之說。顧《三禮》體大，未能緒正。獨念《春秋》大訓，聖筆所刊，不敢廢塞。而河南邵氏《皇極經世》學，又以《易》、《詩》、《書》、《春秋》為皇帝王霸之書，尤不可以不備。乃復出《左氏》經文，別為一書，以踵三經之後。其《公》、《穀》二經所以異者，類多人名、地名，而非大義之所係，故不能悉具。異時有能仿呂氏之法而為三經之音訓者，尚有以成吾之志也哉！右書臨漳所刻四經後。』讀此《序》，當對朱子於《春秋》獨無論著之故，及其僅刻《左氏》經文之旨，皆瞭然洞悉矣。」（頁五〇五至頁五〇六）

三、明刊本：二卷，台北：國家圖書館有其藏本。

【增補】《國家圖書館善本書志初稿》：「【春秋二卷一冊】

明刊本　**00516**

版匡高 **16.1** 公分，寬 **17.9** 公分。原為經摺裝，有摺痕可驗。每版釐為六半葉，有二版心。每半葉十行。行二十字。版心有『春一』、『春二』等字，不知何時剪裱成冊，僅隱約可辨。

首卷首行頂格題『春秋白文卷之一』，次行低二格題『魯隱公上』，卷末隔四行有尾題。護木夾版中央刻『宋板春秋』，下刻小字『光緒丁亥筱軒藏弆持贈舫翁』，俱飾以綠色。扉葉有清王禮培手書『宋槧春秋白文二卷，都貳拾參開』（指後來改裝散葉共二十三紙），卷末末葉有挖去痕跡，疑該處原為牌記。

書中鈐有『禮培/私印』白文方印、『希世/之珍』朱文方印、『少舫印』朱文長方印、『毛表/之印』白文方印、『壽嵩/珍藏』朱文方印、『國立中/央圖書/館考藏』朱文方印、『管理中英庚/款董事會保/存文獻之章』朱文長方印、『湘鄉王氏/祕籍孤本』朱文長方印、『埽塵/齋積/書記』朱文方印、『虞山毛/氏奏叔/圖書記』朱文方印、『毛/奏叔』朱文方印、『欲寡過/齋李氏珍/藏書畫印』白文方印。

館藏詩經四卷，書號 **00228**，亦白文，觀其格式行款，疑與本書同係一刻。該部詩經書末有鄧邦述手跋，謂收藏家無一著錄，亦未見別有流傳。」**(**頁 **142)**。

四、民國六十一年**(1972)**藝文印書館四部分類叢書集成三編影印清道光中甘泉黃氏刊民國十四年(1925)王鑒修補印本：黃奭輯《春秋》一卷，國家圖書館有藏本。

五、明朱廷立校刻本：《春秋》不分卷，九行十八字，白口，左右雙邊。卷端書名下鐫：武昌朱廷立校，一冊，大陸：西北大學圖書館有藏本。

六、清祁雋藻抄本：中國歷史博物館有藏本。

【增補】《中國歷史博物館藏普通古籍目錄》曰：「００９３

春秋

（清）祁雋藻抄

清抄本

一冊

（史４９０１）」（頁十）

七、清刻本：中國歷史博物館有藏本。

【增補】《中國歷史博物館藏普通古籍目錄》曰：「００９４

春秋　十六卷

清刻本

十二冊

（史５３８６）」（頁十）

卜子曰[1]：「有國家者，不學[2]《春秋》，則無以見前後旁側之危，則不知國之大柄。」

莊周曰[3]：「《春秋》經世，先王之志也[4]，聖人議而不辯。」　又曰：「仲尼讀《春秋》，老聃踞竈觚而聽之，曰：『是何書也？』曰：『《春秋》也。』」

【增補】〔補正〕莊周條內「先生[5]之志也」，「也」字刪。（卷七，頁一）

又按：莊周以下三條應移置孟子條後。（卷七，頁一）

1霖案：《春秋繁露今註今譯》卷第六，〈俞序〉第十七，頁149。又「卜子曰」三字，原卷題作「衛子夏言」等四字。

2霖案：「不學」字前，依《春秋繁露》補入「不可」二字。

3霖案：《莊子集解》卷一，〈齊物論〉，頁20。又《春秋本義綱領》頁13873引之，考竹垞引文，應係根據《春秋本義綱領》之文轉錄，而非錄自《莊子》原書。

4「也」，依《補正》當刪。　霖案：竹垞之文，明顯錄自《春秋本義綱領》，翁方綱雖據原書刪去「也」字，但此條異文，適可釐正竹垞引文來源。

5「先生」，應據前文作「先王」。

女子[6]女、汝同，不知其名。曰：「以春、秋為《春秋》。」

公扈子曰[7]：「有國者，不可以不學《春秋》[8]。生而貴[9]者，驕；生而富者，傲；生而富貴又無鑒[10]，而自得者，鮮矣。《春秋》，國之鑑也[11]。」

孟子曰[12]：「王者之迹熄而《詩》亡，《詩》亡然後《春秋》作，晉之《乘》，楚之《檮杌》，魯之《春秋》，一也。其事則齊桓、晉文，其文則史，孔子曰：『其義則丘竊取之矣。』」又曰[13]：「世衰道微[14]，邪說暴行有作。臣弒其君者有之，子弒其父者有之。孔子懼，作《春秋》。《春秋》，天子之事也，是故孔子曰：『知我者，其惟《春秋》乎；罪我者，其惟《春秋》乎』」　又曰[15]：「孔子成《春秋》，而亂臣賊子懼。」

魏齊曰[16]：「《春秋》，孔聖所以名經也。」

孔鮒曰[17]：「魯之史記曰春秋，經因[18]以名焉。」

董仲舒曰[19]：「孔子知言之不用，道之不行也，是非二百四十二年之中，以為天下儀表。」

6霖案：本文出自《春秋公羊傳注疏》卷九，第50頁。「女子」，原作「子女子」。又注云：「以《史記》氏族為《春秋》，言古《史記》為《春秋》。」，疏云：「注以《史記》氏族為《春秋》」　解云：『謂以《史記》人之氏族而為《春秋》。』　注言『古至《春秋》』　解云：『夫子脩《史記》為《春秋》，今言以春、秋為《春秋》，則《史記》舊有《春秋》之名，是言古者《史記》為《春秋》矣。』」

7霖案：《說苑》卷三，頁29。又《後漢書》卷五二，頁1719；又《四庫提要》卷二十九，經部二九春秋類四，頁234有之。

8霖案：又《說苑》卷一，頁17引證上述二語，且引齊「景公飲諸大夫酒」之實例釋之，讀者可自行參看其文。

9霖案：「貴」，應依《說苑》改作「尊」。

10霖案：「鑒」，《說苑》作「鑑」。

11霖案：「也」字下，應依《說苑》補入「《春秋》之中，弒君三十六，亡國五十二，諸侯奔走不得保其社稷者，甚眾。未有不先見而後從之者。」等三十七字。

12霖案：《孟子集注》卷八，頁295。

13霖案：《孟子集注》卷六，頁272。

14霖案：《經義考新校》頁3068註云：「『世說道微』，文津閣四庫本作『世道衰微』。」，惟《孟子集注》同於竹垞輯錄之文，則文津閣四庫本或許抄錄有誤。

15霖案：《孟子集注》卷六，頁273。

16霖案：《孔叢子》卷中，〈執節〉第十六，頁118。

17霖案：《孔叢子》卷中，〈執節〉第十六，頁119。

18霖案：《經義考新校》頁三○六九註云：「文津閣四庫本無『因』字。」，惟《孔叢子》原文有之。

又曰[20]：「《春秋》上明先[21]王之道，下辨人事之紀，別嫌疑，明是非，定猶豫[22]，存亡國，繼絕世，補敝起廢，王道之大者也。」　又曰[23]：「《春秋》文成數萬，其指數千，萬物之聚散，皆在《春秋》[24]。故有國者，不可以不知《春秋》，前有讒而弗見，後有賊而弗[25]知。為人臣者，不可以不知《春秋》，守《經》事而不知其宜，遭變事而不知其權。」　又曰[26]：「《春秋》者，禮義之大宗也。」　又曰[27]：「《春秋》[28]甚幽而明，無傳而著。」　又曰[29]：「《春秋》分十二世[30]，有見，有聞，有傳聞。有見三世，有聞四世，有傳聞五世。故定、哀[31]、昭[32]，君子之所見也；襄、成、文、宣[33]，君子之所聞也；僖、閔、莊、桓、隱，君子之所傳聞也。所見六十一年，所聞八十五年，所傳聞九十六年。」

【增補】〔補正〕董仲舒條內「上明先生[34]之道」，「先」當作「三」。（卷七，頁一）

19霖案：《史記》卷一百三十，〈太史公自序〉，頁3297。

20霖案：《史記》卷一百三十，〈太史公自序〉，頁3297。

21「先」，應依《補正》、《四庫》本作「三」。　霖案：《史記．太史公自序》亦作「三」字，當為翁方綱所據之本。

22霖案：「豫」字下，應依《史記．太史公自序》補入「善善惡惡，賢賢賤不肖」等九字。

23霖案：《史記》卷一百三十，〈太史公自序〉，頁3297-3298。

24霖案：「《春秋》」字下，應依〈太史公自序〉補入「《春秋》之中，弒君三十六，亡國五十二，諸侯奔走不得保其社稷者不可勝數。察其所以，皆失其本已。故《易》曰『失之毫釐，差以千里』。故曰『臣弒君，子弒父，非一旦一夕之故也，其漸久矣。』等六十九字。

25霖案：「弗」字，《史記．太史公自序》作「不」字。

26霖案：《史記》卷一百三十，〈太史公自序〉，頁3298。

27霖案：《春秋繁露今註今譯》卷二，〈竹林〉第三，頁42。

28霖案：「《春秋》」二字下，應依《春秋繁露今註今譯》卷二，〈竹林〉第三，補入「記天下之得失，而見所以然之故。」等十三字。

29霖案：《春秋繁露今註今譯》卷一，〈楚莊王〉第一，頁8。

30霖案：「世」字下，應依《春秋繁露今註今譯》卷一補入「以為三等」等四字。

31霖案：「定、哀」二字，應依《春秋繁露今註今譯》卷一改作「哀、定」二字，二字互為乙倒。

32霖案：《經義考新校》頁3069註云：「『定、哀、昭』，四庫薈要本作『哀、定、昭』。」，今考《春秋繁露》原文適作「哀、定、昭」，則竹垞「定、哀」二字，當為誤倒。

33霖案：《經義考新校》頁3069註云：「『襄、成、文、宣』，四庫薈要本作『襄、成、宣、文』。」，惟考《春秋繁露》原文，適與竹垞所錄之文相同。

34「先生」，應依前文作「先王」。

壺遂曰[35]：「孔子之時，上無明君，下不得任用，故作《春秋》，垂空文以斷禮義[36]。」

司馬遷曰[37]：「夫子[38]作[39]《春秋》，筆則筆，削則削，子夏之徒不能贊一辭。」　又曰[40]：「《春秋》采善貶惡，推三代之德，褒周室，非獨刺譏而已也。」

劉向曰[41]：「夫子行說七十諸侯，無定處，意欲使天下之民各得其所，而道不行；退而修[42]《春秋》，采毫毛之善，貶纖介之患[43]，人事浹，王道備，精和聖制，上通於天而麟至。」又曰[44]：「《春秋》紀[45]國家存亡，以察來世。」

閔因曰[46]：「孔子受端門之命，制《春秋》之義，使子夏等十四人求周史記，得百二十國寶書，九月經立。」

揚雄曰[47]：「仲尼不遭用，《春秋》因[48]斯發。」

《春秋演孔圖》曰[49]：「獲麟而作《春秋》，九月書成。」

《春和握誠圖》曰[50]：「孔子作《春秋》，陳天人之際，記異考符。」

35霖案：《史記》卷一百三十，〈太史公自序〉第七十，頁3299。又《漢書》卷六二，頁2719。

36霖案：「義」字下，應依《史記》補入「當一王之法，今夫子上遇明天子，下得守職，萬事既具，咸各序其宜，夫子所論，欲以何明？」等三十四字。

37霖案：《史記》卷四七，〈孔子世家〉第十七，頁1944。

38霖案：「夫子」二字下，應依《史記．孔子世家》補入「在位聽訟，文辭有可與人共者，弗獨有也。至於」等十八字。又「夫子」，原題作「孔子」。

39霖案：「作」，應依《史記》題作「為」字。

40霖案：《史記》卷一三○，〈太史公自序〉，頁3299。

41霖案：劉向：《說苑》卷十四，頁118。

42霖案：「修」，《說苑》作「脩」字。

43霖案：「患」，《說苑》作「惡」字。

44霖案：劉向：《說苑》卷十五，頁一二二。

45霖案：「紀」，《說苑》作「記」。

46霖案：《春秋公羊傳注疏》卷一，第1頁。又王應麟《困學紀聞》卷六，頁340。

47霖案：《藝文類聚》卷十〈符命部〉，〈劇秦美新〉文。又《文選》卷四八，頁678。又《文心雕龍》卷五〈封禪〉第二十一，注１６引《文選》作「因」字。《法言》無此文。竹垞引文，當係根據《藝文類聚》之文。

48霖案：「因」，《文選》卷四八引之，題作「困」字。

49霖案：《春秋公羊注疏》卷二十八，頁357「春秋何以始乎隱」條下疏文。

50霖案：《法言義疏》卷十九，頁794注引《初學記》二十一曰：『《初學記》二十一引《春秋握成圖》

《春秋說題辭》曰[51]：「孔子作《春秋》，一萬八千字，九月而書成，以授游、夏，游、夏之徒不能改一字。」　又曰[52]：「《春秋》經文備三聖之度。」

《春秋命歷序》曰[53]：「孔子[54]治《春秋》[55]，退修殷之故歷[56]，使其數可傳於後[57]，《春秋》宜以[58]殷[59]歷[60]正之。」　又曰[61]：「自開闢至獲麟，二百二十七萬六千歲[62]。」

《孝經援神契》曰[63]：「《春秋》三世，以九九八十一為限[64]。隱元年盡僖十八年為一世，自僖十九年盡襄十二年又為一世，自襄十三年盡哀十四年又為一世。」

《孝經鉤命決》曰[65]：「孔子在庶，德無所施，功無所就，志在《春秋》，行在《孝經》

：「孔子作《春秋》，陳天人之際，記異考符。」。

51霖案：《春秋公羊注疏》卷二十二，頁282「其詞則丘有罪焉耳」條下〈疏〉文引作「《春秋說》，而非題作《春秋說題辭》；又翁元圻《翁注困學紀聞》卷六云：「是張晏所本」（頁335），又同書卷六，頁340再引上文。

52霖案：《古微書》卷十一。

53霖案：《晉書》卷十八，〈律曆下〉，頁566。題作《命曆序》。《經義考新校》頁3070引作：「《春秋命曆序》」，則已有更正。

54霖案：「孔子」二字下，應依《晉書》補入「為」字。

55霖案：「《春秋》」二字下，應依《晉書》補入「之故」二字。

56霖案：「歷」，《晉書》作「曆」字。

57霖案：「後」字下，應依《晉書》補入「如是」二字。

58霖案：「以」字，應依《晉書》作「用」字。

59霖案：《經義考新校》頁3070註云：「文津閣四庫本『殷』下有『之故』二字。」，惟考《晉書》引文無此二字。

60霖案：「歷」，《晉書》作「曆」字。《經義考新校》頁3070本文亦作：「殷曆」。

61霖案：《困學紀聞》卷九、《庶齋老學叢談》卷上、《路史》卷38〈大素之年〉《稗編》卷60〈紀年〉、《學林》卷三、《玉芝堂談薈》卷18等錄之。

62霖案：《後漢書》〈律曆中〉頁3038引「《元命苞》、《乾鑿度》以為開闢至獲麟二百七十六萬歲」，又云：「光、晃以為開闢至獲麟二百七十五萬九千八百八十六歲」，其間差入頗大。此外，《後漢書》尚引「《命歷序》積獲麟至漢，起庚（子）〔午〕蔀之二十三歲，竟己酉、戊子及丁卯六十九歲，合為二百七十五歲」，與竹垞引文出入頗大。竹垞引文不知出自何處，待考。

63霖案：《春秋公羊注疏》卷一，第1頁〈注〉引之。

64霖案：「限」字下，應依《春秋公羊注疏》卷一〈注文〉補入「然則」二字。

65霖案：《春秋公羊注疏．序》「吾志在春秋，行在孝經」條下〈疏〉文，頁三。又同書卷一，頁七；卷二八，頁357；《孝經．引言》頁4俱引此文。

66。以《春秋》屬商，《孝經》屬參。」　又曰[67]：「《春秋》策[68]二尺四寸書之。」

班彪曰[69]：「殺史見極平易正直，《春秋》之義也。」

班固曰[70]：「古者[71]右史記事，事為《春秋》。」

王充曰[72]：「《春秋》之經紀，以善惡為實，不以日月為意。」　又曰：「孔子作《春秋》，素王之業也，諸子之傳，素相之事也。」

賈逵曰[73]：「《春秋》[74]取法陰陽之中：春為陽中，萬物以生；秋為陰中，萬物以成，欲使人君動作不失中也。」

服虔曰[75]：「《春秋》[76]古文篆書，一簡八字[77]。」

趙岐曰[78]：「周衰[79]，孔子懼正道遂滅，故作《春秋》，因魯史記，設素王之法。」

阮籍《孔子贊》曰[80]：「養徒三千，升堂七十，潛神演思，因史作書[81]。」

66霖案：「《孝經》」二字下，《公秋公羊注疏．序》〈疏〉文有「是也」二字，然無「以《春秋》屬商，《孝經》屬參。」等九字，考《春秋公羊注疏》卷一引此九字，題作「《孝經說》」，而非出自《孝經鈎命決》，是則此九字者，當刪去不論。

67霖案：《左傳注疏》卷一，〈序〉，頁九〈疏〉文引之。又《儀禮疏》卷二四，頁292引之。

68霖案：「策」，《左傳注疏》卷一，〈序〉，頁9〈疏〉文無之，當據以刪正。

69霖案：《後漢書》卷四十上〈班彪列傳〉，頁1327。

70霖案：《漢書》卷三十〈藝文志〉，頁1715。

71霖案：「古者」，《漢書．藝文志》引作「古之王者」四字，又於「者」字下，另有「世有史官，君舉必書，所以慎言行，昭法式也。左史記言」等二十一字，今據以補入。

72霖案：出自《論衡》卷二八〈正說篇〉；又《論衡》卷十三，〈超奇篇〉。

73霖案：《春秋左傳正義》卷一〈序〉，第2頁〈疏〉文。

74霖案：《春秋左傳正義》卷一〈序〉，第2頁〈疏〉文無「《春秋》」二字，當據以刪正。

75霖案：《儀禮注疏》卷二十四，第128頁〈疏〉文，題作「服虔注《左氏》云」。

76霖案：「《春秋》」二字，《儀禮注疏》卷二十四〈疏〉文無此二字。

77霖案：「八字」二字，《儀禮注疏》卷二十四〈疏〉文作「八分字」，其中「分」字當刪，見《儀禮注疏．校勘記》。

78霖案：《孟子注疏》卷六下，第50頁。

79霖案：「周衰」二字，《孟子注疏》作「周衰之時」，當據以補入「之時」二字。

80霖案：《阮嗣宗集》卷上，〈孔子誄〉，頁82。〈校勘記〉云：「原本無此篇，據《太平御覽》一補。」，竹垞引文，或係據《御覽》之文輯入。然而，題作〈孔子贊〉者，又與之略有不同。

81霖案：「書」字下，當據《太平御覽》、《阮籍集》補入「考混元于無形，本造化于太初。」等十二劉熙曰[82]：「《春秋》者[83]，春、秋、冬、夏，終而成歲[84]。《春秋》書人事，卒歲而究備。春、秋溫涼，中象政和也，故舉以為名也。」

賀循曰[85]：「《春秋》《三傳》俱出聖人，而義歸不同。自前代通儒，未有能通得失，兼而學之者也。」

郭象曰[86]：「《春秋》[87]順其成迹，而擬[88]乎至當之極，不執其所是以非眾人[89]。」

葛洪曰[90]：「仲尼《春秋》[91]成，紫微降光。」

孫盛曰[92]：「仲尼修《春秋》，列三統為後王法。」

姜岌曰[93]：「仲尼[94]作《春秋》，日以繼月，月以繼時，時以繼年，年以首事。」

字。

82霖案：《釋名疏證》卷六，〈釋典藝〉，頁49。

83霖案：「者」字，《釋名疏證》卷六引作「言」字，又據〈注文〉云：「今本脫『言』字」，則「者」字當為竹垞所加，可據以刪去。又《初學記》、《太平御覽》引作「言」字，可據以補入。

84霖案：「歲」字下，可據《釋名釋證》卷六，〈釋典藝〉，頁49補入「舉春秋，則冬夏可知也」等九字。又〈注〉文云：「『舉』以下九字，據《初學記》、《太平御覽》引補」，竹垞據通行之本輯錄，故未有上述九字，今據以補入。

85霖案：出自《通典》卷五三，禮典(禮十三、沿革十三、吉禮十二。

86霖案：《莊子集釋》〈齊物論〉第二，頁41「《春秋》經世，先王之志，聖人議而不辯」下〈注〉文。

87霖案：〈注〉文無「《春秋》」二字，竹垞根據文意補入，今當刪去。

88霖案：「擬」字，當依《莊子集釋》之〈注〉改作「凝」字。

89霖案：「人」字下，當依《莊子集釋》之〈注〉補入「也」字。

90霖案：《北堂書鈔》卷九十九，引作「仲尼《經》成，紫微降光」，〈注〉云：「抱朴子云。」，又云：「今案：平津館本《抱朴子》脫此文，惟嚴鐵橋輯《抱朴子》佚文，附刻「金陵本」後，尚存此條。」(頁四四○)，則竹垞此文，當據《北堂書鈔》之文改寫而成，由於通俗之本《抱朴子》無此文，故顯得彌足珍貴。又《六帖補》13-3上、《天中記》2-17下《廣博物志》26-34上、《尚史》82-16下等亦錄有此文。

91霖案：「《春秋》」二字，《北堂書鈔》卷九十九引之，題作「《經》」字，題作「《春秋》」者，乃是竹垞改作所致。

92霖案：《通典》卷五五，禮典禮十五、沿革十五、吉禮十四：「孫盛《晉陽秋》論曰：「孔子修春秋，列三統，為後王法」，是則此文原出自孫盛《晉陽秋》一書之文，其中「仲尼」二字，原書作「孔子」。

93霖案：《晉書》卷十八，〈律曆下〉，頁566。係姜岌《三紀甲子元曆》中的文字。

盧欽曰[95]：「孔子因[96]魯史記而修[97]《春秋》，制素王之道。」

賀道養曰[98]：「春，貴陽之始；秋，取陰之初。」

顏延之曰[99]：「褒貶之書，取其正言晦義，輔制衰王，《春秋》為上。」

任昉曰[100]：「曲阜縣南十里，有孔子春秋臺。」

《隋書．經籍志》[101]：「《春秋》者，魯史策書之名。」

顏師古曰[102]：「《春秋》，孔子約史記而修之也。天有四時，春為陽中，萬物以生；秋為陰中，萬物以成，故錯互[103]舉之，包[104]十二月而為名也。」

賈公彥曰[105]：「古文《春秋》者，〈藝文志〉云：『《春秋古經》十二卷。』是此古文經所藏之書。文帝除挾書之律，此本然後行於世。」

徐彥曰[106]：「古者謂史記為《春秋》[107]，孔子未修之前，已謂之《春秋》矣。據百二

94霖案：「仲尼」二字下，應據《晉書》補入「之」字。

95霖案：《春秋左傳正義．序》卷一，〈疏〉文引之。

96霖案：「因」字前，應依《春秋左傳正義．序》卷一，〈疏〉文補入「自」字。

97霖案：「修」字，《春秋左傳正義．序》的〈疏〉文作「脩」字。

98霖案：《春秋左傳正義》卷一〈序〉，第2頁〈疏〉文。

99霖案：《文心雕龍義證(詹英義證)．原道第一》卷1：饒宗頤《文心雕龍探源·劉勰思想與宗炳顏延之之關係》(四)觀書貴體要：「《庭誥》云：『觀書貴要，觀要貴博，博而知要，萬流可一。……褒貶之書，取其正言晦義，轉制衰王，微辭宣旨。』」，今尚未查到原文出典為何？但此文出自顏延之《庭誥》一書。

100霖案：《古微書》卷十八，頁201，「夫子墳方一里，弟子各以四方奇木來植之」條下，引任昉《述異記》之文。又《述異記》卷下，頁39有之。

101霖案：《隋書．經籍志》，頁932。

102霖案：《急就篇》卷四，頁458「顏師古注」。

103霖案：「互」，《急就篇》卷四，顏師古〈注〉文作「牙」字。

104霖案：「包」，《急就篇》卷四，顏師古〈注〉文作「苞」字。

105霖案：《周禮注疏》卷十九，第一百二十八頁「小宗伯之職，掌建國之神位。右社稷，左宗廟」下〈疏〉文。

106霖案：《春秋公羊傳注疏》卷六，第34頁，「雨星不及地尺而復」之下〈注〉、〈疏〉。

107霖案：「古者謂史記為《春秋》」八字，為何休〈注〉文，非徐彥〈疏〉文，竹垞妄自併合，因而致誤。

十國寶書以為《春秋》，非獨魯也[108]。」

李楠曰[109]：「《春秋》之不可以凡例拘，猶《易》之不可泥於[110]象數也。」

孔復曰[111]：「《春秋》有貶而無褒。」

劉彝曰[112]：「古者編年之史皆曰《春秋》，仲尼未作，已列為經矣。」

蘇軾曰[113]：「孔子[114]因魯史為《春秋》，一斷以[115]禮。」

邵子曰[116]：「《春秋》，孔子之刑書也，功過不相揜[117]。」

程伯子曰[118]：「五經之有《春秋》，猶法律之有斷例。」

張子曰[119]：「《春秋》之書，在古無有，乃仲尼所自作[120]。」

108霖案：「據百二十國寶書以為《春秋》，非獨魯也」等十五字，雖為徐彥之〈疏〉，然原文置於《春秋公羊傳注疏》卷六，「內諱奔，謂之孫。」六字之下〈疏〉文，竹垞併合二處〈疏〉文，實則二文非一貫者也。

109霖案：《宋元學案》卷三十六，〈鄉貢李和伯先生楠〉，頁9。

110霖案：「於」，《宋元學案》卷三十六作「于」字。

111霖案：「孔復」，理應作「孫復」，即「孫明復」，本文題稱有誤。王樵輯《春秋輯傳》所錄《春秋宗旨》引之（「四庫本」，冊一六八，頁340下欄），今據以改正。

112霖案：《禮記集說》卷一百十七，頁18141，原題作「長樂劉氏」，竹垞逕改作「劉彝」。

113霖案：本文出自蘇軾〈春秋定下之邪正論〉一文，轉錄孫承澤：《五經翼》卷十一，頁41。

114霖案：「孔子」二字下，當據《五經翼》引文補入「自少至老，未嘗一日不學禮，而不治其他，以之出入周旋，亂臣疆君，莫能加焉，知天下莫之能用也，退而治其紀綱條目，以遺後世之君子，則又以為不得親見于行事，有其具而無其施設措置之方，於是。」等七八字。

115霖案：「以」，應依《五經翼》改作「於」字。

116霖案：「邵子」當為「邵雍」。本文出自《春秋本義綱領》，頁13874，引文直接題作「邵子曰」，竹垞據書直錄，按竹垞著錄之通則，理應逕自改作「邵雍曰」，然對宋儒則多稱「子」，以示尊稱，如「程子」（程頤）、「程伯子」（程顥）、「邵子」（邵雍）、「張子」（張載）等等。

117霖案：「揜」，《春秋本義綱領》引作「掩」字。又「揜」字下，應依《春秋本義綱領》補入「五伯者，功之首，罪之魁也。先定五伯之功過，而學《春秋》，則大意立矣。春秋之間有功者，未有大於四國；有過者，亦未有大四國者也，以先治四國之功過，則事無統理，不得聖人之心矣。《春秋》為君弱臣強而作，故謂之名分之書。夫聖人之經，渾然無迹，如天道焉。《春秋》錄實事，而善惡形於其中矣。」等一百一十三字。

118霖案：《河南程氏遺書》卷第二上，頁19。

119霖案：「張子」，亦作「張載」；出自《春秋本義綱領》頁13875。

120霖案：「作」字下，當依《春秋本義綱領》補入「惟孟子能知之，非理明義精，殆未可學，先儒未劉安世曰[121]：「讀《春秋》者，以為《公》、《穀》、《左氏》[122]三家皆不可信，而吾於數千載後，獨得聖人之微意。嗚呼!其誣先儒，後世之罪大矣。」

王觀國曰[123]：「前漢〈藝文志〉曰：『《春秋古經》十二篇，《經》十一卷，《左氏傳》三十卷。』蓋古本《春秋經》自為一帙，至左氏作《傳》三十卷，自為一帙；杜預作《春秋經傳集解》，乃分《經》之年而居《傳》之首，於是不復有古經《春秋》矣。杜預《春秋經傳集解．序》曰：『分《經》之年與《傳》之年相附，比其義類，各隨而解之，名曰《經傳集解》』是也。《公羊經》止獲麟，而《左氏經》止孔丘卒，蓋小邾射不在三叛人之數，則自小邾射以下，皆魯史記之文，孔子弟子欲記孔子卒之年，故錄以續孔子所修之《經》也。《顏氏家訓》曰：『《春秋》絕筆於獲麟，而《經》稱孔丘卒。』顏氏以此為疑，蓋非所疑也。孔子曰：『君子於其所不知，蓋闕如也。』故《春秋》書：『正月甲戌、己丑，陳侯鮑卒。』《左氏傳》曰：『再赴也。』蓋惟[124]孔子不知陳侯卒在何日，因其再赴，故書[125]甲戌、己丑二日，從魯史之文也。又威公[126]十四年，『夏五，鄭伯使其弟語來盟。』《左氏傳》曰：『夏，鄭子人來尋盟。』蓋『夏五』無月日者，闕文也，左氏亦止言夏而不言月日，則是左氏作《傳》時，《經》已闕月日矣。莊公二十四年冬，書『郭公』，而《左氏》無傳，蓋亦《經》之闕文也。僖公元年，『十月[127]二月丁巳，夫人氏之喪至自齊。』《左氏傳》曰：『夫人氏之喪至自齊，君子以齊人之殺哀姜也為已甚矣。』《左氏》亦言『夫人氏』，而不言『姜』，是左氏作《傳》時，《經》已闕『姜』字矣。孔子作《春秋》，不應書[128]『夏五』、『郭公』、『夫人氏』而已[129]，蓋孔子卒而後闕其文也。左邱明[130]與孔子同時，又為魯太史，魯史記盡在太史，則左氏於[131]《傳》，豈不能補正之？而於《傳》亦闕而弗補者，以此知作《經》已久，《經》之文已闕而不可知，然後《傳》始作也。前漢〈藝文志〉

及此而治之，故其說多鑿。」等二十八字。

121霖案：《元城語錄解》卷之中，頁19。

122霖案：「讀《春秋》者，以為《公》、《穀》、《左氏》」等十字，《元城語錄解》無此十字，蓋竹垞根據前後文意補入，當據以刪去。

123霖案：《學林》卷二，頁37-38。

124霖案：「惟」，《學林》作「雖」字。

125霖案：「書」字下，《學林》有「曰」字。

126霖案：「威公」二字，應依《學林》作「桓公」

127霖案：「月」字，應依《學林》改作「有」字。

128霖案：「書」字前，應依《學林》補入「止」字。

129霖案：「而已」二字，當據《學林》刪去。

130霖案：《經義考新校》頁3074，註云：「『左邱明』，四庫薈要本、文淵閣四庫本作『左丘明』，下皆同。

131霖案：「於」，《四庫》本誤作「無」。《經義考新校》頁3074，註文，於「《四庫》本」三字之上，另加「文淵閣」三字，以示所謂四庫本，乃是「文淵閣四庫本」。

曰：『仲尼以魯周公之國，禮文備物，史官有法，故與左邱明觀其史記，據行事，仍人道，因興以立功，就敗以成物[132]，假日月以定歷數，藉朝聘以正禮樂，有所褒諱貶損，不可書見，口授弟子，弟子退而異言。邱[133]明恐弟子各安其意[134]，故論本事而作《傳》。』審如此，則邱[135]明親受孔子之旨也。然以闕文校之，則《漢志》之言，復窒而不通，蓋班固之言未可深信耳。」

【增補】〔補正〕王觀國曰：「孔子曰：『君子於其所不知，蓋闕如也。』故《春秋》書『正月甲戌、己丑，陳侯鮑卒。』《左氏傳》曰：『再赴也。』蓋惟孔子不知陳侯卒在何日，因其再赴，故書甲戌、己丑二日，從魯史之文也。又威公十四年，『夏五，鄭伯使其弟語來盟。』《左氏傳》曰：『夏，鄭子人來尋盟。』蓋『夏五』無月日者，闕文也；《左氏》亦止言夏而不言月日，則是左氏作《傳》時，《經》已闕月日矣。莊公二十四年冬，書『郭公』，而《左氏》無《傳》，蓋亦《經》之闕文也。僖公元年，『十有二月丁巳，夫人氏之喪至自齊。』《左氏傳》曰：『夫人氏之喪至自齊，君子以齊人之殺哀姜也為已甚矣。《左氏》亦言『夫人氏』而不言『姜』，是左氏作《傳》時，《經》已闕『姜』字矣。孔子作《春秋》，不應書『夏五』、『郭公』、『夫人氏』而已，蓋孔子卒而後闕其文也。左邱明與孔子同時，又為魯太史，魯史記盡在太史，則《左氏》於《傳》，豈不能補正之？而於《傳》亦闕而弗補者，以此知作《經》已久，《經》之文已闕而不可知，然後《傳》始作也。前漢〈藝文志〉曰：『仲尼以魯周公之國，禮文備物，史官有法，故與左邱明觀其史記，據行事，仍人道，因興以立功，就敗以成物，案：物當作罰。假日月以定曆數，藉朝聘以正禮樂，有所褒諱貶損，不可書見，口授弟子，弟子退而異言。邱明恐弟子各安其意，案：此下脫「以失其真」四字。故論本事而作傳。』審如此，則邱明親受孔子之旨也。然以闕文校之，則《漢志》之言復窒而不通，蓋班固之言未可深信耳。』方綱按：王觀國此條自相矛盾，其前云『甲戌、己丑，陳侯鮑卒』，『從魯史之文』，此說是也；而何以後又云『作《經》已久，《經》之文已闕而不可知，然後《傳》始作焉』，此何說哉？『夏五』、『郭公』之類，皆舊史之闕文，而孔子因之耳，非孔子成《春秋》之後而年久又闕也。且如其說，即使《春秋》成後又隔幾時，而當日二尺四寸之冊，八字之簡，朗朗篆書，非如後人之細字小紙以為帙者；《左氏》又為時未遠，亦何至於闕乎？況左氏親見聖人，豈無付受之緒，而必待撿其闕文以作《傳》乎？是其闕文出於舊史之闕，而非出於作《經》之後之闕，無可疑者，而王氏顧乃駁班《志》

132「物」，應依《補正》、《四庫》本作「罰」。　霖案：《學林》亦作「罰」字，當是翁方綱所據之本。《經義考新校》頁3074，註云：「『物』，應依《補正》、《四庫薈要》本、文淵閣《四庫》本作「罰」。」

133霖案：「邱」字，《學林》作「丘」字。

134「各安其意」以下，《補正》補入「以失其真」四字。　霖案：竹垞根據之文，當據《學林》而來，故《補正》所補之文，非確知竹垞引文來源，然所補之文，仍有參考價值。又《經義考新校》頁三○七四於「《補正》二字之上，尚有『應依《四庫薈要》本』、」諸字。

135霖案：「邱」字，《學林》作「丘」字。

之言為不足信邪？立言可不慎乎？（卷七，頁二一三）

葉夢得曰[136]：「莊子記孔子欲[137]藏書[138]周室，與子路謀，子路告以老聃免藏史歸居，請試往因焉。孔子見聃[139]，不許，乃繙十二經以說[140]。學者或以十二經為《春秋》[141]。」

鄭樵曰[142]：「以《春秋》為褒貶者，亂《春秋》者也。」

黃叔敖曰：「以例求《春秋》，動皆逆詐億不信之心也。」

胡安國曰[143]：「《春秋》見諸行事，非空言比也。公好惡，則發乎《詩》之情；酌古今，則貫乎《書》之事；興常典，則體乎《禮》之經；本忠恕，則導乎《樂》之和；著權制，則盡乎《易》之變。百王之法度，萬世之準繩，皆在此書。」

周孚曰[144]：「聖人之經，其所以為名，皆因舊而不改，《易》之為《易》、《書》之為《書》、《詩》之為《詩》，聖人未出其名，固已如是。至於《春秋》，則猶三經也。晉謂之《乘》，楚謂之《檮杌》，魯謂之《春秋》，編年之書也，錯舉四時以為之名，聖人何加損焉？且聖人之所以為後世戒者，在其所書之事，而不在其名也。」

朱子曰[145]：「聖人作《春秋》，不過直書其事，善惡[146]自見。」　又曰[147]：「《春秋》

136霖案：葉夢得：《巖下放言》卷下，頁283。

137霖案：「欲」字，應依《巖下放言》刪去。

138霖案：「書」字下，應依《巖下放言》補入「於」字。

139霖案：「聃」字前，應依《巖下放言》補入「老」字。

140霖案：「說」字下，應依《巖下放言》補入「此段人多不能了，貴言傳書周，嘗論之矣。藏書者，欲藏其言而廢書也。然往周室，則孔子之志，忘乎世者猶未定也，故與子路謀，凡《論語》載孔子與長沮、桀溺晨門荷篠之徒言，皆命子路，未嘗及他人弟子，蓋子路勇於有聞，欲行其所知，故以淚之。今周亦云達此意矣。言聃免藏史歸居者，子路以聃亦忘世而無言者也。故曰「往因焉，欲因聃以定其說也。老聃不許，聃豈真枯槁無言者哉，是故孔子復繙十二經以說。」等一百五十九字。

141霖案：「《春秋》」二字下，應依《巖下放言》補入「是矣」二字。

142霖案：「鄭樵曰」，《春秋本義綱領》引之，題作「夾漈鄭氏曰」，竹垞逕改作「鄭樵曰」。本文出自《春秋本義綱領》頁13876，上欄。

143霖案：《五經翼》卷十三引胡安國〈春秋傳序〉之文，冊一五一，頁769。

144霖案：宋周孚撰《蠹齋鉛刀編》卷二十一，冊一一五四，頁647錄有此文。

145霖案：《朱子語類》卷一百三十三，頁1283錄之。

146霖案：「善惡」二字，《朱子語類》作「美惡人」三字。

147霖案：《朱子語類》卷八十三，頁八五一錄之。

傳例多不可信，聖人紀[148]事，安有許多義例？」

項安世曰：「說者謂《春秋》書其罪於策，以示萬世，故亂臣賊子懼焉，非也。夫名之善惡，足以懲勸中人，非亂臣賊子之所畏也。彼父與君且不顧，又何名之顧哉？且弒逆之罪，夫人知之，非必孔子書之而後明也。莽、卓、操、昭之罪，不經孔子之筆，而閭巷小人至今知其為亂臣賊子也。謂一書生操筆書之，而能生其懼心者，此真小兒童之見也。曰：『然則孟子之言非與？』曰：『《春秋》之法，謹名分，防幾微，重兵權，惡世卿，禁外交，嚴閨閫，是一統，非二政。凡所謂杜賊亂於未然者，其理無不具也；誅賊亂於已然者，其法無不舉也。此義一明，亂臣賊子環六合而無所容其身，此《春秋》之所以作，而姦雄之所以懼也。』」

葉適曰[149]：「諸侯之為[150]日存[151]君側，以其善行，以其惡戒，晉人之[152]言《春秋》也；教之《春秋》，而為之聳善而抑惡焉，以戒勸[153]其心，此楚人之[154]言《春秋》也；韓宣子所見、孔子所修、左氏所傳[155]，此魯之[156]《春秋》也。然則晉謂之《乘》，楚謂之《檮杌》，當是戰國時妄立名字，上世之史固皆名春秋矣[157]。」

【增補】〔補正〕葉適條內「日存君側」，「存」當作「在」。（卷七，頁三）

劉克莊曰[158]：「《春秋》，史克之舊文也。」　又曰：「《春秋》作而亂臣賊子何以懼？曰：『事未形而誅心誅意，所以懼也。』夫子身為匹夫，假二百四十二年南面之權，與亂賊何以異乎？然則《春秋》，天子之事，何也？曰：『所謂天子之事者，夫子以敬王為心，故《春秋》所紀，皆尊君抑臣、尊王抑霸、尊內抑外，書，書此也；諱，諱此也，故曰：知我、罪我，其惟《春秋》。』」　又曰[159]：「孔子作《春秋》，所[160]以救周禮之壞[161]也。

148霖案：「紀」，《朱子語類》作「記」字。

149霖案：葉適：《習學記言》卷十二，「四庫本」冊八四九，頁431。

150霖案：「為」，應依《習學記言》作「史」字。

151「存」，應依《補正》作「在」。　霖案：《習學記言》題作「存」，竹垞所記，當據原書甄錄，又《經義考新校》頁3076於「《補正》二字之前，尚有「《四庫薈要》本、」諸字，可見《經義考新校》乃係補入「《四庫薈要》本」之文。

152霖案：「之」，應依《習學記言》作「所」字。

153霖案：「勸」，應依《習學記言》作「懼」字。

154霖案：「之」，應依《習學記言》作「所」字。

155霖案：「所傳」二字，應依《習學記言》作「傳之」。

156霖案：「之」字，《習學記言》無此字，當據以刪正。

157霖案：「矣」字，《習學記言》作「也」字。

158霖案：葉時：《禮經會元》4上-8下、《後村集》23-7下、《禮經會元》4下-35下等錄之。

159霖案：《禮經會元》卷四，頁18818。

160霖案：「所」字前，《禮經會元》有「亦」字。

田制壞，而《春秋》以稅畝田役書；軍賦壞，而《春秋》以邱[162]甲三軍書；三時[163]之役不均，而《春秋》以城築書；九伐之法不正，而《春秋》以侵伐書；講武之田不時，而《春秋》以大蒐、大閱書；救荒之政不備[164]，而《春秋》以[165]來朝、來聘[166]書；司徒之封疆廢，而《春秋》以[167]歸田、易田[168]書；太史之告朔不頒，而《春秋》書不視朔，司烜之火禁不修[169]，而《春秋》書宣榭火；保章失其官，而《春秋》書日食、書星孛；職方失其官，而《春秋》書彭城、書虎牢；圜邱[170]之典不興[171]，而《春秋》以卜郊書、以猶三[172]望書；廟祧之序不明，而《春秋》以立宮書、以躋祀書；婚[173]姻之禮失，而《春秋》[174]以[175]夫人孫[176]齊[177]、季姬歸鄫書[178]；貢獻之禮失，而《春秋》以[179]家父求車、毛伯求金書[180]；典命之職不修[181]，

161霖案：「壞」字後，應據《禮經會元》補入「而拯世道之窮，不獨詛盟一事為然」等十四字。

162霖案：「邱」，《禮經會元》作「丘」字。

163霖案：「三時」，《禮經會元》作「三日」。

164霖案：「備」，應依《禮經會元》作「施」字。

165霖案：「以」字下，應依《禮經會元》補入「大饑，請糴書，宗伯之賓禮廢，而《春秋》有」等十五字。

166霖案：「聘」字下，應依《禮經會元》補入「之」字。

167霖案：「以」字，應依《禮經會元》作「有」字。

168霖案：「田」字下，應依《禮經會元》補入「之」字。

169霖案：「修」，《禮經會元》作「脩」字。

170霖案：「圜邱」，《禮經會元》作「員丘」。《經義考新校》頁3077別出一校語云：「『圜邱』，文淵閣《四庫》本作『圜丘』」。

171霖案：「典不興」三字，應依《禮經會元》作「祀不典」。

172霖案：「三」字，應依《禮經會元》刪去。

173霖案：「婚」字，《禮經會元》作「昏」字。

174霖案：「《春秋》」二字下，應依《禮經會元》補入「書曰」二字。

175霖案：「以」字，應依《禮經會元》刪去。

176霖案：「孫」字，應依《禮經會元》作「于」字。

177霖案：「齊」字下，應依《禮經會元》補入「曰」字。

178霖案：「書」字，應依《禮經會元》刪去。

179霖案：「以」字，應依《禮經會元》改作「書曰」二字。

180霖案：「書」字，應依《禮經會元》刪去。

181霖案：「修」字，《禮經會元》作「脩」字。

而《春秋》書曰：天王使來錫命；天府之藏不謹，而《春秋》書曰：盜竊寶玉大弓。皆[182]權衡於[183]一字之微，而救禮經三百之壞也。」

王應麟曰[184]：「《晉語》：司馬侯曰：『羊舌肹[185]習於《春秋》。』《楚語》：申叔時曰：『教之《春秋》。』皆在孔子前，所謂《乘》、《檮杌》也。魯之《春秋》，韓起所見，《公羊傳》所云：『不修[186]《春秋》也。』」

呂大圭曰[187]：「《春秋》，魯史爾，聖人從而修之[188]。魯史之所書，聖人亦書之，其事未嘗與魯史異也，而其義則異矣[189]。世之盛也，天理[190]明，人心[191]正，則天下之人以是

182霖案：「皆」字，應依《禮經會元》作「此類實繁，未易殫舉無非，以」等十一字。

183霖案：「於」字，應依《禮經會元》刪去。

184霖案：《翁注困學紀聞》卷六，頁360。

185霖案：「肹」字，《翁注困學紀聞》作「肸」字。

186霖案：「修」字，《翁注困學紀聞》作「脩」字。

187霖案：「呂大圭曰」，《春秋本義綱領》頁13877，下欄至頁13880上欄引之，題作「朴鄉呂氏曰」，竹垞逕改作「呂大圭曰」，然其中文字出入頗大，說法詳見下文校語。

188霖案：「聖人從而修之」六字之下，《春秋本義綱領》尚有「則其所謂扶天理而遏人欲者何在？曰『惟皇上帝降衷于下民，若有恤性而綏猷之責，則后實任之，堯、舜、禹、湯之聖達而在上，所以植立人極，維持世道，使太極之體，常運而不息，天地生生之理，常發達而不少壅者，為其能明天理以正人心也。』周轍東，王迹熄，政教失，俗敗壞，修道之教不立，而天命之性，率性之道，幾若與之俱泯泯昧昧而不存者，君臣之道不明也，上下之分不辨也，義利之無別也，真偽之溷淆也。諸侯僭天子，大夫僭諸侯，而世莫知其非也。臣弒君，子弒父，強并弱，下篡上，而世莫知其亂也，其所施為盡反王制，而失人道之正，而世莫知其不然也。孔子雖聖，不得位則綏猷修道之責，誰實尸之，然而不忍絕也，於是以其明天理、正人心之責，而自任焉，六經之書，皆所以垂世教也，而《春秋》一書，尤為深切。故曰『我欲載之空言，不如見諸行事之深切著明也。』」等二百九十七字，當據以補入。

189霖案：「矣」字下，應依《春秋本義綱領》補入「魯史所書，其君臣之義，或未明也，而吾聖人則一正之以君臣之義，魯史所書其上下之分，或未辨也。而吾聖人則一正之以上下之分，夷夏之辨，未有明者，吾明之，長幼之序，有未者，吾正之。義利之無別也，吾別之；真偽之溷淆也，吾析之，其大要則主於扶天理於將微，遏人欲於方熾而已，此正人心之道也。故曰：『禹抑洪水，而天下；平周公膺戎狄，驅猛獸而百姓寧。』孔子成《春秋》，而亂臣賊子懼，孔子之成《春秋》，不過空言爾，而其功配於抑洪、膺戎狄，豈非以其正人心之功，尤大於放龍蛇、驅虎豹之功乎！故曰：『《春秋》，天子之事也』，何者？人性之動，始於惻隱，而終於是非，側隱發於吾心，而是非公乎天下。」等二百三十二字。

190霖案：「理」字下，應依《春秋本義綱領》補入「素」字。

191霖案：「心」字下，應依《春秋本義綱領》補入「素」字。

非為榮辱；世之衰也，天理不明，人心不正，則天下之人以榮辱為是非[192]。孔子之作《春秋》，要亦明是非之理，以詔天下[193]來世而已。蓋[194]是非者，人心之公理[195]，聖人因而明之，則固有犂然當於[196]人心者。彼亂臣賊子聞之，不[197]懼於身，而懼於心；不懼於明，而懼於暗；不懼於刀鋸斧鉞之臨，而懼於焂然自省之頃；不懼於人欲浸淫日滋之際，而懼於天理一髮未亡之時。此其扶天理、遏人欲之功，顧不大矣乎[198]？自世儒[199]以《春秋》之作，乃聖人賞善罰惡之書，而所謂天子之事者，謂其能制賞罰之權而已[200]。彼徒見《春秋》一書，或書名、或書字、或書人、或書爵、或書氏、或不書氏，於是為之說，曰：其書字、書爵、書氏者，褒之也；其書名、書人、不書氏者，貶之也。褒之故予之；貶之故奪之，予之所以代天子之賞；奪之所以代天子之罰。賞罰之權，天王不能自執，而聖人執之，所謂章有德、討有罪者，聖人固以自任也。夫《春秋》，魯史也；夫子，匹夫也，以魯國而欲以僭天王[201]之權；以匹夫而欲以操賞罰之柄[202]。夫子本惡天下諸侯之僭天子，大夫之僭諸侯，下

192霖案：「非」字下，應依《春秋本義綱領》補入「世之所謂亂臣賊子，恣睢跌蕩，縱人欲以滅天理者，豈其悉無是非之心哉？故雖肆意所為，莫之或制，而其心實未嘗不知其非，而意夫人之議己，此其一髮未亡之天理也。惟其一髮未亡之天理，不足以勝其浸淫日滋之人欲，是以迷而不復，為而不厭，而其所謂自知其非者，終自若也，則其心未嘗不欲變亂天下之是非以託己於莫我議之地，既幸而上無明君為之正王法，以定其罪，而又幸而世教不明，人心不正，習熟見聞，以為當然，曾莫有議其非者，則為亂臣賊子者，又何其幸之，又幸邪？是故唐虞三代之上，天理素明，人心素正，是非善惡之論素定，則人之為不善者，有不待刑罰加之，刀鋸臨之，而自幾若無所託足於天地間者，世道衰微，天理不明，人心不正，是非善惡之論，幾於倒置，然後亂臣賊子始得以自容於其間，而不特在於禮樂、征伐之無所主而已也。」等二百九十八字。

193霖案：「下」字下，應依《春秋本義綱領》補入「與」字。

194霖案：《春秋本義綱領》無「蓋」字，應據以刪正。

195霖案：「理」字下，應依《春秋本義綱領》補入「而」字。

196霖案：「於」字，《春秋本義綱領》作「乎」字。

197霖案：「不」字之前，應依《春秋本義綱領》補入「固將」二字。

198霖案：「乎」字下，應依《春秋本義綱領》補入「孟子斷然以為有一治之效，蓋真有見乎此，夫使先王之紀綱法度，既已蕩然不存，天子之禮樂征伐，既已不能自制，其所恃以僅不泯者，獨有人心是非之公理爾，而又顛倒錯亂，貿貿不明，則三極果何恃以立人道，果何恃以存乎，此固《春秋》一書，所以有功於萬世也。」等一百零三字。

199霖案：「儒」字下，應依《春秋本義綱領》補入「不明乎孟子之說，遂」等八字，由於竹垞已刪去孟子之論，故此處亦刪去相關文句，今據以補入。

200霖案：「已」字下，應依《春秋本義綱領》補入「夫謂天子之事，止於制賞罰之權，而綏猷修道之責，乃不暇問，則是劉漢以後之天子，而非唐虞三代之天子矣，為是說者，不惟不知《春秋》，抑亦不知所謂天子之事者也。」等六十五字。

201 霖案：《經義考新校》頁3078別出校語如下：「『天王』，文津閣《四庫》本作『天子』。」。

之僭上，卑之僭尊，為是作《春秋》以正名分，而己自蹈之，將何以律天下？聖人[203]不如是也。蓋是非者，人心之公，不以有位、無位而皆得以言，故夫子得因魯史以明是非；賞罰者，天王之柄，非得其位則不敢專也，故夫子不得假魯史以寓賞罰。是非，道也；賞罰，位也；夫子者，道之所在，而豈位之所在乎[204]？且夫夫子，匹夫也，固不得擅天王之賞罰；魯，諸侯之國也，獨可以擅天王之賞罰乎？魯不可[205]擅天王賞罰之權，乃[206]夫子[207]推而予之，則是夫子[208]不敢[209]自僭，而乃使魯僭之，聖人尤不如是也。大抵學者之患，往往在於尊聖人太過，而不明乎義理之當然[210]，欲尊聖人而實背之。或謂《春秋》為聖人變魯之書；或謂變周之文，從商之質；或謂兼三代之制，其意以為夏時、殷輅、周冕、虞韶[211]，聖人之所以告顏淵者，不見諸用而寓其說於《春秋》，此皆繆妄[212]之論[213]。夫四代禮樂，孔子[214]所以告顏淵者，亦謂其得志行道則當如是爾，豈有無其位而修當時之史，乃遽正之以四代之制乎？夫子魯人，故所修者魯史；其時周也，故所用者時王之制，此則聖人之大法也。謂其修於[215]春秋之時，而竊禮樂賞罰之權以自任，變時王之法，兼三代之制，不幾於誣聖人乎？

202霖案：「柄」字下，應依《春秋本義綱領》補入「借曰：道之所在，獨不曰位之所不可得乎！」等十六字。

203霖案：「人」字下，應依《春秋本義綱領》補入「宜」字。

204霖案：「乎」字下，應依《春秋本義綱領》補入「或曰：夫子之為是也，非以諸己也。夫子以魯有可以變而至道之質，是以託諸魯律天下之君大夫，其賞之也。非曰：吾賞之也，魯賞之也，其罰之也。非曰：吾罰之也，魯罰之也，魯周公之後，而聖人之祚嗣也，賞罰之權，夫子不以自執，推而予之於魯，魯亦不能以自有，推而本之於周，周之典禮，周公之為也，以周公之後而行周公之典禮，或者其庶幾乎，此聖人意也。」等一百三十九字。

205霖案：《經義考新校》頁3079別出一校語，云：「『不可』，文津閣《四庫》本作『不得』。」。

206霖案：「乃」字，應依《春秋本義綱領》作「而」字。

207霖案：「夫子」二字之下，應依《春秋本義綱領》補入「乃固」二字。

208霖案：「夫子」二字下，應依《春秋本義綱領》補入「為其實，而魯獨受其名，夫子」等十一字。

209霖案：「敢」字下，應依《春秋本義綱領》補入「以」字。

210霖案：「當然」二字下，應依《春秋本義綱領》補入「於是過為之論，意」等七字。

211霖案：「虞韶」二字，應依《春秋本義綱領》作「「韶樂」二字。

212霖案：《經義考新校》頁3079，別出一校語如下：「『繆妄』，《四庫薈要》本、文淵閣《四庫》本作『謬妄』。」。

213霖案：「論」字下，應依《春秋本義綱領》補入「其大要則皆主於以禮樂賞罰之權，為聖人自私之具爾。」等二十二字。

214霖案：「孔子」二字下，應依《春秋本義綱領》補入「之」字。

215霖案：「於」字，《春秋本義綱領》無之，應據以刪正。

學者[216]妄相傳襲，其為傷教害義，於是為甚。後之觀《春秋》者，必知夫子未嘗以禮樂賞罰之權自任，而後可以破諸儒之說；諸儒之說既破，而後吾夫子所以修《春秋》之旨，與夫孟子所謂天子之事者，皆可得而知之矣。」

馬端臨曰[217]：「按：《春秋古經》，雖《漢藝文志》有之，然夫子所修之《春秋》，其本文世所不見，而自漢以來所編《古經》，則俱自《三傳》中取出《經》文，名之曰正《經》耳。然《三傳》所載《經》文，多有異同，則學者何所折衷？如『公及邾儀父盟于[218]蔑』，《左氏》以為『蔑』，《公》、《穀》以為『眛[219]』，則不知夫子所書者曰『蔑』乎？曰『眛』[220]乎？『築郿』，《左氏》以為『郿』，《公》、《穀》以為『微』，則不知夫子所書曰『郿』乎？曰『微』乎？『會于[221]厥憖』，《公》、《穀》以為『屈銀』，則不知夫子所書曰『厥憖』乎？曰『屈銀』乎？若是者，殆不可勝數，蓋不特亥豕魯魚之偶誤其一二而已。然此特名字之訛耳，其事未嘗背馳於大義，尚無所關也。至於『君氏卒』，則以為聲子，魯之夫人也；『尹氏卒』，則以為師尹，周之卿士也；然則夫子所書隱三年夏四月辛卯之死者，竟為何人乎？不寧惟是，《公羊》、《穀梁》於襄公二十一年，皆書『孔子生』，按：《春秋》惟國君世子生則書之，『子同生』是也；其餘雖世[222]擅國政，如季氏之徒，其生亦未嘗書之於冊。夫子萬世帝王之師，然其始生乃鄹邑大夫之子耳，魯史未必書也，魯史所不書，而謂夫子自紀其生之年於所修之《經》，決無是理也；而《左》於哀公十四年獲麟之後，又復引《經》以至十六年四月，書『仲尼卒』，杜征南亦以為近誣。然則《春秋》本文其附見於《三傳》者，不特乖異，未可盡信，而三子以其意增損者有之矣。蓋襄二十一年所書者，《公》、《穀》尊其師授而增書之也；哀十六年所書者，《左氏》痛其師亡而增書之也，俱非《春秋》之本文也。三子者以當時口耳所傳授者，各自為《傳》，又以其意之所欲增入[223]者攙入之。後世諸儒復據其見於三子之書者，互有所左右而發明之。而以為得聖人筆削之意於千載之上，吾未之能信也。」

【增補】〔補正〕馬端臨條內，「所欲增入者」，「入」當作「益」。（卷七，頁三

216霖案：「學者」二字下，應依《春秋本義綱領》補「學不知道」四字。

217霖案：馬端臨：《文獻通考．經籍考》卷九，頁221。

218霖案：「于」，《文獻通考．經籍考》作「於」字。

219霖案：「眛」，應依《文獻通考．經籍考》作「昧」字。《經義考新校》頁3080別出校文如下：「『昧』，《四庫薈要》本作『眛』。」，乃同於《文獻通考》原引文。

220霖案：「眛」，應依《文獻通考．經籍考》作「昧」字。《經義考新校》頁3080別出校文如下：「『昧』，《四庫薈要》本作『眛』。」，乃同於《文獻通考》原引文。

221霖案：「于」，《文獻通考．經籍考》作「於」字。

222霖案：「世」字下，應依《文獻通考．經籍考》補入「卿」字。

223「入」，應依《補正》作「益」。　霖案：《文獻通考．經籍考》作「益」，當是翁方綱所據之本。又《經義考新校》頁3080註文，則另於「《補正》」二字之前，有「《四庫薈要》本、文淵閣《四庫》本、」等字。

）

趙孟何曰：「《春秋》，天子之事，乃繼天立極之事，後世以褒貶賞罰為天子之事者，失之。」

袁桷曰[224]：「以褒貶論《春秋》，解經者失之；作史者祖之，則益失其旨矣。」

黃澤曰[225]：「孔子[226]刪《詩》、《書》，正《禮》、《樂》，繫《易》是述；惟《春秋》可以言作。」　又曰[227]：「《春秋》凡例本周公之遺法，故韓宣子適魯，見《易象》與《魯春秋》，曰：『周禮盡在魯矣，吾乃今知周公之德與周之所以王。』此時未經夫子筆削，而韓宣子乃如此稱贊[228]，見得魯之史與諸國迥[229]不同[230]也。」　又曰[231]：「杜氏云：『凡策書皆有君命，謂如諸國之事應書於[232]策，須先稟命於君然後書，如此則應登策書，事體甚重，又書則皆在太廟，如孟獻子書勞于廟，亦其例也。』據策書事體如此，孔子非史官，何由得見國史策文與其簡牘本末，考見得失而加之筆削？蓋當時史法錯亂，魯之史官以孔子是聖人，欲乘此機託之，以正書法，使後之作史者有所依據，如此，則若無君命，安可修[233]改？史官若不稟之君命，安敢以國史示人？據夫子正樂須與太師、師襄之屬討論詳悉，然後可為；不然，則所正之樂，如〈師摯〉之始、〈關雎〉之亂，洋洋乎盈耳，時君時相謂之全不聞知，可乎？又哀公使孺悲學士喪禮於孔子，士喪禮於是乎書，則其餘可知也。蓋當時魯君雖不能用孔子，至於託聖人以正禮樂、正書法，則決然有之，如此則《春秋》一《經》出於史官，先稟命於君，而後贊成其事也。」　又曰[234]：「史記[235]事從實，而是非自見，雖隱諱，而是非亦終在。夫子《春秋》多因舊史，則是非亦與史同；但有隱微及改舊史處，始是聖人用意，然亦有止用舊文而亦自有意義者。大抵聖人未嘗不[236]褒貶，而不至屑屑焉

224霖案：四庫本《清容居士集》28-21上，〈曹士弘墓誌銘〉。

225霖案：黃澤述，趙汸輯《春秋師說》卷下，〈春秋指要〉，(《通志堂經解．春秋師說》(冊26))頁14855。

226霖案：「孔子」，《春秋師說》作「夫子之事功，則在《春秋》也。故曰『吾志在《春秋》，豈不信乎。』」。

227霖案：黃澤述，趙汸輯《春秋師說》卷上，〈論魯史策書遺法〉，頁14820。

228霖案：「贊」字下，應依《春秋師說》補入「者」字。

229霖案：「迥」字下，應依《春秋師說》補入「然」字。

230霖案：「同」字下，應依《春秋師說》補入「故」字。

231霖案：黃澤述，趙汸輯《春秋師說》卷上，〈論春秋述作本旨〉，頁14818。

232霖案：「於」字，《春秋師說》作「于」字。

233霖案：「修」字，《春秋師說》作「脩」字。

234霖案：黃澤述，趙汸輯《春秋師說》卷上，〈論春秋述作本旨〉，頁一四八一九。

235霖案：「記」字，《春秋師說》作「紀」字。

236「不」，《四庫》本作「無」。　霖案：《春秋師說》作「不」字，則四庫館臣一時失之而改作，原

事事求詳，若後世諸儒之論也。」　又曰[237]：「魯史《春秋》有例，夫子《春秋》無例，非無例也，以義為例，隱而不彰也。惟其隱而不彰，所以《三傳》各自為說。」　又曰[238]：「《春秋》所以難看，乃是失郤[239]不修《春秋》；若有不修《春秋》互相比證，則史官記載、仲尼所以筆削者，正[240]自顯然易見。」

梁寅曰[241]：「《六經》惟《春秋》以書事而寓王法，往往多微旨，非有所授受，罕能灼知其意者。」

鄭公曉曰[242]：「杜氏謂獲麟而作《春秋》，范氏言[243]作《春秋》而麟至，杜說是也[244]。司馬公言『《春秋》文成數萬』，張晏數之，纔得萬八千字；李氏數之，更闕一千四百二十八字。《公》、《穀》書『孔子生』，《左氏》[245]書『仲尼卒』，皆非《春秋》本文。」

王守仁曰[246]：「《春秋》[247]其實皆魯史舊文也[248]。筆者[249]，筆其舊；削者[250]，削其煩

本當題作「不」字。又《經義考新校》頁3082註文，則另於「《四庫》本之上，尚有「文淵閣」三字。

237霖案：黃澤述，趙汸輯《春秋師說》卷上，〈論魯史策書遺法〉，頁14820。

238霖案：黃澤述，趙汸輯《春秋師說》卷上，〈論魯史策書遺法〉，頁14821。

239霖案：「郤」字，《春秋師說》作「却」字。

240霖案：「正」字，應依《春秋師說》作「亦」字。

241霖案：北圖藏書：《新喻梁石門先生集》卷之二，〈送李行簡序〉，頁三四九。又四庫本《石門集》·卷七·〈送李行簡序〉。

242霖案：鄭曉：《端簡鄭公文集》卷一，〈春秋說〉，(《四庫全書存目叢書》集八五冊)，頁134。案：竹垞著書通例，於所親人，不敢稱名例，說法詳見於翁方綱：《經義考補正》卷第一，頁7至頁八。翁氏詳考「唐公文獻」、「潘恭定公」二人與竹垞的關係，而此處亦稱「公」字，則鄭曉與竹垞關係密切，可知矣，然誠如翁方綱《經義攷補正》卷第一所云「待以留待後人考索耳」，是以鄭曉與竹垞究竟何種關係，待查。又本文所據來源，係根據李燾《春秋古經．序》之文改寫而成。翁元圻《翁注困學紀聞》卷六轉錄李燾之文，讀者可自行參看其文。

243 霖案：《經義考新校》頁3082另有校語如下：「『言』，文津閣《四庫》本作『謂』。」。

244霖案：「也」字，應依《端簡鄭公文集》刪去。

245霖案：「《左氏》」二字，應依《端簡鄭公文集》作「《左》」。

246霖案：《傳習錄》卷上，頁62。又《王文成全書》卷一亦錄此文。

247霖案：「《春秋》」二字下，當據《傳習錄》補入「雖稱孔子作之」等六字。

248霖案：「也」字，當依《傳習錄》刪正。

249霖案：「筆者」二字前，當依《傳習錄》補入「所謂」二字。

250霖案：「削者」二字前，當依《傳習錄》補入「所謂」二字。

也[251]。」

陸深曰[252]：「《春秋》比諸經尤難讀，簡嚴而閎大。惟其簡嚴，故立論易刻；惟其閎大，故諸說皆通，聖人筆削之旨隱矣。事按《左氏》之的，義取《公》、《穀》之精，此兩言乃讀《春秋》之要法。」

陸樹聲曰[253]：「孟子曰：『《春秋》，天子之事。』蓋以《春秋》所載禮樂征伐，大率皆天子之事，而說者遂以為孔子作《春秋》，擅二百四十二年南面之權，是以匹夫而僭天子爵賞刑罰之柄矣。夫臣無有作福作威，孔子嘗述之書矣，而乃身自犯之乎？」

郝敬曰[254]：「《春秋》一書，千古不決之疑案也。非《春秋》可疑，世儒疑之也。仲尼原筆之舊史不傳矣，《左氏》摭拾遺文，闕略[255]未備，可據纔半耳[256]；《公》、《穀》襲《左》而加例，胡氏襲《三傳》而加鑿說[257]，《春秋》者[258]，幾同射覆[259]矣。」

徐三重曰[260]：「《春秋》者，萬世理義，是非之權衡，《詩》、《書》之法律也。[261]先儒以為須先識理義，方可看《春秋》；而王介甫目為斷爛朝報，不以列於學官，其不識理義可知。」

顧炎武曰[262]：「《春秋》不始於[263]隱公。晉韓宣子聘魯，觀書於[264]太史氏，見《易象》與《魯春秋》曰：『周禮盡在魯矣，吾乃今知周公之德與周之所以王也。』蓋必起自伯禽之

251霖案：「煩也」二字，應依《傳習錄》作「繁」字。

252霖案：四庫本《儼山外集》卷17、《欽定春秋傳說彙纂》卷首上錄之。

253霖案：《耄餘雜識》，(《四庫全書存目叢書》子一六三冊)，頁256-257。

254霖案：郝敬：《春秋直解．讀春秋》，(《四庫全書存目叢書》經一二一冊)，頁二。

255霖案：「略」字，《春秋直解》作「畧」字。

256霖案：「耳」字下，應依《春秋直解》補入「其於聖人不言之情，茫乎昧乎」等十二字。

257霖案：「說」字，應依《春秋直解》作「吁嗟」二字。

258霖案：「者」字，應依《春秋直解》刪去。

259霖案：「射覆」二字，應依《春秋直解》作「覆射」。

260霖案：《信古餘論》卷之四，(《四庫全書存目叢書》子十三冊)，頁859。

261霖案：竹垞此處引文，乃係併合二處文句所致，其中缺錄許多文句。「法律也」三字下，當據《春秋直解》補入「非必以一字為褒貶，只微言大義，質之天理人彝，毫髮無所差，忒此聖人神明之獨裁，而宇宙事理之至當也。《春秋》者，聖人是非之平衡，非權以理義，無由識其低昂輕重，故」等六十六字。

262霖案：顧炎武：《日知錄》卷四，頁83。(原抄本)

263霖案：「於」，《日知錄》作「于」字。

264霖案：「於」，《日知錄》作「于」字。

封，以洎於[265]中世。當周之盛，朝覲、會同、征伐之事皆在焉，故曰『周禮』，而成之者，古之良史也。自隱公以下，世衰道微，史失其官，於[266]是孔子懼而修之，自惠公以上之文，無所改焉，所謂述而不作者也；自隱公以下，則孔子以己意修之，所謂『作《春秋》』也。然則自惠公以上之《春秋》，固夫子所善而從之者也，惜乎其書之不存也。」

毛奇齡曰[267]：「曩時，《春秋》記事而已；夫子之《春秋》，則但志其名而不記其事。蓋志簡而記煩，簡則書之於簡，謂之簡書；煩則書之於策，謂之策書。夫子修《春秋》，第修簡書，而左邱明作《傳》，則取策書而修之。」又曰：「《春秋》始魯隱公，並無義例。或曰：『以平王東遷而王室卑也。』夫平王東遷在魯孝公二十七年，又一年而魯惠公立，是魯惠公之立正當平王遷洛之際；且在位四十六年，正與平王之五十一年相表裏，乃舍惠公不始，而反始於平王四十九年垂盡之隱公，無是理也。若曰《春秋》本據亂而作，則亂不自隱始也。以為王室亂邪，則戎狄弒王當始孝公；以為本國亂邪，則伯御弒君當始懿公；以為列國亂邪，則晉人連弒其君當始惠公。乃舍懿、孝、惠三公不始，而始隱公，何也？至於《公羊》以隱公讓位為賢，曰：『《春秋》善善，長當從善始』。《穀梁》以隱成父之惡為惡，曰：『《春秋》惡惡之書當從惡始。』則又誰得而定之，蓋《春秋》，魯史也，或隱以前亡其書，則不修；隱以後有其書，則修之爾。若夫夫子作《春秋》之年，則司馬遷謂孔子厄陳、蔡時作，在哀六年；《左氏》說謂孔子自衛反魯，遂作《春秋》，則在哀十一年；而《公羊》說則謂孔子西狩獲麟，得端門之命，乃作《春秋》，則又在哀十四年，總是揣摹之言，不足據者。若其云『受端門之命』，則見戴宏《解疑論》，此後世緯學不足信。夫獲麟作書，本屬不幸，而反以為夫子受命之符瑞，無稽之言，吾不取焉。」

【增補】王應麟《困學紀聞》卷六云：「春秋之法，韓文公『謹嚴』二字盡之；學《春秋》之法，呂成之『切近』二字盡之。」（頁三三五）

【增補】耿文光《萬卷精華樓藏書記》卷八曰：「《漢志》：《春秋古經》十二篇，經十一卷，所謂魯之《春秋》是也。周、燕、齊、宋皆有《春秋》，載在《墨子》，所謂《百國春秋》是也。其書亡矣。古本《春秋經》自為一帙，今《春秋》讀本亦有無傳者，全非古式，豈《漢志》之舊哉？左氏作傳時經文已闕，如夏五郭公夫人氏，皆闕文也。經闕而後傳始作也。《左氏春秋傳》，《漢志》三十卷，其事詳而實，其文富而豔。或作五十，凡以為《春秋》之例。或云《魯史》有例，聖人之《春秋》無例，以義為例，或以《春秋》為褒貶書，或云有貶而無褒，或云以《春秋》為褒貶者，亂春秋者也，其說互異，然褒之一字出於後世。馬遷則云采善，劉向所云首貶患也，劉歆曰左氏筆削與聖人同意而不言褒貶，其言褒貶者，失微顯之義矣。何孟春曰：經以標義，史以備事，經義隱而史事顯，左氏備事之書也。聖人筆削義隱於事，次第其事，傳以實之。實之者，顯之也。其說當矣。然左氏依經以為傳，以實之。實之者，顯之也。其說當矣。然左氏依經以為傳，後人或捨傳以從經，其攻駁左氏者，實隱

265霖案：「於」，《日知錄》作「于」字。

266霖案：「於」，《日知錄》作「于」字。

267霖案：毛奇齡：《春秋毛氏傳》卷一，（四庫本）。

本公穀，故以私意亂聖經者，其書可刪。孔子作《春秋》若無左氏為之傳，則讀者何由究其事之本末？左氏之功不淺矣。故當時雖不立於學宮，而後世誦習，久而益顯，非公穀所可比也。左氏或以為楚人，或以為魏人，或以左氏、左丘氏為二人，或云古之賢人在孔子前，然傳終於孔子卒後。《漢志》以為與孔子同時，然口授弟子不當有闕文，則班書未可深信也。又或以為魯太史或以為左史，倚相并存，其說不必辨也。《公羊傳》、《穀梁傳》，《漢志》皆十一卷，二家皆經生各守所學。近世尚有《公羊學》，而《穀梁》益微。今所錄者凡二十九家，三傳注疏以外，皆慎所擇。附以《繁露》，則古書也。」（頁三二五至頁三二六）

【增補】何廣棪：《陳振孫之經學及其《直齋書錄解題》經錄考證》曰：「廣棪案：《文獻通考》此條作『李燾仁甫又定《春秋古經》一卷』。『述』之與『定』，其意義顯有不同。燾有《後序》，其略曰：『自杜預集解《左氏》，合經傳為一。貞觀十六年，孔穎達承詔修《疏》。永徽四年，長孫無忌等重上《正義》，丘明《傳》學愈益盛矣。而仲尼遺經無復單行，學者或從杜《解》抄出，獨存《左氏》，擯落二家。幸陸德明與穎達同時於太學，自釋音義，兼存二家，本書仍各注《左氏》別字，顧亦無決擇。（廣棪案：德明為國子博士，貞觀十七年也。）惟貞元末，陸淳《纂例》列《三傳》經文差繆，凡二百四十一條，自言考校從其有義理者，然往往亦言未知孰是，兼恐差繆不止二百四十一條。惜啖、趙《集傳》今俱失墜，無從審覆耳。（廣棪案：《唐志》：陸質集注《春秋》二十卷，又集傳《春秋纂例》十卷、《春秋微旨》二卷、《春秋辯疑》七卷。今存者惟《纂例》、《微旨》、《辯疑》耳。）余患苦此久矣。嘗欲即三家所傳，純取遺經，心以為是者則大書之，仍細書其不然者於其下。數十年間，遊走東西，志弗獲就。會潼川謝疇元錫來從余遊，其治《春秋》極有功，因付以斯事。居三月而成書，旁蒐遠引，不一而足，反說以約，厥功彌著。余撫其書喜甚，亟刻板與學者共之。』是則此書之撰作體例固燾所述，而由謝疇『旁蒐遠引』、『反說以約』而定之也。今人徐規撰有《李燾年表》，見載《文史》第二輯，中云：『《春秋古經》一卷（與弟子謝疇同定）。據《宋元學案補遺》八引《李文簡集》云：『謝疇，字元錫，潼川人。從李仁甫遊，著《春秋古經》十二篇。仁甫為之《序》，稱其治《春秋》極有功。』』規謂此書乃燾與弟子謝疇同定，最得其實。《解題》、《通考》所述均不免有所未照也。」（頁五〇六至頁五〇七）

《百國春秋》

佚。

墨翟曰[268]：「吾見《百國春秋》。」　又曰[269]：「周宣王殺其臣杜伯而不辜，杜伯曰：『吾君殺我而不辜。若以死者為無知，則止矣；若死而有知，不出三年，必使吾君知之。』其[270]三年，周宣王合諸侯而舍[271]於圃田，車數百乘，從數千人，滿野，日中，杜伯乘白馬

268霖案：《隋書》卷四十二，頁1197。

269霖案：《墨子集解》卷八，〈備梯〉第五六，頁276-284。

270霖案：「其」字下，應依《墨子集解》補入「後」字。

素車，朱衣冠、執朱弓、挾朱矢，追周宣王射入[272]車上，中心折[273]脊，殪車中，伏弢而死。當是之時，周人從者莫不見，遠者莫不聞，著在周之《春秋》。[274]燕簡公殺其臣莊子儀而不辜，莊子儀曰：『吾君殺我而不辜，死人無知亦已；死人有知，不出三年，必使吾君知之。』期年，燕將馳祖。燕之有祖，當齊之[275]社稷、宋之有桑林、楚之有雲夢也，此男女之所屬而觀也。日中，燕簡公方將馳於祖塗，莊子儀荷朱杖而擊之，殪之車上。當是時，燕人從者莫不見，遠者莫不聞，著在燕之《春秋》[276]。宋文君鮑之時，有臣曰祈觀辜[277]，固嘗從事[278]於厲。株子[279]杖揖[280]，出與言曰：『觀辜是何？陸璧[281]之不滿度量，酒醴粢盛之不淨潔也[282]，犧牲之不全肥[283]，春、夏、秋、冬[284]選失時，豈汝[285]為之與？意鮑為之與？』觀辜曰：『鮑幼弱，在荷襁[286]之中，鮑何與識焉？官臣觀辜特為之。』株[287]子舉揖而槀之，殪之壇

271霖案：「舍」，應依《墨子集解》作「田」字。

272霖案：「入」，應依《墨子集解》作「之」字。

273霖案：「拆」，應依《墨子集解》作「折」字。

274霖案：「《春秋》」二字下，應依《墨子集解》補入「為君者以教其臣，為父者以其子，曰『戒之慎之，凡殺不辜者，其得不祥。鬼神之誅，若此之憯遬也，以若書之說觀之，則鬼神之有，豈可疑哉？非惟若書之說為然也，昔者秦穆公當書，日中處乎廟，有神入門而左，人面鳥身，素服三絕，面狀正方，秦穆公見之，乃恐懼，神曰無懼，帝享女明德，使予錫女壽十年有九，使若國家蕃昌，子孫茂，毋失秦，穆公再拜稽首，曰敢問神名，神曰予為句芒，若以秦穆公之所身見為儀，則鬼神之有，豈可疑哉。非惟若書之說為然也。昔者』一百八十字。

275霖案：「之」字下，應依《墨子集解》補入「有」字。

276霖案：「《春秋》二字下，應依《墨子集解》補入「諸侯傳而語之曰：凡殺不辜者，其得不祥，鬼神之誅，若此其憯遬也。以若書之說觀之，則鬼神之有，豈可疑哉？非惟若書之說為然也。昔者」等四十六字。

277霖案：「祈觀辜」三字，應依《墨子集解》作「袥觀辜」三字。

278霖案：「從事」二字，應依《墨子集解》作「徒事」。

279霖案：「株子」二字，應依《墨子集解》作「祩子」。

280霖案：「杖揖」二字，應依《墨子集解》作「揖杖」。

281霖案：「陸璧」二字，應依《墨子集解》作「珪璧」。

282霖案：「也」字，應依《墨子集解》刪去。

283霖案：「肥」字下，應依《墨子集解》補入「也」字。

284霖案：「春、夏、秋、冬」四字，應依《墨子集解》作「春、秋、冬、夏」。

285霖案：「汝」，應依《墨子集解》作「女」。

286霖案：「襁」，應依《墨子集解》作「繈」字。

287霖案：「株」，應依《墨子集解》作「祩」字。

上。當是時，宋人從者莫不見，遠者莫不聞，著在宋之《春秋》，[288]齊莊君之時[289]，有所謂王里國、中[290]里微者，此二子者，訟三年而獄不斷，齊君由謙殺之，恐不辜；猶謙釋之，恐釋[291]有罪，乃使之[292]人共一羊，盟齊之神社，二子許諾。於是泏血[293]推[294]羊而漉[295]其血，讀王里國之辭，既已終矣；讀中里微之辭，未半也，羊起而觸之，折其腳，祧神而槀之，殪之盟所。當是時，齊人從者莫不見，遠者莫不聞，著在齊之《春秋》。」

按：《公羊傳》有「不修《春秋》，則魯之《春秋》也。」周、燕、齊、宋皆有《春秋》，載在《墨子》，合以晉《乘》、楚《檮杌》、鄭《志》，《百國春秋》之名，僅存其八而已。

288霖案：「《春秋》」二字下，應依《墨子集解》補入「諸侯傳而語之曰：諸不敬慎祭祀者，鬼神之誅至，若此其憯遬也。以若書之說觀之，鬼神之有，豈可疑哉？非惟若書之說為然也。若者」等五十一字。

289霖案：「時」，應依《墨子集解》作「臣」。

290霖案：「中」字前，應依《墨子集解》補入「與」字。

291霖案：「釋」，應依《墨子集解》作「失」。

292霖案：「之」，應依《墨子集解》作「二」。

293霖案：「泏血」，應依《墨子集解》作「掘洫」。

294霖案：「推」，應依《墨子集解》作「剄剄」。

295霖案：「漉」，應依《墨子集解》作「灑」。

卷一百六十九　春秋二經義考卷一百六十九春秋二

左邱子明《春秋傳》（周）

【作者】竹垞著錄的慣例，多作「某氏」，此作「左邱子」者，係為尊稱。

【作者】竹垞著錄的通例，係在姓氏後面加上「氏」字，而此作「子」字，與竹垞慣例不合。又張心澂《偽書通考》云：「《春秋左氏傳》　三十卷　誤認撰人，或疑改造。」（頁四一四），可見此書是否為左邱明所撰，歷來多有疑義。

【書名】本書異名如下：

一、《左傳》：葉程義《禮記正義引書考》頁六九四著錄。

二、六朝人書左氏傳卷子殘本：張壽平《公藏先秦經子注疏書目》頁一一〇著錄。

三、《春秋左傳》：張壽平《公藏先秦經子注疏書目》頁一一〇著錄。

四、《春秋左氏全傳白文》：張壽平《公藏先秦經子注疏書目》頁一一〇著錄。

五、《新刊左氏舊文》：張壽平《公藏先秦經子注疏書目》頁一一〇著錄。

六、《春秋左傳識小錄》一卷，清經解第七十二冊。

《漢志》1：「三十卷。」

【卷數】本書卷數異同如下：

一、殘本一冊：張壽平《公藏先秦經子注疏書目》頁一一〇著錄。

二、不分卷八冊：張壽平《公藏先秦經子注疏書目》頁一一〇著錄。

三、十二卷：張壽平《公藏先秦經子注疏書目》頁一一〇著錄。

四、十六卷：張壽平《公藏先秦經子注疏書目》頁一一〇著錄。

五、十卷：張壽平《公藏先秦經子注疏書目》頁一一〇著錄。

【增補】沈彤《清經解》第七十二冊。

【增補】李一遂〈左氏春秋著錄書目研究〉頁九七錄有《春秋左氏全傳白文》十二卷，竹垞未錄此書，當據以補入。

存。

【版本及藏地】本書版本及藏地如下：

一、明萬曆四十四年吳興閔氏刻朱墨套印本：明．閔齊伋等編，孫鑛批點，《春秋左傳》十五卷。九行十八字，亦有十九字者，白口，四周單邊，無格，朱印夾注圈點及

1霖案：《漢書》卷三〇，頁1713。

眉批，前有韓敬萬曆丙辰四十四年〈序〉。各冊末鐫：萬曆丙辰夏吳興閔齊華、閔齊伋、閔象泰分次經傳。六冊。又閔氏亦曾裁注《春秋公羊傳》、《春秋穀梁傳》二書，有明天啟元年文林閣唐錦池刻本，說法詳見公羊氏高《春秋傳》、穀梁氏赤《春秋傳》條下。又台北國家圖書館、美國：普林斯敦大學葛思德東方圖書館、哈佛大學燕京圖書館、國會圖書館；日本：內閣文庫（三部）、尊經閣文庫。

又清華大學圖書館有藏本，有「清高書熏題識」。

又北京：國家圖書館、北京大學圖書館、中國人民大學圖書館、北京師範大學圖書館、中共中央黨校圖書館、北京師範學院圖書館、中國科學院圖書館、中國社會科學院文學研究所、故宮博物院圖書館、中國歷史博物館、公安部群眾出版社、中共北京市委圖書館、上海圖書館、復旦大學圖書館、華東師範大學圖書館、天津市人民圖書館、南開大學圖書館、天津師範學院圖書館、石家莊市圖書館、河北省保定市圖書館、河北師範學院圖書館、山西師範學院圖書館、山西省文史館、遼寧省圖書館、遼寧大學圖書館、吉林省圖書館、長春市圖書館、吉林市圖書館、吉林大學圖書館、東北師範大學圖書館、吉林省社會科學院圖書館、哈爾濱師範大學圖書館、陝西省圖書館、陝西省延安大學、西安市文物管理委員會、青海省圖書館、山東省圖書館、濟南市圖書館、淄博市圖書館、山東大學圖書館、青島市博物館、南京圖書館、揚州市圖書館、揚州師範學院圖書館、南京市博物館、浙江圖書館、溫州市圖書館、天一閣文物保管所、安慶市圖書館、無爲縣圖書館、安徽省博物館、江西省圖書館、江西省廬山圖書館、江西省歷史博物館、河南省圖書館、南陽師範專科學校（南陽市）、湖北省圖書館、武漢市文物商店、湖南省圖書館、湖南省邵陽市圖書館、湖南省哲學社會科學研究所、中山大學圖書館、廣西壯族自治區圖書館、廣西壯族自治區柳州市圖書館、四川省圖書館、重慶市圖書館、成都杜甫草堂、貴州大學圖書館、貴州省博物館、雲南省賓川縣圖書館、雲南大學圖書館有藏本。

【增補】王重民：《中國善本書提要》曰：「【春秋左傳十五卷】　八冊（北大）

明朱墨印本〔九行十九字（21.2╳14.3）〕

卷端題：「孫月峰先生批點」，每卷末題：「萬曆丙辰夏吳興閔齊華、閔齊伋、閔象泰分次經傳。」韓敬序云：「吾鄉閔赤如、遇五、用和昆從，手枬分次經傳，特受先生　〔指孫月峰〕之評，以朱副墨，一覽犁然。經傳藉題評開前古之新，題評翼分次樹今日之古，余獲之不減賈逵、劉兆朱墨經傳也。」又《凡例》云：「舊刻凡有批評圈點者，俱就原板墨印，藝林厭之，今另刻一板，經傳用墨，批評以朱，校讎不啻三五，而錢刀之靡，非所計矣！」則孫鑛所評，原有刻本；此本更為施以朱墨，齊伋於此頗自詡。蓋此本在閔氏朱墨印本中，即非首印第一部，亦應為較早期產品也。卷內有：「巴陵方氏傳經堂藏書印」等印記。

韓敬序　〔萬曆四十四年（一六一六）〕」（頁二三）

【增補】王重民：《中國善本書提要》曰：「【春秋左傳十五卷】　十二冊（國會）

明朱墨印本〔九行十九字（21.1╳14.4）〕

卷一書題下題：「孫月峰先生批點。」閔齊伋《凡例》云：「大司馬孫月峰先生研幾索隱，句字不漏，其所指摘處，更無不透入淵微。家翁次兄為水部留都時，遂得手受於先生，不敢自秘，用以公之同好。」又韓敬序云：「吾鄉閔赤如、遇五、用和昆從，手剔分次經傳，特受先生〔月峰〕之評，以朱副墨，一覽犁然。」赤如名齊華，即齊伋所稱「家翁次兄」也，故每卷末題：「萬曆丙辰夏吳興閔齊華、閔齋伋、閔象泰分次經傳。」又按閔氏昆從分次經傳在萬曆丙辰，韓敬序亦署「萬曆丙辰」，則是書實刻於丙辰，時為萬曆四十四年。余不知閔氏用朱墨版首刻何書，始在何年？此本似較早，故齊伋於《凡例》中特述印法，茲迻錄於後：

舊刻凡有批評圈點者，俱就原板墨印，藝林厭之。今另刻一板，經傳用墨，批評以朱，校讎不啻三五，而錢刀之靡，非所計矣！置之帳中，當無不心賞，其初學課業，無取批評，則有墨本在。

韓敬序〔萬曆四十四年（一六一六）〕」（頁二三）

【增補】東北師範大學圖書館藏古籍善本書目解題》云：「初左氏之傳春秋也，經自為經，傳自為傳，未始相配合也。晉杜元凱始分經麗傳，列一年之經於前，而傳則總繫於後。舊本有經無傳者，下注『無傳』二字；舊本有傳無經者，上書《附錄》二字，始此於《大全》也。《大全》以胡《傳》為主，而左氏之無經者，無所歸著，故以附錄標之，謂附於胡《傳》後也。

閔齊伋：明，烏程人，字寓五。附世傳朱墨字版，五色版謂之閔本者，多其所刻。有《六書通》存世。」（頁三四）

【增補】沈津著《美國哈佛大學燕京圖書館中文善本書志》：「0084　明萬曆閔齊伋刻套印本春秋左傳　　　　T710/1988

《春秋左傳》十五卷，明孫鑛批點。明萬曆四十四年（1616）閔齊伋刻朱墨套印本。十二冊。半頁九行十九字，四周單邊，白口，無魚尾，書眉上刻批。框高21·3厘米，寬14·5厘米。題『孫月峯先生批點』。前有萬曆四十四年韓敬序。

《左傳》乃儒家經典之一，然從來評隲率多艷稱，而其中頭緒貫串之妙，及立意攄辭，命句拈字，情態萬出，未有能纖悉曲折窮其神者，至於瑕瑜不相掩處，尤概置不校。故閔氏有感于此，乃選用孫鑛批點之本，以其『研幾索隱，句字不漏，其所指摘處，更無不透入淵微』。又云：『家翁次兄為水部留都時，遂得手受於先生，不敢自秘，用以公之同好。』

孫鑛，字文融，號月峯。浙江餘姚人 萬曆二年進士。授兵部主事，歷吏部考功文選郎中。澄清銓法，名籍甚。累進兵部侍郎加右都御史，代顧養謙總督遼薊軍務兼經略朝鮮，還遷南兵部尚書，加太子少保，參贊機務。後因事被劾乞歸，布衣蔬食，恬然自得。年七十卒。傳見（光緒）《餘姚縣志》卷二十三《列傳》。

其凡例八則，末則云：『舊刻凡有批評圈點者，俱就原版墨印，藝林厭之。今另刻一版，經傳用墨，批評以朱，校讎不啻三五，而錢刀之靡，非所計矣。』

韓敬序云：『吾鄉閔赤如、遇五、用和昆從，手創分次經傳，特受先生之評，以朱副墨，一覽犂然。經傳藉題評，開前古之新，題評翼分次，樹今日之古，余獲之不減賈逵、劉兆朱墨經傳也。』

是書末刊『萬曆丙辰夏吳興閔齊華、閔齊伋、閔象泰分次經傳』二行。按齊伋，字及武，號遇五。諸生。生於萬曆八年。不求進取，耽著述。有《六書通》。順治間，年八十餘。《烏程縣志》有傳。閔氏刻書約六十種，其中套印本亦五十種上下，今所存閔氏套印本，此本當為最早者。傳世頗多，大陸所藏七十餘部。

《中國古籍善本書目》著錄。臺灣中央圖書館、美國普林斯敦大學葛思德東方圖書館（二部）、日本內閣文庫（三部）、尊經閣文庫亦有入藏。」（頁四〇至頁四一）

【增補】屈萬里《普林斯敦大學葛思德東方圖書館中文善本書志》曰：「《春秋左傳》十五卷　十二冊　二函

明孫鑛評點

明萬曆四十四年（一六一六）吳興閔氏刊朱墨套印本。　九行十九字。　板匡高二一・四公分，寬一四・四公分。

《四庫全書總目》存目孫月峯評經十六卷。據《提要》，知館臣所見者為《詩》、《書》、《禮記》三種，而無此書。是本前有萬曆四十四年韓敬序。每卷末題：『萬曆丙辰夏，吳興閔齊華、閔齊伋、閔象泰分次經傳。』蓋閔氏昆從取孫氏評語分次於經文者也。丙辰，為萬曆四十四年。」（頁四三至頁四四）

【增補】屈萬里《普林斯敦大學葛思德東方圖書館中文善本書志》曰：「《春秋左傳》十五卷　十二冊　二函

明孫鑛評點

明萬曆四十四年（一六一六）吳興閔氏刊朱墨套印本。　九行十九字。　板匡高二一・四公分，寬一四・四公分。

此本與前本同，惟前本用竹紙印，此本用白粉紙印，故較前本精緻。凡例末閔齊伋題名下，此本鈐『閔印齊伋』『遇五氏』兩方印；彼本所鈐者，為『閔』『齊伋』聯珠印。蓋兩本非同時所印刷也。」（頁四四）

二、清宣統元年（己酉）上海有正書局石印本：敦煌卷子，北齊人書寫，台北中研院史語所有藏本。

三、楊守敬據日人柏木政矩所藏卷子本石印：敦煌卷子，台北中研院史語所有藏本。

四、明覆宋刊巾箱本：《春秋左傳》不分卷，八冊，20行，行27字. 左右雙欄. 版心白口，雙魚尾，台北：國家圖書館代管北平圖書館藏書,已移置故宮博物院，有微捲、微片、精裝複製本，張壽平《公藏先秦經子注疏書目》頁一一〇著錄。又王重民：《中國善本書提要》頁二三錄有「明刻本」，藏於北京圖書館，題作魯左丘明傳《

春秋左傳》不分卷，二十行二十七字，疑即「明覆宋刊巾箱本」。

【增補】王重民：《中國善本書提要》曰：「【春秋左傳不分卷】　八冊　（北圖）明刻本〔二十行二十七字（1.7+13.8╳9.8）〕

魯左丘明傳。按全書接刻，凡一百九十八葉，蓋以葉為一卷，故首葉題：「《春秋左傳》卷之一」，末葉題：「《春秋左傳》卷之一百九十八終。」經文頂格，傳文低一格，眉欄附音，即宋孫奕《九經直音》也。吳氏《拜經樓藏書題跋記》卷一所載《九經白文》，其左傳一經，正與此同。其書後歸錢唐丁氏。近陶氏涉園影印《八經》，適闕《左氏》。此本即從宋本出，翻刻極精，下書口記刻工，凡十六人：徐敖、劉朝、劉潮、袁電、馬相、唐詩、陸華、吳江、劉采、陸天定、章逵、陸鍌、王良、馬龍、弓受之、陸云，特為記出。冀他曰據以考定為何時何地所刻。卷內有：「南陽講習堂」、「承澤」等印記。

杜預序。」（頁二三）

五、明萬曆十六年雲陽賀邦泰刊本：舊題周左丘明撰《春秋左氏全傳白文》十二卷，十四冊，張壽平《公藏先秦經子注疏書目》頁一一〇著錄，台北國家圖書館有藏本，有賀邦泰〈序〉文。九行二十一字白口左右雙邊。

又北京師範大學圖書館、南京圖書館、無錫市圖書館、安徽省圖書館有藏本，《春秋左氏全傳白文》十二卷。

【增補】《國家圖書館善本書志初稿》：「【春秋左氏全傳白文十二卷十四冊】

明萬曆十六年(1588)雲陽賀邦泰刊本　00574

舊題周左丘明撰。

版匡高 21.1 公分，寬 14 公分。左右雙邊。每半葉九行，行二十一字。版心花口，單魚尾，魚尾上方記書名，下方記卷第(如『卷之一』)，再下方書葉次。

首卷首行頂格題『春秋左氏全傳白文卷之一』，卷末隔四行有尾題。卷首有萬曆十六年(1588)賀濟菴邦泰刻序。經文頂格起，傳文低一格以示區別。卷一至卷八有朱筆圈點。

書中鈐有『國立中央圖/書館收藏』朱文長方印、『澤存/書庫』朱文方印、『強恕堂』朱文長方印。」(頁 154)。

六、明天啟五（乙丑）年刊本：三十卷，明戴文光標釋，張我城參定，台北中研院史語所有藏本，張壽平《公藏先秦經子注疏書目》頁一一〇著錄。

七、明刊本：十六卷，明不著編人，台北國家圖書館有藏本，張壽平《公藏先秦經子注疏書目》頁一一〇著錄。

八、都門印書局排印本：十卷，周左邱明撰，台北中研院史語所有藏本，張壽平《公藏先秦經子注疏書目》頁一一〇著錄。

九、日本鈔本：三十卷，台北故宮博物院有藏本，張壽平《公藏先秦經子注疏書目》頁一一〇著錄。。

十、民國影印本：北齊人所書，《1911～1984影印善本書目錄》頁五著錄，為敦煌出土的文物。

十一、明翻閔氏朱墨套印本：（明）閔齊伋等輯　孫鑛批點《春秋左傳》十五卷，十六冊，佚名朱筆批點，九行，十九字，無格，朱印夾注圈點及眉批，白口，四周單邊，大陸：中山大學圖書館有藏本。

【增補】王重民：《中國善本書提要》曰：「【春秋左傳十五卷】　五冊

明閔氏朱墨印本〔九行十九字（21.2╳14.3）〕

原題：「孫月峰先生批點。」此本用連史紙刷印，與閔氏諸書不同，當是後印。

韓敬序〔萬曆四十四年（一六一六）〕」（頁二三至頁二四）

【增補】（大陸）《中山大學圖書館古籍善本書目》云：「翻萬曆丙辰（44）閔伋刻本。序凡例卷末題記均照原刻，但字體稍異。首卷下朱印孫月峯先生批點，原刻序凡例及首卷下題名『峰』字之山在旁，而此本序凡例照原刻山在旁，而首卷下朱印則山在上作『峯』，又凡例下印章不同，故定為翻刻。」（頁二〇）

十二、宋刊巾箱本：李一遂〈左氏春秋著錄書目研究〉頁九六著錄，江蘇國學圖書館藏本。

十三、宋刻本：李一遂〈左氏春秋著錄書目研究〉頁九六著錄，北京圖書館藏，五卷。

十四、民國二十五年上海中華書局排印本：(周)左丘明傳《附釋音春秋左傳注疏》六十卷，附〈校勘記〉六十卷，20冊;21公分，据阮刻本校刊，台北：台灣大學圖書館有藏本。

十五、吳勉學校刊本：中國歷史博物館有藏本。

【增補】《中國歷史博物館古籍善本書目》曰：「春秋三傳　左傳三十卷公羊傳十二卷穀梁傳十二卷

明吳勉學刻本　　十冊

九行十八字白口左右雙邊　左傳有晉杜預序公羊傳有漢何休序穀梁傳有晉范寧序　　（善720）」（頁九）

十六、宋刻本：《京本春秋左傳》，三十卷，七行十二字白口左右雙邊有刻工〕存五卷〔六至七　十二　十六　二十九〕，北京：中國國家圖書館有藏本。

十七、明刻本：《新刊校正音釋春秋》二卷，九行十六字白口四周雙邊，北京：中國國家圖書館有藏本。案：此本未題作者，惟列於「左傳」類，今置於此條之下。蓋「

音釋」者，應為陸德明音釋之本，而「新刊校正」，顯示此本應為重新校正排版之本，與其他音釋傳本，應有不同，惟不見原書刊本，故僅列於此條之下，特此說明。

十八、明刻本：《左氏傳》五卷、《提要》一卷、《列國東坡圖説》一卷、《綱領》一卷、《二十國年表》一卷，十行廿二字四周雙邊，華東師範大學圖書館有藏本。

十九、明末抄本：《左傳》二卷，十行廿六字，内蒙古社會科學院圖書館有藏本。

【存佚】本書另有諸家輯本，說明如下：

一、《春秋左氏傳遺句》　（清）朱彝尊輯　《經義考．逸經下》

二、《春秋左氏經遺文》　（清）王朝　輯

（一）《十三經拾遺》卷十二（清嘉慶五年刻本）

（二）《王氏遺書．十三經遺文》

（三）《豫章叢書》（陶福履輯）第三輯．十三經拾遺卷十二

三、《春秋左傳》（古解鉤沉）　（清）余蕭客輯

《古經解鉤沈》卷十五至卷二十一下（清乾隆間刻本），現藏於吉林省圖書館。又有嘉慶中刻本、光緒二十一年杭州竹簡齋石印本、民國二十五年陶風樓影印本。

【增補】孫啟治、陳建華編《古佚書輯本目錄（附考證）》曰：「朱彝尊從《通典》載徐禪《議》採得引《左傳》文一節，不見於今本。王朝　以《經》、《傳》分輯，所採多為《公羊》、《穀梁》二經異文及《唐石經》、山井鼎《七經孟子考文》所載異文，以充《左氏經》、《傳》之佚文，殊為不類。夫《春秋》三家，各傳其學，家派不同，經本亦有今、古文之別，豈得互較異同，補文增字，以為各家之遺文乎？至《唐石經》、《七經孟子考文》所引，乃《左傳》版本之異文，亦不得視為遺文。王氏又輯有《公羊》、《穀梁》經傳遺文，其法亦如是輯，皆不足據。」（頁五五）

四、程金造編著《史記索隱引書考實》頁七〇至頁九七曾輯錄其文。

《論語．注》[2]：「左邱[3]明，魯太史。」

【增補】賀邦泰〈序〉曰：「左傳奇文也，自昔攻鉛槧者多宗焉，蓋其敘事簡切，或以數言當數十言、以數十言當數百言，而文采蔚然，令人可喜可躍，宜乎古今之嗜之者眾也，乃其喜談夢卜、樂道神巫，此則為左氏膏盲之疾。夫吾夫子不語神怪，而左氏以此傳春秋誤矣。故范甯氏病其誣、韓愈氏訾其浮誇，而吾友孚齋王君作贅言鍼砭之，余嘗序而刻之矣。雖然，其奇固不可廢也，杜註頗有功於初讀，但讀之既久，不

2霖案：《論語．注》〈公冶長第五〉「左丘明恥之，丘亦恥之」下，頁46。

3霖案：「邱」，《論語．注》作「丘」字。

免厭其煩，余故刻白文，以遺世之好是書者，非謂其註弗佳。佛言如筏、喻者是也，抑左氏之誣固矣，然亦文人弄筆常態爾，是書豈無格言可以範世者乎？余嘗愛其語云，國家之敗，由官邪也；官之失德，寵賂章也。此數言者，千古不能出其範圍。然則讀左者，略其誣而取其近正者焉，則於世道亦豈小補哉！余故表而出之，俾讀左者知所推類而取衷云。時大明萬歷十六年，歲在戊子春正月，聖世逸民雲陽賀澹菴邦泰序。」（轉錄《國立中央圖書館善本序跋集錄》經部．頁三五五）

【增補】司馬遷《史記．十二諸侯年表》曰：「是以孔子明王道，干七十餘君，莫能用，故西觀周室，論《史記》舊聞，興於魯，而次《春秋》。上記隱下至哀之獲麟，約其文辭，去其煩重，以制義法。王道備，人事浹。七十字之徒，口受其傳指；有所刺譏褒諱挹損之文辭，不可以書見也。魯君子左丘明懼弟子人人異端，各安其意，失其真，故因孔子《史記》，具論其語，成《左氏春秋》。」（轉錄張心澂《偽書通考》頁四一四至頁四一五）

【增補】劉逢祿《左氏春秋考證》曰：「夫子《春秋》，七十子之徒口授其傳指，今所傳者惟《公羊氏》而已。夫子之《經》書於竹帛，微言大義不可以盡見，則游、夏之徒傳之。邱明蓋生魯悼之後，徒見夫子之《經》及《史記》、《晉乘》之類，而未聞口受微指；當時口說多異，因具論其事實，不具者闕之。曰『魯君子』，則非弟子也；曰『《左氏春秋》』，與《鐸氏》、《虞氏》、《呂氏》並列，則非傳《春秋》也。故曰《左氏春秋》舊名也；曰《春秋左氏傳》，則劉歆所改也。（此條證《史記．十二諸侯年表》）」（轉錄張心澂《偽書通考》頁四二九）

【增補】章炳麟《春秋左傳讀敘錄》曰：「劉曰：『夫子之經書於竹帛，……（見前）……曰《春秋左氏傳》，則劉歆所改也。』駁曰：『名者實之賓，左氏自釋《春秋》，不在其名《傳》與否也。正如《論語》命名，亦非孔子及七十子所定，乃扶卿所名，然則其先雖不曰《論語》，無害其為孔子之語也，正使子駿以前，《左氏》未稱為《傳》，亦何害其為傳《經》乎？若左氏自為一書，何用比附孔子之《春秋》，而同其年月為？尋太史公言：『因孔子《史記》具論其語，成《左氏春秋》』，因之云者，舊有所仍而數暢其旨也。且曰：『懼弟子人人異端，各安其意，失其真』，此謂口授多畱，故作書以為簡別，固明《春秋》之義，非專塗附其事矣。至孔子言與左同恥，則是朋友而非弟子，易明也。何見必後孔子者乃稱魯君子乎？謂生魯悼後者，以《傳》有『悼之四年』，據〈魯世家〉言悼公在位三十七年，去獲麟已五十年耳，然使左氏與曾子年齒相若，則終悼世尚未及八十年。鐸、虞二家乃演暢《左氏》書者，亦非《呂氏》可比。以《左氏春秋》同《呂氏春秋》者，亦本《論衡．案書篇》云：『《左氏》言多怪，頗與孔子不語怪力相違返也，《呂氏春秋》亦如此焉。』然仲任毋云：『《春秋左氏傳》者，蓋出孔子壁中。』又云：『公羊高、穀梁寘、胡毋氏皆傳《春秋》，各門異戶，獨《左氏傳》為近得實。』又云：『《國語》，左氏之外傳也。左氏傳《經》，辭語尚略，故復選錄《國語》之辭以實。』然則《左氏國語》，世儒之實書也。據此諸語，仲任固以《左氏》為《傳》，且謂勝彼二家；則其與《呂氏春秋》並論者，特吐言之疵謬耳。』（轉錄張心澂《偽書通考》頁四四六至四四七）

《漢書》[4]：「漢興，北平侯張蒼及梁太傅賈誼、京兆尹、張敞、太中大夫劉公子皆修《春秋左氏傳》。」

嚴彭祖曰[5]：「孔子將修[6]《春秋》，與左邱[7]明乘如周，觀書於周史，歸而修[8]《春秋》之《經》；邱[9]明為之《傳》，共為表裏。」

劉向曰[10]：「左邱明授曾申，申授吳起，起授其子期，期授楚人鐸椒，椒[11]作《抄撮》八卷，授虞卿；卿[12]作《抄撮》九卷，授荀卿；卿[13]授張蒼。」

劉歆曰[14]：「左邱[15]明好惡與聖人同，親見夫子，而《公》[16]、《穀》[17]在七十子[18]之[19]後，傳聞之與親見，其詳略不同也[20]。」

【增補】劉歆〈移讓太常博士書〉曰：「及魯恭王壞孔子舊宅，欲以為宮，而得古文於壞壁之中。《逸禮》有三十九；《書》十六篇，天漢之後孔安國獻之，遭巫蠱倉卒

4霖案：《漢書》卷八十八，〈儒林傳〉第五十八，頁3620。

5霖案：見於《春秋左傳正義．序》「或依經以辯理，或錯經以合異，隨義而發」之下〈疏〉文，第三頁，總頁為頁1705。原題作「沈氏云：《嚴氏春秋》引〈觀周篇〉云：」，竹垞逕改作「嚴彭祖曰」。

6霖案：「修」，《春秋左傳正義．序》〈疏〉作「脩」。

7霖案：「邱」，《春秋左傳正義．序》〈疏〉作「丘」。

8霖案：「修」，《春秋左傳正義．序》〈疏〉作「脩」。

9霖案：「邱」，《春秋左傳正義．序》〈疏〉作「丘」。

10霖案：《春秋左傳正義．序》「〈春秋序〉」下〈疏〉文，頁一，總頁數頁1703，原題作「劉向《別錄》」，而《別錄》已佚，是文有輯佚價值。又張心澂《偽書通考》頁415曾引此文。

11霖案：「椒」字前，應依《春秋左傳正義．序》〈疏文〉所引，補入「鐸」字。

12霖案：「卿」字前，應依《春秋左傳正義．序》〈疏文〉所引，補入「虞」字。

13霖案：「椒」字前，應依《春秋左傳正義．序》〈疏文〉所引，補入「荀」字。

14霖案：《春秋左傳正義．序》「〈春秋序〉」下〈疏〉文，頁一，總頁數頁1703。又《漢書》卷三六，頁1967；《文獻通考．經籍考》卷九，頁223；張心澂《偽書通考》頁415轉錄《漢書．楚元王傳》等書，俱引此文。又「劉歆」二字，《文獻通考．經籍考》引作「劉子駿」。

15霖案：「邱」，《春秋左傳正義．序》〈疏文〉所引作「丘」。

16霖案：「《公》」，應依《春秋左傳正義．序》〈疏文〉所引，作「《公羊》」。

17霖案：「《穀》」，應依《春秋左傳正義．序》〈疏文〉所引，作「《穀梁》」。

18霖案：「七十子」，應依《春秋左傳正義．序》〈疏文〉所引，作「七十二弟子」。

19霖案：「之」，應依《春秋左傳正義．序》〈疏文〉所引，刪去此字。

20霖案：「也」，應依《春秋左傳正義．序》〈疏文〉所引，刪去此字。

之難，未及施行；及《春秋左氏》，丘明所修。皆古文舊說，多者二十餘通。藏於祕府，伏而未發。孝成皇帝閔學殘文缺，稍離其真，迺陳發祕藏，校理舊文，得此三事，以攷學官所傳，或脫簡，或間編。傳問民間，則有魯國桓公、趙國貫公、膠東庸生之遺學與此同。抑而未施，此乃有識者之所惜閔，士君子之所嗟痛也。往者，綴學之士，不思廢絕之闕，苟因陋就寡，分文析字，煩言碎辭，學者罷老，且不能究其一藝。信口說而背傳記，是末師而非往古。至於國家將有大事，若立辟雍封禪巡狩之儀，則幽冥而莫知其源。猶欲保殘守缺，挾恐見破之私意，而無從善服義之公心。或懷疑嫉，不攷情實，雷同相從，隨聲是非。抑此三學，以《尚書》為備，謂左氏為不傳《春秋》，豈不哀哉？且以數家之事，皆先帝所親論，今上所攷視，其古文舊書，皆有徵驗，內外相應，豈苟而已哉？」（轉錄張心澂《偽書通考》頁四一五）

【增補】劉逢祿《左氏春秋考證》曰：「按〈方進傳〉『年十三，失父；隨母之長安，讀《經》博士，受《春秋》。積十餘年，《經》學明習，徒眾日廣，諸儒稱之。』又云：『本治《穀梁》而好《左氏》，為國師劉歆師。』是方進所見《左氏》，尚非祕府古文，歆以其名位俱重，假以為助耳。《左傳》所載事實本非從聖門出，猶《周官》未經夫子論定，則游、夏之徒不傳也。歆引《左氏》解《經》，轉相發明，由是章句義理始具，則今本《左氏》書法比年，依《經》飾《左》，緣《左》增《左》，非歆所附益之明證乎？如《別錄》經師傳授詳明如此，歆亦不待典校祕書而後見也。（此條及以下四條證《漢書・劉歆傳》文）

《論語》之左丘明好惡與聖人同，其親見夫子，或在夫子前，俱不可知。若為《左氏春秋》者，則當時夫子弟子傳說已異，且魯悼已稱謚，必非《論語》之左丘，其好惡亦大異聖人；知為失明之丘明。猶光武諱秀，歆亦可更名秀；嘉新公為劉歆，祁烈亦為劉歆也。

左氏僅見夫子之書，及列國之史，公羊聞夫子之義。見夫子之書者，盈天下矣；聞而知之者，孟子而下其惟董生乎？

但以《春秋》論，則博士所見《左氏春秋》，即太史公所見《古文春秋國語》，東萊張霸亦見之，是真本也。歆欲立其附益之本，乃託之祕府舊文，反以為『學殘文闕稍離其真』耳。《經》自公羊、胡母生、董生相傳，絕無脫簡。曰『脫簡』者，蓋如《尚書・梓材》，經劉向校補，歆乃欲增續《春秋》也。『傳或間編』者，亦比附《春秋》年月，改竄《左氏》之故。」（轉錄：張心澂《偽書通考》頁四三〇）

【增補】章炳麟《春秋左傳讀敘錄》曰：「劉曰：『按〈方進傳〉年十三失父，隨母之長安，讀《經》博士受《春秋》。……（見前）……如《別錄》經師傳授詳明如此，歆亦不待典校祕書而後見也。』駁曰：子駿與尹咸共校，則安能私有增損。至謂方進名位俱重，假以為助，夫子駿果以《左氏》諂莽邪？則翟義討莽敗後，莽下詔曰：『義父故丞相方進，險詖陰賊』，又發方進及先祖冢在汝南者，燒其棺柩，而子駿乃假以為重，何與諂莽之意相反乎？若祗在漢時，欲藉翟公名位以相誑燿，則〈移讓博士書〉，何以不舉方進也？夫在漢時，則未見其假以為助，在莽時又不能假以為助，而逢祿　以意見誣之，其讀書而未論世乎？又謂《左氏》所載事實，本非從聖門出，此尤可笑。十二諸侯之事，布在方策，非如覃思空理，以聖門所出為貴，假令事非誠諦，雖游、夏盈千言之，亦安足信？孔子於夏、殷諸禮，亦有耳聞，而文獻無徵，則不敢纂次其事，此所以為史學之宗。若舍王官故府之書，而取決於聖門之一語，則苟率胸臆，妄造事狀者，皆得託其門戶。戰國諸子漢初經師所舉七十子之緒言多矣，其間敷陳事實，能如《左氏》之豁然塙斯邪？是知孔門教授，上同周典，六藝之中，惟取《詩》、《書》、《禮》、《樂》。傳《易》者惟有商瞿，佗無人焉。《春秋》亦非常教，游、夏之不言，復何多責？《世家》言『身通六藝者七十有二人，弟子受《春秋》。孔子曰：『後世知丘者，以《春秋》；而罪丘者，亦以《春秋》。』蓋所受者《春秋》經傳指，即知罪數語耳。自獲麟以訖負杖，財及二年，〈藝文志〉言古之學者三年而通一藝，存其大體，玩《經》文而已。然則此二年中，玩文有餘，通其大體則未也。所云身通六藝者，概略言之，寧若《詩》、《書》、《禮》、《樂》之深通邪？左氏本是史官（〈藝文志〉云『左丘明，魯太史。』）受學不需師保，〈藝文志〉所謂『據行事，仍人道，因興以立功，就敗以成罰，假日月以定歷數，藉朝聘以正禮樂』者，親聞聖恉，自能瞭如。至於游、夏之徒，玩習經文，人人異端，豈以聖門之資望，遂能強人信受。言之不從，斷可知矣。〈歆傳〉云引《傳》解《經》，章句義理備者，言《傳》之《凡例》始由子駿發揮，非謂自有所造，亦猶費氏說《易》，引《十翼》以解《經》。若其自造，何引之有？且杜預《釋例》所載子駿說《經》之大義尚數十條，此固出自胸臆，亦或旁采《公文》，而與《傳》例不合。若《傳》例為子駿自造，何不並此數十條入之《傳》文，顧留此以遺後人指摘乎？《說文・序》言北平侯張蒼獻《春秋左氏傳》，又言魯恭王壞壁得《春秋》，然則祕府所藏者，張所獻魯所得也。民間所有者，則北平侯傳賈生以至翟方進諸公者是也。亦猶《古文尚書》已入祕府，而民間又有庸生等傳之也。（民間謂書不立學官者，非謂傳者皆不仕也。）然當子駿時，民間亦僅有尹咸、翟方進、胡常數人，可從質周受書，其他無有藏《左氏傳》者。是以子駿不得見，而先見之於祕府，見已，乃從翟問義爾。（轉錄：張心澂《偽書通考》頁四四八至頁四五〇）

【增補】章炳麟《春秋左傳讀敘錄》曰：「劉曰：『《論語》之左丘明好惡與聖人同，……（見前）……其惟董生乎？』駁曰：以《論語》之左丘明非失明之左丘明，啖、趙輩始為此說，而宋儒祖述之，非有明據，果如劉秀、劉歆之有二，何以《古今人表》但有一左丘明耶？縱令誤信子駿認為一人，然他書別見者，子駿不能盡改，豈孟堅皆未見乎？若他書亦不言有二左丘明，則啖、趙之說為憑臆妄造明矣。且異人同名者，未有相沿不辨之事。……若左丘明果有二人，何以自漢至唐，茫不訾省？啖、趙輩所據何書？而能執此異解。為問兩左丘明之說，能如三張敞三張禹兩鄭眾兩賈逵四劉歆之證據明白乎？抑否乎？若欲憑虛妄斷者，古人已往，豈難支解一人分為五六。雖云仲尼、顏回數不止一，亦奚不可。……若夫《左氏》書魯悼者，八十之年，未為大耋，何知不親見夫子？若謂僅見其書，未知其義，則不悟《春秋》之作，乃與他《經》絕異。《詩》、《書》、《樂》以及《周易》傳自周初，義訓既詳，事實亦具，孔子刪定，但有校訂編次之勞，後人聞知，自非難事。〈變風〉終於陳靈，《尚書》下逮秦穆，雖事在近世，而弦語既周，解其義事，不必一師。若《春秋》則孔子自作，異於古書，欲求其義，非親炙則無所受；欲詳其事，非史官則不與知。蓋有覩其事而不知其義者矣；倚相、史儋之屬是也。若未覩其事而求解義，猶未鞫獄而先處斷，斯誠曠古之所未聞。難者曰：『誠如是說，寧知左氏非與倚相、史儋同類。』答曰：『偕觀《史記》，助成一《經》，造膝密談，自知其義。惜乎倚相、史儋之徒不遇孔子，若得參豫《春秋》之業，亦寧患其不知也。既有左氏具論本事，為之作《傳》，後世乃得聞而知之。舍此而欲聞知，雖有眇義，亦所謂郢書燕說者爾。《讖書》云：『董仲舒，亂我書』，讀者以為亂我書者，煩亂孔子之書也。（見《論衡・案書篇》由今觀之，誠哉其煩亂《春秋》矣。（轉錄：張心澂《偽書通考》頁四五〇至頁四五一）

【增補】章炳麟《春秋左傳讀敘錄》曰：「劉曰：『但以《春秋》論，則博士所見《左氏春秋》，……（見前）……改竄《左氏》之故。』駁曰：《經》或脫簡，即謂如〈梓材〉等非《春秋經》也。又學官無《左氏傳》，則所謂《傳》或閒編者，亦非《左氏》。或如〈喪服〉輩，今文編次有畱耳。逢祿以此誣汙，是不尋文義之過也。劉氏父子校祕書，乃以祕書校常行本，改常行本之字，而不改祕書之字。若子駿改竄祕書之《左氏春秋》以就己意，則自北平（張蒼）獻書共王壞壁以至子駿百有餘年，墨漆新故，勢有不符。設博士求觀其書，寧不自敗。若張、魯二本，一改一否，以不改者示博士，則所建立者仍非己所改本，亦何苦勞心而為此也。且〈劉歆傳〉云：『河平中受詔，與父向領校祕書，講六藝傳記』云云，如有改竄，又豈能欺其父邪？（轉錄：張心澂《偽書通考》頁四五一）

【增補】何廣棪：《陳振孫之經學及其《直齋書錄解題》經錄考證》曰：「廣棪案：此本劉歆說。歆欲立《左傳》博士，嘗上《疏》曰：『左丘明好惡與聖人同，親見夫子。而公、穀在七十子後。傳聞之與親見，其略不同也。』（見《漢書》卷三十六《楚元王傳》第六附《劉歆傳》）惟直齋則不以歆說為然。」（頁五〇八）

【增補】何廣棪：《陳振孫之經學及其《直齋書錄解題》經錄考證》曰：「案：《解題》此處所述，既本《史通・申左》之旨，（《申左》言二《傳》不如《左氏》）。又據朱子之《語錄》。《語錄》曰：『《左氏》之病，是以成敗論是非，而不本義理之正。』又曰：『左氏曾見國史，考事頗精，只是不知大義，專去小處理會，往往不曾講學。』（《文獻通考》卷一百八十二《經籍考》九《經・春秋》『《春秋左氏傳》三十卷』條引）是《史通・申左》力言《公》、《穀》不及《左氏》；朱子謂丘明釋經，不本義理。皆為《解題》論說所本。至啖助《春秋集傳纂例》略謂：《左氏》『比餘《傳》，其功最高，博采諸家，敘事尤備，能令百代之下，頗見本末，因以求意，經文可知』。其推崇《左傳》在《公》、《穀》諸家之上，則又知幾《史通・申左》所本歟！」（頁五一一至頁五一二）

桓譚曰[21]：「《左氏》傳世後百餘年，魯穀梁赤為《春秋傳》，多所遺失；又齊人公羊

21霖案：《論衡校釋》卷29第八十三，頁567：《御覽》卷六一０引《新論》曰：「左氏傳遭戰國寖藏，（四字，經典釋文序錄引有。）後百餘年，魯穀梁赤為春秋，殘略多所遺失。又有齊人公羊高緣經文作傳，彌離其本事矣。」

高緣經文作《傳》，彌離其本事矣。《左氏》《經》之與《傳》，猶衣之表裏，相待而成；《經》而無《傳》，使聖人閉門思之，十年不能知也。[22]」又曰[23]：「劉子政、子駿、伯玉三人尤珍重左氏，下至婦女讀誦。」

班固曰[24]：「仲尼思存前聖之業，乃稱曰：『夏禮吾能言之，杞不足徵也；殷禮吾能言之，宋不足徵也；文獻不足故也，足，則吾能徵之矣。』以魯周公之國，禮文備物，史官有法，故與左邱明觀其史記，據行事，仍人道，因興以立功，就敗以成罰，假日月以定歷數，藉朝聘以正禮樂，有所褒諱貶損，不可書見，口授弟子，弟子退而異言。邱明恐弟子各安其意，以失其真，故論本事而作《傳》，明夫子不以空言說《經》也。」

【增補】《漢書·藝文志》曰：「《春秋古經》十二篇，《經》十一卷，《注》曰：『《公羊》、《穀梁》二家。』《左氏傳》三十卷，《注》曰：『左丘明，魯太史。』《公羊傳》十一卷，《注》曰：『公羊子齊人』。師古《注》曰：『名高』。《穀梁傳》十一卷，《注》曰：『穀梁子魯人』。師古《注》曰：『名喜』。《鄒氏傳》十一卷，《夾氏傳》十一卷，《注》曰：『有錄無書』。《左氏微》二篇，師古《注》曰：『微，謂釋其微指。』《鐸氏微》三篇，《注》曰：『楚太傅鐸椒也』。《張氏微》十篇，《虞氏微傳》二篇，《注》曰：『趙相虞卿』。」（張心澂《偽書通考》頁四一六至頁四一七）

【增補】《漢書·藝文志》曰：「古之王者，世有史官，君舉必書，所以慎言行，昭法式也。左史記言，右史記事；事為《春秋》，言為《尚書》；帝王靡不同之。周室既微，載籍殘缺，仲尼思存前聖之業，乃稱曰：『夏禮，吾能言之，杞不足徵也；殷禮，吾能言之，宋不足徵也；文獻不足徵也，足則吾能徵之矣。』以魯周公之國，禮文備物，史官有法，故與左丘明觀其《史記》，據行事，仍人道，因興以立功，就敗以成罰，假日月以定歷數，藉朝聘以正禮樂。有所褒諱貶損，不可書見，口授弟子。弟子退而異言，丘明恐弟子各安其意以失其真，故論本事而作《傳》，明夫子不以空言說《經》也。《春秋》所貶損大人當世君臣有威權勢力，其事皆形於《傳》，是以隱其書而不宣，所以免時難也。及末世口說流行，故有公羊、穀梁、鄒、夾之《傳》。四家之中，公羊、穀梁立於學官，鄒氏無師，夾氏未有書。」（轉錄張心澂《偽書通考》頁四一五至頁四一六）

22霖案：《論衡校釋》卷29，第八十三，頁567：《御覽》六一０引《新論》曰：「左氏經之與傳，猶衣之表裏，相待而成。經而無傳，使聖人閉門思之，十年不能知也。」

23霖案：《論衡校釋》卷29第八十三，頁568：《新論》曰：「劉子政、子駿、伯玉三人，尤珍重左氏，教子孫，下至婦女，無不誦讀。」(書抄九八、御覽六一六。)盼遂案：此二語本於桓譚新論。馬總意林引新論云：「劉子政、子駿，子駿兄弟子伯玉，俱是通人，尤重左氏，教授子孫，下至婦女，無不讀誦，此亦蔽也。」仲任正本斯文。」，是則此篇解題出自《新論》，惟應為《北堂書抄》、《太平御覽》俱引其文，讀者可參看之。

24霖案：班固：《漢書．藝文志》卷三十，頁1715。

【增補】劉逢祿《左氏春秋考證》曰：「《漢藝文志》載《左氏傳》三十卷，太史公時名《左氏春秋》，蓋與晏子、鐸氏、虞氏、呂氏之書同名，非《傳》之體也。《左氏傳》之名，蓋始於劉歆《七略》。《左氏微》二篇，蓋非左氏之舊，或歆所造書法凡例之類也。《張氏微》十篇，原《注》不言張蒼，而《偽別錄》以為荀卿授張蒼，則此及《別錄》皆歆所託也。《虞氏微傳》二篇，《注》云：『趙相虞卿』，《志》於儒家有《虞氏春秋》十五篇，則即史公所見本也。別出此目，偽也。故知《別錄》所云：『鐸椒作《抄撮》八卷，授虞卿；虞卿作《抄撮》九卷，授荀卿』者，必非出於向，必歆偽託，故異其篇卷名目以愚後世者也。

《左氏》紀事，在獲麟後五十年。邱明果與夫子同時共觀魯史，史公何不列於弟子？論本事而作《傳》，何史公不名為《傳》而曰《春秋》？且如鄫季姬、魯單伯、子叔姬事，何失實也？《經》所不及者，獨詳誌之，又何說也？《經》本不待事而著，夫子曰：『其義則某竊取之矣』，何《左氏》所述君子之論多乖異也？（此條及上條證《漢書．藝文志》）（轉錄張心澂《偽書通考》頁四二九至四三〇）

【增補】章炳麟《春秋左傳讀敘錄》曰：「劉曰：『《漢藝文志》載《左氏傳》三十卷，太史公時名《左氏春秋》，……（見前）……故異其篇卷名目，以愚後世者也。』駁曰：所謂傳體者如何，惟《穀梁傳》、《禮喪服傳》、《夏小正傳》與《公羊》同體耳。毛公作《詩傳》，則訓詁多而說義少，體稍殊矣。伏生作《尚書大傳》，則敘事八而說義二，體更殊矣。左氏之為《傳》，正與伏生同體。然諸家說義雖少，而宏遠精括，實《經》所由明，豈必專尚裁辯，乃得稱《傳》乎？孔子作〈十翼〉皆《易》之傳也。而〈彖〉、〈象〉、〈文言〉、〈繫辭〉、〈說卦〉、〈序卦〉、〈雜卦〉其體亦各不同。一人所述尚有異端，況《左氏》與《公羊》寧能同體？……《左氏微》惜不傳，然子駿之說，蓋多取此。若云偽造，則《公羊傳》亦可云胡母生、董仲舒所偽造。〈藝文志〉皆《七略》原文，其與《別錄》有異，混合為一，所謂盲人騎瞎馬也。《張氏微》十篇，原《注》不言張蒼，今知是蒼者，則臧在東始為此說。〈十二諸侯年表〉云：『虞卿上采春秋，下觀近世，亦著八篇，為《虞氏春秋》，則與〈志〉十五篇已異。鐸、虞所作之《抄撮》，又與所作之《春秋》不同。安得卷數相同邪？《虞氏微傳》，從可知。（臧在東曰：『虞氏《虞氏微傳》，傳字疑衍。』）（轉錄張心澂《偽書通考》頁四四七）

【增補】章炳麟《春秋左傳讀敘錄》曰：「劉曰：『《左氏》記事在獲麟後五十年。……（見前）……何《左氏》所述君子之論多乖異也？』駁曰：《傳》稱悼之四年者，或左氏壽考。如子夏為魏文侯師，或悼字乃弟子所改，俱不可知。左氏與孔子同時，而未嘗委質列籍，故〈弟子傳〉不見。且弟子名籍亦有異同；如〈弟子傳〉云：『孔子之所嚴事，於周則老子，於衛蘧伯玉』云云，而〈文翁圖〉又以蘧伯玉在七十子中；〈弟子傳〉無林放，而〈文翁圖〉又有之。不得因〈弟子傳〉不列，　云蘧、林無所見聞於孔氏也。不名為《傳》，名為《左氏春秋》者，《左氏春秋》猶云《毛詩》、《齊詩》、《魯詩》、《韓詩》，非謂孔子刪定之《詩》而外復有《毛詩》、《齊詩》、《魯詩》、《韓詩》，如折楊皇荂之流也。鄫季姬等，《公羊》自失實，轉謂《左氏》失實乎？詳《經》所不及者，或窮其源委，或言可采，事有可觀，無非為

《經》義之旁證。觀裴松之之注《國志本傳》，不列其名而引以相稽者多矣，《左氏》說經，豈有異是？《經》固重義，若謂不待事而著，則何不空設條例，對置甲乙，以極其所欲言；而必取已成之事，加減損益，如削趾適屨者之所為，既誣古人，又不能與意密合。今取《春秋經》以校《六典》《唐律》，其科條之疏密為何如邪？述君子者多乖異，謂其乖異於孔子乎？將乖異於《公羊》也。孔子之旨，本待《傳》見，未嘗自言，何以知其乖異？若乖異於他《經》，論仁言政，《論語》尚數有異同，時有險易，語有進退，豈彼《六經》悉能斠如畫一？若乖異於《公羊》者，則《公羊》又乖異於《穀梁》，莊周稱齊東野人之語，詐諼誣罔，詭更正文，齊學之所長，如此宜乎《左氏》、《穀梁》皆與之乖異也。（轉錄張心澂《偽書通考》頁四四八）

【增補】《漢書・儒林傳》曰：「漢興，北平侯張蒼及梁太傅賈誼、京兆尹張敞、太中大夫劉公子皆修《春秋左氏傳》。誼為《左氏傳訓故》，授趙人貫公，為河間獻王博士。子長卿為蕩陰令，授清河張禹長子（如淳曰：非成帝時張禹）。禹與蕭望之同時為御史，數為望之言《左氏》；望之善之，上書數以稱說。後為太子太傅，薦禹於宣帝。徵禹待詔，未及問，會疾死，授尹更始。更始傳子咸及翟方進、胡常。常授黎陽賈護季君，哀帝時待詔為郎，授蒼梧陳欽子佚以《左氏》授王莽至將軍。而劉歆從尹咸及翟方進受。由是言《左氏》者，本之賈護、劉歆。」（轉錄：張心澂《偽書通考》頁四一六）

【增補】劉逢祿《左氏春秋考證》曰：「〈儒林傳〉，膠東庸生為孔安國再傳弟子，『庸生授清河胡常，以明《穀梁春秋》為博士，部刺史，又傳《左氏》』，則非『祕府古文伏而未發』者也。或『又傳《左氏》』之語亦出劉歆。

〈張蒼傳〉曰：『好書律術』，曰：『習天下圖書計籍，又善用算律術』，曰：『蒼尤好書，無所不觀，無所不曉，而尤邃律術』，曰：『著書十八篇，言陰陽律術事』而已，不聞其修《左氏傳》也。蓋歆以漢初博極群書者惟張丞相，而律術及譜五德可附《左氏》，故首援之。〈賈生傳〉曰：『能誦《詩》、《書》屬文』，曰：『頗通諸家之書』而已，亦未聞其修《左氏傳》也，蓋賈生之學，疏通知遠，得之《詩》、《書》，修明制度，本之於《禮》，非章句訓故之學也。其所著述，存者五十八篇，〈大都篇〉一事、〈春秋篇〉九事、〈先醒篇〉三事、〈耳痺篇〉一事、〈諭誠篇〉一事、〈退讓篇〉二事皆與《左氏》不合；惟〈禮容篇〉一事似采《左事》，二事似采《國語》耳。蓋歆見其偶有引用，即誣以為『為《左氏訓故》，授趙人貫公』，又曰：『當孝文時，漢朝之儒惟賈生而已。』貫公當即為毛公弟子貫長卿，歆所云：『貫公遺學與祕府古文同』者也。曰『賈生弟子』，則誣矣。〈張敞傳〉曰：『本治《春秋》，以《經》術自輔其政。』其所陳說，以『《春秋》譏世卿最甚』，『君母下堂則從傅母』，皆《公羊》義；非『尹氏為聲子』，『崔杼非其罪』，『宋共姬女而不婦』之謬說也。〈蕭望之傳〉曰：『治《齊詩》』，曰：『從夏侯勝問《論語》禮服。』其雨雹對以『季氏專權，卒逐昭公』，伐匈奴對以『大夫爽不伐喪』，亦皆《公羊》義。石渠《禮論》精於禮服，未聞引《左氏》也。善《左氏》，薦張禹，亦歆附會。要之，此數公者，於《春秋》、《國語》未嘗不肄業及之，特不以為《孔子春秋傳》耳。歆不託之名臣大儒，則其書不尊不信也。（證《漢書・儒林傳》文）

誼（賈）之家世好學，誼果作《左氏訓故》，不應至徽（誼八世孫）始從歆受也。蓋歆因徽而誣誼耳。」（證《漢書・賈逵傳》）（轉錄：張心澂《偽書通考》頁四三〇至頁四三一）

【增補】章炳麟《春秋左傳讀敘錄》曰：「劉曰：『〈儒林傳〉膠東庸生為孔安國再傳弟子。……（見前）……或又傳《左氏》之語，亦出劉歆。』駁曰：民間亦有《左傳》，張霸蓋亦嘗受之，而非專為其學。惟其有二，所以言同；若祗祕府，何同之有。」（轉錄：張心澂《偽書通考》頁四五一）

【增補】章炳麟《春秋左傳讀敘錄》曰：「劉曰：『〈張蒼傳〉曰：……（見前）……則其書不尊不信也。』駁曰：「張、賈本傳不言修《左氏》，史文固有脫漏，亦得互見。古文家多說子夏作《詩序》、《爾雅》、《禮喪服傳》，公羊家亦信《春秋》屬商之說，乃《史記・仲尼弟子列傳》之述子夏也，但云孔子既沒，子夏居西河教授，為魏文侯師。古今文家所指，悉無明文，非其例歟？且賈生長於《禮》，其書中有〈傳職篇〉、〈保傅篇〉、〈輔佐篇〉、〈禮篇〉、〈容經篇〉、〈禮容語上下篇〉、〈胎教篇〉。其最者采入《大戴禮記》，而本傳亦不言賈生長於《禮》，但言賈生以天下和洽當興禮樂耳。又將謂賈生不作〈傳職〉等篇乎？賈書之述《左傳》，〈大都篇〉楚靈王一事，正可訂杜本之畱。〈春秋篇〉惟衛懿公一事，亦合《左傳》，其他楚惠王等八事，不知采自何書，各記別事，本與《左傳》絲毫涉。其中有二世胡亥一事，在《疒氏》後且二百年，其不相關通明矣。而以篇名《春秋》，強謂與《左氏》不合，然則《楚漢春秋》、《十六國春秋》之屬，有一與《左氏》合者乎？〈耳痺篇〉伍子胥一事，亦合《左傳》……〈審微篇〉說晉文公請隧事，又說叔孫于奚請曲縣事，〈淮難篇〉說白公勝報仇事，皆合于《左傳》；〈傳職篇〉或稱《春秋》云云，又本《楚語》申叔時言；〈禮篇〉君仁臣忠云云，又本《左傳》晏子言；〈容經篇〉明君在位可畏云云，又本《左傳》北宮文子言；〈君道篇〉紂作梏數千云云，又合于《左傳》紂囚文王七年之說；〈胎教篇〉晉厲公見殺於匠麗之宮，齊簡公殺於檀臺，皆合《左傳》；而逢祿皆不舉。蓋以舉之，則賈生引用《左氏內外傳》極多，不得謂賈生不修《左傳》耳。賈書中〈道術篇〉、〈六術篇〉、〈道德說篇〉正是訓故之學，有得于正名為政之意也。其作《左氏訓故》又何疑乎？《論衡・佚文篇》云：『東海張霸通《左氏春秋》，案百篇序，以《左氏訓詁》造作《百二篇》。』夫霸之取《左氏訓詁》，猶枚賾之取周、秦、漢初諸子也。賾書偽而諸子非偽，霸書偽而《左氏訓詁》非偽，蓋作偽不能不取於真，是即誼作《左氏訓詁》之明證。貫長卿者，即貫公之子，見《經典釋文》。治《毛詩》者多治《左氏春秋》，如曾申、荀卿皆左氏之後師，亦毛公之初祖。同為古文，故多兼治，非誣造也。張子高譏世卿從傳二事，見《左氏》舊學兼二家之長，而舍其短，蓋《左氏微》等書，先有此說矣。又子高說世卿，指魯季氏、晉趙氏、齊田氏，非尹氏、崔氏也。《五經異義》引《左氏》說世祿不世位，蓋本此。共姬事，《傳》云女待人婦義事，此以聖者達節望共姬，亦即以賢者守節許共姬，不與從傳之說悖也。望之善禹言《左氏》，其上書數稱說之，〈儒林傳〉又云望之平《公羊》、《穀梁》同異，多從《穀梁》，此所對季氏專權一事，則與張子高說大義不殊。昭三十二年《傳》史墨論季氏逐昭公事，曰：『是以為君，慎器與名，不可以假人。』《傳》有明文，何與《公羊事》？要之，《漢書》列傳所錄奏對書疏，固非全具，則多從《穀梁》之語，亦誣構邪？逢祿又謂數公亦嘗肄業，則不得已為遁辭矣。又言歆不託之名臣大儒，則其書不尊不信，案《別錄》曾申授吳起等語，彼亦以為子駿所託。據《史記・孫子吳起列傳》云：『齊人攻魯，魯欲將吳起。吳起取齊女為妻，而魯疑之。吳起於是欲就名，遂殺其妻，以明不與齊也。』又云：「魯人或惡吳起，曰：『起之為人，猜忍人也。其少時家累千金，游仕不遂，遂破其家，鄉黨笑之。吳起殺其謗己者三十餘人。』又云：『其母死，起終不歸，曾子薄之而與起絕。』然則欲託名臣大儒以使人尊信者，何又託此無行之吳起乎？」（轉錄：張心澂《偽書通考》頁四五一至頁四五三）

【增補】章炳麟《春秋左傳讀敘錄》曰：「劉曰：『誼之家世好學，誼果作《左氏訓故》，不應至徽始從歆受也。蓋歆因徽而誣誼耳。』駁曰：太傅作《訓詁傳》至孫嘉，此《經典釋文》所言，徵之《史記・屈原賈生列傳》云：『賈嘉最好學，世其家。與余通書。』則嘉實傳《訓故》，而史公《左氏》之學，亦自嘉得之也。至徽必從學子駿者，則以誼作《訓故》，而章句義理未備也。」（轉錄：張心澂《偽書通考》頁四五三）

【增補】許慎《說文解字・序》曰：「宣王太史籀著大篆十五篇，與古文或異。至孔子書《六經》，丘邱明述《春秋傳》，皆以古文，厥意可得而說。……及亡新居攝，使大司空甄豐等校文書之部，自以為應制作，頗改定古文。時有六書：一曰古文，孔子壁中書也。……壁中書者，魯恭王壞孔子宅而得《禮記》、《尚書》、《春秋》、《論語》、《孝經》，又北平侯張蒼，獻《春秋左氏傳》。」（轉錄：張心澂《偽書通考》頁四一七）

王充曰[25]：「《春秋左氏傳》蓋出孔子壁中。孝武皇帝時，魯共王壞孔子教授堂以為宮，得佚《春秋》三十篇，《左氏傳》也。公羊高、穀梁寘、胡母氏皆傳《春秋》，各門異戶，獨《左氏傳》為近得實，何以驗之？《禮記》造於孔子之堂，太史公，漢之通人也，《左氏》之言與二書合；公羊高、穀梁寘、胡母氏不相合。又諸家去孔子遠，遠不如近，聞不如見。劉子政玩弄《左氏》，童僕妻子皆呻吟之。光武皇帝之時，陳元、范叔上書連屬，條事是非，《左氏》遂立，范叔尋因罪罷。元、叔天下極才，講論是非，有餘力矣。陳元言訥，范叔章絀[26]，《左氏》得實明矣。」

【增補】〔補正〕王充條內「絀《左氏》」，「絀」當作「詘」。（卷七，頁三）

【增補】王充《論衡・佚文篇》曰：「孝武皇帝封弟為魯恭王，恭王壞孔子宅以為宮，得《佚尚書》百篇，《禮》三百，《春秋》三百篇，《論語》二十一篇。聞絃歌之聲，懼復封塗。上言武帝，武帝遣吏發取，古經《論語》此時皆出。」（轉錄：張心澂《偽書通考》頁四一七）

25霖案：王充撰，劉盼遂集解《論衡集解》卷二九〈案書篇〉，頁567-568。又張心澂《偽書通考》頁417轉錄其文。

26「絀」，應依《補正》作「詘」。

賈逵曰[27]：「《左氏》崇君父，卑臣子，強[28]幹弱枝，勸善戒惡，至明至切，至直至順。」

鄭康成曰[29]：「《左氏》善於禮。」

盧植曰[30]：「邱明之傳[31]《春秋》，博物盡變，囊括古今，表裏[32]人事。」

高祐曰[33]：「《左氏》屬辭比事，兩致並書，可謂存史意而非全史體。」

張曜曰[34]：「《左氏》之書，備序[35]言事，惡者可以自戒，善者可以庶幾。」

杜預曰[36]：「左邱[37]明受《經》於仲尼，以為《經》者，不刊之書也。故《傳》或先《經》以始事，或後《經》以終義，或依《經》以辨[38]理，或錯《經》以合異，隨義而發。[39]」

27霖案：《後漢書》卷三六，〈鄭范陳賈張列傳〉，頁1237。

28霖案：「強」，《後漢書》作「彊」。

29霖案：《監本附音春秋穀梁傳注疏．序》〈疏〉文，題作鄭玄《六藝論》。第一頁，總頁數為頁二三五八。

30霖案：《北堂書鈔》卷九十五，「博物盡變，囊括古今」條下注文引錄此文，題作「盧植《奏事》」，頁425。又陳耀文:《天中記》卷37亦引盧植奏事，案：從文句判斷，竹垞轉引之文，大抵同於明萬曆庚子（28）海虞陳禹謨校刊本《北堂書鈔》，而略異於《天中記》。

31霖案：「傳」字下，應依《北堂書鈔》注文補入「本末」二字。

32霖案：「表裏」，應依《北堂書鈔》注文作「苞裹」。

33霖案：《魏書》卷五十七，〈高祐列傳〉，頁1260。

34霖案：《北齊書》卷二五，〈張耀傳〉，頁362。又《北史》卷五五，頁1997。「張曜」，《北齊書》作「張耀」，而《北史》作「張曜」，竹垞所記，當從於《北史》所載。

35霖案：「序」，《北齊書》作「敘」。

36霖案：《春秋左傳正義．序》，第3頁，總頁為頁1705。又《文獻通考．經籍考》卷九，頁224，又張心澂《偽書通考》頁417轉錄其文。

37霖案：「邱」，《春秋左傳正義．序》作「丘」。

38霖案：「辨」，《春秋左傳正義．序》、《文獻通考．經籍考》均作「辯」。

39霖案：「隨義而發」四字下，應依《文獻通考．經籍考》補入「其例之所重，舊史遺文，略不盡舉，非聖人所修之要故也。身為國史，躬覽載籍，必廣記而備言之。其文緩，其旨遠，將令學者原始要終，尋其枝葉，究其所窮，優而柔之，使自求之，饜而飫之，使自趨之，若江海之浸，膏澤之潤，渙然冰釋，怡然理順，然後為得也。其發凡以言例，皆經國之常制，周公之垂法，史書之舊章，仲尼從而修之，以成一經之通體。其微顯闡幽，裁成義類者，皆據舊例而發義，指行事以正褒貶，諸稱「書」、「不書」、「先書」、「故書」、「不言」、「不稱」、「書曰」之類，皆所以起新舊，發大義，謂之變例。然亦有史所不書，即以為義者，此蓋《春秋》新意，故傳不言。凡曲而暢之也，其經無義例，因行事而言，則傳直言其歸趨而已，非例也。」(頁二二四)等字。

【增補】范曄《後漢書・范升傳》曰：「尚書令韓歆上疏欲為《費氏易》、《左氏春秋》立博士，詔下其議。四年（光武帝建武）正月，朝公卿大博士見於雲臺。帝曰：『范博士（升）可前平說』。升起對曰：『《左氏》不祖孔子，而出於丘明，師徒相傳又無其人，且非先帝所存，無因得立。』遂與韓歆及太中太夫許淑等互相辨難，日中乃罷。升退而奏曰：『近有司請置《京氏易》博士。羣下執事莫能據正。京氏既立，費氏怨望，《左氏春秋》復此比類，亦希置立。京、費已行，次復高氏。《春秋》之家，又有騶、夾。如令左氏、費氏得置博士，高氏、騶、夾《五經》奇異，並復求立。各有所執，乖戾分爭，從之則失道，不從則失人。今費、左二學無有本師，而多所異。謹奏《左氏》之失凡十四事。』時難者以太史公多引《左氏》，升又上太史公違戾《五經》，謬孔子，言及《左氏春秋》不可錄三十一事。詔以下博士。陳元聞之，乃詣闕上疏，書奏，下其議。范升復與元相辨難，帝卒立《左氏學》。太常選博士四人，元為第一。帝以元新忿爭，乃用其次司隸從事李封。於是諸儒以《左氏》之立，論議讙譁，自公卿以下，數廷爭之。會封病卒，《左氏》復廢。」（轉錄：張心澂《僞書通考》頁四一八）

【增補】范曄《後漢書・賈逵傳》曰：「賈逵九世祖誼，文帝時為梁王太傅，曾祖鈫光為常山太守，父徽從劉歆受《左氏春秋》，作《左氏條例》二十一篇。逵悉傳父業。肅宗好《古文尚書》、《左氏傳》，建初元年，詔逵入講北宮白虎觀、南宮雲臺。帝善逵說，使出《左氏傳》大義長於二《傳》者。逵於是具條奏之。帝令逵自選《公羊》嚴、顏諸生高才者二十人，教以《左氏》。與簡紙《經》、《傳》各一通。」（轉錄：張心澂《僞書通考》頁四一八）

【增補】范曄《後漢書・李育傳》曰：「李育少習《公羊春秋》，沈思專精，博覽書傳，知名太學。常避地教授，門徒數百。頗涉獵古學，常讀《左氏》。雖樂文采，然謂不得聖人深意。以為前世陳元、范升之徒更相非折，而多引圖讖，不據理體。於是作《難左氏》四十一事。後拜博士。建初四年，詔與儒論《五經》於白虎觀。育以《公羊》義難賈逵，往返皆有理證。」（轉錄：張心澂《僞書通考》頁四一八至頁四一九）

王接曰[40]：「左氏辭義贍富，自是一家書，不主為《經》發。」

荀崧曰[41]：「孔子[42]作《春秋》[43]，微辭妙旨，義不顯明[44]。時左邱[45]明、子夏造膝親受，

40霖案：《晉書》卷五十一，〈王接列傳〉第二十一，頁1435。

41霖案：《晉書》卷七十五，〈荀崧列傳〉第四十五，頁1978。

42霖案：「孔子」二字下，應依《晉書》補入「懼而」二字。

43霖案：「《春秋》」二字下，應依《晉書》補入「諸侯諱妬，懼犯時禁，是以」等十字。

44霖案：「明」字下，應依《晉書》補入「故曰『知我者其惟《春秋》，罪我者其惟《春秋》』」等十六字。

45霖案：「邱」，《晉書》作「丘」。

無不精究。孔子既沒，微言將絕，於是邱[46]明退撰所聞而為之傳。其書善禮，多膏腴美辭，張本繼末，以發明《經》意，信多奇偉，學者好之。」

賀循曰[47]：「左氏之《傳》，史之極也。文采若雲月，高深若山海。」

范甯曰[48]：「《左氏》豔而富，其失也巫。」

陸德明曰[49]：「孔子書《六經》，左邱明述《春秋傳》，皆以古文。」　又曰[50]：「孔子作《春秋》，終於獲麟之一句，《公羊》、《穀梁》《經》是也。弟子欲記聖師之卒，故采[51]魯史記以續夫子之《經》，而終於孔丘卒[52]，邱[53]明因隨而作《傳》，終於哀公，從此以下，無復經矣。」

【增補】劉逢祿《左氏春秋考證》曰：「《經典釋文》載《左傳》之傳授，兼采《偽別錄》及《漢儒林傳》而為之。然《左氏》傳授不見太史公書，班固別傳亦無徵。當東漢初，范升廷爭，以為『師徒相傳又無其人』，若果出於《別錄》，劉歆之徒及鄭興父子，賈逵、陳元、鄭玄諸人欲申《左氏》之學者多矣，何無一言及之？曾申即曾西，曾子之子，羞稱管仲，必非為《左氏》之學者。吳起曾事子夏，或《左氏》多采其文。姚姬傳以《左氏》言魏氏事造飾尤甚，蓋吳起為之以媚魏君者尤多，要非左氏再傳弟子也。張蒼非荀卿弟子；賈生亦非張蒼弟子。貫公，《毛詩》之學，亦非賈嘉弟子。嘉果以左氏為傳《春秋》，授受詳明如此，何不言諸朝為立博士？此又從〈賈誼傳〉增設之。嘉與史公善，當武帝時；貫公為獻王博士，必非嘉弟子。《史記》、《漢書》具在，而歆之徒博采名儒，章合佚書，妄造此文。元朗、庚遠以江左以後文人，獨尚《左氏》，不加深察，敘錄如此，不可為典要矣。」（轉錄：張心澂《偽書通考》頁四三二）

【增補】章炳麟《春秋左傳讀敘錄》曰：「劉曰：『《經典釋文》載《左傳》之傳授，兼采《偽別錄》及《漢儒林傳》而為之。……（見前）……不可為典要矣。』駁曰：子駿移書，嘗舉賈生、貫公，非不詳《左氏》授受也。〈范升傳〉載與韓歆、許淑等互相辯難；日中而罷。〈陳元傳〉載范升與元相辯難，凡十餘上，而皆不載其所辯之語，蓋往返徵詰，議論煩多，史固不暇具載，猶《鹽鐵論》蔚然成篇，而《漢書》

46霖案：「邱」,《晉書》作「丘」。

47霖案：《北堂書鈔》卷九十五，「文采若雲月，高深若山海」條下注文引錄此文，題作「賀子云」(頁四二五)，竹垞逕改作「賀循曰」。又《天中記》卷37、《廣博物志》卷26亦錄此文。

48霖案：《監本附音春秋穀梁傳注疏．序》，第四頁，總頁數頁2361。

49霖案：陸德明：《經典釋文》卷20，頁302c錄之。

50霖案：陸德明：《春秋左氏音義》之六，頁三○二「夏四月己丑，孔丘卒」條下「音義」。

51霖案：「采」,《春秋左氏音義》作「採」。

52霖案：「孔丘卒」三字，應依《春秋左氏音義》作「此」。

53霖案：「邱」,《春秋左氏音義》作「丘」。

不錄其語也。《鹽鐵》之論，其書尚存，陳、范之辯，其書竟絕，寧得從後臆測，謂其不舉傳授為證乎？且元疏先言丘明至賢，親受孔子，而《公羊》、《穀梁》傳聞於後世，今論者沈溺所習，翫守舊聞，固執虛言傳受之辭，以非親見實事之道。（以上元〈疏〉），則傳授固非所重，但明丘明親見，其證已足，何取多引後師繁言無利。逢祿以此相稽，所謂焦明已翔乎寥廓，而弋者猶視乎藪澤也。若必以傳授為徵者，自劉子駿至陳長孫皆謂《公羊》傳聞於後世，升何不舉子夏親見夫子傳之《公羊》以為證乎？公羊高傳子平，平傳子地，地傳子敢，敢傳子壽，《史記》、《別錄》、《七略》、《漢書》皆無其文，至戴宏始為此說。若有明文可據，升等又何以不言也？曾申羞管仲，可以破俗儒記管、晏則善之議。又〈檀弓〉載其對穆公云：『齊斬自天子達』，可以破杜預『既卒器則除』之言，信為《左氏》功臣矣。《史記．吳起傳》云：『嘗學於曾子』，又云：『不復入衛，遂事曾子』，又云：『曾子薄之，而與起絕』，所謂曾子，即是曾申。〈檀弓〉穆公之母卒，使人問於曾子，即稱曾申為曾子，是其證也。然則起事曾申，從受《左傳》，有明徵矣。逢祿前以起說元年本諸二《傳》，此又引姚鼐說以為吳起增飾《左氏》，何其自相牴牾也？鼐云：『飾魏事媚魏君』者，徒舉畢萬之占為證耳。案《史記．樗里子傳》云：『樗里子卒，葬於渭南章臺之東。曰：『後百歲，是當有天子之宮夾我墓。』至漢興，長樂宮在其東，未央宮在其西，武庫正直其墓。』是則太史公亦僞造樗里子語，以媚漢邪？魏既篡晉，媚魏則不當於晉有美辭，《傳》何以又舉箕子之言，謂唐叔之後必大邪？至其褒美魏絳，事實固然，何云虛媚？《傳》文又載魏舒干位之言，若欲媚魏何以不削此語乎？荀、張、賈之相傳，雖他無明證，然據《玉海》引宋李淑《書目》云：『《春秋公子血脈譜》傳本曰荀卿傳。《秦譜》下及項滅子嬰之際，非荀卿作明矣。然枝分派別，如指諸掌，非殫見洽聞不能為。』案荀卿及見李斯之相，則固容下逮嬰、羽。姚寬亦云用《世本》、荀況《譜》、杜預《公子譜》為法，則荀書與《世本》相類甚明。惟《血脈譜》之名，不似周、秦，而《漢藝文志》又無其目。然《隋書經籍志》有《楊氏血脈譜》二卷，是《血脈譜》之稱，起於隋前。或後人改題荀書而名此邪？荀既紹述《世本》，明其傳自《左氏》。一傳北平，而歷譜五德出焉。五德者，荀、張所異；歷譜者，荀、張所同，其證據可見者如此。賈生之師，《史記》、《漢書》皆無文，尋《新書．勸學篇》云：『今夫子之達，佚乎老聃，而諸子之材，不避榮跌。而無千里之遠，重繭之患，親與巨賢連席而坐，對膝相視，從容談語，無問不應。』此夫子必是北平，諸子者指同學後生。老聃在周為柱下史，北平在秦亦為柱下史，博達墳籍，事有相同，故以比擬。〈蒼傳〉言蒼尤好書，無所不觀，無所不通，故此言無問不應矣。由此推迹，荀、張、賈之傳授，皆有文驗。惟蒼為陽武人，而《釋文》言武威。賈嘉雖傳家學，而貫公則由誼直授，無繫於嘉，此皆《釋文》之誤。然不得因一事之偽，遂疑諸師皆妄，以《漢書》、《別錄》明文具在也。至賈嘉之官，不過九卿，河間王尚不能言諸天子立《毛詩》、《周官》、《左氏》諸博士，而謂嘉能乎？平津當路，瑕丘江公亦詘於仲舒，嘉縱能言，若迷陽之傷足何？至《史記．儒林列傳》不見《左氏》傳授者，自是文略。如〈儒林列傳序〉云：『言《詩》於魯則申培公，於齊則轅固生，於燕則韓太傅』，而獨不言毛公，然不得因此以《毛詩》傳授為誣。《左氏》可知。總之《左氏春秋》之名，猶《毛詩》、《齊詩》、《魯詩》、《韓詩》、《

孟氏易》、《費氏易》、《京氏易》、《歐陽尚書》、《夏侯尚書》、《慶氏禮》、《戴氏禮》，舉《經》以包《傳》也。以為不傳之孔書；而自作《春秋》者，則諸家亦自作《詩》、《書》、《易》、《禮》乎？《左氏》傳授之徵，不見《史記》者，猶於《詩》家不言毛公，於申公雖嘗入錄，而又不舉其出于浮丘伯以上溯荀卿之傳，於瑕丘江生言為《穀梁春秋》，然不言穀梁子授荀卿、荀卿授申公，申公授瑕丘江生也。謂《左氏》傳授為誣，則《魯詩》、《穀梁》之傳授，亦皆不可信乎？」（轉錄：張心澂《偽書通考》頁四五四至頁四五六）

【增補】《隋書．經籍志》曰：「隋代有《春秋左氏長經》二十卷，漢侍中賈逵章句；《春秋左氏解詁》三十卷，賈逵撰；《春秋左氏解誼》三十一卷，漢九江太守服虔注；《春秋左氏傳》三十卷，王肅注；又三十卷，董遇章句；《春秋左氏傳義注》十八卷，孫毓注；《春秋左氏傳》十二卷，魏司徒王朗撰；《春秋左氏經傳集解》三十卷，杜預撰。」（轉錄：張心澂《偽書通考》頁四一九）

孔穎達曰[54]：「漢武帝時，河間獻《左氏》[55]，議立《左氏》學。《公羊》之徒上書[56]詆[57]《左氏》，《左氏》之學不立。成帝時，劉歆校秘書，見[58]古文《春秋左氏傳》，歆大好之。時丞相尹咸以能治《左氏》，與歆共校《傳》，歆略從咸及丞相翟方進受質問大義。初，《左氏傳》多古字古言，學者傳訓詁而已。及歆治《左氏》，引《傳》文以釋《經》，轉相發明，由是章句義理備焉[59]。和帝元興十一年，鄭興父子[60]創通大義，奏上《左氏》，始得立學，遂行於世。至章帝時，賈逵上《春秋大義》四十條，以詆[61]《公羊》、《穀梁》，帝賜布五百疋，又與《左氏》作《長義》。至鄭康成箴《左氏膏肓》、發《公羊墨守》、起《穀梁廢疾》，自此以後，《二傳》遂微，《左氏》之[62]學顯矣。」　又曰[63]：「《公羊》之《經》，獲麟即止；《左氏》之《經》，終於孔子卒。」

54霖案：《春秋左傳正義》卷一，第1頁，總頁數頁1703「〈春秋序〉」字下〈疏〉文。

55霖案：「《左氏》」二字下，應依《春秋左傳正義》補入「及《古文周官》，光武之冊」等九字。

56霖案：「書」字下，應依《春秋左傳正義》補入「訟，《公羊》」等三字。

57霖案：「詆」，應依《春秋左傳正義》作「抵」。

58霖案：「見」字下，應依《春秋左傳正義》補入「府中」二字。

59霖案：「焉」字下，應依《春秋左傳正義》補入「歆以為左丘明好惡與聖人同，親見夫子，而《公羊》《穀梁》在七十二弟子後，傳聞之與親見其詳略不同。歆數以問向，向不能非也。及歆親近，欲建立《左氏春秋》及《毛詩》《逸禮》《古文尚書》皆列於學官，哀帝令歆與五經博士講論其義，諸儒博士，或不肯置對，歆因移書於太常博士責讓之。」等一○八字。

60霖案：「子」字下，應依《春秋左傳正義》補入「及歆」二字。

61霖案：「詆」，應依《春秋左傳正義》作「抵」。

62霖案：「之」，《春秋左傳正義》無此字，當據刪正。

63霖案：《春秋左傳正義》卷一，第六頁，總頁數頁1708「卒問所安」字下〈疏〉文。

【增補】〔補正〕按：孔穎達一條，竹垞所錄多所刪節，而於其中疑誤亦未核正。愚按：此《疏》訛誤頗多，如云：「光武之世，議立《左氏》學，《公羊》之徒上書訟之」者，此以東漢事移置西漢成帝之前，已為可異，至云：「魯共王壞孔子宅，所得《左氏傳》，天漢之後，孔安國獻之，藏于秘府，伏而未發，至河閒乃獻之。」考魯共王徙封于魯，在景帝二年，薨于元朔元年癸丑；河閒獻王受封亦在景帝二年，薨於元光五年辛亥。二王兄弟同時，不應魯共所得之壁書藏秘府未發，直至河閒獻王獻之也。武帝末年，改元天漢，此在河閒獻王薨後三十年，亦不應孔安國天漢時所獻藏而未發，而河閒又獻之也。又云：「歆以為左邱明好惡」云云，按：此條尤謬者，和帝不應在章帝前；且元興止一年，無十一年，鄭興子眾終於建初八年，興不應在和帝時也。大約孔《疏》此條多取《漢書．劉歆傳》，而中閒又有剌取他書插入者，無由知其訛誤之所自矣。（卷七，頁三—四）

【增補】劉逢祿《左氏春秋考證》曰：「向治《公羊》，後奉詔治《穀梁》；其書本《公羊》者十之九，本《穀梁》者十之一，未嘗言《左氏》也。《說苑》『魏武侯問『元年』於吳子，吳子對曰：『言國君必謹始也。』『謹始奈何？』曰：『正之。』『正之奈何？』曰：『明智。』按謹始之說本《公羊》、《穀梁》緒言，明智之說，儒家要旨，俱非《左氏》說也。〈十二諸侯年表〉云：『鐸椒為楚威王傳，為王不能盡觀《春秋》，采取成敗卒四十章，為《鐸氏微》。』此《春秋》係《檮杌》，猶《晉語》『羊舌肸習於《春秋》，《楚語》『申叔時云『教之《春秋》者也，必非《左氏》之書。《史記》言四十章，〈藝文志〉云三篇，此（指孔《疏》引《別錄》）又云《抄撮》八卷，名不雅馴，歆所託也。〈虞卿傳〉云：『上采《春秋》，下觀近世，曰〈節義〉、〈稱號〉、〈揣摩〉、〈政謀〉凡八篇，以剌譏國家得失。世傳之曰《虞氏春秋》。』（《年表》同）。蓋虞氏之書雖亡，其體例略同呂覽，非傳《左氏》者也。《史記》言八篇，〈藝文志〉於儒家云十五篇於春秋家云《虞氏微傳》二篇，此又云《抄撮》九卷，亦歆假託也。荀卿之書多本《穀梁》，亦非傳《左氏》者。（證孔穎達《春秋疏》引劉向《別錄》言《左傳》之傳授）（轉錄：張心澂《偽書通考》頁四三一至頁四三二）

【增補】章炳麟《春秋左傳讀敘錄》曰：「劉曰：『向治《公羊》，後奉詔治《穀梁》。……（見前）……荀卿之書，多本《穀梁》，亦非傳《左氏》者。』駁曰：〈五行志〉載子政說，皆釋《穀梁》義。何云本《公羊》十九？《說苑》、《新序》、《列女傳》載《左氏》者六七十條，而子公黿羹一事載子夏語，又見弟子口說，與《左氏》大義亦有相會者矣。《論衡》言子政玩弄《左氏》，童僕皆呻吟之。《御覽》卷六百十及六百十六並引桓譚《新論》曰：『劉子政、子駿、伯玉三人，尤珍重《左氏》。下至婦女，無不讀誦者。』而《漢志》又言其分《國語》為五十四篇，〈五行志〉所載子政說《左傳》者，亦近十條。然則所云自持其《穀梁》義者，特謂不背穀梁之學，非不治《左氏》也。況其奏上《別錄》，籠絡百家，本不為一經一師而作，何得不詳《左氏》授受乎？謹始之說，賈生〈胎教〉亦言之，正是《左氏》古義。其言明智歸於不壅蔽，不權勢，不失民眾，與兵家之旨何涉？若謂謹始是《公》、《穀》緒言者，案桓譚言《左氏》傳世後百餘年，《穀梁》始作，《公羊》成書復在其後。

校〈六國表〉，魯悼公卒後五年為魏文帝侯斯元年，是年生武侯擊。文侯在位三十八年，武侯嗣，在位十六年。則吳起對武侯時，去魯悼卒不過六十年耳，即去哀公之季，亦尚不及百年。是時《穀梁》未作，《公羊》復不必論。若云采取緒言，正可二《傳》采自吳起，不得云吳起采自二《傳》也。〈十二諸侯年表〉云：『鐸椒為楚威王傳，為王不能盡觀《春秋》，采取成敗，為《鐸氏微》。』而此謂之《抄撮》，其即一書與否，無文可徵。虞氏所作，或云《微傳》，或云《春秋》，或云《抄撮》。《微傳》、《春秋》自是二書，《抄撮》不知何屬。至其卷數不同，則同在一書，尚有分合，況所撰各異邪？據《戰國策》載虞卿說曰：『《春秋》於安思危』，此可校今本《左傳》居字之誤。《荀子》書中載『賞不僭刑不濫』等語，全本《左傳》。又說賓孟事及葉公事，又〈報春申君書〉引《春秋》楚圍齊崔杼二事，亦與《左傳》合。何云不傳左氏之學？荀子亦兼治《穀梁》，如引盟詛不及三王等語，其傳《詩》則後復分毛、魯二家，亦其比矣。虞為趙相，荀亦趙人，故所傳《左氏》或云《趙左春秋》。《韓非子·備內篇》『故《桃左春秋》曰：『人主之疾，死者不能處半，人主弗知，則亂多資』，桃即趙之假借。（《方言》『𦨭杠南楚謂之趙』，郭《注》『趙當作桃』。《廣雅·釋器》作　，是桃趙通。）趙人所傳《左氏春秋》謂之《趙左春秋》，猶〈藝文志〉《易》有《淮南道訓》、《論語》有《燕傳說》，《異義》引《易下邳傳甘容說》皆以其地目其書也。《左傳》傳授，鐸椒後惟有虞、荀，必以趙別之者，觀《呂覽》多引《左傳》，則或別有傳授，如漢儒劉子駿外復有陳子佚也。故必簡別言之，猶《公羊》之有嚴氏、顏氏，亦所以為別也。《韓非》所引，當在《抄撮》、《微傳》等書，非受學於荀卿，故得見之。虞、荀授受之證，于是覃若金湯矣。至如鍾文达云：『《穀梁》去《左氏》不遠，作《傳》授荀卿，而《左氏》七傳而至荀卿，可疑也。趙匡以為偽妄。』則不知《穀梁》後於《左氏》百有餘年，桓譚《新論》有其明徵，其說不足致辯。』（轉錄：張心澂《偽書通考》頁四五三至四五四）

劉知幾曰[64]：「觀《左傳》之釋《經》也，言見《經》文而事詳《傳》內。或《傳》無而《經》有，或《經》闕[65]而《傳》詳[66]。其言簡而要，其事詳而博，信聖人之羽翮，而述者之冠冕也。」　又曰：「邱明能以三十卷之約，括囊二百四十年之事，靡有孑遺。觀《左氏》之書，為《傳》之最，而時經漢、魏，竟不列於學官，儒者皆折此一家而盛推《二傳》。夫以邱明躬為魯史，受《經》仲尼，語世則並生，論才則同體；彼二家者，師孔氏之弟子，預達者之門人，才識體殊，年代又隔，安得持彼傳說，比茲親受者乎？」　又曰：「邱明授[67]《經》立《傳》，廣包諸國。蓋當時有周《志》、晉《乘》、鄭《書》、楚《檮杌》等篇，遂聚而編之，混成一錄。向使專憑魯策，獨詢孔氏，何以能殫見洽聞若斯之難也。」　又曰：

64霖案：劉知幾：《史通》卷7，頁9下〈鑒識〉；又〈採撰十五〉15-1上~下，又〈外篇·申左〉14-5下，又《史通通釋》卷14-6下，《稗編》13-5上等。

65霖案：《經義考新校》頁三○九○註文云：「『闕』，文淵閣《四庫》本作『略』。」。

66「詳」，應依《補正》作「存」。　霖案：《經義考新校》頁3090註文，於「《補正》」二字之前，尚有「《四庫薈要》本、」等字。

67 霖案：《經義考新校》頁3090註文云：「『授』，文淵閣《四庫》本作『受』。」。

「周禮之故事，魯國之遺文，夫子因而修之，亦存舊制而已。至於實錄，付之邱明，用使善惡必[68]彰，真偽盡露。向[69]孔《經》獨用，《左傳》不作，則當代行事，安得而詳哉？然自邱明之後，迄及魏滅，年將千祀，其書寖廢。至晉太康年中，汲冢獲書，全同《左氏》，於是摯虞、束晳引其義以相明，王接、荀顗取其文以相證，杜預申以注釋，干寶藉為《晉紀》[70]，世稱實錄，不復言非。」

【增補】〔補正〕劉知幾條內「《經》闕而《傳》詳」，「詳」當作「存」；「善惡必彰」，「必」當作「畢」；「藉為《晉紀》」，「《晉紀》」當作「師範」。（卷七，頁四）

啖助曰[71]：「《左氏傳》自周、晉、齊、宋、楚、鄭等國之事最詳。晉則每出一[72]師，具列將佐，宋則每因興廢，備舉六卿。故知史策之文，每國各異，《左氏》得此數國之史，以授門人，義則口傳，未形竹帛，後代學者乃演而通之，總而合之，編次年月，以為傳記；又廣采當時文籍，故兼與子產、晏子及諸國卿佐家傳、并卜書[73]及雜占書、縱橫家、小說、諷諫等雜在其中，故敘事雖多，釋意殊少，是非交錯，混[74]然難證。其大略皆是《左氏》舊意，故比餘傳，其功最高。博采諸家，敘事尤備，能令百代之下，頗見本末。」

劉貺曰[75]：「《左氏》[76]紀年序諸侯列會，具[77]舉其[78]諡，知是[79]後人追修[80]，非當世[81]

68「必」，應依《補正》作「畢」。　霖案：《經義考新校》頁3090註文，另於上述校語「《補正》」二字之前，有『《四庫薈要》本、』等字。

69霖案：《經義考新校》頁3090註文云：「『向』，《四庫薈要》本作『使』。」。

70「《晉紀》」，應依《補正》作「師範」。　霖案：《經義考新校》頁3091註文於上述校文之中，「《補正》」二字之前，另有：「《四庫薈要》本、文淵閣《四庫》、」等字。

71霖案：《春秋集傳纂例》引之；又孫承澤：《五經翼》卷十一，〈三傳得失議〉，經一五一冊，頁742；《偽書通考》頁419亦引其文。

72霖案：「出一」，《五經翼》作「一出」。

73霖案：「卜書」二字下，《五經翼》尚有「夢書」二字。

74霖案：「混」，《五經翼》作「溷」字。

75霖案：《唐書》卷一百三十二，〈劉子玄列傳〉第五十七，頁4522-4523有約略之文，文頗有不同。

76霖案：「《左氏》紀年」，《唐書》題作「《竹書紀年》」，蓋書名有誤也。

77霖案：「具」，《唐書》作「皆」字。

78霖案：「其」，《唐書》無此字。

79霖案：「知是」，《唐書》無此二字。

80霖案：「修」，《唐書》作「脩」。

81霖案：「世」，《唐書》作「時」。

正史也[82]。」

趙匡曰[83]：「《論語》：『左邱明恥之，丘亦恥之。』[84]夫子自比，皆引往人，故曰：『竊比於我老彭。』又說伯夷等六人，云：『我則異於是。』並非同時人也。邱明者，蓋夫子以前賢人，如史佚、遲任之流，見稱於當時爾[85]。」

【增補】《舊唐書．經籍志》曰：「賈逵《春秋左氏長經章句》三十卷，又《解詁》三十卷；董遇《左氏經傳章句》三十卷；王肅《注》三十卷；杜預《左氏經傳集解》三十卷；服虔《左氏解誼》三十卷。」（轉錄：張心澂《偽書通考》頁四一九）

楊億曰[86]：「雍熙中，校《九經》，史館有宋臧榮緒、梁岑之敬所校《左傳》，諸儒引以為證。」

劉敞曰[87]：「《左氏》拘於赴告。」

崔子方曰[88]：「《左氏》失之淺。」

黃晞曰[89]：「《左氏》凡例，得[90]聖人之微。」

王晳曰[91]：「仲尼修《經》之後，不久而卒，時門弟子未及講授，是故不能具道聖人之意。厥後書遂散傳，別為五家，於是異同之患起矣。鄒、夾[92]無文；獨左氏善覽舊史，兼該眾說，得《春秋》之事亦[93]甚備，其書雖附《經》而作，然於《經》外自成一書，故有貪惑異說，采掇過當，至於聖人微旨，頗亦疎略，而大抵有本末，蓋出於一人之所撰述。」

82霖案：「也」，《唐書》無此字。

83霖案：《春秋集傳纂例》卷一，頁1447（「古經解彙函（三）本」）。又《偽書通考》頁419亦引其文。

84霖案：《春秋集傳纂例》無「《論語》：『左邱明恥之，丘亦恥之。』等十一字。

85霖案：「爾」，《春秋集傳纂例》作「耳」字。

86霖案：《翁注困學紀聞》卷六，〈左氏〉，頁392。案：翁氏注曰：「見《談苑》」，則該文原出於《談苑》，後為《困學紀聞》所引。

87霖案：《翁注困學紀聞》卷六，〈左氏〉，頁367。翁氏注曰：「原父語，撿公是集，及《春秋傳權衡》、《意林》皆不載，當攷。」，則竹垞所見，當轉錄《困學紀聞》一書。

88霖案：《翁注困學紀聞》卷六，〈左氏〉，頁367。

89霖案：《蘇魏公文集》卷六十四，〈楊子寺聱隅先生祠堂記〉，頁987。又「四庫全書本」冊一○九二，頁689。

90霖案：「得」字前，《蘇魏公文集》錄有「為」字。

91霖案：《春秋皇綱論》卷五，〈傳釋異同〉，頁10861（「通志堂經解本」）。

92霖案：「夾」，《春秋皇綱論》作「郟」。

93霖案：「亦」，應依《春秋皇綱論》作「迹」。

程子曰[94]：「《左傳》不可全信，信其所可信者爾。以《傳》考《經》之事迹，以《經》別《傳》之真偽。」　又曰[95]：「《左傳》非邱[96]明作，『虞不臘矣』并『庶長』，皆秦官、秦語。」

李之儀曰[97]：「《春秋》之世，先王之迹猶在，故一言之出，盛衰存亡繫之。孔子因而是是非非，以詔後世；左邱明隨事而解之，炳若星日。孔子成《春秋》，而亂臣賊子懼，邱明與有力焉。」

劉安世曰：「《左氏傳》於《春秋》所有者，或不解；《春秋》所無者，或自為《傳》。讀《左氏》者，當《經》自為《經》，《傳》自為《傳》，不可合而為一也，然後通矣。」

晁說之曰[98]：「《左氏》之說[99]專而縱。」

【增補】〔補正〕晁說之條內「《左氏》之說」，「說」當作「失」。（卷七，頁四）

葉夢得曰[100]：「古有左氏、左邱氏、太史公稱『左邱失明，厥有《國語》』，今《春秋傳》作左氏，而《國語》為左邱氏，則不得為一家，文體亦自不同，其非一家書明甚。」又曰：[101]「《左氏》傳事不傳義，是以詳於史而事未必實。」

【出處】疑出自《春秋考》一書，惟詳考「中國基本古籍庫」葉氏著作之中，均無上述文句，本文輾轉出自王應麟《困學紀聞》卷六，原文題作「葉少蘊曰」。

【增補】葉夢得《春秋考》曰：「左氏魯之史官而世其職，或其子孫也。古者以左史書言，右史書動；故因官以命氏。《傳》初但記其左氏而已，不言為丘明也。自司馬遷論《春秋》言『魯君子左邱明懼弟子人人異端，各安其意，而失其真，因孔子《史記》具論其語。』班固從而述之，謂：『孔子思存前世之業，以魯史官有法，與左丘

94霖案：參考《春秋師說》卷中，〈論漢唐宋諸儒得失〉，頁14833（「通志堂經解本」）。惟文句頗有不同，待查其原始出處。

95霖案：《河南程氏外書》（《二程集》）卷第十一，頁419。

96霖案：「邱」，《河南程氏外書》（《二程集》）作「丘」字。

97霖案：《姑溪居士前集．跋春秋後》（《四庫全書本》1120-589-42）。

98霖案：《翁注困學紀聞》卷六，〈左氏〉，頁367。又《漢藝文志考證》（《四庫》）675-35。

99「說」，據《補正》當作「失」。　霖案：《翁注困學紀聞》正作「失」，當是《補正》所據之本。又《經義考新校》頁三○九二新校之文，則於「《補正》」二字之前，尚有「《四庫薈要》本、文淵閣《四庫》本、」等字。

100霖案：本文輾轉出自王應麟《困學紀聞》卷六，原文題作「葉少蘊曰」。又竹垞輯錄此文，另見於《經義考》卷二○九，頁522，左邱子明《春秋外傳國語》條下，惟該文直接題作「王應麟曰」，與此改作「葉夢得曰」，實有不同。

101霖案：《翁注困學紀聞》卷六，〈左氏〉，頁368。

明觀其《史記》，據行事以作《春秋》。口授弟子，弟子退而異言。丘明恐弟子各安其意以失其真，故論本事而作《傳》，明夫子不以空言說《經》也。其說本于司馬遷。固以丘明為名，則左為氏矣。然遷復言『左丘失明，厥有國語。』按《姓譜》有左氏，有左邱氏，遷以左丘為氏，則《傳》安得名左氏耶？至劉歆附會《論語》，以為親見孔子，好惡與聖人同。此則專門之家，欲以辯求勝，而非其實也。據遷、固自不知為史凡目之體，謂左氏創此《傳》，且言為魯史官，非孔子弟子與孔子相與共成其書。今《春秋》終哀十四年，而孔子卒，《傳》終二十七年，後孔子卒十三年。辭及韓、魏、智伯、趙襄子之事，而名魯悼公、楚惠王。夫以《春秋》為經，而續之，知孔子者固不敢為是矣。以年攷之，楚惠王卒去孔子四十七年，魯悼公卒去孔子四十八年，趙襄子卒去孔子五十三年。察其辭僅以哀公孫于越盡其一世之事，為《經》終。泛及後事，趙襄子為最遠，而非止於襄子。不知左氏後襄子復幾何時，豈有與孔子同時非弟子而如是其久者乎？以左氏為丘明，自司馬遷失之也。唐趙氏雖疑之，而不能必其說。今考其書，雜見秦孝公以後事甚多，以予觀之，殆戰國、周、秦之間人無疑也。』（轉錄：張心澂《偽書通考》頁四二一至頁四二二）

胡安國曰[102]：「事莫備於《左氏》[103]，或失之誣[104]。」

【增補】鄭樵《六經奧論》曰：「《左氏》終紀韓、魏、智伯之事，又舉趙襄子之謚，自獲麟至襄子卒已八十年，使邱明與孔子同時，不應孔子既沒七十八年之後，邱明猶能著書，此左氏為六國人明驗一也。《左氏》『戰於麻隧獲不更女父』，又云『秦庶長鮑、庶長武率師及晉師戰於櫟』，秦至孝公時立賞級之爵，乃有不更、庶長之號，明驗二也。《左氏》云：『虞不臘矣』，秦至惠王十二年初臘，明驗三也。《左氏》師承鄒衍之誕，而稱帝王子孫；明驗四也。《左氏》言分星皆準堪輿，案韓、魏分晉之後，而堪輿十二次『始於趙分，曰大梁』之語，明驗五也。《左氏》云：『左師展將以公乘馬而歸』，案三代時有車戰，無騎兵，惟蘇秦合從六國，始有車千乘騎萬匹之語，明驗六也。《左氏》序呂相絕秦，聲子說齊，其為雄辯狙詐，真游說之士，捭闔之辭，明驗七也。《左氏》之書序晉、楚事最詳，如『楚師熸猶拾瀋』等語，則左氏為楚人，明驗八也。」（轉錄：張心澂《偽書通考》頁四二二）

朱子曰：「《漢藝文志》《春秋》家列《左氏傳》、《國語》，皆出魯太史左邱明，蓋自司馬子長、劉子駿已定為邱明所著，班生從而實之耳。至唐柳宗元始斥[105]外傳為淫誣[106]，

102霖案：《翁注困學紀聞》卷六，〈左氏〉，頁367-368。

103霖案：《翁注困學紀聞》所載之文，於「《左氏》」之下，復論及《公羊》、《穀梁》的優點，再依序論其缺點，而竹垞分為三條解題，使得文句稍有不同。

104霖案：《經義考新校》頁三○九三新出註文一則如下：「『失之誣』，文淵閣《四庫》本誤作『巫』。」。

105 霖案：《經義考新校》頁3093新出校文如下：「文淵閣《四庫》本『斥』下有『為』字。」。

106「淫誣」，《備要》本同，《四庫》本作「淫巫」，應依《補正》作「誣淫」。　霖案：《經義考新校》頁3093將此條校語，改作：「『淫誣』，文淵閣四庫本作『淫巫』，應依《四庫薈要》本、《補

不概於聖，非出於左氏。近世劉侍讀敞又以《論語》考之，謂邱明是夫子前人，作《春秋》內、《外傳》者乃左氏，非邱明也。諸家之說頗異。」 又曰[107]：「看《春秋》須[108]看得一部《左傳》，首尾意思通貫，方能略見聖人筆削與當時事[109]意。」 又曰[110]：「《左氏》史學，事詳而理差。」 又曰[111]：「《春秋》之書，且據《左氏》。當時[112]聖人[113]據實而書[114]，其是非得失，付諸後世公論，蓋有言外之意。若必於一字一辭之間求褒貶所在，竊恐不然。」

【增補】〔補正〕朱子條內「淫誣」當作「誣淫」。（卷七，頁五）

【增補】朱熹《朱子語類》曰：「或云左氏是楚左史倚相之後，故載楚史較詳。《國語》與《左傳》似出一手，《國語》使人厭看。如齊、楚、吳、越諸處又精采。如紀周、魯自是無可說，將虛文敷衍；如說藉田等處，令人厭看，左氏必不解。是丘明，如聖人所稱，然是正直底人；如《左傳》之文，自有縱橫意思。《史記》卻說『左丘失明，厥有《國語》。』；或云：『左丘明，左丘其姓也』；《左傳》自是左姓人作。又如秦始有臘祭，而《左氏》謂虞不臘矣，是秦時文字分明。 又曰：『《左傳》是後來人做。如見陳氏有齊，所以言『八世之後莫之與京』；見三家分晉，所以言『公侯子孫必復其始。』』（轉錄：張心澂《偽書通考》頁四二二）

林栗曰[115]：「《左傳》凡言[116]『君子曰』，是劉歆之辭。」

呂祖謙曰[117]：「看《左傳》，須看一代之所以升降，一國之所以盛衰，一君之所以治亂，一人之所以變遷。能如此看，則所謂先立乎其大者，然後看一書之所以得失。」 又曰：[118]「《左氏》一書，接三代之末流，五經之餘派，學者苟盡心於此，則有不盡之用矣。」

正》作『誣淫』。」。

107霖案：朱熹：《朱子語類》卷八十三，頁851。

108霖案：「須」字前，當依《朱子語類》補入「且」字。

109霖案：「事」字下，當依《朱子語類》補入「之大」二字。

110霖案：《翁注困學紀聞》卷六，〈左氏〉，頁368。

111霖案：朱熹：《朱子語類》卷八十三，頁852。

112霖案：「當時」二字下，應依《朱子語類》補入「天下大亂」四字。

113霖案：「人」字下，應依《朱子語類》補入「且」字。

114霖案：「書」字下，應依《朱子語類》補入「之」字。

115霖案：朱熹：《朱子語類》卷八三，頁八五二。原題作「林黃中謂」，竹垞改作「林栗曰」。又《朱子五經語類》卷五七錄之。

116霖案：《朱子語類》無「凡言」二字，當據以刪正。

117霖案：呂祖謙：《春秋左氏傳說》，〈看左氏規模〉，頁12585。

118霖案：呂祖謙：《春秋左氏傳說》，〈看左氏規模〉，頁12585-12587。

又曰：「《左氏傳》綜理微密，後之為史者，鮮能及之。」

陳傅良曰[119]：「《左氏》本依《經》為《傳》，縱橫上下，旁行溢出，皆所以解駁《經》義，非自為書。」

胡寧曰[120]：「《左氏》釋《經》雖簡，而博通諸史，敘[121]事尤詳，能令百世之下具見本末，其有功於《春秋》為多。」

鄭耕老曰[122]：「《春秋左氏傳》一十九萬六千八百四十五字。」

葉適曰：「《左氏》有全用《國語》文字者，至《吳》、《越語》則采取絕少，《齊語》不復用，蓋合諸國紀載成一家之言，惜他書不存，無以徧觀也。乃漢、魏相傳以《左傳》、《國語》一人所為。餘人為此語不足怪，若賈誼、司馬遷、劉向不加訂正，乃異事耳。」　又曰：「《公》、《穀》末世口說流傳之學，空張虛義。自有左氏，始有本末，而簡書具存，大義有歸矣；故讀《春秋》者，不可舍《左氏》，二百五十餘年明若畫一，舍而他求，多見其好異也。」　又曰：「《公》、《穀》《春秋》至獲麟而止，《左氏》以孔丘卒為斷，使無《左氏》，則不知孔子之所終矣。」　又曰：「仲尼曰：『以臣召君，不可以訓，故書曰：「天王狩于河陽。」』《左氏》特舉此，以見孔子改史之義，明其他則用舊文也。」

【增補】陳振孫《直齋書錄解題》曰：「《春秋左氏傳》自昔相傳以為左丘明撰，其好惡與聖人同者也。而其末記晉智伯反喪於韓、魏，在獲麟後二十八年，去孔子沒亦二十六年，不應年少後亡如此。又其書稱虞不臘矣，見於嘗酎，及秦庶長，皆戰國後制。故疑非孔子所稱左丘明，別自是一人為史官者。」（轉錄：張心澂《偽書通考》頁四二三）

【增補】黃震《黃氏日抄》曰：「左氏雖依《經》作《傳》，實則自為一書，甚至全年不及經文一字者有之，焉在其為釋《經》哉？《經》與《傳》等夷相錯，《經》所不書者《傳》亦竊效書法以附見其間，其僭而不知自量亦甚矣。若夫浮誇而雜，品藻不公，又在所不論也。然因其舍《經》而別載行事，可以驗其曾見當時國史，故讀《春秋》者不可以廢左氏。左氏，杜預以為左邱明，啖助始考其不然。或曰『左丘複姓，非此左氏。』又或以為楚左史之後云」（轉錄：張心澂《偽書通考》頁四二三）

【增補】何廣棪：《陳振孫之經學及其《直齋書錄解題》經錄考證》曰：「案：程子曰：『《左傳》非邱明作。『虞不臘矣』并『庶長』皆秦官、秦語。』（《經義考》

119霖案：四庫本《西山文集》‧卷46‧〈朝奉大夫賜紫金魚袋致仕滕公解墓誌銘〉、《新安文獻志》‧卷69錄之。

120霖案：胡廣等撰，《春秋大全．序論》（台北：臺灣商務印書館，「景印文淵閣四庫全書」冊一六六，民國七十五年三月，初版），頁16。又《春秋大全．序論》題作「茅堂胡氏曰」，而竹垞則作「胡寧曰」，二者題名稍有不同。

121霖案：「敘」字，《春秋大全．序論》作「叙」字。

122霖案：《小學紺珠》卷之四，頁117；《少儀外傳》卷上，頁三○俱引鄭耕老《勸學》。

卷一百六十九《春秋》二『左邱子明《春秋傳》』條引，下同。）呂大圭曰：『宗《左氏》者，以為邱明受經於仲尼，好惡與聖人同。觀孔子謂『左邱明恥之，丘亦恥之』，乃『竊比老彭』之意，則其人當在孔子之前。而左氏傳《春秋》，其事終於智伯，乃在孔子之後。說者以為與聖人同者為左邱明，而傳《春秋》者為左氏，蓋有證矣。或以為六國時人，或以為楚左史倚相之後，蓋以所載『虞不臘』等語。蓋秦人以十二月為臘月，而左氏所述楚事極詳。蓋有無經之傳，而未有無傳之經，亦一證也。』《解題》此處所述，幾全本程、呂二子。至『見於嘗酎』一語，出《左傳》襄公二十二年。杜預注曰：『酒之新熟重者為酎，嘗新飲酒為嘗酎。』考《禮記・月令》曰：『孟夏之月，天子飲酎。』鄭玄注：『酎之言醇也，謂重釀之酒也。』則飲酎，嘗酎，自古有之，未知直齋何以視為鄭國後制。宋金恕嘗撰《春秋左氏傳序》，曰：『自孔子作《春秋》，而左氏為之《傳》。班固《藝文志》云：『《左氏傳》三十卷。曰左丘明，魯太史。』是固以左氏為丘明也。前乎固者，司馬遷亦嘗言之，曰：『孔子作《春秋》，丘明為之《傳》。』則左氏為丘明，無疑也。固之序《春秋》也，則又曰：『仲尼思存前聖之業，以魯，周公之國，禮文備物，史官有法，故與左丘明觀其史記，據行事，仍人道，口授弟子。丘明恐弟子各安其意，以失其真，故論本事而作《傳》。』則左氏之為丘明，無疑也。晉杜預集《春秋左氏註》，則曰：『左丘明受經於仲尼。』則左氏既為丘明，而又與孔子同時，親受其經，無疑也。至唐之世，去左氏遠矣，而啖助獨起而疑之。曰：『謂左氏為丘明，非也。』唯趙匡亦從而疑之曰：『左氏不知出於何代。』此皆後儒好為異說，出其臆見，以炫其聰明，創無所據之論，以為或不然之辭。遂使後人紛紛聚訟，或曰丘明，或曰非丘明，或曰孔子時人，或曰六國時人。嗚呼！遷之去左氏未遠也，固之考校至精也，預之用心至專也。以三君子遞相師承之說不足信，而啖、趙之徒相去近千年，而為此茫茫無所據之論，泛泛不必然之辭，轉足信乎？或者又引伊川之說，謂《傳》無丘明字，不可考。然其所為《傳》無丘明字者，果何據乎？不過據今所讀之《傳》，見其第曰《左氏傳》，不曰《左丘明傳》，故謂之無丘明字也。不思今之所讀公、穀二《傳》，亦不過曰《公羊氏傳》而已，未嘗曰《公羊高傳》也；又不過曰《穀梁氏傳》而已，未嘗曰《穀梁喜傳》、《穀梁赤傳》、《穀梁俶傳》也。且公羊之名一，而穀梁之名三。然其名雖或曰喜，或曰赤，或曰俶，而要知其為一人，未嘗疑之曰別有一穀梁也。獨於左氏則曰：此非丘明也。以為非丘明，則是遷之說不足據也，固與預之說不足憑也。以可憑可據之說而疑之，彼之臆為說者，果足信也耶？即伊川之言亦第以為不可考，蓋不敢臆斷之辭也，亦未嘗必以為非丘明也。朱子之注《論語》也，曰：『左丘明，古之聞人也。』他日又舉鄧著作之說曰：『左丘姓，而明名，傳《春秋》者乃左氏也。』即朱子之意，亦未嘗以傳〈春秋〉者必非丘明，特以為左氏，而非左丘氏耳。安知其意不以為左氏而名丘明，非左丘氏而名明者乎？由此觀之，見于《論語》者，左丘氏而名明者也；傳《春秋》者，左氏而名丘明者也。故謂此之左丘明，非彼之左丘明可也；謂此之左氏，必非丘明不可也。左丘明既為古之聞人，安知左氏非慕而效之者乎？夫聖門如子淵、子貢、子夏之稱，此皆人之所尊師而不敢犯者，而後世猶且效之，不嫌其同，況他人乎？至班氏謂孔子與之觀史記，杜氏謂其受經于仲尼，此皆必有所據而云然。而後儒必以為非丘明也，非孔子時人也，以前史為不足據，而必欲伸其臆說，此何為者耶？昔者劉歆欲立《左氏》博士，今觀其《疏》有曰：『左丘明好惡與聖人同，親見夫子。而公、穀在七十子後，傳聞之與親見，其詳略不同也。』夫歆父子在天祿校中經書，其時求書之詔屢下，而謁者陳農更復搜採無遺，充積祕府。使非確有所見，何以謂其親見夫子，而且知其好惡與聖人同耶？吾故讀《左氏》之書，而準之以遷、固之史，復證之以歆與預之說經，斷然以為丘明所作，且斷然以為受經于仲尼之丘明之所作也。於是為之《序》，而欲後之讀《左氏》者，亦斷然如予之無疑也，可乎？』上引宋金恕所考，誠屬鞭辟入裏，考證周延，足解前人以《左傳》非丘明作之惑。至《左傳》一書中有『戰國後制』及獲麟後史事，斯乃丘明之徒及其後學所遞增，近人已考之詳且審矣。故直齋之疑，亦可休矣。」（頁五〇八至頁五一一）

羅璧曰[123]：「《左傳》、《春秋》初各一書，後劉歆治《左傳》，始取《傳》文解《經》；晉杜預注[124]《左傳》，復分《經》之年與《傳》之年相附，於[125]是《春秋》及《左傳》二書合為一[126]。」

呂大圭曰[127]：「宗《左氏》者，以為邱[128]明受《經》於仲尼，好惡[129]與聖人同[130]。觀孔子謂『左邱[131]明恥之，丘[132]亦恥之』，乃竊比老彭之意，則其人當在孔子之前；而《左氏》傳《春秋》，其事終於智伯，乃在孔子之後，說者以為與聖人同者為左邱[133]明，而傳《春秋》者為左氏，蓋有證矣。或以為六國時人，或以為楚左史倚相之後，蓋以所載『虞不臘』等語，蓋秦人以十二月為臘月，而左氏所述楚事極詳，蓋有無《經》之《傳》，而未有無《傳》之《經》，亦一證也。」　又曰[134]：「《左氏》熟於事，《公》[135]、《穀》深[136]

123霖案：羅璧：《羅氏識遺》卷一，〈經題籤〉，頁432。又張心澂《偽書通考》頁423曾引錄此文。

124霖案：「注」，《羅氏識遺》作「註」。

125霖案：「於」，《羅氏識遺》作「于」。

126霖案：「一」字下，應依《羅氏識遺》補入「因《傳》解《經》事見《歆傳》，《左傳》、《春秋》合為一，見杜預《左傳．序》。」等二十一字。

127霖案：《春秋本義綱領》，頁13885。

128霖案：「邱」，《春秋本義綱領》作「丘」。

129霖案：「好惡」二字前，應依《春秋本義綱領》補入「所謂」。

130霖案：「同」字下，應依《春秋本義綱領》補入「者，然《左氏》大旨多與《經》戾，安得以為好惡與聖人同乎。」等二十一字。

131霖案：「邱」，《春秋本義綱領》作「丘」。

132霖案：「丘」，《春秋本義綱領》改作「某」，蓋避諱之故。

133霖案：「邱」，《春秋本義綱領》作「丘」。

134霖案：《春秋本義綱領》，頁13884。

135霖案：「《公》」字之前，應依《春秋本義綱領》補入「而」字。

136霖案：「深」，《春秋本義綱領》作「近」。

於禮[137]。蓋《左氏》曾見國史，而《公》、《穀》乃經生也[138]。然《左氏》雖曰備事，而其間有不得其事之實[139]，觀其[140]每述一事，必究其事之所由，深於情偽，熟於世故，往往論其成敗而不論其是非，習於時世[141]之所趨，而不明乎大義之所在：言周、鄭交質，而曰『信不由中，質無益也』；論宋宣公立穆公，而曰『可謂知人矣』；鬻拳強諫，楚子臨之以兵，而謂鬻拳[142]為愛君[143]；趙盾亡不越竟[144]，反不討賊，而曰『惜也，越竟[145]乃免』；此皆其不明理之故，而其敘事失實者尤多[146]。然則《左氏》之紀事固不可廢，而未可盡以為據矣。」

家鉉翁曰[147]：「昔者夫子因魯史而修[148]《春秋》，其始[149]，《春秋》、魯史並傳於世，學者觀乎魯史，可以得聖人作《經》之意；其後[150]魯史散佚不傳，左氏采摭一時之事以為之《傳》，將使後人因《傳》而求《經》也。左氏者，意[151]其世為史官，與聖人同時者；

137霖案：「禮」，《春秋本義綱領》作「理」。

138霖案：「也」字下，應依《春秋本義綱領》補入「惟其曾見國史，故雖熟於事而理不明，惟其出於經生所傳，故雖近於理而事多繆，二者合而觀之可也。」等四十字。

139霖案：「實」字下，應依《春秋本義綱領》補入「《公》、《穀》雖曰言理，而其間有害於理之正，不可不知也。蓋左氏」等二十三字。

140霖案：「觀其」二字，《春秋本義綱領》無之，當據以刪正。

141霖案：「時世」二字，應依《春秋本義綱領》作「勢」。

142霖案：「拳」，應依《春秋本義綱領》作「奉之」。

143霖案：《經義考新校》頁3095新出校語如下：「『愛君』，文津閣《四庫》本作『受君』。」。

144霖案：「竟」，《春秋本義綱領》作「境」。

145霖案：「竟」，《春秋本義綱領》作「境」。

146霖案：「多」字下，應依《春秋本義綱領》補入「有如楚自得志漢東，駸駸荐食上國，齊桓出攘之，晉文再攘之，其功偉矣。此正孟子所謂『彼善於此者』，然其所以攘楚者，豈能驟舉而攘之哉？必先翦其手足，破其黨與而後攘之易耳，是故桓公將攘楚，必先有事於蔡，文公將攘楚，必先有事於曹、衛，此事實也。而左氏不達其故，於侵蔡則曰『為蔡姬故』，於侵曹伐衛，則曰『為觀裸浴與塊』，故此其病在於推尋事由，毛舉細故，而二公攘夷安夏之烈，皆晦而不彰，其他紀事往往類此。」等一百六十四字。

147 霖案：家鉉翁，《春秋詳說．綱領》（台北：臺灣商務印書館，「景印文淵閣四庫全書」冊一五八，民國七十五年三月，初版），頁21。又此文篇名作「〈評三傳下〉」。

148 霖案：「修」字，《春秋詳說》作「脩」字。

149 霖案：「其始」二字，《春秋詳說》作「始者」二字。

150 霖案：「後」字下，應依《春秋詳說》補入「立《春秋》，而戰國」等六字。

151 霖案：「意」字之前，應依《春秋詳說》補入「愚」字。

邱明也，其後為《春秋》作《傳》者，邱明之子孫或其門弟子也[152]。《經》著其略，《傳》紀其詳，《經》舉其初，《傳》述其終。雖未能盡得聖人褒貶之[153]意，而春秋二百四十二年之行事恃之以傳，何可廢也？吁!使左氏不為此書，後之人何所考據以知當時事乎？不知當時事，何以知聖人意乎？」

陳則通曰[154]：「《公》、《穀》但釋《經》而已。《春秋》所無，《公》、《穀》不可得而有；《春秋》所有，《公》、《穀》亦不可得而無。《左氏》或先《經》以始事，或後《經》以終義，或依《經》以辨[155]理，或錯《經》以合異，其事與辭過《公》、《穀》遠矣[156]。宰喧[157]歸賵，《二傳》未有載惠公、仲子之詳者，《左氏》獨言之，吾是以知仲子之為妾；鄭伯克段，《二傳》未有以發祭仲子封之言者，《左氏》獨詳之，吾是以知鄭伯之心。此類有功於天下後世者不少，微《左氏》，吾奚以知《春秋》哉？」

【增補】〔補正〕陳則通條內「宰喧」當作「宰咺」。（卷七，頁五）

盛如梓曰[158]：「左氏，晦庵[159]以為楚人，項平父[160]以為魏人。」

程端學曰[161]：「《左氏傳》及《外傳》[162]或謂楚左史倚相作者，近是；謂左邱明者，非也。」

【增補】程端學《春秋本義》曰：「宗左氏者，以為丘明於仲尼，所謂好惡與聖人同者；然左氏大旨多與《經》戾，安得以為好惡與聖人同乎？觀孔子所謂左丘明恥之，丘亦恥之，乃竊比老彭之意，則其人當在孔子之前，而左氏傳《春秋》其事終於智伯，乃在於孔子之後；者以為與聖人同者為左丘明，而傳《春秋》者為左氏，蓋有證矣。或以為六國時人，或以為楚左史倚相之後，蓋以所載虞不臘等語，蓋秦人以十二月

---

152 霖案：「也」字，應依《春秋詳說》題作「生，後洙泗，而其淵源所漸有自來矣，故有」等十六字。

153 霖案：「之」字，《春秋詳說》原書文句無此字，當刪。

154霖案：《春秋提綱》卷第十，〈論左氏〉，(《通志堂經解》(冊22))，頁12920。

155霖案：「辨」，《春秋提綱》作「辯」。

156霖案：「矣」字下，缺錄許多文句，難於一一補錄，讀者可自行參看原書。

157「喧」，據《補正》當作「咺」。　　霖案：《經義考新校》頁三○九六校文如下：「『喧』，據《四庫》諸本、《補正》當作『咺』。」。

158霖案：《庶齋老學叢譚》卷一，頁3837。又有新編12, 筆記小說大觀27編6, 初編328, 百部29輯知不足齋叢書23函159種等諸多版本。

159霖案：《經義考新校》頁3096新補校文如下：「『晦庵』，《四庫》諸本或作『晦菴』。」。

160霖案：「項平父」，應依《庶齋老學叢譚》作「項平庵」。

161霖案：程端學：《春秋本義》〈春秋傳名氏〉(《通志堂經解》(25))，頁13860。

162霖案：「《左氏傳》及《外傳》」六字，應依《春秋本義》〈春秋傳名氏〉作「《二傳》」。

為臘月，而左氏所述楚事極詳，蓋有無《經》之《傳》，而未有無《傳》之《經》，亦一證也。」（轉錄：張心澂《偽書通考》頁四二三）

黃澤曰[163]：「孔子作《春秋》，以授史官及高弟[164]在史官者，則邱[165]明作《傳》；在高弟[166]者，則一再傳而為公羊高、穀梁赤。在史官者，則得事之情實，而義理閒[167]有訛；在高弟[168]者，則不見事實，而往往以意臆度，若其義理，則閒[169]有可觀，而事則多訛矣。酌而論之，事[170]實而理訛，後之人猶有所依據，以求《經》旨，是《經》本無所損也；事訛而義理閒[171]有可觀，則雖說得大公至正，於《經》實少所益[172]，況未必大公至正乎？使非《左氏》事實尚存，則《春秋》益不可曉矣。」 又曰[173]：「左邱[174]明或謂姓左邱[175]，名明，非傳《春秋》者，傳《春秋》者，蓋姓左而失其名。愚謂[176]：去古既遠，此以為是，彼以為非，又焉有定論？今以理推之，夫子[177]修《春秋》，蓋是徧閱國史，策書、簡牘皆得見之，始可筆削；雖聖人平日於諸國事[178]素熟於胸中，然觀聖人『入太廟，每事問』，蓋不厭其詳審，況筆削《春秋》將以垂萬代？故知夫子於此，尤當詳審也。又策書是重事，史官不以示人，則他人無由得見，如今國史自非嘗為史官者，則亦莫能見而知其詳；又夫子

163霖案：黃澤述，趙汸編《春秋師說》卷上，〈論三傳得失〉，頁一四八二二。

164霖案：「弟」，《春秋師說》作「第」。

165霖案：「邱」，《春秋師說》作「丘」。

166霖案：「弟」，《春秋師說》作「第」。

167霖案：「閒」，《春秋師說》作「間」。　霖案：《經義考新校》頁三○九六有新校文如下：「文津閣《四庫》本無『閒』字。」。

168霖案：「弟」，《春秋師說》作「第」。

169霖案：「閒」，《春秋師說》作「間」。

170霖案：「事」字前，應依《春秋師說》補入「則」字。

171霖案：「閒」，《春秋師說》作「間」，此乃書寫習慣相近，而古書傳抄之中，往往互用二字。

172霖案：「益」字下，應依《春秋師說》補入「是經雖存而實亡也」等八字。

173霖案：黃澤述，趙汸編《春秋師說》卷上，〈論三傳得失〉，頁14822。

174霖案：「邱」，《春秋師說》作「丘」。

175霖案：「邱」，《春秋師說》作「丘」。

176霖案：「愚謂」，應依《春秋師說》作「澤謂」，而「澤」字為「黃澤」自稱之辭，而竹垞既指明此文為「黃澤」之語，乃改「澤」為「愚」，雖不妨礙意義的解讀，但二者用字實屬不同，應依原書改作「澤謂」為佳。

177霖案：「夫子」二字前，應依《春秋師說》補入「則」字。

178霖案：「事」字下，應依《春秋師說》補入「已」字。

未歸魯以前，未有修《春秋》之意，歸魯[179]以後，知[180]道[181]不行，始志於此，其作此經，不過[182]時歲閒爾，自非備見國史，其成何以若是[183]之速哉[184]？策書是事之綱，不厭其略；其[185]節目之詳，必須熟於史者然後知。是以此書若[186]示學者，則雖高弟[187]亦猝未能曉，若在史官，雖[188]未能盡得聖人之旨[189]，比[190]之不諳悉本末者，大有逕庭矣。故愚[191]從杜元凱之說，以為左氏是當時史官篤信聖人者。」　又曰[192]：「左氏是史官，曾及孔氏之門者。古時[193]竹書簡帙重大，其成此《傳》，是閱多少文字，非史官不能得如此之詳；非及孔氏之門，則信聖人不能若此[194]之篤。」　又曰[195]：「穀梁多[196]測度之辭，當是[197]不曾親見國史[198]；公羊，齊[199]人，齊亦有國史，而事亦譌[200]謬。蓋國史非人人可見，《公》、《穀》

179霖案：「歸魯」二字前，應依《春秋師說》補入「自」字。

180霖案：「知」字下，應依《春秋師說》補入「其已老」三字。

181霖案：「道」字下，應依《春秋師說》補入「之」字。

182霖案：「不過」二字前，應依《春秋師說》補入「蓋」字。

183霖案：「若是」，應依《春秋師說》作「如是」。

184霖案：「哉」字下，應依《春秋師說》補入「竊謂夫子聖德，已孚於人，魯之《春秋》，雖史官亦知其舛謬，非聖人莫能刊正，是以適投其機，而夫子得以筆削也。觀夫子與魯樂官論樂，則知樂之所以正，亦樂官有以推贊之。又或出於時君之意，亦未可知也。然」等八十一字。

185霖案：「其」字前，應依《春秋師說》補入「特」字。

186霖案：「若」字下，應依《春秋師說》補入「以」字。

187霖案：「弟」，《春秋師說》作「第」。

188霖案：「雖」字前，應依《春秋師說》補入「則」字。

189霖案：「之旨」，《春秋師說》作「旨意」。

190霖案：「比」字前，應依《春秋師說》補「然」字。

191霖案：「愚」，應依《春秋師說》作「竊獨妄意」四字。

192霖案：黃澤述，趙汸編《春秋師說》卷上，〈論三傳得失〉，頁14822。

193霖案：「古時」，《春秋師說》作「古人是」。

194霖案：「若此」，應依《春秋師說》作「如此」。

195霖案：黃澤述，趙汸編《春秋師說》卷上，〈論三傳得失〉，頁14823。

196霖案：「穀梁多」三字，係竹垞根據前後文句所加，原「測度之辭」四字前，未有此三字。

197霖案：「當是」，《春秋師說》作「蓋是」，又「是」字下，當補入「當來得之傳聞」六字。

198霖案：「國史」二字下，應依《春秋師說》補入「是國史難得見之一驗，又」等十字。

199霖案：「齊」字前，應依《春秋師說》補入「是」。

200「譌」，《四庫》本作「偽」。　霖案：《經義考新校》頁3097於「《四庫》」二字之前，新增加「文淵閣」三字。《春秋師說》作「訛」，「訛」、「譌」字義近同，但用字不同，而《春秋師說》既皆[201]有傳授，自[202]傳授之師已[203]不得見國史矣。故知左氏作傳，必是史官[204]，又是世官，故末年傳文當是其子孫所續。」又曰[205]：「說《春秋》者，多病《左氏》浮夸[206]，然[207]豈無真實？苟能略浮夸[208]而取真實，則其有益於《經》正[209]自不少[210]，豈可因其短而棄所長哉？若欲舍《傳》以求《經》，非惟[211]不知《左氏》，亦且[212]不知《經》。」又曰[213]：「近世學者以《左氏》載楚事頗詳，則以左氏為楚人，此執一偏之說也[214]。周衰[215]，號令不及於諸侯，事[216]權多[217]出於晉，其次則楚，故晉、楚之事多於周[218]；今[219]以[220]載楚事詳，

作「訛」字，當以「訛」字為佳，故應據《春秋師說》改作「訛」字。又《經義考新校》頁3097校文，於原校文「《四庫》」二字之前，增加「文淵閣」三字。

201霖案：「皆」字下，應依《春秋師說》補入「是」字。

202霖案：「自」字前，應依《春秋師說》補入「然」字。

203霖案：「已」字下，應依《春秋師說》補入「皆」字。

204霖案：「史官」二字下，應依《春秋師說》補入「非史官，則不能如此」等八字。

205霖案：黃澤述，趙汸編《春秋師說》卷上，〈論三傳得失〉，頁14824。

206霖案：「夸」，《春秋師說》作「誇」。

207霖案：「然」字下，應依《春秋師說》補「其間」二字。

208霖案：「夸」，《春秋師說》作「誇」。

209霖案：「正」，應依《春秋師說》作「者亦」。

210霖案：「少」字下，應依《春秋師說》補入「也，學者最忌雷同是非，世人多譏左氏，而澤於左氏，往往多有所得，故不敢非。左氏援經繫傳，後人見其有乖忤處，多不信其傳。」等四十九字。

211霖案：「惟」，應依《春秋師說》作「特」。

212霖案：「且」，應依《春秋師說》作「并」。

213霖案：黃澤述，趙汸編《春秋師說》卷上，〈論三傳得失〉，頁14823-14824。

214霖案：「也」字，《春秋師說》無此字，當據以刪。又「說」字下，當依《春秋師說》補入「而未嘗虛心以求故也。凡作史必須識大綱領，周雖微弱，終為天下宗主，故當時作史，必須先識周事。其次，莫如晉楚國大而各有所屬，若得晉楚之事，則諸國之事，自然易舉矣。然晉楚之事詳於周者，蓋」等七十八字。

215霖案：「周衰」，應依《春秋師說》作「周室微弱」四字。

216霖案：「事」字前，應依《春秋師說》補入「而」字。

217霖案：「多」，應依《春秋師說》作「皆」。

218霖案：「周」字下，應依《春秋師說》補入「也。他國如齊、如鄭、如宋、如衛事，亦最詳，齊是魯鄰，鄭亦同姓，事關齊、晉、楚諸大國，宋是先代之後，衛是兄弟之國，交際之分深，故事亦最詳也。如秦、如吳，事頗略，後來吳事稍詳者，漸以彊大侵陵中國，而魯常與之會盟故也。當來丘明作傳，以明孔子之經，若不博采諸國之史，則此傳何由可成。」等一百二十二字。

遂謂之楚人，其亦未深求其故，祇見其可笑也221。」

【增補】趙汸《春秋師說》曰：「左丘明或謂姓左丘名明，非傳《春秋》者；傳《春秋》者蓋姓左而失其名。澤（小注云：元蔡澤，汸之師）謂去古既遠，此以為是，彼以為非，又焉有定論。今以理推之，則夫子修《春秋》蓋是徧閱國史，策書簡牘皆得見之，始可筆削。……然策書是事之綱，不厭其略，其節目之詳，必須熟於史者然後知；是以此書若以示學者，則雖高第亦猝未能曉，若在史官，則雖亦未能盡得聖人旨意，然比之於不諳悉本末者大有徑庭矣。故竊獨妄意從杜元凱之說，以為左氏是當時史官，篤信聖人者，雖識見不及，然聖賢大分亦多如此。

左氏是史官曾及孔氏之門者，古人是竹書，簡帙重大，其成此《傳》，是閱多少文字，非史官不能得如此之詳，非及孔氏之門，則信聖人不能如此之篤。

《左氏》乃是春秋時文字，或以為戰國時文字者，非也。今考其文，自成一家，真春秋時文體。戰國文字麤豪，賈誼、司馬遷尚有餘習，而《公羊》、《穀梁》則正是戰國時文字耳。《左氏》固是後出，然文字豐潤，頗帶華豔，漢初亦所不尚，至劉歆始好之。其列於學官最後。大抵其文字近《孔記》，最繁富耳。

《後漢書》成於范曄之手，便有晉、宋間簡潔意思。堯、舜三代之史成於司馬遷，便有秦、漢間麤豪意思。若以為左氏是戰國時人，則文字全無戰國意思。如戰國書戰伐之類，皆大與《左傳》不同；如所謂拔某城，下某邑，大破之，既急擊等，皆《左傳》所無。如將軍字亦只後來方一見，蓋此時將軍之稱方著耳。

臘字，考字書別無他意，只是臘祭耳。從　者，蓋取狩獵為義。秦以前已有此字，已有此名。如三王之王，不知帝世已有此名，至禹始定為有天下之稱也。後儒不深思，則謂秦始稱臘，學者便據此疑《左傳》，此何可信哉？韋昭謂古車字音尺奢，無居音，其誤皆類此。戴宏序《春秋》傳授，云：『子夏傳與公羊高、高傳與其子平，平傳與其子地，地傳與其子敢，敢傳與其子壽，至漢景帝時壽乃弟子齊人胡母子都著於竹帛。』據此，則公羊氏五世傳《春秋》。若然，則左氏是史官，又當是世史，其末年《傳》文亦當是子孫所續，故通謂之《左氏傳》，理或當然。」（轉錄：張心澂《偽書通考》頁四二三至頁四二四）

何異孫曰222：「《左氏》善於考事，而義理則疎223；《公》、《穀》於義理頗精，而考事則略；《左氏》理不勝文，《公》、《穀》文不勝理；《左氏》之得，《公》、《穀》失之；《公》、《穀》之得，《左氏》失之。」

219霖案：「今」字下，應依《春秋師說》補入「卻」字。

220霖案：「以」，應依《春秋師說》作「以為」。

221霖案：「也」，應依《春秋師說》作「耳」，此乃字義相近而互用。

222霖案：《十一經問對》卷五，（通志堂經解本），頁23350。

223霖案：「疎」，《十一經問對》作「疎」。

邵寶曰224：「聖人因魯史而修《春秋》，不以《春秋》而廢魯史，《春秋》行而魯史從之矣。然則225魯史安在？今之《左傳》是已。何以謂之《傳》？《傳》以附《經》，『左氏』蓋修飾之。」

羅欽順曰226：「《春秋》事迹莫詳於《左傳》。《左氏》於聖人筆削意義，雖無甚發明；然後之學《春秋》者，得其事迹為據，而聖經意義所在因可測識，其功亦不少矣。」

何孟春曰：「《春秋》，史而經之書也。學是經者，必本諸史；經以標義，史以備事；《經》義隱而史事顯。《左氏》，備事之書也。仲尼作《春秋》，邱明以聖人筆削義隱於事，而次第其事，傳以實之；實之者，顯之也。所傳事皆有稽據，先《經》後《經》，原委究悉，非後來《公》、《穀》、《鄒》、《夾》四家空言者比；而世之尊是《經》者，顧與《左氏》立異，口議流行又出四家之外，何哉？」

羅喻義曰：「《左氏》原自為一書，後人分割附經，正如《易》之小〈象〉、〈文言〉分隸諸卦，宜還其舊。」

【增補】顧炎武《日知錄》曰：「孔子曰：『吾猶及史之闕文也』，史之闕文，聖人不敢益也。《春秋》桓公十七年『冬十月朔日有食之』，《傳》曰：『不書日，官失之也』，僖公十五年『夏五月日有食之』，《傳》曰：『不書朔與日，官失之也』，以聖人之明，千歲之日至可坐而致，豈難攷歷布算是補其闕，而夫子不敢也。況於史文之誤而無從取正者乎？況於列國之事得之傳聞，不登於史策者乎？《左氏》之書成之者非一人，錄之者非一世。可謂富矣，而夫子當時未必見也。史之所不書，則雖聖人有所不知焉者。且《春秋》魯國之史也，即使歷聘之餘，必聞其政，遂可以百二十國之寶書增入本國之記注乎？若乃改葬惠公之類，不書者，舊史之所無也。曹大夫宋大夫司馬城之不名，闕也。鄭伯髡頑、楚子麇、齊侯陽生之實弒而書卒者，傳聞不勝簡書，是以從舊史之文也。《左氏》出於獲麟之後，網羅浩博，實夫子之所未見。乃後之儒者似謂已有此書，夫子據而筆削之。即《左氏》之解《經》，於所不合者，亦多曲為之說。而經生之論，遂以聖人所不知為諱。是以新說愈多，而是非靡定。故今人學《春秋》之言，皆郢書燕說，而夫子之不能逆料者也。子不云：『多聞闕疑，慎言其餘』，豈特告子張乎？修《春秋》之法，亦不過此。

《春秋》因魯史而修者也；《左氏傳》，采列國之史而作者也。故所書晉事；自文公主夏盟政，交於中國，則以列國之史參之，而一從周正；自惠公以前，則間用夏正，其不出於一人明矣。其謂賵仲子為子氏未薨，平王崩為赴以庚戌，陳侯鮑卒為再赴，似皆揣摩而為之說。」227

224霖案：本文出自四庫本：《簡端錄》卷九。

225「然則」，《四庫》本作「然而」。

226霖案：《困知記》卷下，「四庫全書本」冊七一四，頁304。

227霖案：此處係轉錄張心澂《偽書通考》頁425，原文出自《日知錄》卷四。

尤侗曰[228]：「左氏之為邱明，自遷、固以下皆信之，獨啖助、趙匡立說以破其非；而王介甫斷左氏為六國時人者有十一事。據《左傳》紀韓、魏智伯之事及趙襄子之諡，計自獲麟至襄子卒已八十年，夫子謂『左邱明恥之，丘亦恥之』，則邱明必夫子前輩，豈有仲尼沒後七十八年，丘明猶能著書者乎？《詩》有大、小毛，《書》有大、小夏侯，《禮》有大、小戴，六國時人，豈無左氏？必以邱明實之，亦固矣。」

按：孔子作《春秋》，若無左氏為之《傳》，則讀者何由究其事之本末？左氏之功不淺矣。匪獨詳其事也，文之簡要，尤不可及。即如隱元年「春王正月」，《傳》云：「元年，春王周正月。」視經文止益一周字耳，而「王」為周王，「春」為周春，「正[229]」為周正[230]，較然著明，後世黜周王魯之邪說，以夏冠周之單辭，改時改月之紛綸聚訟，得左氏片言，可以折之矣。

又按：司馬遷〈報任少卿書〉：「左邱失明，厥有《國語》。」應劭《風俗通》：「邱，姓，魯左邱明之後。」然則左邱為複姓甚明。孔子作《春秋》，明為作《傳》[231]，《春秋》止獲麟，《傳》乃詳書孔子卒，孔子既卒，周人以諱事神，名終將諱之，為弟子者自當諱師之名，此第稱《左氏傳》，而不書「左邱」也。

【增補】姚鼐《左傳補注．序》（出自：《姚姬傳全集》）曰：「《左氏》之書，非出一人所成。自左邱明作《傳》以授曾申，申傳吳起，起傳子期，期傳楚人鐸椒，椒傳趙人虞卿，虞卿傳荀卿。蓋後人屢有附益，其為邱明說《經》之舊，及為後所益者，今不知孰為多寡矣。余考其書，於魏氏事造飾尤甚，竊以為吳起為之者蓋尤多。夫魏絳在晉悼公時，甫佐新軍，在七人下耳，安得平鄭之後，賜樂獨以與絳？魏獻子合諸侯於位之人，而述其為政之美，詞不恤其夸，此豈信史所為論本事而為之《傳》者耶？《國風》之魏，至季札時，亡久矣，與邶、鄘、鄶，而札胡獨美之曰：『以德輔此，則明主也。』此與魏大名公侯子孫必復其始之談，皆造飾以媚魏君者耳。又明主之稱，乃三晉篡位後之稱，非季札時所宜有，適以見其誣焉耳。自東漢以來，其書獨重，世皆溺其文詞，宋儒頗知其言之不盡信，然遂以譏及左氏，則過矣。彼儒者親承孔子學以授其徒，言亦約耳，烏知後人增飾若是之多也哉！若乃其文既富，則以存賢人君子之法言，三代之典章，雖不必邱明所記，而固已足貴，君子擇焉可也。」（轉錄張心澂《偽書通考》頁四二七）

【增補】崔述《洙泗考信錄餘錄》曰：「《左傳》終於智伯之亡，係以悼公公諡，上距孔子之卒已數十年，而所稱書法不合《經》意者，亦往往有之，必非親炙於孔子者

228霖案：張心澂《偽書通考》頁425-426曾轉錄此文。

229霖案：《經義考新校》頁3099新出校語如下：「『正』，文津閣《四庫》本誤任『壬』。」。

230霖案：《經義考新校》頁3099新出校語如下：「『正』，文津閣《四庫》本誤任『壬』。」。

231「明為作傳」，《四庫》本作「明為《左傳》」。　霖案：《經義考新校》頁3099於「《四庫》」二字之前，另有「文淵閣」三字。

明甚，不得以《論語》之左邱明當之也。戰國之文姿橫，而《左傳》文平易簡直，頗近《論語》及《戴記》之〈曲禮〉、〈檀弓〉諸篇，絕不類戰國時文，何況於秦？襄、昭之際，文詞繁蕪，遠過文、宣以前，而定、哀間反略，率多有事無詞，哀公之末，事亦一備，此必定、哀之時，紀載之書行於世者尚少，故爾。然則作書之時，上距定、哀未遠，亦不得以為戰國後人也。且《史記》但以《傳》為左邱明所作，不言為何時人，而亦未有親見孔子之文。不知二人姓名之偶同耶？抑相傳為《左氏春秋》，而司馬遷遂億料之以為《論語》之左邱明耶？說《論語》者，以左邱為複姓，與公羊、穀梁正同。乃傳《經者》云：『《公羊氏春秋》、《穀梁氏春秋》，而此獨云《左氏春秋》不云左邱氏，又似作《傳》者左氏而非左邱氏者。』然則傳《春秋》者，其姓名果為左邱明與否，固未可定。」（轉錄張心澂《偽書通考》頁四二七至頁四二八）

【增補】劉逢祿《左氏春秋考證》曰：「《左氏春秋》，猶《晏子春秋》、《呂氏春秋》也。直稱《春秋》，太史公所據舊名也。冒曰《春秋左氏傳》，則東漢以後之以訛傳訛者矣。

劉歆顛倒《五經》，使學士迷惑，因《公羊》博士在西漢最為昌明，故不敢顯改《經》文，而特此祕府古文書《經》為十二篇，曰《春秋古經》。不知《公》、《穀》、《鄒》、《夾》皆十一篇，為夫子之舊，何邵公氏於〈莊公篇〉詳之矣。欲迷惑《公羊》義例，則多緣飾《左氏春秋》以舊其偽。

余年十二，讀《左氏春秋》，疑其書法是非多失大義。繼讀《公羊》及董子書，乃恍然於《春秋》非記事之書，不必待《左氏》而明。左氏為戰國時人，故其書終三家分晉，而《續經》乃劉歆妄作也。

凡『書曰』之文，皆歆所增益；或歆以前已有之，則亦徒亂《左氏》文采，義非傳《春秋》也。

凡例皆附益之辭。

左氏後於聖人，未能盡見列國寶書，又未聞口授微言大義，惟取所見載籍，如《晉乘》、《楚檮杌》等相錯編年為之，本不必比附夫子之《經》，故往往比年闕事。劉歆強以為傳《春秋》，或緣《經》飾說，或緣《左氏》本文前後事，或兼采他書以實其年。如此年（指桓十七年，此條在桓十七年下。）之文，或即用《左氏》文，而增春夏秋冬之時，遂不暇比附《經文》。更綴數語，要之，皆出點竄，文采便陋，不足亂真也。然歆雖略改《經》文，顛倒《左氏》，二書猶不相合，《漢志》所列『《春秋古經》十二篇《經》十一卷《左氏傳》三十卷』是也。自賈逵以後，分《經》附《傳》，又非劉歆之舊，而附益改竄之跡益明矣。

孔子生卒，謹書於傳記，宜也；而附於《經》，則《經》為夫子家乘矣。夫子作《春秋》，游、夏不能贊一辭，不識後有劉歆之徒，狂悖如此。而賈逵、杜預誣及弟子，是深惑於『左氏親見聖人』之說。」（轉錄張心澂《偽書通考》頁四二八至頁四二九）

【增補】康有為《新學偽經考》曰：「按《漢書・司馬遷傳》載〈報任安書〉云：『左邱失明，厥有《國語》，孫子臏腳，兵法修列』，下云：『及如左邱明無目，孫子斷足，終不可用；退論書策，以舒其憤，思垂空文以自見』，〈十二諸侯年表〉云：『表見《春秋》、《國語》』，合此三條觀之，如邱明兼作二書，太史公乃舍其《春秋》而稱其《外傳》，豈理也哉？或疑作《國語》者為左邱，作《春秋傳》者為左邱明，分為二人，則〈報任安書〉明云：『及如左邱明無目』，則明明左邱明矣，二人之說，蓋不足疑。《左傳》從《國語》分出，又何疑焉。」（轉錄張心澂《偽書通考》頁四三二）

【增補】康有為《新學偽經考》曰：「按今博士謂左氏不傳《春秋》；《史記・儒林傳》述《春秋》有《公羊》、《穀梁》而無《左氏》。史遷徵引左氏至多，如其傳經，安有不敘？此為辨今古學真偽之鐵案。孔子《春秋》之義法，唯七十子能傳之，即《公羊》、《穀梁》之說也。自非七十子，其不傳明矣。〈十二諸侯年表〉驟言左氏，且稱邱明為魯君子，懼弟子各安其意，而失其真，抑《公》、《穀》而尊《左氏》如此。考文翁《孔廟圖》、《史記・仲尼弟子傳》無左邱明名。且《左傳》稱『悼四年』，據《史記・六國表》悼公之薨在獲麟後五十餘年，則邱明在孔子後遠矣。豈七十子學成德尊所存者不足據，而非弟子之邱明反足據乎？此又不待辨也。下雜敘《鐸氏微》、《虞氏春秋》，《呂氏春秋》諸書，各體既雜而不類。又《呂氏春秋》於十二諸侯年月事無關，《虞氏春秋》在儒家於十二諸侯年月事亦必無關，以此例之，不過歆以《史記・儒林傳》彰著難於竄亂，故旁竄於〈十二諸侯年表〉，以為〈左傳〉之證。又多竄數書，故為繁重以泯其迹。『安意失真』之說，與《七略》同，其為歆言無疑義矣。」（轉錄張心澂《偽書通考》頁四三三）

【增補】康有為《新學偽經考》曰：「按《史記・儒林傳》，《春秋》祗有《公羊》、《穀梁》二家，無《左氏》；〈河間獻王世家〉無得《左氏春秋》立博士事。馬遷作史多採左氏，若左邱明誠傳《春秋》，史遷安得不知？〈儒林傳〉述六藝之學，彰明較著，可為鐵案。又〈太史公自序〉稱：『講業齊、魯之都，天下遺文古事靡不畢集太史公。』若河間獻王有是事，何得不知？雖有蘇、張之舌不能解之也。

《漢書・司馬遷傳》稱：「司馬遷據左氏《國語》采《世本》、《戰國策》述《楚漢春秋》，《史記・太史公自序》及〈報任安書〉俱言：『左邱失明，厥有《國語》，〈報任安書〉下又云：『乃如左邱明無目，孫子斷足，終不可用；退論書策，以抒其憤』，凡三言左邱明，俱稱《國語》，然則左邱明所作，史遷所據，《國語》而已，無所謂《春秋傳》也。

歆以其非博之學，欲奪孔子之《經》，而自立新說以惑天下，知孔子制作之學首在《春秋》，《春秋》之《傳》在《公》、《穀》之法與《六經》通；於是思所以奪《公》、《穀》者，以《公》、《穀》多虛言，可以實爭奪之，人必聽實事而不聽虛言也，求之古書，得《國語》與《春秋》同時，可以改易竄附，於是毅然削去平王以前事，依《春秋》以編年，比附《經》文。分《國語》以釋《經》，而為《左氏傳》，（歆本傳稱：『歆始引《傳》解經』，得其實矣。）作《左氏傳微》以為書法，依《公》、《穀》『日月例』而作〈日月例〉，託之古文以黜今學，託之河間張蒼、賈誼、張敞名臣通學以張其名，亂之《史記》以實其事，改為十二篇以彰其目，變改紀子帛、君氏卒諸文以易其說，續為《經》文，尊孔子卒以重其事，徧偽羣《經》以證其說。事理繁博，文辭豐美，凡《公》、《穀》釋《經》之義，彼則有之，至其敘事繁博，則《公》、《穀》所無；遭逢莽篡，更潤色其文以媚莽，因藉莽力貴顯。天下通其學者以尊其書，證據符合，黨眾繁盛，雖有龔勝、師丹、公孫祿、范升之徒，無能揣撼。雖博士屢立屢廢，而賈逵選嚴顏高才二十人教以《左氏》（見《後漢書．賈逵傳》），至於漢末亂起，相斫之書以實事而益盛。武夫若關羽、呂蒙之屬，莫不熟習。孔子改制之學，既為非常異義，《公》、《穀》事辭不豐，於是式微。下迄六朝，《左傳》一統。《隋志》、《文》歎《公》、《穀》之垂絕矣。

唐世經學更變，並束三《傳》，而世尚辭章，《左氏傳》實大行也。陸淳《春秋集傳纂例》謂：『《左傳》其功最高，能令百代之下頗見本末，因以求意，《經》文可知。』《史通．申左篇》云：『孔子修《春秋》，時年已老矣，故其《傳》付之邱明。《傳》之與《經》，一體相須而成也。』凡所以尊《左》者，皆尊其事，遂至於今學者咸讀《左氏》，而通《公》、《穀》幾無人焉，此固劉歆所逆料而收拾者也。

蓋《國語》藏於祕府，自馬遷、劉向外罕得見者，太史公書關本朝掌故，東平王宇求之漢廷，猶不與（見《漢書．東平思王傳》），況《國語》實是相斫書乎？時人罕見，歆故得肆其改竄。『舊繡移曲折，顛倒在短褐』，幾於無迹可尋。此今學所以攻之不得其源，而陳元、賈逵所以能騰其口說也。

今以《史記》、劉向《新序》、《說苑》、《列女傳》所述《春秋》時事較之，如少昊嗣黃帝之妄，后羿、寒浞篡統，少康中興之誣，宣公之夫人為夷姜而非烝，宣姜之未嘗通公子頑，宋桓夫人、許穆夫人、戴公、文公非宣姜通昭伯所生，陳佗非五父，隱母聲子為賤妾而非繼室，仲子非桓母，是皆歆誣古悖父，竄易《國語》而證成其說者（劉逢祿《左氏春秋考證》甚詳）。且《國語》行文舊體，如惠之二十四年則在《春秋》前，悼之四年則在獲麟後，皆與《春秋》不相比附，雖經歆改竄為《傳》，遺迹可考。《史記．五帝本紀》、《十二諸侯年表》皆云《春秋》、《國語》，蓋史公僅採此二書，無《左氏傳》也。幸遷、向書尚在，猶可考見一二耳。而張衡、譙周、司馬貞反據《左傳》以攻《史記》，誤甚矣。

歆徧造偽《經》，而其本原莫重於偽《周官》及偽《左氏春秋》；而偽《周官》顯背古義，難於自鳴，故先為偽《左氏春秋》，大放厥辭。於〈河間獻王傳〉則謂《左氏春秋》已立博士，〈移太常博士書〉亦誦言之。《漢志》敘仲尼之作《春秋》，橫插與左邱明觀其《史記》以實之。劉逢祿《左氏春秋考證》曰：『《左氏》記事在獲麟後五十年，邱明果與夫子同時，共觀魯史，史公何不列於弟子？論本事而作《傳》，何史公不名為《傳》，而曰《春秋》，且如鄫季姬、魯單伯、子叔姬等事，何失實也？《經》所不及者，獨詳誌之，又何說也？《經》本不待事而著，夫子曰：『其義則某竊取之矣』，何《左氏》所述君子之論多乖異也？』如劉說歆亦不能自辨矣。蓋歆託於邱明而申其偽《傳》，於是尊邱明為魯君子，竄之《史記十二諸侯年表》中，又稱與孔子同觀《史記》，偽《古論語》又稱孔子與邱明同恥，蓋歆彌縫周密者也。《續經》之《傳》云：『悼之四年』，據《史記．魯世家》，悼公在位三十七年，其薨在獲麟後五十餘年，在孔子時且未即位，何得遽稱其謚？歆亦自忘其疏矣。（《春秋正義》—引《嚴氏春秋》亦有與左邱明觀書事，蓋嚴顏高才受學之後，所竄亂者矣。）且孔父夫子六世祖，而書名以貶，倘左氏如此，必非親見聖人者。此歆無可置辭者也。

《公羊》、《穀梁》大行漢世，自君臣政事奏議咸依焉。鄒、夾二氏，劉向《別錄》無之，而不惜憑虛。至其所首欲奪之者，雖以七十子親受之說，猶痛貶之為末世口說安意失真，置之與無是烏有之偽鄒、夾同科，鼓舌搖唇，播弄白黑，隨手抑揚，無所不至。昔魏收作《魏書》，每言『何物小子，敢共魏收作色，舉之則使上天，按之當使入地』，時人號為穢史。歆之作偽亂道，其罪又浮於收百倍矣。

其云：『《春秋古經》十二篇』，蓋歆之所妄分也。云：『《經》十一卷』，《注》曰：『《公羊》、《穀梁》二家』，則《公》、《穀》相傳皆十一篇；故《公羊傳》、《穀梁傳》、《公羊顏氏記》皆十一篇，蓋孔子所手定。何邵公猶傳之，云：『繫閔公篇於莊公下者，子未三年，無改於父之道。』（《公羊》閔二年《解詁》）蓋西漢胡母生以來舊本也。歆《古經》十二篇，或析閔公為一篇，或附《續經》為一篇，俱不可知，要皆歆之偽本也。凡歆所偽之《經》，俱錄加於今文之上，六藝皆然，此亦歆自尊其偽《經》之私心可見者也。

歆既為《左氏微》以作書法，又錄《鐸氏微》、《張氏微》在《虞氏微傳》之上，皆以為《春秋說》；而西漢人未嘗稱之，蓋亦鄒、夾之類，皆歆所偽作，以旁證《左氏微》者。其意謂中祕之《春秋》說尚多，不止《左氏春秋》為人間所未見，譏見寡聞，未窺中祕者，慎勿妄政也。其術自謂巧密矣，然考儒家別有《虞氏春秋》與《虞氏微傳》，豈有兩書邪？則《左氏傳》之與《國語》分為二書，亦其狡偽之同例，尤無可疑。況《左氏傳》不見於《史記》，而力爭於歆者乎？或據《史記十二諸侯年表》云：『魯君子左邱明懼弟子人人異端，各安其意，失其真，故因孔子《史記》具論其語，成《左氏春秋》以相難，則亦歆所竄入者，辨見前。

《國語》僅一書，而《志》以為二種，可異一也。其一二十一篇，即今傳本也；其一劉向所分之新《國語》五十四篇。同一《國語》，何篇數相去數倍，可異二。劉向之書皆傳於後漢，而五十四篇之《新國語》後漢人無及之者，可異三也。蓋五十四篇者，左邱明之原本也，歆既分其大半凡三十篇以為《春秋傳》，於是留其殘賸，掇拾雜書，加以附益，而為今本之《國語》，故僅得二十一篇也。考今本《國語》、《周語》、《晉語》、《鄭語》多春秋前事，《魯語》則大半敬姜一婦人語，《齊語》則全取《管子·小匡篇》，《吳語》、《越語》筆墨不同，不知掇自何書。然則其為《左傳》之殘餘，而歆補綴為之至明。歆以《國語》原本五十四篇，天下人或有知之者，故復分一書以當之，又託之劉向所分非原本以滅其迹，其作偽之情可見。史遷於〈五帝本紀〉、〈十二諸侯年表〉皆云：『《春秋》、《國語》』，若如今之《國語》之寥寥，又言少皡與〈本紀〉不同，史遷不應妄引矣。

劉申受《左氏春秋考證》知《左氏》為偽，攻辨甚明，而謂：『《左氏春秋》猶《晏子春秋》、《呂氏春秋》也。直稱《春秋》，太史公所據舊名也。冒曰《春秋左氏傳》，則東漢以後之以畱傳畱者矣。』蓋尚為歆竄亂之十二諸侯年表所惑，不知其即《國語》所改。故近儒以為左氏作《國語》，自周穆王以後，分國而述其事，其作此書則依《春秋》編年，以魯為主，以隱公為始，明是《春秋》之傳（番禺陳氏澧說），亦猶申受不得其根原也。然申受《左氏春秋考證》謂：『〈楚屈瑕篇〉年月無考，固知《左傳》體例與《國語》相似，不必比附《春秋》年月也。』是明指《左傳》與《國語》相似矣。……申受雖未悟《左傳》之摭於《國語》，亦知由他書所采附，亦幾幾知為《國語》矣。

蓋《經》、《傳》不相附合，疑其說者，自來不絕。自博士謂左氏不傳《春秋》，班固為歆《傳》云及『歆治《左氏》引《傳》文以解《經》，轉相發明，由是章句義理備焉。』班為古學者，亦知引《傳》解《經》由於歆矣。不特班固也，范升云：『《左氏》不祖孔子，而出於邱明，師徒相傳又無其人。』（《後漢書·范升傳》）李育頗涉獵古學，嘗讀《左氏傳》，雖樂文采，然謂不得聖人深意。何休作《公羊墨守》、《左氏膏盲》、《穀梁廢疾》（《後漢書·儒林傳》）。惜不得歆作僞之由，未達一間，卒無以塞陳元、賈逵之口耳。又不徒范升、李育、何休也，王接謂：『《左氏》自是一家書，不主為《經》發。』《朱子語類》云：『林黃中謂：『《左傳》君子曰』是劉歆之辭』，《左傳》『君子曰』最無意思。因舉芰夷蘊崇之一段，是關上文甚事。」

又不止王接、林黃中、朱子也，即尊信《左氏傳》者，亦疑其有為後人附益矣。陸variant《春秋集傳纂例》謂：『《左氏》功最高，能令百代之下頗見本末。因之求意，《經》文可知。而後人妄有附益。《左氏》本未釋者，抑為之說。』番禺陳氏澧《東塾讀書記》曰：『孔沖遠云：『《春秋》諸事皆不以日月為例，唯卿卒日食二事而已。』此說可疑，豈有一書內唯二條有例者乎？蓋《左傳》無日月例，後人附益者。又《傳》之凡例與所記之事有違反者；如莊十一年《傳》云：『凡師敵未陣曰『敗某師』，皆陣曰『戰』，《釋例》曰：『令狐之役，晉人潛師夜起，而書戰者，晉諱背其前意而夜薄秦師，以戰告也。』成十八年《傳》云：『凡去其國，國逆而立之曰『入』，復其位曰『復歸』，諸侯納之曰『歸』，以惡曰『復入』。《釋例》曰：『莊六年五國諸侯犯逆王命，以納衛朔，懼有違眾之犯，而以國逆告。』此明知凡例不合，而歸之於告，是遁辭矣。且《左傳》多傷教害意之說，不可條舉。言其大者，無人能為之回護。如文七年『宋人殺其大夫』，《傳》云：『不稱名，非其罪也。既立此例，於是宣九年『陳殺其大夫洩冶』，杜《註》云：『洩冶直諫於淫亂之朝以取死，故不為《春秋》所貴而書名。』昭二十七年『楚殺其大夫郤宛』，杜《註》云：『無極楚之讒人，宛所明知，而信近之以取敗亡，故書名罪宛。』種種邪說出矣。宣四年『鄭公子歸生弒其君夷』，《左傳》云：『凡弒君稱君，君無道也；稱君，臣之罪也。』杜預《釋例》暢衍其說，襄二十七年秋七月『豹及諸侯之大夫盟於宋』，《傳》云：『季武子使謂叔孫以公命視邾、滕，既而齊人請邾，宋人請滕，皆不與盟，叔孫曰：『邾、滕人之私也，我列國也，何故視之。宋、衛，吾匹也』，乃盟。故不書其族，言違命也。』是孔子貴媚權臣而抑公室也。凡此皆歆借《經》說以佐新莽之篡，而抑孺子嬰、翟義之倫者，與隱元年『不書即位攝也』，同一獎奸翼篡之說。若是之類，近儒番禺陳氏澧皆以為後人附益。是雖尊《左氏》者，亦不能不以為後人附益矣。

又不止後儒也，且為歆偽《傳》作《注疏》者，亦不能無疑矣。莊二十六年『秋虢人侵晉』，『冬虢人又侵晉』，杜預《注》：『此年《經》、《傳》各自言其事者，或經是直文，或策書雖存而簡牘散落，不究其本末，故《傳》不復申解，但言《傳》事而已。』《正義》『曹殺大夫，宋、齊伐徐，或須說其所以；此去邱明已遠，或是簡牘散落不復能知知耳。上二十年亦《傳》不解《經》』蓋杜預、孔穎達亦以為《傳》不釋《經》，各明一事矣。文十三年《左傳》『其處者為劉氏』，《正義》云：『漢室初興，《左氏》不顯於世，先儒無以自申，插注此辭將以媚於世。』則孔沖遠之有異說多矣。又僖公十五年曰：『上天降災』，《釋文》曰：『此凡四十二字，檢古本皆無。尋《注》亦不得有，有是後人加也。』此文見《列女傳》小有異同。夫服、杜以後尚有改竄，而世人習為故常，則歆以前之竄亂尚可辨邪？以此證之，然則天下尚有惑《左氏》之文采，溺劉歆之偽說，其亦有未審矣。

或者惑於《史記．十二諸侯年表》《左氏春秋》之說及《左氏微》，信左氏之傳《經》，且以史遷引《左傳》書法，《左傳》多與今學之《禮》相合為證。《史記》之文多歆竄入，辨見前。左邱明著書在獲麟後五十餘年，習聞孔門之說，不稱今學之《禮》則何稱焉？但中多異說，為歆所竄入，故今古禮錯雜其中。要之《左氏》即《國語》，本分國之書，上起穆王，本不釋《經》，與《春秋》不相涉。不必因其有劉歆偽《古禮》，而盡斥為偽書；亦不能因其偶合於《儀禮》、《禮記》，而信其傳《經》也。」（轉錄張心澂《偽書通考》頁四三三至頁四三九）

【增補】廖平《古學考》曰：「博士以左氏不傳《春秋》，初以為專以《說微》別行之故，繼乃知其書實不獨傳《春秋》。（《傳》由《國語》而出，初名《國語》文依經編年，加以《說微》，乃成《傳》本。）《春秋》編年，專《傳》當依經編年；今分國為編，其原文並無年月，一也。依《經》立傳，則當首尾同《經》；今上起穆王，下終哀公，與《經》不合，二也。《公》、《穀》所言事實，文字簡質，朴實述事；今《傳》侈陳《經》說制度，與紀事之文不同，三也。為《春秋》述事，則當每《經》有事；今有《經》無《傳》者多，四也。解《經》則當嚴謹；今有《經》者多闕，乃侈陳雜事瑣細，與《經》多不相干，五也。既為《經》作《傳》，則始終自當一律；今成、襄以下詳而文、宣以上略，遠略近詳，六也。不詳世系與諸侯大夫終始，與《譜牒》、《世家》之意不合，七也。《春秋》大事盛傳於世，載紀紛繁，若於傳《春秋》，當詳人所略，略人所詳，乃徵實用；今不羞雷同而略於孤證，八也。有此八證，足見其書不專傳《春秋》，蓋仿《經》文『行事加王心』之意為之。《經》皆有空言行事二例。《詩》與《易》，空言也；《尚書》與《春秋》行事也。兩《戴記》，空言；《國語》行事也。空言未嘗不說事，而言為詳；行事未嘗不載言，而事為主。《尚書》、《春秋》孔子因事而加王心；《國語》、《左傳》因行事而飾《經》義。事為實事，言不皆真言，假借行事以存《經》說，本為《六經》之《傳》，不區區一家，以為不專傳《春秋》，乃尊《左氏》與兩《戴》相同，非駁之也。〈檀弓〉，齊學之《傳》也（傳記惟《公羊》與〈檀弓〉稱〈邾婁〉，以齊語定之。），中言《春秋》例禮與事數十條（言事與《左氏》文皆不同），而兼及他《經》亦多。左氏之書，正如其體。《國語》本為七十弟子所傳，與《戴記》同也；指為邱明，始於史公（與《論語》所言非一人）。其書決非史體，其人決非史官，萬不可以史說之者也。」（轉錄張心澂《偽書通考》頁四三九至頁四四〇）

【增補】皮錫瑞《三禮通論》曰：「杜預引《周禮》、《孟子》皆不足據。孟子言魯之《春秋》止有其事其文，而無其義；其義是孔子創立，非《魯春秋》所有，亦非出自周公。若周公時已有義例，孔子豈得不稱周公而攘為己作乎？杜引《孟子》之文不全，蓋以其引孔子云云，不便於己說，故諱而不言也。《周禮》雖有史官，未言史有《凡例》。杜預云：『其發凡起例，皆經國之常制，周公之垂法。』《正義》曰：『今案《周禮》竟無《凡例》』是孔穎達已疑其說，特以《疏》不駁《注》，不得不強為傳會耳。《正義》又曰：『先儒之說《春秋》者多矣，皆云：邱明以意作《傳》，說仲尼之《經》。凡與不凡，無新舊之例。』據孔說則杜預以前如賈逵、服虔諸儒說《左氏》者，亦未嘗以《凡例》為周公作。蓋謂邱明既作《傳》，又作《凡例》。本是一人所作，故無新例舊例之別也。至杜預乃專據韓宣疑似之文，盡翻前人成案，以《左氏傳發凡》五十為周公舊例，周衰史亂，多違周公之舊，仲尼稍加刊正，餘皆仍舊不改。其稱書、不書、先書、故書、不言、不稱、書曰之類，乃為孔子新例。此杜預自謂創獲，苟異先儒，而實大謬不然者也。自孟子至兩漢諸儒，皆云孔子作《春秋》，無攙入周公者。及杜預之說出，乃有周公之《春秋》。周公之《凡例》多，孔子之《變例》少。若此，則周公之功大，孔子之功小，以故唐時學校尊周公為先聖，抑孔子為先師。以生民未有之聖人，不得專享太牢之祭，止可降居配享之列，《春秋》之旨晦，而孔子之道不尊，正由此等謬說啟之。據孟子說，孔子作《春秋》是一件絕大事業，大有關繫文字。若如杜預《經》承舊《史》，《史》承赴告之說，止是鈔錄一過，並無褒貶義例，則略識文字之鈔胥皆能為之，何必孔子？即曰據事直書，不虛美，不隱惡，則古來良史如司馬遷、班固等亦優為之，何必孔子？孔子何以有知我罪我其義竊取之言？孟子何以推尊孔子作《春秋》之功配古帝王，說得如此驚天動地？與其信杜預之說奪孔子制作之功以歸之周公，曷若信孟子之言尊孔子制作之功以上繼周公乎？」（轉錄張心澂《偽書通考》頁四四〇至頁四四一）

【增補】皮錫瑞《春秋通論》曰：「劉氏以為劉歆改竄《傳》文，雖未見其必然，而《左氏傳》不解《經》，則杜、孔極袒《左氏》者，亦不能為之辨。杜〈序〉明言分《經》之年與《傳》之年相附，孔《疏》云：『邱明作《傳》不敢與聖言相亂，《經》、《傳》異處，於省覽為煩，故杜分年相附。』是分年附《傳》，實始於杜，非始賈逵，劉氏說猶未諦。劉氏《考證》又舉『隱二年紀子帛、莒子盟于密』，證曰：『如此年，《左氏》本文全闕，所書皆附益也。』『十年六月戊申』證曰：『十年《左氏》文闕。』『桓公元年』證曰：『是年《左氏》文闕』。『七年冬曲沃伯誘晉小子侯殺之』，證曰：『即有此事，亦不必此年，是年《左氏》文闕。』『九年冬曹太子來朝』，證曰：『是年《左氏》文闕，〈巴子篇〉年月無考。』『十年冬齊、衛、鄭來戰于郎，我有辭也。』證曰：『是年《左氏》文闕』，〈虞叔篇〉年月無考。『十一年』證曰：『〈楚屈瑕篇〉相接，年月亦無考。』十三年證曰：『是年亦闕，〈伐羅篇〉亦與上相接，不必蒙此年也』，『十四年』證曰：『是年文亦闕』。『十六年』證曰：『是年亦闕』。『十七年』證曰：『是年文蓋闕』。『莊元年』證曰：『此以下七年文闕，〈楚荊尸篇〉，〈伐申篇〉，年月亦無考。』『十三年』『十五年』『十七年』證曰：『文闕』。『二十七年』證曰：『比年《左氏》文闕，每於年終分析晉事，附益之跡甚明。蓋〈左氏〉舊文之體，如《春秋》前則云惠之二十四年，獲麟以後，則云悼之四年，本不必拘拘比附《春秋》年月。』『二十九年』證曰：『文闕』。『三十年』證曰：『是年亦闕』。『三十一年』證曰：『文闕』。『僖元年』證曰：『是年文闕』。錫瑞案自幼讀《左氏傳》，書不書之類獨詳於隱公前數年，而其後甚，疑其不應如此草草。及觀劉氏考證《左氏》釋《經》之文，闕於隱、桓、莊、閔為尤甚，多取晉、楚之事敷衍，似皆出《晉乘》、《楚檮杌》。尤可疑者，杜、孔皆謂《經》、《傳》各言事。是雖經劉歆、賈逵諸人極力比附，終不能彌縫其迹。王接謂《傳》不主為《經》發，確有所見。以劉氏考證為左驗，學者可以恍然無疑。

《傳》載韓厥稱趙盾之忠，士鞅稱欒書之德，弒君之賊，極口贊美。史墨云：『君臣無常位』，逐君之賊，極力解免，而反罪其君，可見當時邪說誣民。故春秋二百四十二年之中，致有弒君三十六之事；孔子於此，□然傷之，以為欲治亂賊，必先闢邪說，欲闢邪說，不得不作《春秋》，此孟子所以極推作《春秋》之功也。左氏原本國史，據事直言，當時邪說，不得不載。正賴左氏載之，孟子言《春秋》時有邪說，益信孔子作《春秋》闢邪說之功益彰，此左氏所以有功於《春秋》也。至於《左氏凡例》未審出自何人，杜預以為周公、陸夋、柳宗元已駁之；或以為孔子，更無所據。據孔《疏》云：『先儒以為並出邱明』劉逢祿以為劉歆竄入，《例》與《傳》文不合，實有可疑。『凡弒君稱君，君無道也，稱臣，臣之罪也』一條，尤與《春秋》大義反對。杜預《釋例》曲暢其說，以為『君無道則應弒，而弒君者無罪。』不知君實有道，何以被弒？君之被弒，無道不知。惟無道亦有分別。使如桀、紂殘賊，民欲與之偕亡；湯、武罪弔民，自不當罪其弒。若但童昏兒戲，非有桀、紂之暴，如晉靈公、鄭靈公之類，權臣素有無君之心，因小隙而弒之，與湯、武之伐罪弔民全然不同，豈得藉口於君無道，而弒者無罪乎？杜預於鄭聃射王中肩一事，曲為鄭伯回護，謂鄭志在苟免王討之罪。焦循作《左傳補疏序》曰：『預為司馬懿女壻，目見成濟之事，（射王中肩即成濟抽戈犯蹕也）將有以為昭飾，且有以為懿師飾，即用以為己飾，此《左氏春秋集解》所以作也。錫瑞案預父恕與司馬懿不合，幽死；預忘父仇而娶懿女，助司馬氏篡魏，正與劉歆父向言劉氏、王氏不並立，而歆助王莽篡漢相似。二人不忠不孝，正《春秋》所討之亂賊。而《左氏》創通於劉歆，昌明於杜預，則《左氏》一書，必有為二人所亂者。故林黃中以『君子曰』為劉歆之言，劉逢祿以為歆竄入《凡例》，焦循以為預作《集解》將為司馬氏飾，孔子作《春秋》以闢邪說，後人乃反以邪說誣《春秋》，蓋不特孔子之《經》為所誣罔，即《左氏》之《傳》亦為所汨亂，致使學者以《左氏》為詬病。若歆與預，乃《左氏》之罪人，豈得為《左氏》之功臣哉？讀《左氏》者，於此等當分別觀之，一以孔子之《春秋》大義斷之可也。』（轉錄張心澂《偽書通考》頁四四一至頁四四三）

【增補】崔適《史記探源》曰：「《史記・儒林傳》曰：『言《春秋》，於齊、魯自胡毋生，於趙自董仲舒。』〈太史公自序〉曰：『昔孔子何為而作《春秋》哉？余聞董生云云。』是太史公之於《春秋》，一本於董生，即一本於公羊；其取之左氏，乃

《國語》也。〈自序〉曰：『左邱失明，厥有《國語　》』，可證是時無所謂《左傳》也。劉歆破散《國語》，并自造誕妄之辭，與釋《經》之語，編入《春秋》逐年之下，託之出自中祕書，命曰《春秋古文》，亦曰《春秋左氏傳》。今案其體有四；一曰，無《經》之《傳》。姑即〈隱公篇〉言之，如『三年冬鄭伯之車債于濟』也是。夫《傳》以釋《經》，無《經》則非《傳》也，是《國語》也。二曰，有《經》而不釋《經》之《傳》。凡《傳》以釋《經》義，非述其事也，如『五年九月初獻六羽』，《公羊傳》曰：『何以書，譏始僭諸公也』，是釋其義也。《左傳》但述羽數，此與《經》同述一事耳，豈似《傳》體。以上錄自《國語》居多，亦有劉歆竄入者，詳下。三曰，釋不書於《經》之《傳》。如『元年五月費伯帥師城郎，不書，非公命也。』夫不釋《經》而釋不書於《經》，則傳《書》者不當釋黃帝何以無《典》，傳《詩》者不當釋吳、楚何以無《風》乎？彼《傳》不，然則此非《傳》也。四曰，釋《經》之《傳》，務與公羊氏、董氏、司馬氏、劉向之說相反而已。如『隱三年書尹氏卒，譏世卿』，為昭二十三年立王子朝張本也。宣十年書『齊崔氏出奔，譏世卿』，為襄二十五年弒其君光張本也。雖使《春秋》三傳束高閣，獨抱遺《經》究終始者讀之，當無異議矣。改尹為君，謂之隱公之母；於崔氏之出奔曰：『其非罪也』；凡以避世卿之譏，袒庇王氏而已。此皆劉歆所改竄，故公孫祿劾其顛倒《五經》，毀師法；班固曰：『歆治《左氏傳》，其《春秋》意已乖也。』」（轉錄張心澂《偽書通考》頁四四三至頁四四四）

【增補】崔適《春秋復始》曰:「太公史〈自序〉曰:『左丘失明，厥有《國語》，劉歆〈移讓太常博士〉曰：『或謂左丘明不傳《春秋》』，然則左丘明有《國語》而無《春秋》明矣。劉歆分析《國語》，並自造誕妄之辭與釋《經》之語，散入編年之下，書以古字，名曰《古文春秋左氏傳》。《漢書·劉歆傳》曰：『歆以為左丘明好惡與聖人同』，曰：『歆以為』，則是歆之創論，前人所未有矣。又曰：『歆治《左氏》，引《傳》文以解《經》，此言頗涉游移，《傳》自解《經》，何待歆引，歆引以解，則非《傳》文，原其大旨；謂解《經》之文，歆所作爾。是即左丘明不傳《春秋》之明證矣。〈儒林傳〉曰：『漢興，北平侯張蒼、梁太傅賈誼、京兆尹張敞、大中大夫劉公子皆修《春秋左氏傳》。誼為《左氏傳訓詁》授趙人貫公，貫公傳子長卿，長卿授清河張禹。禹與蕭望之同時，數為望之言《左氏》，望之善之，上書數以稱說。禹授尹更始，更始傳子咸及翟方進，而歆從尹咸及翟方進受。』案此說亦如捕風繫影。劉逢祿曰：『〈張蒼傳〉曰『著書十八篇言陰陽律術』而已，不聞修《左氏傳》也；〈賈誼傳〉曰：『頗通諸家之書』而已，亦未聞其修《左氏傳》也，所著述存者五十八篇，皆與《左氏》不合；〈張敞傳〉曰：『本治《春秋》，其所陳說，以《春秋》譏世卿，君母下堂則從傅母，皆《公羊》義；〈蕭望之傳〉曰：『治齊詩』，曰：『從夏侯勝問《論語》禮服』，其雨雹對謂：『季氏專權，卒逐昭公』，伐匈奴對謂：『大士爽之不發喪』，亦《公羊》義，未聞引《左氏》也』適按尹更始與韋玄成上罷郡國廟議亦引《公羊傳》文，文見上篇。〈翟方進傳〉曰：『受《春秋》』則與公孫丞相、董生、張蒼傳所云無異，皆謂《公羊傳》也。無一人可見其為《左氏》學者，餘人言行無攷，可置弗論。《後漢書·范升傳》曰：『王莽大司空王邑辟升為議曹史，』升曾仕莽朝，則與劉歆同時。建武四年奏曰：『《左氏》不祖孔子，而出於丘明，師徒相傳又無其人。』據此，則《漢書》謂自賈誼、貫公、貫長卿、張禹、尹更始、翟方進、劉歆師徒六世相傳者皆不讐矣。不然，范升豈不知乎？故歆數見丞相孔光，為言《左氏》以求助，光卒不肯。（〈儒林傳〉）。大司空師丹奏歆改亂章，（〈歆傳〉）左將軍公孫祿劾其顛倒《五經》毀師法也。（〈王莽傳〉）歆自成帝河平三年典校祕書，哀帝建平二年諫大夫龔勝等十四人以為魯大夫叔孫僑如欲顓公室，譖其族兄季孫行父於晉，晉執行父以亂魯國，《春秋》重而書之，是為引《左氏》說《春秋》之始，歆所著書已出故也。知其本於《國語1》者，（以下多剌取康氏說）〈藝文志〉曰：『《國語》二十一篇』，又有《新國語》五十四篇』，《注》謂：『劉向所分』，案《新國語》今不傳，因歆據之，析三十篇入《左傳》，刪并其餘二十一篇，即今所傳《國語》是也。其書《周語》、《晉語》、《鄭語》多《春秋》以前事，《左傳》無所用之，故仍其舊也。《魯語》載敬姜語過半，於十二公之事轉從闕，蓋《左氏》之久殘篇也。《吳語》、《越語》極為詳貫，未經割裂入《左傳》也。本不為《春秋》而作，故無釋《經》之辭，今《左傳》有者，劉歆竄入也，要不及《公羊》什一。且《左氏》各國文體不同，曲沃伐晉，楚伐諸戎，皆無年月可據，足為《國語》而非《春秋傳》之證。《國語》文意有與《左傳》不同者，即《左傳》與《左傳》亦多違異，並詳外篇。至歆謂左丘明親見夫子，則晉平公之世，六卿並強，季札何由知范、中行、智氏必亡，晉國萃於趙、魏、韓三家乎？又曰：『有嬀之後，將育於姜，八世之後，莫與之京』，明是田氏簒齊三家分晉後人追述古事而飾為此辭，安能親見夫子？《論語》：『子曰左丘明恥之』，《集解》錄孔安國《注》，孔安國乃歆所託為傳古文學者，則此章亦出《古論語》，是亦歆所竄入。〈藝文志〉載春秋學家又有鄒氏、夾氏，且云鄒氏無書，夾氏無師，則無暇別造章句，詭敘受授，不過虛立其名，困公羊於四面楚歌之中而已矣。』（轉錄張心澂《偽書通考》頁四四四至頁四四五）

【增補】梁啟超《古書真偽及其時代》曰：「《左氏》與《國語》之體裁及文章皆不相同，並無割裂痕跡。自戰國至西漢末稱引《左氏》者不止一書，可見非劉歆偽造或從《國語》分出。《左氏》作者向以為孔子弟子左邱明，《論語》孔子曰：『左丘明恥之，丘亦恥之。』其語氣決非對弟子之言，頗似對先輩，如『竊比於我老彭』之類。況《史記．仲尼弟子列傳》亦無左邱明。假定左邱明作《左氏》，則其記事應至孔子死時止，因其年壽不能多於孔子也。而《左氏傳》有魯悼公、趙襄子之諡，趙襄子死於周威烈王元年（西曆紀元前四二五年），上距孔子死時五十四年，與孔子年不相上下之左邱明至是時猶存乎？可見《左氏》非其所作。」（轉錄張心澂《偽書通考》頁四四六）

【增補】章炳麟《春秋左傳讀》曰:「《韓非外儲說》右上曰:『吳起,衛左氏中人也。』左氏者，衛邑名。〈內儲說上〉曰：『衛嗣君之時，有胥靡逃之魏,因為襄王之后。衛嗣君聞之，使人請以五十金買之，五反而魏王不予，乃以《左氏》易之。』《注》曰：『左氏，都邑名也。』《左氏春秋》者，固以左公名，或亦因吳起傳其學，故名曰《左氏春秋》，猶《詩傳》於大毛公，而《毛詩》之名因小毛公而題與？以左氏名《春秋》者，以地名也，則猶《齊詩》、《魯詩》之比歟？或曰：『本因左氏得名，及吳起傳之，又傳其子期，而起所居之地為左氏，學者羣居焉（猶齊之稷下），因名其地曰左氏。』以人名地，則黨氏之講之比也。因有以《韓非》之文證《左傳》為吳起作者，發此六義正也。」((轉錄張心澂《偽書通考》頁四四六)(《章氏叢書》)

卷一百七十　春秋三經義考卷一百七十春秋三

公羊氏高《春秋傳》

【書名】本書異名如下：

一、《公羊傳》：《中國館藏和刻本漢籍書目》頁五一、張壽平《公藏先秦經子注疏書目》頁一二四著錄。

二、《春秋公羊傳》：張壽平《公藏先秦經子注疏書目》頁一二四著錄。

《漢志》1：「十一卷。」

【卷數】本書卷數分合如下：

一、十二卷本：《直齋書錄解題》卷三，頁四五五。《文獻通考．經籍考》卷九，頁二二四、張壽平《公藏先秦經子注疏書目》頁一二四著錄。。

二、二十卷本：張壽平《公藏先秦經子注疏書目》頁一二四著錄。

三、不分卷，三十五冊：張壽平《公藏先秦經子注疏書目》頁一二四著錄。

存。

【霖案】程金造編著《史記索隱引書考實》頁九七曾輯錄其文。

【版本及藏地】本書版本及藏地如下：

一、明天啟元年文林閣唐錦池刻本：明．閔齊伋裁注《春秋公羊傳》十二卷。九行十八字，亦有十九字者，有小字注。有閔齊伋天啟元年〈春秋公羊傳考〉，卷末鐫：皇明天啟元年春正月烏程閔齊伋遇五父裁注。書名葉題：閔板三訂公羊傳》，文林閣唐錦池樣。四冊。朱墨藍三色套印本，台北國家圖書館、臺灣大學善本書室、東北師範大學圖書館、哈佛大學燕京圖書館有藏本。

【增補】王重民：《中國善本書提要》曰：「【春秋公羊傳十二卷】　四冊

明閔氏三色印本〔九行十九字（21╳14.4）〕

原書不分卷，然十二公各自起訖，因知應為十二卷。每卷之末均記：「皇明天啟元年春正月烏程閔齊伋遇五父裁注。」用三色板套印。圈點有朱黛兩色，當是採用兩家評本；眉評則有朱黛墨三色，朱黛當與圈點同，墨色蓋齊伋語也。墨色眉評除三引陳深說外，多係校勘文字異同。原書當有敘錄或凡例，此本無之，故不知所採二家為誰氏。卷端有齊伋所輯《春秋公羊傳攷》五頁，末一條為張賓王說。賓王名榜，有《春秋公羊穀梁合纂》二卷，張榜或是二家之一。」（頁二四）

【增補】《東北師範大學圖書館藏古籍善本書目解題》曰：「公羊氏、穀梁氏，既同師子夏，不應及見後師。二傳均有眉批、夾注。

1霖案：《漢書》卷三〇，頁1713。

閔齊伋：明，烏程人，字寓五。世所傳朱墨字版五色版謂之閔本者，多其所刻。有《六書通》。」（頁三〇）

【增補】沈津著《美國哈佛大學燕京圖書館中文善本書志》：「**0088** 明天啟閔齊伋刻本春秋公羊傳春秋穀梁傳　**T742/2229**

《春秋公羊傳》十二卷，明閔齊伋裁注，攷一卷，明閔齊伋撰；《春秋穀梁傳》十二卷，明閔齊伋裁注，攷一卷，明閔齊伋撰。明天啟元年（**1621**）閔齊伋刻本。四冊。半頁九行十九字，四周單邊，白口，無魚尾。框高 **21·1** 厘米，寬 **14·6** 厘米。

按《中國古籍善本書目》著錄有『明天啟元年閔氏自刻三色套印本』。套印本之圈點有朱黛兩色，當是採用兩家評本；眉評則有朱黛墨三色。此本書眉上之注乃為墨色，應為齊伋語，并校勘文字異同，字體作楷書，與正文仿宋體異。疑書眉上墨字亦為套印，并應在三色套印本之前。此本不見各家書目著錄。

是本初印，又每卷末皆刊『皇明天啟元年春正月烏程閔齊伋遇五父裁注』。

缺名朱筆圈點。

本館又有清代翻刻之本，扉頁題『春秋公羊傳，閔板原本，味經堂藏板』。」（頁四二）

二、日本刻本：《中國館藏和刻本漢籍書目》頁五一著錄，遼寧圖書館有藏本。

三、明隆慶間刊本：清康熙五十九年穎谷氏手校并題記兼過錄何焯批語，台北國家圖書有藏本。

【增補】《國家圖書館善本書志初稿》：「【春秋公羊傳二十卷六冊】

明隆慶間刊本　**00648**

周公羊高撰。高，戰國齊人，子夏弟子，作春秋傳，四傳至其玄孫壽，與弟子胡母子都錄為書。

版匡高 16.1 公分，寬 13.4 公分。四周單邊。每半葉十行，行十八字。版心花口，單魚尾，魚尾上方記書名卷第(如『公羊傳卷一』)，魚尾下方記魯公號(如『隱公』)，最下方記葉次。

首卷首行頂格題『春秋公羊傳隱公卷第一』。卷末有尾題。書眉及文旁有朱筆批語，文中朱筆圈點。卷二十尾題後有穎谷手校並題記，其云『　康熙庚子(五十九年，1720)正月從義門師評閱讀本校錄辛丑秋日又得汲古閣影抄宋本覆校一過穎谷謹誌』。另卷十三尾題後題『甲子長至前三日讀此冊畢寶硯呵凍記』。

書中鈐有『莚圃/收藏』朱文長方印、『張印/乃熊』白文方印、『芹/伯』朱文方印、『東吳周穀/若年家藏』朱文長方印、『國立中央圖/書館收藏』朱文長方印、『一莊水竹/數房書』白文長方印。

《善本書室藏書志》卷三、《五十萬卷樓藏書》卷二有著錄。」(頁 173~174)。

又美國：普林斯敦大學葛思德東方圖書館藏本二部。

【增補】屈萬里《普林斯敦大學葛思德東方圖書館中文善本書志》曰：「《春秋公羊傳》二十卷　六冊　一函

明隆慶元年（一五六七）刊《公》《穀》傳合刻本。　十行十八字。板匡高一六・五公分，寬一二・八公分。

卷前有張獻翼序，謂：『隆慶改元之日，客有好事者，以《左氏》詳而義疎，《公》《穀》義精而事略。……乃別取《公》《穀》並梓而傳焉。』知此乃《公》《穀》傳合刻之一，是本書口上端標書名及卷數，中標十二公名，下記葉數。」（頁四五）

【增補】屈萬里《普林斯敦大學葛思德東方圖書館中文善本書志》曰：「《春秋公羊傳》二十卷　六冊　一函

明隆慶元年（一五六七）刊《公》《穀》傳合刻本。　十行十八字。板匡高一六・五公分，寬一二・八公分。

本館藏此本二部，另一部有隆慶元年張獻翼序，知為張氏所刊《公》《穀》傳合刻之一。此部雖失張序，而行款、字體，與另一部悉同；知亦隆慶元年張氏所刻也。卷內有『西畇草堂』『西畇藏書』『陳墫私印』『西畇居士』等印記。」（頁四五）

四、明新安吳勉學校刊本：清江士茵手批，台北國家圖書館有藏本。

【增補】《國家圖書館善本書志初稿》：「【公羊傳十二卷五冊】

明新安吳勉學校刊本　**00649**

周公羊高撰。

版匡高 20 公分，寬 14.2 公分。左右雙邊。每半葉九行，行十八字。版心花口，單魚尾，魚尾上方記書名，魚尾下方記卷第(如『卷一』)，最下方記葉次，或附刻每葉字數。

首卷首行頂格題『公羊傳隱公卷一』，下低三格占二行墨筆題『丙辰夏四月纂何休學於/王郎館江士茵』。卷末有尾題。卷六及卷十二尾題前有『新安吳勉學校』。卷首有何休撰『公羊傳序』。書眉朱墨筆江士茵手批。文中朱筆圈點。

書中鈐有「江印/士華」白文方印二(大小、字形不同)、『叔/茂/父』白文方印、『國立中央圖/書館收藏』朱文長方印、『澤存/書庫』朱文方印、『叔/茂』朱文方印、『江士/茵』白文方印、『文仲/氏』白文方印、『江印/小淹』白文方印。」(頁 174)。

又，王重民：《中國善本書提要》二三錄此一本，題作「明刻本」，北京大學圖書館有藏本。

【增補】王重民：《中國善本書提要》曰：「【春秋左傳三十卷】六冊（北大）

明刻本〔九行十八字（19.6╳13.4）〕

原題：「明新安吳勉學校。」有杜預序而無杜註，亦吳刻《九經白文》之一也。卷內有：「寶書堂藏書印」、「慎氏家藏」等印記。

杜預序。」（頁二三）

五、清乾隆五年蔣衡手寫本：台北故宮博物院有藏本。

六、明仿宋刊巾箱本：北京大學有藏本。

又南京圖書館另藏一本，題作「明刻本」，書名作「《春秋公羊傳》」，惟行款為「十行十八字白口四周單邊」，有清丁丙跋，疑即為「明仿宋刊巾箱本」，今暫附於此，以俟後考。

【增補】李盛鐸著．張玉範整理《木犀軒藏書題記及書錄》頁七三曰：「【春秋公羊傳白文】二十卷　李４０４０

明仿宋刊巾箱本。半葉十行，行十八字。白口，四周單邊。桓、恒、戍字缺筆。《述古堂書目》載有《春秋公羊傳》二十卷，與此本卷數合。」（頁七三）

七、明末刻本：《公羊傳》十二卷，漢何休注，明孫鑛、張榜評，錢受益閱。半頁九行二十字，左右雙邊，白口，單魚尾。框高 19．7 厘米，寬 13．6 厘米。美國哈佛大學燕京圖書館有藏本。

【增補】沈津著《美國哈佛大學燕京圖書館中文善本書志》：「0087 明末刻本公羊傳穀梁傳　T742/2229 C

《公羊傳》十二卷，漢何休注，明孫鑛、張榜評；《穀梁傳》十二卷，晉范甯集解，明孫鑛、張榜評。明末刻本。四冊。半頁九行二十字，左右雙邊，白口，單魚尾。框高 19．7 厘米，寬 13．6 厘米。《公羊傳》題『武林錢受益閱』、《穀梁傳》題『武林王道焜校』。

書眉上有孫鑛、張榜評。疑此二種為某書之零種。

日人裝幀。

鈐印有『玉林院』、『玉林院文庫』，日人印也。」（頁四二）

八、清代翻刻明天啟閔齊伋刻本：扉頁題『春秋公羊傳，閔板原本，味經堂藏本』，哈佛大學燕京圖書館有藏本，詳見沈津著《美國哈佛大學燕京圖書館中文善本書志》頁四二。

九、明崇禎十二年(1639 年)永懷堂刊本：(漢)何休註，(明)金蟠訂《春秋公羊傳》二十八卷，4 冊;19.8x12.1 公分，9 行，行 25 字. 左右雙欄. 小字雙行字數同，版心白口，黑魚尾，台北：國家圖書館有藏本。

十、日本寬文八年（１６６８）荒川宗長刻本：日本：公文書館有藏本。本書版本題作「漢 何休 注 晉 范寧 （注） 林恕 點《公羊傳》十二卷」。

十一、昭和五十一年東京菜根出版用「寬文八年荒川宗長覆明王道焜校本」影印本：日本 林信勝 點《公羊傳》十二卷，日本：新潟大、千葉縣立中央圖書館有藏本。

十二、寬文八年京都荒川宗長刊，京都植村藤右衛門後修本：明 王道焜 校 日本 林信勝 點《公羊傳》十二卷，「新刊公穀白文之一」，三部，東大總圖書館有藏本。

十三、日本長澤規矩也輯，昭和五十一年（一九七六）東京汲古書院影印本：明 王道焜 校 日本 林信勝 點《公羊傳》十二卷，「和刻本經書集成第二輯」，神戶市立中央圖書館有藏本。

十四、寬文八年皇都植村藤右衛門東都長谷川新兵衛同 刊本：明 王道焜 校 日本 林信勝 點《公羊傳》十二卷，日本：京產大圖書館有藏本。

十五、昭和五十一至五十二年，東京汲古書院影印「寬文八年刊」本：明 王道焜 校 林羅山 點《公羊傳》十二卷，「和刻本經書集成正文之部」第二輯，日本：國會、東京圖書館有藏本。

十六、宋刻本：唐陸德明音釋《公羊春秋》不分卷，《穀梁春秋》不分卷，勞健跋，二十行廿七字左右雙邊細黑口，中國國家圖書館有藏本。

【存佚】本書尚有諸家輯本，說明如下：

一、《春秋公羊氏經遺文》 （清）王朝 輯

（一）《十三經拾遺》卷十三（清嘉慶五年刻本）

（二）《王氏遺書》·十三經遺文

（三）《豫章叢書》（陶福履輯）第三集·《十三經拾遺》卷十三

二、《公羊傳佚文》一卷 （清）王仁俊輯

《經籍佚文》

三、《春秋公羊〔古解鉤沈〕》 （清）余蕭客輯

《古經解鉤沈》卷二十二（清乾隆間刻本），古林省圖書館有藏本；又清嘉慶中刻本、清光緒二十一年杭州竹簡齋石印本、民國二十五年陶風樓影印本。

【增補】孫啟治、陳建華編《古佚書輯本目錄（附考證）》曰：「王朝 是輯多採《左傳》、《穀梁傳》、《唐石經》等異文，視為《公羊傳》之缺佚，名曰『遺文』，殊為不類，參《春秋左氏經遺》遺文、《春秋左氏傳遺文》。王仁俊僅從《周禮·考工記》鄭玄注採得一節，其文見《公羊傳》昭公二十五年，較之今本多一句。」（頁六〇）

四、程金造編著《史記索隱引書考實》頁九七曾輯錄其文。

《漢書注》[2]：「公羊子，齊人。」

儒林傳[3]：「武帝時，瑕邱[4]江公與董仲舒並。仲舒通《五經》，能持論；江公吶於口。上使與仲舒議，不如仲舒；而丞相公孫弘本為《公羊》學，比輯其議，卒用董生，於是上因尊《公羊》家，詔太子受[5]，由是《公羊》大興。」

司馬遷曰[6]：「漢興[7]，言《春秋》於齊、魯自胡母生；於趙自董仲舒，[8]其傳公羊氏也。」

【增補】〔補正〕〈儒林傳〉條內「詔太子受」下，脫「《公羊春秋》」四字。（卷七，頁五）

《春秋說題辭》[9]曰：「傳我書者，公羊高也。」

班固曰[10]：「末世口說流行，故有《公羊》、《穀梁》、《鄒》、《夾》之《傳》，四家之中，《公羊》、《穀梁》立於學官。」

王充曰[11]：「《公羊》、《穀梁》之傳，日月不具輒為意，使[12]平常之事[13]有怪異之說，

2霖案：《漢書．注》卷三〇（北京：中華書局點校本），頁1713。

3霖案：《漢書》卷八八，頁3617。

4霖案：「瑕丘」二字，《漢書》無此二字，當據原書刪正。

5「詔太子受」下，應依《補正》增「《公羊春秋》」四字。　霖案：《經義考新校》頁3100於「《補正》」二字之前，新補入「《四庫薈要》本、文淵閣《四庫》本、」等字。今考《漢書》原文有「《公羊春秋》」四字，翁方綱《補正》當係據《漢書》原文而增此四字。

6霖案：本文出自《史記》卷一百二十一，頁3118；又頁3128。竹垞綜合二段內文而成。其中「漢興」、「其傳公羊氏也」二句，係出自頁3128。又「言《春秋》於齊、魯自胡母生；於趙自董仲舒，」諸句，係出自頁3118。

7霖案：「漢興」二字之下，《史記》原文接「至于五世之間，唯董仲舒名為明於《春秋》」二句，而竹垞另接「言《春秋》於齊、魯自胡母生；於趙自董仲舒，」，至有併合二篇內文之舉，今說明如上。

8霖案：「言《春秋》於齊、魯自胡母生；於趙自董仲舒，」係出於《史記》頁3188，其中「胡母生」，《史記》題作「胡毋生」。

9霖案：《公羊引言》頁3；又《監本附音春秋公羊注疏．序》「傳《春秋》者非一」條下疏文，本文採以《監本附音春秋公羊注疏．序》入校。

10霖案：《漢書》卷三〇，頁1715。

11霖案：《論衡》卷二八，〈正說篇〉，頁558-559。

12霖案：「日月不具輒為意，使」的標點，應斷作「日月不具，輒為意使，」。又「使」字下，應依《論衡》補入「失」字，而孫詒讓注曰：「『失』當為『夫』」，其說可供參考。

13霖案：「事」字下，應有標點的逗號。

徑直之文[14]有曲折之義，非孔子之心。」

賈逵曰[15]：「《公羊》多任於權變。」

戴宏曰[16]：「子夏傳與公羊高，高傳與其子平，平傳與其子地，地傳與其子敢，敢傳與其子壽，至漢景帝時，壽乃共弟子胡母子都著於竹帛。」

鄭康成曰[17]：「《公羊》善於讖。」

王接曰[18]：「《公羊》附《經》立傳，《經》所不書，《傳》不妄起，於文為儉，通《經》為長。」

荀崧曰[19]：「儒者[20]稱公羊高親受子夏，立於漢朝，辭義清儁[21]，斷決明審，多可采用[22]。」

范甯曰[23]：「《公羊》辯而裁，其失也俗。」

梁武帝曰[24]：「《公羊》稟西河之學。」

《隋書．經籍志》[25]：「後漢《公羊》[26]與《穀梁》[27]並立[28]，晉時[29]，《公》、《穀》

14霖案：「文」字下，應有標點的逗號。

15霖案：《後漢書》卷三六，〈鄭范陳賈張列傳〉，頁1236。

16霖案：《郡齋讀書志》卷第三，頁101。又《公羊引言》頁1；頁3，隱公1-18。又《監本附音春秋公羊注疏．序》「傳《春秋》者非一」之疏文，本文校以《監本附音春秋公羊注疏．序》中的疏文。

17霖案：《監本附音春秋穀梁傳注疏．序》〈疏〉文，題作鄭玄《六藝論》。第1頁，總頁數為頁2358。又晁公武：《郡齋讀書志》卷第三，頁101引之。

18霖案：《晉書》卷五十一，〈王接列傳〉第二十一，頁1435。

19霖案：《晉書》卷七十五，〈荀崧列傳〉第四十五，頁1978。又《宋書》卷十四，頁361-362有之。今考竹垞引文，當是根據《宋書》之文而來。

20霖案：「儒者」，《晉書》無此二字，而《宋書》則有此二字，顯見竹垞所據之文，當是據《宋書》之文。

21霖案：「儁」，《晉書》作「雋」。《宋書》作「俊」字。

22霖案：「多可采用」四字，《晉書》無此四字，惟《宋書》有此四字，只是「采」作「採」字。

23霖案：《監本附音春秋穀梁傳注疏．序》，第四頁，總頁數頁2361。

24霖案：《梁書》卷四〇，頁574。

25霖案：《隋書．經籍志》卷三二，頁933。

26霖案：「《公羊》」二字下，應依《隋書》補入「有嚴氏、顏氏之學，」等七字。

27霖案：「《穀梁》」二字下，應依《隋書》補入「三家」二字。

28霖案：「並立」二字下，應依《隋書》補入「漢末，何休又作公羊解說。而左氏，漢初出於張蒼之

30但試讀文而不能通其義31，至隋32浸微，今殆無師說。」

陸德明曰33：「《公羊》、《穀梁》皆以日月為例。」

孔穎達曰34：「《公羊》、《穀梁》，道聽塗說之學，或日或月，妄生褒貶。」

楊士勛曰35：「景帝好《公羊》，胡母之學興，仲舒之義立。」

徐彥曰36：「《公羊》、《穀梁》出自卜商，不題37曰『《卜氏傳》』者38，子夏口授公羊高39，至40壽乃共胡母生41著竹帛，胡母生42題親師，故曰『《公羊》』，不曰『《卜氏》43』，《穀梁》44亦是著竹帛者題其親師，故曰『《穀梁》』也。」

家，本無傳者。至文帝時，梁太傅賈誼為訓詁，授趙人貫公。其後劉歆典校經籍，考而正之，欲立於學，諸儒莫應。至建武中，尚書令韓歆請立而未行。時陳元最明左傳，又上書訟之。於是乃以魏郡李封為左氏博士。後羣儒蔽固者，數廷爭之。及封卒，遂罷。然諸儒傳左氏者甚。永平中，能為左氏者，擢高第為講郎。其後賈逵、服虔並為訓解。至魏，遂行於世。」等字。

29霖案：「晉時」二字下，應依《隋書》補入「杜預又為經傳集解。穀梁范甯注、公羊何休注、左氏服虔、杜預注，俱立國學。」等字。

30霖案：「《公》、《穀》」，應依《隋書》題作「《公羊》、《穀梁》」等四字。

31霖案：「義」字下，應依《隋書》補入「後學三傳通講，而《左氏》唯傳服義。」等字。

32霖案：「隋」字下，應依《隋書》補入「杜氏盛行，服義及《公羊》、《穀梁》」等字。

33霖案：《釋文》卷二二，頁325；又同書卷二一，頁306。《釋文》卷二十二於「不日」條下，述明「《穀梁》，皆以日月為例。」，而同書卷二十一亦於「不日」條下，述明「此傳（按：衡諸上文，係指《公羊傳》一書）皆以日月為例。」，是以竹垞將其併合成一處解題，並且重新改寫成文，今考之如上。

34霖案：《春秋左傳正義》卷一，第一頁，總頁1703「所以紀遠近，別同異也」下〈疏〉文。

35霖案：《監本附音春秋穀梁傳注疏．序》，〈疏〉第四頁，總頁數頁2361。

36霖案：《春秋公羊傳注疏》卷一，頁2195。

37霖案：「不題」二字之前，應依《春秋公羊傳注疏》補入「何故」二字。

38霖案：「者」字，應依《春秋公羊傳注疏》改作「乎」，又「乎」字下，應加「荅〔答〕曰：『《左氏傳》者，丘明親自執筆為之以說意，其後學者題曰：『《左氏》』矣，且《公羊》者，」等字。

39霖案：「高」字下，應依《春秋公羊傳注疏》補入「高五世相授，」等五字。

40霖案：「至」字下，應依《春秋公羊傳注疏》補入「漢景帝時，公羊」等六字。

41霖案：「胡母生」，《春秋公羊傳注疏》作「胡毋生」。又「生」字下，應再增加「乃」字。

42霖案：「胡母生」，《春秋公羊傳注疏》作「胡毋生」。

43霖案：「《卜氏》」下，應依《春秋公羊傳注疏》補入「矣」字。

44霖案：「《穀梁》」二字下，應依《春秋公羊傳注疏》補入「者」字。

啖助曰[45]：「《公羊》、《穀梁》初亦口授，後人據其大義，散配經文，故多乖謬，失其綱統；然其大指，亦是子夏所傳。」　又曰[46]：「《二傳》[47]密於《左氏》。《穀梁》意深；《公羊》辭辨，隨文解說，往往鉤深，但以守文堅滯，泥難不通[48]，不近聖人夷曠之體[49]。」

劉敞曰[50]：「《公羊》牽於讖緯。」

崔子方曰[51]：「《公羊》失之險。」

劉安世曰[52]：「《公》、《穀》皆解正《春秋》。《春秋》所無者，《公》、《穀》未嘗言之，故漢儒推本以為真孔子意；然二家亦自矛盾，則非孔子之意矣。」

晁說之曰[53]：「《公羊》之失，雜而拘。」

葉夢得曰[54]：「《公羊》、《穀梁》傳義不傳事，是以詳於《經》而義未必當。」

胡安國曰[55]：「例莫明於《公羊》[56]，或失之亂。」

朱子曰[57]：「《公》、《穀》是[58]齊、魯間[59]儒[60]所著之書，恐有[61]傳授，但皆雜以己意，

45霖案：《春秋集傳纂例》引之；又孫承澤：《五經翼》卷十一，〈三傳得失議〉，經一五一冊，頁742；《偽書通考》頁419亦引其文。

46霖案：《春秋集傳纂例》引之；又孫承澤：《五經翼》卷十一，〈三傳得失議〉，經一五一冊，頁742；《偽書通考》頁419亦引其文。

47霖案：「《二傳》」二字下，應依《五經翼》補入「傳經」二字。

48霖案：「通」字下，應依《五經翼》補入「比附日月，曲生條例，義有不合，亦復強通，踳駮不倫，或至矛楯。」等二十字。

49霖案：「體」字下，應依《五經翼》補入「也」字。

50霖案：《翁注困學紀聞》卷六，〈左氏〉，頁367。

51霖案：《翁注困學紀聞》卷六，〈左氏〉，頁367。

52霖案：《四庫全書》本，冊166-頁13。

53霖案：《翁注困學紀聞》卷六，〈左氏〉，頁367。又《漢藝文志考證(《四庫》)675-35,(《玉海》(八)3-4012錄之。

54霖案：《翁注困學紀聞》卷六，〈左氏〉，頁368。

55霖案：《翁注困學紀聞》卷六，〈左氏〉，頁367-368。

56霖案：《翁注困學紀聞》所載之文，於「《公羊》」之下，復論及《穀梁》的優點，再依序論其缺點，而竹垞分為三條解題，使得文句稍有不同。

57霖案：《朱子語類》卷八三，頁853。

58霖案：「《公》、《穀》是」，《朱子語類》原作「問《公》、《穀》傳大槩皆同，曰：『所以林黃中說：『

所以有[62]差舛；其有合道理者，疑是聖人之舊。」　又曰[63]：「《公》、《穀》經學，理精而事誤。」

胡寧曰[64]：「《公》、《穀》釋經，其義皆密，如：衛州吁以稱人為討賊之辭也；公薨不地，故也不書葬；賊不討，以罪下也，若此之類，深得聖人誅亂臣、討賊子之意，考其源流，必有端緒，非曲說所能及也。」

鄭清之曰[65]：「稗官有紀《公羊》、《穀梁》並出一人之手，其姓則姜，蓋四字反切，即姜字也。」

羅璧曰[66]：「《公羊》、《穀梁》自高、赤作《傳》外，更不見有此姓；萬見春[67]謂[68]皆姜字切韻腳，疑[69]為姜姓假託[70]。」

王應麟曰[71]：「公羊子，齊人，其傳《春秋》多齊言：登來、化我、樵之、漱浣、筍將、踊為、詐戰、往黨、往殆、于諸、累情、如昉、棓脰[72]之類是也。漢武尊《公羊家》，而董

只是一人』，只是看他文字，疑若非一手者？或曰：『疑當時皆有所傳授，其後，門人弟子始筆之於書爾。』曰：『想得皆是』」等字，竹垞精簡文句，而以「《公》、《穀》是」三字代之，實則與原書文句，相差頗大。

59霖案：「閒」字，《朱子語類》作「間」字。

60霖案：「儒」字下，應依《朱子語類》補入「其」字。

61霖案：「有」字下，應依《朱子語類》補入「所」字。

62霖案：「有」字，應依《朱子語類》改作「多」字。

63霖案：《翁注困學紀聞》卷六，〈左氏〉，頁368。

64霖案：胡廣等撰，《春秋大全．序論》（台北：臺灣商務印書館，「景印文淵閣四庫全書」冊一六六，民國七十五年三月，初版），頁16。又《春秋大全．序論》題作「茅堂胡氏曰」，而竹垞則作「胡寧曰」，二者題名稍有不同。

65霖案：鄭清之：《安晚堂集》（四明叢書約園刊本）卷十二，頁299下之注文。又台灣商務印書館「文淵閣四庫全書本」冊一一七六，頁886。

66霖案：《羅氏識遺》卷三，頁443。

67霖案：「春」字下，應依《羅氏識遺》補入「嘗」字。

68霖案：「謂」字下，應依《羅氏識遺》補入「公羊、穀梁」四字，竹垞或以四字與前文重複而刪之。

69霖案：「疑」字下，應依《羅氏識遺》補入「其」字。

70霖案：「託」字下，應依《羅氏識遺》補入「也」字。

71霖案：《翁注困學紀聞》卷七，頁426-427。

72霖案：「累情、如昉、棓脰」諸句，斷句應作「累、情、如、昉、棓、脰」，詳見《翁注困學紀聞》的註語。

仲舒為儒者宗，正誼不謀利，明道不計功，二言得夫子心法；太史公聞之董生者，又深得綱領之正。嘗考[73]公羊氏之《傳》，所謂讖緯之文與黜周王魯之說，非《公羊》之言也。蘇氏謂何休《公羊》之罪人；晁氏謂休負《公羊》之學，五始、三科、九旨、七等、六輔、二類、七缺，皆出於何氏，其《墨守》不攻而破矣。[74]」　又曰[75]：「漢以《春秋》決事，如：雋[76]不疑引蒯聵違命出奔，輒拒而不納，《春秋》是之；蕭望之引士匄侵齊，聞齊侯卒，引師而還，君子大其不伐喪；丞相御史議封馮奉世，引大夫出疆，有可以安國家，顓之可也，皆本《公羊》。雖於經旨有得有失，然不失制事之宜。至於嚴助以《春秋》對，乃引天王出居於[77]鄭，不能事母，故絕之，則[78]其謬甚矣。」　又曰[79]：「臣不討賊，非臣也；子不復讐[80]，非子也；讐[81]者無時，焉可與通。此三言者，君臣父子、天典民彝係焉，公羊子大有功於聖經。」　又曰[82]：「『九世猶可以復讐[83]乎？雖百世可也。』[84]儒者多以《公羊》之說為非。然朱子序〈戊午讜議〉曰：『有天下者，承萬世無疆之統，則[85]亦有萬世必報之讐[86]。』吁！何止百世哉？」

黃震曰[87]：「《公羊》[88]釋《經》[89]，未嘗舍《經》而為之[90]，文雖不及《左氏》之核，

73霖案：「考」字，《翁注困學紀聞》作「攷」字。

74霖案：「漢武尊《公羊家》，而董仲舒為儒者宗，正誼不謀利，明道不計功，二言得夫子心法；太史公聞之董生者，又深得綱領之正。嘗考公羊氏之《傳》，所謂讖緯之文與黜周王魯之說，非《公羊》之言也。蘇氏謂何休《公羊》之罪人；晁氏謂休負《公羊》之學，五始、三科、九旨、七等、六輔、二類、七缺，皆出於何氏，其《墨守》不攻而破矣。」與「公羊子，齊人，其傳《春秋》多齊言：登來、化我、樵之、漱浣、筍將、踊為、詐戰、往黨、往殆、于諸、累情、如昉、棓脰之類是也。」二段落於原書分屬不同位置，且前後互倒，而有錯簡之失。又「漢武尊《公羊家》」一段文句見於《翁注困學紀聞》卷七，頁421。

75霖案：《翁注困學紀聞》卷七，頁423。

76霖案：「雋」字，應依《翁注困學紀聞》作「雋」字。

77霖案：「於」字，《翁注困學紀聞》作「于」字。

78霖案：「則」字，《翁注困學紀聞》無此字，當刪。

79霖案：《翁注困學紀聞》卷七，頁424-425。

80霖案：「讐」字，《翁注困學紀聞》作「讎」字，書寫習慣之異也。

81霖案：「讐」字，《翁注困學紀聞》作「讎」字，書寫習慣之異也。

82霖案：《翁注困學紀聞》卷七，頁424。

83霖案：「讐」字，《翁注困學紀聞》作「讎」字，書寫習慣之異也。

84霖案：「也」字下，應依《翁注困學紀聞》補入「漢武用此義伐匈奴」等八字。

85霖案：《經義考新校》頁3103新出校語如下：「文津閣《四庫》本無『則』字。」

86霖案：「讐」字，《翁注困學紀聞》作「讎」字，書寫習慣之異也。

87霖案：《黃氏日抄》卷三一，頁435。

而明白則過之。」

呂大圭曰[91]：「《公》、《穀》、《左》三傳，要皆有失，而失之多者，莫如《公羊》。《公羊》論隱、桓之貴賤，而曰『子以母貴，母以子貴』，夫謂子以母貴可也，謂母以子貴可乎？推此言也，所以長後世妾母陵僭之禍者，皆此言基之也。[92]公子結媵陳人之婦于鄄，遂及齊侯、宋公盟。《公羊》曰：『大夫受命不受辭，出境有可以安社稷、利國家者，專之可也。』後之人臣有生事異域，而以安社稷、利國家自諉者矣。紀侯大去其國，聖人蓋傷之也，而《公羊》則以為齊襄復九世之讐[93]；春秋之後，世有窮兵黷武而以《春秋》之義自許者矣。祭仲執而鄭忽出，其罪在祭仲也，而《公羊》則以為合于[94]反《經》之權；後世蓋有廢置其君如奕棊者矣[95]。此其為害，豈不甚於敘事失實之罪哉？[96]」

家鉉翁曰[97]：「聖人之作經也，其大經大法所以垂示千載者，門人高第[98]蓋得之。難疑答[99]問之際，退而各述所聞，逮至暮年，復以授其門弟子，公、穀氏其最著者也。以為派出

88霖案：「《公羊》」二字，係竹垞根據《黃氏日抄》前文所加，原書相關位置，並無此二字。

89霖案：「釋《經》」，《黃氏日抄》原作「所釋皆《經》」四字。

90霖案：「之」字下，應依《黃氏日抄》補入「文，此視《左氏》之僭為賢，」等九字。

91霖案：程端學《春秋本義．綱領》（《通志堂經解》本，冊二五，）頁13886。又竹垞引錄此文，實則將原先分屬於四段之文，雜拼而成，說法詳見下文註腳。

92霖案：「《公羊》論隱、桓之貴賤，而曰『子以母貴，母以子貴』，夫謂子以母貴可也，謂母以子貴可乎？推此言也，所以長後世妾母陵僭之禍者，皆此言基之也。」諸句，實置於程端學《春秋本義．綱領》（《通志堂經解》本，冊二五，）頁13885，故此段實有錯簡之失。

93霖案：「讐」字，《春秋本義．綱領》作「讎」字。

94霖案：「于」字，《春秋本義．綱領》作「於」字。

95霖案：「公子結媵陳人之婦于鄄，遂及齊侯、宋公盟。《公羊》曰：『大夫受命不受辭，出境有可以安社稷、利國家者，專之可也。』後之人臣有生事異域，而以安社稷、利國家自諉者矣。紀侯大去其國，聖人蓋傷之也，而《公羊》則以為齊襄復九世之讐；春秋之後，世有窮兵黷武而以《春秋》之義自許者矣。祭仲執而鄭忽出，其罪在祭仲也，而《公羊》則以為合于反《經》之權；後世蓋有廢置其君如奕棊者矣。」諸句，實置於程端學《春秋本義．綱領》（《通志堂經解》本，冊二五，）頁13885，故此段亦有錯簡之失。

96霖案：「此其為害，豈不甚於敘事失實之罪哉？」二句，實置於程端學《春秋本義．綱領》（《通志堂經解》本，冊二五，）頁13886，故此段亦有錯簡之失。綜觀此文，實為四小段之文，雜拼而成，且前後次第不合，而有訂正之必要。

97 霖案：家鉉翁《春秋詳說．綱領》（台北：臺灣商務印書館，「景印文淵閣四庫全書」冊一五八，民國七十五年三月，初版），頁20-21。

98 霖案：「高第」二字，《春秋詳說》作「高弟」二字。

99 霖案：「答」字，《春秋詳說》作「荅」字，蓋竹、艸偏旁相近而誤，此乃書寫習慣不同所致。

子夏，更戰國、暴秦，以及漢興，其門人裔孫始集所聞為傳。前史泝其傳授，由漢而上達乎洙、泗，具有本末[100]。三代而下，有國[101]家者所恃以扶綱常、植人極，皆春秋之大法，而《公》、《穀》所傳也。當漢[102]盛時，經生學士立乎人之本朝，決大謀議，往往據依《公》、《穀》，其有功於世教甚大。其閒[103]固有擇焉而不精，謂祭仲逐君為行權、衛輒[104]拒父為尊祖、妾以子貴得僭夫人之類，則其流傳之誤也。」

黃澤曰[105]：「《公羊》、《穀梁》所據之事，多出於流傳，非見國史，故《二傳》所載，多涉鄙陋，不足信；但其閒卻有老師宿儒相傳之格言，賴此二傳以傳於世。」又曰[106]：「舉大義，正名分，君子大居正之類，此《公羊》有益於《經》。」

何異孫曰[107]：「《公》、《穀》各守所學，《春秋》[108]所有者，皆求解盡；所無者，則未嘗言之，是二儒淳樸處。」

顧炎武曰[109]：「《公羊傳》『子沈子曰』，注[110]云：『子沈子，後師明說此意者。沈子稱子[111]冠氏上者，著其為師也。不但言子曰者，辟孔子也。其不冠子者，他師也』。按：《傳》中有子公羊子，而又有子沈子[112]、子司馬子[113]、子女子[114]、子北宮子[115]，何後師之多與[116]？然則此《傳》不盡出於[117]公羊子也明矣。」

---

100 霖案：「末」字下，應依《春秋詳說》補入「其大條貫，炳如日星」等八字。

101 霖案：「國」字下，應依《春秋詳說》補入「有」字。

102 霖案：「漢」字下，應依《春秋詳說》補入「家」字。

103 霖案：「閒」字，《春秋詳說》作「間」字。

104 霖案：「輒」字，《春秋詳說》作「輙」字。

105霖案：《春秋師說》(《通志堂經解》本，冊二六)，卷上，頁14827。

106霖案：《春秋師說》(《通志堂經解》本，冊二六)，卷上，頁14828。

107霖案：《十一經問對》卷五，(通志堂本，)，頁23351。

108霖案：「《春秋》」二字前，應依《十一經問對》補入「如」字。

109霖案：《原抄本日知錄》卷五，頁122-123〈子沈子〉。

110霖案：「注」字，《日知錄》作「註」字。

111霖案：「子」字，應依《日知錄》改作「之」字。

112霖案：「子沈子」三字下，應依《日知錄》補入「曰」字。

113霖案：「子司馬子」三字下，應依《日知錄》補入「曰」字。

114霖案：「子女子」三字下，應依《日知錄》補入「曰」字。

115霖案：「子北宮子」三字下，應依《日知錄》補入「曰」字。

116霖案：「與」字，《日知錄》作「歟」字。

117霖案：「於」字，《日知錄》作「于」字。

【增補】何廣棪：《陳振孫之經學及其《直齋書錄解題》經錄考證》曰：「廣棪案：此條據《讀書志》撰就，而文字略有刪改。晁《志》卷第三《春秋類》著錄曰：『《春秋公羊傳》十二卷。右戴宏《序》曰：子夏傳之公羊高，高傳其子平，平傳其子地，地傳其子敢，敢傳其子壽。至漢景帝時，壽弟子胡毋子都著以竹帛。其後，傳董仲舒，以《公羊》顯於朝。又四傳至何休，為《經傳集詁》，（廣棪案：休撰者名《春秋公羊解詁》。）其書遂大傳。鄭玄曰：『《公羊》善於讖。』休之注引讖最多。』是《解題》所述較省略耳。惟此書，《漢書・藝文志》作十一卷，《解題》據晁《志》作十二卷，蓋誤。晁《志》作十二卷者，乃就何休《春秋公羊解詁》而言。何氏《解詁》，陸德明《經典釋文・序錄》正作十二卷。直齋偶有失慎也。」（頁五一二至頁五一三）

穀梁氏赤《春秋傳》

【書名】本書異名如下：

一、《穀梁傳》：《中國館藏和刻本漢籍書目》頁五一著錄。

二、《春秋穀梁傳》：張壽平《公藏先秦經子注疏書目》頁一二七著錄。

【著錄】葉程義《禮記正義引書考》頁八一八、張壽平《公藏先秦經子注疏書目》頁一二七著錄。

《漢志》118：「十一卷。」

【卷數】本書卷數異同如下：

一、十二卷：《文獻通考・經籍考》卷九，頁二二六、張壽平《公藏先秦經子注疏書目》頁一二七著錄。

存。

【霖案】程金造編著《史記索隱引書考實》頁一一三至頁一一四曾輯錄其文。

【版本及藏地】本書版本及藏地如下：

一、明天啟元年文林閣唐錦池刻本：明・閔齊伋裁注《春秋穀梁傳》十二卷四冊，九行十八字，亦有十九字者，有小字注。有閔齊伋天啟元年〈春秋穀梁傳考〉，卷末鐫：皇明天啟元年春正月烏程閔齊伋遇五父裁注。書名葉題：閔板三訂公羊傳》，文林閣唐錦池梓。四冊。朱墨藍三色套印本，台北國家圖書館、臺灣大學圖書館、東北師範大學圖書館、哈佛大學燕京圖書館有藏本。

【增補】沈津著《美國哈佛大學燕京圖書館中文善本書志》：「**0088** 明天啟閔齊伋刻本春秋公羊傳春秋穀梁傳　　　　**T742/2229**

《春秋公羊傳》十二卷，明閔齊伋裁注，攷一卷，明閔齊伋撰；《春秋穀梁傳

118霖案：《漢書》卷三〇，頁1713。

》十二卷，明閔齊伋裁注，攷一卷，明閔齊伋撰。明天啟元年（1621）閔齊伋刻本。四冊。半頁九行十九字，四周單邊，白口，無魚尾。框高 21·1 厘米，寬 14·6 厘米。

按《中國古籍善本書目》著錄有『明天啟元年閔氏自刻三色套印本』。套印本之圈點有朱黛兩色，當是採用兩家評本；眉評則有朱黛墨三色。此本書眉上之注乃為墨色，應為齊伋語，并校勘文字異同，字體作楷書，與正文仿宋體異。疑書眉上墨字亦為套印，并應在三色套印本之前。此本不見各家書目著錄。

是本初印，又每卷末皆刊『皇明天啟元年春正月烏程閔齊伋遇五父裁注』。

缺名朱筆圈點。

本館又有清代翻刻之本，扉頁題『春秋公羊傳，閔板原本，味經堂藏板』。」（頁四二）

二、日本寬文八年（１６６８）荒川宗長刻本：《中國館藏和刻本漢籍書目》頁五一著錄，遼寧、四川等圖書館有藏本。

又日本：公文書館有藏本。本書版本題作「漢 何休 注 晉 范寧 （注） 林恕 點《穀梁傳》十二卷」。

三、明刊本：張壽平《公藏先秦經子注疏書目》頁一二七著錄，台北：國家圖書館有藏本。

【增補】《國家圖書館善本書志初稿》：「【春秋穀梁傳十二卷六冊】

明刊本　00668

版匡高 15.5 公分，寬 12.4 公分。四周單邊。每半葉十行，行十八字。版心花口，上方記書名卷第(如『穀梁傳卷一』)，中間記魯公號(如『隱公』)，下方記葉次。

首卷首行頂格題『春秋穀梁傳隱公卷第一』，卷末正文後隔二行有尾題。本書十二卷，春秋魯十二公，人名一卷。經文頂格起，傳文低一格以示區別。

書中鈐有『古瓦/山房/萬氏/珍藏』朱文方印、『國立中央圖/書館收藏』朱文長方印、『四明西郭/范氏一字莊』白文長方印。

《善本書室藏書志》卷三有著錄。」(頁 179)。

四、明新安吳勉學校刊本：有清汪士萁手批，台北國家圖書館有藏本。

【增補】《國家圖書館善本書志初稿》：「【穀梁傳十二卷五冊】

明新安吳勉學校刊本　00669

版匡高 19.7 公分，寬 14.2 公分。左右雙邊。每半葉九行，行十八字。版心花口，單魚尾，魚尾上方記書名，下方記卷第，再下方記葉次。

首卷首行頂格題『穀梁傳隱公卷第一』。卷末有尾題。卷十二尾題前有牌記題『吳勉學校』。卷首有晉范寗『穀梁傳序』。首卷第二行有江士茵手書題曰『丙辰五月校閱纂范寗集解于五郎館』。文中朱筆圈點，書眉處江士茵手批。

書中鈐有『江印/士華』白文方印二(大小、字形不同)、『叔/茂/父』白文方印、『國立中央圖/書館收藏』朱文長方印、『澤存/書庫』朱文方印、『叔/茂』朱文方印、『文仲/氏』白文方印、『江/小淹』朱文方印、『若』『木』朱文連珠方印、『江士/茵』白文方印。」(頁 179)。

又中國歷史博物館有藏本。

【增補】《中國歷史博物館古籍善本書目》曰：「春秋三傳　左傳三十卷公羊傳十二卷穀梁傳十二卷

明吳勉學刻本　　十冊

九行十八字白口左右雙邊　左傳有晉杜預序公羊傳有漢何休序穀梁傳有晉范寧序　　　　（善７２０）」（頁九）

五、清乾隆五年蔣衡手寫本：台北故宮博物院有藏本。

六、明末刻本：《穀梁傳》十二卷，晉范甯集解，明孫鑛、張榜評，王道焜校。半頁九行二十字，左右雙邊，白口，單魚尾。框高 19．7 厘米，寬 13．6 厘米。美國哈佛大學燕京圖書館有藏本。

【增補】沈津著《美國哈佛大學燕京圖書館中文善本書志》：「0087 明末刻本公羊傳穀梁傳　　　　T742/2229 C

《公羊傳》十二卷，漢何休注，明孫鑛、張榜評；《穀梁傳》十二卷，晉范甯集解，明孫鑛、張榜評。明末刻本。四冊。半頁九行二十字，左右雙邊，白口，單魚尾。框高 19．7 厘米，寬 13．6 厘米。《公羊傳》題『武林錢受益閱』、《穀梁傳》題『武林王道焜校』。

書眉上有孫鑛、張榜評。疑此二種為某書之零種。

日人裝幀。

鈐印有『玉林院』、『玉林院文庫』，日人印也。」（頁四二）

七、明隆慶元年（一五六七）刊《公》《穀》傳合刻本：《春秋穀梁傳》十二卷　六冊　一函　十行十八字，板匡高一六．一公分，寬一二．七公分，美國：普林斯敦大學葛思德東方圖書館有藏本。

【增補】屈萬里《普林斯敦大學葛思德東方圖書館中文善本書志》曰：「《春秋穀梁傳》十二卷　六冊　一函

明隆慶元年（一五六七）刊《公》《穀》傳合刻本。　十行十八字。板匡高一六．一公分，寬一二．七公分。

此本行款字體，與隆慶元年張獻翼序刻之《春秋公羊傳》相同，知即是年所刊

《公》《穀》傳合刻本。」（頁四六）

八、明崇禎十二年(1639 年)永懷堂刊本：(漢)范甯　集解，(明)金蟠訂《春秋公羊傳》二十八卷，4 冊;19.6x12.6 公分，9 行，行 25 字. 小字雙行字數同，左右雙欄. 版心白口，黑魚尾，上方記書名，下記頁次，台北：國家圖書館有藏本（二部）。

九、敦煌卷子本:春秋穀梁經傳解釋殘本一卷附錄一卷。

【增補】《續修四庫全書總目提要》：「春秋穀梁經傳解釋殘本一卷附錄一卷　敦煌卷子本　　　王重民

敦煌本春秋穀梁經傳解釋殘卷。起僖公八年禘於太廟用致用夫人注文。至十五年傳末注文止。共百六十八行。末題春秋穀梁經傳解釋僖公上第五。不見著者姓名。考范甯穀梁傳集解序云。釋穀梁者雖近十家。皆膚淺末學。不經師匠。稽之唐以前載籍。漢魏以來舊注。有段肅。唐固。麋信。徐邈。孔衍。郭琦。張靖。徐乾。程闡。聶熊。薄叔元。孔晁。劉瑤。鄭嗣。江熙。劉兆。胡訥之等。約十餘家。然與此卷稱名弗符。今亦無一存者。南齊書陸澄傳。稱晉泰元時立穀梁博士。用麋信注。至齊猶然。然則兩晉六朝以來。麋范並重於世。楊士勛撰穀梁疏。於范注之略者。每引麋注以補之。故知有唐初葉。麋注仍行於世。蓋楊疏出而麋注始微。今檢僖公十四年冬蔡侯肸卒。楊疏引麋信曰。蔡侯肸父哀侯。為楚所執。肸不附中國。而常事父讐。故惡之而不書日也云云。今正在此卷中。辭句雖有小異。此古人引書常例。則此書當為麋信注矣。信字南山。東海人。魏樂平太守。三國志無傳。此見釋文敘錄。禮記正義引其說反舌事作糜信。楊疏引麋又或作麋。要信為麋竺麋芳同族。竺東海朐人則當以作麋為是。此卷書法精雅。九年傳死則以成人之喪治之。治作理。十年傳臣莫要世子。世作太。十五年傳晉侯失民及其民未敗。兩民字並作人。則為唐高宗時寫本。經文傳文。亦多足據以校今本之誤。蓋是書之沈晦。千載於茲矣。又清王謨馬國翰。各有是書輯本一卷。更為校理。附於卷後。」（頁七三二）

十、明刻本：《春秋穀梁傳》十二卷，十行十八字白口單邊，上海圖書館、南京圖書館有藏本。

十一、明嘉靖刻本：《春秋穀梁傳》十二卷，十行十八字白口單邊單魚尾，上海圖書館有藏本。

十二、清乾隆五十八年同人堂刻本：清陳澧批校《春秋穀梁傳》十二卷，大陸：中山大學圖書館有藏本。

十三、日本長澤規矩也輯，昭和五十一年（一九七六）東京汲古書院影印本：明 王道焜 校 日本 林信勝 點《穀梁傳》十二卷，「和刻本經書集成第二輯」，神戶市立中央圖書館有藏本。

十四、寬文八年皇都植村藤右衛門東都長谷川新兵衛同 刊本:明 王道焜 校 日本 林信勝 點《穀梁傳》十二卷，日本：京產大圖書館有藏本。

十五、昭和五十一至五十二年，東京汲古書院影印「寬文八年刊」本：明 王道焜 校

林羅山 點《穀梁傳》十二卷，，「和刻本經書集成正文之部」第二輯，日本：國會、東京圖書館有藏本。

十六、宋刻本: 唐陸德明音釋《公羊春秋》不分卷，《穀梁春秋》不分卷，勞健跋，二十行廿七字左右雙邊細黑口，中國國家圖書館有藏本。

【存佚】本書有輯本如下：

一、《春秋穀梁氏經遺文》　（清）王朝　輯

（一）《十三經拾遺》卷十三（清嘉慶五年刻本）

（二）《王氏遺書》·十三經遺文

（三）《豫章叢書》（陶福履輯）第三集·十三經拾遺卷十三

【增補】孫啟治、陳建華編《古佚書輯本目錄（附考證）》曰：「是輯多採《左傳》、《公羊傳》、《唐石經》等異文，以為《穀梁》經、傳之缺佚，殊為不類，參《春秋左氏經遺文》、《春秋左氏傳遺文》。」（頁六三）

二、《春秋穀梁〔古解鉤沈〕　（清）余蕭客輯

《古經解鉤沈卷二十三（清乾隆間刻本、嘉慶間刻本、光緒二十一年杭州竹簡齋石印本、民國二十五年陶風樓影印本。）

三、程金造編著《史記索隱引書考實》頁一一三至頁一一四曾輯錄其文。

《漢書注》[119]：「穀梁子，魯人。」

〈儒林傳〉[120]：「太子既通《公羊》[121]，復私問《穀梁》而善之[122]。宣帝即[123]位，聞衛[124]太子好《穀梁》[125]，以問[126]韋賢、夏侯勝[127]及史高[128]，皆魯人也。言穀梁子本魯學，

119霖案：《漢書．注》卷三〇，頁1713。

120霖案：《漢書》卷八八，頁3617。

121霖案：《漢書》原無「《公羊》」二字，惟竹垞將《漢書．儒林傳》之文，拆解成數段，其中上段見於《經義考》卷一七〇，頁531，云「上因尊《公羊》家，詔太子受，由是《公羊》大興。」，而此處解題若未能前後對照，則不明前後情況，是以竹垞擅加「《公羊》」二字，以足文氣。

122霖案：「之」字下，宜據《漢書》補入「其後浸微，唯魯榮廣王孫、皓星公二人受焉。廣盡能傳其《詩》、《春秋》，高材捷敏，與《公羊》大師眭孟等論，數困之，故好學者頗受《穀梁》。沛蔡千秋少君、梁周慶幼君、丁姓子孫皆從廣受。千秋又事皓星公，為學最篤。」等字。

123霖案：「即」，《漢書》作「卽」字。

124霖案：「衛」，《漢書》作「衞」字。

125霖案：「《穀梁》」二字下，應依《漢書》作「《穀梁春秋》」。

公羊氏乃齊學，宜興《穀梁》。時蔡[129]千秋為郎，召[130]與《公羊》家並說，上善《穀梁》說，擢千秋為諫議[131]大夫[132]。甘露元年，召名儒大議殿中，多從《穀梁》，由是《穀梁》之學大盛。」

【增補】〔補正〕〈儒林傳〉條內「為諫議大夫」，「議」字當刪。（卷七，頁五）

應劭曰[133]：「穀梁子，名赤，子夏弟子。」

鄭康成曰[134]：「《穀梁》善於《經》。」

麋信曰[135]：「秦孝公時[136]人。」

晉元帝曰[137]：「《穀梁》膚淺。」

126霖案：「問」字下，應依《漢書》補入「丞相」二字，此涉及職官名也。

127霖案：「夏侯勝」三字之前，應依《漢書》補入「長信少府」四字，此亦涉及夏侯勝之官銜，不應任意刪略也。

128霖案：「史高」二字之前，應依《漢書》補入「侍中樂陵」四字，其中「侍中」為其官職，而「樂陵」則為其籍貫也。

129霖案：「蔡」字，《漢書》無此字，當為衍文，應刪。蓋此「蔡」字，實標示學者姓氏也，此乃竹垞據上下文句補之，今據原書刪之。

130霖案：「召」字下，應依《漢書》補入「見」字。

131「議」，據《補正》當刪。　霖案：《漢書》亦無「議」字，此當為翁方綱《補正》之所本也。

132霖案：「大夫」二字下，竹垞僅云「甘露元年，召名儒大議殿」二句以代之，實則原文如下：「給事中，後有過，左遷平陵令。復求能為穀梁者，莫及千秋。上愍其學且絕，乃以千秋為郎中戶將，選郎十人從受。汝南尹更始翁君本自事千秋，能說矣，會千秋病死，徵江公孫為博士。劉向以故諫大夫通達待詔，受穀梁，欲令助之。江博士復死，乃徵周慶、丁姓待詔保宮，使卒授十人。自元康中始講，至甘露元年，積十餘歲，皆明習。乃召五經名儒太子太傅蕭望之等大議殿中，平公羊、穀梁同異，各以經處是非。時公羊博士嚴彭祖、侍郎申輓、伊推、宋顯，穀梁議郎尹更始、待詔劉向、周慶、丁姓並論。公羊家多不見從，願請內侍郎許廣，使者亦並內穀梁家中郎王亥，各五人，議三十餘事。望之等十一人各以經誼對，」，應據以補入。

133霖案：《文獻通考．經籍考》卷九，頁226、《郡齋讀書志》卷第三，頁101錄之。又《孝經引言》、《孝經序》頁7錄之，原文作：「《風俗通》云：『子夏門人。』」

134霖案：《監本附音春秋穀梁傳注疏．序》〈疏〉文，題作鄭玄《六藝論》。第1頁，總頁數為頁2358。

135霖案：《文獻通考．經籍考》卷九，頁226、《郡齋讀書志》卷第三，頁101。又《孝經引言》、《孝經．序》頁7錄之，原文作：「與秦孝公同時」。

136霖案：「時」字，《文獻通考》引作「同時」。

荀崧曰[138]：「穀梁赤師徒相傳，暫立於漢世。向、歆[139]，漢之碩[140]儒，猶父子[141]各[142]執一家，莫肯相從。其書文清義約，諸所發明，或[143]《左氏》、《公羊》所不載，亦足有所訂正。」

范甯曰[144]：「《穀梁》清而婉，其失也短。」

阮孝緒曰[145]：「名俶，或作淑[146]。字元始。」

顏師古曰[147]：「穀梁子，名喜，受經於子夏，為《經》作《傳》，傳孫卿，卿傳魯申公，申公傳瑕邱江公。」

楊士勛曰[148]：「宣帝善《穀梁》，千[149]秋之道起，劉向之意存。」

陸淳曰[150]：「斷[151]義皆[152]不如《穀梁》之精。」

孫覺曰[153]：「以三家之說校其當否，《穀梁》最為精深。」

137霖案：《晉書》卷七十五，〈荀崧列傳〉第四十五，頁1978。又《宋書》卷十四，頁362。

138霖案：《晉書》卷七十五，〈荀崧列傳〉第四十五，頁1978。又《宋書》卷十四，頁362。又竹垞所引此文，實較接近《晉書》之文。

139霖案：「向、歆」二字，《宋書》作「時劉向父子」五字。

140霖案：「碩」字，《宋書》作「名」字。

141霖案：「父子」二字，《宋書》無此二字。

142霖案：「各」字，《宋書》作「猶」字。

143霖案：「或」字下，當依《晉書》、《宋書》補入「是」字。

144霖案：《監本附音春秋穀梁傳注疏．序》，第四頁，總頁數頁2361。

145霖案：《文獻通考．經籍考》卷九，頁226、《郡齋讀書志》卷第三，頁101錄之。又《孝經引言》、《孝經．序》頁七錄之，原文作「《十錄》云」，蓋「《十錄》」二字，實為「《七錄》」之誤，且無「或作淑」三字。

146霖案：「或作淑」三字，《文獻通考》、《孝經引言》引文俱無此三字，當是竹垞據他書補之。

147霖案：《漢書．注》卷三〇，頁1715。又《玉海》卷四〇，頁785有之。

148霖案：《監本附音春秋穀梁傳注疏．序》，〈疏〉第四頁，總頁數頁2361。

149霖案：「千」字之前，當依《監本附音春秋穀梁傳注疏．序》，〈疏〉補入「而」字。

150霖案：《春秋啖趙集傳纂例》卷一，〈重修集傳義〉第七，頁1452（《古經解彙函（三）》

151霖案：「斷」字之前，應從《春秋啖趙集傳纂例》補入「《公羊》之說事迹，亦頗多於《穀梁》」等字，以足文氣。

152霖案：「皆」字，應從《春秋啖趙集傳纂例》題作「卽」字。

153霖案：出自四庫本：孫氏《春秋經解·自序》。

劉敞曰[154]：「《穀梁》窘於日月。」

崔子方曰[155]：「《穀梁》失之迂。」

晁說之曰[156]：「《穀梁》晚出於漢，因得監省《左氏》、《公羊》之違畔而正之，其[157]精深遠大者，真得子夏之所傳與[158]？」　又曰[159]：「《穀梁》司典刑而不縱，崇信義而不拘，有意乎蹈道而知變通矣，不免失之隨也。」

胡安國曰[160]：「義莫精於《穀梁》[161]，或失之鑿。」

晁公武曰[162]：「《三傳》之學，《穀梁》所得為多。」

【增補】何廣棪：《陳振孫之經學及其《直齋書錄解題》經錄考證》曰：「廣棪案：此條據《讀書志》刪定。晁《志》卷第三《春秋類》著錄：『《春秋穀梁傳》十二卷。右范甯注。應劭《風俗通》稱穀梁名赤，子夏弟子；糜信則以為秦孝公同時人；阮孝緒則以為名俶，字元始，皆未詳也。自孫卿五傳至蔡千秋，漢宣帝好之，遂盛行於世。』是《解題》據《讀書志》。惟晁《志》謂『自孫卿五傳至蔡千秋』，及《解題》謂『自荀卿、申公至蔡千秋、江翁，凡五傳』之說，均未盡詳實。宋金恕《春秋穀梁傳序》曰：『穀梁子傳孫卿，卿傳申公，申公傳瑕丘江公。江公在武帝時為博士，與董仲舒議《春秋》，子孫世習之，其實魯榮廣及王孫皓星公並受焉。於是沛有蔡千秋，字少君；梁有周慶，字幼君；及丁姓，（姓丁名姓。）字子孫者，皆從廣受《穀梁》，而千秋又事皓星公。』則足補晁、陳二書之未及。至《解題》所記之『江翁』，『翁』字疑『公孫』二字之訛，蓋陸德明《三傳釋文自序》曰：『會千秋病死，徵江公孫為博士，詔劉向受《穀梁》，欲令助之。江博士復死，乃徵周慶、丁姓待詔，使卒授十人。』是江公孫乃穀梁後傳弟子，宋金恕之《序》亦遺漏之。」（頁五一三至頁五一四）

王應麟曰[163]：「穀梁子或以為名赤，或以為名俶，秦孝公時人。今按：《傳》載尸子

154霖案：《翁注困學紀聞》卷六，〈左氏〉，頁367。

155霖案：《翁注困學紀聞》卷六，〈左氏〉，頁367。

156霖案：《玉海》卷四〇，頁796；《玉海.附漢藝文志攷證》卷三，頁4012；《漢藝文志考證》(《四庫》本，冊六七五)，卷三四，頁35-36。

157霖案：「其」字之前，應依《玉海》補入「至」字。

158霖案：「與」字，《玉海》無之，當據以刪正。

159霖案：《漢藝文志考證》，卷三，頁4012。

160霖案：《翁注困學紀聞》卷六，〈左氏〉，頁367-368。

161霖案：《翁注困學紀聞》所載之文，於「《穀梁》」之下，依序論《左氏》、《公羊》、《穀梁》的缺點，而竹垞分為三條解題，使得文句稍有不同。

162霖案：《玉海》(二)40-796C(葉廿八上)、又《文獻通考．經籍考》卷九，頁226引之。

之語，尸佼與商鞅同時，故以[164]為秦孝公時人，然不可考[165]。」　又曰[166]：「《穀梁》言大侵[167]之禮與《毛詩．雲漢傳》略同；言蒐狩之禮與《毛詩．車攻傳》相合，此古禮之存者。」

黃震曰[168]：「《公羊》以妾母夫人為禮，而《穀梁》黜之；《公羊》以宋襄之師，文王不是過，而《穀梁》非之，所見似又過於《公羊》。然舉大體言，則視《公羊》又寂寥矣。」

黃澤曰[169]：「桓無王、定無正之類，此《穀梁》有益於《經》。」

鄒氏失名《春秋傳》

《漢志》：「十一卷」[170]。《孝經序注》作「十二卷」。

佚。

《漢書》[171]：「王[172]吉兼通《五經》，能為《鄒氏春秋》。」

班固曰[173]：「《鄒氏》無師。」

阮孝緒曰[174]：「建武中，《鄒》、《夾氏》皆絕。」

《隋書．經籍志》[175]：「漢初，《公羊》[176]、《穀梁》、《鄒氏》、《夾氏》四家並行，王莽之亂，鄒氏無師，夾氏亡。」

163霖案:《翁注困學紀聞》卷七，頁434。

164霖案:「以」字下，應依《翁注困學紀聞》補入「穀梁子」三字，竹垞或以三字為重複，故刪棄不錄，今據原文補入。

165霖案:「考」,《翁注困學紀聞》作「攷」字。

166霖案:《翁注困學紀聞》卷七，頁432。

167「侵」,《備要》本作「祲」。　霖案:《經義考新校》頁3107將「《備要》本」三字，改作「《四庫》諸本」等四字。今考《翁注困學紀聞》作「侵」字。

168霖案:《黃氏日抄》卷三十一，頁436錄之。

169霖案:《春秋師說》(《通志堂經解》本，冊二六)，卷上，頁14828。

170霖案:《漢書》卷三〇，頁1713。

171霖案:《漢書》卷七二，頁3066。

172霖案:「王」字,《漢書》原文位置無此字，當係竹垞根據文意所加，此係增其姓氏也。

173霖案:《漢書》卷三〇，頁1715。

174霖案:《漢藝文志考證》，卷三，頁4012。《玉海》卷四〇，頁786；《四庫》本冊六七五，卷三五(《漢藝文志考證》)《玉海(八)附漢蓋文志攷證》卷三，頁4012。又本文取《玉海》之文入校。

175霖案:《隋書》卷三二，頁932。

176霖案:「《公羊》」二字前，應依《隋書》補入「有」字。

楊士勛曰[177]：「五家之《傳》，鄒氏、夾氏口說無文，師既不傳，道亦尋廢。」

夾氏失名《春秋傳》

《漢志》[178]：「十一卷。」

佚。

班固曰[179]：「夾氏未有書。」

【增補】〔補正〕案：〈藝文志〉云：「《夾氏傳》十一卷，有錄無書。」又云：「夾氏未有書。」所云「未有」者，蓋班氏作〈志〉之時，其書已亡，非真謂其未嘗著書也。若未嘗著書，何以有十一卷之目著于錄乎？（卷七，頁五）

按：《夾氏傳》，《漢志注》云：「有錄無書。」[180]而《宋史·藝文志》載有《春秋夾氏》三十卷，不知為何人擬作，其書今亦無存。

鐸氏椒《春秋微》

《漢志》[181]：「三篇。」

佚。

司馬遷曰[182]：「鐸椒為楚威王傳，為王不能盡觀《春秋》，采取成敗，卒四十章，為《鐸氏微》。」

劉向曰[183]：「鐸椒作《抄撮》八卷。」

顏師古曰[184]：「微謂釋其微指。」

虞氏卿《春秋微傳》

《漢志》[185]：「二篇。」

---

177 霖案：出自：《穀梁引言》，頁3。

178霖案：《漢書》卷三〇，頁1713。

179霖案：《漢書》卷三〇，頁1715。

180霖案：《漢書》卷三〇，頁1713。

181霖案：《漢書》卷三〇，頁1713。

182霖案：《史記》卷十四，頁510。

183霖案：《春秋左傳正義．序》「〈春秋序〉」下〈疏〉文，頁1，總頁數頁1703，係引自「劉向《別錄》」，說法已見前文。

184霖案：《漢書．注》卷三〇，頁1715。蓋此處乃釋「《左氏微》」，而非釋「《鐸氏微》」也，而竹坨則統一釋之。

185霖案：《漢書》卷三〇，頁1713。

佚。

《史記》[186]：「虞卿[187]說趙孝成王[188]為[189]上卿，故號[190]虞卿[191]。既以魏、齊之故[192]去趙，困於梁[193]，不得已[194]，乃著書。」

186霖案：《史記》卷七六，頁2370-2375。

187霖案：「虞卿」二字下，應依《史記》補入「游說之士也。躡蹻檐簦」等九字。

188霖案：「王」字下，應依《史記》補入「一見，賜黃金百鎰，白璧一雙；再見」等十三字。

189霖案：「為」字下，應依《史記》補入「趙」字，竹垞或以其重複，故刪棄之，今據原書補入。

190霖案：「號」字下，應依《史記》補入「為」字。

191霖案：「虞卿」二字下，應依《史記》補入「秦趙戰於長平，趙不勝，亡一都尉。趙王召樓昌與虞卿曰：『軍戰不勝，尉復死，寡人使束甲而趨之，何如？』樓昌曰：『無益也，不如發重使為媾。』虞卿曰：『昌言媾者，以為不媾軍必破也。而制媾者在秦。且王之論秦也，欲破趙之軍乎，不邪？』王曰：『秦不遺餘力矣，必且欲破趙軍。』虞卿曰：『王聽臣，發使出重寶以附楚、魏，楚、魏欲得王之重寶，必內吾使。趙使入楚、魏，秦必疑天下之合從，且必恐。如此，則媾乃可為也。』趙王不聽，與平陽君為媾，發鄭朱入秦。秦內之。趙王召虞卿曰：『寡人使平陽君為媾於秦，秦已內鄭朱矣，卿之為奚如？』虞卿對曰：『王不得媾，軍必破矣。天下賀戰者皆在秦矣。鄭朱，貴人也，入秦，秦王與應侯必顯重以示天下。楚、魏以趙為媾，必不救王。秦知天下不救王，則媾不可得成也。』應侯果顯鄭朱以示天下賀戰勝者，終不肯媾。長平大敗，遂圍邯鄲，為天下笑。虞卿聞之，入見王曰：『此飾說也，王昚勿予！』樓緩聞之，往見王。王又以虞卿之言告樓緩。樓緩對曰：『不然。虞卿得其一，不得其二。夫秦趙構難而天下皆說，何也？曰『吾且因彊而乘弱矣』。今趙兵困於秦，天下之賀戰勝者則必盡在於秦矣。故不如亟割地為和，以疑天下而慰秦之心。不然，天下將因秦之怒，乘趙之弊，瓜分之。趙且亡，何秦之圖乎？故曰虞卿得其一，不得其二。願王以此決之，勿復計也。』虞卿聞之，往見王曰：『危哉樓子之所以為秦者，是愈疑天下，而何慰秦之心哉？獨不言其示天下弱乎？且臣言勿予者，非固勿予而已也。秦索六城於王，而王以六城賂齊。齊，秦之深讎也，得王之六城，并力西擊秦，齊之聽王，不待辭之畢也。則是王失之於齊而取償於秦也。而齊.趙之深讎可以報矣，而示天下有能為也。王以此發聲，兵未窺於境，臣見秦之重賂至趙而反媾於王也。從秦為媾，韓.魏聞之，必盡重王；重王，必出重寶以先於王。則是王一舉而結三國之親，而與秦易道也。』趙王曰：『善。』則使虞卿東見齊王，與之謀秦。虞卿未返，秦使者已在趙矣。樓緩聞之，亡去。趙於是封虞卿以一城。居頃之，而魏請為從。趙孝成王召虞卿謀。過平原君，平原君曰：『願卿之論從也。』虞卿入見王。王曰：『魏請為從。』對曰：『魏過。』王曰：『寡人固未之許。』對曰：『王過。』王曰：『魏請從，卿曰魏過，寡人未之許，又曰寡人過，然則從終不可乎？』對曰：『臣聞小國之與大國從事也，有利則大國受其福，有敗則小國受其禍。今魏以小國請其禍，而王以大國辭其福，臣故曰王過，魏亦過。竊以為從便。』王曰：『善。』乃合魏為從。虞卿」等字。

192霖案：「故」字下，應依《史記》補入「，不重萬戶侯卿相之印，與魏齊閒行，卒」等十五字。

193霖案：「梁」字下，應依《史記》補入「魏齊已死，」等四字。

【增補】〔補正〕《史記》條內「不得已」，「已」當作「意」。(卷七，頁五)

劉向曰[195]：「虞卿作《抄撮》九卷。」

荀氏況《帝王曆紀譜》宋志作「公子姓譜」。

【作者】張心澂《偽書通考》曰：「《帝王歷紀譜》三卷　偽題撰人。」(頁四八〇)。

【書名】《郡齋讀書志》卷第三，頁一〇六著錄，書名題作《帝王厤紀譜》，又《文獻通考．經籍考》卷九，頁二四一著錄，書名題作《帝王歷紀譜》。

《宋志》：「二卷。」《通考》：「三卷。」

未見。

【霖案】本書未見其他傳本，當已久佚。

《崇文總目》[196]：「不著撰人名氏，其序言周所封諸侯子孫散於他國，孔子修《春秋》而譜其世系，上採帝王歷紀而條次之，蓋學《春秋》所錄。今本題云『荀卿撰』者，非也。」

晁公武曰[197]：「題曰『秦相荀卿撰[198]』，載[199]周末列國世家，故一名《春秋公子血脈圖》，頗多疎略，決非荀卿所著；且卿未嘗相秦，豈世別有一荀卿邪？」

李燾曰[200]：「其載帝王歷紀殊少，序諸侯卿大夫之世頗詳，而《崇文總目》止名《帝王曆紀譜》[201]，舊題云『秦相荀卿撰』。荀卿未嘗相秦，其繆妄[202]立見。蓋田野陋儒依託，

194「已」，應依《補正》作「意」。　霖案：《經義考新校》頁3109於「《補正》」二字之前，新增：「《四庫薈要》本、」等字。《史記》原作「意」字，此或為翁方綱《補正》之所本也。

195霖案：《春秋左傳正義．序》「〈春秋序〉」下〈疏〉文，頁1，總頁數頁1703，係引自「劉向《別錄》」，說法已見前文。

196霖案：人人文庫版《崇文總目》頁28；又《文獻通考．經籍考》卷九，頁241-242。又張心澂《偽書通考》頁480曾徵引其文。

197霖案：《郡齋讀書志》卷第三，頁106。又是篇出自《文獻通考．經籍考》卷九，頁242。又張心澂《偽書通考》頁480曾徵引其文。

198霖案：《經義考新校》頁3110新增校文如下：「『撰』，文津閣《四庫》本作『所撰』」。

199霖案：《經義考新校》頁3110新增校文如下：「文津閣《四庫》本無『載』字。」

200霖案：《文獻通考．經籍考》卷九，頁242。又張心澂《偽書通考》頁480曾徵引其文。「李燾」，《文獻通考》題作「巽岩李氏」。

201霖案：「《帝王曆紀譜》」五字下，應依《文獻通考》補入「今從之。」三字。

202《經義考新校》頁3110新出校文如下：「『繆妄』，文津閣《四庫》本作『謬妄』。」。

以欺末學耳。故筆削最無義例，前後牴牾，不可偏[203]舉；而所著族繫又與《世本》不同；質之司馬遷、杜預，亦復差異，不知撰者果證據何書也？其血脈閒[204]有強附橫入，灼然非類者，要當釐正之；顧不敢輕改，姑仍其舊，使學者自擇焉。篇首尾雜引《左氏傳》中語，事既殘闕[205]不屬，字畫訛舛尤甚，往往不可句讀；參考《左氏傳》略加是正，十僅得四五云，其他正如棼絲結髮，未易一二爬梳也。」

王應麟曰[206]：「《藝文志》《春秋虞氏微傳》二篇。按：劉向《別錄》云：『虞卿作《抄撮》九卷，授荀卿，卿授張蒼。』然則張蒼師荀卿者也[207]。浮邱伯亦荀卿門人，申公事之受詩，是為魯詩。《經典序錄》：『根牟子傳趙人荀卿子，荀卿子傳魯人大毛公，是為毛詩。荀卿之門有三人焉，李斯、韓非不能玷其學也。』

【增補】王應麟《玉海》曰：「李淑《書目》云：『《春秋公子血脈譜》傳本曰『荀卿撰。』《秦譜》下及項滅子嬰之際，非荀卿作明矣。然枝分派別，如指諸掌，非殫見洽聞不能為。』」（轉錄張心澂：《偽書通考》頁四八〇）

【增補】章炳麟《春秋左傳讀敘錄》曰：「荀卿及見李斯之相，則固容下逮嬰、羽。姚寬亦云：『用《世本》、荀況《譜》、杜預《公子譜》為法』。則荀書與《世本》相類甚明。惟《血脈譜》之名，不似周、秦，而《漢藝文志》又無其目。《隋書・經籍志》有《楊氏血脈譜》二卷，是《血脈譜》之稱，起于隋前。或後人改題荀書而名此邪？」（轉錄張心澂：《偽書通考》頁四八〇）

賈氏誼《春秋左氏傳訓故》

佚。

《漢書》[208]：「梁太傅賈誼[209]修《春秋左氏傳》，為[210]《左氏傳訓故》，授趙人貫公，為河閒[211]獻王博士。」

203霖案：「偏」字，《文獻通考》引作「徧」字。

204霖案：「閒」字，《文獻通考》引作「間」字。

205霖案：「闕」字，《文獻通考》引作「缺」字。

206霖案：《翁注困學紀聞》卷六，頁四〇六；又見《四庫》本，冊675，卷三五《玉海》，頁七八三等有之。

207霖案：「也」字下，應依《翁注困學紀聞》補入「《左氏傳》，漢初出蒼家，亦有功於斯文矣。」等十五字。

208霖案：《漢書》卷八八，頁3620。

209霖案：「賈誼」二字下，應依《漢書》補入「京兆尹張敞、太中大夫劉公子皆」等十三字，竹垞或以二人與本文所著作者無涉，無刪去之，今據原書補入。

210霖案：「為」字之前，應依《漢書》補入「誼」字。

211霖案：「閒」字，《漢書》作「間」字。

張氏失名《春秋微》

《漢志》[212]：「十篇。」

佚。

亡名氏《左氏微》

《漢志》[213]：「二篇。」

佚。

《公羊外傳》

《漢志》[214]：「五十篇。」

佚。

《穀梁外傳》

《漢志》[215]：「二十篇。」

佚。

《公羊章句》

《漢志》[216]：「三十八篇。」

佚。

《穀梁章句》

《漢志》[217]：「三十三篇。」

佚。

《公羊雜記》

《漢志》[218]：「八十三篇。」

佚。

212霖案：《漢書》卷三〇，頁1713。

213霖案：《漢書》卷三〇，頁1713。

214霖案：《漢書》卷三〇，頁1713。

215霖案：《漢書》卷三〇，頁1713。

216霖案：《漢書》卷三〇，頁1713。

217霖案：《漢書》卷三〇，頁1713。

218霖案：《漢書》卷三〇，頁1713。

按：《漢書．公孫弘傳》[219]：「學《春秋》雜說。」度即《公羊雜記》也。

219霖案：《漢書》卷五八，頁2613錄之。又《史記》卷一一二，頁2949亦有如是之言。

卷一百七十一　春秋四經義考卷一百七十一春秋四

胡母氏生《春秋條例》

佚。

《漢書》[1]：「胡母生[2]，字子都，齊人[3]，治《公羊春秋》，為景帝博士，與董仲舒同業，仲舒著書稱其德，年老[4]歸教於齊，齊之言《春秋》者宗事之。」

何休曰[5]：「孔子[6]知秦將燔《詩》、《書》，其說口授相傳，至漢，公羊氏及弟子胡母生[7]等，乃始記於竹帛。」　又曰[8]：「胡母生[9]《條例》多得其正。」

鄭康成曰[10]：「治《公羊》者，胡母生[11]、董仲舒。」

徐彥曰[12]：「子夏口授公羊高，高五世相授，至漢景帝時，公羊壽共弟子胡母生[13]乃著竹帛。胡母生[14]雖以《公羊傳》[15]授[16]董氏，猶自別作《條例》，故何氏取之。[17]」

1霖案：《漢書》卷八八，頁3615-3616。

2霖案：「胡母生」三字，《漢書》作「胡毋生」三字。

3霖案：「人」字下，應依《漢書》補入「也」字。

4霖案：「老」字下，應加標點逗號。

5霖案：《春秋公羊傳注疏》卷十四，隱公二年，頁2273「或不稱行人」條下疏文。又《春秋公羊傳注疏》卷二，頁2203「紀子伯、莒子、盟于密。紀子伯者何？無聞焉爾。」條下亦有類似之語。

6霖案：「孔子」二字下，應依《春秋公羊傳注疏》補入「畏時遠害，又」等五字。

7霖案：「胡母生」三字，《春秋公羊傳注疏》作「胡毋生」。

8霖案：《監本附音春秋公羊注疏．序》，頁2191。

9「胡母生」，《四庫》本誤脫「生」字。　霖案：《監本附音春公羊注疏．序》作「胡毋生」。

10霖案：《監本附音春秋公羊注疏．序》「傳《春秋》者非一」條下疏文引「〈六藝論〉」，頁二一九○。

11霖案：「胡母生」三字，《監本附音春秋公羊注疏．序》的疏文作「胡毋生」。

12霖案：《春秋公羊傳注疏》隱公元年〈疏〉文，頁2195。

13霖案：「胡母生」三字，《春秋公羊傳注疏》的疏文作「胡毋生」。

14霖案：「胡母生」三字，《監本附音春秋公羊注疏．序》的疏文作「胡毋生」。又「生」字下，應依原書補入「本」字。

15霖案：「《公羊傳》」，應依原書作「《公羊經傳》」四字。

16霖案：「授」字，應依原書作「傳授」二字。

17霖案：「胡母生雖以《公羊傳》授董氏，猶自別作《條例》，故何氏取之。」諸句，非列於上文之末

董子仲舒《春秋繁露》（漢）

【作者】是書有明孫鑛等評點之本，藏於台北：國家圖書館。葉程義《禮記正義引書考》頁八三三著錄。又竹垞著錄的慣例，多作「某氏」，此作「董子」者，係為尊稱。

《七錄》：「十七卷。」

【著錄】《直齋書錄解題》卷三，頁四五七著錄。

存。

【版本及藏地】本書的版本及各藏地如下：

一、明正統間刊黑口本：該版本之下，分別錄有歐陽修〈跋〉、程大昌〈跋〉、樓鑰〈跋〉、胡榘〈跋〉、樓郁〈序〉等序跋，竹垞一一轉錄，惟缺胡榘〈跋〉一文，應據以補入。台北國家圖書館有藏本。

【增補】《國家圖書館善本書志初稿》：「【春秋繁露十七卷四冊】

明正統間刊本　00660

漢董仲舒撰。仲舒廣川人，少治春秋，孝景時為博士，武帝時舉賢良對策，漢武推明孔氏，抑黜百家，立學校之官，州郡舉茂材孝廉，皆自仲舒發之。年老，以壽終於家。

版匡高20公分，寬14.1公分。四周雙邊。每半葉九行，行十七字，版心小黑口，單魚尾，魚尾下方記書名卷第及葉次。

首卷首行頂格題『春秋繁露卷第一』，次行低二格題『楚莊王第一』。卷末有尾題。卷首有慶曆七年(1047)樓郁春秋繁露序。卷十七後有題跋附，收錄『崇文總目』、『中興館閣書目』、『晁公武郡齋讀書志』。附後有歐陽修『六一先生書春秋繁露後』，新安程大昌泰之秘書省書繁露後二篇，樓鑰跋春秋繁露及胡榘刻春秋繁露。序後有目錄。卷首序前後人過錄四庫大辭典、郘園讀書志、崇文總目、鐵琴銅劍樓、善本書室藏書志、皕宋樓藏書志、程大昌書後所載歷代版本著錄，惟不知出自何人。

書中鈐有『桂林唐/氏仲方/珍藏圖/籍之印』朱文方印、『十/萬卷/樓』朱文方印、『桂林/唐氏/珍藏』白文方印、『國立中央圖/書館收藏』朱文長方印、『函雅樓/藏書印』白文方印、『桂林唐/氏仲實珍/藏圖籍』朱文方印、『桂林/唐氏/珍藏/書籍』朱文方印。」(頁177)。

二、明萬曆十年趙維垣刊本：漢廣川董仲舒撰《春秋繁露》十七卷，《附錄》一卷，台北故宮博物院、杭州圖書館有藏本。

，實出於《監本附音春秋公羊注疏．序》「往者略依胡毋生條例，多得其正」條下之解，竹垞將二處解題併合為一，實有商榷餘地。

又台北國家圖書館另藏有一本，係屬於配補舊鈔本，有朱筆過錄舊評，本書錄有萬曆十年趙維垣〈序〉一文，竹垞未能轉錄其文，宜補入。

【增補】《國家圖書館善本書志初稿》：「【春秋繁露十七卷二冊】

明萬曆間勾餘胡維新刊本配補舊鈔本 00663

漢董仲舒撰。

版匡高 20.1 公分，寬 14 公分。萬曆刊本。版式四周雙邊，每半葉九行，行十七字。版心白口，雙黑魚尾(魚尾相向)，魚尾中間上方記書名卷第(如『春秋繁露卷一』)，下方記葉次，下魚尾下方記刻工名。舊鈔本行數、字數同，餘俱缺。刻工名：見、菊、方、善、芳、牙、盈、羅、冏、居等。

首卷首行頂格題『春秋繁露卷第一』，次行低二格題『楚莊王第一』。卷末有尾題。第一冊封面左上方題『春秋繁露』，下小字『卷上』，第二冊下小字『卷下』。卷首有嘉靖甲寅(三十三年，1544)趙維垣撰『刻春秋繁露序』。序後有目錄。

卷第九至十七為配補舊鈔本。書眉處朱筆過錄舊評。卷末附鈔漢書董仲舒傳并題跋附錄，附鈔崇文總目、中興館閣書目、晁公武郡齋讀書志、歐陽修春秋繁露後序、程大昌書繁露書後、樓鑰跋春秋繁露、胡榘春秋繁露刻跋。

書中鈐有『虞山翁韜/父珍藏印』朱文長方印、『學古』朱文長方印、『一榻/白雲』朱文長方印、『國立中央圖/書館收藏』朱文長方印、『徐通/泰印』白文方印、『彙/茹』朱文方印、『翁斌/孫印』白文方印、『飛騰/綺麗』朱文方印。」(頁 177~178)。

【增補】嚴寶善編錄《販書經眼錄》卷一曰：「莫郘亭藏明萬曆刻本《春秋繁露》十七卷，《附錄》一卷　漢廣川董仲舒撰。明萬曆間刻本，棉紙四冊。白口，左右雙邊；半葉九行，行二十字。全書凡八十二篇。首宋慶曆七年四明樓郁序，末附錄有題跋，引《崇文總目》、《中與（興）館閣書目》、《郡齋讀書志》共三則，并宋景祐四年六一先生後序，又新安程大昌後序，胡榘跋。獨山莫友芝、繩孫父子舊藏，藏印曰：『莫友芝圖書印』、『莫繩孫字仲武』二朱長方、『莫繩孫印』白方。今歸杭州圖書館藏。」（頁十一）

【增補】張元濟《涉園序跋集錄》曰：「去歲商務印書館景印《元明善本叢書》十種，第七種為《兩京遺編》，其中《春秋繁露》僅八卷，沅叔同年以所藏趙維垣足本寄余。檢視，則兩本行款悉同。余未及考趙氏為何時人，審其版式，當在有明正、嘉之際。《兩京遺編》卷首有萬曆十年胡維新序，是必據趙本覆刻；胡序明言《春秋繁露》八卷，豈誤認耶！抑以為罕見，即殘本亦姑刻之也。趙氏自稱出宋本，刻之溈陽。沅叔以黃蕘圃據錢遵王影宋鈔本校《大典》覆校，知是本實出《大典》上。卷六第十七〈俞序篇〉，第十八〈離合根篇〉，《大典》本錯簡，是本不錯。卷十六第七十五止兩篇，《大典》本闕一百八十字，是本尚存一百四十四字。惟卷十第三十五〈深察名號篇〉錯簡，卷十四第六十五〈郊語篇〉缺十八字，趙本與《大典》本均誤，賴錢本是正。其他訂補字句，亦殊不少。涵芬樓藏明鈔本一部，為海鹽胡憲仲故物；半葉十行，行十八字，與錢本相合。余取與沅叔所校，逐一比對，知兩本同出一源。雖胡本間有不逮錢本之處，然勝於錢本者實多。因取所校有異同者，粘籤於上，以待覆核，稍有出於沅叔所校外者，但亦未能徧也。將以是書寄還沅叔，因識如右。」（頁十九至頁二〇）

三、明天啟乙丑（五年）西湖沈氏花齋刊本：漢董仲舒撰《春秋繁露》十七卷，《附錄》一卷，本書錄有孫鑛〈序〉、汪明際〈序〉、沈鼎新〈小引〉三文，孫〈序〉不署年月，汪、沈二〈序〉皆作於天啟五年，竹垞未能轉錄其文，應據以補入。該書九行，二十字，小字間行，白口，左右雙邊，書口下題「花齋藏版」。台北國家圖書館、北京大學圖書館、北京師範大學圖書館、中國科學院圖書館、中國歷史博物館、公安部群衆出版社、北京市文物局、復旦大學圖書館、天津市人民圖書館、鞍山市圖書館、遼寧大學圖書館、東北師範大學圖書館、山東省圖書館、烟臺市圖書館、浙江圖書館、安徽省圖書館、安慶市圖書館、江西省圖書館、厦門大學圖書館、湖南省湘西自治州圖書館、重慶市圖書館、西南師範學院圖書館有藏本。

又天一閣文物保管所另藏一本，題作「清徐時棟跋」，九行二十字白口四周單邊，其餘著錄內容均同於上本。

又上海圖書館另藏一本，題作「清金成跋」，九行二十字白口單邊。

【增補】《國家圖書館善本書志初稿》：「【春秋繁露十七卷二冊】

明天啟乙丑(五年，1625)西湖沈氏花齋刊本　00665

漢董仲舒撰，明孫鑛等評。

版匡高 20.7 公分，寬 14.1 公分。左右單邊。每半葉九行，行二十字。版心花口，單白魚尾。魚尾上方記書名，下方記卷第葉次，最下方記『花齋藏板』。

首卷首行頂格題『春秋繁露卷第一』，次行低一格題『漢廣川董仲舒著明東海孫鑛月峯評』，第三至四行題『西湖沈鼎新自玉/朱養純元一參評朱養和元沖訂』。卷首有慶曆七年(1047)樓郁『春秋繁露序』、明孫鑛『春秋繁露敍』、汪明際『春秋繁露序』、天啟乙丑(五年，1625)沈鼎新春秋繁露小引。卷末有題跋附錄。序後有凡例及目錄。目錄後附錄班固漢書董仲舒傳。書眉附刻各家批點，正文處朱筆圈點。

書中鈐有『國立中/央圖書/館考藏』朱文方印、『言氏孟晉/齋珍藏』朱文長方印、『杜應/譽印』白文方印二(大小、字形不同)、『令/廣』朱文方印、『寄/樵』朱文方印二(大小、字形不同)、『應/譽』朱文方印二(大小、字形不同)、『字余曰/令廣』白文方印、『應/譽』白文方印、『寄/樵』白文方印、『寄樵/杜氏/圖書』朱文方印、『祁國/公裔』白文方印、『寄樵/珍藏』朱文長方印、『浣華草堂』朱文長方印。」(頁 178)。

又台北國家圖書館另藏一本，有近人韓元龍手書題記。

【增補】《國家圖書館善本書志初稿》：「【春秋繁露十七卷四冊】

又一部　00666

封面扉葉右小字『孫月峯先生合諸名家批評』，中間大字二行『漢董子春秋/繁露』。左方小字『花齋藏板』。書後有題跋附錄，收錄『崇文總目』、『中興舒閣書目』、『晁公武郡齋讀書志』、歐陽修『春秋繁露後序』、程大昌『書繁露後』、樓鑰『跋春秋繁露』、胡榘『刻春秋繁露』。卷首有慶曆七年(1047)樓郁『春秋繁露序』、孫鑛『春秋繁露敘』、汪明際『春秋繁露序』、沈鼎新『春秋繁露小引』。序後有凡例及目錄。目錄後附有漢書『董仲舒傳』。書眉彙錄各家評語。文中朱筆圈點。小引後有近人韓元龍手書。董仲舒傳上書眉韓元龍手記題『民國十九年十一月十五加朱』。

書中鈐有『國立中央圖/ 書館收藏』朱文長方印、『澤存/書庫』朱文方印、『景陳』白文長方印、『韓印/元龍』朱文方印。」(頁 178)。

又天一閣文物保管所藏有一本，題作「明天啟五年花齋刻本，清徐時棟跋」。

又上海圖書館藏有一本，題作「清金成跋」。

又北京大學、北京師範大學、中國科學院、中國歷史博物館、公安部群眾出版社、北京市文物局、復旦大學、天津、鞍山市、遼寧大學、東北師範大學、山東省、煙臺市、浙江、安徽省、安慶市、江西省、廈門大學、湘西自治州、重慶市、西南師範學院等圖書館均有藏本。

【增補】《中國歷史博物館古籍善本書目》曰：「春秋繁露　十七卷題跋附錄一卷

漢董仲舒著　明孫礦〔鑛〕評　明天啟五年沈鼎新花齋刻本

六冊

九行二十字白口四周單邊版心下鐫"花齋藏板"（善９１０）」（頁十）

【增補】《東北師範大學圖書館藏古籍善本書目解題》云：「此書發揮《春秋》之旨，旨主多《公羊》，其書雖本《春秋》立論，無關經義者多。

董仲舒：漢黃川人，少治春秋，下帷講授，為江都相。後為膠西王相，以病免。仲舒學有源委，嘗言：『仁人正其誼不謀其利，明其道不計其功』。為漢醇儒。免官家居，朝廷有大議。常遣使就其家問之。以年老終於家，有《春秋繁露》、《董子文集》。」（頁二六）

【增補】嚴寶善編錄《販書經眼錄》卷一曰：「明天啟花齋刻本《春秋繁露》十七卷，《附錄》一卷　　原題：『漢廣川董仲舒著，明東海孫鑛月峰評，西胡沈鼎新自玉、朱養純元一參評，朱養和元沖訂。『明天啟乙丑五年朱養純、養花齋刻本，竹紙二冊。四周單邊；半葉九行，行二十字。下版心刊『花齋藏板』，書眉刊評語。前有天啟乙丑沈鼎新序及汪明際序，東海孫鑛序，慶曆四年四明樓郁舊序，朱養和作凡例；末有四明樓鑰舊跋，胡榘跋。

此為北京中國書店購去，今不知所歸。」（頁十一）

【增補】屈萬里《普林斯敦大學葛思德東方圖書館中文善本書志》曰：「《春秋繁露》十七卷　《附錄》一卷　四冊　一函

漢董仲舒撰，明孫鑛評。

明天啟五年（一六二五）聚奎樓刊本。　九行二十字。板匡高二〇・七公分，寬一三・五公分。

開卷題：『漢廣川董仲舒著，明東海孫鑛月峯評，西湖沈鼎新自玉、朱養純一參評，朱養和元庱訂。』卷首有孫鑛序，不署年月。又有汪明際、沈鼎新兩序，皆作於天啟五年。」（頁四五至頁四六）

四、明萬曆二十年程榮校刻《漢魏叢書》本：漢・董仲舒撰，明・孫鑛評《春秋繁露》十七卷，九行二十字。白口，四周單邊，六冊。長春：東北師範大學圖書館有藏本。

又中國社會科學院文學研究所另藏一本，題作「張壽鏞張壽鏞據清孔繼涵據永樂大典校本重校」，《中國古籍善本書目》（經部）頁二九一者錄。

又天津師範學院圖書館另藏有一本，題作「佚名批校」，九行二十字白口四周單邊有刻工。

【增補】《東北師範大學圖書館藏古籍善本書目解題》云：「孫礦（鑛）：明，陛幼子，字文融，號月峰。萬曆公試第一，為文選郎中，累進兵部侍郎，加右都御史，後遷南兵部尚書。有《孫月峰評經》、《今文選》、《書畫跋》等。」（頁二六）

五、清乾隆三十八年武英殿聚珍本：戴震、盧文弨校，張之洞《書目答問補正》卷一，頁四二著錄，台北故宮博物院、台中東海大學圖書館有藏本。

六、福本：戴震、盧文弨校，張之洞《書目答問補正》卷一，頁四二著錄。

七、清乾隆間抱經堂本：戴震、盧文弨校，孫詒讓批《春秋繁露》十七卷，《附錄》一卷，張之洞《書目答問補正》卷一，頁四二、《中國古籍善本書目》（經部）頁二九一著錄，杭州大學圖書館有藏本。

又湖北省圖書館藏有一本，本書題作《春秋繁露》十七卷，《附錄》一卷，又題作「清譚儀錄，清勵守謙校」，內容小有區別。

又上海圖書館另藏一本，題作「清吳育錄，張惠言校，褚德儀跋」，《中國古籍善本書目》（經部）頁二九一著錄。

又西北民族學院圖書館藏有一本，題作「清刻乾隆本」，未詳確切版本為何？惟另作「清鄂生録、盧文弨批校」，今暫列於此，以俟後考。

【增補】《杭州大學圖書館善本書目》曰：「《春秋繁露》十一卷（漢董仲舒撰）《附錄》一卷　清盧文弨撰　清乾隆間抱經堂刻本　清孫詒讓批　有玉海樓藏印　四冊。」（頁八）

【增補】耿文光《萬卷精華樓藏書記》卷八曰：「《春秋繁露》十七卷　漢董仲舒撰

抱經樓校定本。前有慶曆七年樓郁序，目錄後有盧文弨記，卷末附錄諸家說。盧校本甚精，而脫文衍文尚多，疑誤處亦復不少。書凡八十二篇，其三十九、四十、五十四三篇俱佚。目錄著闕文二字，注中有錢云，當是辛楣校語。滅國上下二篇為第七、第八，錢云此本一篇，不當分。郊語第六十五，錢云郊語一篇從當次四祭篇後，此下五篇實一篇也。天地之行，第七十八，錢云首一條乃養生家言，後一條言君臣之道，似非一篇之文。郊義第六十六，錢云：此當為論郊首篇，且與下合為一篇，後人編次失之。又云篇首郊義二字真古篇名，餘俱後人所分而為之，名非本書之舊，此皆錢氏之說也。五行相生第五十八，官本云此篇舊本在五十九。今案文義當在前。因互易之。會盟要第十，計台本作盟會要。考功爵國等篇，盧云有不可強通者。度制第二十七，萍鄉本在三十五，一名調均篇。五行對第三十八，注云：此當在五行五事篇後。五行之義四十二，注云：此當在五行相生篇前。五行相生第五十八，注云：舊本相生篇在相勝篇後。按文義當在前，今移正。伏讀《四庫全書提要》曰：是書宋代已有四本，多寡不同，樓鑰所校，乃為定本。鑰本原闕三篇，明人重刻，又闕第五十五篇及第五十六篇，首三百九十六字，第七十五篇中一百八十字，第四十八篇中二十四字，又第三十五篇顛倒一頁，遂不可讀。其餘訛脫不可勝已。蓋海內藏書之家不見完本三百年於茲矣。今以《永樂大典》所存樓本詳校，其異於他本者，凡補一千一百餘字，删一百十餘字，改定一千八百二十餘字，神明煥然，頓還舊觀。雖曰習見之書，實則絕無僅有之本也。謹案。凡所闕者，聚珍本俱補足，其顛倒者，亦移正。盧本校正有加案字者，有不加案字者，與官本不同。又案，盧本目錄篇名下俱有第字，書內同，惟四十一、四十二、四十三無第字，當是脫落。

盧氏序曰：是書以天證人，析理斷事實切於養德養身之要，而凡政治之原，郊祀之典，用人之方，弭災之術，俱無所不備。即其正名辨制，委曲詳盡，亦始入學者所必當研究也。謹就二三學人覆加考核，合資雕板，用廣其傳。乾隆五十年十月舊史官臣盧文弨謹書目錄後。

《崇文總目》，隋唐志卷目與今同，其書義引宏博，非出近世，然其間篇第已外，無以是正。又即取玉杯竹林題篇，疑後人取而附著云。

《館閣書目》，隋唐志及《三朝國史志》十七卷，今十卷。繁露之名，先儒未有釋者。案，《逸周書》王會解，天子南面立，絻無繁露。注云：繁露，冕之所垂也，有聯貫之象。春秋屬詞比事，仲舒立名或取諸此。（小注云：此□臆說，恐未必然。）

六一書後本傳著書百餘篇。（小注云：文光案：同一《漢書》。晁云十餘萬言，歐云百餘，豈所見之本不同歟？抑歐公誤歟？）今書才四十篇，又總名繁露，失其真也。予在館中校勘群書，見有八十餘篇，然多錯亂重複，又有民間應募獻書者獻三十餘篇，其間數篇在八十篇外，乃知董生之書流散而不全矣。董生深極《春秋》之旨，然惑於改正朔而云王者，大一元者，牽於其師之說也。陳氏《書錄》萍鄉所刻，有三十七篇。今樓攻媿得潘景憲本，卷篇與前志合，然亦非當時本書也。況《通典》、《御覽》所引皆今書所無者，尤可疑也。又有寫本十八卷，但七十九篇，考其篇次皆合，但前本楚莊王在第一卷首，而此本乃在卷末，別為一卷。前本雖八十二篇，而闕文者三，實七十九篇也。

文光案：胡矩宰萍鄉刻之縣齋者，為萍鄉本。其兄胡槻刻樓校本於江東漕司，其後岳珂復刻之嘉禾郡齋。世遂以樓本為定本。《通典》所引見程大昌前跋，又有《寰宇記》所引各一條。《御覽》所引見程氏後記，但三書所引樓本有之，則所見異也。程大昌有《演繁露》，今行於世。

黃氏《日鈔》：《御覽》古《繁露》特多，是太平興國間《繁露》尚存，今逸不傳，今攻媿定本謂為仲舒所著無疑，而取楚莊篇第一謂為潘氏本有之，至於調均篇萍鄉本列置第三十五，樓本不及此篇，不知何說也。（小注云：文光案：度制即調均篇，黃氏蓋未審也。）今書惟對膠西王越大夫之問詞約義精，具在本傳，餘多煩猥，甚至於理不馴者有之。蓋隋唐國初《繁露》未必皆仲舒之舊，中興後《繁露》又非隋唐國初之繁露矣。

錢氏曰：《漢志》：《春秋公羊家》董仲舒治獄十六篇。（小注云：文光案：董子與胡母生同治《公羊春秋》。）儒家者流，董仲舒百二十三篇，《繁露》為後人掇拾而成。傳言玉杯、蕃露、清明、竹林之屬，數十篇，當即《公羊治獄》十六篇，而上疏條教百二十三，則儒家所列也。蓋藝文析仲舒所著為二，如史志分「經說」「別集」兩門，而別集之文制、策廟、災對之屬咸備焉。故冠以上疏條教也。今合二者為一書，治獄在其中，條教在其中，而獨以制策諸篇為別集，此由後之詮次者不悟八十二篇，不諧說《春秋》之文，遂以《春秋》說之。《繁露》篇為書名，而改《繁露》篇曰楚莊王，蓋以首篇名書，因以首語名篇耳。觀史所列諸篇，無以人名者，則灼然可知矣。

文光案：錢氏之說甚是，可解向來之惑。是書似經非經，似子非子，書目中幾無位置之處。蓋《漢志》分為二，後人誤合為一。又雜入他人之言故也。是以議者半，疑者半，向使綴輯者分說《春秋》者為《公羊治獄》，入《春秋》類，分上疏條教為董子入儒家類，體例既明，群疑自釋。但今書之次第不可改易也。疑以傳疑而已。明陳諒刻膠西集，的是宋本，惜未之見。祠本《春秋繁露》後有董子文集，想亦是後人綴輯而成，非原書也。盧氏校刊《繁露》，名曰董子校刊，新書名曰《賈子》，以為西漢兩大儒皆以經生而通達治體，其遺言宜討論也。錢塘為合刊序。

錢氏序曰：誼粹於禮，其言治道以三代盛王為指歸，而參之秦漢，以通其變。故為有用之實學。仲舒則春秋公羊家老師。何氏三科九旨之說，多自仲舒發之，其言五行災異陰陽出入，原於《易》一陰一陽之謂道。蓋漢世知天之學也。故二子皆本於經，而賈子得其大，董子得其精。先生之校是書，必確求其可據以證明二子立言之意，唐故一言蔽之曰：慎也。

文光案：錢竹汀以玉杯等數十篇即《公羊治獄》十六篇，恐未必然。十六篇當在此數十篇內，數十篇應不止《公羊治獄》也。今本自楚莊王至俞序凡十七篇，若合滅國上下為一篇，適得十六篇之數，皆《春秋》家言，然不敢定為《公羊治獄》也。符瑞第十六說西狩獲麟，俞序第十七總說春秋，此兩篇似《春秋》之終首篇。《春秋》分十二，世以為三等，與春秋之道奉天而法古，此兩段似《春秋》之始。楚莊王殺陳夏徵舒一段，《春秋》曰晉伐鮮虞一段，問者曰：晉惡而不可親一段，此三段不當在開首。細玩之，其中錯簡甚多，而前人無有言者，唯知其錯亂而已。如朱子之注《大學》，稍為理治，似便誦讀，然無朱子之學，徒見其妄而已。故盧氏之校正不敢更易次第，意甚善也。予所藏《繁露》，一聚珍本，一祠本，近又得畿輔叢書本，并此四本。是書中有求雨、止雨二篇，其法甚備，他書中有錄之者可試驗也。」（頁三二一至頁三二五）

八、杭州局重刻抱經堂本：戴震、盧文弨校，張之洞《書目答問補正》卷一，頁四二著錄。

九、上海涵芬樓影印武英殿聚珍本：戴震、盧文弨校，張之洞《書目答問補正》卷一，頁四二著錄，台灣師範大學圖書館、台北圖書館有藏本。

十、明嘉靖三十三年（甲寅）年周采刊本：漢董仲舒撰《春秋繁露》十七卷八冊，九行十七字黑口四周雙邊，台北中研院史語所有藏本。

又北京圖書館有藏本，題作「傅增湘校跋並錄清黃丕烈跋又錄張元濟校張元濟跋」，《中國古籍善本書目》（經部）頁二九〇著錄。

又台北國家圖書館另藏一本，過錄黃丕烈語及跋。

又山東省圖書館有藏本。

又北京圖書館另藏一本，九行十七字黑口四周雙邊，題作「清黃丕烈校並跋」。

又鄧邦述跋並錄清孔繼涵校跋，九行十七字白口四周雙邊有刻工，南京圖書館有藏本。

又北京圖書館另藏一本，題作「清孔繼涵校並跋」，九行十七字黑口四周雙邊。

又中國歷史博物館、上海、復旦大學、南京等圖書館均有藏本。

【增補】《中央研院院歷史語言研究所善本書目》曰：「《春秋繁露》十七卷八冊　漢董仲舒撰　明嘉靖三十三（甲寅）年刊本。」（頁九）

【增補】《山東省圖書館館藏海源閣書目》曰：「《春秋繁露》　十七卷／（漢）董仲舒撰．－明嘉靖３３年（１５５４）周采刻明重修本．－２冊（１函）；２０．７×１５．２cm．－９行１７字，小字雙行同，大黑口，四周雙邊，單黑魚尾」（頁三〇）

【增補】王重民：《中國善本書提要》曰：「【春秋繁露十七卷】二冊（北圖）

明嘉靖間刻本〔九行十七字（19.7×13.5）〕

漢董仲舒撰。又此本迻有黃不烈據宋本校語，並題跋兩則；考黃跋已載《蕘圃藏書題識》卷一頁八上。又《楹書隅錄續編》卷一頁一上，此所轉錄，脫註語一則，故不再錄。

樓郁序〔慶曆七年（一〇四七）〕

趙維垣序〔嘉靖三十三年（一五五四）〕」（頁三二）

【增補】王重民：《中國善本書提要》曰：「【春秋繁露十七卷】

四冊（《四庫總目》卷二十九）（國會）

明嘉靖間刻本〔九行十七字（19.7╳13.5）〕

漢董仲舒撰。按葉氏《郎園讀書志》卷二著錄此本云：「明初黑口本，猶有宋、元遺風，非萬曆、天啟以下妄改臆補之比也。」此本有嘉靖甲寅趙維垣序，知為嘉靖間四川布政使司所校刻，葉氏謂為明初，誤也。此本舊題為「宋板」，尤誤。卷內有：「李瀛之印」、「仙淵」、「李印雲章」、「子文」等印記。又此本迻有黃丕烈據宋本校語，並題跋兩則；考黃跋已載《蕘圃藏書題識》卷一葉八上，又《楹書隅錄續編》卷一頁一上，此轉錄有脫誤，故不再錄。

樓郁序〔慶曆七年（一〇四七）〕

趙維垣序〔嘉靖三十三年（一五五四）〕」（頁三一至頁三二）

十一、影鈔明嘉靖甲寅（三十三年）刊本：台北國家圖書館有藏本。

【增補】《國家圖書館善本書志初稿》：「【春秋繁露十七卷六冊】

影鈔明嘉靖甲寅(三十三年，1554)刊本　00662

漢董仲舒撰。

全幅高 25.5 公分，寬 17.5 公分。每半葉九行，行十七字。版心中間記書名卷第(如『春秋繁露卷一』)，其下記葉次，最下方鈔原刊本刻工名。原刻工名：見、菊、方、善、才、芳、牙、盈、羅、冏、居、士、京、東、起、云、之等。

首卷首行頂格題『春秋繁露卷第一』，次行低二格題『楚莊王第一』。卷末有尾題。卷首有嘉靖甲寅(三十三年，1554)趙維垣撰『刻春秋繁錄序』、樓郁『春秋繁露序』。序後有目錄。

書中鈐有『國立中央圖/書館收藏』朱文長方印。」(頁 177)。

十二、明末何允中刊漢魏遺書本：台北國家圖書館有藏本。

【增補】《國家圖書館善本書志初稿》：「【春秋繁露十七卷四冊】

明末何允中刊漢魏叢書本　00664

漢董仲舒撰。

版匡高 19.4 公分，寬 14.3 公分。左右雙邊。每半葉九行，行二十字，版心花口，單白魚尾，魚尾上方記書名，下方記卷第葉次。

首卷首行頂格題『春秋繁露卷一』，次行低五格題『漢董仲舒著明王道焜閱』。卷末有尾題。卷首有曆七年(1047)樓郁『春秋繁露序』並春秋繁露總評。總評後有目錄。文中附刻句讀。

書中鈐有『國立中央圖/書館收藏』朱文長方印、『澤存/書庫』朱文方印。」(頁 178)。

十三、文淵閣四庫全書本：《春秋繁露》十七卷，台北故宮博物院有藏本。

【增補】永瑢等撰《欽定四庫全書總目》曰：「春秋繁露十七卷　永樂大典本

漢董仲舒撰。繁或作蕃，蓋古字相通。其立名之義不可解，《中興館閣書目》謂：『繁露，冕之所垂，有聯貫之象。《春秋》比事屬辭，立名或取諸此。』亦以意為說也。其書發揮《春秋》之旨，多主《公羊》，而往往及陰陽、五行。考仲舒本傳，《繁露》、《玉杯》、《竹林》皆所著書名，而今本《玉杯》、《竹林》乃在此書之中。故《崇文總目》頗疑之，而程大昌攻之尤力。今觀其文，雖未必全出仲舒，然中多根極理要之言，非後人所能依托也。是書宋代已有四本，多寡不同，至樓鑰所校，乃為定本。鑰本原缺三篇，明人重刻，又缺第五十五篇及第五十六篇首三百九十八字，第七十五篇中一百七十九字，第四十八篇中二十四字，又第二十五篇顛倒一面，遂不可讀。其餘訛脫，不可勝舉。蓋海內藏書之家，不見完本三四百年於茲矣。今以《永樂大典》所存樓鑰本，詳為勘訂，凡補一千一百二十一字，刪一百二十一字，改定一千八百二十九字，神明煥然，頓還舊笈。雖曰習見之書，實則絕無僅有之本也。倘非幸遇聖朝右文稽古，使已湮舊籍，復發幽光，則此十七卷者，竟終沈於蠹簡中矣。豈非萬世一遇哉！

案：《春秋繁露》雖頗本《春秋》以立論，而無關經義者多，實《尚書大傳》、《詩外傳》之類，向來列之經解中，非其實也，今亦置之於附錄。」（卷二十九，頁三八三）

【增補】邵懿辰撰、邵章續錄：《增訂四庫簡明目錄標注》卷三曰：「《春秋繁露》十七卷，漢董仲舒撰，原本殘缺，今以《永樂大典》所載宋本補完。

明蘭雪堂活字本，仿宋，佳。又有翻刻蘭雪堂本，兩京遺編本八卷。

漢魏叢書本，聚珍板本，抱經堂刊本最善。乾隆十六年董氏刊本，嘉慶乙亥凌曙注本。

〔續錄〕明嘉靖甲寅張溈陽刊本，明天啟乙丑王道焜刊本。

明天啟五年沈鼎新花齋刊本，有附錄一卷。鍾評祕書十八種本。

廣漢魏叢書本，閩覆聚珍本，重刻閣本，二十二子本。

光緒二年浙江書局本，崇文局本。古經解彙函本，據凌曙注本刊。張惠言批校重刻聚珍板本。四部叢刊本，孔葒谷據《永樂大典》手校本。沈子封有翁覃溪手校本，朱筆錄惠松厓校，墨筆錄紀曉嵐校，以蘭雪本校漢魏本，可補脫誤甚多，蓋與大典本皆出宋本也，每葉十四行，行十三字，書名、題名、篇名，皆大字，雙餘行，凌曙注有續經解本，及畿輔叢書本。

《春秋繁露箋注》十七卷，清董天工撰，乾隆二十六年刊本。

《春秋繁露義證》十七卷，清蘇輿撰，宣統二年刊本。」（頁一二四）

【增補】胡玉縉撰、王欣夫輯《四庫全書總目提要補正》卷七曰：「陸氏《藏書志》有明蘭雪堂活字本，並載程大昌書後兩則云：『牛享問崔豹冕旒以繁露者何？答曰：『綴玉而下垂如繁露也』；則繁露也者，古冕之旒，似露而垂，是其所從假以名書也。』歷舉《通典》及《太平寰宇記》、《太平御覽》所引，以為『其書皆句用一物以發己意，有垂旒疑露之象，玉杯、竹林，同為託物』云云，書目蓋本於此，真所以意為說者。至諸書所引均見原本，宜樓鑰譏其所見不廣也。《周禮．大司樂》、《禮記．文王世子鄭注》並引董仲舒云：『成均五帝之學』，賈、孔二疏並以為《繁露》文，今本無此語，是則當在逸篇中矣。譚廷獻《復堂日記》二云：『借趙撝叔所藏勵編修校董子本，（名守謙，字自牧，靜海人。）編修在《四庫全書》處用《永樂大典》校王道焜本，其自記云：『凡異同二千七百餘字，』』據此，則此乃守謙勘訂。陸氏《儀顧堂續跋》蘭雪堂本跋云：『以《漢魏叢書本》校一過，卷十三，多『四時之副第五十五』一篇云云，皆與《大典》本合。卷十六，求雨第七十四『他皆如前』下，『秋暴巫』上，與『神農求雨第十，九日戊己不雨，命為黃龍，又為大龍，壯者舞之，季立之，又曰：東方小僮舞之，南方壯者，西方沾，（未詳）北方（下疑少一字。）人舞』，四十餘字相連屬。篇末『女子欲和而樂』下，接『神農書又曰開神山神淵，積薪夜擊鼓譟而燔之，為其旱也』二十三字，是宋本已如此矣。《續漢志》注所引，無『神農求雨』以下四十餘字，當有刪節，盧抱經刊本，遂據以削之，並改『神農書又曰』二十三字為小注，未免喧賓奪主矣。此外字句之間頗有勝於《大典》本者，如求雨七十四『其神后稷，祭之以母肫五』，各本皆脫『母肫』二字，《大典》本亦同，此本不脫，與劉昭《續漢志注》、杜氏《通典》同，其一端也。蓋《大典》本雖與此本同出宋本，《大典》本輾轉鈔錄，脫　在所不免，此則以宋本摹印，奪　自少。《大典》本有樓鑰、胡榘二跋，此本無之，考《黃氏日鈔》樓攻媿校本；嘉定中胡槻刻於江東漕台，其後岳珂又刻於嘉禾郡齋，或《大典》本出於江東漕台，此本以嘉禾為祖歟！』玉縉案：凌曙注本已補『母肫』二字，餘依盧校。」（頁一八三至頁一八四）

十四、擒藻堂薈要本：台北故宮博物院有藏本。

十五、重刊本：台北中研院史語所有藏本。

十六、清康熙董文昌刻乾隆４４年（１７７９）補刻本：山東圖書館有藏本。

【增補】《山東省圖書館館藏海源閣書目》曰：「《春秋繁露》　十七卷，附錄一卷／（漢）董仲舒撰．－清康熙董文昌刻乾隆４４年（１７７９）補刻本．－６冊（１函）；２０．４×１３．９．－９行２０字，白口，四周單邊，單黑魚尾」（頁三〇至頁三一）

十七、清重刻武英殿聚珍版叢書本：北京大學圖書館有藏本。

【增補】李盛鐸著．張玉範整理《木犀軒藏書題記及書錄》曰：「【春秋繁露】十七卷　〔漢董仲舒撰　清重刻武英殿聚珍版叢書本〕　李４９６３

張泉文先生閱本。通體朱筆點校。有『張梟文閱過』白文方印。」（頁七六）

十八、明正德十一年華堅蘭雪堂銅活字印：漢董仲舒撰《春秋繁露》十七卷，十四行十三字白口左右雙邊，北京圖書館有藏本。

【增補】瞿鏞編纂．瞿果行標點．瞿鳳起覆校《鐵琴銅劍樓藏書目錄》卷五曰：「漢董仲舒撰，宋樓文獻定本，明錫山以銅活字板印行。是書在宋時已殘佚，歐陽氏、程氏辨之甚詳。至樓氏，蒐采校訂為八十二篇，原闕三篇。明時又有脫葉、脫字，惟十七卷猶是董子原書舊第也。前有慶曆七年樓郁序，後有嘉定三年樓鑰跋，并附《崇文總目》、《中興館閣書目》、《郡齋讀書志》、六一先生〈書後〉、程大昌〈書後〉諸題跋。卷末有『正德丙子季夏錫山蘭雪堂華堅允剛活字銅板印行』一條。」（頁一四六）

十九、明嘉業堂藍絲欄抄本：寧波天一閣文物保管所有藏本，原十七卷，今存卷十二至十七等六卷，《中國古籍善本書目》（經部）頁二九一著錄。

二十、明天啟五年王道焜等刻本：《春秋繁露》十七卷，半頁九行二十字，左右雙邊，白口，單魚尾。框高 19．5 厘米，寬 13．7 厘米。題『漢董仲舒著，明王道焜閱』。前有慶曆七年（1047）樓郁序并總評九則。哈佛大學燕京圖書館、國會圖書館有藏本。

又南京、上海圖書館有藏本，題作「羅振常跋」，《中國古籍善本書目》（經部）頁二九一著錄，九行十八字白口單邊。

又中國科學院、中國社會科學院文學研究所、中國歷史博物館、天津市人民圖書館、南開大學、吉林市、河南省、重慶市等圖書館均有藏本。

【增補】《中國歷史博物館古籍善本書目》曰：「董子春秋繁露　十七卷附錄一卷

漢董仲舒撰　明王道焜等輯評　趙如源　朱欽明校　明天啟五年王道焜趙如源刻本　四冊

九行十八字白口四周單邊上有眉批　有明王道焜序（善５１７）」（頁十）

【增補】王重民：《中國善本書提要．補遺》曰：「【《春秋繁露》十七卷，《附錄》一卷　　二冊（國會）

漢董仲舒撰。原題：『錢塘王道焜昭平甫閱，同社趙如源濬之甫訂，朱欽明堯心甫參。』按道焜以天啟元年舉於鄉，事蹟具《明史》卷二百七十六本傳，其序後有錢塘趙世楷〈凡例〉三則，稱彙擇諸先輩名公評定為一評點全本。道焜〈序〉云：『乙丑結夏山中，與友人趙濬之、朱堯心校刻於松風澗石下。』當是天啟五年也。

樓鑰〈序〉

王道焜〈序〉。」（頁三）

【增補】沈津著《美國哈佛大學燕京圖書館中文善本書志》：「**0102** 明刻本書春秋繁露　　**T682/1139**

《春秋繁露》十七卷，漢董仲舒撰。明刻本。二冊。半頁九行二十字，左右雙邊，白口，單魚尾。框高19·5厘米，寬13·7厘米。題『漢董仲舒著，明王道焜閱』。前有慶曆七年（1047）樓郁序并總評九則。

仲舒，廣州人。少治《春秋》下帷講授。武帝時以賢良對天人三策，為江都相，中廢為中大夫。以言災異下獄，尋赦之，為膠西王相，以病免，後以年老終於家。

是書八十二篇，所著篇名與《漢書·藝文志》及本傳所載不盡相同，後人疑其不盡出董仲舒之手。此本題『王道焜閱』。道焜，字階平。仁和人。明天啟元年舉人。官福建同知。明末殉難，謚節愍。

《中國古籍善本書目》著錄有《董子春秋繁露》十七卷《附錄》一卷，為明天啟五年王道焜刻本，此逕題『春秋繁露』，或是另一本。是書明代所刻即十餘種之多，此其一也。

鈐印有『唐氏家藏書印』」（頁四八）

二十一、明天啟陸氏崢霄刻本：《董子春秋繁露》一卷，半頁九行二十字，四周單邊，白口，無魚尾，書眉上刻評，書口下刻『崢霄館』。框高21·4厘米，寬14·2厘米。題『漢董仲舒著，明陸雲龍校』。揚子《太玄經》，題『漢子雲揚雄著，明雨候陸雲龍校』。前有天啟五年（1625）陸雲龍序。目錄前有陸雲龍撰凡例四則。哈佛大學燕京圖書館有藏本。

【增補】沈津著《美國哈佛大學燕京圖書館中文善本書志》：「0103 明天啟陸氏崢霄館刻本董子春秋繁露　T682/7110

《董子春秋繁露》一卷，漢董仲舒撰；附《太玄集事》一卷；揚子《太玄經》一卷，漢揚雄撰。明天啟陸氏崢霄館刻本。一冊。半頁九行二十字，四周單邊，白口，無魚尾，書眉上刻評，書口下刻『崢霄館』。框高21·4厘米，寬14·2厘米。題『漢董仲舒著，明陸雲龍校』。揚子《太玄經》，題『漢子雲揚雄著，明雨候陸雲龍校』。前有天啟五年（1625）陸雲龍序。目錄前有陸雲龍撰凡例四則。

按《春秋繁露》一書，各家書目皆作十七卷，此為節本，計五十四篇。陸雲龍序云：『雖然割錦剖瑜，未必充箱照軫，而中郎枕秘，要不在多。不佞欲盡蒐鄴架曹倉，去其精異幽奇者別成一種，使九行依軌，中道順序，啟文運以回世運。竊有志焉，而未遑也。』

其凡例云：『是書《中興館閣書目》、《崇文總目》、隋唐志及仲舒本傳皆稱其說《春秋》得失，作《玉杯》、《繁露》、《清明》、《竹林》諸書十七卷八十二篇，歐文忠謂總名之為《繁露》，失真。但《西京雜記》謂仲舒夢蛟龍入懷，作《春秋繁露》詞。《逸周書·王會解》，繁露，天子冕之所垂，或取《春秋》屬辭比事聯貫之象未可知，似不妨總名《繁露》。』『是書婺女潘氏本、太倉王氏本，皆十七卷八十二篇，內缺文三篇，今止節文五十餘篇，以《求雨》、《止雨》無裨舉業，其餘亦無可錄。』『是書原有闕文三首，更有缺文數字。嘗攷全集及諸家選中俱同，不敢臆增。』『童子集尚有'天人三策'、'災異'等疏，以多為世所熟習，故不入選。』按陸雲龍，子雨候。錢塘人。

崢霄館為陸氏齋名，此殆陸氏家刻也。陸氏又刻有《皇明十六名家小品》。

《中國古籍善本書目》未著錄。

鈐印有『淺草文庫』，日人印也。」（頁四八至頁四九）

二十二、清同治十二年(1873)粵東書局刻古經解彙函本：(漢)董仲舒撰《春秋繁露》十七卷，《附錄》一卷，台北：國家圖書館有藏本。

又南京圖書館藏有一本，題作「清楊沂孫批校並跋」。

二十三、民國五十六年(1967)藝文印書館百部叢書集成初編影印本：《春秋繁露附淩注校正》十七卷，國家圖書館有藏本。

二十四、譚獻稿本：清譚獻編定《董子定本》二十篇，杭州大學圖書館有藏本。

【增補】《杭州大學圖書館善本書目》曰：「《董子定本》二十篇　清譚獻編定　稿本　以崇文書局刻春秋繁露為底本朱筆校改　并有（鄒）祺朱筆眉批　一冊。」（頁八）

二十五、明萬曆十年（１５８２）原一魁兩京遺編本：《春秋繁露》八卷，商務印書館影印《元明善本叢書》十種的第七種，本書所據，實為萬曆十年趙維垣刊本，說法詳見張元濟《涉園序跋集錄》頁二〇。

又香港中文大學圖書館有藏本。

【增補】《香港中文大學圖書館古籍善本書錄（增訂版）》曰：「０８７ PL2470.Z6 T82

《春秋繁露》八卷

漢董仲舒撰

明萬曆十年（１５８２）原一魁兩京遺編本

一冊

存四卷：卷五至八

匡高二十・九公分，寬十四公分

九行十七字

白口，雙魚尾，四周雙邊

版心下記刻工

按：《四庫全書簡明目錄》案語云："《春秋繁露》雖頗本《春秋》以立論，而無經義者多，實《易緯》、《尚書大傳》、《韓詩外傳》之類，向來列之經解，殊非

其實，今亦置之於附錄。"」（頁二六）

二十六、明崇禎十一年方生刻本：漢董仲舒撰，明孫鑛等評《春秋繁露》十七卷，《附錄》一卷，九行二十字白口四周單邊，清舟山老人批校並跋，南京圖書館有藏本。

又湖北襄陽地區圖書館有藏本。

二十七、清刻本：漢董仲舒撰《春秋繁露》十七卷，清鄭珍錄，清盧文弨批校，《中國古籍善本書目》（經部）頁二九一著錄，四川省圖書館有藏本。案：本書僅題作「清刻本」，未詳與武英殿刻本有何異同？待查。

又中國歷史博物館有藏本，其確切版本待查。

【增補】《中國歷史博物館藏普通古籍目錄》曰：「００８９

春秋繁露　十七卷

（漢）董仲舒撰

清刻本

三冊

（史３４７）」（頁九）

二十八、明抄本：漢董仲舒撰《春秋繁露》十七卷，冒廣生校並跋，北京圖書館有藏本。

二十九、明末刻本：漢董仲舒撰《春秋繁露》十七卷，清翁方綱跋並錄清惠棟、紀昀校跋，北京圖書館有藏本。

三〇、明萬歷二十年刻廣漢魏叢書本：漢董仲舒撰《春秋繁露》十七卷，九行二十字白口左右雙邊，清陳樹華校跋並錄清惠棟校跋，王大隆跋，復旦大學圖書館有藏本。

又天一閣文物保管所另藏一本，題作「清徐時棟校並跋」九行二十字白口左右雙邊。

又南京圖書館另藏一本，題作「清盧文弨校，清丁丙跋」。

三一、明刻本：歷來題作「明刻本」，而未明確實出版時地及機構者，有如下幾種版本，分別條列如下：

（一）漢董仲舒撰《春秋繁露》十七卷，九行十七字白口四周雙邊有刻工，北京師範大學、天津市人民圖書館、山東省博物館、天一閣文物保管所等圖書館另有藏本。

（二）漢董仲舒撰，《春秋繁露》，北京圖書館另藏一本，九行十七字黑口四周雙邊，題作「傅增湘校」。

（三）漢董仲舒撰，《春秋繁露》，九行十七字小字雙行黑口單魚尾四周雙邊，北京大學、中國科學院、山東省圖書館另藏一本。

三二、清初毛氏汲古閣影宋抄本：漢董仲舒撰《春秋繁露》存八卷，五至八，十四至十七，北京圖書館有藏本。

三三、宋嘉定四年江右計臺刻本：漢董仲舒撰《春秋繁露》十七卷，十行十八字白口左右雙邊，北京圖書館有藏本。

三四、清嘉慶三十三年周采刻本：《中國歷史博物館古籍善本書目》頁九至頁十著錄此書，中國歷史博物館有藏本。

【增補】《中國歷史博物館古籍善本書目》曰：「春秋繁露　十七卷題跋一卷

漢董仲舒撰　明〔清〕嘉慶三十三年周采刻本　四冊

九行十七字黑口四周雙邊　　（善１９９）」（頁九至頁十）

三五、明末刻本：香港中文大學有藏本。

又高郵縣圖書館另有藏本，題作「明末刻本」，「九行二十字白口左右雙邊」，今暫附於此。

【增補】《香港中文大學圖書館古籍善本書錄（增訂版）》曰：「０８８　**PL2470.Z6 T82 1600z**

《春秋繁露》十七卷

漢董仲舒撰

《附錄》一卷

明末刻本

二冊

匡高十九・六公分，寬十四・四公分

九行二十字

白口，單白魚尾，左右雙邊

卷端署"漢董仲舒著，明王道焜閱"

前有慶曆七年樓郁序

鈐有"鯉洋文庫"印

按：是書僅卷一卷端署著者，其他各卷皆不署著者。」（頁二六）

三六、清嘉慶２０年（乙亥１８１５）刻本：河北圖書館有藏本。

【霖案】《河北省圖書館館藏古籍目錄》曰：「０１５４

春秋繁露　十七卷／（漢）董仲舒撰；（清）凌曙注・－清嘉慶２０年（乙亥１８１５）刻本・－４冊（１函）　　經１５４」（頁十六）

三七、1974年北京中國書店影印清嘉慶20年（乙亥1815）刻本：河北圖書館有藏本。

【增補】《河北省圖書館館藏古籍目錄》曰：「0155

春秋繁露　十七卷／（漢）董仲舒撰；（清）凌曙注．－1974年北京中國書店影印清嘉慶20年（乙亥1815）刻本．－4冊（1函）　經155」（頁十六）

三八、清光緒2年（丙子1876）浙江書局重刻盧氏抱經堂本：河北圖書館有藏本。

【增補】《河北省圖書館館藏古籍目錄》曰：「0156

董子春秋繁露　十七卷／（漢）董仲舒撰；（清）盧文弨校．－清光緒2年（丙子1876）浙江書局重刻盧氏抱經堂本．－2冊（1函）　經156」（頁十六）

三九、明天啓西山書舍刻本：漢董仲舒撰　明孫鑛評，《春秋繁露》十七卷，九行二十字白口四周單邊，中共中央黨校圖書館、故宮博物院圖書館、安徽省圖書館、安徽省博物館有藏本。

四〇、明天啟五年（一六二五）聚奎樓刊本：漢董仲舒撰　明孫鑛評《春秋繁露》十七卷，《附錄》一卷，九行二十字白口四周單邊，上海圖書館、天津市人民圖書館、南通市圖書館、湖北省襄陽地區圖書館、湖南師範學院圖書館有藏本。

又美國：普林斯敦大學葛思德東方圖書館藏有一部，題作「明天啟五年（一六二五）聚奎樓刊本」，當即此本。

又天津圖書館有藏本，題作「明末聚奎樓刻本，清吳蕭批點」，《中國古籍善本書目》（經部）頁二九二著錄。

又中共中央黨校圖書館、北京故宮博物院、安徽省圖書館、安徽省博物館均有藏本，題作「明天啟刻本」，《中國古籍善本書目》（經部）頁二九二著錄。

四一、清抄本：漢董仲舒撰　清佚名録，清盧文弨校《春秋繁露》十七卷，湖北省圖書館有藏本。

【存佚】本書有如下的輯本：

一、《春秋繁露佚文》一卷　（漢）董仲舒撰　（清）王仁俊輯

《經籍佚文》

二、《〔春秋繁露〕佚文輯補》　（漢）董仲舒撰　（清）劉師培輯

《劉申叔先生遺書》．春秋繁露斠補附

【增補】孫啟治、陳建華編《古佚書輯本目錄（附考證）》曰：「劉師培據鄭玄《周禮》注、《史記索隱》、《路史》、《太平御覽》等採得佚文十二節。王仁俊僅採得

二節，其中採《通典》引一節不見劉輯。」（頁六二）

班固曰[18]：「仲舒遭[19]秦滅學之後，《六經》離析，下帷發憤，潛心大業，令學者有所統壹，為群[20]儒首。」

王充曰[21]：「董仲舒讀《春秋》，專精一思，志不在他，三年不窺園菜。」

《西京雜記》[22]：「仲舒夢蛟龍入懷，乃作《春秋繁露》。」

《崇文總目》[23]：「《春秋繁露》十七卷[24]，其書[25]八十二篇，義或宏博[26]，然[27]篇第已[28]舛，無以是正。又即用〈玉杯〉、〈竹林〉題篇，疑後人取而附著云。」

【增補】〔補正〕《崇文總目》條內「篇弟已舛」，「已」當作「亡」。（卷七，頁五）

《中興書》[29]：「十卷。《繁露》之名，先儒未有釋者。按[30]：《逸周書．王會解》天子南面立絻無繁露。《注》云：『冕之所垂也，有聯貫之象。』《春秋》屬辭比事，仲舒立名，或取諸此。」

18霖案：《漢書》卷五六，頁2526。

19霖案：「遭」字下，應依《漢書》補入「漢承」二字。

20霖案：「群」字，《漢書》作「羣」字。

21霖案：《論衡集釋》卷八，〈儒增篇〉，頁171。

22霖案：《玉海》卷四○，頁787。

23霖案：《玉海》卷40-787D；又《文獻通考．經籍考》卷九，頁二三○。張心澂《偽書通考》頁四七五曾徵引其文。

24霖案：「《春秋繁露》十七卷」等七字，《文獻通考》引文未錄此七字，而《玉海》卷四○有之，顯然竹垞此處引文，應係根據《玉海》之文而來。又《玉海》無「《春秋繁露》」四字，此四字或係竹垞據相關文句所加。

25霖案：「書」字下，應依《文獻通考》補入「盡」字。

26霖案：「博」字，《玉海》作「愽」字。又「博」字下，應依《文獻通考》補入「非出近世」四字，而《玉海》並無此四字，再度印證竹垞引文，當係根據《玉海》而來。

27霖案：「然」字下，應依《文獻通考》補入「其間」二字。又《玉海》無此二字，當係竹垞所本也。

28「已」，應依《補正》作「亡」。 霖案：《經義考新校》頁3114於「《補正》」二字之前，新增：「《四庫薈要》本、」等字。今考《文獻通考》引作「亡」字，此當為翁方綱《補正》之所本也。

29霖案：《玉海》(冊二)卷四○，頁787。又《玉海》題作「《中興書目》」，而竹垞輯錄解題之時，省略「目」字。

30霖案：「按」字，《玉海》作「案」字。

歐陽修〈跋〉[31]曰：「《漢書．董仲舒傳》載仲舒所著書百餘篇第，云『〈清明〉、〈竹林〉、〈玉杯〉、〈繁露〉』之書，蓋略舉其篇名[32]，今[33]其書纔四十篇；又總名《春秋繁露》[34]者，失其真也。予在館中，校勘群書，見有八十餘篇，然多錯亂重複；又有民閒應募獻書者，獻三十餘篇，其閒[35]數篇在八十篇外，乃知董生之書流散而不全矣。方[36]俟校勘，而予得罪。夷陵秀才田文初以此本示予，不暇讀，明年春，得假之許州，以舟下南郡，獨臥閱此，遂誌之。董生儒者，其論深極《春秋》之旨；然惑於改正朔，而云『王者大一元』者，牽於其師之說，不能高其論以明聖人之道，惜哉[37]!」

【增補】胡榘〈跋〉曰：「榘頃歲刻春秋繁露於萍鄉，凡十卷三十七篇，雖非全書，然亦人間之所未見，故樂與吾黨共之。後五年官中都，復從攻媿先生大參樓公得善本，凡八十二篇、為十七卷，視隋唐志、崇文總目諸家所紀，篇卷皆同，唯三篇亡耳。先生又手自讎校，是正訛舛，今遂為全書，乃錄本屬秘閣兄重刊於江右之計　，以惠後學云。嘉定辛未四月初吉，朝奉郎、宗正丞、兼權右司郎官、兼樞密院檢詳諸房文字，胡榘書。」（轉錄《國立中央圖書館善本序跋集錄》經部．頁三八三）

樓郁〈序〉曰[38]：「《六經》道大而難知，惟《春秋》聖人之志在焉。自孔子沒，莫不有傳，名於傳者五家，用於世纔三而止爾，其後傳出[39]學散，源迷而流分。蓋《公羊》之學後有胡母子都、董仲舒治其說，信勤矣，嘗為武帝置對於篇，又自著書以傳於[40]後，其微言至要，蓋深於《春秋》者也。然聖人之旨在經，經之失傳，傳之失學，故漢諸儒多病專門之見，各務高師之言，至窮智畢學；或不出聖人大中之道，使周公、孔子之志既晦而隱焉。董生之書視諸儒尤博極閎深者也，〈本傳〉稱〈玉杯〉、〈繁露〉、〈清明〉、〈竹林〉之屬，

31霖案：《玉海》(冊二)卷四〇，頁788錄之．又《國立中央圖書館善本序跋集錄》頁381錄有此文，係根據「明正統間刊黑口本」甄錄而來。

32霖案：「《漢書．董仲舒傳》載仲舒所著書百餘篇第，云『〈清明〉、〈竹林〉、〈玉杯〉、〈繁露〉』之書，蓋略舉其篇名」諸句，非出自《玉海》，顯見竹垞此篇，應非據《玉海》甄錄而來。

33霖案：「今」，應依「明正統間刊黑口本」作「本」。

34霖案：「《春秋繁露》」四字，《玉海》無「春秋」二字，僅作「《繁露》」也。從篇幅多寡、內文文句來看，竹垞徵引此一解題，非來自於《玉海》之文也。此外，竹垞所錄其下諸文，實與《玉海》相差甚遠，難於校錄其文，今暫略之。

35霖案：「閒」，「明正統間刊黑口本」作「間」。

36霖案：「方」「明正統間刊黑口本」作「不」。

37霖案：「惜哉」下，應依「明正統間刊黑口本」補入「惜哉！景祐四年四月四日書。」等十一字。

38霖案：《五經翼》卷11-28(冊151-746)錄之。又《國立中央圖書館善本序跋集錄》頁383-384錄有此文，係根據「明正統間刊黑口本」甄錄而來。

39霖案：「出」，應依「明正統間刊黑口本」作「世」。

40霖案：「於」，「明正統間刊黑口本」作「于」字。

今其書十卷，又總名《繁露》。其是非請俟[41]賢者辨之。太原王君家藏此書，常謂仲舒之學久鬱不發，摹印[42]以廣之於[43]天下，就予求序，因書其本末云[44]。」

程大昌曰[45]：「右《繁露》十七卷，紹興閒[46]董某[47]所進，臣觀其書辭意淺薄，閒[48]掇取董仲舒策語雜置其中，輒[49]不相倫比，臣固疑非董氏本書矣[50]。又班固記其說《春秋》凡數十篇，〈玉杯〉、〈繁露〉、〈清明〉、〈竹林〉各為之名，似非一書；今董某[51]進本通以《繁露》冠書，而〈玉杯〉、〈清明〉、〈竹林〉特各居其篇卷之一，愈益可疑。他日讀《太平寰宇記》及杜佑《通典》，頗見所引《繁露》語言，顧董氏[52]今書無之。《寰宇記》曰：『三皇驅車[53]抵谷口。』《通典》曰：『劍之在左，蒼龍之象也；刀之在右，白虎之象也；鈎[54]之在前，朱雀之象也；冠之在首，玄武之象也。四者，人之盛飾[55]也。』此數語者，不獨今書所無，且其體致全不相似，臣然後敢言今書之非本真也。牛享[56]問崔豹冕旒以繁露者何？答曰：『綴玉而下，垂如繁露也。』則繁露也者，古冕之旒，似露而垂，是其所從假以名書也。以杜樂所引推想，其書皆句用一物以發己意，有垂旒凝露之象焉，則〈玉杯〉、

41霖案：「俟」，「明正統間刊黑口本」作「伺」字。

42霖案：「摹印」，應依「明正統間刊黑口本」作「將」。

43霖案：「於」，「明正統間刊黑口本」無之，將據以刪去。

44霖案：「因書其本末云」之下，應依「明正統間刊黑口本」補入「慶曆七年二月，大理評寺，四明樓郁書。」等十五字。

45霖案：《文獻通考．經籍考》卷九，頁231-232錄之。又張心澂《偽書通考》頁475曾徵引其文。又《國立中央圖書館善本序跋集錄》頁381-382錄有此文，係根據「明正統間刊黑口本」甄錄而來。

46霖案：「閒」，「明正統間刊黑口本」作「間」。

47霖案：「某」，「明正統間刊黑口本」作「□」。

48霖案：「閒」，「明正統間刊黑口本」作「間」。

49霖案：「輒」，「明正統間刊黑口本」作「輙」。

50霖案：「矣」，「明正統間刊黑口本」無此字，當據以刪去。

51霖案：「某」，「明正統間刊黑口本」作「□」。

52霖案：「董氏」，「明正統間刊黑口本」無此二字，當據以刪去。

53霖案：《經義考新校》頁3115新出校文如下：「『驅車』，文津閣《四庫》本作『馳車』。」

54霖案：「鈎」，「明正統間刊黑口本」作「鉤」。

55霖案：「飾」，當依「明正統間刊黑口本」作「節」。

56「牛享」，應依《補正》作「牛亨」。　霖案：《經義考新校》頁3116於「《補正》」二字之前，新增：「《四庫薈要》本、」等字。

「明正統間刊黑口本」作「牛亨」，《補正》或據原書版本改之。

〈竹林〉同為託[57]物，又可想見也。漢、魏閒[58]人所為文，名有[59]連珠者，其聯貫物象以達己意，略與杜樂所引同，如曰：『物勝權則衡殆，形過鏡則影窮』者，是其凡最也，以連珠而方古體，其殆《繁露》之所自出歟？其名其體皆契合無殊矣。」　又曰[60]：「淳熙乙未，予佐[61]蓬監，館本有《春秋繁露》，既嘗書所見於[62]卷末，而正定[63]其為非古矣；後又因讀《太平御覽》，凡其部彙列敘古《繁露》語特多，如曰：『禾實於野，粟缺於倉，皆奇怪非人所意，此可畏[64]也。』　又曰[65]：『金干土則五穀傷，土千[66]金則五穀不成。』張湯欲以鶩當鳧祀[67]宗廟，仲舒曰：『鶩非鳧，鳧非鶩，愚以為不可。』　又曰[68]：『以赤統者幘尚赤。』諸如此類，亦皆附物著理，無憑虛發語者，然後益自信予所正定不謬也。《御覽》，太平興國[69]間編輯；此時《繁露》之書尚存，今遂逸不傳，可歎也已」」

【增補】〔補正〕程大昌條內「牛享問」，「享」當作「亨」；「名有連珠者」當作「有名」。（卷七，頁五）

晁公武曰[70]：「漢董仲舒撰[71]。史稱仲舒說《春秋》事得失，聞舉[72]〈玉杯〉、〈繁露〉、

57霖案：「託」，應依「明正統間刊黑口本」作「說」。

58霖案：「閒」，「明正統間刊黑口本」作「間」。

59「名有」，應依《補正》作「有名」。　霖案：《經義考新校》頁3116於「《補正》」二字之前，新增：「《四庫薈要》本、」等字。今考「明正統間刊黑口本」亦作「有名」，翁方綱或據原書版本改正。

60霖案：《國立中央圖書館善本序跋集錄》頁382錄有此文，係根據「明正統間刊黑口本」甄錄而來。

61霖案：「佐」，應依「明正統間刊黑口本」作「佑」。

62霖案：「於」，「明正統間刊黑口本」無之，當據以刪。

63霖案：「正定」，「明正統間刊黑口本」作「定正」，二字互倒，竹垞逕改之矣。

64霖案：「畏」，應依「明正統間刊黑口本」作「謂」。

65霖案：《國立中央圖書館善本序跋集錄》頁382錄有此文，係根據「明正統間刊黑口本」甄錄而來。

66霖案：「千」，應依「明正統間刊黑口本」作「干」。

67霖案：「祀」，應依「明正統間刊黑口本」作「祠祀」。

68霖案：《國立中央圖書館善本序跋集錄》頁382錄有此文，係根據「明正統間刊黑口本」甄錄而來。

69《經義考新校》頁3116新增校文如下：「『太平興國』，文津閣《四庫》本誤作『大平典國』」。

70霖案：《文獻通考．經籍考》卷九，頁230。「晁公武」，《通考》題作「晁氏」。又《郡齋讀書志》卷第三，頁102。

71霖案：「漢董仲舒撰」諸字，《玉海》引文未及此五字，且後文與竹垞引文相距較遠，顯見竹垞此處所引之書，非據《玉海》而來，而是較接近《文獻通考》之文。

72霖案：「聞舉」二字，《點校補正經義考》一書，未以書名號應之，惟此書實與〈玉杯〉、〈繁露〉、〈清明〉諸篇同為篇名，雖然今本《春秋繁露》沒有「〈聞举〉」、「〈蕃露〉」、「〈清明〉」諸篇，但此

〈清明〉、〈竹林〉之屬[73]數十篇，十餘萬言，皆傳於後世。[74]今溢[75]而為八十二篇，又通名《繁露》，皆[76]未詳。隋、唐卷目與今同，但多訛舛[77]。」

陳振孫曰[78]：「按隋、唐及國史志卷皆十七，《崇文總目》凡八十二篇，《館閣書目》止十卷，萍鄉所刻亦財三十七篇，今本乃樓攻媿得潘景憲本，卷篇皆與前志合，然亦非當時本書也，先儒疑辨[79]詳矣。其最可疑者，本傳載所著書百餘篇，〈清明〉、〈竹林〉、〈繁露〉、〈玉杯〉之屬，今總名曰《繁露》，而〈玉杯〉、〈竹林〉則皆其篇名，此決非其本真；況《通典》、《御覽》所引，皆今書所無者，尤可疑也。然古書存於世希矣，姑以傳疑存之可也。又有寫本作十八卷，而但有七十九篇，考[80]其篇次皆合，但前本〈楚莊王〉在第一卷首，而此本乃在卷末，別為一卷；前本雖八十二篇，而闕文者三，實七十九篇也。」

【增補】何廣棪：《陳振孫之經學及其《直齋書錄解題》經錄考證》曰：「廣棪案：《隋》、《新》、《舊唐志》及趙士煒《宋國史藝文志輯本》著錄此書皆作十七卷。《崇文總目》卷一《春秋類》著錄：『《春秋繁露》十七卷，董仲舒撰。原釋：其書盡八十二篇，義引宏博，非出近世。然其間篇第亡舛，無以是正。又即用《玉杯》、《竹林》題篇，疑後人取而附著云。（見《玉海．藝文類》凡兩引，及《文獻通考》、《書錄解題》引首句。）』《中興館閣書目》曰：『《春秋繁露》十卷。《繁露》之名，先儒未有釋者。按《逸周書，王會解》：『天子南面立，絻無繁露。』《注》云：『冕之所垂也。』有聯貫之象，《春秋》屬辭比事，仲舒立名或取諸此。』均與《解題》所述同，而較詳悉。至樓鑰《春秋繁露後序》曰：『開禧二年，今編修胡君仲方宰萍鄉，得羅氏蘭臺本，刊之縣庠，考證頗備。……然止於三十七篇，終不合《崇文總目》及歐陽文忠公所藏八十二篇之數。』此亦與《解題》謂『萍鄉所刻亦財三十七篇』之說同。」（頁五三三至頁五三四）

【增補】何廣棪：《陳振孫之經學及其《直齋書錄解題》經錄考證》曰：「案：鑰《後序》曰：『余老矣，猶欲得一善本。聞婺女潘同年叔度景憲多收異書，屬其子弟訪之，始得此本，果有八十二篇。是萍鄉本猶未及其半也，喜不可言。』與《解題》所

處所錄「聞舉」二字，當視同篇名，而《點校補正經義考》未作篇名，實有重訂標點之必要。

73霖案：「事得失，聞舉〈玉杯〉、〈繁露〉、〈清明〉、〈竹林〉之屬」諸句，《玉海》引文無此數句，特此說明。

74霖案：「十餘萬言，皆傳於後世。」，《玉海》無此二句，特此說明。

75霖案：「溢」字，《玉海》作「益」字。

76霖案：「皆」字，《玉海》無此字。

77霖案：「隋、唐卷目與今同，但多訛舛」諸句，《玉海》無之。

78霖案：《直齋書錄解題》卷三，頁457、《文獻通考．經籍考》卷九，頁230、張心澂《偽書通考》頁476錄及此文。「陳振孫」，《通考》題作「陳氏」。

79霖案：「辨」字，《文獻通考》作「辯」字。

80霖案：「考」字，《文獻通考》作「攷」字。

述同。黃震《黃氏日抄》卷五十六《讀諸子》二『《春秋繁露》』條曰：『近士胡尚書榘為萍鄉宰日，刊之縣齋，僅三十七篇而已；其後得攻媿樓參政校定本，十七卷、八十二篇之舊復全。其兄胡槻既刊之江東漕司，其後岳尚書珂復刊之嘉禾郡齋，世遂以為定本。攻媿謂為仲舒所著無疑。……愚按：今書惟對膠西王、越大夫之間，辭約義精，而具在本《傳》，餘多煩猥，甚至於理不馴者有之。如云：『朱襄公由其道而敗，《春秋》貴之。』襄公豈由其道者耶？如云：『周無道，而秦伐之。』以與殷、周之伐並言，秦果伐無道者耶？如云：『志如死灰，已不問問，以不對對。』恐非儒者之言。如以王正月之王為文王，恐《春秋》無此意。如謂：『黃帝之先謚，四帝之後謚』恐隆古未有謚。如謂：『舜主天法商，禹主地法夏，湯主天法質！文王主地法文。』於理皆未見其有當。如謂：『楚莊王以天不見災，而禱之於山川。』而見災而懼可矣。禱于山川以求天災，豈人情乎？若其謂：『性有善姿，而未能為善，惟待教訓而後能為善。』謂：『性已善，幾於無教。孔子言善人吾不得而見之，而孟子言人性皆善，過矣！』。是又未明乎本然之性也。漢世之儒，惟仲書仁義三策炳炳萬世，曾謂仲舒之《繁露》而有是乎？』是黃震亦以《繁露》非當時本書也。」（頁五三四至頁三五）

【增補】何廣棪：《陳振孫之經學及其《直齋書錄解題》經錄考證》曰：「案：程大昌《演蕃露》曰：『右《繁露》十七卷，紹興間董某所進。臣觀其書，辭意淺薄，間掇取董仲舒策語雜置其中，輒不相倫比，臣固疑非董氏本書矣。又班固記其說《春秋》凡數十篇，《玉杯》、《繁露》、《清明》、《竹林》各為之名，似非一書。今董某進本，通以《繁露》冠書，而《玉杯》、《清明》、《竹林》特各居其篇卷之一，愈益可疑。他日讀《太平寰宇記》及杜佑《通典》，頗見所引《繁露》語言，顧董氏今書無之。《寰宇記》曰：『三皇驅車抵谷口』《通典》曰：『劍之在左，蒼龍之象也；刀之在右，白虎之象也；鉤之在前，朱雀之象也；冠之在首，玄武之象也。四者，人之盛飾也。』此數語者，不獨今書所無，且其體致全不相似。臣然後敢言，今書之非真也。牛享問崔豹：『冕旒似繁露者何？』答曰：『綴玉而下垂如繁露也。』則繁露也者，古冕之旒，似露而垂，是其所從假以名書也。以杜、樂所引，推想其書皆句用一物以發己意，有垂旒凝露之象焉。則《玉杯》、《竹林》，同為託物，又可想見也。漢、魏間人所為文名有《連珠》者，其聯貫物象，以達己意，略與杜、樂所引同。如曰：『物勝權則衡殆，形過鏡則影窮』者，是其凡最也。以連珠而方古體，其殆繁露之所自出歟？其名其體，皆契合無殊矣。』又曰：『淳熙乙未，予佐蓬監，館本有《春秋繁露》，既嘗書所見於卷末，而正定其為非古矣。後又因讀《太平御覽》，凡其部彙，列敘古《繁露》語特多，如曰：『禾實於野，粟缺於倉，皆奇怪非人所意，此可畏也。』又曰：『金干土則五穀傷，土干金則五穀不成。』『張湯欲以鶩當鳧祀宗廟，仲舒曰：『鶩非鳧，鳧非鶩，愚以為不可』』又曰：『以赤統者，幘尚赤。』諸如此類，亦皆附物著理，無憑虛發語者，然後益自信予所正定不謬也。《御覽》，太平興國間編輯，此時《繁露》之書尚存，今遂逸不傳，可歎也已。』是則《題解》所謂『先儒疑辨詳矣』者，殆指大昌乎？觀《題解》所述，多與《演蕃露》相同也。」（頁五三五至頁五三七）

樓鑰〈後序〉[81]曰：「《繁露》一書凡得四本，皆有高祖正議先生序文。始得寫本於里中，先[82]傳而讀之，舛訛[83]至多，恨無他本可校；已而得京師印本，以為必異[84]，而相去殊不遠。又竊疑〈竹林〉、〈玉杯〉等名[85]與其書[86]不相關。後見尚書程公[87]〈跋〉語，亦以篇名為疑；又以《通典》、《太平御覽》、《太平寰宇記》所引《繁露》之書，今書皆無之，遂以為非董氏本書。且以其名謂必類小說家，後自為一編，記[88]雜事名，演《繁露》行於世。開禧二年[89]，今編修胡君仲方宰[90]萍鄉，得羅氏蘭臺本，刊之縣庠，考證頗備，先程公所引三書之言皆在書中，則知程公所見者未廣，遂謂為小說者非也。然止於三十七篇，終不合《崇文總目》及歐陽文忠公所藏八十二篇之數。余老矣，猶欲得一善本，聞婺女潘同年叔度景憲多收異書，屬其子弟訪之，始得此本，果有八十二篇，是萍鄉本猶未及其半也。喜不可言，以校印本各取所長，悉加改定；義[91]通者兩存之，轉寫相訛，之[92]古語，亦有不可強通者。《春秋會解》一書[93]，[94]所集仲方摭[95]其引《繁露》十三條，今皆具在。余又據《說文解字》王字下引董仲舒曰：『古之造文者，三畫而連其中謂之王。三者，天地人也；而參通之者，王也。』許叔重在後漢和帝時，今所引在〈王道通三〉第[96]四十四篇中，其餘[97]《傳》中對

81霖案：《國立中央圖書館善本序跋集錄》頁382-383錄有此文，係根據「明正統間刊黑口本」甄錄而來。又張心澂《偽書通考》頁475-476曾徵引其文，惟作者題為「樓大防」，則題稱稍有不同。

82霖案：「先」，應依「明正統間刊黑口本」作「亟」。

83霖案：「訛」，應依「明正統間刊黑口本」作「誤」，「訛」、「誤」二字字義相近，惟用字不同，當據原書改正。

84霖案：「異」，應依「明正統間刊黑口本」作「佳」。

85霖案：「名」，應依「明正統間刊黑口本」作「各」，「名」、「各」二字形近而誤入。

86霖案：「書」，應依「明正統間刊黑口本」作「言」。

87霖案：「程公」，「明正統間刊黑口本」作「公程」，二字互倒，竹垞逕將二字改正。

88霖案：「記」，應依「明正統間刊黑口本」作「說」。

89霖案：「二年」，應依「明正統間刊黑口本」作「三年」，此乃年代有誤也。

90霖案：「宰」，應依「明正統間刊黑口本」作「槼宰」。

91霖案：「義」，「明正統間刊黑口本」作「議」。

92「之」，據《補正》當作「又」。　霖案：《經義考新校》頁3118於「《補正》」二字之前，新增：「《四庫薈要》本、」等字。今考「明正統間刊黑口本」作「又」字，翁方綱或據原書版本改之。

93霖案：《經義考新校》頁3118新增如下校文：「『一書』，《四庫薈要》本作『近年』，文淵閣、文津閣《四庫》本『書』下注『闕』。」。

94霖案：「明正統間刊黑口本」作「……（中闕）……年（中闕）……」，可見中有闕文，然竹垞略去而不論。

95霖案：「摭」，「明正統間刊黑口本」作「摭」。

96霖案：「第」，「明正統間刊黑口本」無之，應據以刪去。

越三仁之問，朝廷有大議，使使者及廷尉張湯就其家問之，求雨，閉諸陽，縱諸陰，其止雨也，反。是三策中，言天之仁愛；人君，天道之大者。在陰陽，陽為德，陰為刑，故王者任德教而不任刑之類，今皆在其書中，則其為仲舒所著無疑；且其文詞亦非後世所能到也。《左氏傳》猶未行於世，仲舒之言《春秋》多用《公羊》之說。嗚呼!漢承秦敝，旁求儒雅，士以經學專門者甚眾，獨仲舒以純儒稱，人但見其潛心大業，非禮不行，對策為古今第一；余竊謂惟[98]仁人之對曰：『仁人者，正其誼不謀其利，明其道不計其功。』又有言曰：『不由其道而勝，不如由其道而敗。』此類非一，是皆真得吾夫子之心法，蓋深於《春秋》者也。自揚[99]子雲猶有愧於斯，況其他乎？其得此意之純者，在近世惟范太史《唐鑑》為庶幾焉。褒貶評論，惟是之從，不以成敗為輕重也。潘氏本〈楚莊王篇〉為第一，他本皆無之，前後增多凡四十二篇，而三篇闕焉；惟〈玉杯〉、〈竹林〉二篇之名未有以訂之，更俟來喆[100]。仲方得此，尤以為前所未見，相與校讐，將寄江右漕[101]臺兼[102]秘閣公刻之，而謂余記其後。[103]」

黃震曰[104]：「《繁露》[105]分十二世為三等：哀、定、昭三世，君子之所見也；襄、成、宣、文四世，君子之所聞也；僖、閔、莊、桓、隱五世，君子之所傳聞也。」

【增補】黃震《黃氏日抄》曰：「黃震曰：『董仲舒《傳》，說《春秋》得失，〈聞舉〉、〈玉杯〉、〈繁露〉、〈清明〉、〈竹林〉、〈繁露〉、〈清明〉、〈竹林〉之屬數十篇，十餘萬言。顏師古《注》：『皆其所著書名』，本朝《崇文總目》《繁露》十七卷八十二篇，與隋、唐《志》卷目同。《目》謂其『義引宏博，非出近世。然總以《繁露》為名，又即用〈玉杯〉、〈竹林〉題篇』，已疑後人附著矣。乃《中興館閣書目》止存十卷三十七篇。新安程大昌讀《太平寰宇記》及杜佑《通典》，見所引《繁露》語言，今書皆無之，因知今書之非本真。又讀《太平御覽》古《繁露》語特多，《御覽》太平興國間編輯，此時《繁露》尚存，今遂逸不傳。合此三說觀之，是隋、唐國初《繁露》已未必皆董仲舒之舊，中興後《繁露》又非隋、唐國初之《繁露》矣。近世胡尚書榘為萍鄉宰日，刊之縣齋，僅三十七篇而已，其後得攻媿樓參政校定本，十七卷八十二篇之舊復全。其兄胡槻既刊之江東漕司，其後書玎復刊之嘉

97霖案：「餘」，應依「明正統間刊黑口本」作「本」。

98霖案：《經義考新校》頁3118新增如下校文：「『惟』，文淵閣《四庫》本作『非』。」。

99霖案：「揚」，「明正統間刊黑口本」作「楊」。

100霖案：「喆」，「明正統間刊黑口本」作「哲」。

101霖案：「漕」，「明正統間刊黑口本」作「滄」。

102霖案：「兼」，應依「明正統間刊黑口本」作「長兄」。

103霖案：「後」字下，應依「明正統間刊黑口本」補入「嘉定三年中伏日，四明樓鑰書于攻媿齋」等十六字。

104霖案：《黃氏日抄》卷五十六，〈春秋繁露〉，頁658。

105霖案：「《繁露》」二字，《黃氏日抄》作「《春秋》」二字，此書名有所不同也。

禾郡齋，世遂以為定本。攻媿謂為仲舒所著無疑，而取〈楚莊篇〉第一，謂為潘氏本有之。至於〈調均〉一篇，萍鄉本列置第三十五，及攻媿再定本乃不及此篇，則不知何說也？又程氏謂《通典》載『劍在左，左龍象；刀在右，白虎象；韍在前，朱雀象；冠在首，　武象。』謂此數語今書所無，而今書〈服制象篇〉此語具存，程氏以為無之，不知又何也？愚按今書惟對膠西王越大夫之間，辭約義精，而具在本〈傳〉；餘多煩猥，甚至於理不馴者邪？如云：『周無道，而秦伐之。』以與殷、周之伐並言，秦果伐無道者邪？如云：『志如死灰，以不問問，以不對對。』恐非儒者之言。如以王正月之王為文王，恐《春秋》無此意。如謂：『黃帝之先謚，四帝之後謚。』恐隆古未有謚。如謂：『舜主天法商，禹主地法夏，湯主天法質，文王主地法文。』於理皆未見其有當。如謂：『楚莊王以天不見災，而禱之於山川。』而見災而懼可矣，禱于山川以求天災，豈人情乎？若其謂：『性有善姿，而未能為善，惟待教訓而後能為善。謂『性已善，幾於無教。孔子言善人吾不得而見之，而孟子言人性皆善過矣。』是又未明乎本然之性也。漢世之儒，惟仲舒仁義三策炳炳萬世，曾謂仲舒之《繁露》而有是乎？歐陽公讀《繁露》，不言非真，而譏其不能高其論以明聖人之道，且有惜哉惜哉之歎。夫仲舒純儒，歐公文人，此又學者所宜審也。』」（轉引張心澂《偽書通考》頁四七六至頁四七七）

【增補】〔補正〕樓鑰〈後序〉內「之古語」，「之」當作「又」。（卷七，頁五）

程端學曰[106]：「《繁露》[107]或謂非董子之書。」

【增補】胡應麟：《少室山房筆叢．九流緒論》曰：「《春秋繁露》十七卷，稱漢董仲舒撰。自宋以來，讀者咸以為疑，而莫能定其真偽。按劉氏《七略》「春秋類」惟《公羊治獄》十六篇，非也。余讀《漢藝文志》儒家有《仲舒》百二十三篇，而東漢《志》不可考，《隋志》西京諸子凡賈誼、桓寬、揚雄、劉向篇帙往往具存，獨《仲舒》百二十三篇不著錄，而「春秋類」特出《繁露》十七卷。今讀其書，為《春秋》發者僅十之四五，自餘〈王道〉、〈天道〉、〈天容〉、〈天辯〉等章，率泛論性術治體，至其他陰陽五行沴勝生克之譚尤眾，皆與《春秋》大不相蒙。蓋不特《繁露》冠篇為可疑，併所命《春秋》之名亦匪實錄也。余意此八十二篇之文即《漢志》儒家百二十三篇者。仲舒之學究極天人，且好明災異，據諸篇見解，其為董氏居然。必東京而後，章次殘闕，好事者因以《公羊治獄》十六篇合於此書，又妄取班氏所記《繁露》之名繫之。而儒家之《董子》世遂無知者。後人既不察百二十三篇之所以亡，又不深究八十二篇所從出，徒紛紛聚訟篇目間，故咸失之。當析其論《春秋》者，復其名曰《董子》可也。（轉錄：張心澂《偽書通考》頁四七七至頁四七八。）

【增補】金德建《古籍叢考》曰：「胡氏之說，茲分五點批評之：

（一）胡氏以今本《春秋繁露》並非《漢志》「春秋類」的《公羊董仲舒治獄

106霖案：程端學：《春秋本義》〈春秋傳名氏〉，(《通志堂經解》(冊25)) 頁13860。

107霖案：「《繁露》」二字為大字，「或謂非董子之書」為雙行夾注。

》十六篇，這一層我是贊成的。

（二）以《春秋繁露》為即《漢志》「儒家類」的《董仲舒》百二十三篇，這一層我不以為然。因為這百二十三篇的內容，據《仲舒》本〈傳〉上說是一部份屬於『明經術之事』，一部屬於『上疏條教』，與今本《春秋繁露》的內容，似不相稱，那裏會是一書呢？況且《仲舒》本〈傳〉明說百二十三篇之外復有數十篇，這數十篇的內容是『說《春秋》得失』，倒像今本的《春秋繁露》了。《繁露》的名稱亦為這數十篇中的篇名之一。凡《史記》所說『災異之記』，《論衡》所謂『傳記』『道術之書』，都直指這『說《春秋》事得失』的數十篇，也就指今本的《春秋繁露》。

（三）胡氏又以為《董仲舒》百二十三篇『東京以後，章次殘缺，好事者因以《公羊治獄》十六篇合於此書，又妄取班氏所記《繁露》之稱繫之。』這一點他似乎分析今本《春秋繁露》的來源，進一步肯定今本《春秋繁露》為《董仲舒》百二十三篇與十六篇《公羊董仲舒治獄》的混合物。其實也並不確。上面我根據《後漢書．應劭傳》，知道《公羊治獄》十六篇實已包括在《董仲舒》百二十三篇中而為一書，那末今本《春秋繁露》並非漢代的《董仲舒》百二十三篇，更非《公羊治獄》十六篇了。

（四）胡氏說：『不特《繁露》冠篇為可疑，併所命《春秋》之名亦匪實錄也。』這一層在《漢書．董仲舒》本〈傳〉上原說百二十三篇之外復有數十篇，而《繁露》僅居其一。以《春秋繁露》為此數十篇的總名，當然出於後人之所定，照理這名稱是不符的。

（五）因《春秋繁露》名稱的不符，胡氏就想把它改稱為《董子》，此層大謬。《漢志．諸子略》「儒家」有《董子》一篇；這位姓董的是董無心，並非董仲舒。董仲舒著書，他自己是不稱子的，《論衡．超奇篇》說：『董仲舒著書不稱子者，意殆自謂過諸子也』可證。

據上推論，則《春秋繁露》一書，董仲舒所著各書中之位置應屬那一部份，可以明白了。同時，《春秋繁露》中也找不出任何偽證，所以此書可認為出於仲舒，不用懷疑。」（轉錄：張心澂《偽書通考》頁四七八至頁四七九。）

【增補】金德建《古籍叢考》曰：「《春秋繁露》之見於著錄，始於《隋志》。但這名稱起源究竟始於何時？《西京雜記》說：『董仲舒夢蛟龍入懷，乃作《春秋繁露》。』說董仲舒當時已經自稱所著為《春秋繁露》，當然不可信從的。但是至少《西京雜記》時候已經有《春秋繁露》的名稱了。《西京雜記》的著者為誰？頗不容易定奪。有人懷疑並非葛洪所撰，大致據《酉陽雜俎》述庾信語指為梁代吳均所著，當屬可信。這樣，將此數十篇編集起來，而題以《春秋繁露》的名稱，當在自漢王充、班固以後至梁吳均以前的這個時期中。」（轉錄：張心澂《偽書通考》頁四七九。）

【增補】張心澂《偽書通考》曰：「《西京雜記》經盧文弨的考究，不是葛洪，也不是吳均著的，他說得不錯。我又經考究，是劉歆未成的漢史稿（詳見下史部．《西京雜記》下）。那末董仲舒作《春秋繁露》的話，就是劉歆說的。但他既說這話，為什麼班固的〈藝文志〉根據他的《七略》的，又不用這個名稱呢？可見還是指《繁露》

那一篇。單獨說到這篇時，有『春秋』二字，在董仲舒本〈傳〉內說他『說《春秋》得失』，列舉幾篇的名稱，其中有〈蕃露〉，就不須逐篇加『春秋』二字了。這是董氏著作的一篇，所以《七略》內也不用這名稱為全書的名稱。以後不知是什麼時候什麼人用了這個名稱做全書的名稱，可能是隋代牛宏購書時，所以唐初撰《隋志》就列這名稱了。」（頁四七九至頁四八〇）

【增補】趙維垣〈序〉曰：「宋程大昌在淳熙間演繁露引牛亨問崔豹冕旒以繁露者何？答曰，綴玉而下、垂如繁露也；仲舒名己著書有垂旒凝露之象焉。夫旒，王者所以飾冕也，董生顧名儒，立言宜自珍異，然豈借王者取重哉？按天文志，氐北有天乳星，明潤則甘露降，王者德格於上，恩覃於下之應，嗟呼！董生意儻在茲歟？夫人臣竭忠誠，欲輔佐誼主，仁義布濩，社稷安乂，而禎符疊貺也。武帝多欲，海內虛耗，屯膏之吝，適惟斯時，觀其言曰，陛下居得致之位，操可致之勢，又有能致之資，然而德澤未加，美祥莫至者，何也？此其志不已忠邪，故書繫春秋，明聖人屬辭褒貶，某事得，某事失，所以警心也。曰繁露，明王者之政，甘而不荼，與造化流通，當宵零若露，如脂如飴，徧萬物也。納約之義攸在，往劉歆撰西京記，董生夢蛟龍入懷，感而操觚，果歆言不妄，則芝房寶鼎未足專瑞。或曰是書作在長陵殿災，仲舒懲主父偃嫉，下吏當理，乃稱說繁露以諫武帝。嗟呼！董生何如人哉？孰謂平生廉直、兩相驕主者，竟與希世用事，致位通顯同乎？頃與溈陽周大夫論荒政，舉繁露中求雨法可試，雖昔人病其縱陰閉陽，鼓舞化機，少濟時艱，一其術爾。假令位丞相，左右承弼，當必有調燮之具而不徒也。予因出宋本，溈陽刻之。溈陽布政五年，惠流岷峨，積日為功，正誼明道，方於董矣，嘉靖甲寅歲仲夏上日，大中大夫，四川布政使司右參政、前翰林院庶吉士，永寧趙維垣撰。」（轉錄《國立中央圖書館善本序跋集錄》經部．頁三八四）

【增補】孫鑛〈序〉曰：「董仲舒治公羊春秋、與齊人胡毋生同業，公孫弘亦頗受焉。相江都，弟子從之者褚大、瀛公、段仲、呂步舒。其言春秋大一統，諸不在六藝之科、孔子之術，絕其道，勿使並進。漢儒表章六經，訓詁觭于文字名物，間容有拘泥穿鑿之過，而終無傷於微言大義。史稱承秦滅學後，以著書為事，推明孔氏，抑黜百家，設學校之官，舉茂才孝廉，皆仲舒發之。繁露諸書博極閎深，而著精神處尤在尚德緩刑一語，至謂天有兩和，以成二中，歲立其中，用之無窮；北方之中，內產陽而物始動于下；南方之中，內萌陰而物始養于上；動于下者，不得東方之和不能生，中春是也；養于上者，不得西方之和不能成，中秋是也；生于和、成必利，始于中、止必中；中者天地之所始終，和者天地之所生成也；德莫大于和，道莫至于中，中和天地之美，聖人所保守也；謂春秋為中和之理，可謂善言經者。中庸以喜怒哀樂未發為中，發而中節為和，夫以意觀春秋者之所親愛、賤惡、畏敬、哀矜、傲惰而辟焉，不中不和而曾是可以明聖經乎？然則董生之書，其微言至意真深于春秋者矣。王充論衡曰，仲舒奇說道術，文之烏獲也，策既中實，文說美善，博覽膏澤之所生，雖無鼎足之位，如在公卿之上，知言哉！今其書十七卷，歐文忠謂總名之為繁露，本藏婺女潘氏、大倉王氏，宋儒樓子行其學，而予復評而廣之，欲儒者內實精神、外示安儀，比于越女子手戰之道爾。東海月峰孫鑛題。」（轉錄《國立中央圖書館善本序跋集錄》

經部．頁三八五）

【增補】汪明際〈序〉曰：「班氏稱董仲舒推明孔氏，抑黜百家，立庠序之官，州郡舉茂材孝廉，皆自董仲舒發之。夫孔子之詩書久付于咸陽烈燄。漢高帝興，不事詩書。孝文時頗徵用儒者，其實好刑名家言。延及孝景，不任儒術，竇太后又好黃老之言，故其時詩、書、禮、樂幾淪長夜矣。自董仲舒出，而下帷讀書，精思孔子之道，孔子之道始得昭然大明於世。予以為仲舒，孟子以後一人也，乃真西山亦以為西漢儒者唯一仲舒，七篇而後未有及者，知言哉！其于書尤精于春秋，凡所以告君、所以對策者，其言無不歸本於是。本傳謂其說春秋舉玉杯、蕃露、清明、竹林之屬，復數十篇、十餘萬言，皆傳于後世，然則繁露其書中之一種也，而今之玉杯、清明、竹林之屬，悉括繁露中，蓋自歐陽子始。董子之學本之於公羊氏，故其文多巉峭之語，而壯衍風發，則又別自成一風味也。余嘗究心焉，而知其大端矣，凡自玉杯、竹林、王道、離合根、立元神諸篇，讀者如遊吳越諸名山，嘗有煙潤之氣往往來來於林壑巖洞之外；而其餘諸篇則似大江以北諸山，矗諸天表而氣韻猶在。西湖沈自玉、朱元一雅好古，參評此書，遂弁數語以告天下之善讀書者。天啟乙丑秋七月，吳郡汪明際題於西湖上之寄園。」（轉錄《國立中央圖書館善本序跋集錄》經部．頁三八五至頁三八六）

【增補】沈鼎新〈小引〉曰：「聞之五經則四海也，傳記則四瀆也，諸子則涇渭也。又曰六經為鑪廚，百家為異饌。夫緗帙墨莊，雖茂先三十車未能罄，要以會海充廚不詭宗印者近是。西漢董廣川治春秋，習公羊，力發孔氏之志以領袖群儒，三策暨諸書皆奧博閎深，根柢道德，洵括六經之秘矣。乃更有繁露八十二篇，其旨則尊禮重信、賤貨貴誼，即本五行、推災異，無非儆戒人主，使之任德以緩刑。昔劉向稱王佐才，尹起莘謂一代大儒，正晦翁所云識得本原意也。後世疑繁露為贋作，余細閱篇中，大都取乎義、不泥夫經，意反而正，語核而嚴，才弘而棷，無一不歸本於天，參之天人相與之對，春秋繫天於王之旨，夫何間然。至若大議令廷尉就門，兩事驕王，正身率下，不學公孫弘從諛媒世，卒之崇正抑邪，庠序孝廉之典，一時犁舉，則漢室四百年之業就，不窺園時，天似默默定之矣。故讀對策諸書及繁露篇，益知廣川力發孔氏之志，而涇渭一四海、異饌一鑪廚也。偶獲善本，遂與元一參之，以質世之問源索味之士。天啟乙丑孟秋，西湖沈鼎新自玉父撰并書於犄園之花齋。」（轉錄《國立中央圖書館善本序跋集錄》經部．頁三八六）

王鏊曰[108]：「《繁露》說《春秋》[109]，宛然《公羊》之義、《公羊》之文，雖或過差，而篤信其師之說，可謂深於《春秋》者也。」

《春秋決事》　《漢志》作「《公羊治獄》」，《七錄》作「《春秋斷獄》」，《新》、《舊唐書》作「《春秋決獄》」，《崇文總目》作「《春秋決事比》」。

108四庫：王鏊：《震澤長語》卷上錄之。又此書有《明清史料彙編》第一輯3本，《初編》本0222，《百部初編》本，《借月山房彙鈔》本等均有之。

109霖案：「《繁露》說《春秋》」一句，應依《震澤長語》題作「《春秋繁露》」十卷，世多以為偽書，余反覆考之，其〈玉杯〉、〈竹林〉、〈玉英〉至〈十指〉，皆說春秋事，」等句。

【書名】本書異名如下：

一、《公羊治獄》：《漢志》著錄。

二、《春秋斷獄》：《七錄》著錄。

三、《春秋決獄》：新、舊《唐書》著錄

四、《春秋決事比》：《崇文總目》著錄

五、《春秋斷獄事》：藤原佐世《日本國見在書目錄》頁十二。

《漢志》：「十六篇」。《七錄》：「五卷。」《隋》、《唐志》，《崇文總目》：「十卷。」

【30-1714】

佚。

【存佚】本書有輯佚本如下：

一、《漢魏叢書鈔》本：（漢）董仲舒撰　（清）王謨輯《春秋決事》一卷

列入經翼第三冊

二、《問經堂叢書》·經典集林本：（漢）董仲舒撰　（清）洪頤輯《董仲舒春秋決獄》一卷

三、《漢學堂叢書》本：（漢）董仲舒撰　（清）黃奭輯《董仲舒公羊治獄》一卷　列入子史鉤沈·子部法家類。

四、《黃氏逸書考》·子史鉤沈本：（漢）董仲舒撰　（清）黃奭輯《董仲舒公羊治獄》一卷

五、民國六十一年(1972)藝文印書館四部分類叢書集成三編影印清道光中甘泉黃氏刊民國十四年(1925)王鑒修補印本：（漢）董仲舒撰　（清）黃奭輯《公羊治獄》一卷，台北：國家圖書館有藏本。

六、《玉函山房輯佚書》本：（漢）董仲舒撰　（清）馬國翰輯《春秋決事》一卷，列入經編春秋類

【增補】〔校記〕馬國翰有輯本。（春秋，頁四四）

【增補】孫啟治、陳建華編《古佚書輯本目錄（附考證）》曰：「董仲舒，廣川人，景帝時為博士，武帝時官至江都相，治《春秋公羊傳》（《漢書》本傳）。《後漢書·應劭傳》稱董仲舒作《春秋治獄》二百三十二事，《漢志》有《公羊董仲舒治獄》十六篇，即其書。按《論衡·程材》云：『董仲舒表《春秋》之義，稽合於律，無乖異者。』是此書引經以決獄事。《隋志》作《春秋決事》十卷，兩《唐志》並作《春秋決獄》十卷。《宋志》猶載此書，則其佚在明以後。諸家皆據唐宋類書及《通典》等採摭，馬國翰採得八節，王謨、洪頤煊各採得六節。王輯不出馬外，黃奭全襲王輯

。洪氏據《北堂書鈔》採得一節為馬所無，其餘五節亦未出馬外。」（頁六二）

【增補】《續修四庫全書總目提要》：「春秋決事一卷　玉函山房輯逸書本　楊鍾義

漢董仲舒撰。仲舒廣川人。歷官江都相膠西相。仲舒既老病致仕。朝廷如有大議。使使者及廷尉張湯就其家而問之。其對皆有明法。藝文志有公羊董仲舒治獄十六篇。王充曰。仲舒表春秋之義。稽合于律。無乖異者。應劭曰。朝廷遣廷尉湯問得失。於是作春秋決獄一百二十三事。動以經對。即其事。隋唐志尚有十卷。崇文總目作春秋決事比。謂吳汝南丁季。江夏黃復。平正得失。今頗殘逸。止有七十八事。文獻通考謂即獻帝時。應劭所上春秋斷獄。幾焚棄於董卓蕩覆王室之時者也。此書久佚。馬國翰從禮記正義。通典。白帖。藝文類聚。御覽等書。輯得八節。隋志入春秋家。唐志入法家。國翰仍依漢隋志入春秋類。西山真氏嘗論仲舒通經醇儒。三策中所謂任德不任刑之說。正心之說。皆本春秋之旨以為言。獨災異之對。引兩觀桓僖亳社火災。妄釋經意。而導武帝以果於誅殺。與素論大相反。馬貴與謂決事比之書。與張湯相授受。度亦災異對之類耳。帝之馭下。以深刻為明。湯之決獄。以慘酷為忠。而仲舒乃以經術附會之。漢食貨志。言自公孫弘以春秋之義繩下。張湯以峻文決理。於是見知腹誹之獄興。湯傳。又言湯請博士弟子治春秋尚書者補廷尉史。蓋漢人專務以春秋決獄。陋儒酷史。遂得以因緣假飾。往往見二傳中。所謂責備誅心無將之說。與其所謂巧詆深文者相類。此論極為深究本原。第此書殘闕。無其見其論斷之得失。國翰稱其書衡情準理。頗持其平。妻甲見夫乙毆母而殺乙。比於武王誅紂。雖康成議其過。大誼要自可通。」（頁七二六）

【增補】《續修四庫全書總目提要》：「春秋決事比一卷　玉函山房輯逸書本　錫鍾義

漢董仲舒撰。清馬國翰輯。仲舒廣川溫城人。事跡具史記本傳。漢志有公羊董仲舒治獄十六篇。王充曰仲舒表春秋之義。稽合于律無乖異者。應劭曰朝廷遣廷尉湯問得失。於是作春秋決獄二百二十三事。動以經對。即其事也。隋唐志尚有十卷。崇文總目作春秋決事比十卷。今佚。國翰從禮記正義通典藝文類聚白帖御覽等書緝為一卷。從隋志入春秋類。繁露精華篇云。春秋之聽獄也。必本其事而原其志。志邪者不待成。首罪者罪特重。本直者其罪輕。野客叢書引春秋決事比。甲無子拾道旁子乙為己子。及乙長。有罪殺人。以狀語甲。甲藏匿乙。甲當何罪。曰甲無子。振活養之。雖非己出。春秋之義。父為子隱。甲宜匿乙。與通典東晉喬賀妻于氏上表所引略同。公羊文十五年齊人來歸。子叔姬閔之也。父母之于子。雖有罪猶若其不欲服罪然。何休注所以崇父子之親。書皋陶謨何憂乎驩兜。史記集解引鄭注。禹為父隱。故不及鯀。檀弓曰事親有隱而無犯。鄭注隱謂不稱揚其過失也。白虎通五行篇云。父為子隱何法。法木之藏火也。子為父隱法。法水逃金也。諫諍篇君不得為臣隱。父獨為子隱。何以為父子一體。榮恥相及。故論語曰父為子隱。子為父隱。直在其中矣。兄弟相為隱乎。曰然。與父子同義。故周公誅四國。常以祿甫為主也。詩譜問者曰。常棣閔管蔡之失道。何故列於文王之詩。曰閔之者。閔其失兄弟相承順之道。至於被誅。若在周公成王之時。則是彰其罪。非隱之故為隱。推而上之。漢書宣帝詔曰。父子之親。夫婦之道。天性也。雖有禍患。猶蒙死而存之。誠實結於心。仁厚之至也。豈耐違之哉。自今子首匿父母。妻匿夫。孫匿大父母。皆勿坐。其父母匿子。夫匿妻。大父母匿孫。殊死。皆上請廷尉以聞。鹽鐵論周秦篇。父母之於子。雖有罪猶匿之。豈不欲服罪。子為父隱。父為子隱。未聞父子之相坐也。憂邊篇。為人子者。致孝以承父業。父有非則子逃匿之。故父沒則不改父之道。春秋譏毀泉臺為其墮先祖所為。揚君父之惡也。論語皇侃疏云。今王法則許期親以上得為隱。不問其罪。陳立卓人謂。仲舒舉疏以見親。乞養可隱。則親子可知。漢律即有親屬得隱之令。今律亦有親屬得相容隱之令。子私其父。弟私其兄。固天理之自然。而古今之通義矣。許止父病進藥一條。仲舒略發其端。昭公十有九年許世子弒其君買。公羊傳云。進藥而藥殺。則曷為加弒焉爾。譏子道之不盡也。穀梁傳不弒而曰弒。責止也。又曰許世子不知嘗藥。累及許君也。注云許君不授子以師傅。使不識嘗藥之義。故累及之。惠氏棟九經古義云。墨子非攻篇云。今有醫於此。和合其祝藥之於天下之有病者而藥之。萬人食此。若醫四五人得利焉。猶謂之非行藥也。故孝子不以食其親。忠臣不以食其君。夫就師學問無方。心志不通。雖有愛父之心而適以賊之。墨氏此論可謂知言。其後漢書李固傳。子罪莫大於累父。補注云親病嘗藥。義見墨子。六經當有明文而逸耳。許世子心志不通。不知古人親病嘗藥之義。累及其親。子罪莫大於累父。故不弒而書弒。與范甯之注不合。蓋漢義也。此亦足與決事之義相發明。特並詳之。」（頁七二七）

七、清光緒九年(1883)長沙琅嬛館補校刊本：(漢)董仲舒撰《春秋決事》一卷，台北：國家圖書館有藏本。

八、民國五十九年(1970)藝文印書館四部分類叢書集成續編影印清嘉慶三年(1798)金溪王氏刊本：(漢)董仲舒撰《春秋決事》一卷，國家圖書館有藏本。

九、清光緒十年(1884)湘遠堂刊本：(漢)董仲舒撰《春秋決事》一卷，國家圖書館有藏本。

王充曰[110]：「仲舒表《春秋》之義，稽合於律，無乖異者。」

桓寬曰[111]：「《春秋》[112]治獄，論心定罪，志善而違於法者免，志惡而合於法者誅。」

應劭曰[113]：「膠東相董仲舒老病致仕，朝廷每有政議，數遣廷尉張湯親至陋巷，問其得失，於是作《春秋決獄》二百三十二事，動以經對，言之詳矣。」

王應麟曰[114]：「仲舒[115]《春秋決獄》，其書今不見[116]。《太平御覽》載二事：其一引

110霖案：《論衡集解》卷十二，〈程材篇〉，頁249。

111霖案：《鹽鐵論》卷十，〈刑德〉第五十五，頁57。

112霖案：「《春秋》」二字下，應依《鹽鐵論》補入「之」字。

113霖案:《後漢書》卷四八，頁1612。

114霖案：《翁注困學紀聞》卷六，頁355；又四庫本，冊六七五，頁35-36。

115霖案：「仲舒」二字，《翁注困學紀聞》作「董仲舒」，乃是加一「董」字，竹垞以「董」字為姓氏

《春秋》許止進藥；其一引夫人歸于齊。《通典》載一事，引《春秋》之義父為子隱。應劭謂仲舒作《春秋決獄》二百三十二事，今僅見三事而已。」

按：《藝文類聚》有引《決獄》君獵得麑一事。

【霖案】《藝文類聚》卷六六錄及「田獵」事，其中述及君獵得麑之事，乃是出自「韓子曰」，非「《決獄》」也，原引文作「韓子曰：『孟孫獵得麑，使西秦』」（頁一一七二），係出自《韓非子》卷二二〈說林〉篇，而竹垞誤記者也。今考《白孔六帖》卷二十六，「放麑」條下注文錄有「董仲舒《春秋決獄》」之文，其文曰：「君獵得麑，使大夫持以歸，大夫道見其母，隨而鳴感而縱之，君慍議罪未定，君病，恐死，欲託孤，乃覺之大夫其仁乎，遇麑以恩，況人乎！乃釋之，以為子傅，於議何如？」（四庫本，冊八九一），頁四二三，是以竹垞以為「《藝文類聚》有引「《決獄》君獵得麑」一事，實乃「《白孔六帖》」錄及該事，此竹垞誤也。

馬端臨曰[117]：「按：此即獻帝時應劭所上仲舒《春秋斷獄》，以為幾焚棄於董卓蕩覆王室之時者也。仲舒通經醇儒，三策中所謂任德不任刑之說、正心之說，皆本《春秋》以為言；至引正誼不謀利、明道不計功，以折江都王，尤為深得聖經賢傳之旨趣。獨災異之對，引兩觀、桓僖、亳社火災，妄釋經意，而導武帝以果於誅殺，與素論大相反，西山真公論之詳矣。《決事比》之書與張湯相授受，度亦災異對之類耳。帝之馭下以深刻為明，湯之決獄以慘酷為忠，而仲舒乃以經術附會之。王、何以《老》、《莊》宗旨釋《經》，昔人猶謂其罪深於桀、紂，況以聖經為緣飾淫刑之具，導[118]人主以多殺乎？其罪又深於王、何矣。」又按：「《漢刑法志》言自公孫弘以《春秋》之義繩下，張湯以峻文決理，於是見知，腹誹之獄興。湯傳又言：湯請博士弟子治《春秋》、《尚書》者補廷尉史。蓋漢人專務以《春秋》決獄，陋儒酷吏遂得以因緣假飾，往往見《二傳》中，所謂責備之說、誅心之說、無將之說，與其所謂巧詆深文者相類耳。聖賢之意豈有是哉？常秩謂孫復所學《春秋》，商君法耳，想亦有此意。」

《春秋決疑論》

《隋志》：「一卷。」

佚。

嚴氏彭祖《春秋左氏圖》（漢）

【增補】王仁俊曾輯《嚴氏春秋逸義述》一卷，係從《漢書》採承宮、致惲、樊儵諸人說凡八節，以其人皆習顏氏《公羊》者，其說本諸嚴氏，可為參考。

，故略去，今據以補入。

116霖案：「見」字，《翁注困學紀聞》作「傳」字，意雖一致，但用字不同，今依原書改作「傳」字。

117霖案：《文獻通考．經籍考》卷九，頁232。

118霖案：《文獻通考》作「道」字。

【增補】李一遂〈左氏春秋著錄書目研究〉錄有嚴氏《左氏奇說》，謂「《經義考》注佚」，實則竹垞未錄此書，不知是否為汪奇《左氏奇說》之誤，今暫依李氏增補此書。

《七錄》：「十卷。」

【著錄】李一遂〈左氏春秋著錄書目研究〉一〇五著錄。

【卷數】《經籍志》作「七卷」。

佚。

《古今春秋盟會地圖》（漢）

【書名】黃奭輯本題作《春秋盟會圖》。

《七錄》：「一卷。」

【著錄】李一遂〈左氏春秋著錄書目研究〉一〇五著錄。

佚。

【存佚】本書有諸家輯本，當改注曰「闕」。

【版本及藏地】本書版本及藏地如下：

一、清道光甘泉黃奭逸書考本：（漢）嚴彭祖撰　（清）黃奭輯《嚴彭祖春秋盟會圖》一卷。

馬來西亞大學圖書館有藏本（二部），題作漢學堂叢書本。

【增補】〔校記〕黃奭有輯本。（《春秋》，頁四四）

【增補】孫啟治、陳建華編《古佚書輯本目錄（附考證）》曰：「嚴彭祖，參《公羊嚴氏春秋》。《隋志》云：『梁有漢太子太傅嚴彭祖撰《古今春秋盟會地圖》一卷，亡。』兩《唐志》復載作《春秋圖》七卷。按此書梁代祗為一卷，《隋志》已云亡矣，兩《唐志》居然見載，且多至七卷，其不為偽託，即為後人所增竄無疑。王謨從《路史》採得二十餘節，其中多唐以後州名，王氏以為或後人就嚴氏本書作疏改之，亦臆測之詞，是輯徒存其名，不可據信。黃奭全襲輯。」（頁六二）

二、清嘉慶三年（１７９８）金溪王氏刊《漢魏遺書鈔》本：(漢)嚴彭祖撰《春秋盟會圖》一卷，《國立故宮博物院善本舊籍總目》，上冊，頁九十著錄，台北：故宮博物院有藏本。

【增補】《續修四庫全書總目提要》：「古今春秋盟會圖一卷　漢魏遺書鈔本　　張壽林

漢嚴彭祖撰。清王謨輯。七錄著錄嚴氏春秋左氏圖十卷。古今春秋盟會圖一卷。又隋唐志著錄春秋公羊傳十二卷。今皆不傳。是編兩唐志已不著錄。則其佚久矣。清朱彝尊曝書亭集春秋地名考序云。嚴彭祖之圖。專紀會盟。則圍伐滅取土地之見遺者多矣。蓋據其標題。謂嚴氏是編。僅及於春秋盟會之地也。王氏斯本。則輯錄羅泌路史國名紀引盟會圖十五條。引盟會圖疏八條。引春秋圖四條。都凡二十有七條。釐為一卷。今考其所輯。僅平丘與清二條。涉及盟會。錄皆地名國名。且多唐以後州名。王氏以為或即嚴氏本書。而唐以後人疏之者是也。惟考之七略。嚴氏除是編之外。別有春秋左氏圖十卷。即兩唐志及通志藝文略所謂春秋圖是也。按彭祖與顏安樂同時以公羊名家。其春秋圖不盡獨傳左氏。則作春秋圖者是也。羅氏路史所引春秋圖四條。殆即其書之佚文。王氏以春秋圖及盟會圖並為一書。未免失之疏矣。惟此本所輯。雖不過僅存其名目。因已非嚴氏之真。然嚴書自李唐以來。散佚已久。得此尚不難推其梗概。斯亦不失為嚴氏之功臣矣。」（頁七一四）

三、清光緒十年(1884)湘遠堂刊本：(漢)嚴彭祖撰《公羊嚴氏春秋》一卷，台北：國家圖書館有藏本。

四、清道光甘泉黃氏刊民國十四年（１９２５）王鑒修補印本

五、民國五十九年(1970)藝文印書館四部分類叢書集成續編影印清嘉慶三年(1798)金溪王氏刊本：(漢)嚴彭祖撰《春秋盟會圖》一卷，台北：國家圖書館有藏本。

六、民國六十一年(1972)藝文印書館四部分類叢書集成三編影印清道光中甘泉黃氏刊民國十四年(1925)王鑒修補印本：(漢)嚴彭祖撰《春秋盟會圖》一卷，台北：國家圖書館有藏本。

七、光緒十年（一八八四）楚南書局刊本：漢 嚴彭祖，清 馬國翰輯，《公羊嚴氏春秋》一卷，日本：東京都立、中央、一橋大學、京都大學人文研東方研究所等地圖書館有藏本。

八、光緒九年長沙嫏嬛館刊本：漢 嚴彭祖，清 馬國翰輯，《公羊嚴氏春秋》一卷，日本：東北大學圖書館、東京大學總圖書館、二松學舍、大阪府立、中之島等地圖書館、九州大學、六本松、東京大學東文研究所、東洋文庫、立命館大學有藏本。

九、同治十三年序刊本、光緒九年長沙嫏嬛館補刊本：漢 嚴彭祖，清 馬國翰輯，《公羊嚴氏春秋》一卷，新潟大學、國會、東京圖書館有藏本。

十、民國五十六年臺北文海出版社用同治十三年序刊本景印：漢 嚴彭祖，清 馬國翰輯，《公羊嚴氏春秋》一卷，愛媛大學圖書館有藏本。

十一、同治十三年序刊本：漢 嚴彭祖，清 馬國翰輯，《公羊嚴氏春秋》一卷，高知大學圖書館、京都大學人文研東方研究所有藏本。

十二、同治十三年序皇萃館書局刊本：漢 嚴彭祖，清 馬國翰輯，《公羊嚴氏春秋》一卷，九州大學圖書館有藏本。

十三、光緒十年楚南書局重刊光緒十八年湖南思賢書局重印本：漢 嚴彭祖，清 馬國翰輯，《公羊嚴氏春秋》一卷，京都產物大學、蓬左文庫有藏本。

《春秋公羊傳》（漢）

【著錄】葉程義《禮記正義引書考》頁七八四著錄。

《隋志》：「十二卷。」《唐志》：「五卷。」

【卷數】藤原佐世《日本國見在書目錄》頁十二著錄，卷數同於《隋志》。

佚。

【存佚】本書有諸家輯本，說明如下：

一、《公羊嚴氏春秋》一卷　（漢）嚴彭祖撰　（清）馬國翰輯

《玉函山房輯佚書》·經編春秋類　馬來西亞大學圖書館有藏本。

【增補】《續修四庫全書總目提要》：「公羊嚴氏春秋一卷　玉函山房輯本　　楊鍾義

漢嚴彭祖撰。清馬國翰輯。彭祖字公子。東海下邳人。與顏安樂俱事魯眭弘。弘字孟。符節令。弟子百餘人。常曰春秋之意在二子矣。由是公羊有嚴顏之學。為宣帝博士。至左馮翊太子太傅。授琅邪王中。中授同郡公孫文及東門雲。洪适隸釋漢嚴訢碑。宋政和中出於下邳。云訢字少通。治嚴氏馮君章句。通典引公羊說有高堂隆曰。昔馮君八萬言章句云云。足徵嚴氏有書。並馮君為之章句。而志不錄馮君名。隋志春秋公羊傳十二卷。嚴彭祖撰。唐志五卷。嚴彭祖述。今佚。國翰從孔穎達春秋正義。徐彥公羊疏。及通典引馮君嚴氏春秋章句。合輯為卷。並附錄漢書儒林傳據諸引者。稱嚴氏春秋標題焉。彭祖即酷吏嚴延年之次弟。傳稱其廉直不事權貴。或說曰。天時不勝人事。君以不修小禮曲意。亡貴人左右之助。經誼雖高。不至宰相。願少自勉強。彭祖曰。凡通經術固當修行先王之道。何可委曲從俗。苟求富貴乎。固方正之士也。」（頁七一三至頁七一四）

二、《春秋公羊嚴氏義》一卷　（漢）嚴彭祖撰　（清）王仁俊輯　　《玉函山房輯佚書續編》·經編春秋類 案：此書稿本現藏於上海圖書館，今有一九八九年上海古籍出版社用上海圖書館手稾本景印

【增補】孫啟治、陳建華編《古佚書輯本目錄（附考證）》曰：「嚴彭祖，字公子，官至太子傅，東海下邳人。與顏安樂俱事眭孟習《公羊春秋》。彭祖，安樂各專門教授，由是《公羊》有嚴、顏之學。（《漢書·儒林傳》、何休《公羊序》徐彥疏引鄭玄《六藝論》）。《隋志》載嚴彭祖《春秋公羊傳》十二卷，兩《唐志》並五卷。馬國翰從《左傳正義》、《公羊傳注疏》、《通典》各採得一節，又從《漢書·韋元成傳》採得嚴彭祖等議一節附後。王仁俊補馬輯之缺，採鄭玄三《禮》注所引《公羊》之文三節，並引惠棟《九經古義》說，以此三節引文乃據嚴氏本。王氏又自輯《嚴氏春秋逸義述》，從《漢書》採承宮、致惲、樊儵諸人說凡八節，以其人皆習顏氏《公羊》者，其說本諸嚴氏也。」（頁六〇）

【增補】〔校記〕馬國翰有輯本。（春秋，頁四四）

三、清光緒九年(1883)長沙琅嬛館補校刊本：(漢)嚴彭祖撰《公羊嚴氏春秋》一卷，

台北：國家圖書館有藏本。

《漢書》[119]：「嚴彭祖，字公子，東海下邳人，與顏安樂俱事眭孟，孟弟子百餘人，惟彭祖、安樂為明，質問疑誼，各持所見，孟曰：『《春秋》之意在二子矣。』孟死，彭祖、安樂各顓門教授，由是《公羊春秋》有顏、嚴之學。彭祖為宣帝博士，至河南東郡太守，以高第入為左馮翊，遷太子太傅[120]，授琅邪王，中[121]為元帝少府[122]，中授同郡公孫文、東門雲，雲為荊州刺史，文東平太傅[123]。」

【增補】王仁俊輯有《公羊眭生說》一卷，竹垞未錄眭孟之書，今據以補入。

鄭玄曰[124]：「董仲舒弟子嬴公，嬴公弟子眭孟，眭孟弟子嚴彭祖、顏安樂。」

按：嚴氏、顏氏並以《公羊春秋》顓門教授，顏有泠[125]、任、筦、冥之學，而嚴氏流派，史未之詳，見於傳者：山陽丁恭子然、北海周澤穉都、汝陽鍾興次文、北海甄宇長文、陳留樓望次子、預章陳曾秀升、南陽樊儵長魚、蜀郡張霸伯饒、張楷公超、潁川李修、九江夏勤，又侍郎申輓、伊推、宋顯、許廣皆同嚴氏，大議殿中者，大抵為嚴氏之學者也。

顏氏安樂《公羊記》（漢）

【書名】馬國翰輯本，書名題作《春秋公羊顏氏記》。

《漢志》[126]：「十一篇。」

【卷數】馬國翰輯本，卷數題作「一卷」

佚。

【版本及藏地】本書版本及藏地如下：

一、《玉函山房輯佚書》：（漢）顏安樂撰　（清）馬國翰輯《春秋公羊顏氏記》一卷　馬來西亞大學圖書館有藏本。

119霖案：《漢書》卷八八，頁3616。

120霖案：「傅」字下，應依《漢書》補入「廉直不事權貴。或說曰：『天時不勝人事，君以不修小禮曲意，亡貴人左右之助，經誼雖高，不至宰相。願少自勉強！』彭祖曰：『凡通經術，固當修行先王之道，何可委曲從俗，苟求富貴乎！』彭祖竟以太傅官終．授」等字。

121霖案：「授琅邪王，中」，斷句應為「授琅邪王中，」，蓋琅邪為其籍貫，王中為其姓名也。

122霖案：「府」字下，應依《漢書》補入「家世傳業。」四字。

123霖案：「傅」字下，應依《漢書》補入「，徒众尤盛．雲坐為江賊拜辱命，下獄誅。」諸字。

124 霖案：出自：《公羊引言．序》，頁3。

125「泠」，《四庫》本誤作「冷」。　霖案：《經義考新校》頁三一二二於「《四庫》」二字之前，新增：「文淵閣」三字。

126霖案：《漢書》卷三〇，頁1713。

【增補】〔校記〕馬國翰有輯本。（春秋，頁四四）

【增補】孫啟治、陳建華編《古佚書輯本目錄（附考證）》曰：「顏安樂，字公孫，魯國薛人，習《公羊春秋》，見《漢書．儒林傳》，參前條。馬國翰據《左傳正義》、《公羊傳注疏》及《隸釋》卷十四（馬輯誤注為《隸續》卷四）所載石經《公羊》顏氏說採摭，凡得七節。」（頁六〇）

【增補】《續修四庫全書總目提要》：「春秋公羊顏氏記一卷　玉函山房輯本　　　楊鍾義

漢顏安樂撰。清馬國翰輯。安樂字公孫。一作翁孫。魯國薛人。眭孟姊子也。為齊郡太守丞。漢書儒林傳稱安樂事眭孟。授淮南泠豐。淄川任公。由是顏家有泠任之學。琅邪筦路泰山冥都皆事安樂。故顏氏復有筦冥之學。泠豐公羊疏作陰豐。風俗通姓氏篇有管莞二姓。漢有莞路。為御史中丞。莞路是草下完。非竹下完及竹下官。周禮冥氏。鄭司農云讀若冥氏春秋之冥。都治公羊春秋當是有所注述解釋公羊。故司農云冥氏春秋之冥。路授大司農孫寶。豐授大司徒馬宮及大司徒左咸。徒眾尤盛。漢志公羊顏氏記十一篇。國翰從徐疏及隸續裒輯七節。附錄本傳為一卷。鄭氏六藝論治公羊者胡母生董仲舒。仲舒弟子嬴公。嬴公弟子眭孟。孟弟子嚴彭祖及顏安樂。安樂弟子陰豐劉向王彥。漢書謂嬴公授東海孟卿魯眭孟。後漢書云授東海孟卿。孟卿授魯人眭孟。二說不同。眭孟蓋學於嬴公而成於孟卿也。陳壽祺謂漢儒傳注。必先考其家法。然後異同可辨。鄭君先事京兆第五君。通京氏易公羊春秋。故注禮易用京氏。公羊春秋用顏氏。亦可以證其淵源所自矣。」（頁七一四）

二、清光緒九年(1883)長沙琅嬛館補校刊本：(漢)顏安樂撰《春秋公羊顏氏記》一卷，玉函山房輯佚書經編春秋類第三十一冊，台北：國家圖書館有藏本。

又日本：東北大學、東京大學總圖書館、二松學舍、大阪府立、中之島、九州大學、六本松圖書館、國會、東京圖書館、東京大學東文研究所、東洋文庫、立命館大學有藏本。

三、清光緒十年(1884)湘遠堂刊本：(漢)顏安樂撰《春秋公羊顏氏記》一卷，台北：國家圖書館有藏本。

四、光緒十年（一八八四）楚南書局刻本：(漢)顏安樂撰；馬國翰編《春秋公羊顏氏記》一卷，玉函山房輯佚書經編春秋類第三十二冊，日本：東京都立、中央圖書館、一橋大學、京都大學人文研究所東方圖書館有藏本。

五、同治十三年序刊本，光緒九年長沙娜嬛館補刊本：(漢)顏安樂撰；馬國翰編《春秋公羊顏氏記》一卷，玉函山房輯佚書，日本：新潟大學、京都大學人文研究所東方圖書館有藏本。

六、民國五十六年臺北文海出版社用同治十三年序刊本景印：(漢)顏安樂撰；馬國翰編《春秋公羊顏氏記》一卷，玉函山房輯佚書，日本：愛媛大學圖書館有藏本。

七、同治十三年序刊本：(漢)顏安樂撰；馬國翰編《春秋公羊顏氏記》一卷，玉函山房輯佚書，日本：高知大學圖書館有藏本。

八、同治十三年序，皇華館書局刊本：(漢)顏安樂撰；馬國翰編《春秋公羊顏氏記》一卷，玉函山房輯佚書，日本：九州大學圖書館有藏本。

九、光緒十年楚南書局重刊，光緒十八年湖南思賢書局重印本：(漢)顏安樂撰；馬國翰編《春秋公羊顏氏記》一卷，玉函山房輯佚書，日本：京都產物大學、蓬左文庫圖書館有藏本。

《漢書》[127]：「顏安樂，字公孫，魯國薛人[128]，官至齊郡太守丞[129]。安樂授淮陽泠[130]豐次君、淄川任公，公為少府，豐淄川太守，由是顏家有泠、任之學。」

鄭玄曰[131]：「安樂弟子有泠豐[132]、劉向、王彥。」

徐彥曰：「何休〈序〉謂：『說者倍經任意，反傳違戾。』按：《演孔圖》云：『文、宣、成、襄，所聞之世也。』而顏氏以為從襄二十一年之後，孔子生訖，即為所見之世，分張一公而使兩屬，是任意也。宣十七年六月癸卯，日有食之日。食之道，不過晦朔與二日，言日不言朔者，是二日明矣；而顏氏以為十四日日食，是反傳違戾也。」　又曰[133]：「顏氏以襄公二十三年邾婁鼻我來奔，《傳》云：『邾婁無大夫，此何以書？以近書也。』又昭公二十七年，邾婁快來奔，《傳》云：『邾婁無大夫，此何以書？以近書也。』二文不異，同宜一世，若分兩屬，理似不便。」

馮君失名《嚴氏春秋章句》

佚。

洪适曰[134]：「漢〈嚴訢碑〉，政和中出於下邳，云：『訢，字少通，治《嚴氏春秋馮君章句》。』兩漢傳《春秋》嚴氏學無姓馮者，蓋史之闕文也。」

按：《馮君章句》見於漢碑，灼然可據，乃班固〈儒林傳〉未之載。杜佑《通典》引《公

127霖案：《漢書》卷八八，頁3617。

128霖案：「人」字下，應依《漢書》補入「眭孟姊子也。家貧，為學精力，」等十一字。

129霖案：「丞」字下，應依《漢書》補入「後為仇家所殺」等六字。

130「泠」，《四庫》本誤作「令」。　霖案：霖案：《經義考新校》頁3123於「《四庫》」二字之前，新增：「文淵閣」三字。今考《漢書》作「泠」字。

131霖案：《公羊引言．序》，頁3。又《監本附音春秋公羊注疏．序》「傳《春秋》者非一」條下疏文引〈六藝論〉引之，本文採此書入校。

132霖案：「泠豐」，《監本附音春秋公羊注疏．序》疏文誤作「陰豐」，惟據《漢書》卷八八，「顏安樂」條下內容，則所傳之人，實為「泠豐」，而非「陰豐」。

133霖案：《春秋公羊傳注疏》隱公元年〈疏〉文，頁2195。

134霖案：出自四庫：《隸續》卷三；《六藝之一錄》卷四十。

羊》說主藏太廟室西壁中，以備火災。或問高堂隆曰：『昔馮君八萬言《章句》，說正廟之主各藏太室西壁之中，遷廟之主於太祖太室北壁之中。按：逸禮，藏主之處，似在堂上壁中。』答云：『《章句》但言藏太祖北壁中，不別堂室。』所云馮君《章句》，係說《公羊春秋》者，當即嚴訢所治之書，始知〈儒林傳〉所載尚有遺漏也。」[135]

冥氏都《春秋》

【分類】冥都《春秋》一書，置入「春秋類」，恐屬不當之舉。案：下文引賈公彥之言，以「冥氏作《春秋》，若《晏子》、《呂氏春秋》之類。」，然竹垞將晏子、呂不韋之書置入「擬經類」，而非入於「春秋類」，故將冥都之書置入「春秋類」，將有失體例。

佚。

《漢書》[136]：「始貢禹事嬴公，成於眭孟[137]；疏[138]廣事孟卿[139]，廣授琅邪筦路[140]，禹授潁川堂谿惠，惠授泰山[141]冥都。都為丞相史，都與路又事顏安樂，故顏氏復有筦、冥之學。」

賈公彥曰[142]：「冥氏作《春秋》，若[143]《晏子》、《呂氏春秋》之類[144]。」

尹氏更始《春秋穀梁傳》　　《釋文》《序錄》作「《章句》」。（漢）

【書名】葉程義《禮記正義引書考》頁八二七、《馬來西亞大學中文圖書目錄》七七二著錄，書名題作《春秋穀梁傳章句》。

《七錄》：「十五卷。」

佚。

【存佚】本書輯本如下：

135霖案：《經義考新校》頁3124新增校文如下：「自『林傳未之載』至『尚有遺漏也』，文淵閣《四庫》本整段錯置於尹更始《春秋穀梁傳》『授胡常』之上。」。

136霖案：《漢書》卷八八，頁3617。

137霖案：「眭孟」二字下，應依《漢書》補入「至御史大夫」等五字。

138霖案：「疏」字，《漢書》作「疎」字。

139霖案：「卿」字下，應依《漢書》補入「至太子太傅，皆自有傳。」等九字。

140霖案：「路」字下，應依《漢書》補入「路為御史中丞。」等六字。

141霖案：《經義考新校》頁3124新增校文如下：「『泰山』，文淵閣《四庫》本作『太山』。」。

142霖案：《周禮注疏》卷三四，「冥氏下士二人，徒八人」條下〈疏文〉，頁868。

143霖案：「若」字之前，應依《周禮注疏》補入「書名」二字。

144霖案：「類」字下，應依《周禮注疏》補入「取其音讀」四字。

一、《玉函山房輯佚書》本：（漢）尹更始撰　（清）馬國翰輯《春秋穀梁傳章句》一卷　馬來西亞大學圖書館有藏本。

【增補】〔校記〕馬國翰有輯本。（《春秋》，頁四四）

【增補】孫啟治、陳建華編《古佚書輯本目錄（附考證）》曰：「尹更始，字翁君，汝南人，官至諫大夫，從瑕丘江公再傳弟子蔡千秋習《穀梁》，又受《左氏》，取其變理合者為《章句》（《漢書．儒林傳》）。《釋文序錄》、《舊唐志》並載尹更始《穀梁章句》十五卷，《新唐志》作《春秋穀梁傳》十五卷，尹更始注。按注即章句，《隋志》云『《春秋穀梁傳》十五卷，尹更始撰』，『撰』應作『注』。此書《隋志》已云梁有今亡，兩《唐志》復載之。馬國翰從經疏、《文選》李善注採得尹說四節。又《穀梁疏》等引有『《穀梁》說』、『舊說』凡十一節，馬氏考定為尹氏《章句》，亦併採入。」（頁六三）

【增補】《續修四庫全書總目提要》：「春秋穀梁傳章句一卷　玉函山房輯本

漢尹更始撰。清馬國翰輯。更始字翁君。汝南邵陵人。瑕丘江公受穀梁春秋於魯申公。傳子至孫。皆為博士。魯榮廣皓星公二人受焉。皓星姓也。亦作浩星。沛蔡千秋周慶丁姓皆從廣受。千秋又事皓星公。宣帝求能為穀梁者。莫及千秋。選郎十人從受。更始本自事千秋。甘露元年。召蕭望之等大議殿中。平公羊穀梁同異。時公羊博士嚴彭祖。侍郎申輓伊推宋顯。穀梁議郎尹更始。待詔劉向周慶丁姓並論。望之等十人多從穀梁。由是大盛。更始又受左氏傳。取其變理合者以為章句。傳子大司農咸及翟方進。琅邪房鳳。由是穀梁春秋有尹胡申章房氏之學。春秋隱九年俠卒。穀梁傳曰。俠者所俠也。疏云徐邈引尹更始云。所者俠之氏。是更始之書至晉猶存。而班氏未錄。經典釋文序錄尹更始穀梁章句十五卷。隋志梁有春秋穀梁傳十五卷。漢諫議大夫尹更始撰。亡。新唐志題同隋志云。尹更始注。舊唐志題穀梁章句十五卷。今佚。國翰謂漢儒傳穀梁者。惟更始及劉向有書。劉書隋唐書不載。范注於劉佚說。皆明標劉向。隕石于宋五注。引劉說。疏引舊說云與劉向合。明非劉氏說矣。且尹在漢為穀梁博士。名在慶姓之上。又獨有著書。則凡引穀梁說及舊說者。皆尹氏章句無疑。並據合輯為一卷。更始為諫大夫長樂戶將。錢大昭曰長樂戶將不見表。長樂者太后宮也。太后宮不置光祿勳。蓋統於長樂衛尉矣。」（頁七二八）

二、清光緒九年(1883)長沙琅嬛館補校刊本：(漢)尹更始撰《春秋穀梁傳章句》一卷，台北：國家圖書館有藏本。

三、清光緒十年(1884)湘遠堂刊本：(漢)尹更始撰《春秋穀梁傳章句》一卷，台北：國家圖書館有藏本。

《漢書》[145]：「瑕邱[146]江公受《穀梁春秋》[147]於魯申公，傳子至孫，為博士[148]，其後

145霖案：本文出自《漢書》卷八十八，〈儒林傳〉第五十八，頁3617-3620，惟竹垞輯錄之時，刪截異動甚多，難於完整校理，僅校其異文，讀者可詳看原書。

146霖案：「邱」，《漢書》作「丘」。

浸微，唯魯榮廣、王孫皓星公二人受焉。廣[149]與《公羊》大師眭孟等論，數困之，好[150]學者頗復受《穀梁》。沛蔡千秋少君、梁周慶幼君、丁姓子孫皆從廣受[151]《穀梁》[152]。議郎[153]汝南尹更始翁君本[154]事千秋[155]，為諫大夫、長樂戶將，又受《左氏傳》取其變理合者以為章句，傳子咸及翟方進、琅邪、房鳳。[156]姓授楚申章昌曼君[157]。始江博士[158]授胡常，常授梁蕭秉君房[159]，由是穀梁春秋有尹、胡、申、章、房氏之學。」

王應麟曰[160]：「漢儒兼通《穀梁》、《左氏》[161]，胡常、尹更始也。」

陳氏欽《春秋》（漢）

【著錄】葉程義《禮記正義引書考》頁七七六著錄。

【書名】《後漢書・注》、李一遂〈左氏春秋著錄書目研究〉頁一二八均題作「《陳

147霖案：「《穀梁春秋》」四字下，應依《漢書》補入「及《詩》」，此為漏去書名也。

148霖案：「博士」二字下，應依《漢書》補入「武帝時，江公與董仲舒並。仲舒通《五經》，能持論，善屬文。江公吶於口，上便與仲舒議，不如仲舒。而丞相公孫弘本為《公羊》學，比輯其議，卒用董生。於是上因尊《公羊》家，詔太子受《公羊春秋》，由是《公羊》大興。太子既通，復私問《穀梁》而善之。」等八十九字。

149霖案：「廣」字下，應依《漢書》補入「盡能傳其《詩》、《春秋》，高材捷敏」等十一字。

150霖案：「好」字上，應依《漢書》補入「故」。

151霖案：「受」字下，應依《漢書》補入「千秋又事皓星公，為學最篤。宣帝即位，聞衛太子好」等二十字。

152霖案：「《穀梁》」，當依《漢書》補入「《春秋》，以問丞相韋賢、長信少府夏侯勝及侍中樂陵侯史高，皆魯人也，言穀梁子本魯學，公羊氏乃齊學也，宜興《穀梁》。時千秋為郎，召見，與《公羊》家並說，上善《穀梁》說，擢千秋為諫大夫給事中，後有過，左遷平陵令。復求能為《穀梁》者，莫及千秋。上愍其學且絕，乃以千秋為中戶將，選郎十人從受。」等一百一十二字。

153霖案：「議郎」，當據《漢書》刪正。

154霖案：「本」字下，當依《漢書》補入「自」字。

155霖案：「秋」字下，竹垞刪文頗多，難以校補，讀者可自行參閱《漢書》。

156霖案：「房鳳」字下，竹垞刪文頗多，難以校補，讀者可自行參閱《漢書》。

157霖案：「姓授楚申章昌曼君」諸字，當為衍文。

158霖案：《經義考新校》頁3125新出校文如下：「自『《漢書》』至『始江博士』，文津閣《四庫》本錯置於陳欽《春秋》下。」。

159霖案：「房」字下，當依《漢書》補入「王莽時為講學大夫。」等八字。

160霖案：《玉海》卷四〇，頁786。

161霖案：「《左氏》」二字下，應依《玉海》補入「者」字。

氏春秋》」。

佚。

【增補】葉程義《禮記正義引書考》云：「清姚振宗《漢書藝文志拾補錄目》載陳欽《春秋左氏傳》，卷數不詳。歷代經籍藝文各志均未見著錄，蓋亡佚久矣。今見於許慎《五經異議》所稱引者，僅作陳欽說，惟衡諸文義，似為陳氏《春秋左氏傳》無疑，故依姚氏《漢志補錄》題之。並從許氏稱引節錄，以窺其說之一斑，吉光片羽，彌補珍貴。」（頁七七七）

《後漢書》162：「陳元163父欽，習《左氏春秋》事黎陽賈護，與劉歆同時，而別自名家。王莽從欽授《左氏學》，以欽為厭難將軍也。」

《後漢書注》164：「欽，字子佚，以《左氏》授王莽，自名《陳氏春秋》。」165

閔氏因《春秋敘》

佚。

按：閔因未詳何時人，徐氏《公羊傳疏》引之。孔子得百二十國寶書，其〈敘〉中之言也。考《春秋緯》、《感精符》、《考異郵》、《說題辭》咸有此文，而徐氏獨據其〈敘〉，或出於緯書之前未可定也。姑附於此166。

【霖案】閔因〈敘〉云：「昔孔子制《春秋》之義，使子夏等十四人，求周《史記》，得百二十國寶書。」（見於王應麟《困學紀聞》卷六，頁三四〇）

《石渠春秋議奏》

《漢志》167：「三十九篇。」

佚。

《漢書》168：「甘露元年169，召《五經》名儒、太子太傅蕭望之等大議殿中，平《公》、

162霖案：《後漢書》卷三六，頁1229-1230。

163霖案：「陳元」二字，係竹垞根據《漢書》前文所加，原書於「元」字下，另有「字長孫，蒼梧廣信人也。」等句，竹垞另於陳元「《春秋訓詁》」條下錄有相同解題，說法詳見下文。

164霖案：《後漢書》卷三六，頁1230。

165霖案《經義考新校》頁3125新出校文如下：「自『《後漢書注》』至『自名《陳氏春秋》』，文津閣《四庫》本錯置於馮君《嚴氏春秋章句》後。」。

166霖案《經義考新校》頁3126新出校文如下：「閔因《春秋叙》條，文津閣《四庫》本整段錯置於冥都《春秋》之前。」。

167霖案：《漢書》卷三〇，頁1714。又石渠所著之篇名不同而書名同者尚有數種。

168霖案：《漢書》卷八八，頁3618。

《穀》[170]同異[171]。時《公羊》[172]嚴彭祖、申輓[173]、伊推、宋顯、許慶[174]，《穀梁》[175]尹更始、劉向[176]、周慶、丁姓[177]、王亥[178]議三十餘事，望之等十一人各以《經》義[179]對，多從《穀梁》。」

【增補】〔補正〕《漢書》條內「許慶」，「慶」當作「廣」。（卷七，頁六）

169霖案：「年」字下，應依《漢書》補入「積十餘歲，皆明習。乃」等八字。

170霖案：「《公》、《穀》」，應依《漢書》題作「《公羊》、《穀梁》」四字，竹垞簡省書名，今據原書補入文句。

171霖案：「異」字下，應依《漢書》補入「，各以經處是非。」等六字。

172霖案：「《公羊》」二字下，應依《漢書》補入「博士」二字，此乃涉及相關職銜，不當任意刪去，今據原書補入。

173霖案：「申輓」二字前，應加入「侍郎」二字，此亦為職銜之名，不當任意刪去，今據原書補入。

174「許慶」，據《補正》當作「許廣」。　霖案：《經義考新校》頁3126於「《補正》」二字之前，新增：「《四庫薈要》本、文淵閣《四庫》本、」等字。今考「許慶」，《漢書》原作「許廣」，此或翁方綱《補正》之所據也，而「慶」、「廣」字形相近而誤入，此為人名有誤也。然而，《漢書》原文「許廣」並非位於此處，乃是竹垞任意調動次序，說法詳見下文註。

175霖案：「《穀梁》」二字之下，應依原書補入「議郎」二字，此亦涉及職銜之名，不當任意刪去，今據原書補入。

176霖案：「劉向」二字前，應加入「侍詔」二字，此亦為職銜之名，不當任意刪去，今據原書補入。

177霖案：「姓」字下，應依《漢書》補入「並論。《公羊》家多不見從，願請內侍郎許廣，使者亦並內《穀梁》家中郎」等字。

178霖案：「亥」字下，應依《漢書》補入「各五人」三字。

179霖案：「義」字，應依《漢書》題作「誼」也。「義」、「誼」字義相通，但仍應以原書所題「誼」字為佳。

卷一百七十二　春秋五經義考卷一百七十二春秋五

北海王劉睦《春秋旨義終始論》

佚。

《後漢書》[1]：「北海敬王[2]睦，少好學，博通書傳，光武愛之[3]。顯宗[4]在東宮，尤見幸，待[5]入侍諷誦，出則執轡。中興初，禁網尚闊，而睦性謙恭好士，千里交結，自名儒宿德，莫不造門，由是聲價益廣。永平中，法憲頗峻，睦乃謝絕賓客，放心音樂，然性好讀書，常為愛玩[6]，能屬文，作《春秋旨義終始論》。」

陳氏元《春秋訓詁》

佚。

《後漢書》[7]：「陳元，字長孫，蒼梧廣信人[8]。少傳父業，為之訓詁，銳精覃思，至不與鄉里通[9]。建武初，與[10]桓譚、杜林、鄭興俱為學者所宗[11]。帝[12]立《左氏》學，太常選博

1霖案：《後漢書》卷十四，〈宗室四王三侯列傳〉第四，頁556-557。

2霖案：「北海敬王」四字，《後漢書》無此四字，蓋為竹垞根據前文所加，應刪。

3霖案：「之」字下，應依《後漢書》補入「數被延納」等四字。

4霖案：「宗」字下，應依《後漢書》補入「之」字。

5霖案：「尤見幸，待」四字，點校本《後漢書》斷作「尤見幸待」四字，與《點校補正經義考》不同，審度文意，當以「尤見幸待」為佳，蓋「入侍諷誦」與「出則執轡」對應。

6霖案：「玩」字，《後漢書》作「翫」字，「玩」、「翫」為書寫習慣之異所致。又「翫」字下，應依《後漢書》補入：「歲終，遣中大夫奉璧朝賀，召而謂之曰：『朝廷設問寡人，大夫將何辭以對？』使者曰：『大王忠孝慈仁，敬賢樂士。臣雖螻蟻，敢不以實？』睦曰：『吁，子危我哉！此乃孤幼時進趣之行也。大夫其對以孤襲爵以來，志意衰惰，聲色是娛，犬馬是好。』使者受命而行。其能屈申若此。初，靖王薨，悉推財產與諸弟，雖王車服珍寶非列侯制，皆以為分，然後隨以金帛贖之。睦」等字。

7霖案：《後漢書》卷三六，頁1229；又同書，同卷，頁1230；又同書，同卷，頁1233。合計三處的文句，竹垞將其貫串成篇。

8霖案：「人」字下，應依《後漢書》補入：「父欽，習《左氏春秋》，事黎陽賈護，與劉歆同時而別自名家。王莽從欽受《左氏》學，以欽為厭難將軍。元」等三十八字。

9霖案：「通」字下，應依《後漢書》補入「以父任為郎」等五字。

10霖案：「與」字之前，應依《後漢書》補入「元」字。

11霖案：「宗」字下，竹垞刪去為數眾多的文句，難於逐一校錄，讀者可參看原書。

12霖案：「帝」字下，應依《後漢書》補入「卒」字。又「帝」字下諸句，係出自《後漢書》卷三六，頁1233。

士四人，元為第一。」

陸德明[13]曰：「司空南閣[14]祭酒陳元作《左氏同異》。」

鍾氏興《春秋章句》

佚。

《後漢書》[15]：「鍾興，字次文[16]，汝南汝陽人[17]，少從少府丁恭受《嚴氏春秋》，恭薦興學行高明，光武召見[18]，拜郎中，稍遷左中郎將。詔令定《春秋章句》，去其復重，以授皇太子，又使宗室諸侯從興受章句。」

孔氏奇《春秋左氏刪》　一名「《左氏傳義詁》」。（漢）

三十一卷。[19]

【卷數】李一遂〈左氏春秋著錄書目研究〉頁一一七錄作「二十一卷」，同於備要本。

佚。

《後漢書》[20]：「孔奮，字君魚，扶風茂陵人[21]，少從劉歆受《春秋左氏傳》，歆稱之[22]。弟[23]奇博通經典，作《春秋左氏刪》。」

連叢子〈序〉曰[24]：「先生名奇，字子異，其先魯人，褒成君[25]之後也[26]。兄[27]君魚[28]，

13霖案：陸德明《經典釋文》卷一，頁14。

14霖案：《經義考新校》頁3128新增校文如下：「『閤』，文淵閣《四庫》本作『閣』。」。

15霖案：《後漢書》卷七九下，頁2579。

16霖案：《經義考新校》頁3128新增校文如下：「『文』，文淵閣《四庫》本作『女』字。」

17霖案：「人」字下，應依《後漢書》補入「也」字。

18霖案：「召見」二字下，應依《後漢書》補入「問以經義，應對甚明。帝善之，」等十一字。

19「三十一卷」，《備要》本誤作「二十一卷」。

20霖案：《後漢書》卷三十一，頁1098-1099。

21霖案：「人」字下，應依《後漢書》補入「也。曾祖霸，元帝時為侍中。奮」等十一字，蓋曾祖為誰？任官為何？則與孔奮並無直接關聯，因而被刪，今當據原書補入。

22霖案：「之」字下，竹垞刪去數百字，難於一一校補，讀者可參看原書。

23霖案：「弟」字下，應依《後漢書》補入「奇，游學洛陽。奮以奇經明當仕，上病去官，守約鄉閭，卒于家。」等二十三字。

24霖案：《孔叢子》卷下〈左氏傳義詁序〉(商務版165~6)；《東漢文紀》·卷八(人?)錄之。又「連叢子〈序〉」應為「孔叢子〈序〉」之誤。又原書標目題作「〈連叢子下第二十三〉」，而〈連叢子〉實為《孔叢子》的篇名，而其書名作「《孔叢子》」，二者實有不同，而竹垞則據篇名著錄，但是此

王莽[29]末，避地[30]大河之西[31]，以論道為事。是時先生年二十一矣，每與其兄論[32]學，其兄謝服焉。及世祖即阼[33]，君魚乃仕官，至武都太守、關內侯，以清儉聞海內。先生雅好儒術，淡忽榮祿，不願從政，遂刪撮《左氏傳》之難者，集為《義詁》，發伏闡幽，讚明聖祖之道，以祛[34]學者之蔽[35]。著書未畢而早世，不永宗人。子通痛其不遂，惜茲大訓不行於[36]世，乃校其篇目，各如本第，并序答問，凡三十一卷，將來君子儻[37]肯游息[38]，幸詳錄之焉。」

孔氏嘉《左氏說》

佚。

《後漢書》[39]：「孔奮[40]晚有子嘉，官至城門校尉，作《左氏說》。」

書所論內容，實為書〈序〉，故應以《孔叢子．序》為宜，是以竹垞所錄題稱，實有錯誤情形。

25霖案：「褒成君」三字之前，應依《孔叢子》補入「即」字。又「君」字下，應依《孔叢子》補入「次孺第二子」等五字。又注文云：「孔霸，字次孺」，則是孔霸第二子之後代也。

26霖案：「也」字下，應依《孔叢子》補入「家于茂陵，以世學之門，未嘗就遠方師也。」等十六字。

27霖案：「兄」字之前，應依《孔叢子》補入「唯」字。

28霖案：「君魚」二字下，應依《孔叢子》補入「少從劉子駿受《春秋左氏傳》，其於講業最明，精究其義，子駿自以才學不若也，其或訪經傳於子駿，輒曰：『幸問孔君魚，吾已還從之諮道矣。』由是大以《春秋》見稱當世。」等六十三字，事涉其兄君魚學說之源，惟非關孔奇之事，且竹垞既引《後漢書》之文，已見相關內容，是以刪棄不錄，今據原書補錄如上。又注文云：「孔奮，字君魚，霸之曾孫。」，可見孔奮相關資料。

29霖案：「王莽」二字下，應依《孔叢子》補入「之」字。

30霖案：「避地」二字前，應依《孔叢子》補入「君魚」二字。又「避地」二字下，應依《孔叢子》補入「至」字。

31霖案：「西」字下，應依《孔叢子》補入「依大將軍竇融為家，常為上賓，從容」等十四字。

32霖案：「論」字，應依《孔叢子》改作「議」字。「議」、「論」字義相通而互代，今依原書改正。

33霖案：「阼」字，應依《孔叢子》改作「祚」字，「阼」、「祚」字形相近而互代，今依原書改正。

34霖案:「祛」字下，應依《孔叢子》補入「後」字。

35霖案：「之蔽」二字，《孔叢子》無此二字，係竹垞據文意所加，當刪正。

36霖案：「於」字，《孔叢子》作「于」字。

37霖案：「儻」字，《孔叢子》作「倘」字，二字相同，可互相通用。

38霖案：「游息」二字，應依《孔叢子》改作「遊意」。

39霖案：《後漢書》卷三一，頁1099。

40霖案：「孔奮」，《後漢書》原文作「奮」，竹垞據前文補入姓氏，故作「孔奮」。

陸德明曰[41]：「侍中孔嘉，字山甫，扶風人[42]。」

鄭氏興《春秋條例章句訓詁》

【書名】竹垞題作「《春秋條例章句訓詁》」，而點校本《後漢書》卻題作「條例、章句、傳詁」，除了「訓詁」作「傳詁」之外，也使得鄭氏之書，並非僅只撰寫《春秋條例章句訓詁》一書而已，而應該是撰寫《春秋條例》、《春秋章句》、《春秋傳詁》等三書，顯見斷句之異，使得著錄書名互有不同。衡諸竹垞所論，顯然將鄭興之作，斷為一書，與《後漢書》所錄內容稍有不同。

佚。

《後漢書》[43]：「興[44]少學《公羊春秋》，晚善《左氏傳》，遂積精深思，通達其旨，同學者皆師之。天鳳中，將門人從劉歆講正大義，歆美興才，使撰《條例章句訓詁》[45]。興好古學[46]，尤明《左氏》、《周官》，長於歷數，自杜林、桓譚、衛宏之屬，莫不斟酌焉。世言《左氏》者，多祖於興，而賈逵自傳其父業，故有鄭、賈之學。

《東觀漢記》[47]：「興從博士金子嚴為《左氏春秋》。」

【增補】〔補正〕劉氏歆《春秋左氏傳條例》　佚。

《蜀志》〈尹默傳〉：「默專精《左氏春秋》，自劉歆條例、鄭眾、賈逵父子、陳元方、服虔注說，咸略誦述，不復按本。」方綱按：劉歆此書，竹垞未載，當據《蜀志》補入。聘珍案：《後漢書》：「鄭興少學《公羊春秋》，晚善《左氏傳》。天鳳中，將門人從劉歆講正大義，歆美興才，使撰《條例章句訓詁》及校《三統歷》。」案：《三統歷》，劉歆所撰，而《左傳條例》亦劉氏之書，使鄭興為作《章句訓詁》耳，竹垞未之詳考，故載鄭氏《條例章句訓詁》而不言劉氏原書也。（卷七，頁六）

41霖案：陸德明《經典釋文》卷一，頁14。

42霖案:「字山甫，扶風人。」諸字，原為《經典釋文》的注文。

43霖案：《後漢書》卷三六，頁1217；又同書同卷，頁1223。竹垞所錄解題，係併合二處內容，並刪減部分內容而成。

44霖案：「興」字下，應依《後漢書》補入「字少贛，河南開封人也。」等九字。

45霖案：「《條例章句訓詁》」，點校本《後漢書》作「條例、章句、傳詁」，除了「訓詁」作「傳詁」之外，也使得鄭氏之書，並非僅只撰寫《春秋條例章句訓詁》一書，而轉為撰寫《春秋條例》、《春秋章句》、《春秋傳詁》等三書，顯見斷句之異，使得著錄互有不同。衡諸竹垞所論，顯然將鄭興之作，斷為一書，與《後漢書》所錄內容稍有不同。又「詁」字下，竹垞刪略為數眾多的文句，由於文字多達數頁之外，難於一一校補，讀者可自行參看《後漢書》原文，茲不贅錄。

46霖案：「興好古學」以下諸多文句，實係出自《後漢書》卷三六，頁1223，與前段文句相距六頁之多，可見竹垞刪略文句頗多，而係綜合二處內容以為解題。

47霖案：此文出自《後漢書注》卷三六，頁1217「學者皆師之」條下注文。

【增補】馬國翰輯有劉歆《春秋左氏傳章句》一卷。

鄭氏眾《春秋難記條例》（漢）

【增補】李一遂〈左氏春秋著錄書目研究〉頁九七另有鄭眾《春秋條例》九卷，竹垞未錄此書，今據以補入。

又李一遂〈左氏春秋著錄書目研究〉頁一一六另有鄭眾《春秋左氏解詁》一書，竹垞未錄此書，今據以補入。

【書名】李一遂〈左氏春秋著錄書目研究〉頁九七著錄，書名誤作《春秋？記條例》九卷，其中「？」當為「難」字。

《七錄》：「九卷」。

佚。

《春秋刪》（漢）

本傳十九篇。

【著錄】李一遂〈左氏春秋著錄書目研究〉頁一二九著錄。

佚。

《後漢書》[48]：「眾[49]從父受《左氏春秋》[50]，作《春秋難記條例》[51]，其後受詔作《春秋刪》十九篇。」

徐彥曰[52]：「鄭眾[53]作《長義》十九條，十七事，專論《公羊》之短，《左氏》之長。」

《牒例章句》（漢）

【霖案】葉程義《禮記正義引書考》著錄，書名引作《左氏牒例章句》（頁七六〇），葉氏亦云：「《舊唐志》著錄《春秋左氏傳條例音句》九卷，鄭眾撰。按音是章字之誤，《新唐志》作鄭眾《牒例章句》九卷是也，今依題之。」（頁七六一），又《馬來西亞大學中文圖書目錄》七一二著錄，書名題作《春秋牒例章句》一卷。

48霖案：《後漢書》卷三六，頁1224；又同書，同卷，頁1226，竹垞所錄解題，係併合二處內容所致。

49霖案：「眾」字下，應依《後漢書》補入「字仲師，年十二」等六字。

50霖案：「《左氏春秋》」四字下，應依《後漢書》補入「精力於學，明《三統歷》，」等八字。

51霖案：「例」字下，竹垞刪略數段文句，再接「其後受詔作《春秋刪》十九篇。」之句，由於刪略文句頗多，難於一一校補，讀者可參看《後漢書》原文。

52霖案：《監本附音春秋公羊注疏.序》「《左氏》可興」條下疏文，頁2191。

53霖案：「鄭眾」二字下，應依《監本附音春秋公羊注疏.序》「《左氏》可興」條下疏文（頁2191）。

又李一遂〈左氏春秋著錄書目研究〉頁九七作《春秋條例章句》九卷。

《唐志》[54]：「九卷。」

佚。

【存佚】本書輯佚本如下：

一、《玉函山房輯佚書》本：（漢）鄭眾撰　（清）馬國翰輯《春秋牒例章句》一卷，馬來西亞大學圖書館有藏本。

【增補】孫啟治、陳建華編《古佚書輯本目錄（附考證）》曰：「鄭眾，參《周禮鄭司農解詁》。《後漢書》本傳云：『（眾）年十二，從父受《左氏春秋》。精力於學，明《三統曆》，作《春秋難記》、《條例》。』《釋文序錄》云：『梁有《春秋左傳條例》九卷，漢大司農鄭眾撰，亡。』《舊唐志》作《春秋左氏傳條例》，注云：『《章句》九卷，鄭眾撰。』《新唐志》作《牒例章句》九卷。按牒例即條例，據兩《唐志》所載，鄭眾實為《條例》作《章句》，《釋文序錄》亦作《條例章句》，本傳與《隋志》當脫『章句』二字。《舊唐志》載劉歆《春秋左氏傳條例》二十卷。歆之為《條例》亦見《三國志・尹默傳》。《後漢書・鄭興傳》稱興從劉歆講正大義，歆使撰《條例章句》。是歆撰《條例》而興為之作《章句》也。眾撰《章句》蓋承父業。（參馬國翰輯本自序及《續修四庫全書提要・劉歆春秋左氏傳章句》條。）經疏、史注引有佚文，馬國翰採得四十餘節。」（頁五五至頁五六）

【增補】〔校記〕馬國翰有輯本。（《春秋》，頁四五）

【增補】《續修四庫全書總目提要》:「鄭眾春秋牒例章句一卷　玉函山房輯本　楊鍾義

漢鄭眾撰。清馬國翰輯。眾字仲師。河南開封人。太中大夫蓮勺令興子。年十二從父受左氏春秋。精力於學。明三統曆。作春秋難記條例。建初六年為大司農。其後受詔作春秋刪十九篇。隋經籍志鄭眾春秋左氏傳條例九卷。唐志有鄭眾牒例章句九卷。今佚。國翰輯錄為帙。即依唐志題之。案興本傳少學公羊春秋。晚善左氏傳。通達其旨。天鳳中從劉歆講正大義。歆美興才。使撰條例章句訓詁。尤明周官。長於曆數。世言左氏者多祖於興。而賈逵自傳其父業。故有鄭賈之學。馬融列傳嘗欲訓左氏春秋。及見賈逵鄭眾注。乃曰賈君精而不博。鄭君博而不精。既精既博吾何加焉。但著三傳異同說。經典序錄曰。王莽時劉歆為國師。始建周官經以為周禮。河南緱氏杜子春。受業于歆。還家以教門徒好學之士。鄭興父子多往師之。今康成所注周禮多引子春及二鄭之說。春秋時周禮在魯。左氏魯人而善于禮。傳中援禮最詳。所稱先王之制。先王之令典。皆是物也。眾有周禮解詁。此書亦承劉氏而說。與周禮互發。知左氏周官多有可以會通參校者矣。」(頁六七〇)

二、清光緒九年(1883)長沙琅嬛館補校刊本：(漢)鄭眾撰《春秋牒例章句》一卷，台

54霖案:《唐書・藝文志》卷四七，頁1437。

北：國家圖書館有藏本。

三、清光緒十年(1884)湘遠堂刊本：(漢)鄭眾撰《春秋牒例章句》一卷，台北：國家圖書館有藏本。

賈氏徽《左氏條例》

【書名】陸德明《經典釋文》卷一，頁十四「賈徽」條下注文曰：「（賈徽）作《春秋條例》二十一卷。」，則亦有錄作「《春秋條例》」。

二十一篇。

【卷數】陸德明《經典釋文》卷一，頁十四「賈徽」條下注文曰：「（賈徽）作《春秋條例》二十一卷。」，則亦有錄作「二十一卷」。

佚。

《後漢書》[55]：「賈逵[56]父徽，從劉歆受《左氏春秋》，兼習《國語》、《周官》，又受《古文尚書》於塗惲，學《毛詩》於謝曼卿，作《左氏條例》二十一篇。」

陸德明曰[57]：「徽，字元伯，後漢潁陰令。[58]」

賈氏逵《左氏傳解詁》（漢）

【書名】馬國翰《玉函山房輯佚書》題此書為「《春秋左氏傳解詁》」。

【增補】李一遂〈左氏春秋著錄書目研究〉頁一二九錄有賈逵《春秋左氏經傳朱墨列》一卷，竹垞未列此書，惟李一遂題「《經義考》注佚」，不知是否為李氏誤記否？今暫列於此，以俟後考。

《隋志》：「三十卷。」

【增補】葉程義《禮記正義引書考》云：「《隋志》著錄《春秋左氏解詁》三十卷，賈逵撰。並云：『永平中，能為左氏者擢高第，為講郎，其後賈逵、服虔並為訓解。』至魏，遂行於世。《舊唐志》著錄《春秋左氏傳解詁》三十卷，賈逵撰。《新唐志》著賈逵《春秋左氏解詁》三十卷。《釋文敘錄》：『賈逵《解詁》三十卷』。《宋志》未見著錄，蓋已亡矣！」（頁七五三）

佚。

55霖案：《後漢書》卷三六，頁1234。

56霖案：「賈逵」二字下，應依《後漢書》補入「字景伯，扶風平陵人也。九世祖誼，文帝時為梁王太傅。曾祖父光，為常山太守，宣帝時以吏二千石自洛陽徙焉。」等四十三字。

57霖案：陸德明《經典釋文》卷一，頁14。

58霖案：「字元伯，後漢潁陰令。」諸字，原為《經典釋文》的注文，而竹垞將正文、注文混而為一。

【存佚】本書有諸家輯本，雖非全本，仍應改注曰「闕」。

【版本及藏地】本書版本及藏地如下：

一、清嘉慶三年金溪王氏刊漢魏遺書鈔之一：（漢）賈逵撰　（清）王謨輯《春秋左氏傳解詁》一卷　，列入經翼第三冊，《國立故宮博物院善本舊籍總目》，上冊，頁八十二著錄，台北：故宮博物院有藏本。

二、《漢學堂叢書》本：（漢）賈逵撰　（清）黃奭輯《春秋左氏解詁》一卷，馬來西亞大學圖書館有藏本（二部）。

三、《黃氏逸書考》本：（漢）賈逵撰　（清）黃奭輯《賈逵春秋左氏解詁》一卷，列入漢學堂經解。

【增補】《續修四庫全書總目提要》:「賈逵春秋左氏傳解詁二卷　玉函山房輯本　楊鐘羲

漢賈逵撰。清馬國翰輯。逵字景伯。扶風平陵人。父徽元伯從劉歆受左氏春秋。逵悉傳父業。建初元年受詔列公羊穀梁不如左氏四十事。奏之曰。左氏義深於君父。公羊多任於權變。名曰左氏長義。又作左氏訓詁。漢晉諸儒稱曰賈侍中。本傳云。尤明左氏傳國語。為之解詁五十一篇。章懷注左氏三十篇國語二十一篇也。隋唐志並三十卷。其書散佚。宋王應麟輯古文春秋左傳十二卷。中載賈逵佚說。國翰更補綴之為二卷。何休公羊序賈逵緣隙奮筆。以為公羊可奪。左氏可興。徐彥公羊疏逵作長義四十一條。云公羊理短。左氏理長。鄭眾亦作長義十九條十七事。在逵之前。雖扶左氏而毀公羊。但不與讖合。逵作長義奏御于帝。幾廢公羊也。孔沖遠謂鄭眾賈逵服虔許惠卿等各為詁訓。然雜取公羊穀梁以釋左氏。此乃以冠雙履。將絲綜麻。方鑿圓枘。其可入乎。蓋自杜注強經以就傳。孔疏左杜而右劉。篤信專門。多所刊落。而賈服之說遂僅流傳間見。隋志有孫毓撰春秋左氏傳賈服異同畧五卷。唐志同。今佚。隱十一年周之宗盟異姓為後。賈逵以宗為尊。服虔以宗盟為同宗之盟。疏稱孫毓難服云。同宗之盟則無與於異姓。何論先後。若通共同盟。則何稱於宗。襄十四年王室之不壞。服虔本壞作懷。疏引孫毓云。案舊本及賈氏皆作壞。是書大旨申賈而駁服。國翰輯有孫毓毛詩異同評及春秋左氏傳義注。謂服虔注受於鄭康成。而王肅說多王賈逵。孫朋於王。猶評詩之見也。其說信矣。武威張澍輯有賈逵左傳解詁。見三酉堂叢書目錄。未刊。馬氏此本附所輯長經章句一卷。謂左氏之學傳於後氏。景伯之力也。」(頁六六九~六七〇)

四、《玉函山房輯佚書》本：（漢）賈逵撰　（清）馬國翰輯《春秋左氏傳解詁》二卷，馬來西亞大學圖書館有藏本。

【增補】孫啟治、陳建華《古佚書輯本目錄（附考證）》曰：「賈逵，參《賈逵易義》。《後漢書》本傳稱逵尤明《左氏傳》、《國語》，為之《解詁》五十一篇。李賢注謂《左傳》注三十篇，《國語》注二十一篇。《釋文序錄》及《隋》、《唐志》並載賈逵《春秋左氏解詁》三十卷。其書久佚，今《左傳正義》、《史記集解》等多引逵說，是其佚文也。宋王應麟輯《古文春秋左傳》（一說為清惠棟託名為之），採逵佚說，馬國翰據以增訂，合為二卷，較王謨輯本多出六十餘節，中採《御覽》、《玉篇》所引諸節更為王氏所未採。至王輯所採，僅隱公十一年『夫許，太岳之胤也。』、僖公二十三年『狄人伐廧咎如』、宣公十五年『夏五月』云云、昭公十二年『有先大夫子犯、子餘』等數節為馬輯所無。又二家輯本考訂間有不同，如《史記魯世家集解》引注『申繻，魯大夫』，馬氏歸之桓公六年，而王氏歸之十八年。《詩·漸漸之石·正義》引注『秦始皇父諱楚』，馬歸於莊公四年，而王歸於十年。黃奭全襲王輯。」（頁五五）

【增補】葉程義《禮記正義引書考》云：「馬國翰《玉函山房輯佚書》輯錄《春秋左氏傳解詁》二卷，後漢賈逵撰。其序曰：『逵既奉詔作《春秋左氏長經章句》，書奏，帝嘉之，賜布五百疋，衣一襲，令逵自選公羊嚴、顏諸生高才者二十人，教以左氏，與簡紙經傳各一通，此《解詁》之所由作也。』本傳云：『尤明《左氏傳》、《國語》，為之《解詁》五十一篇』，章懷太子注，《左氏》三十篇，《國語》二十一篇也。《隋》、《唐志》並三十卷，其書散佚。宋王應麟輯《古文春秋左傳》十二卷中，載賈逵佚說，而竦漏者尚三之一，茲更補綴，合舊輯為二卷。《正義》病其雜取《公羊》、《穀梁》，以釋《左氏》，謂之以冠雙履，將絲綜麻。然《長經》固別標殊旨，茲取三傳之同者通釋之，亦何有鑿枘之不相入耶！」（頁七五三）

又程金造編著《史記索隱引書考實》頁九七曾輯錄其文。

〔校記〕馬國翰有輯本，黃奭亦有賈氏解詁輯本。（春秋，頁四五）

五、清光緒九年(1883)長沙琅嬛館補校刊本：(漢)賈逵撰《春秋左氏傳解詁》二卷，台北：國家圖書館有藏本。

六、清光緒十年(1884)湘遠堂刊本：(漢)賈逵撰《春秋左氏傳解詁》二卷，台北：國家圖書館有藏本。

七、民國五十九年(1970)藝文印書館四部分類叢書集成續編影印清嘉慶三年(1798)金溪王氏刊本：(漢)賈逵撰《春秋左氏傳解詁》一卷，台北：國家圖書館有藏本。

八、民國六十一年(1972)藝文印書館四部分類叢書集成三編影印清道光中甘泉黃氏刊民國十四年(1925)王鑒修補印本：(漢)賈逵撰《春秋左氏解詁》一卷，台北：國家圖書館有藏本。

《後漢書》[59]：「逵[60]弱冠，能誦[61]《五經》[62]，兼通五家《穀梁》之說[63]，尹更始、劉向、

59霖案：《後漢書》卷三六，頁1235。

60霖案：「逵」字下，應依《後漢書》補入「悉傳父業」等四字，賈氏之父為「賈徽」，曾撰「《左氏條例》」二十一篇。

61霖案：「誦」字下，應依《後漢書》補入「《左氏傳》及」等四字。

62霖案：「經」字下，應依《後漢書》補入「本文，以《大夏侯尚書》教授，雖為古學，」等十四字。

周慶、丁姓、王彥。尤明《左氏傳》、《國語》，為之解詁五十一篇，注《左氏》三十篇、《國語》二十一篇64。永平中，上疏獻之。顯宗重其書，寫藏秘館65。建初元年，詔逵入講北宮白虎觀、南宮雲臺，帝善逵說，使66出《左氏傳》大義長於《二傳》者，逵於是摘出《左氏》三十事67，帝嘉之68，令逵自選《公羊》嚴、顏諸生高才者二十人，教以《左氏》，與簡紙經、傳各一通。」

【增補】〔補正〕《後漢書》條內「使出《左氏傳》大義」，「使」下脫「發」字。（卷七，頁六）

《春秋左氏長經》（漢）

【書名】本書有馬國翰輯本，書名題作《春秋左氏長經章句》，而《舊唐志》同之。翁方綱《經義攷補正》卷第七指出，竹垞刪去「章句」二字，則非賈氏書矣，翁氏之說，可供參考。

《隋志》：「二十卷。」

【增補】【書名】〔補正〕案：《隋志》：「《春秋左氏長經》二十卷，漢侍中賈逵章句。」據此，則是書當題云《春秋左氏長經章句》也。今朱氏刪去「章句」二字，則非賈氏書矣。（卷七，頁六）

【增補】翁方綱《經義攷補正》卷第七，頁九三轉引陸德明《釋文》之文，以賈逵另撰有《春秋左氏長義》一書，而竹垞未錄此書，乃係誤合二書為一爾，今當據以補入其書。

63霖案：「說」字下，應依《後漢書》補入「自為兒童，常在太學，不通人閒事。身長八尺二寸，諸儒為之語曰：『問事不休賈長頭。』性愷悌，多智思，俶儻有大節。」等四十三字。

64霖案：「注《左氏》三十篇、《國語》二十一篇」等十二字，其中「「《左氏》三十篇、《國語》二十一篇」等十一字為注文，而「注」字表明下文為《後漢書》的注文，是則竹垞又混正文、注文為一，當據改。

65霖案：「館」字下，應依《後漢書》補入：「時有神雀集宮殿官府，冠羽有五采色，帝異之，以問臨邑侯劉復，復不能對，薦逵博物多識，帝乃召見逵，問之。對曰：「昔武王終父之業，鸑鷟在岐，宣帝威懷戎狄，神雀仍集，此胡降之徵也。」帝勑蘭臺給筆札，使作神雀頌，拜為郎，與班固並校祕書，應對左右。肅宗立，降意儒術，特好古文尚書、左氏傳。」等字。

66「使」下，依《補正》當補「發」字。　霖案：《經義考新校》頁3132於「《補正》二字之下，新出校文如下：「《四庫薈要》本、文淵閣《四庫》本、」等字。今考翁方綱《經義考補正》當是據《後漢書》之文補之。蓋《後漢書》適有「發」字。

67霖案：「於是」二字下，《後漢書》錄有賈逵條奏之文，由於文章頗長，竹垞僅錄及「摘出《左氏》三十事」之句以代之，惟文句頗長，難於一一甄錄其文，讀者可自行參看原書文句。

68霖案：「之」字下，應依《後漢書》補入「賜布五百匹，衣一襲，」等八字，以示皇帝之賜。

又李一遂〈左氏春秋著錄書目研究〉頁一〇八錄有賈逵《春秋左傳長曆》一卷，今據以補入。

佚。

【版本及藏地】本書版本及藏地如下：

一、《玉函山房輯佚書》本：（漢）賈逵撰　（清）馬國翰輯《春秋左氏長經章句》一卷，馬來西亞大學圖書館有藏本。

【增補】孫啟治、陳建華《古佚書輯本目錄（附考證）》曰：「賈逵，参《賈逵易義》及前條。《後漢書》本傳載建初元年肅宗（章帝）詔逵入講白虎觀，使舉發《左氏傳》大義長於《公羊》、《穀梁》二《傳》者，逵於是具條奏之，摘出尤明著者三十事。《隋志》載賈逵《春秋左氏長經》二十卷。馬國從《後漢書》本傳採得逵舉發《左傳》大義一篇，又別採李賢注、徐彥《公羊疏》所引逵佚說數節附益之，並據《隋》、《唐志》題《長經》之名。按馬氏所採《左傳》大義一篇，與《隋》、《唐志》所載實非同一書。何休《公羊序》云：『賈逵緣隙奮筆，以為《公羊》理短，《左氏》理長。』徐彥《疏》云：『逵作《長義》四十一條，云《公羊》理短，《左氏》理長。』按《後漢書・李育傳》稱，育作《難左氏義》四十一事，建初四年諸儒論五經於白虎觀，育以《公羊》義難賈逵，往反皆有理論。此即逵作《長義》四十一事之由，與建初元年舉發《左傳》大義三十事奏上者為不同時。故孔穎達《春秋序》疏云：『章帝時賈逵上《春秋大義》以抵《公羊》、《穀梁》，又與《左氏》作《長義》。』是《大義》、《長義》為二矣。《隋》、《唐志》所載《長經》即《長義》，與李育往返駁難四十一事者是也。若馬氏所輯，乃奏上章帝者，當題《左氏大義》為是。載記言此二書每多混淆，姚振宗《後漢書・藝文志》辨之甚詳。」（頁五五）

【增補】〔校記〕馬國翰有輯本。（春秋，頁四五）

二、清光緒九年(1883)長沙琅嬛館補校刊本：(漢)賈逵撰《春秋左氏長經章句》一卷，台北：國家圖書館有藏本。

三、清光緒十年(1884)湘遠堂刊本：(漢)賈逵撰《春秋左氏長經章句》一卷，台北：國家圖書館有藏本。

徐彥曰[69]：「賈逵[70]作《長義》四十一條，云：『《公羊》理短，《左氏》理長。』」

【增補】〔補正〕案：此引徐彥語系之《長經》條下，非也。蓋朱氏誤合二書為一爾，今據陸氏《釋文》改正于此。（卷七，頁七）

賈氏逵《春秋左氏長義》

69霖案：《監本附音春秋公羊注疏.序》「《左氏》可興」條下疏文，頁2191。

70霖案：「賈逵」二字下，應依《監本附音春秋公羊注疏.序》補入「者，即漢章帝時衞士令也。言緣隙奮筆者，莊顏之徒，說義不足，故使賈逵得緣其隙漏，奮筆而奪之，遂」等三十九字。

陸德明曰：「逵受詔列《公羊》、《穀梁》不如左氏四十事奏之，名曰《春秋長義》，章帝善之。」徐彥云云，應載於此。（卷七，頁七）

《春秋釋訓》（漢）

《隋志》：「一卷。」

佚。

《春秋三家經本訓詁》（漢）

《隋志》：「十二卷。」

【卷數】王仁俊輯本題作「一卷」

佚

【存佚】本書有輯本如下：

一、《春秋三家經本訓詁》一卷　（漢）賈逵撰　（清）王仁俊輯

（一）《玉函山房輯佚書續編》．經編春秋類

（二）《十三經漢注》

【增補】孫啟治、陳建華編《古佚書輯本目錄（附考證）》曰：「賈逵，參《周禮賈氏解詁》。《隋志》載賈逵《春秋三家經本訓詁》十二卷。《舊唐志》作《春秋三家詁訓》，《新唐志》作《春秋三家訓詁》，並十二卷。徐彥《公羊疏》引賈逵說，其中有舉《公羊》、《穀梁》二家經文之異於《左氏》者，王仁俊採得五節，以為此書之佚文。考侯康《補後漢書藝文志》王氏此輯全本侯說。」（頁六五）

【增補】〔補正〕方綱按：《隋志》此條下云：「宋有《三家經》二卷，亡。」據《漢志》云：「《春秋古經》十二篇，《經》十一卷。」下云：「《公羊》、《穀梁》二家。」既班氏以十一卷之《經》為《公》、《穀》二家《經》，則《三家經》何以云二卷乎？此宜詳考。然《漢志》云「《公羊》、《穀梁》二家」，不言《左氏》，若謂《左氏》後出，則班〈志〉既列《左氏》于《公》、《穀》之前，且曰：「邱明論本事而作《傳》，明夫子不以空言說《經》也。及末世口說流行，故有《公羊》、《穀梁》、《鄒》、《夾》之《傳》。」據此，則班《志》意主《左氏》也。若果《左氏》自有專《經》之本，豈有不列在《公》、《穀經》十一卷之前者乎？以此知《左氏》專《經》無傳之本，久不可考，自漢時已是合《經》、《傳》之《左氏》本矣，所以杜元凱不得已而分年系《傳》耳。唐竇　《書賦注》云：「吳青州刺史皇象寫《春秋》哀公上第二十九卷，首元年，餘自二年至十三年盡尾，元凱押尾，亦足證古本《左氏》經、傳相連為三十卷，其來久矣。」（卷七，頁七-八）

樊氏儵《刪定嚴氏春秋章句》

佚。

《後漢書》[71]：「儵，字長魚[72]，南陽湖陽人[73]。就侍中丁恭受《公羊》、《嚴氏春秋》[74]。永平元年，拜長水校尉[75]；二年[76]封[77]燕侯[78]。初[79]，儵刪定《公羊》、《嚴氏春秋章句》[80]，世號樊侯學。教授門徒前後三千[81]餘人，弟子潁川李修[82]、九江夏勤，皆為三公。」

張氏霸《減定嚴氏春秋章句》

佚。

《後漢書》[83]：「張霸，字伯饒，蜀郡成都人[84]。就長水校尉樊儵受《嚴氏公羊春秋》

71霖案：《後漢書》卷三二，頁1122。

72霖案：「魚」字下，《後漢書》並非接續「南陽湖陽人」五字，而係「謹約有父風。事後母至孝，及母卒，哀思過禮，毀病不自支，世祖常遣中黃門朝暮送饘粥。服闋，」等三十六字，竹垞刪去上述文句，今據以補入，並刪除「南陽湖陽人」五字。

73霖案：「南陽湖陽人」五字，《後漢書》無此五字，係竹垞根據樊儵之父（樊宏）的籍貫而來，因而加入在樊儵傳記之下，惟審度內容，雖合於實情，但與《後漢書》的原文不合，當刪。

74霖案：「《公羊》、《嚴氏春秋》」六字，點校本《後漢書》將此六字併合為一，故為「《公羊嚴氏春秋》」一書，而根據《點校補正經義考》的標點，則為二書矣！今審度文意，當以一書為佳。又「秋」字下，應依《後漢書》補入「建武中，禁網尚闊，諸王既長，各招引賓客，以儵外戚，爭遣致之，而儵清靜自保，無所交結。及沛王輔事發，貴戚子弟多見收捕，儵以不豫得免。帝崩，儵為復土校尉。」等六十二字。

75霖案：「尉」字下，應依《後漢書》補入「與公卿雜定郊祠禮儀，以讖記正《五經》異說。北海周澤、琅邪承宮並海內大儒，絛皆以為師友而致之於朝。上言郡國舉孝廉，率取年少能報恩者，耆宿大賢多見廢棄，宜勑郡國簡用良俊。又議刑辟宜須秋月，以順時氣。顯宗並從之。」等八十九字。

76霖案：「年」字下，應依《後漢書》補入「以壽張國益東平王，徙」等九字。

77霖案：「封」字下，應依《後漢書》補入「儵」字。

78霖案：「燕侯」二字下，竹垞刪去大量文句，難於逐一校補，讀者可自行參看原書。

79霖案：「初」字下諸文句，係出自《後漢書》卷三二，頁1125。

80霖案：「《公羊》、《嚴氏春秋章句》」，《點校補正經義考》的斷句，明顯將此視同二書。然而，點校本《後漢書》卻作「《公羊嚴氏春秋》章句」，顯然僅作一書，二者斷句頗有差異，今從點校本《後漢書》的斷句為佳。

81霖案：《經義考新校》頁3134新出校文如下：「『三千』，文淵閣《四庫》本誤作『三十』。」。

82霖案：「修」字，《後漢書》作「脩」字。

83霖案：《後漢書》卷三六，頁1241-1242。

84霖案：「人」字下，應依《後漢書》補入「也。年數歲而知孝讓，雖出入飲食，自然合禮，鄉人號為『張曾子』。七歲通《春秋》，復欲進餘經，父母曰『汝小未能也』，霸曰『我饒為之』，故字曰

[85]。永元中，為會稽太守[86]。霸以樊[87]刪《嚴氏春秋》猶多繁辭，迺減定為二十萬餘言，更名張氏學[88]。」

楊氏終《春秋外傳》

十二篇。

佚。

《後漢書》[89]：「楊終，字子山，蜀郡成都人[90]。年十三，為郡小吏，太守奇其才，遣詣京師受業，習《春秋》。顯宗時，徵詣蘭臺，拜校書郎[91]，著《春秋外傳》十二篇，改定章句十五萬言[92]。」

李氏育《難左氏義》（漢）

佚。

《後漢書》[93]：「李育，字元春，扶風漆人[94]。少習《公羊春秋》[95]，嘗讀《左氏傳》，雖樂文采，然謂不得聖人深意。以為前世陳元、范升之徒更相非析[96]，而多引圖讖，不據理

『饒』焉，後」等五十四字。

85霖案：「《嚴氏公羊春秋》」六字下，應依《後漢書》補入「遂博覽《五經》。諸生孫林、劉固、段著等慕之，各市宅其傍，以就學焉。舉孝廉光祿主事，稍遷，」等三十四字。

86霖案：「太守」二字下，應依《後漢書》補入「表用郡人處士顧奉、公孫松等。奉後為潁川太守，松為司隸校尉，並有名稱。其餘有業行者，皆見擢用。郡中爭厲志節，習經者以千數，道路但聞誦聲。初」等五十八字。

87霖案：「樊」字之前，應依《後漢書》補入「樊」字。

88霖案：「張氏學」三字，點校本《後漢書》標上書名號，因而成為書名。

89霖案：《後漢書》卷四八，頁1597；又同書，同卷，頁1601。竹垞併合二處解題為一，其中刪略文句眾多，難於逐一校補。

90霖案：「人」字下，應依《後漢書》補入「也」字。

91霖案：「郎」字下，竹垞刪去眾多文句，僅存楊氏著述內容。

92霖案：「言」字下，應依《後漢書》補入「永元十二年，徵拜郎中，以病卒。」等十二字，事涉楊氏卒年，今補之如上。

93霖案：《後漢書》卷七九下，頁2582。

94霖案：「人」字下，應依《後漢書》補入「也」字。

95霖案：「《公羊春秋》」四字下，應依《後漢書》補入「沈思專精，博覽書傳，知名太學，深為同郡班固所重。固奏記薦育於驃騎將軍東平王蒼，由是京師貴戚爭往交之。州郡請召，育到，輒辭病去。常避地教授，門徒數百。頗涉獵古學。」等六十八字。

96「析」，應依《補正》作「折」。　霖案：《經義考新校》頁3136於「《補正》」二字之前，新增如下

體，於是作《難左氏義》四十一事。建初元年，舉方正為議郎[97]，後拜博士[98]，詔與諸儒論《五經》於白虎觀[99]，遷尚書令[100]侍中[101]。」

【增補】〔補正〕《後漢書》條內「更相非析」，「析」當作「折」。（卷七，頁八）

馬氏融《三傳異同說》（漢）

【書名】葉程義《禮記正義引書考》頁八五〇著錄，書名題作《春秋三傳異同說》；又馬國翰《玉函山房輯佚書》同之。

佚。

【版本及藏地】本書版本及藏地如下：

一、《玉函山房輯佚書》本：（漢）馬融撰　（清）馬國翰輯《春秋三傳異同說》一卷，馬來西亞大學圖書館有藏本。

日本：東京都立、中央、東北大、蓬左文庫、京産大、東大總、一橋大、新潟大、愛媛大、高知大、大阪府立、中之島、九大、六本松、國會、東京、東大東文研、東洋文庫、立命館大學、京大人文研東方、京大人文研東方等圖書館有藏本。

【增補】孫啟治、陳建華編《古佚書輯本目錄（附考證）》曰：「馬融，參《馬融周易傳》。《後漢書》本傳稱融著《三傳異同說》，《隋》、《唐志》皆不載，馬國翰據經疏、史注採得佚說二十一節。」（頁六五）

【增補】〔校記〕馬國翰有輯本。（《春秋》，頁四五）

校文：「《四庫薈要》本、文淵閣《四庫》本、」等字。今考《後漢書》作「折」字，當為翁方綱《經義考補正》所據之源。

97霖案：「舉方正為議郎」六字之前，應依《後漢書》補入「衞尉馬廖」四字，此乃涉及薦舉之人，不當任意刪去，今據以補入。又「方正」二字前，亦應依《後漢書》補入「育」字。又「舉方正為議郎」諸字，點校本《後漢書》斷作「舉育方正，為議郎。」，顯然要較《點校補正經義考》的斷句為佳。

98霖案：「博士」二字下，應依《後漢書》補入「四年」，而竹垞刪去此二字，反而易使讀者錯認「詔與諸儒論《五經》於白虎觀」為建初元年，顯然在年代認知方面，易產生誤解。

99霖案：「白虎觀」三字下，應依《後漢書》補入「育以《公羊》義難賈逵，往返皆有理證，最為通儒。再」等十九字。

100霖案：「尚書令」之下，應依《後漢書》補入「及馬氏廢，育坐為所舉免歸。歲餘復徵，再遷」等十七字。

101霖案：「遷尚書令侍中」六字，理應斷作「遷尚書令、侍中」，蓋竹垞文句頗有刪減，且李氏任尚書令、侍中之年，相距歲餘，不當混而為一，是以《點校補正經義考》在斷句方面，未能詳察《後漢書》原文，致使在標點斷句方面，或有失當之處。

【增補】《續修四庫全書總目提要》：「春秋三傳異同說一卷　玉函山房輯本　劉白村

漢馬融撰清歷城馬國翰輯。融有周官傳。已著錄。按後漢書馬融傳云。融嘗欲訓左氏春秋。及見賈逵鄭眾注。乃曰。賈君精而不博。鄭君博而不精。既精既博。吾何加焉。但著三傳異同說。注論語孝經詩易三禮尚書等書。考三傳異同說一書。隋唐志皆不載。書蓋亡佚已久。觀後漢書所引馬融之語。似融所注意者仍在左氏。故輯本二十一條之中。大率皆注釋左氏之文。而鮮有論及二氏者。惟文公十八年。春秋經有秦伯罃卒一條。輯本有穀梁傳曰秦伯偃之文。稱為公羊傳徐彥疏引三家經同異。今按穀梁傳無此文。公羊疏亦無此語。是輯本之誤也。又昭公四年左氏有大雨雹之文。輯本由公羊傳疏引三家經同異云。穀梁作大雨雪。今按徐彥疏乃引賈氏之語。是輯本又誤也。吾意原書。蓋以左氏為主。而參以二氏。論其同異。惟遺文甚少。亦不可詳考矣。」（頁七三八）

二、清光緒九年(1883)長沙琅嬛館補校刊本：(漢)馬融撰《春秋三傳異同說》一卷，台北：國家圖書館有藏本。

三、清光緒十年(1884)湘遠堂刊本：(漢)馬融撰《春秋三傳異同說》一卷，台北：國家圖書館有藏本。

《後漢書》[102]：「融[103]嘗欲訓《左氏春秋》，及見賈逵、鄭眾《注》，乃曰：『賈君精而不博，鄭君博而不精。既[104]精既博，吾何加焉？』但著《三傳異同說》。」

戴氏宏《解疑論》（漢）

佚。

【存佚】本書有馬國翰輯本，雖非存本，但仍可改注曰「闕」。

【版本及藏地】本書版本及藏地如下：

一、《玉函山房輯佚書》本：（漢）戴宏撰　（清）馬國翰輯《解疑論》一卷　馬來西亞大學圖書館有藏本。

【增補】〔校記〕馬國翰有輯本。（春秋，頁四五）

【增補】孫啟治、陳建華編《古佚書輯本目錄（附考證）》曰：「戴宏，字元襄，濟北剛縣人，官至酒泉太守（參《後漢書・吳祐傳》及李賢注引《濟北先賢傳》。馬國

102霖案：《後漢書》卷六○，頁1972。

103霖案：《經義考新校》頁3136新出校文如下：「『融』，文津閣《四庫》本作『馬融』。」，今考「融」字下，應依《後漢書》補入「才高博洽，為世通儒，教養諸生，常有千數。涿郡盧植，北海鄭玄，皆其徒也。善鼓琴，好吹笛，達生任性，不拘儒者之節。居宇器服，多存侈飾。常坐高堂，施絳紗帳，前授生徒，後列女樂，弟子以次相傳，鮮有入其室者。」等八十字。

104霖案：「既」字，《後漢書》作「旣」字，下同。

翰謂宏不詳人，失考。）何休《公羊序》有『恨先師觀聽不決』之語，徐彥疏謂先師指戴宏之流，宏作《解疑論》難《左氏》，不得《左氏》之理，不能以《正義》決之云云。《解疑論》不載於諸史志，馬國翰僅從徐彥疏採得三節。按此三節一為《序》文，一為述《公羊》源流，一為說吳與揚州異稱，似與難《左氏》無涉。」（頁六一）

【增補】《續修四庫全書總目提要》：「解疑論一卷　玉函山房輯本　　劉白村

漢戴宏撰。清歷城馬國翰輯。按後漢書吳祐傳載。祐遷膠東侯相。時濟北戴宏父為縣丞。宏年十六。從在丞舍。祐每行園。常聞諷誦之音。奇而厚之。亦與為友。卒成儒宗。知名東夏。官至酒泉太守。章懷注引濟北先賢傳曰。宏字元襄。剛縣人也。年十二。為郡督郵。曾以職事見詰。府君欲撻之。宏曰。今鄙郡遭明府。咸以為仲尼之君。國小人少。以宏為顏回。豈聞仲尼有撻顏回之義。府君異其對。即日教署主簿也。馬國翰謂不詳何人。蓋僅查後漢書之目而未考其內容也。此書史志不載。何休公羊傳序云。恨先師觀聽不決。多隨二創。此世之餘事。豈非守文持論敗績失據之過哉。徐彥疏。謂此先師戴宏等也。按宏居濟北。休居任城。俱屬袞州。二人居地非遙。年代亦近。則休之稱先師。乃因直接受教而非汎稱也。今輯本僅有三條。一則述公羊源流。一則說孔子感世衰而作春秋。且為漢制法。一則說吳楚異號。惟徐彥疏謂戴宏作解疑論而難左氏。不得左氏之理。不能以正義決之。於戴氏之說。有所不滿。惜其難左氏之語。今不得見。無可考驗矣。」（頁七三八）

二、清光緒九年(1883)長沙琅嬛館補校刊本：(漢)戴宏撰《解疑論》一卷，台北：國家圖書館有藏本。

三、清光緒十年(1884)湘遠堂刊本：(漢)戴宏撰《解疑論》一卷，台北：國家圖書館有藏本。

徐彥曰[105]：「何氏『恨先師觀聽不決，多隨二創』[106]，先師，戴宏等也[107]。戴宏作《解疑論》以[108]難《左氏》，不得《左氏》之理，不能以正義決之，故云『觀聽不決』，『多隨二創』者[109]，『背《經》任意，反《傳》違戾』[110]，與《公羊》為一創[111]；『援引他經，

105霖案：《監本附音春秋公羊注疏.序》「恨先師觀聽不決，多隨二創」條下疏文，頁2191。

106霖案：「何氏」二字，為竹垞根據文意所加，當刪。又「恨先師觀聽不決，多隨二創」為正文，而「先師，戴宏等也……」諸句，方為徐彥〈疏〉文，竹垞併合正文、疏文為一，當改正。

107霖案：「也」字下，應依《監本附音春秋公羊注疏.序》的疏文，補入「凡論義之法，先觀前人之理，聽其辭之曲直，然以義正決之。今」等二十四字。

108霖案：「以」字，應依徐彥〈疏〉文改作「而」字。

109霖案：「者」字下，應依徐彥〈疏〉文補入「上文云，至」等四字。

110霖案：「戾」字下，應依徐彥〈疏〉文補入「者」字。

111霖案：「創」字下，應依徐彥〈疏〉文補入「又云：」等二字。

失其句讀』；又與《公羊》為一創也[112]。」

何氏休《春秋公羊解詁》（漢）

【著錄】孫殿起《販書偶記續編》卷二，頁十六。

【書名】本書異名如下：

一、《監本附音春秋公羊疏》：國家圖書館藏「元刊明代修補十行本」

二、《春秋公羊集詁》：藤原佐世《日本國見在書目錄》頁十二著錄。

三、《春秋公羊傳解詁》：《直齋書錄解題》卷三，頁四五五。

四、《公羊解詁》：程金造編著《史記索隱引書考實》頁一一一至頁一一二。

五、《公羊傳解詁》：《文獻通考・經籍考》卷九，頁二二六。

六、《春秋公羊傳》：何休撰，陸德明音義，程志〈現存唐人著述簡目〉頁二五九著錄。

七、《監本附釋音春秋公羊注疏》：漢何休撰；唐陸德明音義，清阮元校本，程志〈現存唐人著述簡目〉頁二五九著錄。

八、《春秋公羊經傳解詁》：漢何休撰；唐陸德明音義，程志〈現存唐人著述簡目〉頁二五九著錄。

九、《監本附音春秋公羊註疏》：張壽平《公藏先秦經子注疏書目》頁一二四著錄。

十、《公羊傳注疏》：張壽平《公藏先秦經子注疏書目》頁一二五錄。

十一、《春秋公羊傳注疏》：張壽平《公藏先秦經子注疏書目》頁一二五錄。

十二、《欽定公羊注疏》：張壽平《公藏先秦經子注疏書目》頁一二五錄。

十三、《春秋公羊穀梁傳合刻》：張壽平《公藏先秦經子注疏書目》頁一三一著錄。

十四、《春秋公羊傳註疏》：《山東省圖書館館藏海源閣書目》頁二九著錄。

十五、《春秋公羊註疏》：《馬來西亞大學中文圖書目錄》七四四著錄。

十六、《公羊傳》：《八戶市立圖書館漢籍分類目錄》頁十二著錄。

【作者】台北：國家圖書館藏有「元刊明代修補十行本」，作者題作「漢・何休註；唐徐彥疏」；葉程義《禮記正義引書考》頁八〇四著錄。

《隋志》：「十一卷。」《唐志》：「十三卷。」

【卷數】何廣棪《陳振孫之經學及其《直齋書錄解題》經錄考證》曰：「此書卷數，各朝著錄略有異同。《讀書志》及《宋志》均作十二卷。惟《隋志》與《通志・藝文

112霖案：「也」字，當據徐彥〈疏〉文刪正。

略》作十一卷，《新》、《舊唐志》作十三卷，與《解題》著錄不同。」（頁五一七），又《直齋》、《通考》均作「十二卷」，大抵言之，卷數雖有不同，卻相差不大。然而，此書亦有併合他書合刊者，如併合唐．徐彥疏文之本，則卷數題作「二十八卷，則差異較大。又有陸德明音義本，又阮元曾另有校本行世，使得卷數差異稍大。

存。

【版本及藏地】本書版本及藏地如下：

一、元刊明代修補十行本：台北：國家圖書館、北京圖書館有藏本。

又南京圖書館另藏有二部「元刊明修補本」，說明如下：

（一）漢何休注、唐徐彥疏、陸德明音義本　《監本附音春秋公羊注疏》二十八卷，十行十七字小字雙行廿三字白口左右雙邊有刻工　存十卷〔五至六；十五至十六；二十一至二十二、二十五至二十八〕

（二）漢何休注、唐徐彥疏、陸德明音義；丁丙跋《監本附音春秋公羊注疏》二十八卷，十行十七字小字雙行廿三字白口左右雙邊，有刻工。

【增補】《國家圖書館善本書志初稿》：「【監本附音春秋公羊註疏二十八卷十八冊】

元刊明代修補本　00650

漢何休註，唐徐彥疏。休(128-182)字邵公，後漢樊人。精研六經，作春秋公羊解詁，官諫議大夫，卒年五十四。

版匡高 18.7 公分，寬 12.9 公分。左右雙邊。每半葉十行，行十七字，註文小字雙行，行二十三字。『疏』字以墨圍別出。左上欄外有耳題記魯公年(如『隱元年』)。版心白口，雙魚尾。版心上方記大小數字，魚尾中間記書名卷第(如『公疏一』)，版心下方記刻工名。明代修補部分，版式不一，版心有白口與粗黑口，魚尾則有單、雙、三魚尾，無字數，或缺刻工名，版心偶或刻『李紅謄』。

元刻工名：伯壽(或作伯)、山、壽、君美(或作美)、以清(或作以)、文、善慶(或作善)、仁甫、禔甫、高、王英玉(或作英玉、英、玉)、余、茂、李、君錫、余中、敬中、古月(或作古、月)、應祥、仲、文粲(或作文)、王榮(或作榮)、安卿(或作安)、德遠(或作德)、壽甫、天易、以德、丘文(或作文)、住、善卿(或作善)、德甫等。明修刻工名：人、吳郎、曾、王邦亮、余富等。

首卷首行頂格題『監本附音春秋公羊註疏隱公卷第一』，下小字雙行『起元年/盡元年』。次行頂格題『春秋公羊經傳解詁隱公第一』，下末有尾題。卷首有景德二年(1005)中書門下牒，並漢何休『監本附音春秋公羊註疏序』。

書中鈐有『國立中央圖/書館收藏』朱文長方印。」(頁 174)。

【增補】《國家圖書館善本書志初稿》：「【監本附音春秋公羊註疏存二十卷十冊】

又一部　元刊明初修補本　**00652**

此本多出前部之明修刻工有：仲。缺卷二至卷七、卷十、卷十一凡八卷。卷二十缺十二至十六葉。

書中鈐有『擇是居』朱文橢圓印、『國立中央圖/書館收藏』朱文長方印、『莚圃/收藏』朱文長方印、『張印/鈞衡』白文方印、『石銘/收藏』朱文方印、『吳興張氏適園收藏圖書』朱文長方印。」(頁 174)。

二、道光四年孟冬揚州汪氏問禮堂重刊宋紹熙余氏萬卷堂本：孫殿起《販書偶記續編》卷二，頁十六著錄，台北故宮博物院有藏本。

又中國歷史博物館有藏本。

【增補】《中國歷史博物館藏普通古籍目錄》曰：「００８７

宋紹熙本公羊傳注　十二卷

（漢）何休注

清道光四年（１８２４）汪氏問禮堂重刻本

二冊

（史１５８）」（頁九）

【增補】《中國歷史博物館藏普通古籍目錄》曰：「００８８

春秋公羊經傳解詁　十二卷

（漢）何休撰

清道光四年（１８２４）揚州汪氏問禮堂仿宋刻本

六冊

（史４１９２）」（頁九）

【霖案】上述二本所題近同，當為同本，然何以書名．版本會有差異？待查。

【增補】《續修四庫全書總目提要》：「宋紹熙本春秋公羊傳解詁十二卷　揚州汪氏問禮堂影刊本　　　張壽林

漢何休撰。考南齊書陸澄傳云。永明元年。澄領國子博士時。國學置鄭王易。杜服春秋。何氏公羊。麋氏穀梁。是六朝以來。何氏公羊。久置國學。為世所重。唐陸德明經典釋文敘錄云。何休注公羊十二卷。兩唐志亦著錄之。惟兩宋之後。傳本漸希。除注疏刊本外。行世絕尟。此本為宋紹熙間余仁仲萬卷堂刊本。何氏單注本之不絕如綫。實利賴之。蓋與仁仲所刻范氏穀梁傳。同為稀世之瓌寶焉。其書都凡十有二卷。每公為一卷。與陸氏釋文及諸家著錄皆同。足證兩唐志作十三卷者誤也。每半頁十一行。行十八九字。注雙行。行二十七字。行款與所刻穀梁傳亦同。每章附音義。每卷末有經傳注及音義字數。又記余氏刊於萬卷堂。或余仁仲刊于家塾等字。十一卷十二卷末記仁仲比校訖。卷首有何氏自序。序末有紹熙辛亥孟冬朔日建安余仁仲題記。原本舊藏揚州汪士鐘問禮堂。因影摹付刊。行款悉依原本。纖毫畢肖。宛然宋槧。按何氏解詁。釋傳而不釋經。且多引緯說。其所謂黜周王魯。變周文從殷質之類。雖不詳所據。然其詮釋條例。亦時有妙義。為治公羊者所不廢。余氏據家藏監本及江浙官本。參校付梓。頗多釐正。以校注疏本。異同甚多。而往往以此本為優。其陸氏釋音字與正文不同者。如隱元年嫡子作適歸。哈作吟。召公作邵公。桓四年曰蒐作曰廋。若此之類。皆兩存之。不敢亦臆見更定之。則尤稱謹慎。誠不愧何氏之功臣也。」（頁七一四）

三、宋淳熙撫州公使庫刻紹熙四年重修本：何休撰，《春秋公羊傳解詁》十二卷，附陸德明撰《釋文》一卷；程志〈現存唐人著述簡目〉頁二五九著錄，藏於中國國家圖書館。十行十六字小字廿三、四字，白口，四周雙邊有刻工。

四、宋紹熙二年余仁仲萬卷堂刻本：漢何休撰　唐陸德明音義《春秋公羊經傳解詁》十二卷，十一行十九字小字雙行廿九字細黑口左右雙邊，清黃彭年跋、李盛鐸藏於中國國家圖書館。

【增補】瞿鏞編纂．瞿果行標點．瞿鳳起覆校《鐵琴銅劍樓藏書目錄》卷五曰：「卷第一，首行題：『《春秋公羊經傳解詁．隱公第一》』次行下數格題：『何休學。』餘卷並同此式。前有漢司空掾任城樊何休。序後有余氏題識云：『《公羊》、《穀梁》二書，書肆苦無善本，謹以家藏監本及江、浙諸處官本參校，頗加釐正。惟是陸氏《釋音》字或與正文不同，如此序『釀嘲』，陸氏『釀』作『讓』；隱元年『嫡子』作『適』，「歸含」作『喀』，『召公』作『邵』，桓四年『曰蒐』作『廋』，若此者眾，此不敢以臆見更更，姑兩存之，以俟後知考。紹熙辛亥孟冬朔日建安余仁仲敬書。凡十六行。每半葉十一行，行大字十九，（注文：惟序行十八字。）小字廿七，『殷』、『匡』、『貞』、『環』、『完』、『慎』皆闕筆。《經》下即接《傳》文，不加「傳」字。注雙行。《釋文》分附注後。每卷末，俱有《經》、《傳》及《注》及《音義》字數。卷一末有『余氏刊於萬卷堂』一行，卷二末曰『余仁仲刊于家塾』。卷三，字數三條，刊置格闌外。自卷四以下，或曰『仁仲比校訖』，或曰『余仁仲刊于家塾』。阮元〈校勘記〉稱：鄂州官書《經》注本最為精美。今攷此本，足以攷訂鄂本者頗多：如桓十年，《傳》『內不言傳』節注『當戮力拒之』，《記》以鄂本作『勠』為是，謂《釋文》『戮力』字多作『勠』。然《釋文》云，『戮』字亦作『勠』。則《釋文》正作『戮』也。十有八年，《經》『公夫人姜氏遂如齊』，《記》以鄂本『公』下有『與』字為是。謂《左》、《穀》皆有『與』。然莊元年注及疏引此《經》皆作『公夫人』。孔檢討廣森《公羊通義》亦謂通檢前後《經》例，但有『暨』及『更』，無『與』文。知此直言『公夫人』是也。莊八年，『師次于郎』《傳》注『陳蔡稱人者略以外國辭稱人微之』，《記》以鄂本『人』作『知』為是，謂當獨『知微之』三字為句，然僖二年『盟于貫澤』《傳》注亦云『知以遠國辭稱人』，則作『人』者是也。僖三十有一年，『取濟西田』《傳》注『班者，布徧還之辭』，鄂本空『徧』字，然《釋文》出『布徧』，則鄂本脫也。《記》謂《經》注本蓋作『布還』，此合併為一，（小注云：此謂十行本。）此語未詳其意。案：『布』字當句，班，布也，見於《周禮》『宮伯』注，《左》襄廿六年『班荊』注可證。《釋文》摘字為音，不盡如句讀。但此云『布，徧，音遍，下文同』，尋下文，更無『徧』字，而有二『還』字，疑此本作『徧還』。『還』亦有音，『下文同』者，謂『還』音，而今本脫之也。文三年，『雨螽于宋』《傳》注『朝廷久空』，《記》以鄂本作『久虛』為是。然此下八年，『宋人殺其大夫司馬』《傳》注亦言『朝廷久空』，與此文同。宣十年，『齊人歸我濟西田』《傳》注『据有俄道』，《記》以鄂本『俄』作『我』為是；然此据桓二年《傳》『俄而可以為其有矣』為問，故云，『俄道』，解引彼注云『俄者，須臾之間，制得之頃也』，則作『我』者誤也。昭二十有六年，『天王入于成周』《傳》注『不言京師者，起正居在成周』，《記》以鄂本作『王居』為是，然此下三十有二年『城成周』《傳》注亦云『言成周者，起正居』，蓋以天子不居王城，嫌非正，故言成周以起之，而西周之非正亦明矣。若作『王居』，則天子所居皆是，王居何所起乎？諸條似皆此本為長。觀《記》中別載數條，併言有闕葉兩處，（小注云：此本不闕。）似獲見此本，不知何以未經備錄？且引據各本，《目錄》中亦不載及，殊不可解。揚州問禮堂汪氏近有翻本，款式相同，惟一經傳刻，不無　脫。其句讀圈法，失去大半，斯固無關宏旨。而　字未經訂正，且復轉據他本多所刊改，是正固多，沿　亦不少。用悉校錄於後，并略加辨正，俾覽者無惑焉。』（頁一一一至頁一一二）

【霖案】其文下錄有若干校語，由於內容頗多，茲不贅錄，讀者可自行參考原書。

五、明嘉靖間李元陽福建刊十三經注疏本：漢何休撰·唐賈公彥疏·陸德明音義，程志〈現存唐人著述簡目〉頁二五九著錄，台北：國家圖書館、故宮博物院、中研院史語所等地均有藏本。

又中國國家圖書館另藏一本，九行廿一字白口四周單邊，題作「清王振聲校」。

又南京圖書館另藏一本，題作「漢何休注、唐徐彥疏、陸德明音義」，有清江聲校，丁丙跋，九行廿一字白口四周單邊有刻工。

又山東省博物館另藏一本，有「清許瀚批校」，其餘版本著錄同上。

【增補】《國家圖書館善本書志初稿》：「【春秋公羊註疏二十八卷八冊】

明李元陽刊十三經註疏本　00653

漢何休註，唐徐彥疏。

版匡高 20.2 公分，寬 13.2 公分。四周單邊。每半葉九行，行二十一字，註文分中字、小字，中字單行，小字雙行，字數同。『註』、『疏』、『注』、『傳』以墨蓋子白文別出。版心白口，中間記書名卷第(如『公羊註疏卷一』)，下方記葉次、最下方記刻工名。

刻工名：王良、葉順、張二、余宗、余富一、熊名、伯林、熊希、張成賜、葉岳、熊昭、王富、張七郎、余唐(或作唐)、陳才、余均、羅乃興、張元隆、王貴、元富、陳金、周富壽、劉榮、黃大富、葉再興(或作再興)、艾毛、劉順、余天壽、葉再友(或作再友)、吳興、陸文清、吳永成、熊伕照(或作伕照)、余大目、陸四、張長壽、虞丙(或作丙、虞)、黃記榮、余乃順、陸仲興(或作仲興)、陸景得、張景郎、朱仕忠、余鐵隆(或作余鐵龍、余龍)、張椿、鄒文元、朱明、謝元林、江鼻、張驚、王金榮(或作王金)、龔三、余廷深、王仕榮、施肥、王烏(或作烏)、許達、魏長(或作長)、劉添富(或作添富)、陳永勝、王文、詹蓬、鄭孫郎、鄭記保、李清、熊文林、羅妳興、余暹、陸馬、禎、李仕璩、文、周記清、陳斌(或作陳)、李順、王仲郎、魏福鎮、黃寶、李文英、葉毛奴(或作葉奴)、江壽、王元寶(或作元寶)、周甫、王茂、余清、楊餘芳、葉雄(或作雄)、王泗、江永厚、王元名(或作王元明)、詹彥貴、葉員、周章、劉佛保、陳伕得、葉增、葉文輝、江八、吳賜員、葉得、余八十、余天禮、張尾、蔡欽、陸進寶(或作陸進保)、陳鐵郎(或作陳鐵)、程亨、余立、貞、張長友、蔡儀、陸旺、楊添友、蔡福應、李福保、劉旦、余浩、黃興、陸富郎、葉文祐、余元朱、曾景富、曾景九、羅椿、曾福林、曾椿、葉伯逃、葉伯啟、李福鎮、詹璿、吳闊(或作闊)、吳二、江毛荅(或作荅、江毛)、虞伕清、蔡俊、曾招、曾郎(或作郎)、張元興、黃道祥(或作黃祥)、吳洪、黃永進、余鐵寶、張佛惠等。缺卷二十七第二十一葉，卷十一第二十葉，卷十四第二葉，卷二十八最末兩葉以墨筆鈔補。

首卷首行頂格題『春秋公羊註疏隱公卷第一』，下隔一行小字雙行『起元年/盡元年』。次行低八格題『漢何休學』。第三行低八格有墨筆塗飾痕跡。卷首序文前第二行低八格題『漢何休學』，下『唐徐彥』疏被墨筆塗飾，第三行低八格題『明御史李元陽提學僉事江以達校刊』。卷後有尾題。卷首有景德二年(1005)中書門下牒，後有漢何休『春秋公羊傳疏序』。經文以頂格大字別出，傳文以大字緊隨，何休註文則以中字標出，注文、疏文則為小字雙行。朱筆圈點，不知出自何人。

書中鈐有『丁福保/鑑藏經/籍圖書』白文方印、『雪/峯』白文方印、『圓/璧』白文方印、『國立中央圖/書館收藏』朱文長方印、『丁福/保印』白文方印、『丁福保/讀書記』朱文長方印。」(頁 175)。

【增補】《國家圖書館善本書志初稿》：「【春秋公羊註疏二十八卷四冊】

又一部　00654

此本多出前部之刻工有：葉旋、陸文進(或作文進)、周亨、吳道元、龔永興、劉伕保、王伯道(或作伯道)、王文、熊武、陸進保(或作進保)等。缺卷二十八最末葉、卷十九第十六葉。

序文葉一前半葉以墨筆鈔補。

書中鈐有『國立中央圖/書館收藏』朱文長方印、『澤存/書庫』朱文方印。」(頁 176)。

【增補】《國家圖書館善本書志初稿》：「【春秋公羊註疏二十八卷二十四冊】

又一部　00655

此本多出前部之刻工有：余宗。何休公羊經傳解詁序缺一至三葉，卷二十八缺最末葉。

卷一有部分朱筆圈點，不知出自何人。

書中鈐有『澤存/書庫』朱文方印、『國立中央圖/書館收藏』朱文長方印。」(頁 176)。

【增補】《中央研究院院歷史語言研究所善本書目》曰：「《春秋公羊傳註疏》二十八卷十冊　漢何休註　唐徐彥疏　明嘉靖間李元陽刊本。」（頁九）

六、明崇禎甲戌（七年）常熟毛氏汲古閣刊十三經本：（漢）何休注　（唐）陸德明音義　（唐）徐彥疏　《春秋公羊注疏》，九行，二十一字，小字雙行，字數同，白口，左右雙邊，程志〈現存唐人著述簡目〉頁二五九著錄，台北：國家圖書館、臺灣省立臺北圖書館均有藏本。

又中國國家圖書館藏有二部，一本題作「葉德輝跋，佚名錄，清何煌、惠棟、朱邦衡、陳奐批校題識」；另一本題作「清姚世鈺校並跋，又錄清何焯跋、高銓跋」。

又上海圖書館另藏有一本，題作「清吳孝顯録各家校，清張爾耆覆校。

又常熟縣圖書館另藏有一本，題作「清王振聲校臨，清何焯等校」。

又復旦大學圖書館另藏一本，題作「清惠棟批校並圈點」。

又大陸：中山大學圖書館另藏一本。

【增補】《國家圖書館善本書志初稿》：「【春秋公羊註疏二十八卷四冊】

又一部　00657

封面扉葉有一牌記，分三欄，左右欄大字刻『毛氏公羊/註疏正本』，中間小字『汲古閣繡梓』。清李芝綬過錄何煌校語。

書中鈐有『毛氏/正本』朱文方印、『汲古/閣』白文方印、『李芝綬/讀書記』朱文長方印、『緘盦/收藏』白文方印、『國立中/央圖書/館考藏』朱文方印、『仲標/手校』朱文方印、『夢華/館藏/書印』白文方印。」(頁 176)。

又台北國家圖書館另有一本，有清江沅過錄舊校并手書題記，又陳奐過錄惠棟批語并手書題記。

【增補】《國家圖書館善本書志初稿》：「【春秋公羊註疏七冊】

明崇禎七年(1634)海虞毛氏汲古閣刊十三經註疏本　00656

漢何休註，唐徐彥疏。

版匡高 17.8 公分，寬 12.4 公分。左右雙邊。每半葉九行，行二十一字，註文中字單行，疏文小字雙行，字數同。『註』、『疏』文以墨蓋子白文別出。版心花口，最上方記書名，中間記卷第(如『卷之一』)及葉次，下方則題『汲古閣』。

首卷首行頂格題『春秋公羊註疏隱公卷第一』，隔一行小字雙行『起元年/盡元年』，次行低九格題『漢何休學』。卷末尾題俱被剜去。首冊封面右上方墨字題『隱公十一年桓公元年之六年』。卷二十八尾題前有『皇明崇禎七年歲在閼逢閹茂古虞毛氏繡鐫』牌記。卷首有漢何休『春秋公羊傳註疏』序。書眉、正文旁，浮簽朱墨筆批語。書中有江沅過錄舊校並手書題記，又陳奐過錄惠棟批語並手書題記，並附印記。

書中鈐有『國立中/央圖書/館考藏』朱文方印、『曾在三/百堂/陳氏處』朱文方印。」(頁 176)。

又日本八戶市立圖書館藏有一本，題作「十三經註所收」，未詳究係何本，今暫列於此。

【增補】何仲友〈題記〉曰：「康熙丁酉冬，假同門李廣文秉成所買宋槧官本手校，在令張翼庭、倪穎仲各校一過，今以其手校本相勘，猶有漏落，三人僅敵一手，何秉成之絲髮如心也，書以識愧。己亥初夏，何仲友。」（轉錄《標點善本題跋集錄》頁二九）

【增補】惠棟〈題記〉曰：「曹通政寅所藏宋本公羊，合何氏所校宋槧官本、蜀大字本、及元板注疏，并參以石經，用朱墨別異。乾隆癸酉冬月，松崖惠棟識。」（轉錄《標點善本題跋集錄》頁二九）

【增補】朱邦衡〈題記〉曰：「壬辰仲冬，小門人朱邦衡臨校。」（轉錄《標點善本題跋集錄》頁二九）

【增補】江阮〈題記〉曰：「沅案：惠氏之小門人也。」（轉錄《標點善本題跋集錄》頁二九）

【增補】段玉裁〈題記〉曰：「癸丑六月廿八日，武進臧鏞堂校錄一部畢，時寓館于袁氏拜經樓，并錄何、惠、朱三人舊款識。所云宋本，即余仁仲本，此校或云余、或云宋官本，是宋鄂州學官書，朱墨別異，實多混用。是年七月，段玉裁臨校。」（轉錄《標點善本題跋集錄》頁三〇）

【增補】陳奐〈題記〉曰：「嘉慶己巳，吳縣江沅詳錄校一過於段氏之七業衍祥堂。辛未季秋，又於南園位陳師竹臨校此本，帀二日許而　。

嘉慶辛未之秋，江鐵君師為奐照錄於南園，奐更假錄艮庭先生所過惠松崖先生評點，時癸酉小春十八日也，今閱已四十餘年矣！音容雖邈，筆墨猶新。集成公羊逸禮，謄清備攷，綴記數語，咸豐紀元孟春之月，陳奐師竹舊字也。

卷一之卷四，癸酉小春十八日，借鐵君師所藏艮庭先生閱看本借過，至廿四日校畢。」（轉錄《標點善本題跋集錄》頁三〇）

七、清道光四年揚州汪氏問禮堂覆宋紹間余仁仲刊同治二年邵陽魏氏印本：（漢）何休撰《春秋公羊經傳解詁》十二卷，四冊，附〈校勘記〉一卷，清魏彥、龔橙同撰，台北：國家圖書館、台灣師範大學；大陸：中山大學圖書館（有二部）有藏本。

【增補】（大陸）《中山大學圖書館古籍善本書目》曰：「十一行，十九字，小字雙行，每行二十七字，白口，左右雙邊。各卷末記經、注、音、義字數及余仁仲或，余氏刊於萬卷堂，書名頁有揚州汪氏問禮堂刊。有清曾釗面城樓、『順德溫樹梁家藏善本』諸朱印。又一部有清唐氏『夢硯齋藏』陰文篆書長方朱印。夢硯齋為清唐樹義藏書室名。樹義，字子方，遵義人，道光舉人，官至湖北按察使。」（頁二十一）

八、民國十五年上海商務印書館影印本：台灣師範大學有藏本。

九、民國二十一年上海涵芬樓影印本：台北圖書館有藏本。

十、宋建刊明代修補十行本：漢何休註，唐徐彥疏，台北國家圖書館有藏本。

又台北國家圖書館另有宋建刊十行本配補影鈔本：漢何休註，唐徐彥疏，卷一、卷二及卷十五至卷十八凡六卷鈔配。

【增補】《國家圖書館善本書志初稿》：「【監本附音春秋公羊註疏二十八卷十四冊】

元刊本配補影鈔本　00651

漢何休註，唐徐彥疏。

版匡高 19.1 公分，寬 13.1 公分。元刊十行本。版式同書號 00650，配補影鈔本版心最上方缺大小字數，版匡外左上方缺耳題。

刻工名：以清(或作以)、文、善慶(或作善)、仁甫、禔甫、高、王英玉(或作英玉、英、王)、余、茂卿(或作茂)、君錫、君美(或作美)、余中、敬中、古月(或作古、月)、應祥、文粲(或作文)、王榮(或作榮)、安卿(或作安)、德遠(或作德)、壽甫、丘文(或作文)、住、天易(或作天)、善卿(或作善)、德甫、伯壽(或作壽、伯)、以德等。卷一、卷二及卷十五至卷十八凡六卷鈔配。

缺卷首中書門下牒。全書以木匣盛裝。

書中鈐有『國立中央圖/書館收藏』朱文長方印、『壺天小史橘/耳山人私印』白文長方印、『揚洲陳恒和書林』朱文圓印。」(頁 174~175)。

【考證】按：此書原訂作宋建刊明代修補十行本，後改訂為元刊本配補影鈔本，今暫列於此，以俟後考。

又台北國家圖書館另有宋建刊元明修補十行本，缺卷二至卷七、卷十、卷十一，凡八卷。

十一、清乾隆四年武英殿刊本：漢何休注，唐徐彥疏，陸德明音義，台北：故宮博物院有藏本。

十二、文淵閣四庫全書本：舊題周公羊高撰，漢何休注，唐徐彥疏，台北故宮博物院有藏本。

【增補】永瑢等撰《欽定四庫全書總目》曰：「春秋公羊傳注疏二十八卷　內府藏本

漢公羊壽傳，何休解詁，唐徐彥疏。案《漢書・藝文志》『《公羊傳》十一卷』，班固自注曰：『公羊子，齊人。』（案《漢・藝文志》不題顏師古名者，皆固之自注。）顏師古注曰：『名高。』（案此據《春秋說題詞》之文，見徐彥《疏》所引。）徐彥《疏》引戴宏序曰：『子夏傳與公羊高，高傳與其子平，平傳與其子地，地傳與其子敢，敢傳與其子壽。至漢景帝時，壽乃與齊人胡母子都著於竹帛。』何休之注亦同（休說見『隱公二年紀子伯莒子盟於密』條下。）今觀《傳》中有『子沈子曰』，『子司馬子曰』，『子女子曰』，『子北宮子曰』，又有『高子曰』，『魯子曰』，蓋皆傳授之經師，不盡出於公羊子。《定公元年傳》『正棺於兩楹之間』兩句，《穀梁傳》引之，直稱沈子，不稱公羊，是并其不著姓氏者，亦不盡出公羊子。且并有『子公羊子曰』，尤不出於高之明證。知傳確為壽撰，而胡母子都助成之。舊本首署高名，蓋未審也。又羅壁《識遺》稱：『公羊、穀梁自高、赤作傳外，更不見有此姓。』萬見春謂皆姜字切韻腳，疑為姜姓假託。案鄒為邾婁，披為勃鞮，木為彌牟，殖為舌職，記載音訛，經典原有是事，至弟子記其先師，子孫述其祖父，必不至竟迷本字，別用合聲。壁之所言，殊為好異。至程端學《春秋本義》竟指高為漢初人，則講學家臆斷之詞，更不足與辨矣。《三傳》與經文，《漢志》皆各為卷帙，以《左傳》附經，始於杜預，《公羊傳》附經，則不知始自何人。觀何休《解詁》，但釋傳而不釋經，與杜異例，知漢末猶自別行。今所傳蔡邕石經殘字，《公羊傳》亦無經文，足以互證。今本以傳附經，或徐彥作疏之時所合併歟？彥《疏》《文獻通考》作三十卷，今本乃作二十八卷，或彥本以經文并為二卷，別冠於前，後人又散入傳中，故少此二卷，亦未可知也。彥疏《唐志》不載，《崇文總目》始著錄，稱『不著撰人名氏，或云徐彥。』董逌《廣川藏書志》亦稱『世傳徐彥，不知時代，意其在貞元、長慶之後，考《疏》中『郲之戰』一條，猶及見孫炎《爾雅注》完本，知在宋以前，又『葬桓王』一條，全襲用楊士勛《穀梁傳疏》，知在貞觀以後。中多自設問答，文繁語複，與丘光庭《兼明書》相近，亦唐末之文體。董逌所云，不為無理，故今從逌之說，定為唐人焉。』（卷二十六，頁三三〇）

十三、摛藻堂薈要本：舊題周公羊高撰，漢何休注，唐徐彥疏，台北故宮博物院有藏本。

十四、民國五年（１９１６）上海大成書局刊本：漢何休撰，晉范寧集解，唐陸德明音義，《春秋公羊穀梁傳》十一卷，《校記》一卷，全書八冊，台灣師範大學圖書館、中國國際圖書館有藏本。

十五、宋刻元明補本：此南監《十三經》本。宋刊，元明補。每半葉十行，行十七字。高五寸二分，廣四寸三分，白口，單邊。口上有字數，下有刻工姓名。補葉口上，俱有侯吉、劉校等字樣。明補在正德後。復旦大學圖書館有藏本。

【增補】《嘉業堂藏書志》卷一曰：「《監本附音春秋公羊注疏》二十八卷　宋刻元明補本　此南監《十三經》本。宋刊，元明補。每半葉十行，行十七字。高五寸二分，廣四寸三分，白口，單邊。口上有字數，下有刻工姓名。補葉口上，俱有侯吉、劉校等字樣。明補在正德後。倦翁岳氏云，舊新監本不附《釋音》。此監本亦附《音》，當出岳氏所見刊本之外矣。卷首景德二年銜名四行，此失去。舊為武進費西蠡太史所藏。（繆稿）　宋十行本，每行大十七字、小二十三字。（十行本注、疏均同）。書題：監本附音春秋公羊注疏某公卷第幾。（卷末同）中縫魚尾下題『公疏幾』，上計字數。左方小耳題『某幾』。凡黑口及刻『俟吉』、『劉』，亦作『劉校』者，皆元明間補鐫。（董稿）」（頁一五七）

十六、清同治１１年山東書局刻本：漢何休撰，唐陸德明音義《春秋公羊傳註疏》十一卷，山東省圖書館有藏本。

又馬來西亞大學圖書館有藏本。惟《馬來西亞大學中文圖書目錄》七四二著錄，版本題作「山東書局刊十三經讀本」，書名題作《春秋公羊傳》，冊數題作二十一冊，著錄的內容，與《山東省圖書館館藏海源閣書目》略有不同。

【增補】《山東省圖書館館藏海源閣書目》曰：「《春秋公羊傳註疏》十一卷／（漢）何休撰；（唐）陸德明音義．－清同治十一年（１８７２）山東書局刻本．－4冊（1函）；２０．５×１５．１CM，－（十三經讀本附校勘記）．－9行１７字，小字雙行同，白口，四周單邊，有牌記：同治十一年山東書局開雕　尚志堂藏板」（頁二九）。

十七、清同治中金陵書局刻本：山東圖書館有藏本。

又江蘇師範學院圖書館藏有一部，題作「清同治刻十三經讀本」，清楊沂孫批點並跋，書名亦作「《春秋公羊經傳解詁》十二卷、〈校記〉一卷」，疑為此本的批點本。

又安徽省圖書館另有一藏本，內容同於上本，惟作「清戴望圈點題識」，疑亦為同本，今附記於此。

【增補】《山東省圖書館館藏海源閣書目》曰：「《春秋公羊經傳解詁》　十二卷．－清同治中金陵書局刻本．－4冊（1函）；１７．２×１２．５CM．－１１行１9字，白口，左右雙邊，雙黑魚尾。」（頁二九）

十八、貝墉校本

【增補】瞿鏞編纂．瞿果行標點．瞿鳳起覆校《鐵琴銅劍樓藏書目錄》卷五曰：「此郡中貝氏墉以宋本校於閩本上，即何氏煌所見宋槧官本也，亦謂之鄂本。案：隱二年，『夏五月，莒人入向』注：『兵動則怨結禍搆。』閩、監本脫一『搆』字，阮氏〈校勘記〉謂：『鄂本禍上有搆。』『上』乃『下』之　。又，隱三年，『夏四月辛卯，尹氏卒』疏：『貶去名，言氏者，起其世也。』閩、監、毛本『言』俱　『者』。〈校勘記〉但出『氏者，起其世也』，脫去『貶去名者』四字，而云：鄂本『者』作『言』是，誤改下『者』字為『言』矣。」（頁一三三）

十九、宋刊本：二十八卷

【增補】瞿鏞編纂．瞿果行標點．瞿鳳起覆校《鐵琴銅劍樓藏書目錄》卷五曰：「首載景德二年六月日中書門下〈牒〉，後有結銜四行曰：『工部侍郎參知政事馮，兵部侍郎參知政事王，兵部侍郎平章事寇，吏部侍郎平章事畢。』次列『漢司空掾任城樊何休序』。首卷題『《監本附音春秋公羊註疏》隱公卷第一』，雙行注『起元年，盡元年』。餘卷式同，或省『附音』二字。次行題『《春秋公羊經傳解詁》隱公第一』，疏後另行空二格題：『何休學。』每半葉十行，行大字十七，小字廿三。每格闌外左角有某公某年。版心有大小字數，及刻匠姓名。通體字畫清朗，明代修版亦少，攷阮氏〈校勘〉，此經最多疏舛，其所據者，僅何氏煌校本，何校繫汲古閣本，其與十行本異同，多未之舉，反有以何校毛本誤為十行本者，不知毛本　而十行本未　也。又好為異論，疏本所定之字，時與牴牾。如何〈序〉云：『此二學者，聖人之極致，治世之要務也。』俗本　『也』為『世』。徐氏攷諸舊本，定從『也』字正。以『者』、『也』相應，文勢方順，故云於理宜然。阮氏反以俗本為是。徐氏不知何時人，紀文達據董廣川《藏書志》定為唐人，確不可易。阮氏乃從王西沚之說，謂即《北史》之徐遵明；（小注云：見《公羊校勘記．序》）又以疏中少言『定本』，知出唐以前人，（小注曰：見成二年〈校勘記〉。）不知疏中言『定本』甚多，開卷『隱公第一』下便言『定本』升『公羊』字在經傳上，此正是疏出唐人之一證，其說殊未可通也。《漢藝文志》、《熹平石經》皆《經》、《傳》別行，分《經》附《傳》，當自何氏始。蓋既並注《經》、《傳》，則因《經》之有注，可知《傳》之有《經》。阮氏乃謂《解詁》但釋《經》，大氐漢後人為之。（小注曰：亦見《公羊校勘記．序》。）何氏釋《傳》不釋《經》，其說蓋出紀文達。然即隱二年而觀，『春，公會戎于潛』，『秋八月庚辰，公及戎盟于唐』，『鄭人伐衛』三處，《經》皆有注，但不注有《傳》之《經》，正以義具《傳》中，故不復注耳，安得因此遂謂概不釋《經》，其說文未可解也。《記》中所疑尤多，未易備論，因以舊校附錄於後，其所脫漏，則未及悉補焉。」（頁一二一至頁一二二）

【霖案】其文下錄有若干校語，由於內容頗多，茲不重錄，讀者可自行參考原書。

二〇、清光緒十三年(1887)上海脈望仙館石印本：何休注《監本附音春秋公羊注疏》二十八卷，附〈校勘記〉二十八卷，國家圖書館有藏本。

二一、明崇禎十二年(1639)永懷堂序刊清同治八年(1869)浙江書局重校修本：何休撰《春秋公羊傳》二八卷，國家圖書館有藏本。

二二、清同治十年(1871)廣東書局刊清乾隆四年(1739)武英殿本：何休撰《春秋公羊傳注疏》二八卷，國家圖書館有藏本。

二三、明嘉靖李元陽刻《十三經注疏》本修補後印：（漢）何休注　（唐）徐彥疏　（唐）陸德明音義《春秋公羊注疏》二十八卷，九行，二十一字，小字雙行，字數同，白口、四周單邊，大陸：中山大學圖書館有藏本。

二四、十三經讀本：漢何休撰，陸德明音義《春秋公羊傳》十一卷，六冊，馬來西亞大學圖書館有藏本。

二五、四部備要本：漢何休撰，闕名疏《春秋公羊註疏》二十八卷，六冊，馬來西亞大學圖書館有藏本（二部）。

二六、御刻十三經注疏本：漢何休，唐陸德明音義，闕名疏《春秋公羊傳注疏》二十八卷，附《考證》，八冊，馬來西亞大學圖書館有藏本。

二七、十三經古注本：漢何休撰，唐陸德明音義《春秋公羊傳》二十八卷，三冊，馬來西亞大學圖書館有藏本。

二八、縮本四部叢刊初編本：漢何休撰，唐陸德明音義《春秋公羊經傳解詁》十二卷，馬來西亞大學圖書館有藏本。

二九、同治二年揚州汪氏問禮堂本：漢何休撰，唐陸德明音義，清魏彥校《春秋公羊經傳解詁》十二卷，《校記》一卷，二冊，馬來西亞大學圖書館有藏本。

三〇、四部叢刊本：漢何休撰，唐陸德明音義《春秋公羊經傳解詁》十二卷，三冊，馬來西亞大學圖書館有藏本。

三一、文選樓本：舊題周公羊高撰，漢何休注，唐徐彥疏《春秋公羊傳注疏》二十八卷，耿文光《萬卷精華樓藏書記》卷八，頁二九二著錄，參見徐氏彥《春秋公羊傳疏》條下說明。

三二、寬文七年京都書林植村藤右衛門刊本：漢何休學《公羊傳》十二卷，闕卷第三第四，六冊，日本八戶市立圖書館有藏本。

三三、閔刻註疏零本：漢何休學，□□□疏，明御史李元陽、提學僉事江以達校刊《春秋公羊傳註疏》二十八卷，美國國會圖書館有藏本。

【增補】王重民：《中國善本書提要》曰：「【春秋公羊傳註疏二十八卷】　四冊（《四庫總目》卷二十六）（國會）

明閔刻註疏零本〔九行二十一字（20×12.6）〕

原題：「漢何休學，□□□疏，明御史李元陽、提學僉事江以達校刊。」

中書門下牒〔景德二年（一〇〇五）〕」（頁二四）

三四、明萬歷二十一年北京國子監刻十三經注疏本：漢何休注　唐徐彥疏、陸德明音義、清陳澧校《春秋公羊傳注疏》二十八卷、九行廿一字白口左右雙邊單魚尾，上海圖書館有藏本。

三五、明刊本：漢何休注，明孫鑛、張榜評《公羊傳》十二卷，九行二十字，白口，上下單邊，大陸：故宮博物院圖書館、華東師範大學圖書館、南京圖書館均有藏本。

三六、日本寬文八年（１６６８）荒川宗長刻本：日本：公文書館有藏本。本書版本題作「漢 何休 注 晉 范寧 （注） 林恕 點《穀梁傳》十二卷」。

《後漢書》[113]：「何休，字邵公，任城樊人[114]。父豹，少府[115]，休[116]以列卿子詔拜郎

113霖案：《後漢書》卷七九下，頁2582。

114霖案：「人」字下，應依《後漢書》補入「也」字。

中[117]，辭病[118]去[119]，陳蕃辟之[120]，蕃敗，休坐廢錮，迺[121]作《春秋[122]解詁》，覃思不闚門十有七年[123]。又以《春秋》駮漢事六百餘條，妙得《公羊》本意。休善歷算[124]，與其師博士羊弼追述李育意，以難《二傳》，作《公羊墨守》、《左氏膏肓》、《穀梁廢疾》。黨禁解[125]，拜議郎[126]，再遷諫議大夫[127]。」

【增補】〔補正〕《後漢書》條內「迺作《春秋解詁》」，「秋」下脫「《公羊》」二字。（卷七，頁八）

【增補】何廣棪：《陳振孫之經學及其《直齋書錄解題》經錄考證》曰：「案：《後漢書》卷七十九《儒林列傳》第六十九下《何休傳》曰：『何休，字邵公，任城樊人。父豹，少府。休以列卿子拜郎中，辭病去。陳蕃辟之。蕃敗，休坐廢錮，迺作《春秋解詁》，覃思不闚門十有七年。又以《春秋》駮漢事六百餘條，妙得《公羊》本意。休善曆算，與其師博士羊弼追述李育意，以難二《傳》，作《公羊墨守》、《左氏膏肓》、《穀梁廢疾》。黨禁解，拜議郎，再遷諫議大夫。』《解題》所述據此。考《隋志》著錄：《春秋公羊墨守》十四卷、《春秋左氏膏肓》十卷、《春秋穀梁廢疾》三卷，皆何休撰。」（頁五一七至頁五一八）

115霖案：「少府」二字下，應依《後漢書》補入「休為人質朴訥口，而雅有心思，精研《六經》，世儒無及者。」等二十一字。

116霖案：「休」字，《後漢書》無此字，當刪。

117霖案：「郎中」二字下，應依《後漢書》補入「非其好也，」四字，以示其志也。

118霖案：「病」字，應依《後漢書》改作「疾而」二字。

119霖案：「去」字下，應依《後漢書》補入「不仕州郡，進退必以禮。太傅」等十一字。

120霖案：「之」字下，應依《後漢書》補入「與參政事」四字。

121霖案：「迺」字，《後漢書》作「乃」字。

122「秋」下，當依《補正》補「《公羊》」二字，《四庫》本作「《公羊解詁》」。 霖案：《經義考新校》頁3137於「《補正》」二字之前，新增校文如下：「《四庫薈要》本、」等字，又於「《四庫》」二字之前，新增：「文淵閣」三字。今考《後漢書》亦有「《公羊》」二字，而翁方綱所據之本，當出於此。

123霖案：「年」字下，應依《後漢書》補入「又注訓《孝經》、《論語》、風角七分，皆經緯典謨，不與守文同說。」等二十二字。

124霖案：「算」字，《後漢書》作「筭」字。

125霖案：「黨禁解」三字下，應依《後漢書》補入「又辟司徒。羣公表休道術深明，宜侍帷幄，倖臣不悅之，乃」等二十二字。

126霖案：「郎」字下，應依《後漢書》補入「屢陳忠言」等四字。

127霖案：「夫」字下，應依《後漢書》補入「年五十四，光和五年卒。」等九字，事涉其卒年，今據以補入。

休〈自序〉曰[128]：「昔者孔子有云：『吾志在《春秋》，行在《孝經》。』此二學者，聖人之極致，治世之要務也。傳《春秋》者非一，本據亂而作，其中多非常異議[129]可怪之論，說者疑惑，至有倍《經》任意，反《傳》違戾者，其勢雖問，不得不廣。是以講誦師言，至於百萬，猶有不解，時加讓嘲[130]辭，援引他經，失其句讀，以無為有，甚可閔[131]笑者，不可勝計[132]也。是以治古學、貴文章者，謂之俗儒；至使賈逵緣隙奮筆，以為《公羊》可奪，《左氏》可興。恨先師觀聽不決，多隨二創。此世之餘事，斯豈非守文持論、敗績失據之過哉？余竊悲之久矣。往者，略依胡毋生《條例》，多得其正，故遂隱括，使就繩墨焉。」

張華曰[133]：「休[134]注《公羊傳》[135]云『何氏學』[136]，或云[137]：『休謙辭受學於師，乃宣此義不出於己。[138]』」

王嘉曰[139]：「何休木訥多智，三墳五典、陰陽算[140]術、河洛讖緯及遠年古諺、歷代圖籍，莫不成誦[141]。門徒有問[142]者，則為注記，而口不能說。作《左氏膏肓》、《公羊墨守》

128霖案：《公羊序引言》頁三、《五經翼》卷十一，經一五一冊，頁732；又《國立中央圖書館善本序跋集錄》頁381錄有此文，係根據「元刊明代修補十行本」甄錄而來。

129霖案：「議」，當依「元刊明代修補十行本」補「之」字。今考《五經翼》未有「之」字，顯然竹垞所據之文，或據《五經翼》而來。

130霖案：「嘲」下，「元刊明代修補十行本」作「義」。又《五經翼》之引文，未有「義」字。

131霖案：《經義考新校》頁3138新出校文如下：「『閔』，文淵閣《四庫》本作『憫』。」。

132霖案：「計」，當依「元刊明代修補十行本」、《五經翼》均作「記」，蓋竹垞或因同音而改之也。

133霖案：《後漢書・注》卷七九下，頁2583，注一引「《博物志》曰」。

134霖案：「休」字，應依《後漢書・注》作「何休」。

135霖案：「《公羊傳》」三字，《後漢書・注》引作「《公羊》」，無「傳」字。

136霖案：「何氏學」三字下，應依《後漢書・注》補入「有不解者，」等四字。

137霖案：「云」字，應依《後漢書・注》改作「荅［答］曰」。

138「乃宣此義不出於己」，《四庫》本誤作「乃宣此不義於己」。　霖案：《經義考新校》頁3138於「《四庫》」二字之前，新增：「文淵閣」三字。今考《後漢書・注》注一作「乃宣此義不出於己」，當為竹垞所據之本。此外，《後漢書・注》另於「己」字下，有「此言為允也。」五字，以示其認同相關看法。

139霖案：王嘉：《拾遺記》卷二，頁32下(《歷代小史》本)。

140霖案：「算」字，《拾遺記》作「筭」字。

141霖案：「誦」字下，應依《拾遺記》補入「也」字。

142「問」，《四庫》本誤作「高」。　霖案：《經義考新校》頁3138於「《四庫》」二字之前，新增：「文淵閣」三字。今考《拾遺記》正作「問」字，而四庫本傳抄之時，誤植此字也。

143、《穀梁廢疾》144，謂之三闕。言理幽微，非知幾145藏往不可通焉146，京師謂147為148學海。」

蘇軾曰149：「《三傳》150迂誕奇怪之說，《公羊》為多，而何休又從而附成之。」

晁說之曰151：「何休152特153負於《公羊》之學，五始、三科、九旨、七等、六輔、二類、七缺154之設，何其紛紛邪？既曰據155百二十國寶書，而又謂三世異辭，何耶？」

陳振孫曰156：「其書157多引讖緯，所謂黜周、王魯、變周文、從殷質之類，《公羊》

143霖案：「《公羊墨守》」，《拾遺記》誤作「《公羊廢疾》」，竹垞根據實情改之。

144霖案：「《穀梁廢疾》」，《拾遺記》誤作「《穀梁墨守》」，竹垞根據實情改之。

145霖案：「幾」字，應依《拾遺記》改作「機」字，蓋「幾」、「機」偏旁不同而誤入也。

146霖案：「焉」字下，應依《拾遺記》補入「及鄭康成鋒起而攻之，求學者不遠千里嬴糧而至，如細流之赴巨海。」等二十七字，蓋因事涉鄭玄之事，非關何休而刪之。

147霖案：「謂」字下，應依《拾遺記》補入「康成為經神，何休」等七字，蓋竹垞因事涉鄭玄之事，非關何休之事而刪之，僅保留有關何休之事。

148「為」，《四庫》本作「之」。　霖案：《經義考新校》頁3138於「《四庫》」二字之前，另有「文淵閣」三字。今考《拾遺記》原作「為」字，是則《四庫》本作「之」字，亦為擅改也。

149霖案：蘇軾撰，《蘇軾文集》冊一，卷三，頁76〈論春秋變周之文（何休解）〉。

150霖案：「《三傳》」，《蘇軾文集》原作「三家之《傳》」，而竹垞省作「《三傳》」，雖然意義相同，但實非蘇軾原文也，當改。

151霖案：《玉海》卷四○，頁972。；《困學紀聞》卷七，頁421錄之。今考竹垞所引之文，當係出於《玉海》的引文，而與《困學紀聞》所錄之文，相差稍遠。

152霖案：「何休」二字，《困學記聞》僅作「休」字。《玉海》正作「何休」。

153霖案：「特」字，《困學紀聞》無此字。《玉海》作「持」字。

154霖案：「七缺」二字下，《困學紀聞》另有「皆出於何氏，其《墨守》不攻而破矣。」等十三字，而無「之設，何其紛紛邪？既曰據百二十國寶書，而又謂三世異辭，何耶？」諸句，而上述諸句，係出於《玉海》的引文，顯見竹垞係根據《玉海》引文而錄之。

155霖案「據」字，《玉海》作「据」字。

156霖案：《直齋書錄解題》卷三，頁455、《文獻通考．經籍考》卷九，頁229。

157霖案：「其書」二字之上，應依《文獻通考》補入「漢司空掾任城何休邵公撰。休為太傅陳蕃屬，蕃敗，坐禁錮，作《解詁》，覃思不窺門十七年。又作《公羊墨守》、《左氏膏肓》、《穀梁廢疾》。黨禁解，拜議郎，終諫議大夫。」等字，上述諸字，涉及何休撰書緣由，更復論及何休所任官職，不當刪棄，今據以補入。

皆無明文，蓋為其學者相承有此說也[158]。」

【增補】何廣棪：《陳振孫之經學及其《直齋書錄解題》經錄考證》曰：「案：《解題》『《春秋公羊傳》十二卷』條已有『蓋鄭康成亦有《公羊》善讖之論，往往言讖文者多宗之』之說，與此同。呂大圭曰：『《春秋》三《傳》，何、范、杜三家各自為說，而說之謬者，莫如何休。如『元年春，王正月。』《公羊》不過曰『君之始年』爾。何休則曰：『《春秋》紀新王受命於魯。』滕侯卒，不名。不過曰：『滕微國而侯，不嫌也。』而休則曰：『《春秋》王魯，託隱公以為始。』黜周王魯，《公羊》未有明文也，而休乃倡之，其誣聖人也甚矣！《公羊》曰：『母弟稱弟，母兄稱兄。』其言已有失矣。』而休又從而為之說曰：『《春秋》變周之文，從商之質。質家親親，明當親厚於群公子也。』使後世有親厚於同母弟兄，而薄於父之枝葉者，未必不由斯言啟之。」呂氏所見，與直齋同也。」（頁五一八）

家鉉翁曰[159]：「何休[160]《公羊傳》外多生支節，失《公羊》之本旨。」

呂大圭曰[161]：「《春秋三傳》，何、范、杜三家各自為說，而說之謬者莫如何休。如：元年春王正月，《公羊》不過曰『君之始年爾』，何休則曰：『《春秋》紀新王受命於魯。』滕侯卒不名，不過曰『滕微國而侯不嫌也』，而休則曰：『《春秋》王魯，託隱公以為始。』黜周、王魯，公羊未有明文也，而休乃倡之，其誣聖人也甚矣。《公羊》曰：『母弟稱弟，母兄稱兄』，此其言已有失矣，而休又從為之說，曰：『《春秋》變周之文，從商之質；質家親親，明當親厚於群公子也。』使後世有親厚於同母弟兄，而薄於父之枝葉者，未必不由斯言啟之。《公羊》曰：『立適以長不以賢，立子以貴不以長。』此言固有據，而何休乃為之說，曰：『嫡子有孫而死，質家親親先立弟，文家尊尊先立孫。』使後世有惑於質文之異，而嫡庶互爭者，未必非斯語禍之。其釋會戎之文，則曰：『王者不治夷狄[162]，錄戎者來者勿拒，去者勿追也。』春秋之作，本以正夫夷夏[163]之分，乃謂之不治可乎？其釋天王使來歸賵之義，則曰：『王者據土與諸侯分職，俱南面而治，有不純臣之義。』《春秋》之作，本以正君臣之分，乃謂有不純臣之義，可乎？隱三年春二月己巳，日有食之。《公羊》不過曰：『記異也。』而何休則曰：『是後衛州吁弒其君，諸侯初僭。』桓元年，秋大水。《公羊》不過曰：『記灾也。』而休則曰：『先是桓篡隱，與專易朝宿之地，陰逆與怨氣所致。』

158霖案：「也」字下，應依《文獻通考》補入「『三科九旨』，詳見疏中。」等八字。

159霖案：《春秋集傳詳說·綱領》（台北：臺灣商務印書館，「景印文淵閣四庫全書」冊一五八，民國七十五年三月，初版），頁21；又張尚瑗，《三傳折諸·公羊折諸·卷首》錄及此文。

160 霖案：「何休」二字下，應依《春秋詳說．綱領》補入「治」字。

161 霖案：出自：程端學《春秋本義．綱領》（《通志堂經解》），頁13886A；頁13886A；頁13886B~D。

162霖案：《經義考新校》頁3139新增校文如下：「『不治夷狄』，文津閣《四庫》本作『遐邇一體』。」。

163霖案：《經義考新校》頁3139新增校文如下：「『夷夏』，文津閣《四庫》本作『中外』。」。

而凡地震、山崩、星雹、雨雪、螽螟、彗孛之類，莫不推尋其致變之由，考驗其為異之應，其不合者，必強為之說。《春秋》紀灾異而不說其應，曾若是之瑣碎磔裂乎？若此之類，不一而足，凡皆休之妄也。愚觀三子之釋傳，惟范甯差少過，其於《穀梁》之義有未安者，輒曰：『甯未詳，蓋譏之也。』而何休則曲為之說，適以增《公羊》之過爾，故曰：『范甯，《穀梁》之忠臣；何休，《公羊》之罪人也。』」

黃澤曰[164]：「近世說《春秋》謂孔子用夏正，考之《三傳》，未嘗有夏正之說[165]。何休最好異論，如黜周、王魯之類甚多，若果用夏正，則何氏自應張大其事，今其釋《公羊傳》，亦止用周正，如：冬十一月有星孛于東方，何氏云：『周十一月，夏九月，日在房心』是也[166]。程子以後學者[167]，始有用夏正之說[168]。然[169]《三傳》皆用[170]周正，若用夏時，則《三傳》皆當[171]廢矣。[172]」

《春秋公羊墨守》（漢）

【著錄】葉程義《禮記正義引書考》頁八一一著錄。

【書名】王謨輯本題作《公羊墨守》。

《隋志》：「十四卷。」《唐志》：「一卷。」《高麗史》：「十五卷。」

【卷數】本書有清王謨輯本，卷數為一卷。

佚。

【存佚】本書輯本如下：

164霖案：《春秋師說》(通志堂經解)，冊二六，卷上，頁14830A；中-14833D。

165霖案：「說」字，應依《春秋師說》改作「意」字。

166霖案：「也」字下，竹垞刪去眾多文句，由於刪略文句頗多，難於一一校補，讀者可參看原書文句。

167霖案：「程子以後學者」以下諸句，係出自《春秋師說》(通志堂經解本)，冊二六，卷中，頁14833D。

168霖案：「說」字下，應依《春秋師說》補入「是《春秋》第一義，已不信《左傳》矣！時月旣不可信，則一部《左傳》所載事實，皆可目為虛妄，豈但不可全信而已哉！」等四十二字。

169霖案：「然」字，應依《春秋師說》改作「且」字。

170霖案：「用」字，應依《春秋師說》改作「是」字。

171霖案：「當」字，應依《春秋師說》改作「可」字。

172霖案：「程子以後學者，始有用夏正之說。然《三傳》皆用周正，若用夏時，則《三傳》皆當廢矣。」諸句，係出自《春秋師說》別處之文，竹垞併合二處文句，實則應以「又曰」加以區隔，而不當併合成一處，以免讀者有錯認之虞。又《春秋師說》無「矣」字，且於「廢」字下，另有「不但《左傳》也」五字，今據以補入。

一、《公羊墨守》一卷　（漢）何休撰　（清）王謨輯

《漢魏遺書鈔》．經翼第三冊

【霖案】舊《唐志》二卷，新《唐志》一卷，題「何休撰，鄭玄發」，蓋附鄭氏《發》於《墨守》，取便參觀。諸家輯本或題何休，或題鄭玄，實係一書。餘見此書鄭玄《發墨守》一條下的說明。

《春秋左氏[173]膏肓》（漢）

【書名】本書異名如下：

一、《左氏膏肓》：日本藤原佐世《日本國見在書目錄》頁十二；《直齋書錄解題》卷三，頁四五七；《文獻通考．經籍考》卷九，頁二三三著錄。

《隋志》：「十卷。」《崇文總目》：「九卷。」《中興書目》第七卷闕。

【卷數】《郡齋讀書志》卷第三，頁一〇二著錄，題作「九卷」。《文獻通考．經籍考》卷九題作「九卷」（頁二三三）。

【增補】葉程義《禮記正義引書考》云：「《隋志》著錄《春秋左氏膏肓》十卷，何休撰。《舊唐志》著《春秋左氏膏肓》十卷，何休撰，鄭玄箴。《新唐志》著錄何休《左氏膏肓》十卷，鄭玄箴。《宋志》著錄何休《公羊傳》十二卷，又《左氏膏肓》十卷。《崇文總目》著錄《左氏膏肓》九卷，漢司空掾何休始撰，答賈逵事，因記左氏所短，遂頗流布，學者稱之，後更刪補為定，今每事左氏輒附鄭康成之學，因引鄭說竄寄何書云。書今殘逸，第七卷亡。陳氏曰：何休著《公羊》、《墨守》等三書，鄭康成作鍼膏肓，起廢疾、發墨守以排之。休見之曰：康成入吾室，操吾矛，以伐我乎？今其書多不存，惟范甯《穀梁集解》載休之說，而鄭君釋之，當是所謂起廢疾者。今此書並存二家之言，意亦後人所錄。《館閣書目》闕第七篇，今本亦止闕宣公，而於第六卷分文，十六年以後為第七卷，當并合其十卷，止於昭公，亦闕定哀，故非全書也，而錯誤殆非可讀，未有他本可正。」（頁七七三）

佚。

【存佚】本書有（清）王謨輯本一卷，見於《漢魏遺書鈔》．經翼第三冊

《崇文總目》[174]：「漢司空掾何休始撰答賈逵事，因記《左氏》所短，遂頗流布，學者稱之，後更刪補為定。今每事左方輒附鄭康成之學，因引鄭說竄何書云。今[175]殘缺，第七卷亡。」

173霖案：《經義考新校》頁3140新出校文如下：「《四庫薈要》本有『崇文總目漢司空掾何休撰』十一字。」。

174霖案：《文獻通考．經籍考》卷九，頁233。

175霖案：「今」字之前，應依《文獻通考》補入「書」字。

陳振孫曰[176]：「何休著《公羊墨守》等三書，鄭康成作《鍼膏肓》、《起廢疾》、《發墨守》以排之[177]。今其書多不存，惟范甯《穀梁集解》載休之說，而鄭君釋之，當是所謂《起廢疾》者。今此書並存二家之言，意亦後人所錄。《館閣書目》闕第七篇，今本亦正闕宣公，而於第六卷分文十六年以後為第七卷，當并合[178]；其十卷止於昭公，亦闕定、哀，固非全書也。而錯誤殆未可讀，未有他本可正。」

【增補】〔補正〕陳振孫條內「當并合」，下脫「之」字。（卷七，頁八）

【增補】何廣棪：《陳振孫之經學及其《直齋書錄解題》經錄考證》曰：「廣棪案：《崇文總目》卷一《春秋類》著錄：『《左氏膏肓》九卷，原釋：漢司空掾何休始撰答賈逵事，因記《左氏》所短，遂頗流布，學者稱之。後更刪補為定。今每事左方，輒附鄭康成之學，因引鄭說竄寄何書云。書今殘逸，第七卷亡。（見《文獻通考》。）』《讀書志》卷第三《春秋類》著錄：『《左氏膏盲》九卷。右何休撰。休始答賈逵事，因記《左氏》之短。鄭康成嘗著《箴膏肓》，後人附之逐章之下。』上引二書，與《題解》所述，可相互補充發明。《經義考》卷一百七十二《春秋》五著錄：『《春秋左氏膏肓》，《隋志》十卷，（《崇文總目》九卷，《中興書目》第七卷闕。）佚。』是則此書原十卷，故《隋志》著錄十卷；後以闕第七卷，故《崇文總目》作九卷，《中興書目》又從而注明所闕之卷。直齊所藏此書，實亦缺第七卷，其後乃將第六卷文公十六年以後分出為第七卷，且其第十卷又止於昭公，闕定、哀二公，故遠不足十卷之數。《解題》勉作十卷，甚無謂也。」（頁五三七至頁五三八）

《春秋穀梁廢疾》（漢）

【著錄】葉程義《禮記正義引書考》頁八三一著錄。

《隋志》：「三卷。」

佚。

《後漢書．鄭玄傳》[179]：「時任城何休好《公羊》學，遂著《公羊墨守》、《左氏膏肓》、《穀梁廢疾》；玄乃《發墨守》、《鍼膏肓》、《起廢疾》。休見而歎曰：「康成入我[180]室，操我[181]矛，以伐我乎？」

176霖案：《直齋書錄解題》卷三，頁457、《文獻通考．經籍考》卷九，頁233-234。

177霖案：「之」下，應補入「休見之曰：『康成入吾室，操吾戈，以伐我乎？』等十六字。

178「合」下，應依《補正》補「之」字。　霖案：《經義考新校》頁3141於「《補正》」二字之前，另新增：「《四庫薈要》本、」等字。今考《文獻通考》無「之」字，或翁方綱據他書補入「之」字。據此，竹垞所引之文，或同於《文獻通考》之文。

179霖案：《後漢書・鄭玄傳》卷三十五，頁1207-1208。

180霖案：「我」字，應依《後漢書・鄭玄傳》改作「吾」字。

181霖案：「我」字，應依《後漢書・鄭玄傳》改作「吾」字。

《隋志》[182]：「何休撰，鄭玄釋，張靖箋。」

《春秋漢議》（漢）

《隋志》：「十三卷[183]。」

【卷數】藤原佐世《日本國見在書目錄》著錄，卷數題作「十卷」（頁十三）；又王仁俊輯本題作「一卷」

【增補】〔補正〕案：隋志作十三卷。（卷七，頁八）

佚。

【存佚】本書輯本如下：

一、《春秋漢議》一卷　（漢）何休撰　（清）王仁俊輯

《玉函山房輯佚書續編》．經編春秋類

《十三經漢注》

【增補】孫啟治、陳建華編《古佚書輯本目錄（附考證）》曰：「何休，參《冠禮約制》。《後漢書．儒林傳》稱何休以《春秋》駁漢事六百餘條，妙得《公羊》本意。《隋志》載《春秋漢議》十三卷，《舊唐志》十一卷，《新唐志》十卷。王仁俊從《通典》卷八十採得一節。按此節未明標《漢議》之文，王氏乃據侯康《補後漢書藝文志》說定為是書佚文。」（頁六一）。

《春秋公羊文謚例》

【書名】馬國翰輯本題作《春秋文謚例》。

《隋志》：「一卷。」

佚。

【存佚】本書輯本如下：

一、《玉函山房輯佚書》本：（漢）何休撰　（清）馬國翰輯《春秋文謚例》一卷　經編春秋類　馬來西亞大學圖書館有藏本。

【增補】〔校記〕馬國翰有輯本。（春秋，頁四五）

【增補】孫啟治、陳建華編《古佚書輯本目錄（附考證）》曰：「何休，參《冠禮約制》。《隋志》載何休《春秋公羊謚例》一卷。《公羊傳》隱公元年徐彥疏云：『何氏作《文謚例》』，書名『謚』上有『文』字。徐彥疏又引其五始、三科、九旨、七

182霖案：《隋書》卷三二，頁932。

183「十三卷」，《四庫》本作「十二卷」。　霖案：《經義考新校》頁3142於「《四庫》」二字之前，新增如下校文：「文淵閣、文津閣」等字。

等、六輔、二類、七缺諸說之大略，馬國翰據以輯存。」（頁六一）

【增補】《續修四庫全書總目提要》：「春秋公羊文諡例一卷　玉函山房輯本　　劉白村

後漢何休著。清馬國翰輯。按後漢書儒林傳。稱休為人質朴訥口而雅有心思。精研六經。世儒無及者。太博陳蕃辟之。與參政事。蕃敗。休坐廢錮。乃作春秋公羊解詁。覃思不闚門十有七年。又注訓孝經論語風角七分。皆經緯典謨。不與守文同說。又以春秋駁漢事六百餘條。妙得公羊本意。休善曆算。與其師博士羊弼追述李育意以難二傳。作公羊墨守。左氏膏肓。穀梁廢疾。故拾遺記謂京師稱休為學海。良非虛語。今則各書均亡。惟公羊解詁僅存。文諡例一書。見於隋志。至唐志雖不載。然徐彥為公羊傳疏。尚引其書。則是唐代猶未亡也。輯本僅存七條。且俱見於公羊注疏卷一。似有遺憾。然講五始三科九旨七等六輔二類七缺之義已略備。且原書亦僅一卷。故亡無可考之文當不甚多。又宋均注春秋律。謂三科之外。別有九旨。即時。日。月。王。天王。天子。譏。貶。絕。與何氏頗異其趣。講經之綱領各家皆同。而其解釋則因派別而異也。」（頁七一四至頁七一五）

二、清光緒九年(1883)長沙琅嬛館補校刊本：(漢)何休撰《春秋文諡例》一卷，台北：國家圖書館有藏本。

三、清光緒十年(1884)湘遠堂刊本：(漢)何休撰《春秋文諡例》一卷，台北：國家圖書館有藏本。

徐彥曰[184]：「何氏作《文謚例》，有五始、三科、九旨、七等、六輔、二類[185]、七缺之義[186]。三科九旨者：新周、故宋、以《春秋》當新王，此一科三旨也；所[187]見異解[188]，所聞異辭，所傳聞異辭，二科六旨也；內[189]其國而外諸夏，內諸夏而外夷[190]，是三科九旨也。按[191]：宋氏之注《春秋》，說三科者：一曰張三世，二曰存三統，三曰異外內，是三

184霖案：《公羊傳》「隱公第一」條下疏文，卷一，頁2195。

185「二類」，《備要》本誤作「一類」。　霖案：《公羊傳》「隱公第一」條下疏文無相關文句，係竹坨根據文意所加，說法詳見下註。

186霖案：「有五始、三科、九旨、七等、六輔、二類、七缺之義」諸句，係竹坨根據文意所加，《公羊傳》「隱公第一」條下疏文無上述諸句，當刪。又《公羊傳》「隱公第一」條下疏文另有「云」字，當據以補入。

187霖案：「所」字之前，應依《公羊傳》「隱公第一」條下疏文補入「又云」二字。

188霖案：「解」字，應依《公羊傳》「隱公第一」條下疏文改作「辭」字。

189霖案：「內」字之前，應依《公羊傳》「隱公第一」條下疏文補入「又」字。

190霖案：「夷」字下，應依《公羊傳》「隱公第一」條下疏文補入「狄」字。

191霖案：「按」字，《公羊傳》「隱公第一」條下疏文作「案」字。又「案」字之前，應依《公羊傳》「隱公第一」條下疏文補入「問曰：」二字。

科也。九旨者：一曰時，二曰月，三曰日，四曰王，五曰天王，六曰天子，七曰譏，八曰貶，九曰絕，時與月日，詳略之旨也；王與天王、天子，是錄遠近親疏[192]之旨也；譏與貶絕，則輕重之旨也[193]。宋氏[194]此說，賢者擇之可也[195]。五始者，元年、春、王、正月、公即位是也。七等者，州、國、氏、人、名、字、子是也。六輔者，公輔天子，卿輔公，大夫輔卿，士輔大夫，京師輔君，諸夏輔京師是也。二類者，人事與災異是也[196]。七缺者，惠公妃匹不正，隱、桓之禍生，是為夫之道缺也。文姜淫而害夫，為婦之道缺也。大夫無罪而致戮，為君之道缺也。臣而害上，為臣之道缺也。晉侯[197]殺其世子申生、宋公[198]殺其世子痤[199]，為父之道缺也。楚世子[200]商臣弒其君髡[201]、蔡世子般弒其君固，為[202]子之道缺也。桓八年正月己卯烝；桓十四年八月乙亥嘗；僖三十一年夏四月，四卜郊，不從，乃免牲，猶三望，郊祀不修[203]，周公之禮缺，是為七缺也矣。」

《春秋公羊傳條例》

《七錄》：「一卷。」

192霖案：「疏」字，《公羊傳》「隱公第一」條下疏文作「疎」字。

193霖案：「也」字，應依《公羊傳》「隱公第一」條下疏文補入：「如是三科九旨，聊不相干，何故然乎。○荅曰：『《春秋》之內，具斯二種理，故。』等二十六字。

194霖案：「宋氏」二字下，應依《公羊傳》「隱公第一」條下疏文補入「又有」二字。

195霖案：「可也」二字，《公羊傳》「隱公第一」條下疏文無之，當刪。又「之」字下，應依《公羊傳》「隱公第一」條下疏文補入：「○問曰：『《文謚例》云：『此《春秋》五始、三科、九旨、七等、六輔、二類之義，以矯枉撥亂為受命品道之端，正德之紀也。然則三科、九旨之義，已蒙前說，未審五始、六輔、二類、七等之義如何？○荅曰：『案《文謚例》下文云：『」等七十五字。

196霖案：「也」字下，應依《公羊傳》「隱公第一」條下疏文補入「○問曰：『《春秋說》云：『《春秋》書有七缺，七缺之義如何？荅曰：」等二十字。

197霖案：「晉侯」二字之前，應依《公羊傳》「隱公第一」條下疏文補入「僖五年」三字，此三字涉及晉侯殺世子之年，不當任意刪除，當據補入。

198霖案：「宋公」二字之前，應依《公羊傳》「隱公第一」條下疏文補入「襄二十六年」五字，此事涉及史實之年，不當任意刪除，今據以補入。

199霖案：「痤」字下，應依《公羊傳》「隱公第一」條下疏文補入「殘虐枉殺其子，是」等七字。

200霖案：「楚世子」三字之前，應依《公羊傳》「隱公第一」條下疏文補入「文元年」三字，此三字涉及楚世子弒君之年，不當任意刪除，今據以補入。

201霖案：「髡」字，《公羊傳》「隱公第一」條下疏文作「髠」字。又「髠」字下，應依《公羊傳》「隱公第一」條下疏文補入「襄三十年」等四字，此四字涉及蔡世子弒君之年，不當刪除，今據以補入。

202霖案：「為」字之前，應依《公羊傳》「隱公第一」條下疏文補入「是」字。

203霖案：「修」字，《公羊傳》「隱公第一」條下疏文作「脩」字。

佚。

《春秋議》

《隋志》：「十卷。」

佚。

服氏虔《春秋左氏傳解義》（漢）

【增補】孫啟治、陳建華編《古佚書輯本目錄（附考證）》，頁五六錄有袁鈞、沈豫、王仁俊等諸多輯本的《春秋傳服氏注》一書，竹垞未錄此書，當據以補入。

又李一遂〈左氏春秋著錄書目研究〉頁一一五錄有服虔《左氏章句》一書，竹垞未錄此書，當據以補入。

【書名】本書異名如下：

一、《春秋左氏傳解誼》：藤原佐世《日本國見在書目》、葉程義《禮記正義引書考》、李一遂〈左氏春秋著錄書目研究〉頁一一六俱曾著錄此書，書名題作《春秋左氏傳解誼》。

二、《春秋左氏傳解詁》：程金造編著《史記索隱引書考實》頁九八曾徵引其文。

三、《左氏傳解誼》：孫啟治、陳建華編《古佚書輯本目錄（附考證）》頁五六著錄。

四、《服虔春秋左傳解誼》：孫啟治、陳建華編《古佚書輯本目錄（附考證）》頁五六著錄。

《隋志》：「三十一卷。」《唐志》、《釋文》：「三十卷。」

【卷數】葉程義《禮記正義引書考》云：「《隋志》著錄《春秋左氏傳解誼》三十一卷，漢九江太守服虔注。並云：永平中，能為左氏者，擢高第，為講郎。其後賈逵、服虔並為訓解。至魏，遂行於世。晉時，杜預又為《經傳集解》，服虔、杜預注俱立國學，後學唯傳服義。至隋，杜氏盛行，服義寖微，今殆無師說。《舊唐志》著錄《春秋左氏解誼》三十卷，服虔注。《新唐志》著錄服虔《左氏解誼》三十卷。《釋文敘錄》：『服虔《左氏解誼》三十卷。』《宋志》未見著錄，蓋已亡矣！」（頁七五五）

佚。

【版本及藏地】本書版本及藏地如下：

一、清嘉慶三年金溪王氏刊《漢魏遺書鈔》本：（漢）服虔撰（清）王謨輯《左氏傳解誼》四卷，《經翼》第三冊，《國立故宮博物院善本舊籍總目》，上冊，頁八十二著錄，台北：故宮博物院有藏本。

二、《漢學堂叢書》本：（漢）服虔撰　（清）黃奭輯《春秋左氏傳解誼》一卷，列入經解春秋類，馬來西亞大學圖書館有藏本。

三、《黃氏逸書考》本：（漢）服虔撰　（清）黃奭輯《服虔春秋左傳解誼》一卷，列入「漢學堂經解」。

四、《玉函山房輯佚書》本：（漢）服虔撰　（清）馬國翰輯《春秋左氏傳解誼》四卷，列入經編春秋類，馬來西亞大學圖書館有藏本（二部）。

【增補】葉程義《禮記正義引書考》云：「馬國翰《玉函山房輯佚書》輯錄《春秋左氏解誼》四卷，後漢服虔撰。其序曰：張瑩《漢南紀云：『尤明《春秋左氏傳》，為作訓解。』劉義慶《世說新語》云：『鄭元欲注《春秋傳》，尚未成時，行與服子慎遇宿過舍。先未相識，服在外車上，與人說己注傳意，元聽之良久，多與己同。玄就車與語曰：吾久欲注，尚未了，聽君向言，多與吾同，今當盡以所注與君，遂為服氏注。』然則服氏解中，有康成手稿，服鄭固一家之學也。》（頁七五五）

【增補】〔校記〕黃奭、馬國翰有輯本，袁鈞著《服氏春秋傳注》十二卷。（《春秋》，頁四五）

【增補】《續修四庫全書總目提要》:「春秋左氏傳解誼四卷　玉函山房輯佚書本　張壽林

漢服虔撰。清馬國翰輯。服虔字子慎。初名重。又名祇。後改為虔。河南滎陽人。少以清苦立志。入太學受業。有雅才。舉孝廉。中平末拜九江太守。遭亂行客病卒。按隋書經籍志序云。諸儒傳左氏者甚眾。永平中能為左氏者。擢高第為講郎。賈逵服虔並為訓解。至魏遂行於世。晉時服虔杜預注俱立國學。後惟傳服義。至隋杜氏盛行。服義浸微。又釋文敘錄云。九江太守服虔注解左氏傳。江左中興。立左氏傳杜氏服氏博士。又北史儒林傳序云。河北諸儒。能通春秋者。並服子慎所注亦出魏末大儒徐遵明之門。張買奴。馬敬德。邢峙。張思伯。張奉禮。張彫。劉書。鮑長。王元。則並得服氏之精微。則服氏蓋邃於左氏之學。是編江左中興之時。嘗與杜氏同立學官。魏晉六朝。學者多推崇之。迄於隋唐。杜氏盛行。其書始廢。是其散佚者久矣。考隋書經籍志著錄。服氏春秋左氏傳解誼三十一卷。兩唐志則云作三十卷。是編蓋從王應麟所輯古文春秋左傳所引服說。更補其缺漏。釐為四卷。雖吉光片羽。已非服氏之舊。然全書崖略。得此尚可以推尋。則終不失為服氏之功臣矣。今詳其所注。多同於鄭玄。按世說新語文學篇云。鄭玄欲注春秋傳尚未成。時與服子慎遇宿客舍。先未相識。服在外車上與人說己注傳意。玄聽之良久。多與己同。玄就車與語曰。吾久欲注。尚未了。聽君向言。多與吾同。今當盡以所注與君。遂為服氏注。今考是編。僖十五年遇歸妹之睽。文十二年在師之臨。皆以互體說易。與鄭氏合。足證世說所稱為不謬矣。」(頁六七〇~六七一)

五、清光緒九年(1883)長沙琅嬛館補校刊本：(漢)服虔撰《春秋左氏傳解誼》四卷，台北：國家圖書館有藏本。

六、民國五十九年(1970)藝文印書館四部分類叢書集成續編影印清嘉慶三年(1798)金溪王氏刊本：(漢)服虔撰《左氏傳解誼》四卷，台北：國家圖書館有藏本。

七、清光緒十年(1884)湘遠堂刊本：(漢)服虔撰《春秋左氏傳解誼》四卷，台北：國家圖書館有藏本。

八、民國六十一年(1972)藝文印書館四部分類叢書集成三編影印清道光中甘泉黃氏刊民國十四年(1925)王鑒修補印本：(漢)服虔撰《春秋左氏傳解誼》一卷，台北：國家圖書館有藏本。

《春秋左氏膏肓釋痾》（漢）

【書名】李一遂〈左氏春秋著錄書目研究〉錄作「《左氏膏肓釋痾》」。

《隋志》：「十卷。」《唐志》：「五卷。」

佚。

【存佚】本書有諸家輯本，故應改注曰「闕」。

【版本及藏地】本書版本及藏地如下：

一、《玉函山房輯佚書》本：（漢）服虔撰　（清）馬國翰輯《春秋左氏膏肓釋痾》一卷，列入經編．春秋類，馬來西亞大學圖書館有藏本。

二、《玉函山房輯佚書續編》本：（漢）服虔撰　（漢）何休駁　（清）王仁俊輯《駁春秋釋痾》一卷，列入經編．春秋類。

三、《十三經漢注》本：漢服虔撰，何休駁《春秋釋痾駁》一卷。

【增補】孫啟治、陳建華編《古佚書輯本目錄（附考證）》曰：「服虔，參《服虔易注》。何休，參《冠禮約制》。《隋志》並五卷。馬國翰據《續漢書．禮儀志》劉昭注採得一節。姚振宗《隋書經籍志考證》云：『何休作《膏肓》以短《左氏》，故服氏有是《釋》，猶鄭氏（玄）之《箴》也。』（參《箴膏肓》）《初學記》二十六引何休《釋痾注》一節，王仁俊以為此乃休駁服虔之《釋痾》者，因錄出，附《禮志》所引《釋痾》後。按《禮義志》所引《釋痾》及此駁所論似非一事，不當附其後。」（頁五七）

四、清光緒九年(1883)長沙嫏館補校刊本：(漢)服虔撰《春秋左氏膏肓釋痾》一卷，台北：國家圖書館有藏本。

按：劉昭注《續漢書．禮儀志》引《春秋釋痾》文曰：「漢家郡守行大夫禮，鼎俎籩豆工歌縣204。」

【霖案】「劉昭注」，當改作「劉昭補并注」；《續漢書》當題作《後漢書》。梁劉昭補并注《後漢書》，其引《春秋釋痾》一文，係出自《後漢書》卷十四之下。案：徐天麟《東漢會要》卷六對上文提出批判如下：「臣天按：前書文紀注云：天子車駕所至，臣民以為僥倖，此但釋幸之義，而未嘗釋行之義也。蓋兩漢謂天子乘輿為行，

204霖案：「縣」字，《玉海》卷七六，頁1462引作「樂垂」二字。

故高紀云：『行如雒陽，自雒陽如』此類甚多，至范史猶間言行幸，東平王傳亦云：『行東巡狩。』禮儀志云：諸行出入皆鳴鐘作樂，蓋謂天子出入也。而注家妄引《春秋釋痾》，以為郡守行大夫禮義，甚誤甚矣。」（頁一），而竹垞轉引劉昭注文，卻未能批評《春秋釋痾》之失，實為可惜，今補徐氏之說如上，以供讀者參考之用。又竹垞引錄之文，同於《玉海》卷七六、卷八九之引文，疑係抄自《玉海》之文。

又《春秋釋痾》一書，不僅出自劉昭注文，也見於《初學記》卷二十六「招虞　遺越」條下云：「《春秋釋痾》：何休敏曰：遺越人以章甫冠，終不為惠。」（頁三），今亦補錄於上，以供參考。

《春秋漢議駁》（漢）

《七錄》：「二卷。」《唐志》：「十一卷。」

佚。

《春秋成長說》（漢）

【書名】李一遂〈左氏春秋著錄書目研究〉頁一二三誤作「《春秋成長義》」。

《隋志》：「九卷。」《唐志》：「七卷。」

【卷數】本書有馬國翰輯本一卷。

佚。

【存佚】李一遂〈左氏春秋著錄書目研究〉頁一二三誤作「《經義考》注存」，實則竹垞注曰「佚」。

【版本及藏地】本書版本及藏地如下：

一、《玉函山房輯佚書》本：（漢）服虔撰　（清）馬國翰輯《春秋成長說》一卷，列入經編·春秋類·馬來西亞大學圖書館有藏本。

【增補】孫啟治、陳建華編《古佚書輯本目錄（附考證）》曰：「服虔，參《服虔易注》。《隋志》載服虔《春秋成長說》九卷，兩《唐志》並七卷。馬國翰從《公羊傳》徐彥疏採得一節。按姚振宗《隋書經籍志考證》謂成長為人名，此書為虔集其說而論之。」（頁五六）

二、清光緒九年(1883)長沙琅嬛館補校刊本：(漢)服虔撰《春秋成長說》一卷，台北：國家圖書館有藏本。

三、清光緒十年(1884)湘遠堂刊本：(後漢)服虔撰《春秋成長說》一卷，台北：國家圖書館有藏本。

《春秋塞難》（漢）

《隋志》：「三卷。」

未見。

【霖案】本書未見其他傳本，當已久佚。

《春秋音隱》（漢）

《唐志》：「一卷。」

佚。

《漢南紀》：「服虔，字子慎，河南滎陽人。少行清苦，為諸生，尤明《春秋左氏傳》，為作訓解。舉孝廉，為尚書郎、九江太守。」

《後漢書》205：「服虔206入太學受業207，作《春秋左氏傳解》，行之至今；又以《左傳》駮何休之所議208漢事十六209條210。中平末，拜九江太守。」

【增補】〔補正〕《後漢書》條內「又以《左傳》駁何休之所議漢事十六條」，「議」當作「駁」、「十六」當作「六十」。（卷七，頁八）

《世說》211：「鄭玄欲注《春秋傳》，尚未成，時行與服子慎遇宿過舍212，先未相識，服在外車上，與人說已注傳意，玄聽之良久，多與己同。玄就車與語，曰：『吾久欲注，尚未了，聽君向言，多與吾同，今當盡以所注與君。』遂為服氏注。」　又曰213：「服虔既善《春秋》，將為注，欲參考同異，聞崔烈集門生講傳，遂匿姓名，為烈門人賃作食。每當至講時，輒竊聽戶壁間，既知不能踰己，稍共諸生敘其短長。烈聞，不測何人，然素聞虔名，意疑之。明早214往，及未寤，便呼『子慎、子慎』，虔不覺驚應，遂相與友善。」

205霖案：《後漢書．儒林傳》卷七九下，頁2583。

206霖案：「服虔」二字下，應依《後漢書》補入「字子慎，初名重，又名祇，後改為虔，河南滎陽人也。少以清苦建志，」等二十五字，竹垞以前引及《漢南紀》一書之文，即涉及服氏之字、籍貫等等，乃刪去此處相關之文，殊不知此處所錄內容，更涉及服氏改名始末，不當任意刪除，今據以補入。

207霖案：「業」字下，應依《後漢書》補入「有雅才，善著文論，」等七字。

208「議」，應依《補正》作「駁」。　霖案：《經義考新校》頁3146於「《補正》」二字之前，新增：「《四庫薈要》本、」等字。今考《後漢書》亦作「駮【駁】」字，此當為翁方綱所據之本。

209「十六」，應依《補正》作「六十」。　霖案：霖案：《經義考新校》頁3146於「《補正》」二字之前，新增：「《四庫薈要》本、」等字。今考《後漢書》亦作「六十」字，此當為翁方綱所據之本。

210霖案：「條」字下，應依《後漢書》補入「舉孝廉，稍遷，」等五字。

211霖案：《世說新語》卷二，「文學第四」第二則，頁192。

212霖案：「過舍」二字，應依《世說新語》改作「客舍」二字。

213霖案：《世說新語》卷二，「文學第四」第四則，頁192。

214霖案：「早」字，《世說新語》作「蚤」字。

《隋書》[215]：「諸儒傳《左氏》者甚眾[216]，其後賈逵、服虔並為訓解，至魏[217]遂行於世。晉[218]杜預又為《經傳集解》[219]。服虔、杜預注[220]俱立國學，而後學[221]惟[222]傳服義。至隋，杜氏盛行，服義[223]寖微[224]，今殆無師說。」

《北史》[225]：「河北諸儒能通《春秋》者，並服子慎所注[226]，其河外諸生[227]俱服膺杜氏[228]。大抵河北[229]所為章句，好尚互有不同：江左[230]《左傳》則杜元凱；河洛[231]《左傳》則服子慎[232]，要其會歸[233]，殊方同致矣[234]。」

215霖案：《隋書》卷三二，頁933。

216霖案：「眾」字下，應依《隋書》補入「永平中，能為左氏者，擢高第為講郎。」等十四字。

217霖案：「魏」字下，宜加標點逗號。

218霖案：「晉」字下，應依《隋書》補入「時」字。

219霖案：「《經傳集解》」四字下，應依《隋書》補入「《穀梁》范甯注、《公羊》何休注、《左氏》杜預注」等十五字。

220霖案：「服虔、杜預注」五字，乃是竹垞依文句改動，《隋書》原文不僅「服虔」、「杜預」兩人之注列入國學，而是包含范甯、何休之作。

221霖案：「後學」二字，應依《隋書》題作「《左氏》」二字。

222霖案：「惟」字，《隋書》作「唯」字。

223霖案：「服義」二字，應依《隋書》改作「及《公羊》、《穀梁》」等五字。

224霖案：「寖微」二字，《隋書》作「浸微」。

225霖案：《北史》卷八一，頁2709；又《北齊書》卷四四，頁584亦有類似之語。

226霖案：「注」字下，應依《北史》補入「亦出徐生之門。張買奴、馬敬德、邢峙、張思伯、張奉禮、張彫、劉晝、鮑長宣、王元則並得服氏之精微。又有衛覬、陳達、潘叔虔，雖不傳徐氏之門，亦為通解。又有文安、秦道靜，初亦學服氏，後兼更講杜元凱所注。」等七十八字。

227霖案：「諸生」二字，應依《北史》改作「儒生」。

228霖案：「氏」字下，應依《北史》補入「其《公羊》、《穀梁》二傳，儒者多不厝懷。《論語》、《孝經》，諸學徒莫不通講。諸儒如權會、李鉉、刁柔、熊安生、劉軌思、馬敬德之徒，多自出義疏。雖曰專門，亦皆相祖習也。」等五十九字。

229霖案：「河北」二字，應依《北史》改作「南北」二字，蓋「河北」者，但只北方，而未及周全，故應從原書改正。

230霖案：「江左」二字下，應依《北史》補入「《周易》則王輔嗣，《尚書》則孔安國，」等十二字，蓋所涉內容非關三傳之學，乃為竹垞所刪棄，今據原書補入。

231霖案：「河洛」二字下，應依《北史》補入「則」字。

232霖案：「服子慎」三字下，應依《北史》補入「《尚書》、《周易》則鄭康成。《詩》則並主於毛公，《禮》則同遵於鄭氏。南人約簡，得其英華，北學深蕪，窮其枝葉。考其終始，」等四十二字。

【增補】〔補正〕《北史》條內「要其會歸，殊方同致矣」九字當刪。（卷七，頁八）

應氏劭《春秋斷獄》

【增補】《後漢書》卷四八，頁一六一三錄及「《春秋駮義》三十篇，竹垞雖引及《後漢書》之文，卻未能著錄此書，今據以補入。

佚。

《後漢書》[235]：「應劭[236]，字仲遠[237]，汝南南穎[238]人。中平[239]六年，拜太山太守[240]，撰具《律本章句》、《尚書舊事》、《廷尉板令》、《決事比例》、《司徒都目》、《五曹詔書》及《春秋斷獄》，凡二百五十篇。蠲去復重，為之節文。又集《駮義》二十篇[241]，以類相從，凡八十二事。」

【增補】〔補正〕《後漢書》條下小注「汝南南穎人」，「穎」當作「頓」。（卷七，頁八）

劉氏陶《春秋條例》

佚。

《後漢書》[242]：「靈帝[243]詔陶次第《春秋條例》。」

233霖案：「要其會歸」四字下，應依《北史》補入「其立身成名，」等五字。

234「要其會歸，殊方同致矣」九字，據《補正》當刪。　霖案：「要其會歸，殊方同致矣」九字，《北史》亦有相關之文，惟竹垞刪去部分文句，說法參見前註。

235霖案：《後漢書》卷四八；頁1606、1609、頁1610、頁1613。竹垞併合四處解題為一，且行文順序互有改動。

236霖案：「應劭」二字，《後漢書》作「劭」字，無「應」字，今據以刪正。

237霖案：「字仲遠」三字下，竹垞刪略眾多文句，由於文句頗多，難於逐一校補，讀者可參看原書文句。

238「穎」，據《補正》當作「頓」。　霖案：《經義考新校》頁3147於「《補正》二字之前，新增校文如下：「《四庫薈要》本、」等字。今考《後漢書》卷四八，頁1606「應奉字世叔，汝南南頓人」，而應奉為應劭之父，故竹垞以其父籍貫論之，實則《後漢書》於「字仲遠」三字下，未有「汝南南頓人」諸字，故應據原書刪除。

239霖案：「中平」二字，係竹垞根據前文文句所加。

240霖案：「守」字下，竹垞刪去眾多文句，難於逐一校補，讀者可參看《後漢書》原文。

241霖案：《經義考新校》改題作「三十」，並有如下校文：「『三十』，依《四庫薈要》本應作『二十』。」，今考「二十篇」，應依《後漢書》改作「三十篇」，此為篇名數量不合。

242霖案：《後漢書》卷五七，頁1849。

延氏篤《左氏傳注》（漢）

佚。

【存佚】本書輯本如下：

一、《玉函山房輯佚書續編》本：（漢）延篤撰　（清）王仁俊輯《左傳延注》一卷經編春秋類

二、《十三經漢注》本：（漢）延篤撰　（清）王仁俊輯《左傳延注》一卷

【增補】孫啟治、陳建華編《古佚書輯本目錄（附考證）》曰：「延篤，參《延篤易義》。《釋文序錄》稱篤受《左氏》於賈逵之孫伯升，因而注之。王仁俊從《左傳》昭公十二年《正義》採得延篤說一節。按此節乃篤引張平子之說。」（頁五六）

三、《玉函山房輯佚書》本：第三五冊，李一遂〈左氏春秋著錄書目研究〉頁一一七著錄。

陸德明曰[244]：「京兆尹延篤受《左氏》於賈逵之孫伯升，因而注之。」

鄭氏玄《春秋左氏分野》（漢）

【增補】根據《書目答問補正》卷一，頁四五著錄，鄭玄尚有《箴膏肓》一卷，《起廢疾》一卷，《發墨守》一卷等三書，竹垞未曾錄及，今據以補入。

又清王仁俊曾輯有鄭玄《春秋左傳鄭氏義》一卷，今可據以補入此書。

又清王仁俊、龍璋等人，曾輯《春秋公羊鄭氏義》一卷，今可據以補入此書。

《七錄》：「一卷。」

佚。

《春秋十二公名》（漢）

《七錄》：「一卷。」

佚。

《駮何氏漢議》（漢）

《隋志》：「二卷。」

【卷數】藤原佐世《日本國見在書目錄》著錄，題作「九卷」（頁十三）

佚。

243霖案：「靈帝」二字，係竹垞根據前文所加，以示其時代，蓋原書文句於「詔」字之前，並未有「靈帝」二字。

244霖案：陸德明《經典釋文》卷一，頁14。

【版本及藏地】本書版本及藏地如下：

一、浙江書局鄭氏佚書本：李一遂〈左氏春秋著錄書目研究〉頁一二八著錄。

《駮何氏漢議敘》（漢）

《隋志》：「一卷。」

佚。

王哲曰[245]：「鄭康成不為章句，特緣何氏興辭，曲為二傳解紛，不顧聖人大旨。」

荀氏爽《春秋公羊問答》（漢）

【書名】陳明恩〈魏晉南北朝《春秋》學初探〉頁一八三著錄，書名題作《春秋公羊傳問答》。

【作者】陳明恩〈魏晉南北朝《春秋》學初探〉頁一八三著錄，作者題為「徐欽」，而根據《隋書》原文作「荀爽問，魏安平太守徐欽答。」（《點校補正經義考》的斷句有誤），則此書既以「問答」為名，或當改作者為「徐欽」為宜。

《七錄》：「五卷。」《唐志》同。

【著錄】《七錄》之文，係出於《隋志》。

佚。

《隋書》[246]：「荀爽問魏安平太守，徐欽答。[247]」

《春秋條例》（漢）

佚。

《後漢書》[248]：「爽著《春秋條例》，又作《公羊問》[249]。」

245霖案：《春秋皇綱論》卷五，〈傳釋異同〉，(台北：台灣大通書局，「通志堂經解」第十九冊，民國58年10月。)，頁10861b~c。

246霖案：《隋書》卷三二，頁931。

247霖案：「荀爽問魏安平太守，徐欽答。」，點校本《隋書》斷作「荀爽問，魏安平太守徐欽答。」，則《點校補正經義考》所斷文句，較不合文意，應以點校本《隋書》所斷文句為是。

248霖案：《後漢書》卷六二，頁2057。

249霖案：「爽著《春秋條例》，又作《公羊問》。」二句，係竹垞改編剪裁而來，與《後漢書》原文差距頗大，今錄原文如下：「(荀爽)著《禮》、《易傳》、《詩傳》、《尚書正經》、《春秋條例》，又集漢事成敗可為鑒戒者，謂之《漢語》。又作《公羊問》及《辯讖》，并它所論敍，題為《新書》。凡百餘篇，今多所亡缺。」，據此，竹垞僅保留有關三傳學的相關資料，卻揚棄其他資料，今補之如上。

潁氏容《春秋釋例》（漢）

【書名】本書異名如下：

一、《春秋經傳釋例》：《新唐書．經籍志》著錄。

《隋志》：「十卷。」《唐志》：「七卷。」

【卷數】《舊唐志》未錄，《新唐志》錄之，此處《唐志》應指《新唐志》而言。又葉程義《禮記正義引書考》云：「《隋志》著錄《春秋釋例》十五卷，杜預撰。《舊唐志》著錄《春秋左氏傳例》七卷，又十五卷，杜預撰。《新唐志》著錄潁容《釋例》七卷，又《釋例》十五卷，則誤為潁容撰矣。」（頁七七二），惟《隋志》既錄有潁容《春秋釋例》十卷，則《新唐志》所錄，或有其本，未必如葉氏所論，乃是誤杜預之書，為潁容之書矣。此外，《新唐志》除錄有潁容之書外，也錄有杜預《左氏經傳釋例》，則葉氏考證之語，或有失當之處。

佚。

【存佚】本書已有馬國翰、王謨輯本，當改注曰「闕」

【版本及藏地】本書版本及藏地如下：

一、清嘉慶三年金溪王氏刊漢魏遺書鈔之一：（漢）潁容撰　（清）王謨輯《春秋釋例》一卷，列入經翼第三冊，《國立故宮博物院善本舊籍總目》，上冊，頁八十二、杜信孚等編纂《同名異書匯錄》頁一四二著錄，台北：故宮博物院有藏本。

二、《玉函山房遺佚書》本：（漢）潁容撰　（清）馬國翰輯《春秋釋例》一卷，經編春秋類，杜信孚等編纂《同名異書匯錄》頁一四二著錄，馬來西亞大學圖書館有藏本。

【增補】孫啟治、陳建華編《古佚書輯本目錄（附考證）》曰：「潁容，字子嚴，陳國長平人，不仕，善《春秋左氏》，著《左氏條例》五萬言（《後漢書．儒林撰》）。《釋文序錄》亦云潁容作《春秋條例》，《隋志》載作《春秋釋例》十卷，《新唐志》七卷。王謨、馬國翰皆從《左傳正義》及唐宋類書等採摭，王謨十八節，馬輯二十七節。按馬輯各節皆附以傳」文，編次較善，所採亦多於王輯。唯王輯從《史記．楚世家正義》採得一節，為馬所無。」（頁五九）

【增補】〔校記〕馬國翰有輯本。（《春秋》，頁四五）

【增補】《續修四庫全書總目提要》：「潁容春秋釋例一卷　玉函山房輯本　楊鍾羲

漢潁容撰。清馬國翰輯。經典釋文陳郡潁容作春秋條例。後漢書儒林傳。潁容字子嚴。陳國長平人也。博學多通。善春秋左氏。師事太尉楊賜。舉孝廉。州辟公車徵。皆不就。初平中避亂荊州。聚徒千餘人。劉表以為武陵太守。不肯起。著春秋左氏條例五萬餘言。建安中卒。杜預集解序。劉子駿創通大義。賈景伯父子許惠卿皆先儒之美者也。末有許子嚴者。雖淺亦復名家。故特舉劉賈許潁之違以見同異。隋志春秋釋例十卷。漢公車徵士潁容撰。唐志潁容釋例七卷。今佚。國翰輯錄二十七節。謂其全書體例不能詳考。杜氏亦著釋例。書名與潁氏同。或因其例而增修之。考隋志載梁有春秋左氏傳條例九卷。漢大司農鄭眾撰。春秋釋例引序一卷。齊正員郎杜乾光撰。亡。春秋條例十一卷。晉太尉劉寔撰。春秋經例十二卷。晉方範撰。春秋左氏傳條例二十五卷。春秋左傳例苑十九卷。梁有春秋經傳說例疑隱一卷。吳畧撰。今其書皆不可見矣。釋文序錄稱。汝南彭汪字仲博。記先師奇說及舊注。太中大夫許淑字惠卿。魏郡人。注解左氏傳。隋唐志皆不著錄。國翰僅從正義采輯。未足成袟。特附著之。」(頁六七一)

三、清光緒九年(1883)長沙琅嬛館補校刊本：(漢)潁容撰《春秋釋例》一卷，台北：國家圖書館有藏本。

四、清光緒十年(1884)湘遠堂刊本：(漢)潁容撰《春秋釋例》一卷，台北：國家圖書館有藏本。

五、民國五十九年(1970)藝文印書館四部分類叢書集成續編影印清嘉慶三年(1798)金溪王氏刊本：(漢)潁容撰《春秋釋例》一卷，台北：國家圖書館有藏本。

《後漢書》[250]：「潁容，字子嚴，陳國長平人[251]。善《春秋左氏》，師事太尉楊賜，郡舉孝廉，州辟公車[252]，皆不就。初平中，避亂荊州[253]，劉表以為武陵太守，不肯起，著《春秋左氏條例》五萬餘言[254]。」

孔穎達曰[255]：「光武[256]中興以後，陳元、鄭眾、賈逵、馬融、延篤、彭仲博、許惠卿、服虔、潁容之徒，皆傳《左氏春秋》；魏世則王肅、董遇為之注。」又曰[257]：「潁子嚴[258]比於劉、賈之徒，學識雖復淺近，然[259]注述《春秋》，名為一家[260]。」

250霖案：《後漢書》卷七九下，頁2584。

251霖案：「人」字下，應依《後漢書》補入「也。博學多通，」五字。

252霖案：「州辟公車」四字，應依《後漢書》改作「州辟，公車徵，」等五字，且斷句應如(點校本)《後漢書》的斷句。

253霖案：「州」字下，應依《後漢書》補入「聚徒千餘人。」等五字。

254霖案：「言」字下，應依《後漢書》補入「建安中卒。」四字。

255霖案：孔穎達《春秋左傳正義》卷一，「古今言《左氏春秋》者多矣。今其遺文可見者十數家」條下〈疏〉文，頁1707，中。

256霖案：「光武」二字，係竹垞根據文意所加，原書僅有「中興以後」以下諸文句。

257霖案：孔穎達《春秋左傳正義》卷一，「故特舉劉賈、許潁之違，以見同異。」條下〈疏〉文，頁1707，下。

258霖案：「潁子嚴」三字下，應據《春秋左傳正義》的〈疏〉文，補入「名容，陳郡人也。」等六字。

259霖案：「然」字下，應據《春秋左傳正義》的〈疏〉文，補入「亦」等字。

【增補】〔補正〕孔穎達條內「名為一家」下，當補「之學」二字。

按：《水經注》穀水條下，云：「穎容之著《春秋條例》，《隋經籍志》：「漢公車徵士穎容著《春秋釋例》十卷。」言西城梁門枯水處，世謂之死穀是也。」此條當補。（卷七，頁九）

按：《初學記》引潁氏《釋例》文云：「告朔行政謂之明堂。」261又云：「周公朝諸侯於明堂，太廟與明堂一體也。」262

王氏玢《春秋左氏達義》　《新唐志》作「　《達長義》」。

【書名】李一遂〈左氏春秋著錄書目研究〉頁一二九誤作「《春秋左氏選義》」。

《七錄》：「一卷。」

佚。

《隋書》263：「王玢，漢司徒掾264。」

彭氏汪《左氏奇說》（漢）

佚。

【存佚】本書有諸家輯本，故應改注曰「闕」。

【版本及藏地】本書版本及藏地如下：

一、《玉函山房輯佚書》本：《漢》彭汪撰　（清）馬國翰輯《左氏奇說》一卷　，馬來西亞大學圖書館有藏本。

【增補】孫啟治、陳建華編《古佚書輯本目錄（附考證）》曰：「《釋文序錄》云：『汝南彭汪，字仲博，記先師奇說及舊注。』孔穎達《春秋序疏》亦云：『中興以後，陳元、鄭眾、賈逵、馬融、延篤、彭仲博、許惠卿、服虔、潁容之徒皆傳《左氏》。』是仲博當有書行世，然史志無載也。馬國翰從《左傳正義》採得佚說三節。」（頁五七）

【增補】〔校記〕馬國翰有輯本。（《春秋》，頁四五）

【增補】《續修四庫全書總目提要》：「左氏奇說一卷　玉函山房輯佚本　張壽

260「名為一家」下，據《補正》當補「之學」二字。　霖案：《經義考新校》頁3150於「《補正》」二字之前，新補入「《四庫薈要》本、」等字。今考《春秋左傳正義》的〈疏〉文，原有「之學」二字，此當為翁方綱所據之出處。

261霖案：上文出自《初學記》卷十三，「明堂第六」，「聽朔」條下注文，頁328。

262霖案：上文出自《初學記》卷十三，「明堂第六」，「布政」條下注文，頁328。

263霖案：《隋書》卷三二，頁928。

264霖案：「王玢，漢司徒掾」二句，《隋書》原作「漢司徒掾王玢撰，亡。」

林

漢彭汪撰。清馬國翰輯。考經典釋文敘錄云。汝南彭汪字仲博。記先師奇說舊注。又春秋序正義云。中興以後。陳元鄭眾賈逵馬融延篤彭仲博許惠卿服虔潁容之徒。皆傳左氏春秋。則汪蓋長於春秋左氏傳者。與賈逵延篤許淑等。殆為同輩。學術淵源。亦大抵略同。惟釋文敘錄僅謂其記先師奇說舊注。正義亦但稱其傳左氏春秋。至其書名卷數。則兩家皆不著錄。清朱彝尊經義考春秋類五。著錄彭氏汪左氏奇說。亦不標卷數。惟引陸德明之說。而注曰佚。按朱氏之所著錄。不過以釋文敘錄有記先師奇說一語。因據以名其書。非別有確據也。又考其書。隋唐兩志。皆不見著錄。則其佚已久。是編蓋清馬國翰玉函山房輯本。僅據孔氏春秋左氏傳正義輯錄二則。勒為一卷。一麟片爪。既不足以規彭氏原書之面目。且孔氏所引。亦但著仲博之名。而不標其書名。馬氏乃據朱氏經義考臆斷之說。不加考訂。直以左氏奇說名其書。未免疏於考証。惟兩漢經師之說。存者殊少。是編輯錄彭氏之說。雖僅二則。且詳其所論。於經義亦無關宏旨。然魯殿靈光。世之所珍。輯錄成書。亦足以聊存漢代經師之遺說於萬一。是則馬氏搜輯之功。於學術亦未始無裨焉。」(頁六七〇)

二、清光緒九年(1883)長沙琅嬛館補校刊本：(漢)彭汪撰《左氏奇說》一卷，台北：國家圖書館有藏本。

三、清光緒十年(1884)湘遠堂刊本：(漢)彭汪撰《左氏奇說》一卷，台北：國家圖書館有藏本。

陸德明曰[265]：「汝南彭汪，字仲博[266]，記先師奇說及舊注。」

孔氏融《春秋雜議難》

《七錄》：「五卷。」

佚。

許氏淑《左氏傳注解》（漢）

【書名】本書異名如下：

一、《春秋左傳注》：杜信孚等編纂《同名異書匯錄》頁一三九著錄。

二、《春秋左傳許氏注》：《馬來西亞大學中文圖書目錄》七一二著錄。

佚。

【卷數】本書卷數分合如下：

一、一卷本（殘）：杜信孚等編纂《同名異書匯錄》頁一三九著錄。

265霖案：陸德明《經典釋文》卷一，頁14。

266霖案：「字仲博」三字，原為《經典釋文》的注文，與其他諸句為正文不同。

【存佚】本書由馬國翰輯佚，當改注曰「闕」

【版本及藏地】本書版本及藏地如下：

一、玉函山房輯佚書本：漢許淑撰，清馬國翰輯本，杜信孚等編纂《同名異書匯錄》頁一三九著錄，馬來西亞大學圖書館有藏本。

【增補】孫啟治、陳建華編《古佚書輯本目錄（附考證）》曰：「《釋文序錄》云『太中大夫許淑注解《左氏傳》，注云：『字惠卿，魏郡人。』孔穎達《春秋序疏》亦云許惠卿傳《左氏》』（參上條）。按淑後漢人，見《後漢書·范升傳》。《隋》、《唐志》均不載其書，馬國翰從《左傳正義》採得六節，其說多與賈逵、劉歆諸人同。」（頁五七）

【增補】〔校記〕馬國翰有輯本。（《春秋》，頁四五）

【增補】《續修四庫全書總目提要》：「春秋左氏傳注一卷　玉函山房輯佚書本　張壽林

後漢許淑撰。清馬國翰輯。春秋左氏傳正義云。許惠卿名淑。魏郡人。按范曄後漢書范升傳云。建武四年。升與韓歆及太中大夫許淑等互相辨難。知其累官至太中大夫。考杜預春秋左氏傳序云。劉子駿創通大義。賈景伯父子許惠卿皆先儒之美者也。又考唐陸德明釋文敍錄云。太中大夫許淑注解左氏傳。惟其書隋唐志皆不見著錄。釋文雖載其書。亦不詳其卷數。則其書之佚久矣。是編蓋清馬國翰玉函山房輯本。僅據孔氏正義輯錄六則。勒為一卷。稽其所論。大抵皆與劉歆賈逵之說略同。杜預春秋左氏傳序。謂其大體轉相祖述者。非虛語也。按後漢書范升傳云。時尚書令韓歆上書。欲為費氏易左氏春秋立博士。建武四年。升與韓歆及太中大夫許淑等。互相辨難。又續漢書律曆志云。建武八年。太中大夫許淑等。上書言曆不正。宜當改更。則許氏蓋長於春秋曆數之學。與鄭少贛賈元伯為同輩。且亦及見劉歆。宜乎其注解春秋左氏傳。多與劉賈相同。漢儒治經。皆篤守師法。於此而益信。又以是編所輯各條。校之杜注。知杜許氏之說。多不從者。惟昭公七年經暨齊平。孔氏正義引許惠卿說。以為燕與齊平。則杜氏從之。是則輯本無多。雖不足以見許書之全豹。亦足以考見古人學術之淵源焉。」(頁六七〇)

二、清光緒九年(1883)長沙琅嬛館補校刊本：(漢)許淑撰《春秋左傳許氏注》一卷，台北：國家圖書館有藏本。

三、清光緒十年(1884)湘遠堂刊本：(漢)許淑撰《春秋左傳許氏注》一卷，台北：國家圖書館有藏本。

陸德明曰[267]：「太中大夫[268]許淑，字惠卿，魏郡人。」

267霖案：陸德明《經典釋文》卷一，頁14。又「字惠卿，魏郡人。」諸句，係《經典釋文》的注文，竹垞逕作「陸德明曰」也。

268霖案：《經義考新校》頁3152新出校文如下：「『太中大夫』，文津閣《四庫》本作『大中大夫』。」

謝氏該《左氏解釋》

佚。

《後漢書》[269]：「謝該，字文儀，南陽章陵人[270]。善明《春秋左氏》[271]，門徒數百千人。建安中，河東人樂詳條《左氏》疑滯數十事以問該，皆為通解之，名為《謝氏釋》，行於世。仕為公車司馬令[272]、少府[273]，孔融[274]薦之[275]，拜議郎[276]。」

段氏肅《春秋穀梁傳注》（晉）

【作者】惠棟謂段肅即漢弘農功曹史殷肅，詳見吳承仕《經典釋文序錄疏證》。陳明恩〈魏晉南北朝《春秋》學初探〉頁一九一註三六有更詳細的說明：「案：《隋志》云：『段肅注，疑漢人。』《冊府元龜．學校部．注釋一》列段肅於晉代。王欽若編：《冊府元龜》（北京：中華書局，１９６０年），頁１９６０。丁國鈞《補晉書藝文志》據以著錄，列『存疑類』。見《二十五史補編》，頁３６９６。今附載於此。」案：此處題作「段肅」，蓋從《隋志》之文，考《漢書》卷四十上，〈班彪列傳〉有「殷肅」，可見古本當作「殷肅」，「段」、「殷」二字隸書相近，因而經常混用，說法詳見翁方綱《經義攷補正》卷第一，頁三，段嘉《易傳》條下說明。

【書名】王仁俊輯本題作《春秋穀梁段氏注》；陳明恩〈魏晉南北朝《春秋》學初探〉頁一九一著錄，書名題作《春秋穀梁傳》。

《隋志》：「十四卷。」《唐志》：「十三卷。」

【卷數】王仁俊輯本作「一卷」。

。

269霖案：《後漢書》卷七九下，頁2584。

270霖案：「人」字下，應依《後漢書》補入「也」字。

271霖案：「《春秋左氏》」四字下，應依《後漢書》補入「為世名儒，」四字。

272霖案：「公車司馬令」之下，應依《後漢書》補入「以父母老，託疾去官。欲歸鄉里，會荊州道斷，不得去。」等二十字。

273霖案：「仕為公車司馬令、少府」等斷句，蓋以謝該曾任司馬令、少府之官，然據點校本《後漢書》的標點，則「少府」，實為孔融之官銜，而非謝該之官職。據此，則《點校補正經義考》誤斷標點也。

274霖案：「孔融」二字下，應依《後漢書》補入「上書」二字。

275霖案：「薦之」二字下《後漢書》詳錄上書之文，而竹垞或以篇幅過鉅而刪之，惟文句過長，難於逐一校補，讀者可參看原書。

276霖案：「拜議郎」三字之前，《後漢書》除了錄有孔融上書之文外，另有「書奏，詔卽徵還，」等六字，今據以補入。又「拜議郎」三字之下，應依《後漢書》補入「以壽終。」三字。

佚。

【存佚】本書輯本如下：

一、《春秋穀梁段氏注》一卷　（漢）段肅撰　（清）王仁俊輯

《玉函山房輯佚書續編》‧經編春秋類

【增補】孫啟治、陳建華編《古佚書輯本目錄（附考證）》曰：「《釋文序錄》載段肅《穀梁注》十二卷，注云『不詳何人。』《隋志》十四卷，注云：『疑漢人。』按惠棟謂段肅即漢弘農功曹史殷肅，詳見吳承仕《經典釋文序錄疏證》。王仁俊此輯僅一自序，未採得佚文。」（頁六四）

陸德明曰[277]：「不知[278]何人。」

《隋書》[279]：「疑漢人。」

李氏譔《左氏指歸》（蜀）

【霖案】根據《三國志‧蜀書‧李譔傳》的記載，則李譔「著古文《易》、《尚書》、《毛詩》、《三禮》、《左氏傳》、《太玄指歸》，皆依準賈、馬，異於鄭玄。與王氏殊隔，初不見其所述，而意歸多同。」，則《左氏指歸》一書，或即《太玄指歸》。此外，陳明恩〈魏晉南北朝《春秋》學初探〉頁一八四著錄，僅題作《左傳注》，且《華陽國志》指李譔撰有《左氏注解》，而竹垞未錄李譔《左氏注》一書，當據《華陽國志》之說補入《左氏注解》，至於《左氏指歸》一書，由於陸德明曾明言李氏撰有其書，且竹垞從之，今暫存於此，以俟後考。

【書名】李一遂〈左氏春秋著錄書目研究〉頁一二三、頁一二九錄作「《左氏傳指歸》」。依《華陽國志》之文，李譔尚有《左氏注解》一書，竹垞未錄此書，或以《左氏指歸》為「《左氏注解》」。

【增補】據《三國志‧蜀書‧李譔傳》之文，李譔撰有《左氏傳》一書，竹垞未錄此書，李一遂〈左氏春秋著錄書目研究〉頁一一七錄之，當據以補入。惟李氏云：「《經義考》注佚」，實則竹垞未錄《左氏傳》，李氏所云，或以《左氏指歸》為「左氏傳」。

佚。

《華陽國志》[280]：「李譔，字仲欽[281]，涪人[282]。為太子中庶子、右中郎將，著[283]《左

277霖案：《經典釋文》卷一，頁15A。

278霖案：「知」字，應依《經典釋文》作「詳」字。

279霖案：《隋書》卷三二，頁931，段肅注「《春秋穀梁傳》十四卷」條下注文。

280霖案：《華陽國志》卷一○下〈漢書士女．十一〉，頁393。

281「仲欽」，應依《補正》作「欽仲」。　霖案：《經義考新校》頁3153於「《補正》」二字之前，新增

氏注解》[284]，依則賈、馬[285]，異于鄭玄[286]。」

陸德明曰[287]「梓潼李仲欽[288]著《左氏指歸》。」

【增補】〔補正〕《華陽國志》及陸德明條內「仲欽」皆當作「欽仲」。（卷七，頁九）

校文如下：《四庫薈要》本、」等字。今考「《華陽國志》作「欽仲」，當為翁方綱《補正》所本之源頭，又二字互倒，且有關於字號的正訛，而應該據原書改正。又「欽」字下，應依《華陽國志》補入「仁子也。少受父業，又講問尹默，自五經、四部、百家、諸子、技藝、筭計、卜數、醫術、弓弩、機械之巧，皆致思焉。」等四十一字。

282霖案：「涪人」二字，《華陽國志》無之，當刪。

283霖案：「著」字下，應依《華陽國志》補入「古文《周易》、《尚書》、《毛詩》、《三禮》」等十字。

284霖案：「《左氏注解》」四字下，應依《華陽國志》補入「《太玄指》」等三字。

285霖案：《經義考新校》頁3153新出校文如下：「『賈、馬』，文津閣《四庫》本作『馬、賈』。」。

286霖案：「鄭玄」二字下，應依《華陽國志》補入「與王肅初不相見，而意歸多同。」等十二字。

287霖案：陸德明《經典釋文》卷一，頁14。

288「仲欽」，應依《補正》作「欽仲」。　霖案：《經義考新校》頁3153於「《補正》」二字之前，新增校文如下：《四庫薈要》本、」等字。今考陸德明《經典釋文》卷一，頁14正作「李欽仲」，當為翁方綱《補正》所據之本，又二字前後互倒，當據原書改正。

卷一百七十三　《春秋》六經義考卷一百七十三春秋六

魏高貴鄉公《左氏音》（魏）

【作者】陳明恩〈魏晉南北朝《春秋》學初探〉頁一八四著錄，逕將作者題作「曹髦」。

《七錄》：「三卷。」

【著錄】《七錄》應係出自《隋志注》。

佚。

陸德明曰[1]：「曹髦，字士彥，魏廢帝[2]。」

王氏朗《春秋左氏傳注》（魏）

《隋志》：「十二卷。」《唐志》：「十卷。」

【著錄】《隋志》、《唐志》、《通志》、《釋文敘錄》、李一遂〈左氏春秋著錄書目研究〉一一七著錄。

佚。

《春秋左氏釋駮》（魏）

《七錄》：「一卷。」

【著錄】《隋志》題作「一卷」。

佚。

董氏遇《春秋左氏傳章句》（魏）

【作者】《馬來西亞大學中文圖書目錄》七一二．五誤作「干遇」。

【書名】本書異名如下：

一、《春秋左氏經傳章句》：馬國翰輯本。又李一遂〈左氏春秋著錄書目研究〉頁一一七錄之，書名誤作「《春秋左氏經世章句》」，實同為一書。

【增補】陳明恩〈魏晉南北朝《春秋》學初探〉頁一八二著錄董遇《春秋左氏傳朱墨別異》，竹垞未錄，今據以補入。

《隋志》：「三十卷。」

佚。

1霖案：陸德明《經典釋文》卷一，頁14。

2霖案：「曹髦，字士彥，魏廢帝」三句，原為《經典釋文》的注文。

【版本及藏地】本書版本及藏地如下：

一、《玉函山房輯佚書》本：（魏）董遇撰　（清）馬國翰輯《春秋左氏傳章句》一卷　馬來西亞大學圖書館有藏本。

【增補】孫啟治、陳建華編《古佚書輯本目錄（附考證）》曰：「董遇，參《董遇周易章句》。《釋文序錄》載董遇《左氏章句》三十卷，《隋》、《唐志》亦並三十卷。馬國翰從《釋文》、《左傳正義》採得十節。」（頁五七）

【增補】〔校記〕馬國翰有輯本。（《春秋》，頁四五）

【增補】《續修四庫全書總目提要》:「春秋左氏傳章句一卷　玉函山房輯佚書本　張壽林

魏董遇撰。清馬國翰輯。按魏志王肅附傳云。明帝時大司農弘農董遇等亦歷注經傳。頗傳於世。注引魏略儒宗傳曰。遇字季直。性質訥而好學。建安初舉孝廉。稍遷黃門侍郎。是時漢帝委政太祖。遇旦夕侍講。為天子所愛信。至二十二年。許中百官矯制。遇雖不與謀。猶被錄詣鄴。轉為冗散。黃初中出為郡守。明帝時入為侍中大司農。數年病卒。又云初遇善治老子。為老子作訓註。又善左氏傳。更為作朱墨別異。人有從學者。遇不肯教。由是諸生少從遇學。無傳其朱墨者。是董氏之學。即在當時。傳者已少。唐陸德明釋文敘錄云。魏大司農董遇注解左氏傳。又曰董遇章句三十卷。隋書經籍志亦著錄春秋左氏傳三十卷。董遇章句。兩唐志同。是其書隋唐之世。猶有存者。蓋至五代之世。始散佚而不存。此本為馬氏據隋唐間諸家所引。合為一卷。總計所輯僅得十條。不過略存董書之面目而已。按自賈逵作春秋左氏解詁。服虔作春秋左氏傳解誼。杜預作春秋左氏經傳集解。皆以左氏之學。見稱於時。然魏晉以來。學者多朋於賈服。而非杜氏。董氏是編。蓋已發其端。今即其所存數則觀之。其本字多與杜異。而同於賈服王肅。則其書大旨。多朋於賈服二氏之說。不難推知也。」(頁六七二)

二、清光緒九年(1883)長沙琅嬛館補校刊本：(魏)董遇撰《春秋左氏經傳章句》一卷，台北：國家圖書館有藏本。

三、清光緒十年(1884)湘遠堂刊本：(魏)董遇撰《春秋左氏經傳章句》一卷，台北：國家圖書館有藏本。

樂氏詳《左氏問》（魏）

【著錄】李一遂〈左氏春秋著錄書目研究〉頁一二九著錄。

佚。

《魏略》[3]：「詳，字文載，少好學，建安初，聞[4]南郡謝該善《左氏傳》，乃從南陽步

3霖案：《三國志．魏書．杜畿傳》卷十六，頁507注文引《魏略》。

4霖案：「聞」字之前，應依注文補入「詳」字。又「聞」字之下，應依原注文補入「公車司馬令」五

[5]詣[6]該，問疑難諸要。今《左氏樂氏問》七十二事[7]，詳所撰也[8]。黃初中，徵拜博士。」

王氏肅《春秋左氏傳注》（魏）

【書名】本書異名如下：

一、《春秋左傳注》：杜信孚等編纂《同名異書匯錄》頁一三九著錄。

二、《春秋左傳王氏注》：《馬來西亞大學中文圖書目錄》七一二·五著錄。

《隋志》：「三十卷。」

【著錄】《隋志》、《通志》錄之；又李一遂〈左氏春秋著錄書目研究〉頁一一七著錄。

【卷數】本書卷數分合如下：

一、一卷本（殘）：杜信孚等編纂《同名異書匯錄》頁一三九著錄。

佚。

【存佚】本書有馬國翰輯佚書本，當改注曰「闕」

【版本及藏地】本書版本及藏地如下：

一、玉函山房輯佚書本：魏王肅撰，清馬國翰輯《春秋左傳王氏注》一卷，第三十五冊，馬來西亞大學圖書館有藏本。杜信孚等編纂《同名異書匯錄》頁一三九著錄。案：此書輯錄《正義》、《史記集解》、《釋文》諸家之文，匯為一卷，其本文多與杜氏殊異。

【增補】孫啟治、陳建華編《古佚書輯本目錄（附考證）》曰：「王肅，參《王肅周易注》。《釋文序錄》載王肅《左氏注》三十卷，《唐志》同。馬國翰從《釋文》、經疏及《史記集解》等採摭，輯成一卷。」（頁五七）

【增補】〔校記〕馬國翰有輯本。（《春秋》，頁四五）

【增補】《續修四庫全書總目提要》：「春秋左傳王氏注一卷　　玉函山房輯本　楊鍾義

字，此事涉及謝該職銜，不當刪去，今據原書補入。

5霖案：「步」字下，注文另有「〔涉〕」字，今據以補入。

6霖案：「詣」字下，注文另有「〔許，從〕」二字，今據以補入。

7霖案：「《左氏樂氏問》七十二事」，點校本《三國志》注文均題作書名號，即「七十二事」四字，應列入書名之中。

8霖案：「也」字下，應依《三國志》注文補入「所問既了而歸鄉里，時杜畿為太守，亦甚好學，署詳文學祭酒，使教後進，於是河東學業大興。至」等三十七字。

魏王肅撰。清馬國翰輯。王肅字于邕。東海蘭陵人。魏衛將軍太常蘭陵景侯有易注十卷。又注尚書禮喪服論語孔子家語述毛詩注。作聖證論。難鄭玄。其春秋左氏傳。隋唐志並三十卷。今佚。國翰輯錄一帙。謂肅父朗有傳注十二卷。隋志別載之。似肅因父書增多十八卷。故兩注並行於代。其本字往往與杜氏殊異。杜集解非一家。則異字或繇杜而改。哀六年引夏書惟彼陶唐六句。以為太康時。與孔傳合。正義疑肅見古文。匿之而不言。同時董遇字季直。弘農華陰人。魏侍中大司農。有周易章句。其為左氏章句。隋志作春秋左氏傳。唐志作左氏經傳。並三十卷。國翰亦輯得十節。其本字如昭六年士匄作王正二十年。專壹作摶壹。二十三年伍候作五候之類。多與杜異。而同於賈服王肅。國翰謂漢魏時古本。足取正俗本之誤。未可執後行之本以疑前儒也。」(頁六七一~六七二)

二、清光緒九年(1883)長沙琅嬛館補校刊本：(魏)王肅撰《春秋左傳王氏注》一卷，台北：國家圖書館有藏本。

三：清光緒十年(1884)湘遠堂刊本：(魏)王肅撰《春秋左傳王氏注》一卷，台北：國家圖書館有藏本。

嵇氏康《春秋左氏傳音》（魏）

【書名】馬國翰輯本題作《春秋左傳嵇氏音》；清光緒十年(1884)湘遠堂刊本題作《春秋左氏傳嵇氏音》。

《隋志》：「三卷。」

【卷數】馬國翰輯本作「一卷」

佚。

【存佚】本書有馬國翰輯本，雖非完本，仍可據以改注曰「闕」。

【版本及藏地】本書版本及藏地如下：

一、《玉函山房輯佚書》：（魏）嵇康撰　（清）馬國翰輯《春秋左傳嵇氏音》一卷馬來西亞大學圖書館有藏本。

【霖案】程金造編著《史記索隱引書考實》頁一〇〇曾輯錄其文。

【增補】孫啟治、陳建華編《古佚書輯本目錄（附考證）》曰：「嵇康，字叔夜，譙國銍人，仕魏為中散大夫，見《三國志．王粲傳》及《晉書》本傳。《釋文序錄》、《隋志》採得五節，據《史記索隱》採得一節，又據宋庠《國語補音》採得一節。」（頁五九）

【增補】〔校記〕馬國翰有輯本。（《春秋》，頁四五）

【增補】《續修四庫全書總目提要》:「春秋左傳嵇氏音一卷　玉函山房輯佚書本　張壽林

魏嵇康撰。清馬國翰輯。嵇康字叔夜。譙國銍人也。其先姓奚。會稽上虞人。以避怨徙焉。銍也嵇山。家於其側。因而命氏。康學不師受。博覽無不通。與魏宗室婚。拜中散大夫。康文辭壯麗。好言老莊。而尚奇任俠。景元中坐事誅。時年四十。事蹟詳晉書本傳。按釋文敍錄稱嵇康音三卷。字叔夜。譙國人。晉中散大夫。據晉書本傳。似稱晉中散大夫者非也。隋書經籍志。著錄春秋左氏傳音三卷。魏中散大夫嵇康撰。稚其書唐志已不見著錄。則其佚久矣。馬氏是編。凡輯錄六條。釐為一卷。計唐陸德明釋文所引五條。唐司馬貞史記索隱所引一條。是編既據以采輯而成。按隋唐以前。諸儒傳左氏音義音。據釋文敍錄及兩唐志所載。有服虔杜預音三卷。魏高貴公卿春秋左氏傳音三卷。曹沉音尚書左人郎荀訥等音四卷。李軌春秋左氏傳音三卷。徐邈春秋左氏傳音三卷。今皆不傳。惟是編及徐氏音。馬氏玉函山房個有輯本。雖吉光片羽。已非完璧。然治左氏音者。得此亦足以推其大略矣。是編在先儒傳左氏音諸書中為最早。尤為治左氏音重要之資料。其中如戮音留。　音權之類。今雖不用。然古調獨彈。治古音者。實可資為鉅助。惟其書雖傳左氏。亦間採二傳之說。如　從公羊作鸛之類。是其證也。」(頁六七二)

二、清光緒九年(1883)長沙琅嬛館補校刊本：(魏)嵇康撰《春秋左氏傳嵇氏音》一卷，台北：國家圖書館有藏本。

三、清光緒十年(1884)湘遠堂刊本：(魏)嵇康撰《春秋左氏傳嵇氏音》一卷，台北：國家圖書館有藏本。

麋氏信《春秋說要》（魏）

【書名】《舊唐書．經籍志》題作《春秋左氏傳說要》。

【增補】根據《舊唐志》、陳明恩〈魏晉南北朝《春秋》學初探〉頁一八三所錄，麋信有《注春秋漢議》一書，竹垞未錄此書，當據以補入。

《隋志》：「十卷。」

佚。

《理何氏漢議》（魏）

《隋志》：「二卷。」

佚。

《穀梁傳注》（魏）

【書名】本書異名如下：

一、《春秋穀梁傳注》：杜信孚等編纂《同名異書匯錄》頁一四〇著錄。

二、《春秋穀梁傳麋氏注》：《馬來西亞大學中文圖書目錄》七七二．五著錄。

《隋志》：「十二卷。」

【卷數】本書卷數分合如下：

一、一卷本：杜信孚等編纂《同名異書匯錄》頁一四〇著錄。

佚。

【存佚】本書今有諸多輯本，應改注曰「闕」

【版本及藏地】本書版本及藏地如下：

一、清嘉慶三年金溪王氏刊《漢魏遺書鈔》本：（魏）縻信撰　（清）王謨輯《穀梁傳注》一卷，為《經翼》第三冊，《國立故宮博物院善本舊籍總目》上冊，頁九十著錄，台北：故宮博物院有藏本。

二、《漢學堂叢書》本：（魏）縻信撰　（清）黃奭輯《麋（原題誤縻）信春秋穀梁傳注》一卷，馬來西亞大學圖書館有藏本（二部）。

三、《黃氏逸書考》本：（魏）縻信撰　（清）黃奭輯《麋（原題誤縻）信春秋穀梁傳注》一卷

四、《玉函山房輯佚書》本：（魏）縻信撰　（清）馬國翰輯《春秋穀梁傳縻氏注》一卷，杜信孚等編纂《同名異書匯錄》頁一四〇著錄，馬來西亞大學圖書館有藏本。

【增補】〔校記〕馬國翰有輯本；麋氏書，黃奭亦有輯本。（《春秋》，頁四五）

【增補】孫啟治、陳建華編《古佚書輯本目錄（附考證）》曰：「縻信，《三國志》無傳。《釋文序錄》載縻信《穀梁傳注》十二卷，注云：『字南山，東海人，魏樂平太守。』按信為《穀梁傳注》，亦見《南齊書．陸澄傳》。此書《隋》、《唐志》並載十二卷。王謨、馬國翰皆據《釋文》、《穀梁傳》等採摭。馬輯多於王九節，其中八節採自《太平御覽》，為王所未及。王輯唯採僖公三年一節為馬所無，然此節非引縻信注原文。黃奭全襲王輯。」（頁六四）

五、清光緒九年(1883)長沙琅嬛館補校刊本：(魏)縻信撰《春秋穀梁傳縻氏注》一卷，台北：國家圖書館有藏本。

六、清光緒十年(1884)湘遠堂刊本：(魏)縻信撰《春秋穀梁傳縻氏注》一卷，台北：國家圖書館有藏本。

七、民國五十九年(1970)藝文印書館四部分類叢書集成續編影印清嘉慶三年(1798)金溪王氏刊本：(魏)縻信撰《穀梁傳注》一卷，台北：國家圖書館有藏本。

八、民國六十一年(1972)藝文印書館四部分類叢書集成三編影印清道光中甘泉黃氏刊民國十四年(1925)王鑒修補印本：(魏)縻信撰《春秋穀梁傳注》一卷，台北：國家圖書館有藏本。

陸德明曰[9]：「信[10]，字南山，東海人，魏樂平太守。」

9霖案：陸德明《經典釋文》卷一，頁14。又「字南山，東海人，魏樂平太守。」諸句，係《經典釋文》的注文，竹垞逕作「陸德明曰」也。

韓氏益《春秋三傳論》（魏）

《隋志》[11]：「十卷。」

佚。

《隋書》[12]：「魏大長[13]秋韓益撰。」

曹氏躭　《春秋左氏音》（魏）

《七錄》：「四卷。」

佚。

孫氏炎《春秋例》（魏）

【著錄】本書出自《三國志．魏書．王朗傳》，姚振宗《三國藝文志》從之。

【增補】根據陳明恩〈魏晉南北朝《春秋》學初探〉頁一八四所錄，孫炎另有《春秋三傳》一書，姚振宗《三國藝文志》入《春秋三傳類》，竹垞未錄此書，今據以補入。

佚。

杜氏寬《春秋左氏傳解》（魏）

【著錄】《三國志．魏書．杜畿傳》注引《杜氏新書》錄之。又李一遂〈左氏春秋著錄書目研究〉頁一一七錄之。

佚。

唐氏固《春秋穀梁傳注》（吳）

《隋志》：「十三卷。」《釋文》《序錄》[14]：「十二卷。」

佚。

《春秋公羊傳注》（吳）

【著錄】《三國志．吳書．唐固傳》錄之。

佚。

10霖案：「信」字，為竹垞根據文意所加。

11霖案：《隋書．注》卷三二，頁932。

12霖案：《隋書．注》卷三二，頁932。

13霖案：《經義考新校》頁3158新出校文如下：「文淵閣《四庫》本『長』下有『春』字。」

14霖案：陸德明《經典釋文》卷一，頁14。又「字南山，東海人，魏樂平太守。」諸句，係《經典釋文》的注文，竹垞逕作「陸德明曰」也。

《吳錄》[15]：「固，字子正[16]。」

《吳志》[17]：「丹陽[18]唐固[19]修身積學，稱為儒者，著《國語》、《公羊》、《穀梁傳注》[20]，講授常數十人。權為吳王，拜固議郎[21]。黃武四年，為尚書僕射[22]。」

士氏燮《春秋傳注》[23]（吳）

【增補】〔補正〕案：朱氏此條誤作《春秋傳注》，當據《隋志》及《釋文》，改作《春秋經注》。（卷七，頁九）

【書名】姚振孫《三國藝文志》卷一錄作：「士燮《春秋左氏經注》十三卷。」，並指出：「《經義考》誤作《春秋傳注》」，其說可從之。

《隋志》：「十一卷。」

【卷數】姚振孫《三國藝文志》卷一指出：「今按《隋志》實十三卷。蓋古經十二卷，《錄》一卷，《釋文》及《唐志》作『十一卷』者，或有所合併，而《釋文》列之左氏學家，則甚分明也。」，是以姚氏以《隋志》原作「十三卷」，而以《經義考》作「十一卷」者，蓋竹垞誤引之，而致卷數有誤也。

佚。

《吳錄》[24]：「士燮，字彥威，蒼梧廣信人[25]。少游學京師，事潁川劉子奇，治《左氏

15霖案：《三國志》卷五三，頁1250注文。

16霖案：「正」字下，應依《三國志》補入「卒時年七十餘矣。」等七字。

17霖案：《三國志．吳書》卷五三，頁1250。

18霖案：「丹陽」二字之前，應依《三國志》補入「澤州里先輩」等五字。

19霖案：「固」字下，應依《三國志》補入「亦」字。

20霖案：「《穀梁傳注》」四字，點校本《三國志》作「《穀梁傳》注」。

21霖案：「郎」字下，應依《三國志》補入「自陸遜、張溫、駱統等皆拜之。」等十一字。

22霖案：「射」字下，應依《三國志》補入「卒」字，蓋明言卒年為黃武四年，不當刪去，今據以補入。

23《春秋傳注》，據《補正》當作《春秋經注》。

24《吳錄》，據《補正》當作《吳志》。　霖案：《經義考新校》頁3159於「《補正》」二字之前，另有新出校文如下：「《四庫薈要》本、文淵閣《四庫》本、」等字。今考本文出自《三國志．吳書》卷四九，頁1191。依據《經義考》卷一七三，頁605，張昭《春秋左氏傳解》條下、卷二〇九，頁537，韋昭《春秋外傳國語注》條下俱引作「《吳志》」之例，此條解題應題「《吳志》」，然竹垞同出於《三國志．吳書》之文，一題作「《吳志》」，一題作「《吳錄》」，二者標示方式並不統一，而衡諸使用慣例，應以《吳志》為宜，此或即翁方綱補正所據之本，今從之，應改作「《吳志》」，此為引書書名有誤也。

春秋》26，補尚書郎27，遷交趾太守28，躭翫《春秋》，為之注解。陳國、袁徽與尚書令荀彧書曰：『交趾士府君29官事小閿，輒翫30習《書》、《傳》，《春秋左氏傳》尤簡練精微，吾數以咨問傳中諸疑，皆有師說，意思甚密，又《尚書》兼通古今，大義詳備。聞京師古今之學是非忿爭，今欲條《左氏》、《尚書》長義上之，其見稱之31。』」

【增補】〔補正〕此條下所引《吳錄》當作《吳志》；其「見稱之」，「之」字當作「如此」二字。（卷七，頁九）

張氏昭《春秋左氏傳解》（吳）

【著錄】李一遂〈左氏春秋著錄書目研究〉頁一一七著錄。

佚。

《吳志》32：「張昭，字子布，彭城人33。從白侯子安受《左氏春秋》34，孫策35命36為

25霖案：「人」字下，應依《三國志》補入「也。其先本魯國汶陽人，至王莽之亂，避地交州。六世至燮父賜，桓帝時為日南太守。燮」等三十三字。

26霖案：「《左氏春秋》」四字下，應依《三國志》補入「察孝廉」三字。

27霖案：「郎」字下，應依《三國志》補入「公事免官。父賜喪闋後，舉茂才，除巫令，」等十五字。

28霖案：「守」字下，應依《三國志》補入「弟壹，初為郡督郵。刺史丁宮徵還京都，壹侍送勤恪，宮感之，臨別謂曰：『刺史若待罪三事，當相辟也。』後宮為司徒，辟壹。比至，宮已免，黃琬代為司徒，甚禮遇壹。董卓作亂，壹亡歸鄉里。交州刺史朱符為夷賊所殺，州郡擾亂。燮乃表壹領合浦太守，次弟徐聞令䵋領九真太守，䵋弟武，領南海太守。燮體器寬厚，謙虛下士，中國士人往依避難者以百數。」等一百三十三字。

29霖案：「君」字下，應依《三國志》補入「旣學問優博，又達於從政，處大亂之中，保全一郡，二十餘年疆埸無事，民不失業，羇旅之徒，皆蒙其慶，雖竇融保河西，曷以加之？」等四十九字。

30霖案：「翫」字，《三國志》作「玩」字。

31「之」，應依《補正》、《四庫》本作「如此」。　霖案：《經義考新校》頁3160於「《四庫》」二字之前，另有：「《四庫薈要》本、文淵閣」等字。今考《三國志》原文正作「如此」，翁方綱、四庫館臣所據當出於此。

32霖案：《三國志．吳書》卷五二，頁1219。

33霖案：「人」字下，應依《三國志》補入「也。少好學，善隸書，」等七字。

34霖案：「《左氏春秋》」四字下，應依《三國志》補入「博覽众眾書，與琅邪趙昱、東海王朗俱發名友善。弱冠察孝廉，不就，與朗共論舊君諱事，州里才士陳琳等皆稱善之。刺史陶謙舉茂才，不應，謙以為輕己，遂見拘執。昱傾身營救，方以得免。漢末大亂，徐方士民多避難揚土，昭皆南渡江。」等八十九字。

35霖案：「孫策」二字下，應依《三國志》補入「創業」二字。

長史[37]；復為權長史[38]，魏封權吳王[39]，拜昭[40]綏遠將軍，封由拳侯[41]。權既稱尊號[42]，更拜輔吳將軍、班亞三司，改封婁侯[43]。在里宅無事，乃著《春秋左氏傳解》及《論語注》。」

鮮于公《春秋公羊解序》（吳）

《隋志》：「一卷。」

佚。

刁氏《春秋公羊例序》（吳）

《隋志》：「五卷。」

36霖案：「命」字下，應依《三國志》補入「昭」字。

37霖案：「長史」二字下，應依《三國志》補入「撫軍中郎將，升堂拜母，如比肩之舊，文武之事，一以委昭。昭每得北方士大夫書疏，專歸美於昭，昭欲嘿而不宣則懼有私，宣之則恐非宜，進退不安。策聞之，歡笑曰：『昔管仲相齊，一則仲父，二則仲父，而桓公為霸者宗。今子布賢，我能用之，其功名獨不在我乎！』策臨亡，以弟權託昭，昭率羣僚立而輔之。上表漢室，下移屬城，中外將校，各令奉職。權悲感未視事，昭謂權曰：『夫為人後者，貴能負荷先軌，克昌堂構，以成勳業也。方今天下鼎沸，羣盜滿山，孝廉何得寢伏哀戚，肆匹夫之情哉？』乃身自扶權上馬，陳兵而出，然後眾心知有所歸。昭」等字。

38霖案：「長史」二字下，應依《三國志》補入「授任如前。後劉備表權行車騎將軍，昭為軍師。權每田獵，常乘馬射虎，虎常突前攀持馬鞍。昭變色而前曰：『將軍何有當爾？夫為人君者，謂能駕御英雄，驅使羣賢，豈謂馳逐於原野，校勇於猛獸者乎？如有一旦之患，奈天下笑何？』權謝昭曰：『年少慮事不遠，以此慚君。』然猶不能已，乃作射虎車，為方目，間不置蓋，一人為御，自於中射之。時有逸羣之獸，輒復犯車，而權每手擊以為樂。昭雖諫爭，常笑而不答。」等字。

39霖案：「魏封權吳王」五字，應依《三國志》改作「魏黃初二年，遣使者邢貞拜權為吳王。」等十五字。又「王」字下，應依《三國志》補入「貞入門，不下車。昭謂貞曰：『夫禮無不敬，故法無不行。而君敢自尊大，豈以江南寡弱，無方寸之刃故乎！』貞即遽下車。」等四十三字。

40霖案：「昭」字下，應依《三國志》補入「為」字。

41霖案：「侯」字下，應依《三國志》補入「權於武昌，臨釣臺，飲酒大醉。權使人以水灑羣臣曰：『今日酣飲，惟醉墮臺中，乃當止耳。』昭正色不言，出外車中坐。權遣人呼昭還，謂曰：『為共作樂耳，公何為怒乎？』昭對曰：『昔紂為糟丘酒池長夜之飲，當時亦以為樂，不以為惡也。』權默然，有慚色，遂罷酒。初，權當置丞相，眾議歸昭。權曰：『方今多事，職統者責重，非所以優之也。』後孫邵卒，百寮復舉昭，權曰：『孤豈為子布有愛乎？領丞相事煩，而此公性剛，所言不從，怨咎將興，非所以益之也。』乃用顧雍。」等字。

42霖案：「尊號」二字下，應依《三國志》補入「昭以老病，上還官位及所統領。」等十二字。

43霖案：「侯」字下，應依《三國志》補入「食邑萬戶。」四字。

佚。

杜氏預《春秋左氏經傳集解》（晉）

【增補】根據《書目答問補正》卷一著錄，杜預尚有《春秋土地名》44一卷，竹垞未能著錄，今補錄於此。

又杜預另有《春秋古今盟會地圖》，陳明恩〈魏晉南北朝《春秋》學初探〉頁一八六著錄，原出於《杜氏新書》，秦榮光《補晉書藝文志》據以著錄，見《二十五史補編》，今據以補入。

又杜預另有《春秋謚法》一卷，《宋志》、陳明恩〈魏晉南北朝《春秋》學初探〉頁一八六著錄，竹垞未錄此書，今據以補入。

又杜預另有《春秋公子譜》，《通志》題作六卷，竹垞未錄此書，然《經義考》於顧啟期《大夫譜》條下，徵引鄭樵之語云：「有杜預《春秋公子譜》，無顧啟期《大夫譜》，可也」，顯見竹垞亦得知杜氏有《春秋公子譜》一書，惜未見載於杜氏預條下，今據以補入。

又李一遂〈左氏春秋著錄書目研究〉頁一〇二錄有「《春秋氏族譜》一卷」，竹垞未錄此書，當據以補入。

又李一遂〈左氏春秋著錄書目研究〉頁一一八錄有「《監本纂圖春秋經傳集本》」一書，竹垞未錄此書，當據以補正。

【書名】本書其他異名如下：

一、《春秋左氏傳集解》：日本藤原佐世《日本國見在書目》頁十二著錄。

二、《春秋經傳集解》：《國立中央圖書館善本序跋集錄》頁三五六著錄。

三、《左氏經傳集解》：葉程義《禮記正義引書考》頁七六二著錄。

四、《春秋左氏傳校本》：《中國館藏和刻本漢籍書目》頁四三著錄。

五、《春秋經傳》：《中國館藏和刻本漢籍書目》頁四四著錄。

六、《附釋音春秋左傳注疏》：晉杜預注，唐陸德明音義，孔穎達疏，清阮元校，程志〈現存唐人著述簡目〉頁二五八著錄。

七、《纂圖互注春秋經傳集解》：晉杜預注，唐陸德明音義，程志〈現存唐人著述簡目〉頁二五八著錄。

八、《春秋左傳注疏》：六十卷，晉杜預注，陸德明音義，孔穎達疏，程志〈現存唐人著述簡目〉頁二五八著錄。

九、《春秋古傳古注》：三十卷，晉杜預註，張壽平《公藏先秦經子注疏書目》頁一

44《馬來西亞大學中文圖書目錄》七一三．一著錄，書名題作《春秋地名》。

一三著錄。

十、《春秋左氏傳》：黃建國、金初昇主編《中國所藏高麗古籍綜錄》頁十三著錄。

十一、《附釋音春秋左傳註疏》：張壽平《公藏先秦經子注疏書目》頁一一三著錄。

十二、《春秋左傳註疏》：張壽平《公藏先秦經子注疏書目》頁一一三著錄。

十三、《春秋左傳注》：杜信孚等編纂《同名異書匯錄》頁一三九著錄。

十四、《春秋左傳》：《馬來西亞大學中文圖書目錄》七一三・一著錄。

十五、《春秋左傳註》：《馬來西亞大學中文圖書目錄》七一三・一著錄。

十六、《春秋左氏傳杜氏集解》：《馬來西亞大學中文圖書目錄》七一三・一著錄。

十七、《春秋左傳杜注》：耿文光《萬卷精華樓藏書記》卷八，頁二八七著錄。

《隋志》：「三十卷。」

【卷數】本書卷數差異如下：

一、一卷（殘）：張壽平《公藏先秦經子注疏書目》頁一一〇著錄。

二、二十八卷（殘）：張壽平《公藏先秦經子注疏書目》頁一一一著錄。

三、二十九卷（殘）：張壽平《公藏先秦經子注疏書目》頁一一一著錄。

四、二十六卷（殘）：張壽平《公藏先秦經子注疏書目》頁一一一著錄。

五、十二卷（殘）：張壽平《公藏先秦經子注疏書目》頁一一一著錄。

六、六十卷：張壽平《公藏先秦經子注疏書目》頁一一二著錄。

七、二十九卷（殘）：張壽平《公藏先秦經子注疏書目》頁一一二著錄。

八、三十一卷（殘）：張壽平《公藏先秦經子注疏書目》頁一一三著錄。

九、二十三卷（殘）：瞿鏞編纂・瞿果行標點・瞿鳳起覆校《鐵琴銅劍樓藏書目錄》卷五，頁九七著錄。

十、五卷（殘）：駱兆平《新編天一閣書目》頁一五五著錄。

十一、三十六卷：《杭州大學圖書館善本書目》頁七著錄。

存。

【霖案】程金造編著《史記索隱引書考實》頁一〇一至頁一〇八曾輯錄其文。

【版本及藏地】本書版本及藏地如下：

一、明覆刊宋淳熙三年閩山阮氏種德堂本：台北國家圖書館、北京大學圖書館、北京圖書館有藏本。

【增補】《國家圖書館善本書志初稿》：「【春秋經傳集解三十卷附春秋名號歸一圖

二卷三十冊】

明覆刊宋淳熙三年（1176）閩山阮氏種德堂本　00581

晉杜預撰。

版匡高 14.9 公分，寬 10.7 公分。左右雙邊。每半葉十行，行十八字。註文小字雙行，行二十二字。版心白口，雙魚尾。中間記卷第(如『左一』)，下方書葉次。書中多處後人鈔補，如卷二葉十八，卷五葉二十，卷八葉五、七，卷十四葉三，卷十七葉九，卷二十二葉十二，卷二十九葉二十四。其它漫漶之處甚多。

首卷首行頂格題『春秋經傳集解隱公第一』。下附雙行釋音釋文。第四行低八格題『杜氏盡十一年』。卷末有尾題。卷末殘缺葉題『淳熙柔兆涒灘中夏初吉閩山阮仲猷種德堂刊』方形牌記。卷首有杜預序。文中朱筆圈點，書眉多處眉批，不知出自何人。

書中鈐有『延古堂李氏珍藏』白文橢圓印、『震/川』白文方印、『茅坤/鹿門/之印』白文方印、『張緄(？)/之印』朱白文小方印、『劉名/楨印』白文方印、『國立中央圖/書館收藏』朱文長方印、『燕/生』朱文方印、『姑蘇暘谷山/人周之爽印』朱文長方印、『大興朱氏竹君/藏書之印』朱文長方印、『朱筠/之印』白文方印、『朱印/錫庚』白文方印、『之爽/私印』朱文方印、『汝南/私記』朱文方印、『周氏/燕生』朱文方印、『周氏/暘谷』朱文方印、『乾坤清/氣入肺腑』白文長方印、『春風扇/傲松』朱文扇形印、『有/光』白文方印、『劉氏/名楨』白文方印、『弄墨/晨書』白文方印、『恥與/萬人同』朱文方印、『燕生周之爽印』朱文長方印、『古婁/龔埏』白文方印、『沉醉/三郎』白文方印、『東海/龔生』白文方印、『鹿城/居士』朱文方印。

著錄者有《適園藏書志》卷二。」(頁 156)。

【增補】《國家圖書館善本書志初稿》：「【春秋經傳集解三十卷二十八冊】

明覆刊宋淳熙三年(1176)閩山阮氏種德堂本 00583

晉杜預撰。

版匡高 14.8 公分，寬 10.9 公分。左右雙邊。每半葉十行，行十八字。註文小字雙行，行二十二字。版心花口，雙魚尾(魚尾相隨)，魚尾上方記書名卷第(如『左傳一卷一』)，上魚尾下方記魯公(如『隱公』)，下魚尾下方書葉次。卷三十尾題後有淳熙三年閩山阮仲猷種德堂刊木記。

卷首有杜預春秋序，卷末另有後序一文。序後附一葉春秋諸國地理圖。未附春秋名號歸一圖。卷首有王存谿(元讓)乾隆己(六十年，1795)手書題記，並附印記。文中紅藍筆圈點。

書中鈐有『國立中/央圖書/館考藏』朱文方印、『項子京/家珍藏』朱文長方印、『存/谿』朱文方印、『伯生/珍祕』朱文方印、『東吳/張氏』朱文方印、『琴書/小閣』

白文方印、『靜軒吳志恭/珍藏印』白文長方印。

《適園藏書志》卷二有著錄。」(頁 156~157)。

【增補】《國家圖書館善本書志初稿》：「【春秋經傳集解存二十九卷附春秋名號歸一圖二卷三十二冊】

又一部 00584

缺卷四，卷二十九葉一至九。

後序存葉一。卷十五葉三，後人墨筆鈔補。文中朱筆圈點，書眉處偶有批語。

書中鈐有『延恩/世澤』朱文方印、『海日/樓』白文方印、『巽齋/所藏』朱文方印、『國立中/央圖書/館考藏』朱文方印、『獨山/莫氏/所藏』朱文方印、『霞秀/景飛/之寶』朱文方印、『子培/父』朱文方印。

《適園藏書志》卷二有著錄。」(頁 157)。

【增補】王重民：《中國善本書提要》曰：「【春秋經傳集解三十卷卷首一卷】十二冊（《四庫總目》卷二十六）（北圖）

明覆宋本〔十行十八字注雙行二十二字（15╳10.3）〕

晉杜預撰。卷末有牌記云：「謹依監本、寫作大字，附以《釋文》，三復校正刊行。如履通衢，了亡窒礙處，誠可嘉矣！兼列圖表于卷首，墉夫唐、虞、三代之本末源流，雖千歲之久，豁然如一日矣！其明經之指南歟？以是衍傳，願垂清鑑。淳熙柔兆涒灘中夏初吉，閔山阮仲猷種德堂刊」，則此本據宋淳熙本重雕。卷內有「真州吳氏有福讀書堂藏書」印記。

自序

又後序。」（頁二四）

【增補】李盛鐸著．張玉範整理《木犀軒藏書題記及書錄》頁七三曰：「【春秋經傳集解】三十卷　〔晉杜預撰〕　宋刊本〔明覆刻宋淳熙三年（１１７６）阮氏種德堂本〕　李６７８

附釋文。半葉十行，行十八字，注二十二字。卷末有淳熙丙申〔三年，１１７６〕阮仲猷種德堂刊識語八行。前有地理、世次、名號各圖。」（頁七三）

二、日本古活字本：台北國家圖書館有藏本。

【增補】《國家圖書館善本書志初稿》：「【春秋經傳集解三十卷十五冊】

日本古活字本　00593

晉杜預撰。

版匡高 20.5 公分，寬 16.9 公分。左右雙邊。每半葉八行，行十七字。註文小字雙行，字數同。版心大黑口，雙花魚尾(魚尾相向)，上方記卷第(如『左氏一』)，下方書葉次。

首卷首行頂格題『春秋經傳集解隱公第一』，次行低六格題『杜氏盡十一年』。卷末有尾題，後附刻經傳字數。卷首有杜預春秋左氏傳序。全書後有春秋經傳集解後序。文中墨筆日文音讀，書眉墨字評語，全書朱筆圈點，不知出自何人。

書中鈐有『保壽菴』白文長方印、『草/盦』朱文方印、『杏/山』朱文鼎形印、『桐城蕭氏/敬孚藏書』朱文長方印、『國立中央圖/書館收藏』朱文長方印、『伊澤氏/酌源堂/圖書記』朱文方印、『桐城蕭穆/經籍圖記』朱文長方印。

《藝風藏書續紀》卷一有著錄。」(頁 158)。

又大東急記念圖書館另有一本，題作「（江戶）刊（木活）」，疑為此本，今暫列於此，以俟後考。

三、明嘉靖覆宋相台岳氏荊谿家塾刻本：晉杜預注，唐陸德明釋文，《春秋經傳集解》三十卷，棉紙，四周雙邊，白口，線魚尾，半葉八行十七字，注小字雙行，行十七字，每葉左欄外有耳，刻篇識。前後有舊〈序〉。正文刊句讀，注文附釋音。三十四冊。台北：國家圖書館、故宮博物院；北京圖書館、長春：東北師範大學、中山大學、山東等圖書館均有藏本。

【增補】《國家圖書館善本書志初稿》：「【春秋經傳集解三十卷十五冊】

明覆刊元相臺岳氏本 00585

晉杜預撰。

版匡高 19.9 公分，寬 14 公分。左右雙邊。每半葉八行，行十七字。註文小字雙行，字數同。版心白口，雙白魚尾，中間記書名卷第葉次(如『左傳卷一二』)，魚尾下方記刻工名。左上欄外有耳題記篇名。刻工名：云、侃、茂、綸、宅、崔、奎、先等。

首卷首行頂格題『春秋經傳集解隱公第一』，次行低二格雙行小字註，『隱公名息姑。惠公之子。毋聲字。諡法。不尸其位曰隱。』第三行低四格題『杜氏註盡十一年』。卷末有尾題。卷首有杜預序，書末有後序。卷第一葉一書眉有墨字批文，不知出自何人。文中附刻句讀。

書中鈐有『李禮/之印』白文方印、『慎始/基齋』朱文方印、『盧/弼』朱文長方印、『國立中央圖/書館考藏』朱文長方印、『季振宜/藏書』朱文長方印、『行樾』朱文橢圓印。

諸家著錄有《皕宋樓藏書志》卷八、《善本書室藏書志》卷三、《五十萬卷樓藏書目錄》卷二。」(頁 157)。

【增補】《國家圖書館善本書志初稿》：「【春秋經傳集解三十卷十五冊】

又一部　00587

文中第一冊有朱筆圈點。

書中鈐有『國立中央圖/書館收藏』朱文長方印、『希古/古文』朱文方印。」(頁 157)。

【增補】《國家圖書館善本書志初稿》:「【春秋經傳集解三十卷十冊】

又一部　00588

全書朱筆圈點,不知出自何人。

書中鈐有『劉承幹/字貞一/號翰怡』白文方印、『吳興劉氏/嘉業堂/藏書印』朱文方印、『南陵徐乃弟/珍藏經籍金/石書畫印記』白文方印、『吳瑞/圖印』白文方印、『容/甫』朱文方印、『國立中/央圖書/館考藏』朱文方印。」(頁 157)。

【增補】《國家圖書館善本書志初稿》:「【春秋經傳集解三十卷十五冊】

又一部　00589

封面書簽題『春秋左傳』,下小字卷數(如『一之二』)。

書中鈐有『國立中央圖/書館收藏』朱文長方印、『澤存/書庫』朱文方印、『王香書』朱文印。」(頁 157)。

【增補】《國家圖書館善本書志初稿》:「【春秋經傳集解三十卷十五冊】

明覆刊元相臺岳氏本　00586

晉杜預撰。

版匡高 20 公分,寬 14 公分。本書與前書號皆為明覆元刊,但字體、刻工名皆不相同,當為不同坊刻本。刻工名:劉、章、仁、儒、意、言、信、唐、仲、宗、東、松、張、清、啟等。

卷末跋後有一總計全書字數『凡三十四萬五千八百四十四字』,次一行小字雙行『經十九萬八千八百八十二字/注十四萬六千九百六十二字』。

書中鈐有『國立中央圖/書館收藏』朱文長方印、『清/寰』朱文方印。」(頁 158)

又台北:中央研究院史語所藏有「明嘉靖間刊本」,當即此本,今暫置於此,以俟後考。

又大東急記念文庫藏有一本,題作明刊覆宋岳珂本,當即此本,今暫置於此,以俟後考。

又美國國會圖書館有藏本。

又中國歷史博物館有藏本。

【增補】《中國歷史博物館古籍善本書目》曰:「春秋經傳集解　三十卷

晉杜預撰　明繙相台岳氏刻本　十二冊

存卷一至卷九卷十七至卷二十二　八行十七字注雙行四周雙邊白口左上角有耳格　（善４０９）」（頁六）

【增補】王重民：《中國善本書提要》曰：「【春秋經傳集解三十卷】三十二冊（北大）

明覆相臺岳氏本〔八行十七字（19.9╳12.9）〕

原題：「杜氏註。」邵氏《簡明目錄標註》云：「明代翻刻岳板凡有四本」，此本不記翻刻人姓氏。

杜預序

又後序。」（頁二四）

【增補】王重民：《中國善本書提要》曰：「【春秋經傳集解三十卷】　十五冊（國會）

明繙相臺岳氏刻本〔八行十七字（20╳13）〕

晉杜預撰。按此即陳鱣所謂明繙相臺岳氏刻本也。首題「《春秋經傳集解》隱公第一」，隔行低四格：「杜氏注」，越三格：「盡十一年」，次傳文起。注雙行，附釋音。每葉之末，上刻某公幾年。陳氏曾據校杜林合注本，得異文若干事，俱與此本合，載《經籍跋文》中。惟隱公三年《傳》：「百祿是荷」，陳氏謂作「是何」，今此本實作「是荷」。阮氏《校勘記》云：「宋本荷作何，注同。《釋文》亦作何，云本又作荷。案詩作何字，作何字則與《說文》字義合，凡作荷者皆字之假借也。」卷內有「鄧汝功」、「青芝山人」兩印記。一本卷內有「公亮」小方印。

自序

又後序。」（頁二四）

【增補】嚴寶善編錄《販書經眼錄》卷一曰：「卷三十缺。晉杜預注，唐陸德明釋文。明嘉靖間覆元相臺岳氏荊谿家塾刻本，棉紙，存十五冊。四周雙邊，白口，線魚尾；半葉八行，注小字雙行，行十七字。每葉左闌外有耳，刻篇識。前有杜氏序七葉。正文刊句讀，注文附釋音。全書經朱筆點讀。」（頁八至頁九）

【增補】（大陸）《中山大學圖書館古籍善本書目》云：「《春秋經傳集解》三十卷

（晉）杜預注　明嘉靖覆元相岳氏刻本　清康熙十八年申涵汾批點　十五冊

又一部　十六冊　佚名朱筆圈點及眉批

又一部　十六冊

八行，十七字，小字雙行，字數同，白口，四周雙邊，左書耳。後序後有清申涵汾墨筆題記：『康熙己未初秋為公引盧子批閱，隨叔』，鈐『申涵汾印』朱印。」

（頁十八）

【增補】《東北師範大學圖書館藏古籍善本書目解題》云：「是編所述事跡皆徵國史，故說《春秋》者多以是書均根底。

杜預：晉，恕子，字元凱。博學多通，泰始中為河南尹、秦州刺史、拜度支尚書。後又拜鎮南大將軍、都督荊州諸軍事。作《盟會圖》、《春秋長曆》，備成一家之學。卒贈征南大將軍，謚成。」（頁三一）

【增補】《山東省圖書館館藏海源閣書目》曰：「《春秋經傳集解》　三十卷（晉）杜預撰；（唐）陸德明釋文，－明刻本．－１５冊（２函）；２０．５×１４．１cm．－８行１７字，小字雙行同，白口，四周雙邊，雙白魚尾，有『陽城張氏省訓堂經籍記』『張敦仁讀過』『文章大家』『顧榮』等印。」（頁二六至頁二七）

【增補】《中央研究院歷史語言研究所善本書目》曰：「《春秋經傳集解》三十卷十冊　晉杜預注　明嘉靖間刊本。」（頁八）

【霖案】本書曾由一九五五年文學古籍刊行社影印發行。

四、日本室町時代（１３９２－１５７３）翻刻宋嘉定九年興國軍本：晉杜預撰；唐陸德明釋，該版本有清．楊守敬、吳慈培及日人市野光彥跋，《中國館藏和刻本漢籍書目》頁四一著錄，北大圖書館有藏本。

五、日本慶長年間（１５９６－１６１５）活字印本：晉杜預撰；唐陸德明釋，《中國館藏和刻本漢籍書目》頁四一著錄，北大圖書館有藏本。

六、日本安政二年（１８５５）刻本：《中國館藏和刻本漢籍書目》頁四一著錄，上海圖書館有藏本。

七、日本安政三年（１８５６）仙臺書鋪靜嘉堂菅原屋安兵衛印本：《中國館藏和刻本漢籍書目》頁四一著錄，北大、遼寧等圖書館有藏本。

八、日本安政三年（１８５６）仙臺書鋪靜嘉堂菅原屋安兵衛印本：傅增湘校并跋；傅增湞、陳瀛校，《中國館藏和刻本漢籍書目》頁四一著錄，北京圖書館有藏本。

九、日本安政三年（１８５６）東京書肆知新堂、錦新堂合刻本：《中國館藏和刻本漢籍書目》頁四二著錄，四川圖書館有藏本。

十、日本刻本：《中國館藏和刻本漢籍書目》頁四二著錄，華東師大、浙江（存卷一至卷二十八）、重慶等圖書館有藏本。

十一、日本刻本：清楊守敬校并跋，《中國館藏和刻本漢籍書目》頁四二著錄，北京圖書館有藏本。

十二、日本安政五年（１８５８）薩摩府學重刻清乾隆武英殿本：《中國館藏和刻本漢籍書目》頁四二著錄，北大、上海、湖北、天一等圖書館有藏本

十三、日本安政五年（１８５８）薩摩府學重刻清乾隆武英殿本：《中國館藏和刻本

漢籍書目》頁四二著錄，清吳慈培校，北京圖書館有藏本。

十四、日本明治三十六年（１９０３）井井書屋鉛印本：晉杜預撰．日本竹添光鴻箋，《中國館藏和刻本漢籍書目》頁四三著錄，科學、清華、人大、天津、山西大、吉林、青海、南大、湖南、廣東等圖書館有藏本。

十五、日本嘉永三年（１８５０）重刻本：晉杜預集解．唐陸德明音義．日本秦鼎校讀，《中國館藏和刻本漢籍書目》頁四三著錄，大連圖書館有藏本。

十六、日本明治四年（１８７１）刻本：晉杜預集解．唐陸德明音義．日本秦鼎校讀，《中國館藏和刻本漢籍書目》頁四三著錄，湖南、北碚等圖書館有藏本。

十七、日本明治十三年（１８８０）重刻文化九年本：晉杜預集解．唐陸德明音義．日本秦鼎校讀，《中國館藏和刻本漢籍書目》頁四三著錄，遼寧圖書館有藏本。

十八、日本明治十六年（１８８３）刻本：晉杜預集解．唐陸德明音義．日本秦鼎校讀，《中國館藏和刻本漢籍書目》頁四三著錄，大連圖書館有藏本。

十九、日本明治十七年（１８８４）刻本：晉杜預集解．唐陸德明音義．日本秦鼎校讀，《中國館藏和刻本漢籍書目》頁四四著錄，上海、天津等圖書館有藏本。

二十、日本明治十六年（１８８３）大阪修道館鉛印本：晉杜預集解．唐陸德明音義．日本豐島毅增補，《中國館藏和刻本漢籍書目》頁四四著錄，人大圖書館、台北圖書館均有藏本。

二十一、日本文化三年（１８０６）刻本：晉杜預註．日本冢田虎增註，《中國館藏和刻本漢籍書目》頁四四著錄，北大圖書館有藏本。

二十二、宋刻本：晉杜預撰　唐陸德明釋文《春秋經傳集解》三十卷，宋李厚撰《春秋總要》一卷，八行十五、十六字小字雙行廿一字白口四周雙邊，附李厚《春秋總要》一卷，程志〈現存唐人著述簡目〉頁二五八著錄，北京圖書館有藏本。

二十三、宋鶴林于氏家塾棲雲閣修元刊本：晉杜預撰　唐陸德明釋文《春秋經傳集解》三十卷，李盛鐸、周叔弢跋，十行十六、七字注雙行三十二字白口左右雙邊有刻工〕存二十九卷〔一至九、十一至三十〕，中國國家圖書館有藏本。程志〈現存唐人著述簡目〉頁二五八著錄，北京圖書館有藏本。

二十四、元岳氏荊谿家塾刻本：附《春秋名號歸一圖》二卷，《年表》一卷，程志〈現存唐人著述簡目〉頁二五八著錄，北圖有藏本。

二十五、明萬曆八年親仁堂刻本：（晉）杜預注　（明）穆文熙評輯《春秋經傳集解》三十卷，《首》一卷；蜀馮繼先撰《春秋名號歸一圖》二卷，《春秋提要》一卷，九行二十字小字雙行同白口左右雙邊有刻工，程志〈現存唐人著述簡目〉頁二五八、（大陸）《中山大學圖書館古籍善本書目》頁十九著錄。

又中國人民大學圖書館有藏本，《中國人民大學圖書館古籍善本書目》頁十三著錄。

又北京：國家圖書館、北京大學圖書館、中國科學院圖書館、北京市文物局、吉林大學圖書館、黑龍江大學圖書館、浙江圖書館、安徽省圖書館、福建省圖書館、湖南師範學院圖書館有藏本。

【增補】《中國人民大學圖書館古籍善本書目》曰：「００９１　１６／８０

春秋左氏經傳集解三十卷

（晉）杜預撰　（唐）陸德明釋文

春秋名號歸一圖二卷

（蜀）馮繼光撰

春秋提要一卷

明萬曆八年（１５８０）金陵李時成親仁堂刻本

十六冊二函

九行二十字，小字雙行同，白口，單魚尾，左右雙邊。版心下鐫刻工溫志明、易鎡等。鈐『江陰繆荃孫藏書記』、『彭孟之印』、『天承山人』、『淮南客』、『亞若山人』諸印。」（頁十三）

又台北：國家圖書館、大陸中山大學圖書館藏有穆文熙輯評，明萬曆間刊本，疑即此本，今附於此。

【增補】《國家圖書館善本書志初稿》：「【春秋經傳集解三十卷十六冊】

明萬曆間刊本　**00596**

晉杜預撰，穆文熙輯評。

版匡高 **24** 公分(上欄高 **3.7** 公分)，寬 **14.4** 公分。左右雙邊。分上下欄，左上欄外有耳題記魯公年。每半葉九行，行二十字。註文小字雙行，字數同。版心白口，單魚尾，魚尾下方記書名卷第(如『左傳一』)，再下記葉次，最下方書刻工名及字數。『經』、『傳」以墨圍別出。

刻工名：蕭椿、吳洪、陳經(或作經)、彭元、劉榮、肖舉、韓杭(或作杭)、魏國用(或作魏用、用、國用)、順器(或作順、器)、密、林玉時(或作林時、林玉、時)、洪仁、陳潘、潘如、林玉朱(或作玉朱、林朱、朱) 、王才、志、江、韓祥(或作祥)、李機、張淮、林良(或作良)、明、彭心(或作心) 、禮、彭中(或作中) 、肖春、付、張、李元、約用(或作約)、李文、涂、邦祥(或作祥邦)、江朝、朱、林桂、(或作林)、林、付機、付汝亮、吳仁、李方、明源、韓彥、徐、潘淮鶴(或作潘淮)、趙應選、陶、陳二、正、楊祥、奉、鳴、劉、李、明文、朱昆、合、正時(或作正)、楊、林江、鳳、王等。

首卷首行頂格題『春秋經傳集解隱公第一』，次行低一格『晉當陽侯杜預註盡十一年』，第三行低一格至第四行題『明吏部考功員外穆文熙編纂/兵部左侍郎石星校閱/河南道監察御史劉懷恕參閱/江西道監察御史沈權同閱』。卷末有尾題。卷首有杜預春秋序。序後收錄『東坡指掌春秋列國圖』、『春秋列國東坡圖說』、『諸侯興廢』、『春秋提要』及『春秋名號一圖』二卷。上欄附刻諸家評文如孫應鰲、汪道昆、穆文熙、呂祖謙、胡氏、公羊子等，為穆文熙輯評。文中多處墨筆補鈔。

書中鈐有『國立中央圖/書館收藏』朱文長方印、『臣/瑞(?)印』朱白文方印。另有一印不詳。」(頁 159~160)。

二十六、宋龍山書院刻本：晉杜預撰　唐陸德明釋文《纂圖互注春秋經傳集解》三十卷，蜀馮繼先撰《春秋名號歸一圖》二卷，袁克文跋，十二行二十一字小字雙行二十五字細黑口左右雙邊。又程志〈現存唐人著述簡目〉頁二五八曾著錄此本，此本藏於北京圖書館。

二十七、清獨山莫友芝手鈔唐石經本：殘存一卷，存第十一，台北國家圖書館有藏本。

【增補】《國家圖書館善本書志初稿》：「【春秋經傳集解存一卷一冊】

清獨山莫友芝朱絲欄手鈔唐石經本　00578

晉杜預撰。預字元凱，京兆杜陵人。預有大功名於晉，位至征南將軍，開府，封當陽侯。

版匡高 19.5 公分，寬 13.4 公分。每半葉十二行，行二十字。版心白口，單魚尾，魚尾下方記書名卷第(如『春秋左傳十一』)，再下方書葉次，再下方登錄每葉字數。文中避諱丘、民、淵、虎、成、城。存卷十一。

首行頂格題『春秋經傳集解宣下第十一』，次行低十一格題『杜氏盡十八年』。卷末有尾題。

書中鈐有『南海馮焌光校刊縮臨唐石經本』墨文長方印、『獨山莫/氏圖書』朱文長方印、『國立中央圖/書館收藏』朱文長方印、『獨山莫/繩孫字/仲武印』朱文長方印、『邵/亭』白文方印、『其名/曰友』朱文方印。」(頁 155)。

二十八、宋淳熙間撫州公使庫刊本配補乾道間江陰軍學本：缺首二卷，台北故宮博物院有藏本。

又北京：中國國家圖書館另有藏本，題作「宋撫州公使庫刻遞修本」，十行十六字小注二十四字白口四周雙邊，晉杜預撰《春秋經傳集解》三十卷。

二十九、宋潛府氏家塾刊本配補宋建刊纂圖互註本：缺卷四，台北國家圖書館有藏本。

【增補】《國家圖書館善本書志初稿》：「【春秋經傳集解存二十九卷附春秋名號歸一圖二卷諸侯興廢等二卷十六冊】

南宋潛府劉氏家塾刊本配補宋建刊纂圖互註本　00579

晉杜預撰。

版匡高 19 公分，寬 12.6 公分。左右雙邊。每半葉十一行，行二十字。註文小字雙行，行二十六字。版心小黑口，雙魚尾(魚尾相向)，版心上方登錄每葉字數，中間記篇名(如『春一』)及葉次。左上欄外有耳題記魯公年(如『隱元年』)。宋諱玄、弦、弘、泓、殷、匡、筐、恒、禎、貞、徵、讓、桓、完、構、搆、慎、敦俱缺末筆。文中殘缺甚多，除缺卷四外，卷三莊公缺二十三至三十二年，卷五僖公缺元年至二年。卷十四缺一至四葉，卷十八缺二十七葉，卷十九缺十一葉，卷二十四第四葉缺後半葉級二十五葉。卷三十缺哀公二十二年至二十七年。

首卷首行頂格題『春秋經傳集解隱第一』，次行註文小字雙行陸德明音義，第三行低十二格題『杜氏盡十一年』。卷末有尾題。春秋序終後有一牌記題『潛府劉氏家塾希世之寶』，文占三行。第十五冊卷首有『春秋序』一文，陸德明曰，此杜元凱所作。內附陸德明釋文。歸一圖前收錄『春秋諸國地理圖』及『春秋傳授次序圖』。諸侯興廢後附『春秋終始』及『春秋一百二十四國爵姓』。註文『重言』、『似句』以墨蓋子別出，其他以墨圍別出。尾題後刻出經傳、注、音義每卷字數。卷十二、十三、十九為配補宋末建刊纂圖互註本。歸一圖卷上有多處後人鈔補。

書中鈐有『涉園』朱文長方印、『芳春』朱文長方印、『澹如』朱文長方印、『真』『賞』朱文連珠方印、『華父』朱文長方印、『芳春/之印』白文方印、『存省/居』朱文方印，『國立中央圖/書館收藏』朱文長方印、『句吳李/氏澹如/家藏印』白文方印、『張印/載華』白文方印、『芷齋/圖籍』朱文方印。」(頁 155)。

三〇、宋建安余仁仲萬卷堂刊本配補宋刊纂圖互註本：有唐．陸德明釋文，缺卷十、卷十一、卷二十八、卷三十凡四卷，國家圖書館有藏本。

【增補】《國家圖書館善本書志初稿》：「【春秋經傳集解存二十六卷十二冊】

南宋建安余仁仲萬卷堂第四種宋刊配補本　00580

晉杜預撰，唐陸德明釋文。

版匡高 16.7 公分，寬 11.3 公分。左右雙邊，每半葉十一行，行二十字。註文小字雙行，字數同。版心小黑口，雙魚尾(魚尾相向)，版心上方登錄每葉字數，中間記篇名(如『左一』)，下方書葉次。左上欄外有耳題記魯公年(如『隱元年』)。此版阿部隆一稱十一行本，卷次為卷一至卷六，卷二十一至卷二十六。(二)劉氏家塾本為卷六(葉七十二至七十四葉)及卷七，卷十七至卷二十。(三)余仁仲萬卷堂刊本，為卷八、九、十二、十三、十六、二十九凡六卷。(四)纂圖互註本為卷十四至十五及卷二十七凡三卷。避宋諱玄弦弘殷匡筐胤恒貞徵懲樹讓桓完構搆溝媾慎等字。缺卷十、十一、二十八、三十凡四卷。卷十三缺成公十八年七、八、十一、十二月。卷十九缺一至三葉。卷二十一第十二葉為後人鈔補。

首卷首行頂格題『春秋經傳集解隱公第一』次行低三格題『唐國子博士吳縣開國男陸德明釋文附』。卷末有尾題。卷七尾題後蓮花墨筆題識『端平乙未六月振宗用別本對點』。後二行墨文長方形藏書印題『先祖櫻菴父稽古收置經書甚勤苦傳誦應期千萬年如此方為敬吾祖江陰拙逸徐良器題』。文占三行。卷八尾題後有余仁仲刊于家塾，卷九余氏刊于萬卷堂牌記。卷十六尾題後刻余仁仲比校訖。卷十七及卷十八牌記同卷七。卷首有杜預春秋序，附陸德明釋文。序後有春秋紀年。註文重言、釋文、音釋以墨蓋子白文別出。文中朱筆圈點。卷十二尾題被改成卷三。

書中鈐有『國立中央圖/書館收藏』朱文長方印、『汪士鐘藏』白文長方印、『國立中央/圖書館/藏書』朱文方印、『荛圃/收藏』朱文長方印、『迪甫/家藏』朱文方印、『先祖櫻菴父稽古收置經書甚/勤苦傳誦應期千萬年如此方/為敬吾祖江陰拙逸徐良器題』墨文長方印。」(頁 155~156)。

三一、明嘉靖間復刊宋淳熙三年閩山阮氏種德堂巾箱本：台北故宮博物院有藏本。

三一、宋淳熙三年閩山阮氏種德堂本

【增補】瞿鏞編纂・瞿果行標點・瞿鳳起覆校《鐵琴銅劍樓藏書目錄》卷五曰：「首題『《春秋》序』，次題『唐國子博士兼太子中允贈徐州刺史吳縣開國男陸德明釋文附』。分卷同《唐石經》。首行題『《春秋經傳集解》〈隱公〉第一』，下接《釋文》，至三行止。四行低八格，題『杜氏』，越二格，題「盡十一年」。每半葉十行，行十八字。注文雙行，行廿二字。卷末有墨圍《識語》八行云：『謹依藍本，寫作大字，附以《釋文》，三復校正刊行，如履通衢，了亡室（小注云：疑『窒』之誤。）礙處，誠可嘉矣。兼列圖表于卷首， 夫唐虞二代之本末源流，雖千歲之久，豁然如一日矣。其明經之指南歟。以是衍傳，願垂清鑑。淳熙柔兆涒灘中夏初吉閩山阮仲猷種德堂刊。』案：柔兆涒灘為丙申，乃宋孝宗淳熙三年也。與阮氏〈校勘記〉所載淳熙小字本正同。惟是本前序後載有《春秋圖說》，首，春秋諸國地里圖；次，三皇五帝世系；又次，周及各國世次，凡二十國。視岳本所載年表，多燕、虞二國，少小邾一國。又次，《春秋名號歸一圖》二卷；又次，《諸侯興廢》；又次，《春秋總例》；又次，《春秋始終》；而以公羊、穀梁、左氏三家傳授終焉。阮本止有《名號歸一圖》二卷，且附於末，與《識語》所稱『兼列圖表于卷首』者不合，似不若是本為完整矣。是本佳處，黃琴六丈廷鑑嘗為之跋，其略曰：書中莊六『後君噬齊』作『噬臍』；僖廿三『懷與安』『懷其安』；宣十二『楚軍討鄭』，『軍』作「君」；『屈蕩尸之』，『尸』作『戶』；襄廿八『武王有亂臣十人』，無『臣』字；昭八『臣必致死以息楚』，『楚』下有『國』字；定八『晉師將盟衛侯于鄟澤』，『鄟』作『剸』：皆足正明監及坊本之失。阮氏定為宋刻善本，有以也。（小注云：卷首末有『董其昌印』朱記）」（頁九六至頁九七）

三二、明覆刊宋淳熙三年閩山阮氏種德堂本：晉杜預撰《春秋經傳集解》三十卷，二十八冊，清乾隆（六十年）王元讓手書題記，台北國家圖書館有藏本。

【增補】王元讓〈題記〉曰：「此宋刻元印春秋經傳集解三十卷，即阮氏校勘記所載淳熙小字本也。校勘記歷序是書舊本，北宋刻有二而皆殘卷，其完善無闕者，首列是書，惜末有名號歸一圖二卷，今已軼去，然無損于是書也。書中莊六「後君噬齊」作「噬臍」；僖廿三「懷與安」作「懷其安」；宣十二「楚軍討鄭」，「軍」作「君」

；襄廿八「武王有亂臣十人」，無「臣」字；昭八「臣必致死以息楚」，「楚」下有「國」字；定八「晉師將盟衛侯于鄟澤」，「鄟」作「剸」，皆足正明監本及坊本之失，間有俗體訛字，無傷大指，阮氏定為宋刻中善本，有以也。乾隆乙卯端午前一日，王存谿識。」（轉錄《標點善本題跋集錄》頁二三至頁二四）

三三、明覆刊宋淳熙三年閩山阮氏種德堂本配補清虞氏述古堂影鈔本：晉杜預撰，唐．陸德明釋文，朱筆批校評點，存卷八、卷十三、卷十四、卷十六、卷十八、卷十九、卷二十二、卷二十五至卷二十八、卷三十及《春秋名號歸一圖》下卷、《諸侯興廢》一卷、《總例》一卷、《春秋始終》一卷，共二函，十三冊，台北：國防研究院有藏本。

三四、明建陽劉氏慎獨齋覆宋阮氏巾箱本：台北故宮博物院有藏本。

三五、明覆刊宋鄭莊茲本：近人鄧邦述手書題記，台北中研院史語所有藏本。

【增補】《中央研究院歷史語言研究所善本書目》曰：「《春秋經傳集解》三十卷十六冊　晉杜預注　明覆刊宋鄭莊茲本　近人鄧邦述手書題記。」（頁八）

三六、清稽古樓刊袖珍十三經註本：晉杜預撰《春秋左傳注》六十卷，馬來西亞大學圖書館有藏本。

三七、清乾隆四十八年武英殿仿元相臺岳氏刊本：缺卷七，台北故宮博物院有藏本。

【增補】耿文光《萬卷精華樓藏書記》卷八曰：「《春秋左傳注疏》六十卷

晉杜氏注　唐陸德明音義　孔穎達疏

武英殿本。前有目錄、春秋正義序、春秋左傳序、春秋左傳原目，附春秋三傳注解、傳述人。傳起隱公元年，盡哀公十七年。卷末為杜氏後序。此序并疏說《竹書》甚詳，各卷末有考證，凡有關於左氏短長有補於杜注孔疏者，悉采錄之，附於後。伏讀《天祿琳琅書目》曰春秋經傳二十卷，無注，刻於光宗時。左傳監本訛舛甚多，幸宋刻尚有數本，前人辨證亦多不至，如《儀禮》絕學，傳刻辨證俱鮮也。此本較它本俱優，足證監本之訛者，凡若干條。書中有九疊東宮書府印，蓋明官籍也。《春秋經傳集解》三十卷，前預自序，後預後序，每卷末載經注若干字，乃真宋監本，希世之珍。其證有四：不附入音義，一也；自序後連卷一不另篇，二也；闕筆極謹嚴，如桓二年，珽字諸書從未見避，三也；明傳刻監本誤字一一無訛，四也。得此真於讀書有益，不特元明諸刻，即同時麻沙本度越遠矣。書末跋云：衛侯賜北宮喜溢曰貞子，賜析木鉏諡曰成子。杜注云：皆未死而賜諡，《困學紀聞》引焉。是人臣生而賜諡也。後升庵、寧人漁洋皆據以為古人有生而諡者，昔何義門得宋槧不全。《左傳》注中云：皆死而賜諡。予檢相台本及諸本，皆有未字，惟汲古所藏宋刻《左傳》全帙，及殘本皆作死而賜諡，蓋未字之增已久，伯厚不加細審，為所誤耳。予因取翻岳本校之，無甚大謬，然此一字之增，何啻霄壤間？正數十字，皆岳本不及，此本真可寶也。因志之以破千古之誤。乾隆丙午秋仲彭城仲子識。按是跋不著名氏而其說頗有考訂。何焯語出所評《困學紀聞》亦有根據，故附鈔之。《春秋經傳集解》附音義，印記云：淳熙三年四月十七日左廊司局內曹掌興秦王楨等奏聞，壁經《春秋》《左傳》《國語》《史記》等書多為蠹魚傷牘，不敢備進上覽。奏勒用棗木椒紙各造十部，四年九月進覽。監造臣曹棟校梓，司局臣郭慶驗牘。按書中字句間有一二與傳刻監本同者，然大指尚不外誤。據識乃孝宗年所刻，以備宣用者。棗木刻世尚知用，若印以椒紙，後來無此精工也。杜預《集解》附音義，宋麻沙本末刻印記云：謹依監本寫作大字，附以釋文，三復校正刊行。如復通衢，了亡窒礙，誠可嘉矣。兼列圖表於首， 夫唐虞三代之末末，雖千載之久，豁然如一日矣。其明經之指南歟！以是所傳，願垂清鑒。淳熙柔兆活灘中夏初吉閔山阮沖猷種德堂刊。據此則岳珂謂監本釋文自為一書益信，而明代傳刻附入釋文者，皆沿麻沙而非宋監本之舊，宜字句之多訛耳。《春秋集注》一函，二冊，張洽注。洽字元德，清江人。朱門弟子書十一卷。按明初定科舉制，春秋用胡安國傳及治（洽）集注，此書列於學官，與朱、蔡、胡、陳并行。後來學者日趨簡便，遂廢不行，惟通志堂有新刻。似此宋此，稀如星鳳矣。（擒藻堂《圖書記》）

王觀國曰：古本春秋經自為一帙，至左氏作傳三十卷自為一帙，杜預作《春秋經傳集解》乃分經之年而居傳之首，於是不復有古經《春秋》矣。羅壁曰：《左傳》《春秋》初各一書，後劉歆治《左傳》始取傳文解經。晉杜預注《左傳》復分經之年與傳之年相附，於是《春秋》及《左傳》二書合為一。

朱氏經義考：孔子作《春秋》若無左氏為之傳，則讀者何由究其事之本末？左之功不淺矣。匪獨詳其事也，文之簡要尤不可及。（《百國春秋》朱考曰佚）（頁二八九至頁二九一）

三八、清同治三年（甲子）翻刻相臺五經本

三九、清光緒壬午（八年）宜都楊氏影鈔日本楓山官庫藏古卷子本朱筆過錄舊校：楊守敬手書題記，台北國家圖書館有藏本。

【增補】《國家圖書館善本書志初稿》：「【春秋經傳集解三十卷三十冊】

清光緒壬午(八年，1882)宜都楊氏影鈔日本金澤文庫藏古卷子本 00592

晉杜預撰。

全幅高 32.1 公分，寬 22.1 公分。每半葉六行，行十二字，註文小字雙行，字數同。

首卷首行低一格題『春秋經傳集解隱公第一杜氏盡十一年』。卷末有尾題，尾題後附鈔每卷經注文字數。封面書簽第二冊題『影古鈔卷子本左傳』右下小字卷第。卷首有杜預春秋左氏傳序。各卷後有建長中越後守實時參河守教隆文永中清原俊隆正嘉中清原直隆弘安中左近衛將藍顯時跋。第三十卷末有應永十六年八月一日覽了跋。(楊守敬手識語)。書中有『金澤/文庫』模錄墨印多枚。卷首有光緒癸巳(十九年，1893)楊守敬手書題跋，並附印記。篇中朱墨校記。

書中鈐有『懋琦/韓侯』白文方印、『福海春/長之署』朱文長方印、『周守藏』朱文長方印、『國立中央圖/書館收藏』朱文長方印、『楊印/守敬』白文方印二(大小不同)、『德福/壽安/寧周/氏珍/藏書』朱文方印、『鴻寶/署齋』白文方印、『子玉校/勘之學』朱文長方印、『星吾海/外訪得/秘笈』朱文長方印、『鴻寶/經學』朱文方印、「韓侯/曾經/校讀」朱文方印、『韓侯/史學』朱文方印、『鴻寶讀/書雜記』朱文長方印。

《適園藏書志》卷二有著錄。」(頁 158)。

四〇、民國十五年商務印書印本：晉杜預集解《春秋左傳》三十卷，三冊，馬來西亞大學圖書館有藏本。

四一、日本五山本：卷一卷二影鈔配，日本文化丁丑（十四年）□野光彥手書題識，台北故宮博物院有藏本。

四二、日本足利活字五經本：台北故宮博物院有藏本。

四三、日本慶長間影鈔臨川本：缺卷一、卷二，台北故宮博物院有藏本。

四四、日本影古鈔卷子本：朱校，台北故宮博物院有藏本。

四五、日本舊刊本：台北國家圖書館有藏本。

【增補】《國家圖書館善本書志初稿》：「【春秋經傳集解三十卷十五冊】

日本舊刊本　00594

晉杜預撰。

版匡高 19.7 公分，寬 17.3 公分。左右雙邊。每半葉八行，行十七字。註文小字雙行，行十七字。版心大黑口，雙花魚尾(魚尾相向)，上方記卷第(如『左氏一』)，下方書葉次。

首卷首行頂格題『春秋經傳集解隱公第一』，次行低六格題『杜氏盡十一年』。卷末有尾題。第二冊封面書簽題『春秋經傳集解』，下小字雙行『襄十五/襄十六』。右朱筆雙行『莊公始元年/閔公至二年』，中間朱筆『起莊公元年盡閔公二年』。卷首有杜預『春秋左氏傳序』及『春秋經傳集解後序』附刻日文音讀。朱筆圈點，書眉及正文多處朱墨筆批校。

書中鈐有『國立中央圖/書館收藏』朱文長方印、『尚/惇』白文方印、『石川氏藏書』朱文長方印、『野七』墨文長方印、『須善』墨文長方印。」(頁 158~159)。

四六、日本安政三年田邊氏覆宋刊本:朱校，台北國家圖書館有藏本。

【增補】《國家圖書館善本書志初稿》：「【春秋經傳集解三十卷十五冊】

日本安政三年(1856)覆宋刊本　00595

晉杜預撰。

版匡高 19.5 公分，寬 15.5 公分。四周單邊，每半葉九行，行十七字。註文小字雙行，字數同。版心花口，單魚尾，上方記魯公年，中間記卷第葉次(如『左傳卷一』)，下方書版本(翻刻影宋本)。

首卷首行頂格題『春秋經傳集解隱公第一』，次行低二格起為雙行釋文，第三行低四格題『杜氏註盡十一年』。封面題簽『宋本春秋左氏傳』，書名葉分三行、中間大字『春秋左氏傳』，小字『全三十冊』，右邊行『田邊先生讀本』，下方墨色長方印『宋版翻刻』，左邊行『東都書肆知新堂/錦耕堂合梓』，方型墨印『知新錦耕書藏』，書眉『安政丙野御成道紙屋德八』，左『東都書肆馬喰町二丁目山口屋藤兵衛』。後一葉有大坂書林及江戶書林諸人名。卷首有杜預春秋經傳集解序。序上方書眉朱筆題『光緒九年冬借日本祕閣古鈔本校原本每行十二字寬八分半高裁尺六寸一分強每紙十六行注夾行寫』。序標題下有『金澤文庫』朱筆，每卷末登錄共用紙數幾行等。書眉朱校，卷七、八、九、十、十四、十七、十八末葉有浮簽錄古鈔本歷代校讀題識。

書中鈐有『□意文』白文長方印、『國立中央圖/書館收藏』朱文長方印、『益田/之印』朱文方印、『益田藏』朱文長方印。

《善本書室藏書志》卷三有著錄。」(頁 159)。

四七、民國間上海中華書局據相臺岳氏家塾本校刊聚珍仿宋本：台灣師範大學有藏本。

四八、雙　模寫古鈔本：存卷二、首尾原殘、存桓公三年至十六年，台北故宮博物院有藏本。

四九、宋建刊明代修補十行本：晉杜預註，唐孔穎達疏，台北國家圖書館、台北故宮博物院、北京大學圖書館等有藏本。

又台北國家圖書館另藏有近人楊守敬手書題記，缺卷十七至卷二十一、卷三十六至卷六十，凡三十卷。

又台北故宮博物院另藏有宋建刊本配元明補本，凡三十一卷。

【增補】楊守敬〈題記〉曰：「十行本左傳註疏，存第一至十六，又自二十二至三十六卷。世傳十行本注疏，多明正德間補刊，故凡補者即多訛字，此雖殘缺之本，然除序文兩葉是重刊，餘俱原槧，可貴也。守敬記。」(轉錄《標點善本題跋集錄》頁二五)

【增補】《國家圖書館善本書志初稿》：「【附釋音春秋左傳註疏存三十卷六冊】

又一部　00599

此本多出前部之宋元刻工有：中、李、子等；明修刻工有：周元進。

正文缺卷十七至二十一、卷三十六至卷六十凡三十卷。封面扉葉有楊守敬手書題記『十行本左傳注疏存第一至十六又自二十二至三十六卷世傳十行本注疏多明正德間補刊故凡補者即多訛字此雖殘缺之本然除序文兩葉是重刊餘俱原槧可貴也』，並附印記。

書中鈐有『楊印/守敬』白文方印、『擇是居』朱文橢圓印、『獨山莫/氏藏書』朱文長方印、『曾在東山/徐復菴處』朱文長方印、『敦仁堂/徐氏/珍藏』白文方印、『國立中央圖/書館收藏』朱文長方印、『莚圃/收藏』朱文長方印、『張印/鈞衡』白文方印、『石銘/收藏』朱文方印、『吳興張氏適園收藏圖書』朱文長方印、『尚餘數/卷殘書在』白文長方印、『南州/孺子』朱文方印。」(頁 161)。

【增補】瞿鏞編纂·瞿果行標點·瞿鳳起覆校《鐵琴銅劍樓藏書目錄》卷五曰：「此明代修版本也。版心有『正德十二年』，或稱正德十六年，或但稱正德年，或為黑口，或全葉重刊，或剜改數字，或連行皆作墨丁，即所存原刻，亦多模糊，筆畫攲斜，迥非前所錄明以前印本可比。然以阮所據本核之，則此本修版尚少。即如《春秋正義》，阮本『此序大略』，『略』作『畧』；『明義以春秋』，『明』誤『名』；『先儒錯謬之意』，『謬』作『繆』；及『《毛詩》、《逸禮》、《春秋》，『詩』誤『氏』；而此本皆不誤。此類不勝枚舉，視阮本直遠過之。而修版中亦頗多互異，如卷三第四葉版心有『正德年』三字，《正義》，『舍奠於墓左』之『墓』字不書；『葬然則由不赴』之『葬然』二字，『二事既然則由不　』之『則由』二字，此本皆作墨丁，而阮〈校〉皆不言闕。阮〈校〉『出故不言葬也』，此作『書』，不誤『言』；『至於《書經》』（小注云：宅本作『至書於經』。）『於書』二字，此作墨丁，而阮氏無校。『順經之先後為文也』，『經』字，此誤『已』，不誤『記』。即此半葉，而其不同已如此。蓋其初因原板漫漶，闕而未刻，後復補闕，而任意剜嵌。故凡原本模糊，此本猶多作墨丁，而阮有字，必多舛錯。阮氏所謂遞有修補者，其　顯然可見也。又昭十九年《傳》注『蓋為大夫時往聘蔡』，阮校云，初刻『為』誤『亦』。（小注云：案：所謂『初刻』，即此初修版本，原版實作『為』字。）此本『亦』字未改，而版心有『正德十二年』字，不知重改『為』字，又在何時？蓋其版至明末猶存，故印本多前後互殊，此猶是修版本中最初之本，存之以備參證焉。」（頁一〇九至頁一一〇）

【增補】李盛鐸著·張玉範整理《木犀軒藏書題記及書錄》頁七三曰：「【附釋音春秋左傳注疏】六十卷　〔晉杜預撰　唐孔穎達疏〕　宋刊本〔宋刻明正德修補本〕　李
171

半葉十行，行十七字；小字雙行，行二十三字。板心上有大小字數，下有刊工名一字或二字。恒、桓、戍等字缺筆，左耳上標某公某年。全書無一明以來補板。有『慧海樓藏書印』白文方印，『吳印偉業』朱文方印。」（頁七三）

五〇、明嘉靖間李元陽福建刊十三經注疏本：晉杜預註，唐孔穎達疏，陸德明釋文，《春秋左傳注疏》六十卷，台北：國家圖書館、故宮博物院、中研院史語所；大陸：中山大學圖書館有藏本。

又重慶市圖書館另有藏本，晉杜預注　唐孔穎達疏　陸德明釋文《春秋左傳注疏》六十卷，九行二十一字小字雙行低經文一字二十字白口四周單邊有刻工姓名，有「清孫志祖批校」。

又山東省博物館有藏本，晉杜預注　唐孔穎達疏　陸德明釋文《春秋左傳注疏》六十卷，有「清許瀚批校」。

又上海圖書館另有藏本，晉杜預注　唐孔穎達疏　陸德明釋文《春秋左傳注疏》六十卷，有「清易潤壇跋」。

【增補】《國家圖書館善本書志初稿》：「【春秋左傳註疏六十卷四十八冊】

又一部　00602

此本多出前部之刻工有：袁廷璉(或作袁璉)、周記清(或作周記青)、先、馬龍(或作馬)、松、李清、劉佚保、劉佚壽、劉天壽、黃富等。

卷十三第三行低七格以下墨補塗飾。

書中鈐有『繩武/樓藏』白文方印、『國立中央圖/書館收藏』朱文長方印、『南洋/葉德輝/讀書記』白文方印、『觀古堂』朱文長方印。」(頁 162)。

又台北國家圖書館另藏有明李元陽十三經註疏本硃筆批註。

【增補】《國家圖書館善本書志初稿》：「【春秋左傳註疏六十卷二十冊】

明李元陽刊十三經註疏本　00601

晉杜預註，唐孔穎達疏，陸德明釋文。

版匡高 20 公分，寬 12.9 公分。左右雙邊。每半葉九行，行二十一字。註文小字雙行，字數同。『註』、『疏』字以墨蓋子別出。版心白口，上方記書名卷第(如『春秋疏一』)，中間登錄葉次，下方書刻工名。

刻工名：魏禎(或作禎)、天錫、張錢、江永厚、周仕榮、艾毛、葉毛奴(或作葉奴、毛奴)、吳興、曾郎(或作曾)、吳闊(或作吳活)、陸進保、陸榮、朱仲舒、陳才(或作才)、王金榮、余大目(或作大目)、余福旺、余記安、劉旦、葉再友、余唐、張佚惠(或作惠)、曾興、曾景富(或作景富)、曾九、虞丙(或作丙)、陸旺、許達、詹彥貴、余浩、朱明、江元真、江毛答(或作江毛、江)、李順、王景英(或作景英)、葉華(或作華)、江八、余天進(或作余添進)、伯應(或作應)、謝元林、王廷保(或作廷保)、虞佚清(或作虞清、佚清)、張景郎、蔡順、劉順堅(或作劉順)、詹乃祐、吳洪、吳道元、陳鐵郎(或作陳鐵)、余天壽(或作天壽)、江鼻、江元富(或作江富、元富)、羅乃興(或作乃興)、蔡福應、熊田(或作田)、余先(或作先、余)、吳富、蔡傑、蔡伯啟、蔡湛、余元珠(或作余元朱)、葉曾(或作葉增)、葉重興(或作重興)、姚記郎(或作記郎)、楊添友(或作楊天友)、羅椿(或作羅)、李清、鄒文元(或作文元)、余環五、王仕榮、吳友八(或作吳友、吳八)、熊佚照(或作佚照)、吳永承(或作吳永成)、張尾、余天禮、葉得、姚岩、葉旋、葉招、熊文林、李仕璩、李文英(或作李英)、黃興、周甫、王貴、詹璿、龔仕堅(或作龔仕)、范朴、張七郎、葉伯逃(或作葉逃)、劉佚保、陸仲達、張元興、熊希、熊昭、江盛、余立、張采、貞、龔三(或作三)、羅妳興、蔡儀、陸文清(或作陸文青、陸清)、張佛惠、曾招、王良、王仲郎(或作仲郎)、虞福祐(或作福祐、虞祐)、周章、熊武、袁璉(或作袁連)、吳賜員(或作賜員)、張毛一(或作毛一、張毛)、余八十、葉文祐(或作葉右、葉文右、右、祐) 、余暹、王元寶、李大卜(或作大卜)、黃道祥(或作黃祥)、黃大富、劉榮、葉雄(或作雄)、余伯環(或作伯環)、江元壽、程亨、陸四、余再得(或作再得)、葉文輝、蔡欽、鄒仲甫(或作仲甫)、劉添富(或作添富、劉天富)、王元明、陸景得、陸貴清、陸長明、熊山、陳興、陳伯林(或作伯林)、余記郎、陳天祥(或作天祥)、程通(或作通)、曾椿、陳永勝、陳金、陳斌(或作陳)、周富生、周亨、陳鑑(或作陳)、黃祿、余廷深、黃記榮、葉再興(或作再興)、余乃順、虞福貴(或作福貴)、魏福鎮(或作福鎮)、余宗、余富一、吳二、吳周、余均、周記清(或作周)、周三、黃永進(或作永進)、張元隆、章恩(或作恩)、章意、唐瓊(或作唐)、葉悌(或作葉弟)、馬濤(或作馬)、徐敖(或作敖、徐) 、張箎(或作箎)、沈六、曾、劉保、虞七、黃文岳、王榮、王烏、王泗、王富、葉順、詹妳祐、陳佛榮、張二、劉佛保、陸仲興、王廷輝、張鶩、曾福林(或作福林)、陸富郎、熊名、余鐵隆(或作余龍)、陸馬、李福鎮、周富壽、王茂、鄭記保、黃寶(或作黃保)、施永興、鳥、施肥、張長友、詹乃員、詹妳員、蔡俊、二、王文、鄭孫郎、陳佛員(或作佛員)、楊餘芳、葉采、吳金郎、余本立、周道員、朱仕忠、余清、余富、黃文、張椿、詹景富、魏長、朱舒、詹三、劉佛壽(或作佛壽)等。

首卷首行頂格題『春秋左傳註疏卷第一』，次行低八格題『晉杜氏註』，再低四格題『陸德明釋文』。第三行低八格題『唐孔穎達疏』。卷末隔二行有尾題。卷首為杜預春秋序。卷首有孔穎達春秋正義序一篇(前闕)。序後有墨筆識語題『明正德間御史李元陽覆宋刻於閩中每半葉九行世稱為閩本亦稱九行本後其版入南廱』，不知出自何人。書眉正文朱墨筆批註，文中朱筆圈點。卷十三第三行低七格題『明御史李元陽提學僉事江以達校刊』。

書中鈐有『國立中央圖/書館收藏』朱文長方印、『俞印/玉局』白文方印、『瑤/星』朱文方印、『張煥/之印』白文方印、『張/煥』白文方印。另有一印不詳。」(頁 161~162)。

又台北故宮博物院另藏有明嘉靖間李元陽福建刊十三經注疏本三色筆校注。

又台北故宮博物院另藏有明嘉靖間李元陽福建刊十三經注疏本卷一、卷二、五十八至六十係抄配，三色筆校注。

又大陸中山大學圖書館藏有一部，十二冊，存三十三卷：第一卷至十四卷、三十二卷至五十卷，九行，二十一字，小字雙行，字數同，白口，四周單邊，（大陸）《中山大學圖書館古籍善本書目》頁十九著錄。

又日本八戶市立圖書館藏有一本，僅題作「十三經註疏所收」，未詳究係何本，今暫列於此。

又美國國會圖書館有藏本，王重民《中國善本書提要・補遺》，頁三著錄。

【增補】《中央研究院歷史語言研究所善本書目》曰：「《春秋左傳註疏》六十卷二十二冊　晉杜預註　唐陸德明音義　唐孔穎達疏　明嘉靖間李元陽校刊本。」（頁八）

【增補】王重民:《中國善本書提要·補遺》曰:「【春秋左傳注疏】六十卷　十冊（國會）

明李元陽刊本　〔九行二十一字〕

晉杜預注，唐孔穎達疏。今世所傳《左傳》，惟杜注孔疏為最古，杜注多強經以就傳，孔疏亦多左杜而右劉。自有注疏以後，左氏之義大明，清阮元謂六十卷本為注疏中之最善者，殆指此也。此本十三至十七、十九、二十二至二十四等卷，題『明御史李元陽、提學僉事江以達校刊。』元陽，字仁甫，雲南太和人，以達字于順，江西貴溪人，均為嘉靖進士。」（頁三）。

五一、明崇禎戊寅（十一年）常熟毛氏汲古閣刊十三經注疏本：晉杜預撰《春秋左傳註》三十卷，台灣省立台北圖書館有藏本。

又台北國家圖書館另有一本，錄有清江阮過錄段美中校語，陳奐手跋。

又復旦大學圖書館另有藏本，晉杜預注　唐孔穎達疏　陸德明釋文《春秋左傳注疏》六十卷，有「清江沅臨清陳樹華、段玉裁校」。

又上海圖書館有藏本，有「清張爾耆校」。

又浙江圖書館有藏本，有「清謝章鋌校並跋」。

【增補】《國家圖書館善本書志初稿》：「【春秋左傳註疏六十卷二十四冊】

明崇禎戊寅(十一年，1683)虞山毛氏汲古閣刊十三經註疏本　00603

晉杜預註，唐孔穎達疏。

版匡高 17.4 公分，寬 12.7 公分。左右雙邊。每半葉九行，行二十一字。註文中字單行，疏文小字雙行，字數同。『註』、『疏』以墨蓋子別出。版心花口，上方記書名(如『春秋疏』)，中間記卷第(如『卷第一』)，下方記『汲古閣』。

首卷首行頂格題『春秋左傳註疏卷第二』下小字雙行『隱元年盡二年』。次行低九格題『晉杜氏註』，再次行低九格題『唐孔穎達疏』。卷末有尾題。卷首有孔穎達春秋正義序，卷一為杜預春秋序。卷末有杜預春秋後序及慶元庚申吳興沈中賓所題刻書識語。書眉正文朱筆批註，為清江沅過錄段美中校語，卷六十題後識語『杜氏後序井淳化元年勘校官姓名及慶元申吳興沈中賓重刻題跋一篇依宋本抄補於後，戊子三月借得朱君文游滋蘭堂藏本及石經詳細手校凡宋本有疑誤者悉書於本字之旁經傳文兼從石經增正一二七月三十日校畢治泉樹華記。』八月二十五日再識『南宋翻刻北宋本無陸氏音義復以釋文井借得金格亭惠松茥兩先生從南宋本手校者互勘一過』。跋後有段玉裁、江沅手書題記及陳奐手跋，或附印記。

書中鈐有『國立中央圖/書館收藏』朱文長方印、『曾在三/百堂/陳氏處』朱文方印。」(頁 162~163)。

又馬來西亞大學圖書館有藏本。

五二、「清」初朝鮮銅活字本：黃建國、金初昇主編《中國所藏高麗古籍綜錄》頁十三著錄，現藏於辭書圖書館。

五三、朝鮮乙亥春坊大字刻本：黃建國、金初昇主編《中國所藏高麗古籍綜錄》頁十三著錄，二十七卷，卷首不分卷，現藏於上海圖書館。

五四、朝鮮刻本：黃建國、金初昇主編《中國所藏高麗古籍綜錄》頁十三著錄，二十七卷，卷首一卷，現藏於北京大學圖書館。

【增補】李仙竹主編《北京大學圖書館館藏古代朝鮮文獻解題》曰：「《春秋》　二十七卷，卷首一卷／〔晉〕杜預集解·-刻本·-朝鮮，純祖（１８０１年至１８３４年在位）時·-１０冊２函：卷首有紀年圖９葉、地圖１葉、世係圖１４葉

本書有白色壓紋封面（３６·２×２２·６cm）　五鍼眼線裝　半框（２４·２×１６·９cm）四周雙邊　有界　５行　１２字　小字１０行１８字　或為２０行　１８字　花口　上黑魚尾　板心上刻『春秋』板心中刻卷次及葉碼　皮棉紙印

卷首有晉杜預撰序及後序　目錄　卷首：諸儒姓氏　凡例（７條）　紀年圖　地圖　類例　『春秋世係圖』『春秋國名譜』『春秋人名譜』

杜預〔２２２～２８５〕西晉政治家、學者。字元凱，號武庫。博學多聞。歷官河南尹、度支尚書，拜鎮南大將軍，都督荊州諸軍事。以平吳功封陽縣侯。耽思經籍，有左傳癖。卒贈征南大將軍。謚成。著有《春秋左氏經傳集解》、《左傳釋例》、《盟會圖》、《春秋長曆》等。

內容已著錄〔見x／０９５／４０５４／《春秋》〕（頁十三）

又北京圖書館另藏有一部朝鮮刻本，惟編者不詳。

五五、清華川書屋刻本：山東省圖書館有藏本。

【增補】《山東省圖書館館藏海源閣書目》曰：「《春秋經傳集解》　三十卷／（晉）杜預撰；（唐）陸德明音釋；（宋）林堯叟附注；（清）李驊增訂·－清華川書屋刻本·－３冊（１函）；２２×１４·７cm·－存５卷：卷１，１４～１５，２０～２１·－上下欄：上行２０字，白口，左右雙邊，單黑魚尾，版心下刻：華川書屋，封面題：華川書屋藏板。」（頁二七）

五六、明萬曆１９～２０年北京國子監刻本：山東省圖書館有藏本。

【增補】《山東省圖書館館藏海源閣書目》曰：「《春秋左傳註疏》六十卷／（晉）杜預注；（唐）陸德明音義；（唐）孔穎達疏·－明萬曆１９～２０年（１５９１～１５９２）北京國子監刻本·－３２冊（４函）；２３·７×１４·９cm·－（十三經註疏）·－９行２１字，小字雙行同，白口，左右雙邊，單黑魚尾，有『吳鼓桐印』『協卿讀過』『楊氏海源閣藏』『蔭卿一字靜盦』等印」（頁二七）

五七、明刻本：山東省圖書館有藏本

【增補】《山東省圖書館館藏海源閣書目》曰：「《春秋左傳註疏》　六十卷／（晉

）杜預注；（唐）孔穎達疏；（唐）陸德明釋文·－明刻本·－30冊（4函）；20·7×13cm·－9行21字，白口，四周單邊，有刻工·有『陽城張氏省訓堂經籍志』『張蓧采印』『張仲實甫』等印」（頁二七）

又中國歷史博物館有藏本。

【增補】《中國歷史博物館古籍善本書目》曰：「春秋經傳集解　三十卷

晉杜預集解　唐陸德明釋文　明刻本　十冊

八行十七字小字雙行三十四字白口四周雙邊有後序　（善260）」（頁六）

五八、一九五五年文學古籍刊行社影印明翻相臺本：《1911～1984影印善本書目錄》頁五著錄。

五九、宋刊殘本：晉杜預撰《春秋經傳集解》三十卷，十四行廿三字小字雙行同白口四周單邊有刻工〕存二十三卷〔一至十三　十九至二十四　二十七至三十〕，北京：中國國家圖書館有藏本。宋槧小字不全本。

【增補】瞿鏞編纂·瞿果行標點·瞿鳳起覆校《鐵琴銅劍樓藏書目錄》卷五曰：「此宋槧小字不全本。每卷首行題『《春秋經傳集解》某公第幾』，次行下八格，題『杜氏』，越四格，題『盡某年』。分卷同《唐石經》，卷首〈序〉殘闕。經文四葉以前闕。其闕卷自十四至十八及廿五廿六共七卷。每半葉十四行，行大小皆廿三字。卷末杜氏〈後序〉殘闕。遇高宗以上諸帝諱皆闕筆，而『慎』字不闕，蓋南渡初所刻也。不附《釋文》，字無俗體。其昭二十年《傳》『而以齊氏之墓予之』，注，『皆死而賜謚及墓田，《傳》終言之』，與相臺本異。段氏懋堂云：杜氏『終言之』，則其上文為死而賜謚無可疑者。若添『未』字，則下不當云『終言之』矣，其辨甚明。又如隱元年《傳》『其是之謂乎』，注，『皆不與今說詩者同』，此作『不皆』。十年《經》『翬帥師會齊人、鄭人伐宋』，注『明翬專行，非鄭之謀也』，此作『非鄧』。桓十五年《經》『鄭伯突出奔蔡』，注『例在昭五年』，此作『三年』。十八年《傳》『齊侯師於首止』，注『陳留襄邑縣東南有首卿』，此作『首鄉』。僖二十八年《傳》『晉侯在外十九年矣』注『凡二十六年』，此作『三十六年』。三十一年《傳》『相奪子享』，此作『予享』。宣二年《傳》『寘諸畚』，注『筥屬』，此作『筥』。成五年《傳》『許靈公愬鄭伯于楚』，注『前此年鄭伐許故』，此作『比年』。九年《經》『城中城』，注『在東海稟邱縣西南』，各本皆同。阮氏據《晉志》、劉昭《續漢書志注》、《水經注》，證『稟』為『厚』字之誤，此正作『厚邱』。十五年《傳》『楚將北師』注『鄭侵衛』，此作『侵鄭、衛』。十六年《傳》『蓐食申　』，此作『禱』。十七年《傳》『施氏卜宰』，注『卜立冢宰』，此作『家宰』。昭七年《傳》『傳序相授，於今四王矣』，注『四王，共、康、郟敖及靈主』，此作『靈王』。二十年《傳》『濟其不及，以洩其過』，注『洩、減也』，此作『滅也』。哀十六年《傳》『方天之休』，注『言天方受爾以休』，此作『授爾』。二十六年《傳》『為夷儀之盟而君人』，注『在僖二十六年』，此作『在襄』。凡此，皆似此本為長。以倦翁之殫力校讎，猶有未及，他本更無論矣。舊藏黃氏「百宋一厘」。錢氏《

潛研堂集》云：『所見黃氏宋刻《左傳》二種，小字本尤精妙。』即此本也。（小注云：每卷有『彥先』、『顧仁效印』二朱記）」（頁九七至頁九八）

六〇、明刻本：駱兆平《新編天一閣書目》著錄二種「明刻本」，現藏於寧波天一閣，惟不詳為何時刻本，今附列於後，以供參考：

（一）二冊，全書三十卷，訪得卷十七至十九，卷二十九至三十，合計五卷，為朱氏別宥齋贈書。

（二）十五冊，１９５５年購回。

六一、清光緒十三年(1887)上海脈望仙館石印本：杜預注《附釋音春秋左傳注疏》　存四十五卷，附〈校勘記〉六十卷，國家圖書館有藏本。

六二、明崇禎十二年(1639)永懷堂序刊清同治八年(1869)浙江書局重校修本：杜預集解《春秋左傳》三○卷，國家圖書館有藏本。

六三、清同治十年(1871)廣東書局刊清乾隆四年(1739)武英殿本：杜預注《春秋左傳注疏》六十卷，國家圖書館有藏本。

六四、清光緒十三年(1887)石印本：(晉)杜預注《附釋音春秋左傳注疏》六十卷，附〈校勘記〉六十卷，台北：國家圖書館有藏本。

六五、明崇禎刻本：晉杜預，宋林堯叟注，明韓范評閱《春秋左傳》五十卷，九行，二十字，白口，四周單邊。明崇禎十七年韓范作凡例，大陸：西北大學圖書館、長春：東北師範大學圖書館均有藏本，然根據《東北師範大學圖書館藏古籍善本書目解題》所錄，則此本當為崇禎三年所刻。

又中國科學院圖書館、故宮博物院圖書館、吉林市圖書館、東北師範大學圖書館有藏本，惟作晉杜預　宋林堯叟注　唐陸德明音義　明鐘惺評，《春秋左傳》五十卷，題作「明崇禎刻本」，九行二十字小字雙行同或注於天頭白口四周單邊，與上本所錄內容幾近相同，且東北師範大學圖書館有藏本，疑即為同一版本，惟著錄內容或異，不知其故，待查。

六六、明翻刻宋大字本：晉杜預註《春秋經傳集解》三十六卷，杭州大學圖書館有藏本。

【增補】《杭州大學圖書館善本書目》曰：「《春秋經傳集解》三十六卷　晉杜預註　明翻刻宋大字本　半葉八行　行十七字　『吳寬』『項墨林父祕笈之印』『天籟閣』『桐城張氏謹甫所藏』『篤素堂張曉漁校藏圖籍之章』等藏印　三十冊」（頁七）

六七、崇禎十二年永懷堂刻十三經古注本：晉杜預集解《春秋左傳》三十卷，莫棠校，九行二十五字，上海圖書館有藏本。

又北京：國家圖書館有藏本，晉杜預撰《春秋左傳集解》三十卷，清丁晏校注，九行二十五字小字雙行同白口左右雙邊。

又馬來西亞大學圖書館有藏本，晉杜預集解，唐陸德明音義《春秋左傳》三十卷，十冊。

六八、四部備要本：晉杜預撰《春秋左氏傳杜氏集解》三十卷，十二冊，馬來西亞大學圖書館有藏本（二部）。

又馬來西亞大學圖書館另有一本（二部），題作「晉杜預撰，唐孔穎達疏」《春秋左傳正義》六十卷，十四冊。

六九、四部叢刊本：晉杜預撰，唐陸德明音義《春秋經傳集解》三十卷，《春秋二十國年表》一卷，六冊，馬來西亞大學圖書館有藏本。

七〇、縮本四部叢刊初編本：晉杜預撰，唐陸德明音義《春秋經傳集解》三十卷，《春秋二十國年表》一卷，二冊，馬來西亞大學圖書館有藏本。

七一、御刻十三經注疏本：晉杜預輯，唐陸德明音義，唐孔穎達疏《春秋左傳注疏》六十卷，《考證》，二十一冊，馬來西亞大學圖書館有藏本。

七二、清光緒壬午（八年）宜都楊氏影鈔日本金澤文庫藏古卷子本：晉杜預撰《春秋經傳集解》三十卷三十冊，楊守敬、周懋琦各手書題記，台北：國家圖書館有藏本。

【增補】楊守敬〈題記〉曰：「舊讀山井鼎七經孟子考文，各經皆有古鈔本，唯左傳經注本、注疏本，皆只據足利學所藏宋槧本，因疑日本左傳無古鈔本，及得小島學古留真譜，中有摹本第□〔此據楊氏日本訪書志應為「三」字〕卷首葉，字大如錢，迥異日本諸鈔本，問之森立之，乃云此書全部三十卷，是古鈔卷軸本，藏楓山官庫，為吾日本古鈔經籍之冠，山井鼎等未之見也。余因託書記官巖谷脩，於楓山庫中檢之，復書乃云無此書，深為悵惘，故余譜中刻第□〔此據日本訪書志應為「三」字〕卷首一葉以為幟志，而森立之力稱斷無遺失理，且道卅卷共一櫝，為格五，并告其櫝之長短尺寸，使巖谷再檢之，久之乃得，且許假我一月讀。計全書卅卷，無一字殘損，紙質堅韌如硬黃，紙背亦有校記，日本所謂輿書也，均是未裱本。各卷後有建長中越後守賓時、參河守教隆、文永中清原俊隆、正嘉中清原直隆、弘安中左近衛將監顯時跋，皆係親筆題署（森立之云），又有延久、保延、仁平、久壽、應保、長寬、嘉應、治承、養和、壽永、元歷、建保、承久、延應各記。第三十卷末，有應永十六年八月一日覽了跋。每卷有金澤文庫印。篇中朱墨校記，其稱才　、才无者，為宋槧摺本之有無也，才即摺字，　即有字；其稱乍某者，乍即作字也，皆校書者省筆。余以為此絕書〔無〕僅有奇書，不可不傳錄之，迺雇書手十餘人，窮日夜之力影摹之；又以其筆法奇古，摹鈔未能神似，每卷雙　首一葉及卷後題字，以存真面，凡一月而成。其中文字多與陸氏釋文所稱一本合，蓋六朝舊籍，非唐以後所可比，勘其經傳之異於唐石經者，且數百字，其注文之異於宋槧者，不可勝記，明以下俗刻，更無論矣！今略標數條，如昭廿七年傳「夫鄢將師矯之命以滅三族，三族，國之良也」，自唐石經以下，皆不疊「三族」二字，文義不足，得謂非脫文乎（日本又有唐人書昭廿七年左傳一卷，亦疊三族二字，其卷藏高山寺，余于紙幣局見之）？其注文如莊十九年傳「刑猶不忘納君于善」注「言愛君明非臣法也，楚臣能盡其忠，愛所以興」，自岳本以下，皆脫下「臣」字，不可通矣！又如桓〔應為隱〕九年傳「衷戎師前後擊之，盡殪」

注「為三部伏兵，祝聃帥勇而無剛者先犯戎而速奔，以過二伏兵，至後伏兵，伏兵起，戎還走，祝聃反逐之」云云。宋以下刻本，「過」皆作「遇」，又不疊二字，最為謬誤，蓋祝聃引戎師過二伏兵，而戎尚不知遇伏，至後伏兵之處，伏兵盡起，戎始知遇伏而還走，若至二伏兵即相遇，則必　，安能引至後伏兵處乎？疊「伏兵」二字，情景如繪，蓋已伏兵并起也。若夫死而賜謚等要義，皆絕勝俗本。全書朱墨校具在，細意詳考，知為六代舊傳無疑，其中亦間有鈔胥奪誤，深識者自能辨之，亦無曲汇。余嘗謂據今所得日本七經古鈔本重校一過，當勝山井鼎，此其一徵也。光緒壬午夏六月，宜都楊守敬記于東京使館。」（轉錄《標點善本題跋集錄》頁二四至頁二五）

【增補】周懋琦〈題記〉曰：「光緒癸巳三月庚寅，楊氏歸於鴻寶齋。」（轉錄《標點善本題跋集錄》頁二五）

七三、正誼堂叢書本：晉杜預注《春秋左傳杜注》三十卷，耿文光《萬卷精華樓藏書記》卷八，頁二八七、《現存宋人著述目略》頁十八著錄。

【增補】耿文光《萬卷精華樓藏書記》卷八曰：「《春秋左傳杜注》三十卷

晉杜預注

正誼齋本。汪氏校刊，每篇有考證甚精。杜注岳本之外，以此本為善，書不多見。

義門集校春秋經傳書後曰：當陽成侯集《春秋經傳》之解，比老乃成。其書賅貫三才，庶幾立言，斯實靡愧。宋之晁氏規其棄經信傳，然而錯綜盡變，於經亦云精且密矣。自唐以降，未之或先。近時書賈乃并刻宋木林氏荒淺之說，題曰杜林合注，經生弗審，但取煩多，豈知适亂耳目，都無發明。摯監孤行之論，聖人不易也。書肆中惟永懷堂、汲古閣二本不雜以林說，而汲古閣本有鍾惺評點，尤可痛疾，因取永懷堂本校其訛字，且明著林說之陋，或世之君子由是專習杜義云爾。明之陸氏粲嘗為左傳附注，顧氏炎武因之為杜解補正三卷，其中解地理者十五條，或正昔違，或補曩闕，悉有援據，誠亦杜氏忠臣，故附於後焉。釋例十五卷，雖散見正義中，而不獲其全書。求而刻之，以備一家之學。陸氏《音義》此本所存僅半，殊屬乖疏，仍而不革，則書肆之力未逮也。（小注云：文光案：何氏校本未見，《春秋釋例》十五卷，有武英殿聚珍本，又席氏掃葉山房本，皆義門所未見。）

義門與人書云：足下為我寫《春秋正義訛字》惠寄，近日對至第十二卷，其中如未之絕也。秦板九經猶然不誤，得罪於母之寵子帶，蓋衍一弟字，更不從順。得此如去目翳。又孔子娶於并官氏，自王伯厚姓氏「《急就篇》」，及宋本東家雜記，皆作并，《正義》中反從流俗作升，若非宋此，何以析疑？

文光案：杜氏解既成，親見汲冢古書七十五卷，所記多與《左傳》同，與《公羊》、《穀梁》異。又一卷純集《左傳》卜筮事，名曰《師春》，師春似抄集者姓名，詳見集解後序。正義云《竹書》不可盡信，杜氏亦云當時雜記未足取，審而推求甚詳，可見其精力悉萃於此。（頁二八七至頁二八八）

七四、文選樓本：周左丘明撰，晉杜預注，唐孔穎達疏《春秋左傳正義》三十六卷，耿文光《萬卷精華樓藏書記》卷八，頁二九一著錄，參見孔氏穎達等《春秋正義》條下。

七五、嘉永七年刊本：宋林堯叟註釋，唐陸元朗章釋，日本貫名苞校訂《春秋經傳集解》，韓國藏書閣有藏本。

【增補】韓國精神文化研究院編纂《藏書閣圖書日本版總目錄》曰：「《春秋經傳集解》（及）卷首（1-102）　林堯叟（宋）註釋．陸元朗（唐）音釋．貫名苞（日）校訂．木板本，嘉永7（1854）刊．

３０卷　１６冊．四周單邊．半郭２１．５×１３．７cm，有界，半葉１０行２４字，註雙行，上黑魚尾，２５．７×１８．２cm線裝．

表題：翻刻左繡．

裡題：左繡．

稟：嘉永七年甲寅之歲（１８５４）仲春之月阿波貫名苞題於平安城東錦織村廬．

序：康熙五十九年庚子（１７２０）孟冬年家侍生朱軾書於浙署之自修齋．

：熙康子（１７２０）季秋松南農張德純書於虎林旅次。

跋：庚子（１７２０）十月三日定海後學陸浩大瀛跋．

刊記：天保十四年癸卯（１８４３）九月鐫．嘉永甲寅（１８５４）春二月翻刻。

印：李王家圖書之章。

紙質：楮紙．

內容：卷１，隱公．卷２，桓公．卷３，莊公．卷４，閔公．卷５～７，僖公．卷８～９，文公，卷１０～１１，宣公．卷１２～１３，成公．卷１４～１９，襄公．２０～２６，昭公．卷２７～２８，定公．卷２９～３０，哀公。」（頁十九）

七六、覆宋興國軍學刊本：晉杜預撰《春秋經傳集解》三〇卷，缺卷二七、二八等二卷，大東急記念文庫有藏本。

七七、日本慶長十七年以前古活字刊本：晉杜預撰《春秋經傳集解》三十卷（缺卷二九、三〇等二卷），大東急念文庫有藏本。

七八、相台岳氏本：晉杜預注，《春秋經傳集解》三十卷，耿文光《萬卷精華樓藏書記》卷八，頁二八三著錄。

【增補】耿文光《萬卷精華樓藏書記》卷八曰：「春秋經傳集解三十卷　附名號歸一圖二卷　春秋年表一卷

晉杜預注名號圖　蜀馮繼先撰　宋岳珂重編　年表不著撰人名氏

相台岳氏本。首行題春秋經傳集解隱公第一，次行注隱公，三行杜氏注。前有杜氏序，名號歸一圖，取經傳人名異稱者使歸於一年表。凡二十圖，二書皆左氏學，故岳氏刻九經并附春秋之後。杜注經文傳文之上各冠經字傳字。武英殿仿宋本有考證讀杜注者，宜悉錄之。《正誼齋叢書》刻左傳杜注，其考證有出於殿本之外者，亦佳本也。坊間所刻左氏傳俱非杜注原本，且多刪節之本，讀春秋者宜知此全經、全傳、全注也。

桓公三年傳，齊侯送姜氏。考證此傳後殿本閣本有注，乃《陸氏音義》中文，非注也。故原本不錄。

「十四年春，公會鄭伯於曹」。注以曹地。曹與會，此因經文不書曹，故注申言之。殿本閣本無下曹字，則與會二字義無所屬。（文光案：十八年傳，周公弗從。故及。注：及於難也。今本作『周公弗從，故及於難。』合注為一句，誤甚。）閔公元年傳：公次於郎以待之。注：非師旅之事，故不書。殿本、閣本脫不字，與注意背。僖公五年童謠云，注：以為鑒戒。殿本、閣本無此四字。九年傳：東略之不知。注言：或問東略不能，復向西略。案：齊侯未嘗東伐，故宰孔云東略之不知。注言齊若舉兵或向東耳，必不能再來西。或字正解不知二字，諸本作復向東，非。十八年傳：眾不可而後師於訾婁。傳言：邢狄伐衛，文公恐人心未固，故先以國讓，逮眾人不可乃陳師訾婁以決必勝，此而後字意也。殿本、閣本後作從，似屬眾人解，於義未順。二十八年傳：謂楚人曰：『不卒戍也』。注：詐告楚人。案：魯殺子從以說晉，又懼於楚，故托言子叢不終戍事而殺之。此注所以言詐告也。他本誤作謂字。文公十五年傳：與而不書後也。注：今貶諸侯似為公諱諸侯，凡議事聚會而公不與，則為惡。經恒諱而不書，今此會雖不與，實非公惡而有似為公諱者，故傳發例以明其非，他本似作以，於義未協。十六年傳：楚子乘馹。殿本、閣本及《正義》本俱作驛。楊慎云：置緩郵速馹疾，則馹、驛二字其義顯別，此當用急速之馹。《五經大全》盡改《左傳》馹字為驛，後人并以馹為驛之省文，故二字率用耳。公子鮑美而豔襄夫人，欲通之而不可，乃助之施。他本作夫人助之施。按乃字正襄夫人欲通不可之轉計，於文義不當重用夫人字。宣公十一年傳：使封人慮事。注：慮事無慮計功大。「無慮」二字義似難曉。《正義》云：無則慮之，訖則計功。史書多有無慮之語，皆謂揆度前事。殿本、閣本改作謀慮，反失其舊。反之可乎？對曰：「可哉。」殿本、閣本無對字，并無「可哉」二字，當從原本為善。十二年傳：王見右廣從之乘，屈蕩戶之。匯纂定本、閣本、坊本俱作尸之，《杜注訓止》顧炎武曰：古人以守戶之人謂之戶者，取其能止人也，則原本戶字，非誤。襄公二年傳：會於戚，謀鄭故也。注：鄭，久判也。案：鄭自成十六年同盟於戚，後遂叛晉即楚。至是已六年，故注云久。殿本、閣本作鄭人，似失注意。八年傳：子孔、子蟜、子展欲待晉。注：待晉來救。他本來作求，費解。十年傳：生秦丕茲事仲尼。注言：二父以力相子，事仲尼以德，相尚二父。殿本及諸本皆作董父，似屬易解。不知二父兼指聊人紇與秦董父也，以力相尚即指抉門，登布兩事，玩相字可見。十三年傳：先王卜征，五年而歲習其詳。注：五年五卜，皆同吉。殿本、閣本作習卜，玩傳意自是每年一卜，凡五卜皆吉，并非相習。十九年傳：穆叔歸曰：「齊猶來也，不可以不懼。」殿本、閣本無歸字，似仍與叔向言矣。二十一年傳：對曰：「吾不免是懼。」注：恐與子并罪。殿本將監本并作所，義不可曉。廿三年傳，有藏武仲之知。注：謂能避齊禍。按武仲不及崔抒（當作「杼」字）之難，所謂避齊禍也。殿本、閣本禍作遇，於義未愜。二十五年傳：且昔天子一地一圻。殿本、閣本作且夫。按昔字與下文今大國多數圻今字相應，從原本為善。傳會於夷儀之歲。按此數語蓋為後年之事，而年前發端者，左氏往往有之，然皆附在上年之末，而不繫次年之首。今此傳本應刊在二十五年，而刊在二十六年前，故杜氏注云：特跳此者，傳寫失之跳出，乃魏晉間。儀注寫表章別起行頭之謂，是知杜氏以前本，然原本故仍其舊。自明永樂中改刻注疏諸本，移置上卷之尾，雖傳例畫一，然於杜注、陸音所謂「跳出」二字，義安屬耶？（小注云：文光案：襄公二十五年之事終於第十七，此第十八之考證專為襄公二十六年，先傳後經而發，蓋杜氏所見之舊本如是，不欲輕易其次第，故依舊本，錄之復著。其傳寫之誤於此，可見古人之慎，且可知晉時之本而岳氏刊板之善。殿本考證之精均可見矣。予故詳錄之以為讀書之助。學者讀書於此等處多不留心，欲識古書之面目難矣。）三十年傳：二月癸未，晉悼夫人食輿人之城杞者。按二月，殿本作三月是也。以長曆推之，癸未乃三月之二十三日，若作二月，則下文四月不當有己亥。豐卷奔晉，子產請其田里。注：請於公不沒入。按注言子產請命鄭伯，不使豐卷田里沒入於官，他本作請於公不沒人（入），謬矣。昭公九年傳：豈如弁髦而因以敝之。注：弁亦冠也。殿本、閣本、杜林合注本無此四字。十年傳：天以七紀。注：二十八宿面七。按面七猶云每面各七。合注本、永懷堂本作四七，於義轉淺。十二年傳：公饗之為蓼蕭。諸本無公字。將适曹飲鄉人酒。注：南蒯自其家還适費。殿本還作遷，訛。蒯乃費邑，宰或以事返其家，今自其家復至費，故還非遷也。十三年傳：詩，樂旨君子，邦家之基。注：言樂與君子為治。殿本作樂，只注中與字亦作只。按原本凡傳所引詩俱作樂旨至樂，與君子為治，意較明順。十五年傳：王雖弗遂。注：言今雖不能遂服，猶當靜嘿而使宴樂，又失禮也。殿本能遂作遂能，而使作可便。按遂服謂遂竟，其服非遂能之謂，二字不可倒。至可便宴樂，尤與上下文語氣不類。十七年傳：必火入而伏。注：隨火沒也。沒字正釋伏字，言必當火入之時與火俱沒。他本沒作行，失伏字之義。十九年傳：令尹子瑕聘於秦，拜夫人也。注：為明年濳太子。張本改以為夫人遣謝秦。按為明年句是結太子建居城父以上一段，改以為夫人句方釋令尹子瑕二句，須分看始得。前聘秦嬴，本以妻建，今楚子自取之故。云改以為夫人，後人不察改字之義，易以故字，則文義似承為明年句直下，失之遠甚。二十三年傳：叔孫旦而立期焉。注：從旦至旦為期。殿本作從旦至暮，非。戊辰晦，戰於雞父。注：違兵忌晦戰，擊楚所不意。按晦月終陰之盡，兵家所忌。吳故違之，是楚所不意也。違字與郤至曰，陳不違晦之違字同解。殿本作遣，殊失其義。二十五年傳：吾聞文成之世，童謠有之。諸本作文武之世，非。賈逵曰：文成，魯文公成公也。原本精密可訂俗本之訛。哀公十三年傳：以六邑為虛。注：空虛之各不有按空虛之者，仍置為閑田也。各不有者，宋鄭各不有也。諸本作名不有，於義未協。十七年傳：沈尹朱曰：吉過於其志。按過於其志，謂爵祿過其所望。坊本吉作言，非。二十一年傳：惟其儒書以為二國懮。注：魯據《周禮》，坊本作用禮，非周禮，即韓宣子所見易象與《春秋》。」（頁二八三至頁二八七）

七九、寶曆五年京都中江久四郎刊本：晉杜預集解，日本那波師曾句讀《春秋左傳》三十卷，十五冊，八戶市立圖書館有藏本（二部）。

八〇、天明七年源賴亮序刊本：晉杜預集解，日本那波師曾句讀《春秋左傳》三十卷，十二冊，缺卷第二十九，卷第三十等二卷，八戶市立圖書館有藏本。

八一、日本刊本：晉杜預集解，日本那波師曾句讀《春秋左傳》殘四卷，存卷第十七至第二十，二冊，八戶市立圖書館有藏本。

八二、日本刊本：晉杜預集解《春秋經傳集解》三十卷，闕卷第十一至第十二，十四冊。八戶市立圖書館有藏本。

八三、日本刊本：晉杜預集解《春秋經傳集解》三十卷，闕卷第二七至第三十，十四冊。八戶市立圖書館有藏本。

八四、日本據萬曆十九年二十年刊本重刊京都村上勘兵衛等藏板：晉杜預注，唐陸德明音義，唐孔穎達疏《春秋左傳註疏》，闕卷第一至第三，日本八戶市立圖書館有藏本。

八五、明嘉靖刊本：晉杜預，宋林堯叟註《春秋左傳》三十卷，美國國會圖書館有藏本。

【增補】王重民：《中國善本書提要》曰：「【春秋左傳三十卷】　十冊（國會）

明嘉靖間刻本〔十行二十一字（19.1×12.8）〕

晉杜預，宋林堯叟註。卷端載《綱目》四條，左傳圖二。〔上面四凶圖，下面十二國、戰國圖。〕目錄下題：「梅谿林堯叟唐翁注」，《春秋左傳序》下題：「杜預元凱序，林堯叟唐翁解。」卷一書題次行題：「附林堯叟《音註》《括例始末》。」按林堯叟所撰《左傳句解》，今有元刊七十卷本，陳鱣《綴文》卷三、陸心源《儀顧堂集》卷十六、張氏《愛日精廬藏書志》卷五、莫氏《經眼錄》卷二並著錄。其合於杜《注》，朱彝尊、陳鱣並謂始於王道焜；道焜有《左氏杜林合注》五十卷，《四庫總目》卷二十八著錄，《提要》追述合著之始，亦援朱說。今以是書證之，殆不始於道焜也。此本《綱目》後有牌記，已被剜去；卷末又有：「巡按四川監察御史朱廷立案行，成都府知府楊銓校刊」牌記。按銓豐城人，正德九年進士，廷立通山人，嘉靖二年進士，則此本刻於嘉靖初，前於道焜者蓋百餘年。近莫氏《五十萬卷樓藏書目錄初編》卷二，載高麗本《音點春秋左傳括例始末句解綱目》，與此本正同；間缺宋諱，亦同此本。因疑元代單注本以前，或已有合於杜《注》之本，為此本及高麗本所從出。陳鱣跋云：「或刪杜以就林，或移林以冒杜」，蓋合注出於宋代坊賈之手。明清以來諸坊本，皆從之出，王道焜與趙如源同編之說，則又明末杭州書坊所託也。朱彝尊、陳鱣與四庫館臣反信其說，蓋均未詳攷也。

杜預序。」（頁二六）

八六、鳴沙石室古籍叢殘影印本第三冊：《寫本春秋經傳集解》四卷,《續修四庫全書總目提要》頁六七六．李一遂〈左氏春秋著錄書目研究〉頁一一七錄之。

【增補】《續修四庫全書總目提要》：「寫本春秋經傳集解四卷　鳴沙石室古籍叢殘本　楊鍾義

清光緒間敦煌出春秋經傳集解唐寫本二卷。六朝寫本二卷。敦煌自漢至唐。為中西交通大道。人文極盛。光緒庚子。敦煌縣南千佛洞佛龕坍塌。古寫本故書雅記暴露頗多。此殘卷四。甲卷存僖公五年。世字作廿。當是初唐寫本。而丙與民不缺筆。不可曉。乙卷存僖公二十七年至三十三年。唐諱皆不避。出六朝手。丙卷存昭公二十七年至二十八年。諱丙不諱民。殆寫於武德初年。丁卷存定公四年至六年。唐諱皆不缺筆。亦六朝寫本。取以校宋以後槧本。異同甚多。惜僅得全書之什一。上虞羅氏景印於鳴沙石室古籍叢殘中。前此宜都楊氏藏有古寫本春秋集解桓公殘卷。十八年傳冬城向注引詩定之方中。及此未正中也。二中字作　。缺末筆之下半。避隋諱。乃隋寫本。日本石山寺藏昭公一卷。日本經籍訪古志。載山官庫藏古寫本全帙卅卷。今歸宮內省圖書寮。此種雖無關於學術之經重。而殘篇故紙。未始不可以資點勘也。」(頁六七六)

八七、涵芬樓影印本：李一遂〈左氏春秋著錄書目研究〉頁一一七錄之。

八八、十三經古經第二十六至三十五冊本：李一遂〈左氏春秋著錄書目研究〉頁一一七錄之。

八九、朝鮮刻本：晉杜預撰《春秋經傳集解》三十卷附《諸家音訓》，黃建國、金初昇主編《中國所藏高麗古籍綜錄》頁十三著錄，延邊大學圖書館有藏本。

九十、清光緒十五年（１８８９）江南書局刻本：中國歷史博物館有藏本。

【增補】《中國歷史博物館藏普通古籍目錄》曰：「００８０

春秋左傳　　三十卷

（晉）杜預注

清光緒十五年（１８８９）江南書局刻本

十冊

（史３２０２）」（頁八）

九一、清宣統二年（１９１０）學部圖書局石印本：中國歷史博物館有藏本。

【增補】《中國歷史博物館藏普通古籍目錄》曰：「００８１

春秋左傳　十五卷

（晉）杜預集解

清宣統二年（１９１０）學部圖書局石印本

十五冊

（史９７）有兩部

（史３２２）」（頁八至頁九）

九二、清刻本：中國歷史博物館有藏本。

【增補】《中國歷史博物館藏普通古籍目錄》曰：「００８４

春秋經傳集解　三十卷

（晉）杜預撰

清刻本

十二冊

有殘

（史１４６１）」（頁九）

九三、清光緒１６年（庚寅１８９０）桂垣書局刻本：河北省圖書館有藏本。

【增補】《河北省圖書館館藏古籍目錄》曰：「０１４３

春秋左傳　三十卷／（晉）杜預注；（宋）林堯叟附注；（唐）陸德明音釋；（清）馮李驊集解·－清光緒１６年（庚寅１８９０）桂垣書局刻本·－１２冊（２函）經１４３」（頁十五）

九四、民國間石印本：河北省圖書館有藏本。

【增補】《河北省圖書館館藏古籍目錄》曰：「０１３０

春秋經傳集解　三十卷／（晉）杜預注；（唐）陸德明音義·－民國間石印本·－１６冊（４函）　經１３０」（頁十四）

九五、清乾隆間三多堂刻本：河北省圖書館有藏本。

【增補】《河北省圖書館館藏古籍目錄》曰：「０１３２

春秋左傳　五十卷首一卷／（晉）杜預，（宋）林堯叟注；（唐）陸德明音義；（明）鍾惺，孫鑛，韓范評點·－清乾隆間三多堂刻本·－１３冊（１函）·－存４０卷：卷１～１０，卷２０～５０；１０行２０字小字雙行同，白口，單魚尾，左右雙邊經１３２」（頁十四）

九六、清善成堂刻本：河北省圖書館有藏本。

【增補】《河北省圖書館館藏古籍目錄》曰：「０１４４

春秋左傳　五十卷／（晉）杜預，（宋）林堯叟注釋；（唐）陸德明音義；（明）鍾惺，孫鑛，韓范評點·－清善成堂刻本·－１２冊（２函）·－書名頁題春秋左傳杜林善本

部二　存２６卷：卷１～２６　６冊（２函）　經１４４」（頁十五）

九七、清光緒間經綸堂刻本：河北省圖書館有藏本。

【增補】《河北省圖書館館藏古籍目錄》曰：「０１４５

春秋左傳　五十卷／（晉）杜預注，（宋）林堯叟注釋；（唐）陸德明音義；（明）

鍾惺，孫鑛，韓范評點．－清光緒間經綸堂刻本．－１６冊（２函）．－書名頁題經綸堂春秋左傳杜林　　　經１４５」（頁十五）

九八、元覆南宋劉叔剛刊明初修補本：台北：國家圖書館有藏本。

【增補】《國家圖書館善本書志初稿》：「【附釋音春秋左傳註疏六十卷三十冊】

元覆南宋劉叔剛刊明初修補本　00597

晉杜預註，唐孔穎達疏。

版匡高 17.8 公分，寬 12.8 公分。左右雙邊。每半葉十行，行十七字。註文小字雙行，行二十三字。版心黑口，雙魚尾(魚尾相隨)，魚尾中間記書名卷第(如『秋疏一』)，下方書葉次及刻工名。左上欄外有耳題書魯公年，疏字以墨蓋子別出。版心下方部分登錄書寫姓名(如王成寫)。

宋元刻工名：天、仲高(或作仲、高)、文、善卿(或作善)、安卿(或作安)、以、壽甫(或作壽)、以清、以德(或作以、德)、君美(或作美)、祥、應、英玉(或作玉、英)、古月(或作月、古)、茂、正、朱文(或作朱、文)、王榮(或作榮、王)、德甫(或作德、甫)、余中(或作中)、王仁甫(或作仁)、朱、亨、德遠(或作德、遠)、五、德成(或作成、德)、孟、鐵筆(或作鐵、筆)、甫、善慶等。明修刻工名：吳一、江達、謝元慶、華福(或作福)、施肥、龔三、王榮、蔡順、黃道林(或作林、道林)、吳珠(或作吳朱)、葉雄(或作雄)、熊山(或作山)、詹弟、江長深、程亨、葉采(或作采)、黃永進(或作永進、永、黃永)、陸記青、余景旺、范朴、吳六耳、右、王仕榮、周、李豪(或作豪)、楊四、楊全、曾堅、余富(或作余)、劉立、台、范元福、曾春、余郎、王進富、余堅、陸榮、楊尚旦(或作尚旦、上旦)、黃仲(或作仲)、周同、劉京、曾、四、黃蘭、陸文進、三、陸四(或作六四)、詹蓬頭、人、江壽、吳佛生、陸基、陳德祿、余添進、張尾郎(或作張郎)、余文貴、陳珪、江四、葉金、江盛、葉再友、江田、王良富、余天理(或作余天禮)、王元保、葉馬、才、烏、清、余旺、黃友富(或作黃富、友)、王仲友、元清、德潤、江洪等。卷一葉二十四、卷二葉二、卷十六葉二十五、卷二十五葉二十二至二十五、卷六十最末葉以墨筆鈔補。

首卷首行頂格題『附釋音春秋左傳註疏卷第一』，次行低兩格題『國子祭酒上護軍曲阜縣開國子臣孔穎達等奉敕撰』，第四行低兩格題『國子博士兼太子中允贈齊州刺史吳縣開國男臣陸德明釋文』。正文首行頂格題『附釋音春秋左傳註疏卷第二』，下空二格小字雙行『隱元年/盡二年』。次行低四格題『杜氏註』，再低四格題『孔穎達疏』。卷末有尾題。卷一為杜預春秋序。日人阿部隆一以『疏』字墨圍和墨蓋子白文區別元版或明修補版。但是部份墨圍『疏』字葉版心上黑口有塗飾，魚尾中間記書名上方有圓圈記號，應同為明代修補版。

書中鈐有『擇是居』朱文橢圓印、『國立中央圖/書館收藏』朱文長方印、『張印/鈞衡』白文方印、『石銘/收藏』朱文方印、『吳興張氏適園收藏圖書』朱文長方印、『繡波/氏藏/書』白文方印。」(頁 160)。

【增補】《國家圖書館善本書志初稿》：「【附釋音春秋左傳註疏存二十八卷二十九

冊】

又一部　元覆宋劉叔剛刊明初印本　00600

此本多出前部之宋元修刻工有：粹、江、國右(或作國祐、國)、金等。

存卷八、卷十三、卷十四、卷十七、卷十九上、卷十九下、卷二十一、卷二十三、卷二十五、卷三十、卷三十一、卷三十三至卷三十五、卷三十八至卷四十一、卷四十三至卷四十六、卷四十八、卷五十、卷五十二、卷五十四、卷五十五、卷五十八、卷五十九。卷五十九葉一至四漫漶。

書中鈐有『擇是居』朱文橢圓印、『國立中央圖/書館收藏』朱文長方印、『韞輝/齋』朱文方印、『張氏/圖書』朱文方印、『慕齋鑒定』朱文圓印、『宛平王/氏家藏』白文方印、『張印/鈞衡』白文方印、『石銘/收藏』朱文方印、『王氏/家藏』朱文方印、『世家珍玩/永保萬年』白文方印、『吳興張氏適園收藏圖書』朱文長方印。」(頁 161)。

九九、敦煌六朝寫本：春秋經傳集解一卷。

【增補】《續修四庫全書總目提要》:「敦煌六朝寫本春秋經傳集解一卷　攝影本　傅振倫

晉杜預撰。原卷藏法京巴黎國家圖書館。編目為二九八一號。按此殘卷為昭公二十八至二十九兩年。起傳文分羊舌氏之田以為三縣止。傳文公執歸馬者賣之。共六十八行。每行十六字。傳文視經文低一格。注文用小字雙行。字蹟疏朗娟好。有注無疏。蓋是六朝人寫。或曰唐武德間寫本。莫能定也。持與今本相校。文字異同甚多。其人名地名異者。如傳文司馬彌牟為鄥大夫。注太原鄥縣。今本傳注均作鄔。又孟丙為盂大夫。注太原盂縣。今本作孟大夫。注同。按日知錄據漢書地理志。謂人名地名同字作孟盂者。非此寫卷正係同字。惟顧氏以為均係盂字與此卷又不同耳又御以為罩。今本作梟。又汝寬今本作女寬。皆不同。其文義攸關而互異者。經二十九年春公至自乾侯。居於鄆。注以乾侯致。今本作至。按正義以乾侯致告於廟者。作致是也。寫卷正作致。與宋本岳本足利本全同。又傳文引詩曰惟此文王。今本惟作唯。按校勘記引陳樹華云。傳文凡發語詞唯字俱從口。其引詩書本句則從　。前後一例。此寫卷正作惟。從　按詩作維此王季又擇善而從曰比。今本從下有之字。與上文句法遂令小異。又汝遂不言不笑矣。今本無矣字。又今夫子少不颺。今本作夫今子。文理少遜。又言之不可以已也如是。今本無之字。按石經本宋本淳熙本岳本足利本並有之字。與寫卷同。蓋與上文才之不可以已語相稱也。注文之異者。如魏子中軍率故謂之將軍。今本率作帥。校勘記引釋文云本又作率。寫卷正同。又二十六年尹固與子昭俱奔楚。今本作二十八年。按昭二十六年傳召伯盈逐王子朝王子朝及召子之族毛伯得尹氏固南宮嚚奉周之典籍以奔楚。則今本之作二十八年者誤矣。他如注文中也矣等字。寫本多出不下二十許。大抵古本助詞較多。顏氏家訓書證篇云。也是語已及助句之詞文籍備有之矣。河北經傳悉略此字。據此則江南古本助詞多於河北之本。六朝時實有其事。不第如楊守敬所云。鈔本寫雙行注文。未嘗細核字數。以致右行略多。乃填入無謂之字於左行以覆空格者也。然其出入較微。茲不悉著。總之此卷足資是正者不一而足。舊本

之可貴。豈徒然歟。」(頁六七六~六七七)

一○○、宋嘉定九年興國軍本：晉杜預撰《春秋經傳集解》三十卷，八行十七、十八字注雙行同白口左右雙邊有刻工〕存一卷〔二十二〕，北京：國家圖書館有藏本。

一○一、宋刻本：晉杜預撰　唐陸德明釋文《春秋經傳集解》三十卷，(卷十至十三配另一宋刻本)，十行十九字小字雙行廿三字細黑口四周雙邊，存十五卷〔一至十五〕，北京：中國國家圖書館有藏本。

又上海圖書館另有藏本，亦題作「宋刻本」，晉杜預撰　唐陸德明釋文，《春秋經傳集解》三十卷，十行十九字小字雙行十九字細黑口左右雙邊雙魚尾，存二十二卷〔一至十五　二十四至三十〕。

一○二、宋刻本：晉杜預撰　唐陸德明釋文《監本纂圖春秋經傳集解》三十卷，十行十八字小黑口左右雙邊有刻工，南京圖書館有藏本。

一○三、宋刻本：晉杜預撰　唐陸德明釋文《監本纂圖春秋經傳集解》三十卷，存三卷〔二十二至二十三〕，北京：中國國家圖書館另有藏本，十行十八字小字雙行廿四字細黑口四周雙邊。

一○四、宋龍山書院刻本：晉杜預撰　唐陸德明釋文《纂圖互注春秋經傳集解》三十卷，蜀馮繼先撰《春秋名號歸一圖》二卷，袁克文跋，十二行二十一字小字雙行二十五字細黑口左右雙邊，現藏於北京圖書館。

一○五、宋刻本：晉杜預撰　唐陸德明釋文《春秋經傳集解》三十卷，十三行廿四字白口四周雙邊單魚尾有刻工，上海圖書館有藏本。

一○六、宋蜀刻本：晉杜預撰　唐陸德明釋文《春秋經傳集解》三十卷，八行十六字小字雙行二十一字白口左右雙邊〕存二卷〔九(四至三十頁)十(一至二十六頁)〕，上海圖書館有藏本。

一○七、宋刻巾箱本：晉杜預撰　唐陸德明音義《婺本附音重言重意春秋經傳集解》三十卷，十行十九字白口左右雙邊單魚尾〕存十四卷二至七　十五至十九　二十三　二十五至二十六〕，上海圖書館有藏本。

一○八、宋婺州刻本：晉杜預撰《婺本附音春秋經傳集解》三十卷，〔，上海圖書館有藏本。

一○九、宋刻本：晉杜預撰　唐陸德明釋文《東萊先生呂成公點句春秋經傳集解》三十卷，十三行廿一字注文雙行同黑口四周雙邊，上海圖書館有藏本。

一一○、元相臺岳氏荊溪家塾刻本：晉杜預撰　唐陸德明釋文《春秋經傳集解》三十卷，蜀馮繼先撰《春秋名號歸一圖》二卷，《年表》一卷，(卷十七至二十配明刻本)周叔弢跋　八行十七字細黑口四周雙邊，北京：中國國家圖書館有藏本。

一一一、明嘉靖刻本：晉杜預撰　唐陸德明釋文《春秋經傳集解》三十卷，八行十七字小字雙行同白口四周雙邊有刻工，首都圖書館、清華大學圖書館、遼寧省圖書館、吉林大學圖書館、蘇州市圖書館、天一閣文物保管所、杭州大學圖書館、湖北省襄陽地區圖書館、湖南省圖書館、重慶市圖書館有藏本。

一一二、明刻本：晉杜預撰　唐陸德明釋文《春秋經傳集解》三十卷，八行十七字白口四周雙邊有刻工，遼寧省圖書館、吉林省圖書館、山東省圖書館、天一閣文物保管所、重慶市圖書館有藏本。

又南京圖書館另有藏本，亦作「明刻本」，晉杜預撰　唐陸德明釋文《春秋經傳集解》三十卷，八行十七字小字雙行十七字白口四周雙邊。

又浙江圖書館另有藏本，亦作「明刻本」，晉杜預撰　唐陸德明釋文《春秋經傳集解》三十卷。

又南京圖書館、南京博物院、浙江圖書館另有藏本，題作「明刻本」，晉杜預撰　唐陸德明釋文《春秋經傳集解》三十卷，八行十七字小字雙行同白口四周雙邊。

又北京：中國國家圖書館、北京師範大學圖書館、上海圖書館、遼寧省圖書館、吉林大學圖書館、哈爾濱市圖書館、衢縣文管會、鄭州市圖書館、湖南省圖書館、重慶市圖書館另有藏本，亦作「明刻本」，晉杜預撰　唐陸德明釋文《春秋經傳集解》三十卷，蜀馮繼先撰《春秋名號歸一圖》二卷，十行十八字白口左右雙邊雙魚尾。

又北京大學圖書館、北京師範大學圖書館、中共中央黨校圖書館、北京師範學院圖書館、中國科學院圖書館、中國社會科學院文學研究所、中國社會科學院歷史研究所、中國歷史博物館、北京市文物局、上海圖書館、復旦大學圖書館、天津市人民圖書館、天津師範學院圖書館、內蒙古社會科學院圖書館、吉林市圖書館、東北師範大學圖書館、吉林省延邊大學圖書館、吉林省社會科學院圖書館、黑龍江大學圖書館、陝西省師範大學、中共陝西省委黨校、山東省圖書館、青島市圖書館、安徽省博物館、江西省圖書館、江西大學圖書館、福建師範大學圖書館、華僑大學圖書館、河南省圖書館、鄭州市圖書館、鄭州大學（鄭州市）、輝縣文物管理所、湖北省荊州師專圖書館、湖南省圖書館、廣東省中山圖書館、中山大學圖書館、四川省圖書館、四川師範學院圖書館另有藏本，亦作「明刻本」，晉杜預注《春秋經傳集解》三十卷，八行十七字小字雙行白口雙魚尾四周雙邊。

又上海圖書館另有藏本，亦作「明刻本」，晉杜預撰　唐陸德明釋文《春秋經傳集解》三十卷，清陸隴其批並校　八行十七字白口雙魚尾四周雙邊。

又北京：國家圖書館另有藏本，題作「明刻本」，晉杜預撰　唐陸德明釋文，《春秋經傳集解》三十卷，清錢陸燦批　李葆恂跋並録清李兆洛題識，八行十七字小字雙行同白口四周雙邊。

又北京：中國國家圖書館另有藏本，題作「明刻本」，晉杜預撰　唐陸德明釋文，《春秋經傳集解》三十卷，清朱邦衡校並跋又録清惠棟校，八行十七字小字雙行同四周雙邊。

一一三、明崇禎四年毛氏汲古閣刻本：晉杜預注　明鍾惺評《春秋左傳》三十卷，北京市西城區圖書館、故宮博物院圖書館、中共北京市委圖書館、遼寧省圖書館、山東省圖書館、煙臺市圖書館、青島市博物館、浙江圖書館、餘姚梨州文獻館、湖南省圖書館有藏本。

一一四、元刻明修本：晉杜預注　唐孔穎達疏陸德明釋文《附釋音春秋左傳注疏》六十卷，(卷四十一、四十九、六十配明刻本卷五十五配清抄本)，十行十七字小字雙行廿三字白口左右雙邊，天津市人民圖書館有藏本。

又廣西師範學院圖書館有藏本，晉杜預注　唐孔穎達疏陸德明釋文《附釋音春秋左傳注疏》六十卷，存二卷〔八、九〕。

又南京圖書館有藏本，題作「元刻明修本」，晉杜預注　唐孔穎達疏　陸德明釋《附釋音春秋左傳注疏》六十卷，有清丁丙跋文。

又浙江圖書館有藏本，題作「元刻明修本」，晉杜預注　唐孔穎達疏　陸德明釋文《附釋音春秋左傳注疏》六十卷，十行十七字小字雙行廿三字白口補版黑口，有「章炳麟跋」。

又北京：國家圖書館、北京大學圖書館、上海圖書館、吉林省圖書館、浙江圖書館、天一閣文物保管所、安徽省圖書館、江西省樂平縣圖書館、湖南省圖書館有藏本，題作「元刻明修本」，晉杜預注　唐孔穎達疏　陸德明釋文《附釋音春秋左傳注疏》六十卷，十行十七字小字雙行廿三字白口左右雙邊有刻工。

一一五、宋劉叔剛刻本：晉杜預注　唐孔穎達疏　陸德明釋文《附釋音春秋左傳注疏》六十卷，十行十六、十七字小字雙行廿三字細黑口左右雙邊，存二十九卷〔一至二十九〕，北京：中國國家圖書館有藏本。

一一六、明永懷堂刻本：晉杜預撰　明穆文熙編　葛鼒重訂《春秋經傳集解》三十卷，蜀馮繼先撰《春秋名號歸一圖》二卷，清佚名錄，魏禧、何焯評語，九行二十字白口左右雙邊，上海圖書館有藏本。

一一七、康熙四十二年龔聖錫刻本：晉杜預　宋林堯叟注　唐陸德明音義　明孫鑛、鍾惺批點《春秋左傳》五十卷，清唐仁壽批校，浙江圖書館有藏本。

一一八、明祁鯨刻本：晉杜預撰　唐陸德明音義《春秋左氏經傳集解》三十卷，九行二十字白口左右雙邊單魚尾有刻工，上海圖書館有藏本。

一一九、萬曆十五年劉懷恕刻春秋戰國評苑本：晉杜預注　明穆文熙輯評《春秋經傳集解》三十卷，蜀馮繼先撰《春秋名號歸一圖》二卷，九行二十字小字雙行同白口四周雙邊有刻工姓名，北京：清華大學圖書館、北京師範大學圖書館、北京師範學院圖書館、中央民族大學圖書館、中國科學院圖書館、中國社會科學院文學研究所、故宮博物院圖書館、山東省圖書館、安徽省圖書館、中山大學圖書館、四川省圖書館有藏本。

一二〇、明萬歷十六年世德堂刻本：晉杜預撰　明穆文熙輯評《春秋經傳集解》三十卷，蜀馮繼先撰《春秋名號歸一圖》二卷，九行二十字小字雙行同白口上魚尾四周雙邊有刻工，河南省圖書館、湖北省圖書館有藏本。

一二一、元刻本：晉杜預撰　唐陸德明釋文《京本點校重言重意春秋經傳集解》三十卷，十一行二十字小字雙行廿一字白口四周雙邊〕存十五卷〔十六至三十〕，湖南省圖書館有藏本。

一二二、明天放菴刻本：晉杜預撰　唐陸德明釋文《春秋經傳集解》三十卷，宋蘇軾撰《春秋列國圖説》一卷，《異名考》一卷，八行十七字白口左右雙邊，北京：中國國家圖書館、北京大學圖書館、北京師範大學圖書館、天津市人民圖書館、山東省圖書館有藏本。

一二三、明萬歷四年刻本：晉杜預撰　明穆文熙輯評《春秋經傳集解》三十卷，十一行二十二字小字雙行同白口四周雙邊，重慶第一師範學校圖書館、雲南大學圖書館有藏本。

一二四、明嘉靖二十四年書林鄭希善宗文堂刻本：晉杜預注、宋林堯叟音注《春秋左傳》三十卷，十行二十一字小字雙行同白口左右雙邊，吉林省圖書館、浙江圖書館有藏本。

一二五、明刊本：晉杜預注　宋林堯叟音注　明鍾惺等評點《春秋左傳》五十卷，十行二十字小字雙行白口左右雙行單魚尾，北京大學圖書館有藏本。

一二六、明刻本：晉杜預撰　唐陸德明釋文《春秋經傳集解，湖北省圖書館有藏本。

一二七、明刻本：晉杜預撰　唐陸德明釋文《春秋經傳集解南開大學圖書館有藏本。

一二八、明刻本：晉杜預撰　唐陸德明釋文《春秋經傳集解青島市博物館有藏本。

一二九、明刻本：晉杜預撰　唐陸德明釋文《春秋經傳集解，上海圖書館有藏本。

一三〇、明刻本：晉杜預撰　唐陸德明釋文《春秋經傳集解北京：國家圖書館有藏本。

一三一、明刻本：晉杜預撰　唐陸德明釋文《春秋經傳集解，北京：國家圖書館有藏本。

一三三、明刻本：晉杜預撰　唐陸德明釋文《春秋經傳集解復旦大學圖書館、華東師範大學圖書館、南京圖書館有藏本。

一二四、明初刻本: 晉杜預注　宋林堯叟音注《春秋左傳》三十卷，(卷十八　二十一　二十二配清抄本)十行二十一字小字雙行同黑口四周雙邊，遼寧省圖書館有藏本。

又北京：清華大學圖書館另有藏本，十行二十一字小字雙行黑口雙邊〕存十九卷〔十二至三十〕。

一二五、明刻本：晉杜預、宋林堯叟注，唐陸德明音義，明孫鑛、鍾惺批點，張岐然輯《春秋左傳綱目杜林詳注》十五卷，九行廿九字白口四周單邊，廣東省五華縣圖書館有藏本。

一二六、明閔夢得、閔光德輯明萬歷二十二年刻本：晉杜預　宋林堯叟撰　唐陸德明音義《春秋左傳杜林合注》五十卷，十行二十字白口上下單邊左右雙邊，重慶市博物館有藏本。

一二七、明萬歷十八年金陵抱青閣十乘樓刻本：晉杜預、宋林堯叟撰《增補春秋左傳杜林合注》二十卷，十行十九字白口雙邊單魚尾，上海圖書館、河南省圖書館有藏本。

又常熟縣圖書館有藏本，題作「清錢陸燦批校並跋」。

一二八、明天啟六年問奇閣刊本：江蘇國學圖書館有藏本。

晉杜預、宋林堯叟撰、唐陸德明音義、明王道昆　趙如源輯《春秋左傳杜林合注》五十卷，九行二十字小字雙行同四周單邊，華東師範大學圖書館、吉林大學圖書館、金華圖書館、湖南師範學院圖書館有藏本。

《晉書》[45]：「杜預，字元凱，京兆杜陵人[46]。起家[47]尚書郎[48]，拜鎮南大將軍，都督荊州諸軍事[49]，以功進爵當陽縣侯[50]。預[51]既立功[52]，從容無事，乃耽思經籍，為《春秋左氏經傳集解》；又參考[53]眾家譜第，謂之《釋例》；又作《盟會圖》、《春秋長歷》[54]，備成一家之學，比老，乃成[55]。祕書監摯虞賞之，曰：『左邱明[56]本為《春秋》作傳，而《左

45霖案：《晉書》卷三四，頁1025-1032。又本文剪裁文句甚多，難於逐一校改，今僅就相關文句校之。

46霖案：「人」字下，應依《晉書》補入「祖畿，魏尚書僕射。父恕，幽州刺史。預博學多通，明於興廢之道，常言：『德不可以企及，立功立言可庶幾也。』初，其父與宣帝不相能，遂以幽死，故預久不得調。文帝嗣立，預尚帝妹高陸公主，」等字。

47霖案：「家」字下，應依《晉書》補入「拜」字。

48霖案：「郎」字下，竹垞刪去眾多文句，由於文句頗多，難於逐一校補，讀者可自行參看原書。

49霖案：「事」字下，竹垞刪去眾多文句，由於文句頗多，難於逐一校補，讀者可自行參看原書。

50霖案：「侯」字下，竹垞刪去眾多文句，由於文句頗多，難於逐一校補，讀者可自行參看原書。

51霖案：「預」字，為竹垞根據上文所加，而原書僅接「既立功之後」。

52霖案：「功」字下，應依《晉書》補入「之後」二字。

53霖案：「考」字，《晉書》作「攷」字。

54霖案：「《春秋長歷》」四字，《晉書》作「《春秋長曆》」。

55霖案：「比老，乃成」，點校本《晉書》作「比老乃成」。又「成」字下，應依《晉書》補入「又撰《女記讚》。當時論者謂預文義質直，世人未之重，唯」等二十一字。

56霖案：「左邱明」三字，《晉書》作「左丘明」。

傳》遂自孤行；《釋例》本為傳設，而所發明何但《左傳》，故亦孤行。』[57]預嘗稱王濟有馬癖、和嶠有錢癖[58]，武帝聞之，謂預曰：『卿有何癖？』對曰：『臣有《左傳》癖。』」

預〈自序〉曰[59]：「《春秋》者，魯史記之名也。記事者以事繫日，以日繫月，以月繫時，以時繫年，所以記遠近、別同異[60]也。故史之所記，必表年以首事，年有四時，故錯舉以為所記之名也。周禮有史官掌邦國四方之事，達四方之志，諸侯亦各有國史，大事書之於冊，小事簡牘而已。孟子曰：『楚謂之《檮杌》，晉謂之《乘》，而魯謂之《春秋》，其實一也。』韓宣子適魯，見《易象》與《魯春秋》，曰：『周禮盡在魯矣。吾乃今知周公之德與周之所以王。』韓子[61]所見，蓋周之舊典《禮經》也。周德既衰，官失其守，上之人不能使《春秋》昭明；赴告策書，諸所記注，多違[62]舊章；仲尼因魯史策書成文，考其真偽，而志其典禮，上以遵周公之遺制，下以明將來之法。其教之所存，文之所害，則刊而正之，以示勸戒；其餘則皆即用舊史，史有文質，辭有詳略，不必改也。故傳曰：『其善志。』又曰：『非聖人，孰能修之？』蓋周公之志，仲尼從而明之；左邱明受《經》於仲尼，以為《經》者不刊之書也，故《傳》或先《經》以始事，或後《經》以終義，或依《經》以辨[63]理，或錯《經》以合異，隨義而發其例之所重；舊史遺文，略不盡舉，非聖人所修[64]之要故也。身為國史，躬覽載籍，必廣記而備言之。其文緩，其旨遠，將令學者原始要終，尋其枝葉，究其所窮；優而柔之，使自求之，饜而飫之，使自趨之。若江海之浸，膏澤之潤，渙然冰釋，怡然理順，然後為得也。其發凡以言例，皆經國之常制，周公之垂法，史書之舊章，仲尼從而修之，以成一經之通[65]體。其微顯闡幽，裁成義類者，皆處舊例[66]而發義，指行事以正褒

57霖案：「行」字下，應依《晉書》補入「時王濟解相馬，又甚愛之，而和嶠頗聚斂，」等十六字。

58霖案：「王濟有馬癖、和嶠有錢癖」，應依《晉書》改作「濟有馬癖、嶠有錢癖」，竹垞或因刪去前文「時王濟解相馬，又甚愛之，而和嶠頗聚斂，」等十六字，惟恐讀者未知「濟有馬癖、嶠有錢癖」為何意，乃自加「王」、「和」二姓，今據原書刪去二姓。

59霖案：《國立中央圖書館善本序跋集錄》頁356-358錄有此文，係根據「明覆刊宋淳熙三年閩山阮氏種德堂本」甄錄而來。又《五經翼》卷十一，頁732-735亦錄及此〈序〉。

60「同異」，《四庫》本作「異同」。　霖案：《經義考新校》頁3161於「《四庫》」二字之前，新出校文如下：「文淵閣」三字。今考「明覆刊宋淳熙三年閩山阮氏種德堂本」序文、《五經翼》均題作「同異」，則四庫本《經義考》將二字誤倒，當據他本改正。

61霖案：「韓子」，應據「明覆刊宋淳熙三年閩山阮氏種德堂本」序文改作「宣子」。今考《五經翼》所引之文，適作「韓子」，可見竹垞所引之文，或據此書引文而來。

62霖案：「違」，應據「明覆刊宋淳熙三年閩山阮氏種德堂本」序文改作「遺」字。今考《五經翼》所引之文，適作「違」字，可見竹垞所引之文，或據此書引文而來。

63霖案：「辨」，「明覆刊宋淳熙三年閩山阮氏種德堂本」序文、《五經翼》引文作「辯」字。

64霖案：「修」，「明覆刊宋淳熙三年閩山阮氏種德堂本」序文作「脩」字。惟考《五經翼》所引之文，適作「修」字，可見竹垞所引之文，或據此書引文而來。

65霖案：「通」，「明覆刊宋淳熙三年閩山阮氏種德堂本」序文作「統」字。惟考《五經翼》所引之文

貶；諸稱『書』、『不書』、『先書』、『故書』、『不言』、『不稱』、『書曰』之類，皆所以起新舊，發大義，謂之變例。然亦有史所不書，即以為義者，此蓋《春秋》新意[67]，故傳不言凡，曲而暢之也。其經無義例，因行事而言，則傳直言其歸趣而已，非例也。故發傳之體有三，而為例之情有五：一曰微而顯。文見於此而起義在[68]彼：『稱族尊君命』，『舍族尊夫人』；『梁亡』；『城緣陵』之類是也。二曰志而晦。約言示制，推以知例：參會不地、與謀曰及之類是也。三曰婉而成章。曲從義訓，以示大順：諸所諱辟、璧假許田之類是也。四曰盡而不汙。直書其事，具文見意：丹楹刻桷、天王求車、齊侯獻捷之類是也。五曰懲惡而勸善。求名而亡，欲蓋而章[69]：書齊豹盜、三叛人名之類是也。推此五體，以尋經傳，觸類而長之，附於[70]二百四十二年行事，王道之正，人倫之紀備矣。或曰：『《春秋》以錯文見義。』若如所論，則經當有事同文異，而無其義也。先儒所傳，皆不其然。答曰：『《春秋》雖以一字為褒貶，然皆須數句以成言，非如八卦之爻可錯綜為六十四也，固當依傳以為斷。古今言《左氏春秋》者多矣，今其遺文可見者十數家，大體轉相祖述，進不成為錯綜經文，以盡其變；退不守邱[71]明之傳，於邱[72]明之傳，有所不通，皆沒而不說，而更膚引《公羊》、《穀梁》適足自亂。預今所以為異，專修邱[73]明之傳以釋經，經之條貫，必出於傳；傳之義例，總歸諸凡。推變例以正褒貶，簡二傳而去異端，蓋邱明之志也。其有疑錯，則備論而闕之，以俟後賢。然劉子駿創通大義，賈景伯父子、許惠卿，皆先儒之美者也；末有潁子嚴者，雖淺近，亦復名家，故特舉劉、賈、許、潁之違，以見同異。分經之年與傳之年相附，比其義類，各隨而解之，名曰《經傳集解》。又別集諸例及地名、譜第、歷數，相與為部，凡四十部十五卷，皆顯其異同，從而釋之，名曰：《釋例》。將令學者觀其所聚異同之說，《釋例》詳之也。』或曰：『《春秋》之作，《左傳》及《穀梁》無明文，說者以為仲

，適作「通」字，可見竹垞所引之文，或據此書引文而來。

66「皆處舊例」，《備要》本作「處其舊例」，應依《補正》、《四庫》本作「皆據舊例」。　霖案：《經義考新校》頁3162於「《四庫》」二字之前，另外新出校文如下：「《四庫薈要》本、文淵閣」等字。今考「明覆刊宋淳熙三年閩山阮氏種德堂本」序文，亦題作「皆據舊例」。

67霖案：「意」字，「明覆刊宋淳熙三年閩山阮氏種德堂本」序文作「義」字。惟考《五經翼》引文適作「意」字。

68霖案：「在」字下，應依「明覆刊宋淳熙三年閩山阮氏種德堂本」序文補入「於」字。今考《五經翼》引文未有「於」字。

69霖案：「章」，應依「明覆刊宋淳熙三年閩山阮氏種德堂本」序文改作「彰」字。惟《五經翼》引文正作「章」字。

70霖案：「於」字，「明覆刊宋淳熙三年閩山阮氏種德堂本」序文、《五經翼》引文均作「于」字。

71霖案：「邱」字，「明覆刊宋淳熙三年閩山阮氏種德堂本」序文、《五經翼》引文適作「丘」字。

72霖案：「邱」字，「明覆刊宋淳熙三年閩山阮氏種德堂本」序文、《五經翼》引文適作「丘」字。

73霖案：「邱」字，「明覆刊宋淳熙三年閩山阮氏種德堂本」序文、《五經翼》引文適作「丘」字。

尼自衛反魯，修[74]《春秋》，立素王，邱[75]明為素臣。言《公羊》者亦云：黜周而王魯，危行言孫，以辟[76]當時之害，故微其文，隱其義。《公羊》經止獲麟，而《左氏》經終孔丘卒，敢問所安。』答曰：『異乎余所聞。仲尼曰：「文王既沒，文不在茲乎？」此制作之本意也。歎曰：「鳳鳥不至，河不出圖，吾已矣夫。」蓋傷時王之政也。麟鳳五靈，王者之嘉瑞也；今麟出非其時，虛其應而失其歸，此聖人所以為感也。絕筆於獲麟之一句者，所感而起，固所以為終也。』曰：『然則《春秋》何始於魯隱公？』答曰：『周平王，東周之始王也；隱公，讓國之賢君也。考乎其時則相接，言乎其位則列國，本乎其始則周公之祚胤也。若平王能祈天永命，紹開中興；隱公能弘宣祖業，光啟王室，則西周之美可尋，文、武之跡[77]不墜。是故因其歷數，附其行事，采周之舊，以會成王義，垂法將來。所書之王即平王也，所用之歷即周正也，所稱之公即魯隱也，安在其黜周而王魯乎？子曰：「如有用我者，吾其為東周乎？」此其義也。若夫制作之文，所以章往考來。情見乎辭，言高則旨遠，辭約則義微，此理之常，非隱之也。聖人包周身之防，既作之後，方復隱諱以辟患，非所聞也。子路欲使門人為臣，孔子以為欺天，而云仲尼素王、邱[78]明素臣，又非通論也。先儒以為制作三年，文成致麟，既已妖妄；又引經以至仲尼卒，亦又近誣。據《公羊》經止獲麟，而《左氏》小邾射不在三叛之數，故予[79]以為感麟而作，作起獲麟，則文止於所起，為得其實。至於反袂拭面，稱吾道窮，亦無取焉。』」

【增補】〔補正〕預〈自序〉內「皆處舊例而發義」，「處」當作「據」。（卷七，頁九）

【增補】何廣棪：《陳振孫之經學及其《直齋書錄解題》經錄考證》曰：「廣棪案：預之《自序》曰：『古今言《左氏春秋》者多矣，今其遺文可見者十數家，大體轉相祖述，進不得為錯綜經文以盡其變；退不守丘明之《傳》。於丘明之《傳》有所不通皆沒而不說，更膚引《公羊》、《穀梁》，適足自亂。預今所以為異，專修丘明之《傳》以釋經。經之條貫，必出於《傳》；《傳》之義例，總歸諸凡。推變例以正褒貶，簡二《傳》以去異端，蓋丘明之志也。其有疑錯則備論而闕之，以俟後賢。然劉子駿創通大義，賈景伯父子、許惠卿皆先儒之美者也。末有潁子嚴者，雖淺近亦復名家。故特舉劉、賈、許、潁之違，以見同異；分經之年與《傳》之年，相附比其義類，各隨而解之，名曰《經傳集解》。』讀此《序》，當可詳悉預述作之意。」（頁五一四至頁五一五）

74霖案：「修」字，「明覆刊宋淳熙三年閩山阮氏種德堂本」序文作「脩」字。《五經翼》引文適作「修」字。。

75霖案：「邱」字，「明覆刊宋淳熙三年閩山阮氏種德堂本」序文、《五經翼》引文適作「丘」字。

76霖案：「辟」字，「明覆刊宋淳熙三年閩山阮氏種德堂本」序文作「避」字。《五經翼》引文適作「辟」字。

77霖案：「跡」字，「明覆刊宋淳熙三年閩山阮氏種德堂本」序文、《五經翼》引文均作「迹」字。

78霖案：「邱」字，「明覆刊宋淳熙三年閩山阮氏種德堂本」序文、《五經翼》引文均作「丘」字。

79霖案：「予」字，「明覆刊宋淳熙三年閩山阮氏種德堂本」序文、《五經翼》引文均題作「余」字。

【增補】何廣棪：《陳振孫之經學及其《直齋書錄解題》經錄考證》曰：「案：預《春秋左傳集解自序》曰：『又別集諸例及地名、譜第、曆數，相與為部，凡四十部，十五卷，皆顯其異同，從而釋之，名曰《釋例》。將令學者觀其所聚異同之說，《釋例》詳之也。』《解題》所述據預《序》。」（頁五一六）

《左傳．後序》[80]：「太康元年三月，吳寇始平，予[81]自江陵還襄陽，解[82]甲休兵，乃申舒[83]舊意，修[84]成《春秋釋例》及《經傳集解》[85]。始訖，會汲郡汲縣[86]有發其界內舊冢者，大得古書，皆簡編科斗文字。發冢者不以為意，往往散亂，科斗書久廢，推尋不能盡通，始者藏在祕[87]府，余晚得見之。所記大凡七十五卷，多離[88]碎怪妄，不可訓知。《周易》及《紀年》最為分了，《周易》上、下篇與今正同，別有《陰陽說》，而無〈彖〉、〈象〉、〈文言〉、〈繫辭〉，疑於[89]時仲尼造之於魯，尚未播之於遠國也。其《紀年》篇起自夏、殷、周，皆三代王事，無諸國別[90]，惟[91]特記晉國，起自殤叔，次文侯、昭侯，以至曲沃莊伯之十一年十一月，魯隱公之元年正月也，皆用夏正建寅之月為歲首，編年相次；晉國滅，獨記魏事，下至魏哀王之二十年，蓋魏國之史記也。推校哀王二十年，太[92]歲在壬戌，是周赧王之十六年、秦昭王之八年、韓襄王之十三年、趙武靈王之二十七年、楚懷王之三十年、燕昭王[93]之十三年、齊湣王之二十五年也，上去孔丘卒百八十一歲，下去今太康[94]三年五百

80霖案：《國立中央圖書館善本序跋集錄》頁358-359錄有此文，係根據「日本古活字本」甄錄而來。又《左傳》卷６０，頁1063有之。

81霖案：「予」，「日本古活字本」作「余」。

82「解……」以下，《四庫》本脫「甲休兵，乃申舒舊意，修成《春秋釋例》及《經傳集解》。」等十九字。

83「舒」，據《補正》當作「抒」。　霖案：「日本古活字本」亦作「杼」字，可見原書文句應作「杼」字。

84霖案：「修」，「日本古活字本」作「脩」。

85霖案：《經義考新校》頁3164新出校文如下：「文淵閣《四庫》本脫『甲休兵』至『《經傳集解》』等十九字。」等字。

86霖案：《經義考新校》頁3164新出校文如下：「『汲縣』，文淵閣《四庫》本無『汲』字。」。

87霖案：「祕」「日本古活字本」作「秘」。

88霖案：「離」，應依「日本古活字本」作「雜」。

89霖案：「於」，「日本古活字本」作「于」。

90「無諸國別」下，據《補正》有「也」字。

91霖案：「惟」，「日本古活字本」作「唯」。

92霖案：「太」，「日本古活字本」作「大」。

93霖案：《經義考新校》頁3165新出校文如下：「『燕昭王』，文津閣《四庫》本誤作『燕趙王』。」。

94霖案：「太康」，「日本古活字本」作「大康」。

八十一歲。哀王於《史記》，襄王之子，惠王之孫也，惠王三十六年卒，而襄王立；立十六年卒，而哀王立。古書紀年篇惠王三十六年改元，從一年始，至十六年而稱惠成王卒，即惠王也，疑《史記》誤分惠成之世以為後王年也。哀王二十三年乃卒，故特不諡[95]，謂之今王。其著書文意，大似《春秋經》，推此足見古者國史策書之常也。文稱魯隱公及邾莊公盟于姑蔑，即《春秋》所書『邾儀父未王命，故不書爵，曰儀父，貴之也。』又稱晉獻公會虞師伐虢，滅下陽，即《春秋》所書『虞師、晉師滅下陽。先書虞，賄故也。』又稱周襄王會諸侯于河陽，即《春秋》所書『天王狩于河陽。以臣召君，不可以訓也。』諸若此輩甚多，略舉數條，以明國史皆承告據實而書時事，仲尼修[96]《春秋》，以義而制異文也。又稱衛懿公及赤翟戰于洞澤，疑『洞』當為『泂』，即《左傳》所謂『熒澤』也，齊國佐來獻玉磬、紀公之甗，即《左傳》所謂『賓媚人』也。諸所記，多與《左傳》符同，異於《公羊》、《穀梁》，知此二書近世穿鑿，非《春秋》本意審矣。雖不皆與《史記》、《尚書》同，然參而求之，可以端正學者。又別有一卷，純集疏《左氏傳》卜筮事，上下次第及其文義皆與《左傳》同，名曰《師春》，『師春』似是抄集者人名也。《紀年》又稱殷仲壬即位，居亳，其卿士伊尹[97]；仲壬崩，伊尹放太甲[98]于桐，乃自立也。伊尹即位，放太甲七年[99]，太甲[100]潛出，自桐殺伊尹，乃立其子伊陟，伊奮命復其父之田宅而中分之。《左氏傳》伊尹放太甲[101]而相之，卒無怨色。然則太甲[102]雖見放，還殺伊尹，而猶以其子為相也。此為大與《尚書》敘說太甲[103]事乖異，不知老叟之伏生或致昏忘，將此古書亦當時雜記，未足以取審也。為其麤[104]有益於《左氏》，故略記之，附《集解》之末焉。」

【增補】〔補正〕〈後序〉內「乃申舒舊意」，「舒」當作「抒」；「無諸國別」下，葛氏永懷堂本有「也」字；「其卿士伊尹」，「其」當作「命」；「放太甲七年」，「放」葛本作「于」。丁杰曰：「按：《晉書·武帝紀》作『咸甯五年』，〈束晳傳〉、荀勗《穆天子傳》、傅暢《晉諸公讚》、《太公廟碑》、《東觀餘論》、《廣

95霖案：「不諡」，「日本古活字本」作「不稱諡」。

96霖案：「修」，「日本古活字本」作「脩」。

97「其卿士伊尹」，應依《補正》作「命卿士伊尹」。　霖案：《經義考新校》頁3166於「《補正》」二字之前，另有新出校文如下：「《四庫薈要》本、文淵閣《四庫》本、」等字。

98霖案：「太甲」，「日本古活字本」作「大甲」。

99「放太甲七年」，應依《補正》作「于太甲七年」。　霖案：《經義考新校》頁3166「于」字作「於」字，其餘諸字皆同。今考日本古活字本」作「於大甲七年」，蓋「於」、「于」常二字互換，而「於」、「放」則形近而誤入也，今當據以改作「于大甲七年」。

100霖案：「太甲」，「日本古活字本」作「大甲」。

101霖案：「太甲」，「日本古活字本」作「大甲」。

102霖案：「太甲」，「日本古活字本」作「大甲」。

103霖案：「太甲」，「日本古活字本」作「大甲」。

104霖案：「麤」，「日本古活字本」作「粗」。

川書跋》、《金石錄》、《中興書目》、《書史》作『太康二年』；《書》《咸有一德》《正義》作『太康八年』；《文獻通考》作『太康六年』，俱與此序異。考王隱《晉書・束晢傳》、房喬《晉書・律志》、〈衛恒傳〉、《隋書・經籍志》及《淮海題跋》並作『太康元年』，又與此〈序〉同。」（卷七，頁九—十）

陸德明曰[105]：「舊夫子之《經》與邱明[106]之《傳》各異[107]，杜氏合而釋之，故曰《經傳集解》。」

【增補】〔補正〕陸德明條內「與邱明之傳各異」，「異」當作「卷」。（卷七，頁十）

權德輿曰[108]：「仲尼明周公之志而修[109]經，邱明[110]受仲尼之《經》而為《傳》，元凱悅邱明[111]之《傳》而為注[112]。《左氏》有無《經》之《傳》，杜氏又錯《傳》分《經》[113]，慮失其[114]根本矣。」

晁公武曰[115]：「晉杜預、元凱集劉子駿、賈景伯父子、許惠卿、潁子嚴之注，分經之年與《傳》之年相附，故題曰《經傳集解》，其發明甚多，古今稱之。然其弊則棄《經》信《傳》，如：成公十[116]三年麻隧之戰，《傳》載秦敗績而《經》不書，以為晉直秦曲，則韓役書戰，時公在師，復不須告，克獲有功，亦無所諱，於《左傳》之例皆不合，不曰《傳》之謬，而猥稱《經》文闕漏，其尤甚者至如此。」

105霖案：《釋文釋文》卷十五，頁221C。

106霖案：「邱明」二字，《經典釋文》的注文作「丘明」

107「與邱明之傳各異」，應依《補正》作「與邱明之傳各卷」。　霖案：《經義考新校》頁三一六七於「《補正》」二字之前，另有校文如下：「《四庫薈要》本、文淵閣《四庫》本、」等字。今考《經典釋文》注文正作「與邱明之傳各卷」，翁方綱《經義考補正》之文，或據於此。

108霖案：《權載之文集》卷四十，〈明經策問七道—左氏傳〉，頁二三六。又《文苑英華》卷四百七十六卷，頁二四三二。

109霖案：「修」字，《文苑英華》作「脩」字。

110霖案：「邱明」二字，《權載之文集》、《文苑英華》俱引作「丘明」。

111霖案：「邱明」二字，《權載之文集》、《文苑英華》俱引作「丘明」。

112霖案：「注」字下，應依《權載之文集》、《文苑英華》補入「然則夫子感獲麟之無應，因絕筆以寄詞，作為褒貶，使有勸懼，是則聖人無位者之為政也，其於筆削義例，豈皆用周法耶？」等四十七字。

113霖案：「《經》」字下，應依《權載之文集》、《文苑英華》補入「誠多豔富」四字。

114霖案：「其」字，應依《權載之文集》、《文苑英華》刪去此字。

115霖案：晁公武《郡齋讀書志》卷第三，頁101、《文獻通考．經籍考》卷九，頁227錄之。

116霖案：《經義考新校》頁3167新出校文如下：「『十』」，文津閣《四庫》本誤作『之』」。

鄭樵曰[117]：「杜預解《左氏》，顏師古解《漢書》，所以得忠臣之名者，以其盡之矣。《左氏》未經杜氏之前，凡幾家；一經杜氏之後，後人不能措一辭。《漢書》未經顏氏之前，凡幾家；一經顏氏之後，後人不能易其說。縱有措辭易說之者，如朝月曉星，不能有其明也；如此之人，方可以解經。苟為文言多，而經旨不見；文言簡，而經旨有遺；自我說之後，後人復有說者，皆非箋釋之手也。傳注之學起，惟此二人其殆庶幾乎!其故何哉？[118]古人之言所以難明者，非為書之理意難明也，實為書之事物難明也；非為古人之文言難明也，實為古人之文言有不通於今者之難明也。能明乎《爾雅》之所作，則可以知箋注之所當然；不明乎《爾雅》之所作，則不識箋注之旨歸也。善乎二子之通《爾雅》也。顏氏所通者訓詁，杜氏所通者星歷、地理。當其顏氏之理訓詁也，如與古人對談；當其杜氏之理星歷、地理也，如羲、和之步天，如禹之行水。然亦有所短，杜氏則不識蟲魚鳥獸草木之名，顏氏則不識天文地理。孔子曰：『知之為知之，不知為不知，是知也。』杜氏於星歷、地理之言，無不極其致；至於蟲魚鳥獸草木之名，則引《爾雅》以釋之；顏氏於訓詁之言甚暢，至於天文、地理則闊略焉，此為不知為不知也。其他紛紛是何為者？釋是何經？明是何學？」

朱子曰[119]：「杜預《左傳》解，不看經文，亦自成一書；鄭箋不識經大旨，故多隨句解。」

葉適曰[120]：「杜氏於《左傳》用力深久，能[121]使後世淺俗野誕之說十去七八，始[122]學者由此而進，所造益深，則於《春秋》大義差不遠矣。」

陳振孫曰[123]：「其述作之意，〈序〉文詳之矣。專修邱明之《傳》以釋《經》，後世以為《左氏》忠臣者也。其弊或棄《經》而信《傳》，於《傳》則忠矣，如《經》何？」

【增補】何廣棪：《陳振孫之經學及其《直齋書錄解題》經錄考證》曰：「案：《讀書志》卷第三《春秋類》著錄：『《春秋左氏傳》三十卷。右晉杜預元凱集劉子駿、賈景伯父子、許惠卿穎子嚴之《注》，分經之年與《傳》之年相附，故題曰《春秋經傳集解》。其發明甚多，古今稱之。然其弊則棄經信《傳》，如成公十三年麻隧之戰，《傳》載秦敗績，而經不書，以為晉直秦曲；則韓役書『戰』，時公在師，復不須告，克獲有功，亦無所諱；於《左傳》之例皆不合，不曰《傳》之謬，而猥稱『經文闕漏』，其　甚至如此。』是則《解題》謂預撰《經傳集解》，『其弊或棄經而信《傳》』，蓋本晁《志》之說也。」（頁五一五）

117霖案：《文獻通考．經籍考》卷九，頁227-228錄及此文，惟題作「夾漈鄭氏曰」。

118「其故何哉」，《四庫》本誤作「其何故哉」。　霖案：《經義考新校》頁3168於「《四庫》」二字之前，另有校文如下：「文淵閣」三字。

119霖案：《朱子語類》卷十九，頁177。

120霖案：葉適《習學記言》卷十，頁83。

121霖案：四庫本於「能」字之前有「故」字。

122霖案：四庫本於「始」字題作「使」字，文字略有小異。

123霖案：《直齋書錄解題》卷三，頁455、《文獻通考．經籍考》卷九，頁227。

黃澤曰[124]：「杜元凱說《春秋》，雖曲從《左氏》，多有背違經旨處，然穿鑿處卻少。」又曰[125]：「元凱專修邱明[126]之《傳》以釋《經》，此於《春秋》最為有功[127]，但《左氏》有錯誤處必須力加辨明，庶不悖違經旨，此所謂愛而知其惡，而杜氏乃一切曲從；此其蔽也。」又曰[128]：「推變例以正褒貶，信《二傳》而去異端，此杜元凱所得；可以為法。」

《春秋世譜》通志作「 小公子譜」。（晉）

【著錄】李一遂〈左氏春秋著錄書目研究〉頁一〇二著錄。

【書名】李一遂〈左氏春秋著錄書目研究〉頁一〇二作《春秋世族譜》，《通志》、《經籍志》作《春秋公族譜》。

【作者】張心澂《偽書通考》曰：「《春秋世譜》一卷　誤題撰人」（頁四八一）

《宋志》：「七卷。」《通志》：「六卷。」

佚。

【增補】《崇文總目》曰：「不著撰人名氏，凡七卷。起黃帝至周見於《春秋》諸國世系，傳久稍失其次矣。按隋、唐書目《春秋大夫世族譜》十三卷，顧啟期撰。而杜預《釋例》自有《世族譜》一卷。今書與《釋例》所載不同，而本或題云杜預撰者，非也。疑此為啟期所撰。」（轉錄張心澂：《偽書通考》頁四八一）

《春秋釋例》（晉）

【霖案】藤原佐世《日本國見在書目錄》，頁十二、葉程義《禮記正義引書考》頁七七一、《元史藝文志輯本》卷三，頁六一著錄。

《隋志》：「十五卷。」

【霖案】葉程義《禮記正義引書考》云：「《隋志》著錄《春秋釋例》十五卷，杜預撰。《舊唐志》著錄《春秋左氏傳例》七卷，又十五卷，杜預撰。《新唐志》著錄穎容《釋例》七卷，又《釋例》十五卷，則誤為穎容撰矣。《宋志》著錄杜預《春秋左氏傳經傳集解》三十卷，又《春秋釋例》十五卷。《崇文總目》著錄《春秋釋例》十五卷，杜預撰，原釋凡五十三例。《文獻通考》著錄《春秋釋例》十五卷；晁氏曰：晉杜預注，凡四十部，集《左傳》諸例，及地名譜第曆數，偕顯其同異，從而釋之，發明尤多。昔人稱預為左氏忠臣，而預自以為傳癖，觀此尤信。陳氏曰：唐劉蕡為之序。」（頁七七二），葉氏關於「《新唐志》穎容《釋例》七卷，又《釋例》十五卷

124霖案：「通志堂經解」本《春秋師說》冊二六，卷上，頁14829。

125霖案：「通志堂經解」本《春秋師說》冊二六，卷下，頁14844。

126霖案：「邱明」二字，《春秋師說》作「丘明」。

127霖案：「功」字下，應依《春秋師說》補入「澤之用工〔功〕，大略亦做此」等九字。

128霖案：「通志堂經解」本《春秋師說》冊二六，卷上，一四八二八。

，則誤為潁容撰矣。」之說，或有誤失之處，說法詳見《經義考》卷一七二潁容《春秋釋例》條下。

【卷數】何廣棪《陳振孫之經學及其《直齋書錄解題》經錄考證》曰：「此書元世曾有作四十卷者，吳萊所撰《後序》曰：『《春秋左氏》，漢初本無傳者，劉子駿始建明之，欲立學官，諸儒莫應。然傳之者亦已眾多，賈景伯、服子慎並為訓解。及晉，而杜元凱又作《經傳集解》三十卷、《釋例》四十卷。』其其證。自明以來，此書已佚。茲所見之《四庫》本，乃就《永樂大典》輯出，仍作十五卷。」（頁五一六），又孫星衍曾撰〈校勘記〉二卷，附而行之。

未見。

【存佚】本書所見之本，乃係四庫館臣輯自《永樂大典》本，仍作十五卷，故應改注曰「存」籍。

【霖案】程金造編著《史記索隱引書考實》頁六九至頁七〇曾輯錄其文。

【版本及藏地】本書重要版本及藏地如下：

一、岱南閣叢書本：晉杜預撰，清莊述祖、孫星衍等校《春秋釋例》十五卷，《書目答問補正》卷一，頁三八著錄，馬來西亞大學圖書館有藏本。

二、清乾隆四十七年武英殿聚珍本：《書目答問補正》卷一，頁三八著錄，台北故宮博物院有藏本。

三、武英殿聚珍版書·福建本：《書目答問補正》卷一，頁三八著錄，本書附孫星華〈校勘記〉二卷。

四、清嘉慶五年常熟席氏掃葉山房覆刊武英殿本：晉杜預撰，《春秋釋例》十五卷本，《書目答問補正》卷一，頁三八著錄，台中東海大學圖書館有藏本。

又上海圖書館藏有一本，題作「清葉昌熾校」。

五、古經解彙函本：晉杜預撰，清莊述祖、孫星衍校《春秋釋例》十五卷，七冊，《書目答問補正》卷一，頁三八著錄，馬來西亞大學圖書館有藏本。

六、日本文化元年（１８０４）刻本：湖北圖書館有藏本。

七、文淵閣四庫全書本：台北故宮博物院有藏本。

【增補】永瑢等撰《欽定四庫全書總目》曰：「春秋釋例十五卷　永樂大典本

晉杜預撰。預事迹詳《晉書》本傳。是書以經之條貫必出於傳，傳之義例歸總於『凡』，《左傳》稱『凡』者五十，其別四十有九，皆周公之垂法，史書之舊章，仲尼因而修之，以成一經之通體。諸稱『書』、『不書』、『先書』、『故書』、『不言』、『不稱』、『書曰』之類，皆所以起新緒，發大義，謂之變例。亦有舊史所不書，適合仲尼之意者，仲尼即以為義。非互相比較，則褒貶不明，故別集諸例及地名、譜第、歷數相與為部。先列經傳數條，以包通其餘，而傳所述之『凡』繫焉，更以己意申之，名曰《釋例》，地名本之泰始郡國圖，《世族譜》本之劉向《世本》，與《集解》一經一緯，相為表裏。《晉書》稱：『預自平吳後，從容無事，乃著《集解》，又參考眾家譜第，謂之《釋例》，又作《盟會圖》、《春秋長歷》，備成一家之學，比老乃成。』今考《土地名》篇，稱『孫氏僭號於吳，故江表所記特略』，則其屬稿實在平吳以前，故所列多兩漢、三國之郡縣，與晉時不盡合。至《盟會圖》、《長歷》，則皆書中之一篇，非別為一書。觀預所作《集解序》，可見史所言者未詳。《晉書》又稱，當時論者謂預文義質直，世人未之重，惟秘書監摯虞賞之。考嵇含《南方草木狀》稱，晉武帝賜杜預蜜香紙萬番，寫《春秋釋例》及《經傳集解》，則當時固重其書，史所言者亦未盡確也。其書自《隋書・經籍志》而後，并著於錄，均止十五卷，惟元吳萊作後序云『四十卷』，豈元時所行之本，卷次獨分析乎？自明以來，是書久佚，惟《永樂大典》中尚存三十篇，并有唐劉蕡原序。其六篇有釋例而無經傳，餘亦多有闕文。謹隨篇掇拾，取孔穎達《正義》及諸書所引《釋例》之文補之，校其訛謬，釐為二十七篇，仍分十五卷，以還其舊，吳萊後序亦并附焉。按預《集解序》云『釋例凡四十部』，《崇文總目》云『凡五十三例』，而孔穎達《正義》則云：『《釋例》事同則為部，小異則附出，孤經不及例者聚於終篇。四十部次第，從隱即位為首，先有其事、則先次之，世族、土地事既非例，故退之終篇之前。是《土地名》起於『宋衛遇于垂』，《世族譜》起於『無駭卒』，無駭卒在遇垂之後，故地名在世族前。』今是書原目不可考，故因孔氏所述之大指，推而廣之，取其事之見經先後為序，《長歷》一篇，則次之《土地名》、《世族譜》後，以《集解序》述歷數在地名、譜第後也。《土地名》篇釋例云：『據今天下郡國縣邑之名，山川道塗之實，爰及四表，皆圖而備之，然後以《春秋》諸國邑、盟會地名附列之。名曰《古今書春秋盟會圖別集疏》一卷，附之《釋例》。』『所畫圖本依官司空圖，據泰始之初郡國為正。孫氏初平，江表十四郡皆貢圖籍，荊、揚、徐三州皆改從今為正，不復依用司空圖。』則是書應有圖而今已佚。又有附《盟會圖疏》，臚載郡縣，皆是元魏隋唐建置地名，非晉初所有，而『陽城』一條且記唐武后事，當是預本書已佚，而唐人補輯；又《土地名》所釋亦有後人增益之語，今仍錄原文，而各加辨證於下方。考預書頗有曲從左氏之失，而用心周密，後人無以復加，其例亦皆參考經文，得其體要，非公、穀二家穿鑿月日者比。摯虞謂『左丘明本為《春秋》作傳，而《左傳》遂自孤行。《釋例》本為傳設，而所發明何但《左傳》，故亦孤行。』（案『故』字文義未明，疑為『當』字之訛，以晉書原本如是，姑仍其舊文。）良非虛美。且《永樂大典》所載，猶宋時古本。觀《夫人內女歸寧例》一篇末云『凡若干字，經傳若干字，釋例若干字。』當時校讎精當，概可想見。如《長歷》載『文公四年十有二月壬寅，夫人風氏薨』，杜云：『十二月庚午朔，無壬寅。』近刻『注疏』本并作十有一月。按十一月庚子朔，三日得壬寅，不可謂無壬寅也。又『襄公六年』經文本云：『十有二月，齊侯滅萊』，而近刻《左傳》本前則曰：『十有一月，齊侯滅萊，萊恃謀也』，後則曰：『晏弱圍棠，十一月丙辰而滅之。』今考《長歷》十一月丁丑朔，是月無丙辰。十二月丁未朔，十日得丙辰。杜預繫此日於十二月下，不言日月有誤，可見今本傳文兩言『十一月』皆『十二月』之訛也。如此之類，可以校訂外訛者，不可縷數。《春秋》以《左傳》為根本，《左傳》以杜《解》為門徑，《集解》又以是書為羽翼。

緣是以求筆削之旨，亦可云考古之津梁，窮經之淵藪矣。」（卷二十六，頁三三二至頁三三三）

【增補】邵懿辰撰、邵章續錄：《增訂四庫簡明目錄標注》卷三曰：「《春秋釋例》十五卷，晉杜預撰，原本久佚，今從《永樂大典》錄出。

聚珍板本，嘉慶二年莊氏刊本，岱南閣刊本，掃葉山房重刊本，孔氏微波榭刻《杜氏長曆》一卷，地名一卷。

〔續錄〕經學輯要本，古經解彙函本，據聚珍板刊，閩覆聚珍本，杜預撰《春秋長曆》，有王謨輯漢魏遺書鈔本，嘉慶間刻。」（頁一〇四）

八、廣雅書局刊武英殿聚珍版全書本：晉杜預撰，清孫星華校《春秋釋例》十五卷，《校勘記》二卷，馬來西亞大學圖書館有藏本。

九、《叢書集成初編》本：晉杜預撰《春秋釋例》十五卷，六冊，馬來西亞大學圖書館有藏本（三部）。

又據孫啟治、陳建華編《古佚書輯本目錄（附考證）》頁五九所錄，此本有孫星華〈校勘記〉二卷。

【霖案】朱彝尊：《曝書亭集》卷二四〈陸氏春秋三書序〉云：「自杜元凱以例釋《左氏》，其說有正例、變例、非例之分，別為五體，以尋經傳之微旨，言《春秋》者宗之，然猶略而未該。至三子書出，例乃大備。」（頁四二四），由此可知，其書雖有「略而未該」之失，但卻開啟啖助、趙匡、陸質以例釋《左氏》之先河，故有其參考價值。

【增補】孫啟治、陳建華編《古佚書輯本目錄（附考證）》曰：「杜預，字元凱，京兆杜陵人，官至鎮南大將軍、都督荊州諸軍事。為《春秋左氏經傳集解》。又參考眾家譜第，謂之《釋例》。又作《盟會圖》、《春秋長曆》。（《晉書》本傳）按杜預《春秋序》云：『又別集諸例及地名、譜第、曆數，相與為部，凡四十部，十五卷，皆顯其異同，從而釋之，名曰《釋例》。』是《晉書》本傳所言《春秋長曆》乃《釋例》之一篇，非別為一書。（說見《四庫全書總目》）《釋文序錄》、《隋志》、兩《唐志》及《宋志》並載杜預《春秋釋例》十五卷。明以後散佚無傳。清四庫館臣從《永樂大典》採得三十篇，並據《左傳正義》等所引補缺校　，用武英殿聚珍版印行。其後莊述祖、孫星衍校訂重刊。孫星華復取二本參觀，錄其文字異同，成《校勘記》二卷，附於粵刻聚珍本後。按莊、孫校訂本較聚珍版原本為詳備，唯卷三脫去正文八百餘字及注二節，他處亦間有訛脫。」（頁五九）

十、清同治十二年(1873)粵東書局刊本：(晉)杜預撰《春秋釋例》十五卷，台北：國家圖書館有藏本。

【增補】〔補正〕劉蕡〈序〉曰「聖人文乎魯史，志乎周道，筆削隱顯，有權有義，一正乎周制而已。權焉，故有諱國惡、避世禍、矯事以變文也；義焉，故有例典禮、貶僭亂、尊王以行法也。彰明五始，上稟班朔，布象之本，則公旦禮經、列國群史，悉得書之矣。詳略一字，下救衰俗、強臣之漸，則仲尼志蘊，異代鮮克究其極焉。有晉大儒杜預，皓首《春秋》，深明權義，乃謂學者未可與權，必先講義；義之通明　有宗本，舉一則推萬可知，討源則眾流畢會，是以禮經言凡者，謂其統之有宗也。志在可例者，謂其會之有元也。厥初寄辭史法，假蹟霸政，其事著於桓、文，其道窮于魯、衛。且諸侯專而宗周微，三家盛而公室削，道不克振，事得以書，由是立經舉元，後世非以例義求之，則莫能一而貫也。范甯有言：《左氏》失誣，《公羊》失俗，《穀梁》失短。斯皆謂偏執空文而昧乎變例者也。夫然《釋例》之作，宗本于舊章，非元凱獨斷而然也；實包括三傳，同歸於聖經之奧與？且曰八公書即位而四公發傳，雖以『不書』、『不稱』為文，其義則一也。昭、定、哀蒐皆不書，公言權在三家也。襄公在楚，每月以不朝告於廟，特于正月釋之者，人理所自新也。諸侯雖有九伐之法，必稟命于天子，可以執，不可輒殺也。考之數條，足以見天歷、人謀相與用舍，一權一義始終詳焉。始于平王東遷，謂魯秉周禮，尚可興之乎？終于哀公西狩，謂叔孫專政，魯其不可為矣。嗚呼！夾谷之後，使仲田毀三桓城，收其甲兵，不克；孔子之衛，至十一年，自衛反魯，聖經修成；後二年，泰山其頹，三桓勝魯，聖人斯文于是乎掃地矣。漢興，帝制立賢良文學之士，率以《春秋》治天下；晉主中國，元凱以《春秋》為安危，故述茲凡例，意欲安中國而御四夷，釋權義以正禮經，後儒有以知可例者文也，可釋者志也。善言《春秋》者，不以文害志，故志定而後斷物；得其斷，則例可得焉。例可忘焉？故序。」劉蕡序，按：是書久佚，惟《永樂大典》中尚存三十篇，並存唐劉蕡原〈序〉，今補錄於此。（卷七，頁十-十二）

【霖案】何廣棪《陳振孫之經學及其《直齋書錄解題》經錄考證》曰：「蕡之《序》，《四庫》本列於書首。」（頁五一七）

【增補】〔校記〕四庫有輯大典本十五卷。（春秋，頁四五）

十一、清抄本：晉杜預撰，孔繼涵校並跋　孔廣栻校錢坫跋《春秋藏地：國家圖書館有藏本。

摯虞曰[129]：「左邱明[130]本為《春秋》作《傳》，而《左傳》遂自孤行；《釋例》本為傳設，而所發明何但《左傳》，故亦孤行。」

《崇文總目》[131]：「凡五十三例。」

黃澤曰[132]：「杜元凱作《春秋經傳集解》之外，自有《釋例》一部，凡地名之類，靡不皆有，此自前代經師遞相傳授，所以可信。」

129霖案：《三國志．魏書》卷十六，頁508注文一引之。又《晉書》卷三四，頁1032亦有相似之語。

130霖案：「左邱明」三字，《魏書》注文引作「左丘明」。

131霖案：《文獻通考．經籍考》卷九，頁233。

132霖案：「通志堂經解本」《春秋師說》冊二六，卷上，頁14828。

晁公武曰[133]：「晉杜預撰[134]，凡四十部，集《左傳》諸例及地名、譜第、歷數，皆顯其同異，從而釋之，發明尤多。昔人稱預為《左氏》忠臣，而預自以為有傳癖，觀此尤信。」

陳振孫曰[135]：「唐劉蕡為之序。」

【增補】何廣棪：《陳振孫之經學及其《直齋書錄解題》經錄考證》曰：「廣棪案：此書元世曾有作四十卷者，吳萊所撰《後序》曰：『《春秋左氏》，漢初本無傳者，劉子駿始建明之，欲立學官，諸儒莫應。然傳之者亦已眾多，賈景伯、服子慎並為訓解。及晉，而杜元凱又作《經傳集解》三十卷、《釋例》四十卷。』是其證。自明以來，此書已佚。茲所見之《四庫》本，乃就《永樂大典》輯出，仍作十五卷。」（頁五一六）

【增補】何廣棪：《陳振孫之經學及其《直齋書錄解題》經錄考證》曰：「案：蕡《序》略曰：『聖人文乎魯史，志乎周道，筆削隱顯，有權有義，一正于周制而已。權焉，故有諱國惡，避世禍，矯事以變文也。義焉，故有例典禮，貶僭亂，尊王以行法也。……晉主中國，元凱以《春秋》為安危，故述茲例，意欲安中國而御四夷；釋權義以正《禮經》。後儒有以知可例者文也，可釋者志也。善言《春秋》者，不以文害志。故志定而後斷物，物得其斷則例可得焉，例可忘焉。故序。』蕡之《序》，《四庫》本列於書首。」（頁五一六至頁五一七）

吳萊〈後序〉曰[136]：「《春秋左氏》，漢初本無傳者，劉子駿始建明之，欲立學官，諸儒莫應，然傳之者亦已眾多，賈景伯、服子慎並為訓解。及晉，而杜元凱又作《經傳集解》三十卷、《釋例》四十卷，且歷詆劉、賈之違，獨不言服氏，豈或不見服氏書乎？亦不應不見也。《世族譜》本之劉向《世本》，《地志》本之泰始《郡國圖》，《長歷》[137]本之劉洪《乾象歷》[138]，世多言其天文、星歷[139]為長；然說經多依違以就傳，似不得為《左氏》忠臣者。南北分裂，館陶、趙世業家有服氏《春秋》，是晉永嘉舊寫，華陰徐生往[140]讀之，遂撰《春秋義章》以教學者，是永嘉時，猶未尚杜氏。青州刺史杜坦及其弟驥世傳其業，故齊地亦多習之。坦，元凱之玄孫也。姚文安、秦道靜初亦學服氏，後更兼講杜說；劉蘭、張

133霖案：《郡齋讀書志》卷第三，頁102、《文獻通考．經籍考》卷九，頁233。

134霖案：《經義考新校》頁3171新出校文如下：「『撰』，文淵閣《四庫》本作『傳』」。今考「撰」字，應依《文獻通考》改作「注」字，蓋「撰」、「注」義不同，當以「注」字為是。

135霖案：《直齋書錄解題》卷三，頁455、《文獻通考．經籍考》卷九，頁233。

136霖案：《五經翼》冊一五一，卷十四，頁793〈春秋釋例後題〉朱氏多後末數句，又叢刊本《淵穎吳先生文集·春秋釋例後題》卷十二，頁118。

137霖案：「《長歷》」二字，《淵穎吳先生文集》作「《長曆》」。

138霖案：「《乾象歷》」二字，《淵穎吳先生文集》作「《乾象曆》」。

139霖案：「星歷」二字，《淵穎吳先生文集》作「星曆」。

140霖案：「往」字，《淵穎吳先生文集》作「徃」。

君貴[141]之徒則又隱括兩家同異，義例無窮。嗚呼!漢初習經者專門，而今河洛習傳者宗服子慎，江左尚杜元凱矣。晉劉兆始取《公》、《穀》及《左氏》說，作《春秋調人》，而今蘭、吾貴又會服、杜之說矣，聖人之道不自是而愈散哉？自唐孔穎達《春秋正義》一用杜氏，非徒劉、賈之說不存，服義亦不盡見，固不若兩存之，以見服、杜之為孰愈也。今《釋例》具在[142]，有劉蕡〈序〉；蕡，太和中對賢良策，譏切人主，斥罵宦者，文極激學，一本《春秋》，與漢董生天人三策相為上下，蕡亦自擬董生，且曰：『昔董仲舒為漢武帝言之未盡者，今臣復為陛下言之。』壯哉蕡乎!至為此序，獨不類唐文之衰至此極矣。」

《春秋左傳音》（晉）

《七錄》：「三卷。」

佚。

《隋書》[143]：「梁有服虔、杜預《音》三卷。」

《春秋左氏傳評》（晉）

《隋志》：「二卷。」

佚。

《春秋經傳長歷》（晉）

【書名】本書異名如下：

一、《長曆》：一卷，《書目答問補正》卷一，頁三八著錄。

二、《春秋長曆》：張壽平《公藏先秦經子注疏書目》頁一二二著錄。

三、《春秋長歷》：《馬來西亞大學中文圖書目錄》七一三．一著錄。

四、《春秋經傳長曆》：陳明恩〈魏晉南北朝《春秋》學初探〉頁一八六著錄。

【增補】《三國志．魏書．杜畿傳》注引《杜氏新書》云：「預字元凱，……大觀群典，謂《公羊》、《穀梁》，詭辨之言。非先儒說《左氏》未究丘明意，而橫以二傳亂之。乃錯綜微言，著《春秋左氏經傳集解》，又參考眾家，謂之《釋例》，又作《盟會圖》、《春秋長曆》，備成一家之學，至老乃成。」（頁五〇八）

佚。惟《論》存。

【存佚】本書世間有存本，故應注曰「存」。

141霖案：《經義考新校》頁3171新出校文如下：「『張君寶』」，依《四庫》諸本應作『張君寶。』三字。

142霖案：「今《釋例》具在」以下諸文，《五經翼》刪之，而竹垞錄之，蓋或取材來源不同，今觀竹垞之文，率同於《淵穎吳先生文集》之文，其所出或為此書也。

143霖案：《隋書》卷三二，頁928。

【版本及藏地】本書重要版本及藏地如下：

一、岱南閣校本：《書目答問補正》卷一，頁三八著錄。

二、聚珍本：《書目答問補正》卷一，頁三八著錄。

三、福本：《書目答問補正》卷一，頁三八著錄。

四、席氏掃葉山房本：《書目答問補正》卷一，頁三八著錄。

五、古經解彙函本：《書目答問補正》卷一，頁三八著錄。

六、微波榭叢書本：晉杜預注《春秋長歷》一卷，《書目答問補正》卷一，頁三八著錄，台北中研院史語所有藏本。

又天一閣文物保管所有藏本，題作「晉杜預撰，《春秋長歷》一卷」，有清惠棟批校。

又馬來西亞大學圖書館有藏本。

七、漢魏遺書鈔：《經異》第三冊，杜信孚等編纂《同名異書匯錄》頁一三八著錄。

【增補】孫啟治、陳建華編《古佚書輯本目錄（附考證）》曰：「杜預撰《春秋釋例》，此《春秋長曆》當是《釋例》之一篇，參上條。王謨此輯未注採摭出處，核其文，知從《續漢書·律曆志》劉昭注鈔出。」（頁五九）

八、戴氏遺書第三十一冊本：李一遂〈左氏春秋著錄書目研究〉頁一〇八著錄。

九、清抄本：晉杜預撰，《春秋長歷》一卷，上海圖書館有藏本。

預〈自序〉曰[144]：「《書》稱期[145]三百六旬有六日，以閏月[146]定四時成歲，允釐百工，庶積咸熙。是以天子必置日官，諸侯必置日御，世修其業，以考其術。舉全數而言，故曰『六日』，其實五日四分之一日，日行一度[147]，而月日行十三度十九分，度之有畸[148]，日官當會集此之遲疾以考成。晦朔錯綜，以設閏月[149]，閏月無中氣，而北斗邪指兩辰之間，所以

144霖案：《後漢書．注》志二．律曆中，頁3030-3032；又《晉書．志．律曆下》卷十八，頁564。

145霖案：「期」字，《後漢書．注》作「朞」字。

146霖案：《經義考新校》頁3173新出校文如下：「『閏月』，文淵閣《四庫》本誤作『潤月』」。

147霖案：「日，日行一度」，考點校本《後漢書．注》標作「日日行一度」，與《點校補正經義考》所標斷句不同。

148霖案：「而月日行十三度十九分，度之有畸」，點校本《後漢書》標作「而月日行十三度十九分度之有畸」，與《點校補正經義考》所錄不同。

149霖案：「以考成。晦朔錯綜，以設閏月」，點校本《後漢書．注》標作「以考成晦朔，錯綜以設閏月」，與《點校補正經義考》的斷句不同，今審度標點，應以點校本《後漢書．注》為佳。

異於他月也。積此以相通，四時八節無違，乃得成歲，其微密至矣。得其精微[150]合天道，事敘而不悖，故傳曰：『閏以正時，時以作事，事以厚生，生民之道於是乎在。』然陰陽之運，隨動而差，差而不已，遂與歷錯；故仲尼、邱明[151]每於朔閏發文，蓋矯正得失，因以宣明歷數也。桓十七年日食得朔，而史闕其日，單書朔；僖十五年日食，而史闕朔與日，故傳因其得失，並起時史之謬，兼以明其餘日食或歷[152]失其正也；莊二十五年，《經》書『六月辛未朔，日有食之，鼓用牲于社。』周之六月，夏之四月，所謂正陽之月也；而時歷[153]誤，實是七月之朔，非六月，故《傳》云[154]『非常也。』惟正月之朔慝未作日有食之，於是乎有[155]用幣于社，伐鼓於[156]朝，此非用幣、伐鼓常月，因變而起，歷[157]誤也。文十五年《經》文皆同，而更復發《傳》曰『非禮』，明前《傳》欲以審正陽之月，後《傳》發例欲以明諸侯之禮也。此乃聖賢之微旨，先儒所未喻也。昭十七年夏，六月，日有食之，而平子言非正陽之月，以誣一朝，近於指鹿為馬，故傳曰『不君』，君[158]且因以明，此月為得天正也。劉子駿造《三統歷》[159]以修《春秋》；《春秋》日食有甲、乙者三十四，而《三統歷》[160]惟[161]一食歷術比諸家既最疏[162]，又六千[163]餘歲輒益一日，凡歲當累日為次，而無故益之，此不可行之甚者；班固先代名儒，而謂之最密，非徒班固也，自古以來，諸論《春秋》者多述謬誤，或造家術，或用黃帝以來諸歷以推經傳朔日，皆不得諧合日食于[164]朔，此乃天驗。經、傳又書其朔食可謂得天，而劉、賈諸儒說皆以為月二日或三日，公違聖人明文，其蔽在

150「得其精微」下，應依《補正》、《四庫》本補「以」字。　霖案：《經義考新校》頁3173『《四庫》本』作『《四庫》諸本』。今考《後漢書．注》所引之文，正有「以」字，是則為翁方綱、四庫館臣所據之由。

151霖案：「邱明」，《後漢書．注》作「丘明」。

152霖案：「歷」，《後漢書．注》作「曆」。

153霖案：「歷」，《後漢書．注》作「曆」。

154「云」，當據《補正》作「曰」。　霖案：《後漢書．注》正題作「云」字，此為竹垞所據之本也。

155「有」，據《補正》當刪。　霖案：《後漢書．注》正有「有」字，此為竹垞所據之本也。

156霖案：「於」，《後漢書．注》作「于」。

157霖案：「歷」，《後漢書．注》作「曆」。

158霖案：「『不君』，君」，點校本《後漢書．注》作「『不君君』」，與《點校補正經義考》標點不同。

159霖案：「《三統歷》」，《後漢書．注》作「《三統曆》」。

160霖案：「《三統歷》」，《後漢書．注》作「《三統曆》」。

161霖案：「惟」，《後漢書．注》作「唯」。

162霖案：「疏」，《後漢書．注》作「疎」。

163「六千」，當據《補正》作「六百」。　霖案：《後漢書．注》作「六千」，或為竹垞所據之本，又此為計數數量有誤也。

164霖案：「于」，《後漢書．注》作「於」。

於守一元不與天消息也。余感《春秋》之事，嘗著歷論[165]，極言歷[166]之通理，其大指曰：天行不息：日月星辰各運其舍，皆動物也。物動則不一，雖行度大量可得而限，累日為月，以新故相序，不得不有毫毛之差，此自然理也。故《春秋》日有頻月而食者、曠年不食者，理不得一而算[167]守恆數，故歷[168]無不有差失也。始失于[169]毫毛，而尚未可覺；積而成多，以失弦望朔晦，則不得不改憲以從之，《書》所謂『欽若昊天，歷[170]象日月星辰』，《易》所謂『治歷[171]明時』，言當順天以求合，非為合以驗天者也。推此論之，春秋二百餘年，其治歷[172]變通多矣，雖數術絕滅，還尋經傳微旨大量，可知時之違謬[173]，則經傳有驗。學者固當曲循《經》、《傳》月日、日食[174]以考晦朔也[175]，以推時驗；而皆不然，各據其學以推《春秋》，此無異度己之跡而欲削他人之足也。余為歷論[176]之後，至咸寧中，善算[177]李修、夏顯依論體為術，名《乾度歷表》，上朝廷[178]，其術合日行四分之數而微增，月行[179]用三百歲改憲之意，二元相推七十餘歲，承以強弱，強弱之差蓋少而適足以遠通盈縮。時尚書及史官以乾度[180]與《太始歷》[181]參校古今記注，《乾度歷》[182]殊勝。今其術具存，時又并

165霖案：「歷論」,《後漢書．注》作「曆論」。

166霖案：「歷」,《後漢書．注》作「曆」。

167霖案：「算」,《後漢書．注》作「筭」。

168霖案：「歷」,《後漢書．注》作「曆」。

169霖案：「于」,《後漢書．注》作「於」。

170霖案：「歷」,《後漢書．注》作「曆」。

171霖案：「歷」,《後漢書．注》作「曆」。

172霖案：「歷」,《後漢書．注》作「曆」。

173霖案：「大量，可知時之違謬」，點校本《後漢書．注》作「大量可知，時之違謬，」，與《點校補正經義考》的斷句不同。

174「日食」，據《補正》當作「日之食」。　霖案：今考《後漢書．注》正是作「日食」。

175霖案：「月日、日食以考晦朔也」，點校本《後漢書．注》標作「月日日食，以考晦朔也」，與《點校補正經義考》斷句不同。

176霖案：「歷論」,《後漢書．注》作「曆論」。

177霖案：「算」,《後漢書．注》作「筭」。

178霖案：「《乾度歷表》，上朝廷」，點校本《後漢書．注》作「《乾度曆》，表上朝廷」，與《點校補正經義考》不同，蓋二種標示均能通解，惟事涉書名之異，而有待再行補考。

179霖案：「而微增，月行」，點校本《後漢書．注》作「而微增月行」，與《點校補正經義考》標點不同。

180霖案：「乾度」二字，點校本《後漢書．注》引作書名，與《點校補正經義考》標點不同，審度前後文意，應加上書名為宜。

181霖案：「《太始歷》」,《後漢書．注》作「《太始曆》」。

考古今十歷[183]，以驗《春秋》，知《三統歷[184]》之最疏[185]也。今具列其時、得失之數，又據《經》、傳微旨證據及失閏旨，考日辰朔晦，以相發明，為《經傳長歷[186]》，諸《經》、《傳》證據及失閏時文字謬誤皆甄發之[187]，雖未必其得天，蓋春秋當時之歷[188]也，學者覽焉。」

【增補】〔補正〕〈自序〉內「得其精微合天道」，「微」下脫「以」字；「故傳云『非常也』」，「云」本作「曰」；「于是乎有用幣」，「有」字當刪；「又六千餘歲」，「千」當作「百」；「日食以考晦朔也」，「日」下脫「之」字。按：《長曆》即《釋例》中之一篇，不必另出書名也。（卷七，頁十二）

182霖案：「《乾度歷》」，《後漢書．注》作「《乾度曆》」。

183霖案：「歷」，《後漢書．注》作「曆」。

184霖案：「歷」，《後漢書．注》作「曆」。

185霖案：「疏」，《後漢書．注》作「踈」。

186霖案：「歷」，《後漢書．注》作「曆」。

187霖案：「證據及失閏時文字謬誤皆甄發之」，點校本《後漢書．注》標作「證據，及失閏時，文字謬誤，皆甄發之。」，與《點校補正經義考》標點不同。

188霖案：「歷」，《後漢書．注》作「曆」。

卷一百七十四　《春秋》七經義考卷一百七十四春秋七

劉氏寔[1]《春秋條例》（晉）

【書名】李一遂〈左氏春秋著錄書目研究〉頁九八錄作《左氏條例》。

【作者】李一遂根據四庫本，作者為「劉實」，「寔」、「實」只是書寫習慣之異，實無不同。

《隋志》：「十一卷。」

佚。

《左氏牒例》（晉）

《唐志》：「二十卷。」

佚。

《晉書》[2]：「劉寔，字子真，平原高唐人[3]。泰始初[4]少府；咸寧中[5]，轉尚書[6]；元康[7]九年，策拜司空[8]；懷帝即位，授太尉[9]。自少及老，篤學不倦[10]，尤精《三傳》。正《公羊》

1「寔」,《四庫》本作「實」, 以下皆同。

2霖案：《晉書》卷四十一，〈劉寔列傳〉第十一，頁1190-1198。案：竹垞所引此文，幾乎綜整全篇列傳之文，再標注相關傳記資料而成，至於《晉書》原文尚錄有〈崇讓論〉及其他相關行事，則應資料冗長而刪去，由於竹垞此文刪錄頗多，難於校改，在下文之中，筆者僅標識其異文所在，並不一一校正。

3霖案：「人」字下，原書尚有諸多文句，其中另有〈崇讓論〉一篇，由於文句頗長，而為竹垞刪去，讀者可自行參看《晉書》。

4霖案：「初」字下，應依《晉書》補入「進爵為伯，累遷」等六字。

5霖案：「中」字下，應依《晉書》補入「為太常」三字。

6霖案：「轉尚書」三字下，竹垞刪去文句頗長，今不具錄，讀者可自行參看《晉書》。

7霖案：「元康」下，應依《晉書》補入「初，進爵為侯，累遷太子太保，加侍中，特進、右光祿大夫、開府儀同三司，領冀州都督。」等三十二字。

8霖案：「司空」二字下，應依《晉書》補入「遷太保，轉太傅。太安初，寔以老病遜位，賜安車駟馬、錢百萬，以侯就第。及長沙成都之相攻也，寔為軍人所掠，潛歸鄉里。惠帝崩，寔赴山陵。」等五十三字。

9霖案：「太尉」二字下，竹垞刪截頗甚，不一一具錄，讀者可自行參看《晉書》。

10霖案：「不倦」二字下，應依《晉書》補入「雖居職務，卷弗離手。」等八字。

[11]以為衛輒不應辭以王父命、祭仲失為臣之節，舉此二端，以明臣子之體，遂行於世。又撰《春秋條例》二十卷。」

【增補】〔補正〕《晉書》條內「尤精《三傳》，正《公羊》」，「正」上脫「辨」字。（卷七，頁十二）

《春秋公羊達義》《唐志》「《達》」作「《違》」。（晉）

【書名】陳明恩〈魏晉南北朝《春秋》學初探〉注文二三條下云：「劉氏《春秋公羊達義》，《唐志》作『違』，今佚。案：作『達』、作『違』，意義相去甚遠。蓋若作『達』，則是書之主要意旨，當在『宣達』《公羊》之義；然若作『違』，則是書之主要意旨，當在駁『《公羊》『違』《春秋》之『義』』。今據《本傳》云劉氏『辨正《公羊》』，『辨正』者，『辨而正之』；也而其所以『正』者，依其所著《春秋條例》、《春秋牒例》擬建構《左傳》『條例之學』觀之，或即是以《左傳》駁《公羊》。準此，或當以作『違』為是。」（頁一八六至頁一八七），陳氏之說十分詳盡，可以參考。

《七錄》：「三卷。」

佚。

《集解春秋序》（晉）

《隋志》：「一卷。」

佚。

氾氏毓《春秋釋疑》（晉）

佚。

《晉書》[12]：「氾毓，字稚春，濟北盧人[13]。武帝召補南陽王文學祕書郎、太傅、參軍，並不就。於[14]時青土隱逸之士劉兆、徐苗等皆務教授，惟毓不蓄門人，清淨自守。時有好古慕德者諮詢，亦傾懷開誘，以一隅[15]示之，合《三傳》為之解注。撰《春秋釋疑》、《肉刑

11「正公羊」，應依《補正》作「辨正《公羊》」。《四庫》本「辨」字作「辯」。　霖案：《經義考新校》頁3177於「《補正》二字之前，新出校文如下：「《四庫薈要》本、」等字。又新校於「《四庫》二字之前，另有：「文淵閣」三字。

12霖案：《晉書》卷九十一，〈儒林列傳〉第六十一，頁2350-2351。

13霖案：「人」字下，應依《晉書》補入「也。奕世儒素，敦睦九族，客居青州，逮毓七世，時人號其家『兒無常父，衣無常主』。毓少履高操，安貧有志業。父終，居于墓所三十餘載，至晦朔，躬掃墳壠，循行封樹，還家則不出門庭。或薦之」等七十一字。

14霖案：「於」，《晉書》作「于」。

15「一隅」，應依《補正》、四庫本作「三隅」。　霖案：《經義考新校》頁3178於「《補正》」二字之

論》，凡所述造，七萬餘言。」

【增補】〔補正〕《晉書》條內「以一隅示之」，「一」當作「三」。（卷七，頁十二）

劉氏兆《春秋公羊穀梁傳解詁》（晉）

【增補】王仁俊輯本《春秋左傳劉氏注》一卷、《公羊劉氏注》一卷、《穀梁劉氏義》等三書，竹垞未錄上述三書，今據以補入。

《隋志》：「十二卷。」

【卷數】本書有馬國翰輯本，題作「一卷」

佚。

【存佚】本書有如下輯本：

一、《春秋公羊穀梁傳解詁》一卷 （晉）劉兆撰 （清）馬國翰輯

《玉函山房輯佚書》‧經編春秋類

【增補】〔校記〕馬國翰有輯本。（《春秋》，頁四六）

【霖案】馬國翰據《釋文》、《文選》李善注等採得十節，題為《春秋公羊穀梁傳解詁》。

二、清光緒九年(1883)長沙琅嬛館補校刊本：(晉)劉兆撰《春秋公羊穀梁傳解詁》一卷，台北：國家圖書館有藏本。

又日本：二松學舍、東北大學、東京大學總圖書館、大阪府立、中之島圖書館、九州大學、六本松、國會、東京圖書館、東京大學東文研究所、東洋文庫、立命館大學有藏本。

三、清光緒十年(1884)湘遠堂刊本：(晉)劉兆撰《春秋公羊穀梁傳解詁》一卷，台北：國家圖書館有藏本。

四、王仁俊手稾本：(晉)劉兆撰，清王仁俊輯《公羊劉氏注，玉函山房輯佚書續編三種玉函山房輯佚書續編，上海圖書館有藏本。

五、一九八九年上海古籍出版社用上海圖書館手稾本景印：(晉)劉兆撰，清王仁俊輯《公羊劉氏注，玉函山房輯佚書續編三種玉函山房輯佚書續編，日本：京都大學人文研究所東方圖書館有藏本。

六、同治十三年序刊本，光緒九年長沙娜嬛館補刊本：(晉)劉兆撰《春秋公羊穀梁傳

下，另有：「《四庫薈要》本、文淵閣」等字。又《點校補正經義考》注文作「『一隅』，應依《補正》、《四庫》本作『三隅』。」，係參酌《補正》、《四庫》本之文，直接改訂而成。而翁氏、館臣所校文句，係以理校之，未能對勘諸家異本，今查考《晉書》原文，仍題作「一隅」。

解詁》一卷，日本：新潟大學、京都大學人文研究所東方圖書館有藏本。

七、民國五十六年臺北文海出版社用同治十三年序刊本景印：(晉)劉兆撰《春秋公羊穀梁傳解詁》一卷，日本：愛媛大學圖書館有藏本。

八、光緒十年楚南書局重刊，光緒十八年湖南思賢書局重印本：(晉)劉兆撰《春秋公羊穀梁傳解詁》一卷，日本：京都產物大學、蓬左文庫圖書館有藏本。

九、光緒十年楚南書局刊本：(晉)劉兆撰《春秋公羊穀梁傳解詁》一卷，日本：東京都立、中央圖書館、一橋大學、高知大學、京都大學人文研究所東方圖書館有藏本。

十、同治十三年序，皇萃館書局刊本：(晉)劉兆撰《春秋公羊穀梁傳解詁》一卷，日本：九州大學圖書館有藏本。

《春秋三家集解》（晉）

【書名】孫啟治、陳建華編《古佚書輯本目錄（附考證）》頁六五錄有劉兆《春秋公羊穀梁傳集解》一卷，當為此書的輯本。

《唐志》：「十一卷。」

佚。

【存佚】本書已有王謨、馬國翰、王仁俊等諸家輯本，故應改注曰「闕」。

【版本及藏地】本書版本及藏地如下：

一、清嘉慶三年(1798)金溪王氏《漢魏遺書鈔》本：（晉）劉兆撰　（清）王謨輯《春秋公羊穀梁傳集解》一卷，《國立故宮博物院善本舊籍總目》上冊，頁九十二著錄，台北：故宮博物院有藏本。

又日本：京都大學人文研究所東方圖書館、東京大學東文研究所有藏本。

【增補】孫啟治、陳建華編《古佚書輯本目錄（附考證）》曰：「劉兆，參《春秋左傳劉氏注》。《隋志》載劉兆《春秋公羊穀梁傳》十二卷，兩《唐志》作《春秋三家集解》十一卷。按《隋志》『傳』下當有『解』或『解詁』字。王謨、馬國翰皆據《釋文》、《文選》李善注等採摭，皆訓解二傳之義者。馬輯得十節，王輯六節未出馬外。王仁俊補馬氏之缺，析為《公羊》、《穀梁》二輯，從《原本玉篇》採得《公羊》注三節，《穀梁》注十四節。」（頁六五）

二、嘉慶五年序刊本：(晉)劉兆撰《春秋公羊穀梁傳集解》一卷，日本：東北大學圖書館、東洋文庫有藏本。

三、嘉慶十七年序重刊本：(晉)劉兆撰《春秋公羊穀梁傳集解》一卷，東京大學總圖書館有藏本。

四、民國五十九年(1970)藝文印書館四部分類叢書集成續編影印清嘉慶三年(1798)金溪王氏刊本：(晉)劉兆撰《春秋公羊穀梁傳集解》一卷，台北：國家圖書館有藏本。

又日本：一橋大學有藏本。

五、民國五十九年至六十一年臺北藝文印書館景印本：(晉)劉兆撰《春秋公羊穀梁傳集解》一卷，日本：京都大學人文研究所東方圖書館有藏本。

《春秋左氏全綜》（晉）

佚。

《春秋調人》（晉）

佚。

《晉書》[16]：「劉兆，字延世，濟南東平人[17]。博學洽聞，溫篤善誘，從受業者數千人。武帝時，五辟公府三徵博士，皆不就[18]。潛心著述，不出門庭數十年。以《春秋》一經而三家殊塗，諸儒是非之議紛然，互為讎[19]敵，乃思三家之異合而通之，《周禮》有調人之官，作《春秋調人》七萬餘言，皆論其首尾，使大義無乖；時有不合者，舉其長短以通之。又為《春秋左氏解》，名曰『《全綜》』；《公羊穀梁解詁》皆納《經》、《傳》中，朱書以別之。」

王氏接《公羊春秋注》（晉）

佚。

《晉書》[20]：「王接，字祖遊[21]，河東猗氏人[22]。永寧初，舉秀才[23]，除中郎[24]。接學雖博通，特精《禮》傳，嘗謂：《左氏》辭義贍富，自是一家書，不主為《經》發；《公羊》附《經》立《傳》，《經》所不書，《傳》不妄起，於文為儉，通《經》為長，任城何休訓釋甚詳，而黜周、王魯，大體乖硋[25]，且志通《公羊》，而往往還為《公羊》疾病。接乃更

16霖案：《晉書》卷九十一，〈儒林列傳〉第六十一，頁2349-2350。

17霖案：「人」字下，應依《晉書》補入「漢廣川惠王之後也。兆」等九字。

18霖案：「就」字下，應依《晉書》補入「安貧樂道」四字。

19霖案：「讎」，《晉書》作「讐」。

20霖案：《晉書》卷五十一，〈王接列傳〉第二十一，頁1434。竹垞引錄此文，刪錄過甚，難於校改，讀者可自行參看《晉書》之文。

21霖案：「遊」，《晉書》作「游」。

22霖案：「人」字下，竹垞缺錄文句頗多，難於一一補入，讀者可自行參看《晉書》之文。

23霖案：「才」字下，應依《晉書》補入「友人滎陽潘滔遺接書曰：『摯虞、卞玄仁並謂足下應和鼎味，可無應秀才行。』接報書曰：『今世道交喪，將遂剝亂，而識智之士鉗口韜筆，禍敗日深，如火之燎原，其可救乎？非榮斯行，欲極陳所見，冀有覺悟耳。』是歲，三王義舉，惠帝復阼，以國有大慶，天下秀孝一皆不試，接以為恨。」等一○五字。

24霖案：「郎」字下，竹垞刪裁頗多文句，難於一一補錄，讀者可自行參看《晉書》原文。

25霖案：「硋」，應依《晉書》作「硋」字。

注《公羊春秋》，多有新義。」

王氏愆期《注春秋公羊經傳》（晉）

【書名】藤原佐世《日本國見在書目錄》頁十三著錄《春秋公羊傳》十卷（王氏注），疑即此書，今附注於此，以俟後考。又王仁俊有輯本，書名題作《公羊王門子注》。

《隋志》：「十三卷。」《唐志》：「十二卷。」

【卷數】本書有王仁俊輯本，題作一卷。

佚。

【存佚】本書有輯本如下：

一、《公羊王門子注》一卷　（晉）王愆期撰　（清）王仁俊輯

《玉函山房輯佚書續編》·經編春秋類

【增補】孫啟治、陳建華編《古佚書輯本目錄（附考證）》曰：「《釋文序錄》載王愆期《公羊注》十二卷，注云：『字門子，河東人，東晉散騎常侍，辰陽伯。』《隋志》載為十三卷，兩《唐志》並二卷（霖案：當為十二卷之誤）。按王愆期，《晉書》有傳，王仁俊從《尚書泰誓正義》採得一節。」（頁六二）

《晉書》[26]：「接[27]長子愆期，流寓江南，緣父本意，更注《公羊》。」

陸德明曰[28]：「愆期，字門子，河東人，東晉散騎常侍辰陽伯。」

《公羊難答論》（晉）

【書名】竹垞徵引《隋書·經籍志》之文，謂此書為「晉車騎將軍庾翼問，王愆期答。」，然考《隋書》、《舊唐書》均題作《春秋公羊論》，而非《公羊難答論》。

《七錄》：「二卷。」《唐志》：「一卷。」

《隋書》[29]：「晉車騎將軍庾翼問，王愆期答。」

王氏長文《春秋三傳》（晉）

佚。

《華陽國志》[30]：「王長文，字德儁[31]，廣漢郪人[32]。察孝廉，不就[33]，後拜蜀郡太守[34]。

26霖案：《晉書》卷五十一，〈王接列傳〉第二十一，頁1436。

27霖案：「接」字，《晉書》無此字，蓋竹垞根據前後文句增入。

28霖案：陸德明《經典釋文》卷一，頁14。又「字門子，河東人，東晉散騎常侍辰陽伯。」諸句，原為《經典釋文》的注文，竹垞逕題作「陸德明曰」也。

29霖案：《隋書》卷三十二，〈經籍一〉，頁931。

以為《春秋三傳》傳經不同，每生訟議，乃據[35]經摭傳，著《春秋三傳》十二篇[36]。」

【增補】〔補正〕《華陽國志》：「王長文，字德僞。」按：《晉書・王長文傳》作「字德叡」。（卷七，頁十二）

張氏靖《穀梁傳注》（晉）

【增補】《隋志》錄有張靖《春秋穀梁廢疾箋》一書，題作「三卷」，竹垞將其置入「何氏休《春秋公羊解詁》」條下，今將其裁篇而出，別為一條。

又李一遂〈左氏春秋著錄書目研究〉頁一一八錄有張靖《左氏傳集解》，竹垞未錄此書，今據以補入。

【霖案】張靖另與程闡、孫毓、劉瑤等人，同撰《穀梁傳四家集解》一書，見載於《經義考》卷一七五，頁六七一。

《隋志》：「十卷。」

佚。

《隋書》[37]：「晉堂邑太守。」

江氏熙《公羊穀梁二傳評》（晉）

【書名】馬國翰輯本，書名題作《春秋公羊穀梁二傳評》。

【作者】《隋志》、兩《唐志》並載《春秋公羊穀梁二傳評》三卷，《隋志》不署撰人，兩《唐志》並題江熙撰，竹垞所錄，蓋從《唐志》者也。

《唐志》：「三卷。」

【卷數】馬國翰輯本題作「一卷」

30霖案：《華陽國志》卷十一，〈後賢志〉，頁426。

31霖案：「德僞」，《華陽國志》作「德雋」。《補正》引《晉書》卷八十二〈王長文傳〉作「德叡」。

32霖案：「人」字下，應依《華陽國志》補入「父顒，字伯元，犍為太守。長文天姿聰警，高暢敏識，治五經，博綜群籍，弱冠，州三書佐，丁時興衰，託疾歸家。大同後郡功曹」等四十六字。

33霖案：「就」字下，竹垞刪錄頗甚，今不具錄，讀者可自行參看原書。

34霖案：「後拜蜀郡太守」六字，原作「咸寧中，領蜀郡太守」，文句略有不同，且其順序有所調整，原書位置甚且在「《春秋三傳》十二篇」之後，竹垞移易位置，讀者可自行參看原書。

35霖案：「據」，《晉書》作「擬」。

36霖案：「十二篇」，應據《晉書》改作「十三篇」。案：王長文另撰有《無名子》十二篇，同見載於《華陽國志》，竹垞記《春秋三傳》為十二篇者，蓋實為《無名子》卷帙之誤植，今據原書改正。

37霖案：《隋書》卷三十二，〈經籍一〉，頁931。

佚。

【存佚】本書有馬國翰輯本，故應改注曰「闕」。

【版本及藏地】本書版本及藏地如下：

一、《玉函山房輯佚書》本：（晉）江熙撰　（清）馬國翰輯《春秋公羊穀梁二傳評》一卷，馬來西亞大學圖書館有藏本。

【增補】〔校記〕馬國翰有輯本。（《春秋》，頁四六）

【增補】孫啟治、陳建華編《古佚書輯本目錄（附考證）》曰：「江熙，参論語江氏集解」。《釋文序錄》載熙《毛詩注》二十卷。《隋》、《唐志》並載《春秋公羊穀梁二傳評》三卷，《隋志》不著撰人，兩《唐志》並題江熙撰。范甯《穀梁集解》引熙說，馬國翰據以採得十九節。」（頁六五）

【增補】《續修四庫全書總目提要》：「春秋公羊穀梁二傳評一卷　玉函山房輯本　楊鍾義

晉江熙撰。清馬國翰輯。熙濟陽人。字太和。東晉袞州別駕范甯集解序云。升平之末。先君北蕃廻軫。頓駕于吳。乃帥門生故吏我兄弟子姪研講六籍。次及三傳。釋穀梁傳者。雖近十家。皆膚淺末學。不經師匠。乃與二三學士及諸子弟各記所識。并言其業。正義云。門生同門後生。故吏謂昔日君臣江徐之屬是也。魏晉已來注穀梁者有尹更始唐固麋信孔演江熙程闡徐仙民徐乾劉瑤胡訥之等。故曰近十家。國翰謂熙評二傳。非專釋穀梁。且范解亟取其說。而無斥駁。所謂二三學士。不在十家之列。案哀二年經注。鄭君曰蒯聵欲殺母。靈公廢之是也。若君薨有反國之道者。當稱子某。如齊子糾也。今稱世子。如君存。是春秋不與蒯聵得反立明矣。江熙曰。鄭世子忽反正有明文。子糾但於公子為貴。非世子也。又傳納者。內弗受也。帥師而後納者。有伐也。何用弗受也。以輒不受也。以輒不受父之命。受之王父也。信父而辭王父。則是不尊王父也。其弗受以尊王父也。注寧不達此義。江熙曰。齊景公廢世子。世子還國書簒。若靈公廢蒯聵立輒。則蒯聵不得復稱曩日世子也。稱蒯聵為世子。則靈公不命輒審矣。此矛楯之喻也。然則從王父之言。傳似失矣。經云納衛世子。鄭世子忽復歸于鄭。稱世子明正也。明正則拒之者非也。劉寶楠謂范甯經傳兩注。皆引江熙說。是也。鄭忽許其反正。而於莊公卒後亦稱世子。則謂君薨無稱世子之道。非矣。以王父命辭父命。乃衛輒所據之義。其意以父得罪王父。雖其子得申王父之命。以辭父也。不知王父之命固行之於父。而辭父之命。豈人子所忍言。哀三年經齊國夏衛石曼姑帥師圍戚。此明是衛為兵主。而先國夏者當是夫子持筆。蓋蒯聵得罪於父。曁父死而又爭國。不可以莫之討也。故託於齊國夏以為伯討以正蒯聵之罪。而又存蒯聵世子之名於春秋。以正輒之罪。所以兩治之也。全祖望正名論。孔子以世子稱蒯聵。則其嘗為靈公所立無疑矣。觀左傳累稱為太子。固有明文矣。不特此也。其出亡之後。靈公雖怒而未嘗廢之也。靈公欲立公子郢而郢辭。則靈公有廢之意而不果。又有明文矣。惟蒯聵未嘗為靈公所廢。特以得罪而出亡。則聞喪而奔赴。衛人所不可拒也。蒯聵之歸有名。而衛人之拒無名也。況諸侯之子得罪於父而仍歸者。亦不一矣。晉之亂也。夷吾奔屈。重耳奔蒲。乃奚齊卓子之死。夷吾兄弟相繼而歸。不聞以得罪而晉人拒之。然則於蒯聵何尤焉。故孔子之正名也。但正其世子之名而已。既為世子則衛人所不可拒也。皆可與江熙之說相發明。故備著之。」（頁七三八至頁七三九）

二、皇革館書局同治十三年序刊本：晉 江熙 撰，馬國翰輯《春秋公羊穀梁二傳評》一卷，日本：高知大、九大、京大人文研東方圖書館有藏本。

三、清光緒九年(1883)長沙琅嬛館補校刊本：(晉)江熙撰《春秋公羊穀梁二傳評》一卷，台北：國家圖書館有藏本。

日本：東北大、大阪府立、中之島、新潟大、二松學舍、東大總、東大東文研、九大、六本松、國會、東京、東洋文庫、立命館大學圖書館均有藏本。

四、清光緒十年(1884)湘遠堂刊本：(晉)江熙撰《春秋公羊穀梁二傳評》一卷，台北：國家圖書館有藏本。

五、光緒十年（一八八四）楚南書局刊本：晉 江熙 撰《春秋公羊穀梁二傳評》一卷，日本：東京都立、中央、一橋大圖書館有藏本。

六、光緒十年楚南書局重刊，光緒十八年湖南思賢書局重印本：晉 江熙 撰《春秋公羊穀梁二傳評》一卷，京產大、蓬左文庫、京大人文研東方圖書館有藏本。

七、民國五十六年臺北文海出版社用同治十三年序刊本景印本：晉 江熙 撰《春秋公羊穀梁二傳評》一卷，日本：愛媛大圖書館有藏本。

徐氏乾《春秋穀梁傳注》（晉）

【書名】馬國翰輯本，書名題作《春秋穀梁傳徐氏注》。

《七錄》：「十三卷。」

【卷數】本書卷數異稱如下：

一、一卷本：杜信孚等編纂《同名異書匯錄》頁一四〇著錄。

佚。

【存佚】本書今有馬國翰輯佚本，見於《玉函山房輯佚書》．經編春秋類，是以本書當改注曰「闕」

【版本及藏地】本書版本及藏地如下：

一、玉函山房輯佚書本：晉徐乾撰，清馬國翰輯《春秋穀梁傳徐氏注》一卷，馬來西亞大學圖書館有藏本。

【增補】〔校記〕馬國翰有輯本。（《春秋》，頁四六）

【增補】孫啟治、陳建華編《古佚書輯本目錄（附考證）》曰：「徐乾，《晉書》無傳。《釋文序錄》載徐乾《穀梁傳注》十三卷，注云：『字文祚，東莞人，東晉給事中。』《隋志》云：『梁有，亡。』兩《唐志》復載為十三卷。馬國翰據《穀梁傳》范甯集解及楊士勛疏採得七節。」（頁六四）

【增補】《續修四庫全書總目提要》:「春秋穀梁傳徐氏注一卷　玉函山房輯本　　劉白村

晉徐乾撰。清歷城馬國翰輯。按經典釋文序錄有穀梁傳徐乾注十三卷。下注云。乾字文祚。東莞人。通典云。太元中太學博士。安帝時進給事中。隋志云。梁有春秋穀梁傳十三卷。晉給事中徐乾注。亡。唐志復載此書。可知唐時尚存也。今輯本僅七節。而講論書法日與不日之例則有三節。如春秋桓公十年春王正月。曹伯終生卒。左氏公羊皆無說。惟穀梁則曰。桓無王。其曰王何也。正終生之卒也。其於桓公二年與夷見弒說同。徐乾注云。與夷見弒。恐正卒不明。故復明之。而楊士勛疏又曰。案范氏答薄氏之駁云。曹伯亢諸侯之禮。使世子行朝。故於卒示譏。則傳云正者謂正治其罪。則與徐解不同。而引其說者以徐乾之說得通一家。故引之。范意仍與徐意異。他如文公元年冬十月丁未楚世子商臣弒其君髡。及襄公三十年夏四月蔡世子般弒其君固。左氏公羊皆無說。而穀梁氏有之。何休釋公羊。僅言忍與不忍之分。徐氏釋穀梁。則謂夷夏之分。褒貶之意。皆包蘊其中。此可知日與不日之例。在徐氏書中。最為重視者也。」（頁七三一）

二、清光緒九年(1883)長沙琅嬛館補校刊本：(晉)徐乾撰《春秋穀梁傳徐氏注》一卷，台北：國家圖書館有藏本。

三、清光緒十年(1884)湘遠堂刊本：(晉)徐乾撰《春秋穀梁傳徐氏注》一卷，台北：國家圖書館有藏本。

陸德明曰[38]：「乾，字文祚，東莞人，東晉給事中。」

孔氏衍《春秋穀梁傳》　《唐志》作「《訓注》」。（晉）

【書名】陳明恩〈魏晉南北朝《春秋》學初探〉頁一八九同時錄有《左氏訓注》、《春秋穀梁傳》二書，竹垞兩書題作一書，以為《唐志》所錄《左氏訓注》一書，乃為孔氏《春秋穀梁傳》，蓋《隋》、《唐志》卷數僅差一卷所致。然而陳明恩轉引黃逢元《補晉書藝文志》據《闕里文獻考》卷三一〈孔氏著述門〉的著錄，而分別錄為二書，其書可供參考，今附記於此。

【增補】根據黃逢元《補晉書藝文志》據《闕里文獻考》卷三一〈孔氏著述門〉的著錄，孔氏《左氏訓注》當別為一書，今據以補入。

《隋志》：「十四卷。」《唐志》：「十三卷。」

佚。

《春秋公羊傳集解》（晉）

《七錄》：「十四卷。」

佚。

38霖案：出自《釋文》卷一，頁15a。

【霖案】朱彝尊《經義考》注曰「佚」，然本書已有輯本，當改注曰「闕」。

【存佚】清王仁俊輯有孔衍《孔舒元公羊傳》一卷，可據以瞭解孔衍對於《公羊傳》的相關見解，其版本說明如下：

一、《孔舒元公羊傳》一卷　（晉）孔衍撰　（清）王仁俊輯

《玉函山房輯佚書續編》．經編春秋類

日本：京大人文研東方圖書館有藏本。

【增補】孫啟治、陳建華編《古佚書輯本目錄（附考證）》曰：「孔衍，參《凶禮》。《釋文序錄》載孔衍《公羊集解》十四卷。《隋志》云：『梁有《春秋公羊傳》十四卷，孔衍集解。』兩《唐志》並三十卷。按孔衍，《晉書》有傳，其注《公羊傳》今佚，孔穎達疏杜預《春秋序》引孔衍注《公羊傳》本文一節，其文多於今本，王仁俊據以輯存。」（頁六二）

二、一九八九年上海古籍出版社用上海圖書館手稾本景印本

三、手稾本：上海圖書館有藏本。

《晉書》39：「孔衍，字舒元，魯國人，孔子二十二世孫40。中興初，補41中書郎42，領太子中庶子43，出44為廣陵相45。」

【增補】〔補正〕《晉書》條內「出為廣陵相」，「相」當作「郡」。（卷七，頁十二）

程氏闡《春秋經傳集注》　《隋志》作「《春秋穀梁傳》」。（晉）

【書名】李一遂〈左氏春秋著錄書目研究〉頁一一八作「《左氏傳集注》」。

39霖案：《晉書》卷九十一，〈儒林傳〉第六十一，頁2359。

40霖案：「孫」字下，應依《晉書》補入「也。祖文，魏大鴻臚。父毓，征南軍司。衍少好學，年十二，能通《詩》《書》。弱冠，公府辟，本州舉異行直言，皆不就。避地江東，元帝引為安東參軍，專掌記室。書令殷積，而衍每以稱職見知。」等六十七字。

41霖案：「補」字上，應依《晉書》補入「與庾亮俱」四字。

42霖案：「郎」字下，應依《晉書》補入「明帝之在東宮」六字。

43霖案：「子」字下，應依《晉書》補入「于時庶事草創，衍經學深博，又練舊典，朝儀軌制多取正焉。由是元、明二帝並親愛之。王敦專權，衍私於太子曰：『殿下宜博延朝彥，搜揚才俊，詢謀時政，以廣聖聽。』敦聞而惡之，乃啟」等七十二字。

44霖案：「出」字下，應依《晉書》補入「衍」字。

45「廣陵相」，應依《補正》、《四庫》本作「廣陵郡」。　霖案：《經義考新校》頁3183於「《補正》」二字之，下，另有：「《四庫薈要》本、文淵閣」等字。蓋此條實為官職與行政區域互換之例。

《唐志》：「十六卷。」

佚。

胡氏訥《春秋穀梁傳集解》（晉）

《七錄》：「十卷。」

佚。

《春秋三傳評》（晉）

《隋志》：「十卷。」

佚。

《春秋集三師難》（晉）

《七錄》：「三卷。」

佚。

《春秋集三傳經解》（晉）

《七錄》：「十卷。」《唐志》：「十一卷。」

佚。

劉氏瑤《穀梁傳注》（晉）

佚。

范氏甯《春秋穀梁傳集解》（晉）

【書名】本書異名如下：

一、《監本附音春秋穀梁傳註疏》：晉范甯集解，唐楊士勛疏，台北：國家圖書館藏「元刊明正德間修補十行本」題作此書名。

二、《穀梁傳集注》：葉程義《禮記正義引書考》頁八二九著錄。

三、《監本附釋音春秋穀梁注疏》：晉范寧集解，唐楊士勛疏，陸德明音義，清·阮元校，程志〈現存唐人著述簡目〉頁二五九著錄。

四、《穀梁注疏》：張壽平《公藏先秦經子注疏書目》頁一二九著錄。

五、《欽定穀梁傳注疏》：張壽平《公藏先秦經子注疏書目》頁一二九著錄。

六、《春秋公羊穀梁傳合刻》：張壽平《公藏先秦經子注疏書目》頁一三一著錄。

七、《監本附音穀梁傳注疏》：《嘉業堂藏書志》卷一，頁一五七著錄。

八、《春秋穀梁傳》：瞿鏞編纂·瞿果行標點·瞿鳳起覆校《鐵琴銅劍樓藏書目錄》卷五，頁一三三著錄。

九、《春秋穀梁傳注疏》：《馬來西亞大學中文圖書目錄》七七四著錄。

十、《穀梁傳》：《八戶市立圖書館漢籍分類目錄》頁十二著錄。

【增補】孫啟治、陳建華編《古佚書輯本目錄（附考證）》頁六四錄有王謨、馬國翰輯本的《答薄氏駁穀梁義》一卷，竹垞未錄及此書，當據以補入。

《隋志》：「十二卷。」

【卷數】本書卷數異同如下：

一、二十卷本：台北：國家圖書館藏「元刊明正德間修補十行本」，又此書另有阮元校本，附〈校勘記〉二十卷，程志〈現存唐人著述簡目〉頁二五九著錄。

二、十一卷本：藤原佐世《日本國見在書目錄》頁十三著錄

三、十二卷本：晉范寧集解．唐陸德明音義，清丁寶楨等校刊，程志〈現存唐人著述簡目〉頁二五九著錄。

四、九卷（殘）：晉范寧集解，唐楊士勛疏，張壽平《公藏先秦經子注疏書目》頁一二八著錄。

五、六卷（殘）：瞿鏞編纂．瞿果行標點．瞿鳳起覆校《鐵琴銅劍樓藏書目錄》卷五，頁一三三著錄。

六、不分卷：（大陸）《中山大學圖書館善本書目》頁二二著錄。

存。

【版本及藏地】本書版本及藏地如下：

一、元刻明正德間修補本：晉范甯集解，唐楊士勛疏《監本附音春秋穀梁傳註疏》存二十卷十二冊，台北：國家圖書館有藏本。

又中國國家圖書館、北京大學圖書館、北京市文物局、吉林省延邊大學圖書館、甘肅省圖書館、天一閣文物保管所、江西省樂平縣圖書館有均藏本，題作「晉范甯集解　唐楊士勛疏　陸德明釋文，元刻明修本　十行十七字小字廿三字白口左右雙邊」，今考著錄僅作「元刻明修本」，惟考其行款、版本，應與台北：國家圖書館所藏之本相同，今暫附於此。

又南京圖書館藏有一本，惟有「丁丙跋」，其餘版本同於上述所列諸本。

【增補】《國家圖書館善本書志初稿》：「【監本附音春秋穀梁傳註疏二十卷十二冊】

元刊明正德間修補本　**00670**

晉范寗集解，唐楊士勛疏。寗字武子，少篤學，初為餘杭令。勤學不輟，以穀梁傳未有善釋，沈思積年，為之集解，其義精審，為世所重。

版匡高 **18.7** 公分，寬 **13.2** 公分。四周雙邊。每半葉十行，行十七字。註文小字雙行，

行二十三字。版心白口，雙魚尾(魚尾相隨)，魚尾上方記字數，中間簡記書名卷第(如『谷疏一』)，下方記葉次及刻工姓名。左上欄外有耳題記魯公號。明修補部分，卷首序版心中間記『穀梁註疏序李紅寫』，與元刻不同。正文版心上方有部分被剜去痕跡(如卷五葉九，單黑魚尾，卷第上方有一圓圈)。『疏』字以墨圍別出。

元刻工名:君美(或作美)、以德(或作以)、天易、住郎(或作住)、伯壽(或作伯)、以清(或作清)、善卿(或作善)、德遠(或作德)、丘文(或作文)、正卿(或作正)、茂卿(或作茂)、仲高(或作高)、壽甫、仁甫、月、安卿(或作安)、應祥、英玉、王、敬中、余中、禔甫等。

首卷首行項格題『監本附音春秋穀梁註疏隱公卷第一』，下小字雙行『起元年/盡三年』。第二行低三格題『范甯集解楊士勛疏』。卷末有尾題。卷首有『監本附音春秋穀梁傳註疏序』，題『國子四門助教楊士勛撰』，『國子博士兼太子中允贈齊州刺史吳縣開國男陸德明釋文』。

書中鈐有『國立中央圖/書館收藏』朱文長方印。」(頁 179~180)。

二、丁寶楨校刊本：十二卷本，晉范寧集解．唐陸德明音義．丁寶楨等人校刊，程志〈現存唐人著述簡目〉頁二五九著錄。

三、阮元校本：二十卷，附〈校勘記〉二十卷。晉范寧集解．唐楊士勛疏．陸德明音義．清阮元校本。

四、明嘉靖李元陽刊十三經注疏本：晉范寧撰，唐楊士勛疏．陸德明音義《春秋穀梁注疏》二十卷，九行，二十字，小字雙行，字數同，白口，四周單邊，程志〈現存唐人著述簡目〉頁二六〇著錄，現藏於台北國家圖書館、故宮博物院、中研院史語所；大陸：北京圖書館、中山大學圖書館（二部）有藏本。

又上海：復旦大學圖書館藏有一本，另有「清姚椿校」，與其他諸本略有不同，今附列於此。

【增補】《國家圖書館善本書志初稿》：「【春秋穀梁傳註疏二十卷八冊】

明嘉靖間李元陽刊十三經註疏本　00671

晉范甯集解，唐楊士勛疏。

版匡高 19.5 公分，寬 13 公分。四周單邊。每半葉九行，行二十一字。註文中字單行，疏文小字雙行，字數同。版心白口，中間記書名卷第(如『穀梁疏卷一』)，下方記葉次，最下方記刻工名兼記每葉字數。『傳』、『註』、『疏』文以墨蓋子白文別出。

刻工名：范朴、余暹、張七郎、江元真、程亨、袁璉、陳佛榮、余廷深(或作廷深)、龔三、吳闊、吳記保、鄭記保、劉天壽(或作天壽)、陸四、熊山、江毛荅、周記清、周仕榮、余再得、熊希、熊昭、程通、陳才、陳永勝、陸文清、張景郎、羅妳興、蔡順、劉旦、王烏、毛一、王富、葉毛奴(或作葉奴、葉毛)、周富生、吳永成、曾福林、葉順、余元朱(或作余元珠)、王柴、李清、陳鐵郎、虞福祐、余浩、王廷保、江永厚、葉再友、張錢、劉佛保、黃祿、王良、李文英、李仕璩、余天進、葉旋、吳道元、曾椿、熊田、鄒文元、陸仲興(或作仲興)、朱舒、黃道祥(或作黃祥)、王仕榮、劉碧郎、陸富郎、葉伯應、劉順、吳興、楊添友、江鼻、艾毛、陸榮郎、葉得、余大用、周甫、余記安、王廷輝、王泗、王文、吳友八(或作吳八、吳友)、余大目、周富壽、江八、葉招、二、黃興、陸進保、余先、王茂、陸文進(或作文進)、余富一、謝元林、天錫、張二、虞福貴、張元隆、楊餘芳、朱明、劉佛壽、詹妳祐、周亨、貞、余福旺、余天壽、熊伕照、陸仲達(或作仲達)、余清、黃寶、陸馬、余立等。

首卷首行頂格題『春秋穀梁註疏隱公卷第一』，下小字雙行『起元年/盡三年』，第二行低九格題『晉范寗集解』，第三行低九格題『唐楊士勛疏』。卷末有尾題。卷首有唐楊士勛撰、陸德明釋文『春秋穀梁傳序』。正文朱筆斷句圈點，不知出自何人。

書中鈐有『莚圃/收藏』朱文長方印、『國立中央圖/書館收藏』朱文長方印、『文瑞/樓』白文方印、『金星軺/藏書記』朱文長方印。」(頁 180)。

又日本八戶市立圖書館藏有一本，題作「十三經註疏所收」，未詳確為何本？今暫列於此，以俟後考。

【增補】《中央研院院歷史語言研究所善本書目》曰：「《春秋穀梁註疏》二十卷六冊　晉范甯集解　唐楊士勛疏　明嘉靖間李元陽刊本。」（頁九）

五、明崇禎八年海虞毛氏汲古閣刊十三經注疏本：晉范寧撰，唐楊士勛疏．陸德明音義《春秋穀梁注疏》二十卷，九行，二十字，小字雙行，字數同，左右雙邊，程志〈現存唐人著述簡目〉頁二六〇著錄，大陸：北京圖書館、中山大學圖書館有藏本。

【增補】《國家圖書館善本書志初稿》：「【春秋穀梁傳註疏二十卷六冊】

明崇禎八年(1635)海虞毛氏汲古閣刊十三經註疏本　00672

晉范寗集解，唐楊士勛疏。

版匡高 17.8 公分，寬 12.5 公分。左右雙邊。每半葉九行，行二十一字。註文中字單行，疏文小字雙行，字數同。版心花口，上方記書名，中間記卷第葉次，下方記『汲古閣』。『疏』、『註』文以墨蓋子白文別出。

首卷首行頂格題『春秋穀梁註疏隱公卷第一』，下小字雙行『起元年/盡三年』，第二行低九格題『晉范寗集解』，第三行低九格題『唐楊士勛疏』。卷末有尾題。卷二十葉二十四後半葉有『皇明崇禎八年歲在旃蒙大淵獻古虞毛氏鏽鐫』牌記。書眉、正文旁有清江沅過錄惠棟校語。卷二十尾題前有陳奐手書，題曰『奐幼年藏汲古閣初印本江子蘭師以此臨校易之/臨校精工若獲白璧』，並附印記。

書中鈐有『沅江/之印』白文方印、『子/蘭』朱文方印、『子好/芳草』白文方印、『國立中央圖/書館收藏』朱文長方印、『曾在三/百堂/陳氏處』朱文方印。」(頁 180~181)。

又台北國家圖書館另有一本，有清江沅過錄何煌、朱邦衡、段玉裁款識並手書題記　又陳奐手跋。

【增補】《國家圖書館善本書志初稿》：「【春秋穀梁傳註疏二十卷五冊】

又一部　00673

卷二十葉二十四後半葉缺。

序後有李玉麟錄咸豐庚申(十年，1860)文村老民手書題記，並附印記。文中朱筆圈點，書眉有李芝綬過錄何煌校語。卷十二第一葉書眉上方墨筆題『振聲按：余仁仲本自此卷起，刊本今藏恬裕齋。何校有未備，用墨筆以補之。』

書中鈐有『李芝綬/讀書記』朱文長方印、『緘盦/收藏』白文方印、『國立中/央圖書/館考藏』朱文方印。」(頁 181)。

【增補】何煌〈題記〉曰：「此卷先命奴子羅中郎，用南監本逐字比校訖，又建安余氏萬卷堂本、集解殘本、章丘李氏本、穀梁疏殘鈔本手校，復用石經參校，經傳*謬都淨，注疏中亦十去其五，獨惜余氏本宣公以前、鈔本文公以上，俱缺，無從取正耳。丁酉初夏，康熙萬壽令節後九日，何仲子記。」（轉錄《標點善本題跋集錄》頁三〇）

【增補】朱邦衡〈題記〉曰：「紅豆齋所藏穀梁疏三冊，松崖先生題籤曰半農人閱、棟參，而書中皆松崖手筆，蓋臨半農先生閱本，復參以己意也。原本朱墨兼用，今悉以墨書之，其何小山校訂，以硃臨之，欲其有別焉。癸丑夏初，秋崖朱邦衡校畢識。」（轉錄《標點善本題跋集錄》頁三〇）

【增補】段玉裁〈題記〉曰：「秋初臧鏞堂在東氏臨校何氏本於袁氏拜經樓，其惠氏所參閱者，別過錄之，不廁入此校本中，李鈔單疏本尖圈，以別於元板。段玉裁臨校。」（轉錄《標點善本題跋集錄》頁三〇）

【增補】陳奐〈跋〉曰：「嘉慶戊子之春，得此本於鹿城，具直二百，沅因鈔補缺頁，借段本臨校之，時是歲季夏也。

奐幼年藏汲古閣初印本，江子蘭師以此臨校易之，臨校精工，若獲白璧。陳奐。」（頁三一）

六、清稽古樓刊袖珍本：台北故宮博物院有藏本。

七、清同治七年(1868)金陵書局刊本：(晉)范寧集解《春秋穀梁傳》十二卷，台北國家圖書館有藏本。

又中國歷史博物館有藏本。

【增補】《中國歷史博物館藏普通古籍目錄》曰：「０090

春秋穀梁傳　十二卷

（晉）范寧集解

清同治七年（１８６８）金陵書局刻本

二冊

（史１５９）」（頁九）

八、民國十五年上海商務印書館影印本：台灣師範大學圖書館有藏本。

九、民國二十一年上海涵芬樓影印本：

十、日本金澤文庫刊本：朱校，台北故宮博物院有藏本。

十一、日本舊鈔本：有近人楊守敬手書題識，台北故宮博物院藏本。

十二、宋建刊明代修補十行本：晉范寧集解，唐楊士勛疏，台北國家圖書館、復旦大學圖書館、北京大學圖書館有藏本。

【增補】《嘉業堂藏書志》卷一曰：「《監本附音穀梁傳注疏》二十卷　宋刻本　《穀梁注疏》十行本。明補甚多。中縫魚尾上載大字、小字一行者，原板也。大、小字分行者，補板也。白口者亦在前。黑口字大者，最在後矣。然尚無閩何校等補板。（繆稿）」（頁一五七）

【增補】李盛鐸著．張玉範整理《木犀軒藏書題記及書錄》頁七三曰：「【監本附音春秋穀梁傳注疏】二十卷　〔晉范寧集解　唐楊士勛疏〕　十行本〔宋刻明修本（序文有缺葉）〕　李８８８８」（頁七三）

十三、元明遞補宋建刊本：存第十至卷十八，台北故宮博物院有藏本。

十四、文淵閣四庫全書本：舊題周穀梁赤撰，晉范寧集解，唐楊士勛疏，台北故宮博物院有藏本。

【增補】胡玉縉撰、王欣夫輯《四庫全書總目提要補正》卷七曰：「陳澧《東塾讀書記》云：『《提要》疑楊士勛割裂略例散入疏中，澧案，隱二年疏云：『《春秋》二百四十二年，無王者一百有八』云云，與桓元年疏所引范氏例之語同，此楊氏取范氏例散入疏中之證。』瞿氏《目錄》有鈔殘本云：『如文十一年『眉見於軾』疏，校標注高三尺三寸，原與上『身橫九畝』疏標注五丈四尺另為一條，今注疏本誤連上錄之，遂與本注相離，其實楊氏原書不誤也。成十四年秋叔孫僑如如齊逆女』疏，『公即位』，下文即云『公子遂如齊逆女』，十行本脫『即位下文』四字，毛本脫『下文即云』四字，〈校勘記〉謂十行本脫七字亦誤也。成十六年『會於沙隨』疏，標『傳譏在諸侯也』六字另為一條，注疏本溷入上文『戰於鄢陵』疏中，大謬矣。襄五年注疏本，標『叔孫豹繒世子巫如晉』，〈校勘記〉謂此句當在下文『《公羊》以繒世子巫』之上，以標起、止為非。　今案此本亦標『叔孫豹如晉』六字，而《公羊》句上並無『叔孫豹』云云。〈校勘記〉引單疏本，止據何小山校本而未見原本，故其說相歧。襄三十年『宋災伯姬卒』傳疏，『共公卒雖日久，姬能守夫在之貞』，注疏本『夫在』作『災死』，與上句不相應矣。定十年『公會齊侯於頰谷』疏，『若非孔子必以白刃喪其瞻核，焉敢直視齊侯行法殺戮』，『瞻核』當是察視意，與下『直視』

相應。十行本『瞻』誤為『贍』，閩、監、毛本承之，改『核』為『賅』，一誤再誤，至『焉』字又誤『矣』字，下并不成句矣。其餘字句足訂脫誤者，已詳〈校勘記〉與張氏《藏書志》中，不復贅述。」（頁一六〇至頁一六一）

【增補】崔富章《四庫提要補正》曰：「注（集解）、疏本各自單行。《崇文總目》載『春秋穀梁傳十二卷，范寧注』；『春秋穀梁疏三十卷，唐國子四門助教楊士勛撰。皇朝邢昺等奉詔是正，令太學傳授。』《郡齋讀書志》、《直齋書錄解題》皆著錄范寧集解十二卷，楊士勛疏亦十二卷。《文獻通考》所引同。注、疏合一，不知起於何時。趙希弁《附志》載『春秋穀梁傳注疏二十卷，右楊士勛撰』，不題范寧，實單疏也。《天祿琳琅書目》載『監本附音春秋穀梁注疏，晉范寧集解，唐楊士勛疏，附陸德明音義，共二十卷』，定為宋刻本，恐不確。宋舊、新監本，概不附音，與《公羊》同。今南京、北京諸館收藏《監本附音春秋穀梁注疏》二十卷（每半葉十行，每行十七字，注疏雙行二十三字，白口，左右雙邊，版心上記字數，下記刊工姓名。）皆鑒定為元刊本，或元刊明修本，一說元大德四年刊《十三經注疏》之一，跟《監本附音春秋公羊注疏》同版。此後傳刻者有明嘉靖間福建李元陽、萬曆間北京國子監，崇禎間常熟毛子晉等，然皆非庫書所從出。

庫書為『春秋穀梁注疏二十卷正義序一卷原目一卷』，晉范寧注，唐楊士勛疏，陸德明音義。每卷後附《考證》，底本為乾隆四年武英殿校刊《欽定十三經注疏》本，即《總目》所題之『內府藏本』也。

文瀾閣庫書原本佚，今存丁氏補抄本，十冊。《善本書室藏書志》。……《天祿琳琅》宋版《穀梁注疏》（崔按：《續編》卷三）載與明監本不同者，如：桓二年『臣既死君不忍稱其名』，明監本脫此句，此不脫；莊二十五年『鼓用牲於社』，明監本脫此句，此不脫；僖十年『吾若此而入自明』，明監本脫『吾』字，此不脫；二十二年『旌亂於上』，明監本脫『亂』字，此不脫；二十三年『茲父之不葬』，明監本脫『茲父之』三字，此不脫；成十有六年『猶存公也』，明監本『存』訛『在』，此不訛；哀元年『故卜免牛也』，明監本『牛』訛『卜』，此不訛；六年『可以言弗受也』，明監本『可』訛『何』，此不訛。略舉數條，均與宋合，可以知其善矣。又載：《監本附音春秋穀梁注疏》二十卷，宋刻十行本，唐仁壽藏書，有元、明補刻之葉。此本今藏南京館，該館鑒為元刻明修本。以上兩本，當即丁氏補抄文瀾閣庫書之所據，跟原抄底本不同。

復旦大學藏李元陽刊本有清姚椿校、上海館藏北監本有清陳澧校、汲古閣本有清吳孝顯臨各家校清張爾耆覆校，北京館藏汲古閣本有清姚世鈺跋并錄何焯校跋，山東省博物館藏汲古閣本有佚名錄清鄭杲批校、王獻唐跋，諸校跋皆庫書所無，錄附以備稽考。」（頁一四九至頁一五一）

十五、摛藻堂薈要本：舊題周穀梁赤撰，晉范寧集解，唐楊士勛疏，台北故宮博物院有藏本。

十六、清乾隆四年武英殿刊本：晉范寧集解，唐楊士勛疏，陸德明音義，台北故宮博物院有藏本。

十七、民國五年上海大成書局刊本：漢何休撰，晉范寧集解，唐陸德明音義，全書八冊，台灣師範大學圖書館有藏本。

十八、同治十一年山東書局刻本：山東省圖書館有藏本。

【增補】《山東省圖書館館藏海源閣書目》曰：「《春秋穀梁傳集解》 十二卷／(晉) 范甯撰；(唐) 陸德明音義，－清同治１１年（１８７２）山東書局刻本·－４冊（１函）；２０×１５·１cm·－（十三經讀本附校勘記）·－９行１７字，小字雙行同，白口，四周單邊，有牌記：同治十一年山東書局開雕 尚志堂藏板」（頁二九）

十九、宋刊殘本

【增補】瞿鏞編纂·瞿果行標點·瞿鳳起覆校《鐵琴銅劍樓藏書目錄》卷五曰：「原書十二卷，每公為一卷，與《唐石經》合，今存宣公以後六卷。首行題『《春秋穀梁傳》第七』，次行題『范甯集解』。每卷末有《經》、《傳》、注、音義字數。又曰『仁仲比校訖』。第九卷末曰『余仁仲刊于家塾』。第十二卷末曰『國學進士余仁仲校正，國學進士劉子庚、陳幾、張甫同校，奉議郎簽書武安軍節度判官廳公事陳應行參校』，共五行。又有分書墨圖記曰：『余氏萬卷堂藏書記。』每半葉十一行，注雙行，行大字十九，小字廿七。『匡』、『恒』字闕筆。所附《釋文》，專用音反，不全錄。其足據以訂注疏本之 者，已詳阮氏〈校勘記〉，所引何氏煌校本中『何氏所見』，即屬此本。其字畫端謹，楮墨精妙，為當時初印佳本，雖非全帙，固足貴也。（小注云：卷七首葉有白文方印曰『虛中印』。）

按：商務印書館《四部叢刊初編》影印本。（頁一三三至頁一三四）

二〇、清光緒十三年(1887)上海脈望仙館石印本：范甯集解《監本附音春秋穀梁注疏》二〇卷，附〈校勘記〉十八卷，國家圖書館有藏本。

二一、明崇禎十二年(1639)永懷堂序刊清同治八年(1869)浙江書局重校修本：范甯集解《春秋穀梁傳》二十卷，國家圖書館有藏本。

二二、清同治十年(1871)廣東書局刊清乾隆四年(1739)武英殿本：范甯集解《春秋穀梁傳注疏》二十卷，國家圖書館有藏本。

二三、明天啟元年（１６２１）閔齊伋刻本《春秋穀梁傳》不分卷，九行，十九字，小字雙行，字數同，無行格，有眉批，白口，四周單邊，大陸：中山大學圖書館有藏本，（大陸）《中山大學圖書館善本書目》頁二二著錄。

二四、清光緒九年黎庶昌古逸叢書覆刻宋余仁仲萬卷堂本：晉范甯集解，唐陸德明音義，楊守敬考異《春秋穀梁傳》十二卷，美濃紙印單行本，二冊，大陸：陝西師範大學圖書館有藏本。

又馬來西亞大學圖書館有藏本。

【增補】耿文光《萬卷精華樓藏書記》卷八曰：「《春秋穀梁傳集解》十二卷

晉范寧撰

影宋紹熙本。古逸叢書之二，前有范寧序，後有余仁仲記，欄外題日本東京木村嘉平刻。范氏序曰：左氏有服、杜之注，公羊有何、嚴之訓，釋穀梁傳者，雖近十家，皆膚淺末學，不經師匠，辭理典據既無可觀，又引左氏公羊以解此傳，文義違反，斯害也已。於是乃商略名例，敷陳凝滯，博宗諸儒同異之說，與二三學士及諸子弟各記所識，并言其意，各記其姓名，名曰《春秋穀梁傳集解》。

余仁仲記曰：《公羊》、《穀梁》二書，書肆苦無善本，謹以家藏監本及江浙諸處官本參校，頗加厘正，惟是陸氏釋音字或與正文不同，如此序釀嘲，陸氏釀作讓。隱元年，嫡子作适歸，含作唅，召公作卲。桓四年曰：搜作廋，若此者眾皆不敢以臆見更定，姑兩存之以俟知者。紹興辛亥冬朔日建安余仁仲敬書。（小注云：此記凡六行，行十九字，監本提行書。）

黎氏《敘目》曰：此與揚州汪氏問經堂繙刻《公羊傳》同為建安余氏家塾本，二書均有余仁仲敬書。《穀梁》之成當後公羊二歲，此次撫刻俱精，有取藍勝藍之妙。

經籍訪古志：《穀梁傳》十二卷，宋槧本，阿波侯藏，每半板十一行，行十八九字，注雙行，二十七字。每章附音義，每卷末有經傳注及音義字數，又記仁仲比校訖。余仁仲刊於家塾，十二卷，末記國學進士余仁仲校正，國學進士劉子侯、陳幾、張甫同校，議郎簽書，武安軍節度判官廳公事陳應行參校，癸丑仲秋重校訖。又余仁仲跋，序後及卷尾有余氏萬卷堂藏書記。卷端捺金澤文庫印。此本就阿波國學俾一書生影鈔，毫髮盡肖，宛然如宋槧，今猶藏在求古樓。揚州汪氏重刊宋本《公羊傳》亦仁仲所校刊，與此同種。楊氏記曰：余仁仲萬卷堂所刻經本，今聞於世者曰《周禮》，曰《公羊》、《穀梁》，《公羊》，揚州汪氏有繙本。《周禮》舊藏盧雅雨家，惟穀梁僅康熙間何煌見之，然其本缺宣公以前，已稱為希世之珍，此本首尾完具，無一字損失，以何氏校本照之，有應有不應，當由何氏所見為初印本，此又仁仲覆校重訂者，故於何氏所稱脫誤之處皆挖補擠入，然則此為余氏定本，何氏所見猶未善也。原本舊為日本學士柴邦彥所藏，文政間衎谷望之，使人影摹之，纖毫畢肖，展轉歸向山黃村。予來日本，即從黃村求得之，星使黎公付之梓人，逾年而後成。按《穀梁》所據之經，不必悉與《左氏》、《公羊》合，而分經附傳之例亦與二傳差互。至范氏之解，則傳習愈稀。除注疏刊本外，絕鮮證驗，即明知有脫誤，亦苦於無徵不信。然則此本之不絕如線，誠為瑰寶。今以唐《石經》證經傳，以唐宋人說《春秋》三傳者佐以宋監本注疏本證集解，以陸氏釋文佐之。又自宋以來所傳經注本不必與釋文合，而合刻注疏者往往改釋文以就之。至毛本則割截尤甚。此本後有仁仲自記，不以釋文改定本，亦不以定本改釋文，猶有漢唐經師家法。今單行釋文俱在，此本既悉與之合，故於注疏所附亦不一一訂定焉。楊守敬記。（原注余所藏日本古鈔經注本，首題監本《春秋》、《穀梁傳》，多與十行本經注合。）

文光案：楊氏記後題余仁仲萬卷堂穀梁傳考異。蓋楊氏所附校札內引何校余本、監本、毛本、呂本、張本、閩本、十二卷之本，附何校《公羊傳》序。校札云：此因余氏有合刻公、穀二傳跋，故原本摹之，今亦附列於後。此本刻法極精，宋本之佳者亦不過如是，誠可寶也。

應劭曰：穀梁子名，亦子夏弟子。阮孝緒曰：名俶，字元始。

顏師古曰：穀梁子名喜，受經於子夏。麋信曰：秦孝公時人。

晉元帝曰：穀梁膚淺。范寧曰：穀梁清而婉，其失也短。劉敞曰：穀梁窘於日月。崔子方曰：穀梁失之遷。」（頁二九三至頁二九五）

【增補】《續修四庫全書總目提要》：「影宋紹熙本穀梁傳十二卷　遵義黎氏校刊古逸叢書本　　張壽林

晉范甯撰。集解之書。迄於兩宋。傳習漸希。除注疏刊本外。行世絕尟。此本為宋紹熙間余仁仲萬卷堂刻本。范書之不絕如綫。實賴於此。誠希世之瓌寶也。其書都凡十二卷。每公為一卷。與諸家著錄皆同。每半頁十一行。行十八九字。注雙行二十七字。每章附音義。每卷末有經傳注及音義字數。又記仁仲比校訖。余仁仲刊於家塾。十二卷末記國學進士余仁仲校正。國學進士劉子庚。陳幾。張甫同校。奉議郎簽書武安軍節度判官廳公事陳應行參校。癸丑仲秋重校訖。卷首有范氏自序。卷末附何休公羊傳序。公羊序末有紹熙辛亥孟冬朔日建安余仁仲跋。又范氏自序末。及十二卷卷尾。各有余氏萬卷堂藏書記長方印。范氏自序前。第七卷卷端。及公羊序末。各有金澤文庫長方印。原本舊為日本學士柴邦彥所藏。文政間。狩野谷望之。與松碕慊堂謀就阿波國學影摹之。纖豪畢肖。宛然宋槧。後歸向山黃村。光緒間宜都楊守敬。從使日本。從黃村求得之。慫恿遵義黎庶昌刻入古逸叢書。行款悉依原本。棐刻甚精。按漢魏以來釋穀梁者。有尹更始。唐固。麋信。孔衍。江熙等十家。范甯氏皆以為膚淺。因帥其子弟。商略名例。博採諸儒異同之說。以成其父汪之志。今考其書。於先儒董仲舒。京房。劉向。許慎。何休。杜預。皆舉其名。惟鄭康成稱君而不名。蓋范氏世習鄭學故也。又徐邈。江熙。徐乾。鄭嗣皆與甯同時。而其書今多不傳。幸賴范注。得存其一二。其書折衷眾說。頗稱矜慎。至其持論。亦往往密於何休之注公羊。至於此本經文集注。校之注疏本。異同甚多。而往往優於注疏本。至於爾宋以來所傳經注本。不必與釋文合。而合刊注疏者。往往改釋文以就之。此本後有仁仲自記。不以釋文改定本。亦不以定本改釋文。兩存之以俟知者。則猶有漢唐經師家法。而足資校勘焉。」（頁七二九至頁七三〇）

二五、十三經古注本：晉范寧集解，唐陸德明音義《春秋穀梁傳》二十卷，馬來西亞大學圖書館有藏本。

二六、十三經讀本：晉范寧集解，唐陸德明音義《春秋穀梁傳》十二卷，四冊，馬來西亞大學圖書館有藏本。

二七、山東書局刊十三經讀本：晉范寧集解，唐陸德明音義《春秋穀梁傳》十二卷，四冊，馬來西亞大學圖書館有藏本。

二八、四部叢刊本：晉范寧集解，陸德明音義《春秋穀梁傳》十二卷，二冊，馬來西亞大學圖書館有藏本。

二九、縮本四部叢刊初編本：晉范寧集解，唐陸德明音義《春秋穀梁傳》十二卷，馬來西亞大學圖書館有藏本。

三〇、湖北先正遺書本：晉范寧集解，唐陸德明音義，楊守敬考異《春秋穀梁傳》十二卷，二冊，馬來西亞大學圖書館有藏本。

三一、叢書集成本：晉范寧集解，唐陸德明音義，二冊，馬來西亞大學圖書館有藏本（二部）。

三二、四部備要本：晉范寧集解，唐楊士勛疏《春秋穀梁傳注疏》二十卷，三冊，馬來西亞大學圖書館有藏本。

又一本，題作「四冊」，馬來西亞大學圖書館有藏本。

三三、御刻十三經注疏本：晉范寧集解，唐陸德明音義，楊士勛疏《春秋穀梁注疏》二十卷，附《考證》，六冊，馬來西亞大學圖書館有藏本。

三四、寛文八年京都荒川宗長據明王道焜校本重刊：晉范甯集解，唐陸德明音義《穀梁傳》十二卷，六冊，闕卷第八至卷第九，日本八戶市立圖書館有藏本。

又日本：宮城縣、實踐女子、新潟大等地圖書館有藏本，題作「明 王道焜 校 日本 林信勝 點，《新刊公穀白文》

又日本：公文書館有藏本。

三五、清光緒十二年（１８８６）湖北官書處刻本：中國歷史博物館有藏本。

【增補】《中國歷史博物館藏普通古籍目錄》曰：「００９１

春秋穀梁傳　十二卷

（晉）范寧集解

清光緒十二年（１８８６）湖北官書處刻本

四冊

（史１５７７）」（頁九至頁十）

三六、鳴沙石室古籍叢殘本:六朝人寫本《寫本春秋穀梁傳集解》一卷。

【增補】《續修四庫全書總目提要》：「寫本春秋穀梁傳集解一卷　鳴沙石室古籍叢殘本　　楊鍾義

六朝人寫本。光緒間敦煌出土。起莊公十九年。盡閔公二年。前佚數行。後題春秋穀梁莊公弟三。閔公弟四。合為一卷。又後題龍朔三年三月十九日書吏高義寫。又記用紙數及字數。為當時官府寫本。六朝以來穀梁集解分卷十二。每公為一卷。此莊閔合卷。陸氏音義于莊公十九年下注。傳本或分。此以下為莊公閔公合卷。與此本合。其經注與釋文別本合者。如十九年傳不以難介我國也。今本介作邇。釋文邇本又作介。廿三年經曹伯亦姑卒。今本亦作射。釋文射本或作亦。廿四年傳棗栗鍛脩。注取斷斷自脩敕。今本作整。釋文作脩飭。注本或作飭。或作整。廿七年傳衣冠之會十有一注。僖元年會于朾。今本作檉。釋文檉本亦作朾。廿七年杞伯來朝注。蓋時王之所黜也。今本黜作絀。釋文絀本亦作黜。卅年傳以齋終也注。齋絜也。今本齋作齊。釋文齊本亦作齋。閔元年公及齊侯盟于路姑。今本路作洛。釋文洛姑一本作路姑。二年夫人姜氏遜于邾。今本遜作孫。釋文孫亦本作遜。其中有與宋本合者。與唐陸淳宋張洽所見本合者。又有不見釋文而可確定此本是而今本誤者。上虞羅氏景印並記其異同於羣經點勘中。」(頁七三〇)

三七、明末刻本:晉范甯集解《穀梁傳》十二卷,九行十九字白口四周單邊,故宮博物院圖書館、杭州大學圖書館、河南省圖書館有藏本。

三八、明萬歷二十一年北京國子監刻十三經注疏本:漢何休注　唐徐彥疏、陸德明音義、清陳澧校《春秋公羊傳注疏》二十八卷、九行廿一字白口左右雙邊單魚尾,上海圖書館有藏本。

《晉書》[46]:「甯,字武子[47],解褐為餘杭令[48],遷臨淮太守[49],徵拜中書侍郎[50],補豫章太守[51]。甯以《春秋》穀梁氏未有善釋,遂沈思積年,為之集解。其義精審,為世所重,既而徐邈復為之注,世亦稱之。」

甯〈自序〉曰[52]:「昔周道衰陵,乾綱絕紐,禮壞樂崩,彝倫攸斁,弒逆篡盜者國有,淫縱破義者比肩,是以妖災因釁而作,民俗染化而遷,陰陽為之愆度,七曜為之盈縮,川岳[53]為之崩竭,鬼神為之疵厲。故父子之恩缺,則〈小弁〉之刺作;君臣之禮廢,則桑扈之諷興;夫婦之道絕,則〈谷風〉之篇奏;骨肉之親離,則〈角弓〉之怨彰;君子之路塞,則白駒之詩賦。天垂象,見吉凶,聖作訓,紀成敗,欲人君戒慎厥行,增修厥德[54]。蓋誨爾諄諄,聽我藐藐,履霜堅冰,所由者漸,四夷交侵,華戎同貫。幽王以暴虐見禍,平王以微弱東遷,

---

46霖案:《晉書》卷七十五,〈范汪列傳〉第四十五,頁1984-1989。竹垞此文刪裁頗甚,難於校補,讀者可自行參看原書。

47霖案:「子」字下,竹垞刪去文句頗多,讀者可參看原書。

48霖案:「令」字下,竹垞刪去文句頗多,讀者可參看原書。

49霖案:「守」字下,竹垞刪去文句頗多,讀者可參看原書。

50霖案:「郎」字下,竹垞刪去文句頗多,讀者可參看原書。

51霖案:「守」字下,竹垞刪去文句頗多,讀者可參看原書。

52霖案:《國立中央圖書館善本序跋集錄》頁390-391錄有此文,係根據「元刊明正德間修補十行本」甄錄而來。又《穀梁引言序》,頁3亦引其文。

53霖案:「岳」,應依「元刊明正德間修補十行本」作「嶽」。

54「增修厥德」,應依《補正》、《四庫》本作「增修德政」。　霖案:《經義考新校》頁3185於「《補正》」二字之下,另有:「《四庫薈要》本、文淵閣」等字。今考「元刊明正德間修補十行本」亦作「增修德政」四字。

征伐不由天子之命，號令出自權臣之門；故兩觀表而臣禮亡，朱干設而君權喪。下陵上替，僭逼[55]理極，天下板蕩[56]，王道盡矣。孔子觀[57]滄海之橫流，迺喟然而歎曰：『文王既沒，文不在茲乎？』言文王之道喪，興之者在己。於是就太師[58]而正〈雅〉、〈頌〉，因魯史而修《春秋》，列〈黍離〉於〈國風〉，齊王德於邦君，所以明其不能復雅，政化不足以被群后也。於時[59]則接乎隱公，故因茲以託始。該二儀之化育，贊人道之幽變，舉得失以彰黜陟，明成敗以著勸誡，拯頹綱以繼三五，鼓芳風以扇遊塵。一字之褒，寵踰華袞之贈；片言之貶，辱過市朝之撻。德之所助，雖賤必伸；義之所抑，雖貴必屈。故附勢[60]匿非者，無所逃其罪；潛德獨運者，無所隱其名，信不易之宏規[61]，百王之通典也。先王之道既弘，麟[62]感化而來應，因事備而終篇[63]，故絕筆於斯年。成天下之事業，定天下之邪正，莫善於《春秋》。《春秋》之傳有三，而為經之旨一，臧否不同，褒貶殊致，蓋九流分而微言隱，異端作而大義乖。《左氏》以鬻拳兵諫為愛君，文公納幣為用禮；《穀梁》以衛輒拒父為尊祖，不納子糾為內惡；《公羊》以蔡仲[64]廢君為行權，妾母稱夫人為合正。以兵諫為愛君，是人主可得而脅也；以納幣為用禮，是居喪可得而婚也；以拒父為尊祖，是為子可得而叛也；以不納子糾為內惡，是仇讎[65]可得而容也；以廢君為行權，是神器可得而闚[66]也；以妾母為夫人，是嫡庶可得而齊也。若此之類，傷教害義，不可得[67]強[68]通者也。凡傳以通經為主，經以必當為理。夫至當無二，而《三傳》殊說，庸得不棄其所滯，擇善而從乎？既不俱當，則固容俱失。若至言

55霖案：「逼」，應依「元刊明正德間修補十行本」作「迫」。

56霖案：「板蕩」，應依「元刊明正德間修補十行本」作「蕩蕩」。

57霖案：「觀」，應依「元刊明正德間修補十行本」作「覩」。

58霖案：「太師」，「元刊明正德間修補十行本」作「大師」。

59霖案：「時」，應依「元刊明正德間修補十行本」作「是」。

60「勢」，《四庫》本誤作「世」。　霖案：《經義考新校》頁3185於「《四庫》」二字之前，另有：「文淵閣」三字。

61霖案：「規」，應依「元刊明正德間修補十行本」作「軌」。

62霖案：「麟」，應依「元刊明正德間修補十行本」作「麒」字。

63「麟感化而來應，因事備而終篇」，《四庫》本誤作「麟感化而來，因應事備而終篇」。　霖案：《經義考新校》頁3185於「《四庫》」二字之前，另有「文淵閣」三字。

64「《公羊》以蔡仲」，應依《補正》、《四庫》本作「《公羊》以祭仲」。　霖案：《經義考新校》頁3186於「《補正》」二字之下，另有「《四庫薈要》本、文淵閣」等字。今考「元刊明正德間修補十行本」作「《公羊》以祭仲」，當是翁方綱所據之本。

65霖案：「讎」，「元刊明正德間修補十行本」作「讐」。

66霖案：「闚」，「元刊明正德間修補十行本」作「窺」。

67霖案：《經義考新校》頁3186新出校文如下：「文淵閣《四庫》本無『得』字。」。

68霖案：「強」，「元刊明正德間修補十行本」作「彊」。

幽絕，擇善靡從，庸得不並舍以求宗，據理以通經乎？雖我之所是，理未全當，安可以得當之難而自絕於希通哉？而漢興以來，瓌望碩儒各信所習，是非紛錯，準裁靡定，故有父子異同之論、石渠分爭之說，廢興由於好惡，盛衰繼之辨[69]訥，斯蓋非通方之至理，誠君子之所歎息也。《左氏》豔而富，其失也誣[70]；《穀梁》清而婉，其失也短；《公羊》辨[71]而裁，其失也俗。若能富而不誣[72]，清而不短，裁而不俗，則深於其道者也。故君子之於《春秋》，沒身而已矣。升平之末，歲次大梁，先君北藩回軫[73]，頓駕於[74]吳，乃帥門生、故吏、我兄弟子姪研講六籍，次及三傳；《左氏》則有服、杜[75]之注[76]，《公羊》則有何、嚴之訓釋；《穀梁》傳者雖近十家，皆膚淺末學，不經師匠，辭理典據既無可觀，又引《左氏》、《公羊》以解此傳，文義違反，斯害也已。於是乃商略名例，敷[77]陳疑滯，博示諸儒同異之說。昊天不弔，泰山其頹，匍匐墓次，死亡無日，日月逾邁，跂及視息。乃與二三學士及諸子弟各記所識，并言其意。業未及終，嚴霜夏墜，從弟凋落，二子泯沒。天實喪予[78]，何痛如之？今撰諸子之言，各記其姓名，名曰《春秋穀梁集解》。」

【增補】〔補正〕〈自序〉內「增修厥德」，當作「增修德政」；「《公羊》以蔡仲」，「蔡」當作「祭」；「其失也誣」、「富而不誣」，「誣」皆當作「巫」。（卷七，頁十三）

【增補】何廣棪：《陳振孫之經學及其《直齋書錄解題》經錄考證》曰：「案：此書甯有《自序》，略曰：『升平之末，歲次大梁。先君北藩回軫，頓駕於吳。乃帥門生故吏、我兄弟子姪，研講《六籍》，次及《三傳》。《左氏》則有服、杜之注，《公羊》則有何、嚴之訓解，《穀梁》，傳者雖近十家，皆膚淺末學，不經師匠，辭理典據既無可觀，又引《左氏》、《公羊》以解此《傳》，文義違反，斯害也已。於是乃商略名例，敷陳疑滯，博示諸儒同異之說。昊天不弔，泰山其頹，匍匐墓次，死亡無日。日月逾邁，跂及視息。乃與二三學士及諸弟子各記所識，并言其意。業未及終，嚴霜夏墜。從弟凋落，二子泯沒。天實喪予，何痛如之。今撰諸子之言，各記其姓名

69霖案：「辨」，「元刊明正德間修補十行本」作「辯」。

70「其失也誣」、「富而不誣」，「誣」皆當據《補正》、《四庫》本作「巫」。　霖案：《經義考新校》頁3186於「《補正》」二字之下，另有：「《四庫薈要》本、文淵閣」等字。

71霖案：「辨」，「元刊明正德間修補十行本」作「辯」。

72「其失也誣」、「富而不誣」，「誣」皆當據《補正》、《四庫》本作「巫」。　霖案：《經義考新校》頁3186於「《補正》」二字之下，另有：「《四庫薈要》本、文淵閣」等字。

73霖案：「北藩回軫」，「元刊明正德間修補十行本」作「北番迴軫」。

74霖案：「於」，「元刊明正德間修補十行本」作「于」。

75霖案：《經義考新校》頁3186新增校文如下：「『服、杜』，文津閣《四庫》本作『杜、服』」。

76霖案：「注」，「元刊明正德間修補十行本」作「註」。

77霖案：「敷」，應依「元刊明正德間修補十行本」作「數」。

78霖案：「予」，「元刊明正德間修補十行本」作「于」。

，名曰《春秋穀梁集解》。』《解題》所言『其《序》云』者以下，蓋據此隱括。至汪祖范晷，《晉書》卷九十《列傳》第六十《良吏》有傳。泰，《宋書》卷六十《列傳》第二十有傳，曄字蔚宗，同書卷六十九《列傳》第二十九有傳，茲不贅引。」（頁五二〇至頁五二一）

王通曰[79]：「范甯有志於《春秋》，徵聖經而詰眾傳。」

楊士勛曰[80]：「魏晉以來，注《公》、《穀》[81]者有尹更始、唐固、麋信、孔衍[82]、江熙、程闡、徐仙民、徐乾、劉瑤、胡訥之等，甯[83]以傳[84]者雖多，妄引三傳，辭理典據不足可觀，故與門徒商略[85]名例，博[86]示[87]同異[88]。」

【增補】〔補正〕楊士勛條內「注《公》、《穀》者」，「公、穀」當作「《穀梁》」；「孔衍」當作「孔演」。按：此條下引王應麟說，於楊士勛所舉十家外增多段肅、張靖二家。（卷七，頁十三）

晁說之曰[89]：「《穀梁》晚出於漢，因得監省《左氏》、《公羊》之違畔而正之。其[90]精深遠大者，真得子夏之所傳與[91]？范甯又因諸儒而博辨之，申《穀梁》之志也。其於是非

79霖案：《玉海》卷四〇，頁796；又《翁注困學紀聞》卷七，頁432亦錄之，本文採《翁注困學紀聞》入校。

80霖案：《監本附音春秋穀梁傳注疏．序》「文意違反，斯害也已」的〈疏〉文，第4頁，總頁2361。

81「《公》、《穀》」，應依《補正》作「《穀梁》」。　霖案：《經義考新校》頁3187於「《補正》」二字之前，另有：「《四庫薈要》本、文淵閣《四庫》本、」等字。今考《監本附音春秋穀梁傳注疏．序》〈疏〉亦作「《穀梁》」，此或為翁方綱所據之本。又此詞涉及書名之誤，當據原書改正。

82「孔衍」，應依《補正》作「孔演」。　霖案：今考《監本附音春秋穀梁傳注疏．序》〈疏〉作「孔演」，當為翁方綱所據之本，又此詞涉及人名之誤，當據原書改正。

83霖案：「甯以傳者雖多，妄引三傳，辭理典據不足可觀，故與門徒商略名例，博示同異。」一文，係出自「春秋穀梁傳序」的〈疏〉文，應別分段落，題作「又曰」，以示同出楊士勛之言，卻分屬二處，此有錯簡之誤。

84霖案：「傳」字下，應依《監本附音春秋穀梁傳注疏．序》〈疏〉文，補入「《穀梁》」二字。

85霖案：「略」字，《監本附音春秋穀梁傳注疏．序》〈疏〉作「畧」。

86霖案：「博」，應依《監本附音春秋穀梁傳注疏．序》〈疏〉文作「傳」。

87霖案：《經義考新校》頁3187新增校文如下：「『示』，文淵閣《四庫》本作『士』。」。

88霖案：「異」字下，應依《監本附音春秋穀梁傳注疏．序》〈疏〉補入「也」字。

89霖案：王應麟：《玉海》卷四十，頁796。

90霖案：「其」，應依《玉海》作「至其」。

91霖案：《玉海》無「與」字，當刪。

亦少公矣，非若杜征南[92]一切申傳，汲汲然不敢異同也。」

王晳曰[93]：「自漢崇學校，《三傳》迭興，以賈誼之才、仲舒之文、向、歆之學，猶溺於師說，不能會通，況其[94]餘哉？其專窮師學，以自成一家者，則何氏、杜氏、范氏而已。何氏則譸張瞽說，杜氏則膠固《傳》文；其稍自覺悟者，惟范氏爾。」

晁公武曰[95]：「自漢魏以來，《穀梁》注解有尹更始、唐固、麋信、孔衍[96]、江熙等十數家，而范甯皆以為膚淺，於是帥其長子泰[97]、中子雍、小子凱、從弟邵及門生、故吏，商略名例，博採諸儒同異之說，成其父汪之志。嘗謂：三傳之學，《穀梁》所得最多，諸家之解，范甯之論最善。」

陳振孫曰[98]：「晉豫章太守順陽范甯武子撰。甯嘗謂王、何之罪深於桀、紂，著論以排之[99]。以[100]《春秋》惟穀梁氏無善釋，故為之注解，其序云：『升平之末，先君稅駕於吳，帥門生、故吏、兄弟、子姪研講《六籍》《三傳》。』蓋甯父汪為徐、兗二州，北伐失利，屏居吳郡時也。汪沒之後，始成此書。所集諸家之說，皆記姓名，其稱『何休曰』及『鄭君釋之』者，即所謂《發墨守》、《起廢疾》也；稱『邵曰』者，甯從弟也；稱『泰曰』、『雍曰』、『凱曰』者，其諸子也。汪，范晷之孫，晷在良吏傳。自晷至泰五世，皆顯於時。甯父子祖孫同訓釋經傳，行於後世，可謂盛矣。泰之子曄[101]，亦著《後漢書》以不軌誅死，其家始亡。」

【增補】何廣棪：《陳振孫之經學及其《直齋書錄解題》經錄考證》曰：「廣棪案：此據《晉書》卷七十五《列傳》第四十五《范汪傳》所附《甯傳》。略謂：『范甯字武子，東晉南陽順陽人。……甯少篤學，多所通覽。……時以浮虛相扇，儒雅日替，甯以為其源始於王弼、何晏，二人之罪，深於桀紂。乃著論退之。……頃之，徵拜中書侍郎，在職多所獻替，有益政道。……王國寶者，甯之甥也。以諂媚事會稽王道子

92霖案：「杜征南」，應依《玉海》作「征南」。

93霖案：《春秋皇綱論》卷五，〈傳釋異同〉，(《通志堂經解》(19)) 頁10861。

94霖案：「其」，應依《春秋皇綱論》作「於」。

95霖案：《郡齋讀書志》卷第三，頁101、《文獻通考．經籍考》卷九，頁229。

96霖案：「孔衍」，《文獻通考》作「孔演」，「衍」、「演」字音相近而誤入，當以「孔演」為是。

97霖案：「泰」字，《文獻通考》作「參」字，此為人名有誤也。惟《文獻通考》引「陳振孫曰」，則作「泰曰」，則或以「泰」為是。然而，《文獻通考》既引「晁氏曰」作「參」，則應以原書之文錄之，再以注文論及其誤，而不當逕改其文也。

98霖案：《直齋書錄解題》卷三，頁456、《文獻通考．經籍考》卷九，頁229-230。

99霖案：「之」字下，應依《文獻通考》補入「仕為中書侍郎。其甥王國實憚之，乃相驅扇，因求外補抵罪，會赦免。甯」等字。

100霖案：「以」字下，應依《文獻通考》補入「為」字。

101霖案：《經義考新校》頁3188新增校語如下：「『曄』，文津閣《四庫》本避作『煜』。」

，懼甯所不容，乃相趨扇；甯因被疏隔，求補豫章太守。臨發，上書陳時政，帝善之。甯在郡，又大設庠序，改革舊制，不拘當憲。……甯以此抵罪。帝以甯所務惟學事，久不判。會赦，免。』《解題》所述，殆據此《傳》隱括，惟脫漏居豫章郡事。故『會赦免』一語，則上無所承。」（頁五一九至頁五二〇）

黃震曰[102]：「杜預注[103]《左氏》，獨主《左氏》；何休注[104]《公羊》，獨主《公羊》；惟范甯不私於《穀梁》，而公言三家之失[105]。」

王應麟曰[106]：「《穀梁》先有尹更始、唐固、麋信、孔衍、江熙、段肅、張靖等十餘家，范甯以為膚淺，乃商略[107]名例，為《集解》十二卷，《例》一卷。蓋杜預屈經以申傳[108]，何休引緯以汨經，惟甯之學最善。」

家鉉翁曰[109]：「何休治《公羊傳》外，多生支節，失《公羊》之本旨；若[110]范甯治《穀梁》，能[111]知《穀梁》之非，視休為長。」

《春秋穀梁傳例》（晉）

【書名】王謨輯本題作《穀梁傳例》；又黃奭輯本則題作《范甯穀梁傳例》。又《馬來西亞大學中文圖書目錄》七七三著錄黃奭輯本，則題作《穀梁傳例》。

《隋志》：「一卷。」

佚。

【存佚】本書有諸家輯本，說明如下：

102霖案：《黃氏日抄》卷三一，頁436錄之。

103霖案：「注」字，《黃氏日抄》作「註」字。

104霖案：「注」字，《黃氏日抄》作「註」字。

105霖案：「之失」二字，《黃氏日抄》無此二字，當係竹垞據內容所擅加，當據原書刪正。

106霖案：王應麟：《玉海》卷四十，頁796。又「杜預屈經以申傳，何休引緯以汨經，惟甯之學最善。」三句，係出於《翁注困學紀聞》（中冊），卷七，頁432之文，竹垞併合二書之文為一解題，實有檢討之處。

107霖案：「略」，《玉海》作「畧」。

108霖案：「杜預屈經以申傳」之下的文句，全係出於《翁注困學紀聞》（中冊），卷七，頁432之文，顯然此條解題，係竹垞併合《玉海》、《困學紀聞》二書之文而來。

109 霖案：《春秋集傳詳說·綱領》（台北：臺灣商務印書館，「景印文淵閣四庫全書」冊一五八，民國七十五年三月，初版），頁21；又張尚瑗，《三傳折諸·公羊折諸·卷首》（台北：臺灣商務印書館，「景印文淵閣四庫全書」冊一七七，民國七十五年三月，初版），頁540。

110 霖案：「若」字，《春秋詳說》、《公羊折諸》俱未有此字，當刪。

111 霖案：「能」字，《春秋詳說》、《公羊折諸》俱作「而」，當據以改正。

一、《穀梁傳例》一卷　（晉）范甯撰　（清）王謨輯

《漢魏遺書鈔》．經翼第三冊

【增補】《續修四庫全書總目提要》：「春秋穀梁傳例一卷　漢魏遺書鈔本　　張壽林

晉范甯撰。清王謨輯。按晉書范甯傳云。甯字武子。南陽順陽人。少篤學多所通覽。孝武帝時始為餘杭令。遷臨淮太守。封陽遂鄉侯。徵拜中書侍郎。出補豫章太守。免官家於丹陽。猶勤經學。經年不輟。年六十三卒於家。又考陸氏經典釋文敘錄。及隋唐兩志。均著錄甯所著春秋穀梁傳集解十二卷。又隋書經籍志別載甯所撰春秋穀梁傳例一卷。按范氏穀梁傳集解自序云。釋穀梁傳者。雖近十家。皆膚淺末學。不經師匠。辭理典據。既無可觀。又引左氏公羊以解此傳。文義違反。斯害也已。於是乃商略名例。敷陳疑滯。博示諸儒同異之說。唐楊士勛疏云。商略名例者。即范氏別為略例百餘條是也。據此則隋唐之世。其書猶存。惟兩唐志已不見著錄。則其散佚已久。惟楊氏疏中。間有徵引。四庫全書總目穀梁傳注疏提要云。自序有商略名例之句。疏稱甯別有略例百餘條。此本不載。然注中時有傳例曰字。或士勛割裂其文。散入注疏中歟。則其書蓋因楊氏割裂其文。散入注疏而亡矣。是編為清王謨所輯。錄楊氏疏中所引略例別例共二十有四條。釐為一卷。搜採頗稱該洽。詳其大旨。皆研究書法。商略義例。以折衷諸儒之異同。惟范氏傳例。多見集解。王氏自序。乃謂其無容贅錄。缺而不載。是則未免功虧一簣耳。」（頁七二九）

二、《范甯穀梁傳例》一卷　（晉）范甯撰　（清）黃奭輯

（一）《漢學堂叢書》．經解春秋類　馬來西亞大學圖書館有藏本（二部）。

（二）《黃氏逸書考》．漢學堂經解

【增補】〔校記〕黃奭有輯本。（《春秋》，頁四六）

【增補】孫啟治、陳建華編《古佚書輯本目錄（附考證）》曰：「范甯，參《古文尚書舜典注》。范甯《穀梁集解序》有『商略名例』之語，楊士勛疏云『即范氏別為《略例》百餘條是也』。《隋志》載范甯《春秋穀梁傳例》一卷，即其書。今本《集解》與楊疏中時有《傳例》之文，《四庫全書總目》謂當是楊氏割裂其書散入《集解》與疏中。按《集解》有《傳例》之文或是范氏自引其書作解，疏中有《傳例》則楊氏所引也。如謂楊氏割裂其書，何不盡散入《集解》，或盡於疏中引之，乃分屬《集解》與自疏之中邪？此於情理有不可通者。王謨從楊疏中輯出二十四例，至見於《集解》諸例則不錄。按王氏蓋以為見於《集解》者易於尋檢，故不贅錄。其實既輯其書，則宜求備，不得以易尋檢與否為取捨之準則。黃奭全襲王輯。」（頁六四至頁六五）

京相氏璠《春秋土地名》（晉）

【書名】本書有洪頤煊、黃奭輯本，書名均題作《京相璠春秋土地名》。

【作者】陳明恩〈魏晉南北朝《春秋》學初探〉頁一九〇，注釋三四曾考其作者如下：「《春秋土地名》3卷，《隋志》題『晉裴秀客京相璠等撰。』《舊唐志》不署撰

人，《新唐志》僅題京相璠撰。今案，京相璠不詳何人，酈道元《水經・穀水注》云：『京相璠與裴司空彥季修晉輿地圖，作《春秋土地名》。』酈道元撰、陳橋驛點校：《水經注》（上海：上海古籍出版社，１９９０年），頁３２６。依《水經注》之說，《春秋土地名》蓋成於眾手，而璠總其事。說參孫啟治、陳建華：《古佚書輯本目錄》，頁７８。」，如據陳氏之說，實應於「璠」字下加一「等」字，以為區隔。

【增補】李一遂〈左氏春秋著錄書目研究〉頁一〇八錄有京相璠《春秋長曆》一卷，竹垞未錄此書，當據以補入。

《隋志》112：「三卷。」

佚。

【存佚】本書有洪頤煊、黃奭等輯本，故應改注曰「闕」。

【版本及藏地】本書版本及藏地如下：

一、清嘉慶三年(1798)金溪王氏《漢魏遺書鈔》本：（晉）京相璠撰　（清）王謨輯《春秋土地名》一卷，《國立故宮博物院善本舊籍總目》上冊，頁八十六著錄，台北：故宮博物院有藏本。

二、《重訂漢魏地理書鈔》本：（晉）京相璠撰　（清）王謨輯《春秋土地名》一卷

三、《問經堂叢書》本：（晉）京相璠撰　（清）洪頤煊輯《京相璠春秋土地名》一卷，此本為《經典集林》本，馬來西亞大學圖書館有藏本。

四、《漢學堂叢書》本：（晉）京相璠撰　（清）黃奭輯《京相璠春秋土地名》一卷，馬來西亞大學圖書館有藏本。（二部）

五、《黃奭逸書考》：（晉）京相璠撰　（清）黃奭輯《京相璠春秋土地名》一卷

六、《玉函山房輯佚書》本：（晉）京相璠撰　（清）馬國翰輯《春秋土地名》一卷，馬來西亞大學圖書館有藏本。

【增補】孫啟治、陳建華編《古佚書輯本目錄（附考證）》曰：「京相璠不詳何人，酈道元《水經・穀水注》云：『京相璠與裴司空彥季修晉輿地圖，作《春秋土地名》。』《隋志》載《春秋土地名》三卷，晉裴秀、客京相璠等撰。《舊唐志》不署撰人，《新唐志》僅題京相璠撰。蓋書成於眾手，而璠總其事也。裴秀字彥季，泰始中作《禹貢地域圖》奏之，《晉書》有傳。姚振宗《隋書經籍考證》謂秀與璠等撰此書當亦在泰始中。諸家皆從《水經》注採摭，馬國翰輯本較備，多於王謨、洪頤煊二輯各十餘節。唯王輯採釋濮水一節（隱公四年），洪輯採釋茅一節（哀公七年），皆為馬所無。又三家編次間有異同。如《水經・巨洋水》注引釋斟尋一節，王、洪歸襄公四年，而馬歸襄公十八年，而王歸文公十八年。蓋地名多重見，三家所歸不能盡同。又王輯每節下皆附杜預《春秋釋例・土地名》以證異同，為馬、洪所未附。黃奭全襲王

112霖案：《隋志》卷三二，頁932。

輯。（頁五八至頁五九）

【增補】〔校記〕黃爽有輯本，馬國翰亦有《春秋土地名》輯本。（《春秋》，頁四六）

【增補】《續修四庫全書總目提要》：「京相璠土地名一卷　玉函山房輯本　楊鍾羲

晉京相璠撰。清馬國翰輯。水經注云。京相璠與裴司空彥季修晉輿地圖。作春秋地名。隋志春秋土地名三卷。晉裴秀客京相璠等撰。唐志直題京相璠撰。卷同。是書久佚。國翰從水經注初學記所引。裒錄為帙。有與杜同者。有為杜所闕者。中如釋垂郚在高都。中人在望都。酈道元一以為疏。遠未足為證。一以為未詳。蓋不免舛失。如前城柏舉焦瑕窮養。皆確切指言之。足補杜氏之疏漏。同時漢學堂經解輯本不注出處。惟與杜同異詳畧各條下。均引釋地原文。為此本所畧。其謂璠云河內山陽西北六十里有郟城。此地名不見經傳。釋地土地名亦闕。或以為即葵丘。瀧水一條。謂不見經傳。釋例亦闕。據水經即袁水入時水。當屬齊也。襄十年會吳于柤。柤宋地云云。杜注楚地。釋例亦闕。昭九年以夷濮西田益之。璠云以夷之濮西地益也。釋例上地名云。夷濮本陳地也。皆可互相參考。」(頁六七二)

七、清光緒九年(1883)長沙琅嬛館補校刊本：(晉)京相璠撰《春秋土地名》一卷，台北：國家圖書館有藏本。

八、清光緒十年(1884)湘遠堂刊本：(晉)京相璠撰《春秋土地名》一卷，台北：國家圖書館有藏本。

九、民國五十九年(1970)藝文印書館四部分類叢書集成續編影印清嘉慶三年(1798)金溪王氏刊本：(晉)京相璠撰《春秋土地名》一卷，台北：國家圖書館有藏本。

十、民國六十一年(1972)藝文印書館四部分類叢書集成三編影印清道光中甘泉黃氏刊民國十四年(1925)王鑒修補印本：(晉)京相璠撰《春秋土地名》一卷，台北：國家圖書館有藏本。

《隋書》[113]：「晉裴秀客[114]。」

酈道元曰[115]：「京相璠與裴司空彥季修晉輿地圖，作《春秋地名》。」

鄭樵曰[116]：「京相璠《春秋土地名》，見於[117]杜預《地名譜》、桑欽《水經注》[118]。」

113霖案：《隋書．注》卷三二，頁932。

114霖案：「客」字下，應依《隋書．注》補入「京相璠等撰」五字。

115霖案：酈道元：《水經注》卷十六，(世界書局《史學叢書》本)，頁213。

116霖案：鄭樵《通志》卷七一，〈書有名亡實不亡論一篇〉，(台北：商務印書館，「文淵閣四庫全書本」，民國七十五)，冊三七四，頁483。

117霖案：「見於」二字，《通志》題作「可見於」三字。

孫氏毓《春秋左氏傳義注》（晉）

《隋志》：「十八卷。」《唐志》：「三十卷。」《釋文》《序錄》：「二十八卷。」

【卷數】本書有馬國翰輯本一卷。

佚。

【存佚】本書有馬國翰輯本，故應改注曰「闕」。

【版本及藏地】本書版本及藏地如下：

一、《玉函山房輯佚書》本：（晉）孫毓撰　（清）馬國翰輯《春秋左氏傳義注》一卷，馬來西亞大學圖書館有藏本。

【增補】孫啟治、陳建華編《古佚書輯本目錄（附考證）》曰：「孫毓，參《毛詩異同評》。《釋文序錄》載孫毓《左氏注》二十八卷。《隋志》作《春秋左氏傳義注》十八卷，兩《唐志》並三十卷。按《隋志》載為十八卷，與《序錄》及兩《唐志》所載相差過甚，似不應有十卷之出入，疑本作『二十八卷』，脫『二』字耳。兩《唐志》作三十卷者，蓋並序、目計，故多二卷也。馬國翰從《左傳正義》採得八節。」（頁五八）

【增補】〔校記〕馬國翰有輯本。（《春秋》，頁四六）

【增補】《續修四庫全書總目提要》:「春秋左氏傳義注一卷　玉函山房輯佚書本　張壽林

晉孫毓撰。清馬國翰輯。毓字仲。泰山人。魏時嗣父觀爵呂都亭侯。仕至青州刺史。一云字休朗。北海平昌人。入晉為太常博士。歷官長沙汝南太守。清朱彝尊經義考亦云。隋志孫毓魏晉長沙太守。陸德明曰豫州刺史。又隋志別集類。有晉汝南太守孫毓集六卷。一孫毓也。或曰仲字。或曰字休朗。或以為長沙守。或以為汝南守。或以為清州刺史。其說各異。未審孰是。是編隋書經籍志著錄作十八卷。釋文敘錄作二十八卷。疑隋志十字上似脫一二字。又兩唐志著錄。並作三十卷。亦與隋志及釋文敘錄之說不同。未詳其故。至李唐以下。諸家書志已不見著錄。則其書之佚。當在五代之世歟。是編輯錄八節。釐為一卷。按孫氏別有賈服異同略一書。亦久已散佚。今核其書。大旨在申賈駁服。如周之宗盟。據宗伯盟詛之辭。以服氏同宗解為不然。王室之不壞。壞服氏本作懷。孫氏是編則依賈氏本作壞。亦不取服氏之說。若此之類。胥足證其書之申賈而駁服。蓋服氏春秋左氏傳解誼之說。受之鄭康成。而王肅之注春左氏傳。則多主賈逵之說。孫朋於王。故所注多從賈而非服。亦猶其撰毛詩異同評之評毛鄭王肅三家異同。而多朋於王氏也。」(頁六七二~六七三)

118霖案：「《水經注》」三字，《通志》題作「《水經》」，案：《水經》為桑欽所撰，而《水經注》為酈道元所注，今《通志》原文作「桑欽」，則應以「《水經》」為是，此處訛增一「注」字，當據原書文句刪正。

二、清光緒九年(1883)長沙琅嬛館補校刊本：(晉)孫毓撰《春秋左氏傳義注》一卷，台北：國家圖書館有藏本。

三、清光緒十年(1884)湘遠堂刊本：(晉)孫毓撰《春秋左氏傳義注》一卷，台北：國家圖書館有藏本。

《春秋左氏傳賈服異同略》（晉）

【書名】李一遂〈左氏春秋著錄書目研究〉頁一一八錄作「《春秋傳賈服異同略》」。

《隋志》：「五卷。」

佚。

徐氏邈《春秋左氏傳音》（晉）

【書名】藤原佐世《日本國見在書目錄》頁十二著錄，書名題作《春秋左氏音》，又馬國翰輯本、清光緒九年(1883)長沙琅嬛館補校刊本均題作《春秋徐氏音》。

《隋志》：「三卷。」《唐志》：「一卷。」

【卷數】《隋志》、藤原佐世《日本國見在書目錄》頁十二、《通志》著錄此書，卷數俱作「三卷」；又《經籍志》作《左氏音》三卷，《音隱》一卷；又馬國翰輯本為一卷。

佚。

【存佚】本書有馬國翰《玉函山房輯佚書》輯本一卷，應改注曰「闕」。

【版本及藏地】本書版本及藏地如下：

一、《玉函山房輯佚書》本：（晉）徐邈撰　（清）馬國翰輯《春秋徐氏音》一卷　經編春秋類　馬來西亞大學圖書館有藏本。

【增補】孫啟治、陳建華編《古佚書輯本目錄（附考證）》曰：「徐邈，參《徐邈易音注》。《釋文序錄》、《隋志》並載徐邈《春秋左氏傳音》三卷，兩《唐志》同，唯誤題孫邈撰。馬國翰據《釋文》、《集韻》、《左傳正義》輯成一卷。」（頁五九）

【增補】〔校記〕馬國翰有輯本。（《春秋》，頁四六）

【增補】《續修四庫全書總目提要》：「徐邈春秋穀梁傳注義一卷春秋徐氏音一卷　玉函山房輯本　　楊鍾羲

晉徐邈撰。清馬國翰輯。邈字仙民。東莞人。東晉中書侍郎太子前衛率。為易音尚書音詩音春秋音穀梁注。隋志春秋穀梁傳十二卷。春秋穀梁傳義十卷。並題徐邈撰。別有徐邈答春秋穀梁義三卷。唐志作徐邈注十二卷。傳義十卷。音一卷。今並佚。國翰據注疏及北堂書鈔初學記輯錄一卷。注義二書不能區分。總以注義題之。從陸德明釋文參集韻輯春秋徐氏音一卷。惠棟九經古義。隱公三年經日有食之。傳云其日有食之何也。吐者外壞。食者內壞。闕然不見其壞。有食之者也。注云凡所吐出者其壞在外。其所吞咽者壞入於內。疏云壞字為穀梁音者皆為傷。徐邈亦作傷。糜信云齊魯之間。謂鑿地出土。鼠作穴出土。皆曰壞。或當字從壞。蓋如糜信之言。尚書正義九章算術。穿地四為壤。五為堅。五壤為息土。考釋文序錄徐邈音三卷系之左氏。據楊疏及惠氏所引。則實為穀梁作音也。本傳稱所注穀梁傳見重於時。范為集解引述獨多。國翰謂其書辭理典據。實更可觀。亦以為豫章時採求風教。邈與寧書極論諸曹心折有素。序所謂二三學士者。徐當其選。不當屬之門生故吏。及列於所識近十家中。如楊疏所云。誠篤論也。」（頁七三一）

二、清光緒九年(1883)長沙琅嬛館補校刊本：(晉)徐邈撰《春秋徐氏音》一卷，台北：國家圖書館有藏本。

三、清光緒十年(1884)湘遠堂刊本：(晉)徐邈撰《春秋徐氏音》一卷，台北：國家圖書館有藏本。

《春秋穀梁傳注》（晉）

【書名】馬國翰輯本，書名題作《春秋穀梁傳注義》；陳明恩〈魏晉南北朝《春秋》學初探〉頁一九一著錄，書名題作《春秋穀梁注》。又「清光緒九年(1883)長沙琅嬛館補校刊本」作《春秋穀梁傳注義》。

《隋志》：「十二卷。」

【卷數】馬國翰輯本作「一卷」。

佚。

【存佚】本書有馬國翰輯本，說明如下：

一、《玉函山房輯佚書》本：（晉）徐邈撰　（清）馬國翰輯《春秋穀梁傳注義》一卷　經編春秋類　馬來西亞大學圖書館有藏本。

【增補】孫啟治、陳建華編《古佚書輯本目錄（附考證）》曰：「徐邈，參《徐邈易音注》。《晉書》本傳稱邈注《穀梁傳》，見重於時。《釋文序錄》載徐邈《穀梁傳注》十二卷，《隋》、《唐志》同。《隋志》又載徐邈《春秋穀梁傳義》十卷，《新唐志》同，《舊唐志》十二卷。姚振宗《隋書經籍志考證》謂《義》是義疏、講義之類。馬國翰據《穀梁疏》等採得九十餘節，以《注》、《義》二書不能區分，總題之為《注義》。按云《注》、云《義》，皆有所本，是邈書原名也。今云『注義』，則非《注》非《義》，未免不倫，邈無是書也。既不能區分，毋如徑題為『徐邈說』為宜。」（頁六四）

【增補】《續修四庫全書總目提要》：「徐邈春秋穀梁傳注義一卷春秋徐氏音一卷　玉函山房輯本　　　楊鍾羲

晉徐邈撰。清馬國翰輯。邈字仙民。東莞人。東晉中書侍郎太子前衛率。為易音尚書音詩音春秋音穀梁注。隋志春秋穀梁傳十二卷。春秋穀梁傳義十卷。並題徐邈撰。別有徐邈答春秋穀梁義三卷。唐志作徐邈注十二卷。傳義十卷。音一卷。今並佚。國翰據注疏及北堂書鈔初學記輯錄一卷。注義二書不能區分。總以注義題之。從陸德明釋文參集韻輯春秋徐氏音一卷。惠棟九經古義。隱公三年經日有食之。傳云其日有食之何也。吐者外壤。食者內壤。闕然不見其壤。有食之者也。注云凡所吐出者其壤在外。其所吞咽者壤入於內。疏云壤字為穀梁音者皆為傷。徐邈亦作傷。糜信云齊魯之間。謂鑿地出土。鼠作穴出土。皆曰壤。或當字從壤。蓋如糜信之言。尚書正義九章算術。穿地四為壤。五為堅。五壤為息土。考釋文序錄徐邈音三卷系之左氏。據楊疏及惠氏所引。則實為穀梁作音也。本傳稱所注穀梁傳見重於時。范為集解引述獨多。國翰謂其書辭理典據。實更可觀。亦以為豫章時採求風教。邈與寧書極論諸曹心折有素。序所謂二三學士者。徐當其選。不當屬之門生故吏。及列於所識近十家中。如楊疏所云。誠篤論也。」（頁七三一）

二、清光緒九年(1883)長沙琅嬛館補校刊本：(晉)徐邈撰《春秋穀梁傳注義》一卷，台北：國家圖書館有藏本。

三、清光緒十年(1884)湘遠堂刊本：(晉)徐邈撰《春秋穀梁傳注義》一卷，台北：國家圖書館有藏本。

《答春秋穀梁義》（晉）

《隋志》：「三卷。」

【卷數】陳明恩〈魏晉南北朝《春秋》學初探〉頁一九一引《隋志》題作「十卷」。

佚。

《春秋穀梁傳義》（晉）

《隋志》：「十卷。」

佚。

【增補】〔校記〕馬國翰有輯本。（《春秋》，頁四六）

【存佚】本書有馬國翰輯本，說明如下：

一、《玉函山房輯佚書》本：（晉）徐邈撰　（清）馬國翰輯《春秋穀梁傳注義》一卷　經編春秋類　馬來西亞大學圖書館有藏本。

【增補】孫啟治、陳建華編《古佚書輯本目錄（附考證）》曰：「徐邈，參《徐邈易音注》。《晉書》本傳稱邈注《穀梁傳》，見重於時。《釋文序錄》載徐邈《穀梁傳注》十二卷，《隋》、《唐志》同。《隋志》又載徐邈《春秋穀梁傳義》十卷，《新唐志》同，《舊唐志》十二卷。姚振宗《隋書經籍志考證》謂《義》是義疏、講義之類。馬國翰據《穀梁疏》等採得九十餘節，以《注》、《義》二書不能區分，總題之為《注義》。按云《注》、云《義》，皆有所本，是邈書原名也。今云『注義』，則非《注》非《義》，未免不倫，邈無是書也。既不能區分，毋如徑題為『徐邈說』為宜。」（頁六四）

【增補】《續修四庫全書總目提要》:「徐邈春秋穀梁傳注義一卷春秋徐氏音一卷　玉函山房輯本　　楊鍾義

晉徐邈撰。清馬國翰輯。邈字仙民。東莞人。東晉中書侍郎太子前衛率。為易音尚書音詩音春秋音穀梁注。隋志春秋穀梁傳十二卷。春秋穀梁傳義十卷。並題徐邈撰。別有徐邈答春秋穀梁義三卷。唐志作徐邈注十二卷。傳義十卷。音一卷。今並佚。國翰據注疏及北堂書鈔初學記輯錄一卷。注義二書不能區分。總以注義題之。從陸德明釋文參集韻輯春秋徐氏音一卷。惠棟九經古義。隱公三年經日有食之。傳云其日有食之何也。吐者外壤。食者內壤。闕然不見其壤。有食之者也。注云凡所吐出者其壤在外。其所吞咽者壤入於內。疏云壤字為穀梁音者皆為傷。徐邈亦作傷。麋信云齊魯之間。謂鑿地出土。鼠作穴出土。皆曰壤。或當字從壤。蓋如麋信之言。尚書正義九章算術。穿地四為壤。五為堅。五壤為息土。考釋文序錄徐邈音三卷系之左氏。據楊疏及惠氏所引。則實為穀梁作音也。本傳稱所注穀梁傳見重於時。范為集解引述獨多。國翰謂其書辭理典據。實更可觀。亦以為豫章時採求風教。邈與寧書極論諸曹心折有素。序所謂二三學士者。徐當其選。不當屬之門生故吏。及列於所譏近十家中。如楊疏所云。誠篤論也。」(頁七三一)

二、清光緒九年(1883)長沙琅嬛館補校刊本:(晉)徐邈撰《春秋穀梁傳注義》一卷，台北:國家圖書館有藏本。

三、清光緒十年(1884)湘遠堂刊本:(晉)徐邈撰《春秋穀梁傳注義》一卷，台北:國家圖書館有藏本。

晉書[119]:「徐邈[120]注《穀梁傳》，見重於時。」

荀氏訥《春秋左氏傳音》(晉)

《七錄》:「四卷。」

佚。

陸德明曰[121]:「訥[122]，字世言，新蔡人，東晉尚書左民郎。」

李氏軌《春秋左氏傳音》(晉)

《隋志》:「三卷。」

佚。

119霖案:《晉書》卷九十一，〈儒林傳〉，頁2358。

120霖案:「徐邈」二字，係竹垞根據文義所加。

121霖案:陸德明《經典釋文》卷一，頁14。又「字世言，新蔡人，東晉尚書左民郎。」諸句，係《經典釋文》的注文，竹垞逕作「陸德明曰」也。

122霖案:「訥」字，為竹垞根據文意所加。

《春秋公羊傳音》（晉）

【霖案】《經義考》同時著錄李軌《春秋公羊傳音》、汪惇《春秋公羊傳音》二書，而藤原佐世《日本國見在書目錄》著錄《公羊音》一卷，未題撰者，未詳究屬何人之書，今附於此，以俟後考。

《七錄》：「一卷。」

佚。

方氏範《春秋經例》（晉）

【書名】《舊唐志》題作《春秋左氏經例》，可知此本為《左傳》類的著作。

《隋志》：「十二卷。」《唐志》：「六卷。」

佚。

殷氏興《春秋釋滯》（晉）

【書名】《舊唐志》作《春秋左氏釋滯》，知其為《左傳》類的著作。

《七錄》：「十卷。」

佚。

《隋書》[123]：「晉尚書左丞殷興撰。」

虞氏溥《注春秋經傳》（晉）

佚。

《晉書》[124]：「虞溥，字允源，高平昌邑人[125]。郡察孝廉，除郎中[126]，稍遷公車司馬令，除鄱陽內史[127]，注《春秋經傳》。」

郭氏瑀《春秋墨說》（晉）

佚。

123霖案：《隋書》卷三二，頁929。

124霖案：《晉書》卷八十二，〈虞溥傳〉第五十二，頁2139-2141。

125霖案：「人」字下，應依《晉書》補入「也。父祕，為偏將軍，鎮隴西。溥從父之官，專心墳籍。時疆埸閱武，人爭視之，溥未嘗寓目。」等三十三字。

126霖案：「中」字下，應依《晉書》補入「補尚書都令史。尚書令衛瓘、尚書褚䂮並器重之。溥謂瓘曰：『往者金馬啟符，大晉應天，宜復先生五等之制，以綏久長。不可承暴秦之法，遂漢、魏之失也。』瓘曰：『歷代歎此，而終未能改。』」等六十九字。

127霖案：「內史」字下，竹垞刪錄許多文句，難於一一補錄，讀者可自行參看原書。

《晉書》128：「郭瑀，字元瑜，敦煌人129。精通經義130，隱於臨松薤谷，鑿石窟而居131，作《春秋墨說》、《孝經錯緯》，弟子著錄千餘人。」

干氏寶《春秋左氏函傳義》　《舊唐書》作「《春秋義函傳》」，《新唐書》作「《春秋函傳》」。（晉）

【書名】李一遂〈左氏春秋著錄書目研究〉頁一二三錄作「《春秋左氏傳函義》

【增補】陳明恩〈魏晉南北朝《春秋》學初探〉頁一九二根據《晉書》之文，錄有干寶《春秋左氏義外傳》一書，竹垞未錄此書，今據以補入。

《隋志》：「十五卷。」《唐志》：「十六卷。」

【卷數】本書有馬國翰輯本一卷。

佚。

【存佚】本書有馬國翰《玉函山房輯佚書》輯本一卷，應改注曰「闕」。

【版本及藏地】本書版本及藏地如下：

一、《玉函山房輯佚書》本：（晉）干寶撰　（清）馬國翰輯《春秋左氏函傳義》一卷　經編春秋類　馬來西亞大學圖書館有藏本。

【增補】孫啟治、陳建華編《古佚書輯本目錄（附考證）》曰：「干寶，參《干常侍易解》。《隋志》載干寶《春秋左氏函傳義》十五卷，兩《唐志》作《春秋義函傳》十六卷。馬國翰從《左傳正義》、《通典》各採得一節。」（頁五八）

【增補】〔校記〕馬國翰有輯本。（春秋，頁四六）

【增補】《續修四庫全書總目提要》：「春秋左傳函義一卷　玉函山房輯佚書本　張壽林

晉干寶撰。清馬國翰輯。寶字令升。新蔡人也。少以才器召為著作郎。平杜弢有功。賜爵關內侯。領國史。補山陰令。遷始安太守。王導請為司徒右長史。遷散騎常侍。性好陰陽數術。為春秋左氏義外傳。注周易周官凡數十篇。事蹟詳晉書本傳。按隋書經籍志著錄干寶春秋左氏傳函義十五卷。唐書經籍志著錄干寶春秋義函傳十六卷。新唐書藝文志著錄干寶春秋義函傳十六卷。同一書也。晉書本傳。作春秋左氏義外

128霖案：《晉書》卷九十四，〈隱逸列傳〉第六十四，頁2454。

129霖案：「人」字下，應依《晉書》補入「也。少有超俗之操，東游張掖，師事郭荷，盡傳其業。」等十九字。

130霖案：「義」字下，應依《晉書》補入「雅辯談論，多才藝，善屬文。荷卒，瑀以為父生之，師成之，君爵之，而五服之制，師不服重，蓋聖人謙也，遂服斬衰，廬墓三年。禮畢，」等四十八字。

131霖案：「居」字下，應依《晉書》補入「服柏實以輕身」等六字。

傳。隋志作春秋左氏傳函義。兩唐志又作春秋義函傳。且或曰十五卷或曰十六卷。書名卷數均各不同。未詳孰是。又考李唐以下。公私書目既罕著於錄。諸家注疏。亦鮮所徵引。則其書當五代末季。似已不傳於世。馬氏此本。書名從隋志。蓋輯錄唐孔穎達春秋左傳正義所引一條。唐杜佑通典所引一條。總計所輯。都凡四條。勒為一卷。零金碎玉。實不足以見干氏原書之面目。然史稱寶好陰陽數術之學。留心京房夏侯勝之傳。又觀其注易。多用京氏占候之法以為象。而援文武周公遭遇之期運。一一比附之。則其注春秋也。當亦未免用二氏之說。如其說代鼓於社以厭勝之類。蓋皆二子之緒論。斯亦足以推其蓋略。惟終以不能見其全書為可惜耳。」(頁六七三)

二、清光緒十年(1884)湘遠堂刊本：(晉)干寶撰《春秋左氏函傳義》一卷，台北：國家圖書館有藏本。

三、清光緒九年(1883)長沙琅嬛館補校刊本：(晉)干寶撰《春秋左氏函傳義》一卷，台北：國家圖書館有藏本。

《春秋序論》（晉）

【書名】陳明恩〈魏晉南北朝《春秋》學初探〉頁一九二著錄，其註四一引沈秋雄之說，說法如下：「沈秋雄云：『書只名《春秋序論》，知其為《左氏》論著者，以《隋志》《春秋》類著錄各書，大抵先《左氏》而後二《傳》，干寶之書廁殷興《春秋左氏疑滯》之後，在何始真《春秋左氏區分》之前，故知其為《左氏》論著也。』《三國兩晉南北朝春秋左傳學書考佚》（臺北：臺灣師範大學國文研究所博士論文，１９８１年），頁１５６。」

《隋志》：「二卷。」《唐志》：「一卷。」

佚。

《晉書》[132]：「寶[133]為《春秋左氏義外傳》。」

范氏堅《春秋釋難》（晉）

《七錄》：「三卷。」

佚。

高氏龍《春秋公羊傳注》　《新》、《舊唐志》「龍」作「襲」，「《傳注》」作「《傳記》」。（晉）

《七錄》：「十二卷。」

佚。

陸德明曰[134]：「字文睹[135]，范陽人，東晉河南太守。[136]」

132霖案：《晉書》卷八十二，〈鄧粲、謝沈列傳〉第五十二，頁2151。

133霖案：「寶」字下，《晉書》有「又」字。

汪氏惇《春秋公羊傳音》（晉）

【作者】陳明恩〈魏晉南北朝《春秋》學初探〉頁一九三著錄，作者題為「江惇」。又《隋書》卷三二，頁九三〇，王愆期《春秋公羊經傳》條下注文著錄此條，惟作者題為「晉徵士江淳」撰，惟《隋書》卷三五，「晉尚書令《顧和集》五卷」條下有「徵士《江惇集》三卷」，其下有〈校記〉云：「江惇　『惇』原作『淳』，據本志經部春秋類及晉書江統傳改」（頁一一〇一），則《隋書》卷三二，頁九三〇錄作「晉徵士江淳」，實當作「晉徵士江惇」，而竹垞著錄此條之時，係題作「汪氏惇」（即汪惇），蓋「汪」、「江」字形相近而誤入，今據上述所有證據，將此條著錄改作「汪氏惇」，此乃姓氏誤也。

【霖案】藤原佐世《日本國見在書目錄》著錄《公羊音》一卷，未題撰者，或即此書，說法詳見李軌《春秋公羊傳音》條。

《七錄》137：「一卷。」138

佚。

聶氏熊《注穀梁春秋》（晉）

佚。

《晉書》139：「國子祭酒聶熊注《穀梁春秋》，列於140學官。」141

【增補】〔補正〕晉書：「國子祭酒聶熊注穀梁春秋列於學官。」案：此在石虎建武九年。（卷七，頁十三）

黃氏容《左傳抄》（晉）

【著錄】李一遂〈左氏春秋著錄書目研究〉頁一二五著錄。

134霖案：陸德明《經典釋文》卷一，頁14。

135霖案：《經義考新校》頁3195新出校文如下：「《四庫薈要》本、文淵閣《四庫》本於空格處注『闕』。」又《經義考新校》「字文睹」三字作「字文□」。

136霖案：「字文睹，范陽人，東晉河南太守。」三句，原為《經典釋文》的注文。

137 《隋書》卷三二，頁930，王愆期《春秋公羊經傳》條下注文，然該書注文未云「《七錄》」之名。

138霖案：《經義考新校》頁3195新出校文如下：「文津閣《四庫》本脫『《隋志》二卷』至『《七錄》一卷』等文。」

139霖案：《晉書》一百六，〈石季龍載記〉第六，頁2774。

140霖案：「於」，《晉書》作「于」。

141霖案：《經義考新校》頁3195新出校文如下：「文津閣《四庫》本脫『佚』至『列於學官』等文。」

【書名】李一遂〈左氏春秋著錄書目研究〉題作「《左傳鈔》」。

佚。

《華陽國志》142：「蜀郡太守巴西黃容好143述作，著144《左傳抄》數十年145。」

薄氏叔玄《問穀梁義》

《隋志》：「二卷。」《七錄》：「四卷。」

佚。

【存佚】薄氏之書，雖不存於世，然今有馬國翰輯晉范寧《薄叔元問穀梁義》一卷，則薄氏之書，可略得其梗概，今可據以改注曰「闕」。

【版本及藏地】本書版本及藏地如下：

一、清光緒九年(1883)長沙琅嬛館補校刊本：(晉)范甯撰《薄叔元問穀梁義》一卷，「玄」、「元」二字之異，乃是避清聖祖康熙名諱，因而改動，台北：國家圖書館有藏本。

二、清光緒十年(1884)湘遠堂刊本：(晉)范甯撰《薄叔元問穀梁義》一卷，台北：國家圖書館有藏本。

三、玉函山房輯本:晉范甯撰。清歷城馬國翰輯《薄叔元問穀梁義》一卷。

【增補】《續修四庫全書總目提要》:「薄叔元問穀梁義一卷　玉函山房輯本　　劉白村

晉范甯撰。清歷城馬國翰輯。隋志二卷。梁四卷。唐志不著錄。蓋亡佚已久。叔元未詳何人。按輯本之文義推之。知與范同時治穀梁之學者。叔元有所駁問。范隨問逐條答之。仿鄭氏釋廢疾之體例也。然與釋廢疾有異者。因何休以公羊為主。非難穀梁。派別本自不同。而此則同治一經。互相問難。無論如何懸殊。約皆穀梁範圍以內之問題。輯本凡十二節。皆自楊士勛疏中引來。全載問答者四節。其八節皆載范答薄氏語。大指論辨義例。惟莊公二十四年。赤歸於曹郭公一節。范氏答語。似非原文。蓋誤引楊氏之語也。因穀梁注疏此節疏文。宜在注文之後。而誤置於前。致使觀者不易明瞭。遂使馬氏誤引也。又本書之出世。當在范氏集解成書之後。如莊公二十六年薄氏駁曰。如注雖多未足通崇之義。徒引證據。何益於此哉。故知薄氏之語。乃既見范氏注文而後發。其出於集解之後。當無庸疑矣。」（頁七三○）

142霖案：《華陽國志》卷十一，〈後賢志〉云：「時蜀郡太守巴西黃容，亦好述作。著《家訓》、《梁州巴紀姓族》、《左傳鈔》凡數十篇。」。

143霖案：「好」，應依《華陽國志》作「亦好」。

144霖案：「著」字下，應依《華陽國志》補入「著《家訓》、《梁州巴紀姓族》」等九字。

145霖案：「數十年」三字，《華陽國志》作「凡數十篇」，審其前後文句，當從《華陽國志》之說，蓋竹垞誤題作「數十年」者，當據以改作「凡數十篇」。

卷一百七十五　春秋八經義考卷一百七十五春秋八

謝氏莊《春秋圖》（南朝宋）

【增補】根據陳明恩〈魏晉南北朝《春秋》學初探〉頁一九四著錄，謝莊尚有《左氏列國篇及木圖》一書，竹垞未錄此書，今據以補入。

【作者】李一遂〈左氏春秋著錄書目研究〉誤作「謝花」。

佚。

【著錄】李一遂〈左氏春秋著錄書目研究〉頁一〇五著錄。

《南史》1：「謝莊2分《左氏》經傳，隨國立篇製，木方丈圖山川土地3，各有分理，離之則州郡殊別，合之則寓4內為一。」

【增補】《南史》論及謝莊傳記之時，有如下內容：「莊字希逸，七歲能屬文，及長，韶令美容儀，宋文帝見而異之，謂尚書僕射殷景仁、領將軍劉湛曰：『藍田生玉，豈虛也哉。』為隨王誕後軍諮議，領記室。」等字，今錄之如上，以供讀者參考。

何氏始真《春秋左氏區別》（南朝宋）

《隋志》：「三十卷。」

佚。

《隋書》5：「宋尚書功論郎。」

齊晉安王蕭子懋《春秋例苑》（南齊）

三十卷。

【著錄】陳述《補南齊書藝文志》著錄此書。

佚。

《南齊書》6：「晉安王子懋，字雲昌，世祖第七子7，撰《春秋例苑》三十卷，奏之。

1霖案：《南史》卷二○，〈謝弘微傳〉，頁553。又《宋書》卷八五，頁2167。

2霖案：「謝莊」二字，係竹垞根據前後文句所加，《南史》原文，於「分」字之前，並無「謝莊」二字。

3霖案：「隨國立篇製，木方丈圖山川土地」諸句，點校本《南史》斷為「隨國立篇。製木方丈，圖山川土地。」等等，審度文意，或應以點校本《南史》的標點斷句，要較《點校補正經義考》為佳。

4霖案：「寓」字，應依《南史》改作「宇」字。

5霖案：《隋書》卷三二，頁929。

6霖案：《南齊書》卷四○，頁708；又《南史》卷四四，頁1110。

世祖嘉之，敕[8]付祕[9]閣。」

王氏儉《春秋音》（南齊）

【書名】陳明恩〈魏晉南北朝《春秋》學初探〉頁一九五根據《舊唐書．經籍志》作《春秋公羊音》，知其為《公羊》類的撰著，陳氏之說，可謂定論。

《唐志》：「二卷。」

佚。

杜氏乾光《春秋釋例引序》（南齊）

【書名】陳明恩〈魏晉南北朝《春秋》學初探〉頁一九五根據《隋志》於杜預《春秋釋例》下云：「梁有《春秋釋例引序》一卷，齊正員外郎杜乾光撰。」，知其為《左傳》類著作，陳氏之說，可謂定論。

【作者】李一遂〈左氏春秋著錄書目研究〉頁九八誤作「杜光乾」。

《七錄》：「一卷。」

佚。

《隋書》[10]：「齊正員郎。」

王氏延之《春秋旨通》（晉）

【作者】陳明恩〈魏晉南北朝《春秋》學初探〉頁一九五著錄，作者題為「王述之」。

【霖案】陳明恩〈魏晉南北朝《春秋》學初探〉頁一九三，註四九云：「《隋志》廁諸《左傳》類，應為《左傳》類著作。」，其說可供參考。

《隋志》：「十卷。」

佚。

《春秋左氏經傳通解》（晉）

7霖案：「子」字下，應依《南齊書》補入「也。初封江陵公。永明三年，為持節、都督南豫豫司三州、南中郎將、南豫州刺史。魚復侯子響為豫州，子懋解督。四年，進號征虜將軍。南豫新置，力役寡少，加子懋領宣城太守。明年，為監南兗兗徐青冀五州軍事、後將軍、南兗州刺史，持節如故。六年，徙監湘州、平南將軍、湘州刺史。明年，加持節、都督。八年，進號鎮南將軍。」等字。

8霖案：「敕」字，《南齊書》作「勑」字。

9霖案：「祕」字，《南齊書》作「秘」字。

10霖案：《隋書》卷三二，頁929。

《隋志》：「四卷。」

佚。

《南史》[11]：「延之，字希季[12]，仕宋，為司徒、左長史[13]，歷吏部尚書[14]左僕射[15]。齊建元元年，進號鎮南將軍[16]，後為尚書左僕射，領[17]竟陵王師[18]。」

吳氏略《春秋經傳說例疑隱》（南齊）

【書名】陳明恩〈魏晉南北朝《春秋》學初探〉頁一九五云：「《隋志》廁諸《左傳》類，應為《左傳》類著作。」，其說誠屬允當。

《七錄》：「一卷。」

佚。

梁簡文帝《左氏傳例苑》（梁）

《唐志》：「十八卷。」《隋志》不著簡文帝，作「十九卷。」

佚。

《春秋發題》（梁）

《七錄》：「一卷。」

【霖案】藤原佐世《日本國見在書目錄》頁十二著錄「春秋發題二卷」，未詳是否即為梁簡文帝之書。又陳明恩〈魏晉南北朝《春秋》學初探〉頁一九六著錄，註六四云：「《隋志》廁諸《左傳》類，應為《左傳》類著作」（頁一九六），其說誠屬允當。

11霖案：《南史》卷二四，頁653；又《南齊書》卷三二，頁584。

12霖案：「季」字下，應依《南史》補入「昇之子也。少靜默，不交人事。」等十一字。

13霖案：「史」字下，應依《南史》補入「清貧，居宇穿漏，褚彥回以啟宋明帝，卽敕材官為起三間齋屋。」等二十四字。

14霖案：「尚書」二字下，應依《南史》補入「尚書」二字，且點校本《南史》將此句斷作「歷吏部尚書，尚書左僕射。」，竹垞省去「尚書」二字，雖有精簡之功，但與原文未合，而有待修正。

15霖案：「左僕射」三字下，應依《南史》補入「宋德既衰，齊高帝輔政，朝野之情，人懷彼此。延之與尚書令王僧虔中立無所去就。時人語曰：『二王居平，不送不迎。』高帝以此善之。昇明三年，出為江州刺史，加都督。」等字。

16霖案：「將軍」二字下，竹垞刪略若干文句，由於文句極多，難於逐一校補，讀者可參見《南史》相關之文。

17霖案：「領」字，應依《南史》改作「尋領」二字。

18霖案：「王師」二字下，應依《南史》補入「卒諡簡子」等四字。

佚。

《春秋左氏圖》（梁）

《通志》：「十卷。」

佚。

劉氏之遴《春秋大意》、《左氏》、《三傳同異》（梁）

佚。

《梁書》[19]：「劉之遴，字思貞，南陽涅陽人[20]。起家寧朔主簿[21]，累遷中書侍郎兼中書舍人[22]，出為[23]南郡太守[24]，久之，為太府卿都官、尚書太常卿。[25]之遴好屬文，多學古

19霖案：《梁書》卷四○，頁572；又《南史》卷五○，頁1249。

20霖案：「人」字下，應依《梁書》補入「也。父虯，齊國子博士，謚文範先生。之遴八歲能屬文，十五舉茂才對策，沈約、任昉見而異之。」等字。

21霖案：「主簿」二字下，竹垞刪略為數眾多文字，難於一一校補，讀者可參看《梁書》原文。

22霖案：「累遷中書侍郎兼中書舍人」等十一字，應依《梁書》改作「累遷中書侍郎，鴻臚卿，復兼中書舍人。」等字。

23霖案：「為」字下，應依《梁書》補入「征西鄱陽王長史」等七字。

24霖案：「太守」二字下，竹垞刪略若干文句，由於文字眾多，難於逐一校補，讀者可參看《梁書》一書。

25霖案：「為太府卿都官、尚書太常卿。」的斷句方式，點校本《梁書》作「為太府卿，都官尚書，太常卿。」，與《點校補正經義考》的斷句方式不同，蓋《宋書》卷三，〈武帝本紀下〉云：「(永初元年九月)壬申，置都官尚書。」(頁56)，而梁代承之，是則《點校補正經義考》誤為標點斷句，當據點校本《梁書》改正。又「卿」字下，應依《梁書》補入：「之遴好古愛奇，在荊州聚古器數十百種。有一器似甌，可容一斛，上有金錯字，時人無能知者。又獻古器四種於東宮。其第一種，鏤銅鴟夷榼二枚，兩耳有銀鏤，銘云『建平二年造』。其第二種，金銀錯鏤古樽二枚，有篆銘云『秦容成侯適楚之歲造』。其第三種，外國澡灌一口，銘云『元封二年，龜茲國獻』。其第四種，古製澡盤一枚，銘云『初平二年造』。

時鄱陽嗣王範得班固所上漢書真本，獻之東宮，皇太子令之遴與張纘、到溉、陸襄等參校異同。之遴具異狀十事，其大略曰：『案古本漢書稱『永平十六年五月二十一日己酉，郎班固上』，而今本無上書年月日字。又案古本敍傳號為中篇，今本稱為敍傳。又今本敍傳載班彪事行，而古本云『稚生彪，自有傳』。又今本紀及表、志、列傳不相合為次，而古本相合為次，總成三十八卷。又今本外戚在西域後，古本外戚次帝紀下。又今本高五子、文三王、景十三王、武五子、宣元六王雜在諸傳秩中，古本諸王悉次外戚下，在陳項傳前。又今本韓彭英盧吳述云『信惟餓隸，布實黥徒，越亦狗盜，芮尹江湖，雲起龍驤，化為侯王』，古本述云『淮陰毅毅，杖劍周章，邦之傑子，實惟彭、英，化為侯王，雲起龍驤』。又古本第三十七卷，解音釋義，以助雅詁，而今本

體，與河東裴子野、沛國劉顯常共討論書籍[26]。是時《周易》、《尚書》、《禮記》、《毛詩》並有高祖義疏，惟《左氏傳》尚闕之，遴[27]乃著《春秋大意》十科、《左氏》十科、《三傳同異》十科，合三十事以上之。高祖大悅，詔答之，曰：『省所撰《春秋義比事論書》[28]辭微旨遠，編年之教，言闡義繁，邱明[29]傳洙泗之風；《公羊》稟西河之學，鐸、椒之解不追，瑕邱之說無取，繼踵胡母、仲舒云盛。因修[30]《公》、《穀》[31]，千秋最篤；張蒼之傳《左氏》，賈誼之襲荀卿，源本分鑣，指歸殊致，詳略紛然，其來舊矣。昔在弱年，乃經研味[32]，一從遺置，迄將五紀，兼晚冬晷，促機事罕，暇[33]夜分求衣，未遑搜括，須待夏景試取，推尋若溫，故可求[34]別酬所問也。』」

【增補】〔補正〕《梁書》條內，「因修《公》、《穀》」當作「《穀梁》」；「乃經研味」，「乃」當作「久」。（卷七，頁十三）

沈氏宏《春秋五辨》（梁）

【書名】陳明恩〈魏晉南北朝《春秋》學初探〉頁一九六著錄，書名題作《春秋五辯》。

【霖案】陳明恩〈魏晉南北朝《春秋》學初探〉頁一九六，註六六云：「《隋志》廁諸《左傳》類，應為《左傳》類著作。」，其說誠屬允當。

無此卷。』」等字。

26霖案：「書籍」二字下，應依《梁書》補入「因為交好。」等四字。

27霖案：「之，遴」二字，點校本《梁書》作「，之遴」，而「之遴」為劉氏之名，不應中隔標點，是以《點校補正經義考》題作「之，遴」者，蓋誤為斷句者也。

28霖案：「《春秋義比事論書》」七字，點校本《梁書》作「《春秋義》，此事論書」，蓋《點校補正經義考》的斷句，未如點校本《梁書》為佳。又「比」字，《梁書》作「此」字，因而造成《點校補正經義考》的錯誤。

29霖案：「邱明」二字，點校本《梁書》作「丘明」，蓋竹垞為避孔子諱而改也。

30霖案：「修」字，應依《梁書》作「循」字。

31「因修《公》、《穀》」，應依《補正》、《四庫》本作「因修《穀梁》」。　霖案：《經義考新校》頁3200於「《補正》二字之下，另有新校之文如下：「《四庫薈要》本、文淵閣」等字。今考點校本《梁書》適作「《穀梁》」，竹垞誤作「《公》、《穀》」也，當據改正。

32「乃經研味」，應依《補正》、《四庫》本作「久經研味」。　霖案：《經義考新校》頁3201「《四庫》」二字，改作「《四庫薈要》」四字。今考《梁書》適作「乃經研味」，竹垞據原書文句甄錄也，翁方綱、四庫館臣據文意改作「久經研味」也。

33霖案：「兼晚冬晷，促機事罕，暇」諸字，點校本《梁書》斷作「兼晚冬晷促，機事罕暇，」也。

34霖案：「須待夏景試取，推尋若溫，故可求」諸句，點校本《梁書》斷作「須待夏景試取推尋，若溫故可求」也。

《隋志》：「二卷。」

佚。

《隋書》[35]：「梁五經博士。」

《春秋經傳解》（梁）

【霖案】陳明恩〈魏晉南北朝《春秋》學初探〉頁一九六，註六七云：「兩《唐志》廁諸《左傳》類，應為《左傳》類著作。」，其說誠屬允當。

《唐志》：「六卷。」

佚。

《春秋文苑》（梁）

【著錄】李一遂〈左氏春秋著錄書目研究〉頁一〇〇著錄。又《隋志》、《通志》錄之。

【霖案】陳明恩〈魏晉南北朝《春秋》學初探〉頁一九六，註六八云：「《隋志》廁諸《左傳》類，應為《左傳》類著作。」，其說誠屬允當。

《隋志》：「六卷。」

藤原佐世《日本國見在書目錄》頁十三著錄，卷數題作「十卷」

佚。

《春秋嘉語》（梁）

【著錄】李一遂〈左氏春秋著錄書目研究〉頁一〇〇著錄。

【霖案】陳明恩〈魏晉南北朝《春秋》學初探〉頁一九六，註六九云：「《隋志》廁諸《左傳》類，應為《左傳》類著作。」，其說誠屬允當。

《隋志》：「六卷。」

未見。

【霖案】本書未見其他傳本，當已久佚。

崔氏靈恩《春秋經傳解》（梁）

【霖案】陳明恩〈魏晉南北朝《春秋》學初探〉頁一九七，註七〇云：「《隋志》廁諸《左傳》類，應為《左傳》類著作。」，其說誠屬允當。

【增補】陳明恩〈魏晉南北朝《春秋》學初探〉頁一九七著錄，崔氏尚有《左氏條例》十卷、《左氏條義》、《公羊穀梁文句義》十卷等三書，竹垞未錄此三書，今據以

35霖案：《隋書》卷三二，頁929。

補入。

《隋志》：「六卷。」

佚。

《春秋申先儒傳論》《唐志》「論」作「例」。（梁）

【霖案】陳明恩〈魏晉南北朝《春秋》學初探〉頁一九七，註七一云：「《隋志》廁諸《左傳》類，應為《左傳》類著作。」，其說誠屬允當。

《隋志》：「十卷。」

佚。

《春秋左氏傳立義》（梁）

【書名】李一遂〈左氏春秋著錄書目研究〉頁一二三錄作「《左氏經傳立義》」，《經籍志》作「《左氏傳立義》」。

《隋志》：「十卷。」

【卷數】《通志》亦作「十卷」。

佚。

《春秋序》（梁）

【霖案】陳明恩〈魏晉南北朝《春秋》學初探〉頁一九七，註七二云：「沈秋雄云：『今據此書廁諸賀道養與田元休二家《春秋序》之間，二家書固皆為杜預《春秋經傳集解序》注者，或此書亦其類也。』《三國兩晉南北朝左傳學書考佚》，頁４０２。今從之。」，其說誠屬允當。

《隋志》：「一卷。」

佚。

《南史》36：「靈恩先習《左傳》服解，不為江東所行，乃改說杜義，每文句常申服以難杜，遂著《左氏條議》37以明之。時助教虞僧誕又精杜學，因作申杜難服以答靈恩，世並傳焉38。靈恩39《左氏經傳義》二十二卷、《左氏條例》十卷、《公羊穀梁文句義》十卷。」

36霖案：《南史》卷七一，頁1739。又《梁書》卷四八，頁677亦有類似之語。

37霖案：「《左氏條議》」四字，《南史》作「《左氏條義》」四字。

38霖案：「焉」字下，應依《南史》補入「僧誕會稽餘姚人，以左氏教授，聽者亦數百人。該通義例，當世莫及。先是儒者論天，互執渾蓋二義，論蓋不合渾，論渾不合蓋。靈恩立義，以渾蓋為一焉。出為長沙內史，還除國子博士，講⺈尤盛。又出為桂州刺史，卒官。」等句。

39霖案：「靈恩」二字下，應依《南史》補入「《集注毛詩》二十二卷，《集注周禮》四十卷，《制三禮

【增補】竹垞於此條下引虞僧誕撰有《申杜難服》一書，惜竹垞未立有此目，今據陳明恩〈魏晉南北朝《春秋》學初探〉頁一九七之文，補入虞氏之書，然該文卻將「虞僧誕」誤改為「虞曾誕」。又根據《南史》之文，則崔靈恩另撰有《左氏經傳義》二十二卷，書名、卷數不同於《春秋經傳解》，今據以補入。又《左氏條例》十卷、《公羊穀梁文句義》亦當補入。

田氏元休《春秋序》（梁）

【增補】陳明恩〈魏晉南北朝《春秋》學初探〉頁一九八，註七五云：「沈秋雄云：『此書蓋為杜預之《春秋經傳集解序》作注者，如賀道養之書也。』《三國兩晉南北朝左傳學書考佚》，頁４０３。今從之。」

《隋志》：「一卷。」

佚。

賀氏道養《春秋序》（南朝宋）

《隋志》：「一卷。」

佚。

沈氏文阿《春秋左氏經傳義略》　《釋文》作「《義疏》」。（陳）

《隋志》：「二十五卷。」《唐志》：「二十七卷。」

【著錄】李一遂〈左氏春秋著錄書目研究〉頁一二三著錄。

【卷數】本書有馬國翰輯本一卷。

佚。

【版本及藏地】本書版本及藏地如下：

一、《玉函山房輯佚書》本：（陳）沈文阿撰　（清）馬國翰輯《春秋左氏經傳義略》一卷　經編春秋類　馬來西亞大學圖書館有藏本。

【增補】孫啟治、陳建華編《古佚書輯本目錄（附考證）》曰：「沈文阿（孔穎達《春秋正義序》作沈文何），字國衛，吳興武康人，通三禮、三傳，仕梁為五經博士，入陳為國子博士，撰《春秋義疏》、《禮記義疏》等七十餘卷（《陳書・儒林傳》）。《隋志》載《春秋左氏經傳義略》二十五卷。兩《唐志》並作《春秋義略》二十七卷。馬國翰謂《隋志》有不元規續沈氏《義略》，兩《唐志》載為十卷，依馬說恐卷數不止多二卷也。馬氏從《左傳正義》、《釋文》等採得六十餘節。」（頁五八）

【增補】〔校記〕馬國翰有輯本。（《春秋》，頁四六）

【增補】《續修四庫全書總目提要》：「春秋左氏經傳義略一卷　玉函山房輯佚書本

義宗》三十卷。」等字。

張壽林

陳沈文阿撰。清馬國翰輯。南史儒林沈峻傳云峻子文阿。字國衛。吳興武康人也。少習父業。研精章句。祖舅太史叔明。舅王慧與並通經術。而文阿頗傳之。又博採先儒異同。自為義疏。通三禮三傳。位五經博士。梁簡文引為東宮學士。入陳累遷通直散騎常侍。兼國子博士。領羽林監。天嘉四年卒。年六十一。所撰儀禮八十餘條。春秋禮記孝經論語義記七十餘卷。並行於時。諸儒多傳其學。按隋書經籍志著錄春秋左氏經傳義略。作二十五卷。兩唐志著錄則作二十七卷。未詳孰是。考隋志有王元規續沈文阿春秋左氏經傳義略十卷。而兩唐志皆不見著錄。則唐志著錄是書。卷數多於隋志者。或合王元規所續而言歟。其書自李唐以下。已不見徵引。則五代之世。其書已佚。此本蓋馬氏據正義釋文及集韻所引。輯錄成書。都凡六十有一條。勒為一卷。上起隱公。下迄襄公而止。按唐陸德明釋文敘錄云。文阿撰春秋義疏。闕下帙。王元規續成之。則其書本非完本。或原書即至襄公而止耶。梁書儒林傳稱文阿父峻。博通五經。文阿傳父業。尤明左氏傳。則其學有家傳。唐孔穎達正義序云。其為義疏者。則有沈文阿。劉炫。然沈於義例粗可。於經傳極疏。今考其書。雖零篇斷簡。不足以窺其全豹。然就其存者觀之。大抵意在發明義例。而疏於訓詁。則孔氏之言。為不誣矣。」(頁六七三)

二、清光緒九年(1883)長沙琅嬛館補校刊本：(陳)沈文阿撰《春秋左氏經傳義略》一卷，台北：國家圖書館有藏本。

三、清光緒十年(1884)湘遠堂刊本：(陳)沈文阿撰《春秋左氏經傳義略》一卷，台北：國家圖書館有藏本。

《南史》[40]：「文阿，字國衛[41]，吳興武康人[42]。通《三禮》、《三傳》，位《五經》博士[43]，尋遷通直散騎常侍兼國子博士[44]，所撰《儀禮》八十餘條，《春秋》、《禮記》、《孝經》、《論語義》[45]七十餘卷、《經典大義》十八卷，並行於時也[46]。」

40霖案：《南史》卷七一，〈儒林列傳〉，頁1740-1743。

41霖案：「國衛」二字下，缺錄「性剛強，有膂力。少習父業，研精章句。祖舅太史叔明、舅王慧興並通經術，而文阿頗傳之。又博采先儒異同，自為義疏。」等四十五字，今補錄於上。

42霖案：「吳興武康人」五字，係根據《南史》卷七一，〈儒林傳〉，頁1740，有關「沈峻」的敘述而增入，「沈峻」為「沈文阿」之父，因而取其籍貫之地。

43霖案：「博士」二字下，竹垞刪錄數百字之多，難於一一補錄，讀者可自行參看原書。

44霖案：「博士」二字下，竹垞缺錄「領羽林監。仍令於東宮講《孝經》、《論語》。天嘉中卒，贈廷尉卿。」等二十二字，今據《南史》原書補錄。

45「《孝經》、《論語義》」，應依《補正》、《四庫》本作「《孝經》、《論語義記》」。 霖案：《經義考新校》頁3204於「《補正》」二字之下，新增校文如下：「《四庫薈要》本、文淵閣」等字。今考「《南史》適作「《孝經》、《論語義記》」，此或為翁方綱所據之本。又此處涉及書名之誤，當據原書改正。

【增補】〔補正〕《南史》條內「《孝經》、《論語義》」，「《義》」下當補「《記》」字。按：文阿，沈峻之子。（卷七，頁十三）

陸德明曰[47]：「文阿撰《春秋義疏》，闕下帙，王元規續成之。」

張氏沖《春秋義略》（陳）

【增補】陳明恩〈魏晉南北朝《春秋》學初探〉註七六云：「《舊唐書·經籍志》作《春秋左氏義略》，知其為《左傳》類著作。」（頁一九八）

《隋志》：「三十卷。」

【霖案】《玉海》卷四〇，頁八〇〇錄之，小注云「《隋志》張沖三十卷」。

佚。

《隋書》[48]：「陳右軍將軍[49]。」

《北史》[50]：「張沖，字叔玄，吳郡人，仕陳，為左中郎將，非其好也，乃覃思經典，撰《春秋義略》，異於杜氏七十餘事[51]。」

賈氏思同《春秋傳駁》（後魏）

十卷。

【卷數】本書有馬國翰輯本一卷。陳明恩〈魏晉南北朝《春秋》學初探〉頁一九九引《魏書》題作「十一卷」。

佚。

【存佚】朱彝尊《經義考》注曰「佚」，然本書有馬國翰輯本，故當改注曰「闕」。

【存佚】本書輯本如下：

46霖案：《經義考新校》頁3204另有新校文句如下：「《四庫薈要》本、文淵閣《四庫》本無『也』字。」，今考《南史》確實並無「也」字，又於「時」字下，另有「儒者多傳其學」六字，今據以補入。

47 霖案：出自《釋文》卷一，頁14d。

48霖案：《隋書》卷三二，頁930的注文。

49霖案：「沖」字下，應依《隋書》注文補入「撰」字。

50霖案：《北史》卷八二，頁2768；又《隋書》卷七五，頁1724；又《唐書》卷七二下表頁2708亦有相同之語。

51霖案：「事」字下，應依《北史》補入「《喪服義》三卷、《孝經義》三卷、《論語義》十卷、《前漢音義》十二卷。官至漢王侍讀。」等字，蓋竹垞以其他撰著，非涉及三傳之學，因而刪去，又一併刪去「官至漢王侍讀」之官職名稱。

一、《玉函山房輯佚書》本第三十七冊：（後漢）賈思同撰　（後魏）姚文安、秦道靜述　（清）馬國翰輯《春秋傳駁》一卷，經編春秋類　馬來西亞大學圖書館有藏本。

【增補】孫啟治、陳建華編《古佚書輯本目錄（附考證）》曰：「賈思同，字仕明，齊郡益都人，官至侍中。國子博士衛翼隆精服氏（虔）學，上書難杜氏（預）《春秋》六十三事，思同復駁冀隆十餘條，互見是非，積成十卷。其後魏郡姚文安、樂陵秦道靜復述思同意，浮陽劉休和又持冀隆說，卒未能裁正。（《魏書．賈思同傳》）是書《隋》、《唐志》不載。《經義考》載賈思同《春秋傳駁》十卷，即據《魏書》本傳著錄者。《左傳正義》引衛難、賈駁及秦氏、蘇氏等人說凡十餘節，王謨、馬國翰皆據以採摭。馬輯多採二節（見襄公十六年），並據《經義考》題為賈思同《春秋傳駁》。王謨題為衛翼隆《難杜》，蓋以發難攻杜始於衛氏，與馬輯實為一書。又《正義》引蘇氏其人者，馬謂當即蘇寬。蘇寬，參下條。」（頁五八）

【增補】〔校記〕馬國翰有輯本。（春秋，頁四六）

二、清光緒九年(1883)長沙琅嬛館補校刊本：(後魏)賈思同撰《春秋傳駮》，台北：國家圖書館有藏本。

三、清光緒十年(1884)湘遠堂刊本：(後魏)賈思同撰《春秋傳駮》一卷，台北：國家圖書館有藏本。

《北史》[52]：「賈思伯，字仕休，齊郡益都人[53]。弟思同，字仕明[54]，為侍講，授靜帝杜氏《春秋》，加散騎常侍兼七兵尚書，尋拜侍中，卒[55]謚[56]文獻[57]。思同之侍講也，國子

52霖案：《北史》卷四七，頁1730-1734。

53霖案：「齊郡益都人」五字下，竹垞刪去數百字的文句，下始接「弟思同……」諸句，此蓋藉思伯之籍貫，以示思同亦為「齊郡益都人」也。然而，《北史》原文所錄文句，實有數百字為竹垞所刪，惟相關文句頗多，難於一一校補，讀者可參看原書。

54霖案：「字仕明」三字下，應依《北史》補入「少勵志行，雅好經史，與兄思伯，年少時俱為鄉里所重。累遷襄州刺史，雖無明察之譽，百姓安之。元顥之亂，思同與廣州刺史鄭先護並不降。莊帝還宮，封營陵縣男。後與國子祭酒韓子熙並」等字，今補錄於上。

55霖案：「卒」字下，應依《北史》補入「，贈尚書右僕射、司徒公，」等字，事涉賈氏仕宦，不當任意刪除，今補之如上。

56霖案：「謚」字下，應依《北史》補入「曰」字。

57霖案：「文獻」二字下，應依《北史》補入：「初，思同為青州別駕，清河崔光韶先為中從事，自恃資地，恥居其下，聞思同還鄉，遂便去職，州里人物為思同恨之。及光韶亡，遺誡子姪不聽求贈。思同遂表訟光韶操業，特蒙贈謚，論者歎尚焉。」等字，事涉贈謚一事，為竹垞所刪，今補之如上。

博士遼西衛冀隆精服氏學，上書難杜氏《春秋》六十三事，思同復駮[58]冀隆乖錯者一十餘條，互見是非[59]，積成十卷。詔下國學，集諸儒考之，事未竟而思同卒。後魏郡姚文安、樂陵秦道靜復述思同意；冀隆亦尋物故，浮陽劉休和又持冀隆說，竟未能裁正。」

【增補】〔補正〕《北史》條內「互見是非」，「見」當作「相。」（卷七，頁十三）

潘氏淑虔[60]《春秋經合三傳》　《唐志》作「《三傳通論》」。（晉）

【增補】〔補正〕按：《隋志》、《新》、《舊唐志》皆作潘叔度，此從北史。（卷七，頁十三）

【霖案】文廷式《補晉書藝文志》云：「按，《隋志》列韓益後、胡訥前，當是晉人。」（頁三七一二），陳明恩〈魏晉南北朝《春秋》學初探〉頁一九四從之，列其書於晉代。

《隋志》：「十卷。」

佚。

《春秋成套》[61]唐志作「集」。（晉）

【增補】〔補正〕「套」當改「奪」。（卷七，頁十四）

《隋志》：「十卷。」

佚。

《北史》[62]：「河北諸儒能通《春秋》者[63]，張買奴、馬敬德、刑峙、張思伯、張奉禮、張彫、劉晝、鮑長宣、王元則，並得服氏之精微；又有衛凱、陳達、潘叔虔[64]亦為通解；又

58霖案：「駮」字，《北史》作「駁」字，書寫習慣不同所致。

59「互見是非」，應依《補正》、《四庫》本作「互相是非」。　霖案：今考《北史》適作「互見是非」，同於竹垞所錄文句，蓋翁方綱、四庫館臣均據文義而改也。

60「淑虔」，據《補正》或作「淑度」。　霖案：《經義考新校》頁3206於「淑虔」二字之下，另增校文如下：「《四庫》諸本、備要本作『叔虔』，」等字。今考陳明恩〈魏晉南北朝《春秋》學初探〉頁194著錄，則題作「潘叔虔」，既然《隋志》、《舊唐志》、《新唐志》均題作「潘淑度」，則當以「潘叔度」為正確作者。又此事涉作者姓名之誤，當據翁方綱補正之語改正。

61「《春秋成套》」，據《補正》當作「《春秋成奪》」。　霖案：此詞涉及書名正誤，當據翁方綱補正之語改正。

62霖案：《北史》卷八一，頁2709；又《北齊書》卷四四，頁584亦有類似之文。

63霖案：「者」字下，應依《北史》補入「並服子慎所注，亦出徐生之門。」等字。

64霖案：「潘叔虔」三字下，應依《北史》補入「雖不傳徐氏之門」等七字。

有姚文安、秦道靜初亦學服氏，後兼更講杜元凱所注[65]。」

王氏元規《續春秋左氏傳義略》（陳）

【朝代】李一遂〈左氏春秋著錄書目研究〉頁一二三錄之，題作「隋」。

《隋志》：「十卷。」

【卷數】馬國翰輯本題作「一卷」。

佚。

【版本及藏地】本書版本及藏地如下：

一、《玉函山房輯佚書》本：（陳）王元規撰　（清）馬國翰輯《續春秋左氏傳義略》一卷　經編春秋類　馬來西亞大學圖書館有藏本。

【增補】孫啟治、陳建華編《古佚書輯本目錄（附考證）》曰：「王元規，字正範，太原晉陽人，仕陳為尚書祠部郎，少從沈文阿受業，通《春秋左氏》（《南史·儒林傳》）。《釋文序錄》謂文阿撰《左氏義疏》，元規續之，又作《春秋音》。《隋志》載王元規續沈文阿《春秋左氏傳義略》十卷。馬國翰謂《序錄》稱《義疏》即《隋志》之《義略》，並據《釋文》採得佚文三節。按其中二節為注音，蓋即《序錄》所稱《春秋音》之佚文。」（頁五八）

【增補】〔校記〕馬國翰有輯本。（《春秋》，頁四六）

【增補】《續修四庫全書總目提要》：「續春秋左氏經傳義略一卷　玉函山房輯佚書本　張壽林

陳王元規撰。清馬國翰輯。南史儒林傳云。王元規字正範。太原晉陽人也。少從吳興沈文阿受業。年十八。通春秋左氏孝經論語喪服。仕梁。位中軍宣城王記室參軍。陳天嘉中。為國子助教。後主在東宮。引為學士。就受左傳喪服等義。俄除尚書祠部郎。自梁代諸儒相傳為左氏學者。皆以賈逵服虔之義難杜預。凡一百八十條。元規引證通析。無復疑滯。陳亡入隋。卒於秦王府東閤祭酒。著春秋發題辭及義記十一卷。續經典大義十四卷。孝經義記二卷。左傳音三卷。禮記音二卷。考隋書經籍志著錄王元規續春秋左氏經傳義略十卷。而不載春秋發題及義記。與左氏音。唐志著錄左傳音三卷。而不載續春秋左氏經傳義略。與春秋發題辭及義記諸說小異。未詳孰是。考唐陸德明釋文敘錄云。梁東宮學士沈文阿撰春秋義疏。闕下帙。陳東宮學士王元規續成之。元規又撰春秋音。又考沈氏春秋義疏。陳書本傳作義記。則南史王氏本傳所謂發題辭及義記。釋文所謂義疏。似即隋志所謂義略。蓋王氏所著。實僅續沈氏春秋左氏經傳義略。及左傳音二書。唐志所以不載義略者。殆已並入沈書也。說詳沈文阿春秋左氏經傳義略提要。其書唐以下已不見著錄。則其佚已久。此本蓋馬氏輯錄釋文所

65霖案：「注」字下，應依《北史》補入「其河外儒生，俱伏膺杜氏。其《公羊》、《穀梁》二《傳》，儒者多不厝懷。」等字。

引三條。合為一卷。今考其所輯。其一條辨士爽名字。餘二條皆音也。或左傳音在李唐之世。已與義略合為一書歟。」(頁六七三~六七四)

二、清光緒九年(1883)長沙琅嬛館補校刊本：(陳)王元規撰《續春秋左氏傳義略》一卷，台北：國家圖書館有藏本。

三、清光緒十年(1884)湘遠堂刊本：(陳)王元規撰《續春秋左氏傳義略》一卷，台北：國家圖書館有藏本。

《春秋發題辭》、《義記》（陳）

十一卷。

【卷數】陳明恩〈魏晉南北朝《春秋》學初探〉註七八云：「馬國翰云：『（元規）《發題辭》及《義記》十一篇（案：應作『卷』），似《發題辭》一卷在《義記》十卷前。』《玉函山房輯佚書》（上海：上海古籍出版社，１９９０年），頁１４３０。今從馬說，作一卷。」（頁一九八至頁一九九）

佚。

《左傳音》（陳）

《唐志》：「三卷。」

佚。

《南史》66：「王元規，字正範，太原晉陽人67。少從吳興沈文阿受業68，通《春秋》、《左氏》、《孝經》、《論語》、《喪服》。仕梁，位宣城王記室參軍，陳69後主在東宮引為學士70，俄除尚書祠部郎。自梁代諸儒相傳為《左氏》學者，皆以賈逵、服虔之義難駁71

66霖案：《南史》卷七一，頁1755；又《陳書》卷三三，頁448。

67霖案：「太原晉陽人」五字下，應依《南史》補入：「祖道實，齊晉安郡守。父瑋，梁武陵王府中記室參軍。元規八歲而孤，兄弟三人，隨母依舅氏往臨海郡，時年十二。郡土豪劉瑱者，資財巨萬，以女妻之。元規母以其兄弟幼弱，欲結彊援，元規泣請曰：『姻不失親，古人所重。豈得苟安異壤，輒婚非類！』母感其言而止。元規性孝，事母甚謹，晨昏未嘗離左右。梁時山陰縣有暴水，流漂居宅，元規唯有一小船，倉卒引其母妹幷孤姪入船，元規自執櫂棹而去，留其男女三人，閣於樹杪，及水退獲全，時人皆稱其至行。」等字。

68霖案：「業」字下，應依《南史》補入「十八」二字，蓋明言其通讀經文之年歲，不當任意刪除，今補之如上。

69霖案：「陳」字下，應依《南史》補入「天嘉中，為鎮東鄱陽王府記室參軍，領國子助教。」等字，事涉其仕宦情況。

70霖案：「學士」二字下，應依《南史》補入「就受《禮記》、《左傳》、《喪服》等義。遷國子祭酒。新安王伯固嘗因入宮，適會元規將講，乃啟請執經，時論榮之。」等字。

杜預，凡一百八十條，元規引證通析，無復疑滯[72]，著《春秋發題辭》及《義記》十一卷[73]、《左傳音》三卷[74]。」

辛氏子馥《春秋三傳總》（北魏）

佚。

《冊府元龜》[75]：「辛子馥為尚書右丞，以《三傳》《經》同說異，遂總為一部，傳注並[76]出，校[77]比短長，會亡，未就。」

【增補】《北史·辛紹先傳》曰：「子馥以三《傳》《經》同說異，遂總為一部，傳注並出，校比短長。會亡，未就。」（頁九五五）

劉氏獻之《春秋三傳略例》（北魏）

三卷。

佚。

《北史》[78]：「獻之[79]每講《左氏》，盡隱公八年便止，云：『義例已了，不復講[80]解。』由是弟子不能究竟其說[81]。魏承喪亂之後，《五經》大義雖有師說[82]，諸生多有疑滯，咸決

71霖案：「駮」字，《南史》作「駁」字，書寫習慣不同所致。

72霖案：「滯」字下，應依《南史》補入：「每國家議吉凶大禮，常參預焉。後為南平王府限內參軍。王為江州，元規隨府之鎮，四方學徒，不遠千里來請道者，常數十百人。陳亡入隋，卒於秦王府東閤祭酒。元規」等字。

73霖案：「卷」字下，應依《南史》補入：「《續經典大義》十四卷，《孝經義記》兩卷」。

74霖案：「卷」字下，應依《南史》補入「《禮記音》兩卷」等字。

75霖案：《冊府元龜》卷六○六，頁7274。

76霖案：「並」字，《冊府元龜》作「竝」字，二字僅是書寫習慣差異所致。

77霖案：「校」字，《冊府元龜》作「較」字，竹垞錄作「校」字，顯然是根據《北史.辛紹先傳》之文而來。

78霖案：《北史》卷八一，頁2714；又《魏書》卷八四，頁1850。

79霖案：「獻之」二字下，應依《北史》補入「善《春秋》、《毛詩》」等五字。

80霖案：「講」字，應依《北史》改作「須」字。

81霖案：「說」字下，應依《北史》補入：「後本郡逼舉孝廉，至京稱病而還。孝文幸中山，詔徵典內校書。獻之喟然歎曰：『吾不如莊周散木遠矣，一之謂甚，甚可再乎！』固以疾辭。時中山張吾貴與獻之齊名，四海皆稱儒宗。吾貴每一講唱，門徒千數，其行業可稱者寡。獻之著錄，數百而已，皆通經之士。於是有識者辨其優劣。」等字。據上文得知：劉氏才學實為當時儒宗，更甚於張吾貴。

於獻之，六藝之文雖不悉注，所撰宗旨83，頗異舊義，撰84《三傳略例》三卷85。」

【增補】〔補正〕《北史》條內「所撰宗旨」，「撰」當作「標」。（卷七，頁十四）

徐氏遵明《春秋義章》（北魏）

【書名】李一遂〈左氏春秋著錄書目研究〉頁一一八錄作「《春秋左氏章義》」。又李一遂〈左氏春秋著錄書目研究〉頁一二三錄作「《春秋章義》」

三十卷。

【卷數】李一遂〈左氏春秋著錄書目研究〉頁一二三錄之，不注卷數。

佚。

《北史》86：「徐遵明，字子判，華陰人87，知陽平館陶趙世業家有服氏《春秋》，是晉世永嘉舊寫，遵明乃往讀之，經數載88，因手撰《春秋義章》為三十卷。」

姚氏文安《左氏駁妄》（北魏）

佚。

82霖案：「《五經》大義雖有師說」諸字，點校本《北史》斷作「《五經》大義，雖有師說」，與《點校補正經義考》斷句不同。又「說」字下，應依《北史》補入「，而海內」等三字，其下文諸句，點校本《北史》斷作「而海內諸生，多有疑滯」。

83「所撰宗旨」，應依《補正》、《四庫》本作「所標宗旨」。　霖案：《經義考新校》頁3208於「《補正》」二字之下，另增校文：「《四庫薈要》本、文淵閣」等字。今考《北史》適作「所標宗旨」四字，翁方綱當據《北史》改正。

84霖案：「撰」字下，應依《北史》補入「《三禮大義》四卷」等六字。

85霖案：「三卷」二字下，應依《北史》補入「注《毛詩序義》一卷，行於世。并立《章句疏》二卷。注《涅槃經》，未就而卒。」等句，除可見劉氏相關撰著之外，也能知其晚年曾嘗試注解佛經，可藉以窺知其學。

86霖案：《北史》卷八一，頁2720；又《魏書》卷八四，頁1855。

87霖案：「華陰人」三字下，應依《北史》補入：「也。幼孤，好學，年十七，隨鄉人毛靈和等詣山東求學。至上黨，乃師屯留王聰，受毛詩、尚書、禮記。一年，便辭聰游燕、趙，師事張吾貴。吾貴門徒甚盛。遵明伏膺數月，乃私謂友人曰：『張生名高而義無檢格，凡所講說，不愜吾心。請更從師。』遂與平原田猛略就范陽孫買德。受業一年，復欲去之。猛略謂遵明曰：『君年少從師，每不終業，如此用意，終恐無成。』遵明乃指其心曰：『吾今知真師所在矣，正在於此。』乃詣平原唐遷，居於蠶舍，讀《孝經》、《論語》、《毛詩》、《尚書》、《三禮》。不出門院，凡經六年，時彈箏吹笛，以自娛慰。又」等字。

88霖案：「經數載」三字，應依《北史》改作「復經數載」。

《北史》[89]：「姚文安難服虔《左傳》解[90]七十七條，名曰《駮妄》[91]。」

李氏崇祖《左氏釋謬》（北齊）

佚。

《北史》[92]：「崇祖，字子述[93]，申明服氏，名曰《釋謬》。」

李氏鉉《春秋二傳異同》（北齊）

【書名】陳明恩〈魏晉南北朝《春秋》學初探〉頁二〇一據《唐志》，書名題作《春秋三傳異同》。

【增補】《北齊書·儒林列傳》云：「李鉉……撰定《孝經》、《論語》、《毛詩》、《三禮義疏》及《三傳異同》、《周易義例》合三十餘卷。」（頁五八四）。

《唐志》：「十二卷。」

佚。

張氏思伯《左氏刊例》（北齊）

十卷。

佚。

《北史》[94]：「張思伯，河間樂城人[95]。善說《左氏傳》，為馬敬德之次，撰《刊例》十卷[96]，位國子博士。」

89霖案：《北史》卷八一，頁2725。

90霖案：「解」字，點校本《北史》與「左傳」二字連讀，並標示書名號，而《點校補正經義考》則未有書名號，致使書名稍異。

91霖案：「《駮妄》」二字，《北史》作「《駁妄》」。

92霖案：《北史》卷八一，頁2725-2726。

93霖案：「字子述」三字下，應依《北史》補入「文襄集朝士，命盧景裕講《易》，崇祖時年十一，論難往復，景裕憚之。業興助成其子，至於忿鬩。文襄色甚不平。姚文安難服虔《左傳解》七十七條，名曰《駁妄》。崇祖」等字，竹垞將「姚文安難服虔《左傳解》七十七條，名曰《駁妄》。」諸句別裁而出，置於姚文安《左氏駁妄》條下解題，致使「文襄集朝士，命盧景裕講《易》，崇祖時年十一，論難往復，景裕憚之。業興助成其子，至於忿鬩。文襄色甚不平。」諸句為贅句，若直錄而出，而缺「姚文安難服虔《左傳解》七十七條，名曰《駁妄》。」之句，則於文氣不順，乃將之一併刪除，然審諸《北史》原文，實有若干差異。

94霖案：《北史》卷八一，頁2734。又《北齊書》卷四四，頁594。

95霖案：「人」字下，應依《北史》補入「也」字。

96霖案：「十卷」二字下，應依《北史》補入「行於時。亦為《毛詩》章句，以二經教授齊安王廓。

樂氏遜《春秋序論》（北齊）

佚。

《春秋序義》（北齊）

佚。

《北史》97：「樂遜，字尊賢98，河東猗氏人99。開府儀同大將軍100、東揚州刺史101，著《孝經》、《論語》、《毛詩》、《左氏春秋序論》十餘篇，又著《春秋序義》。通賈、服說，發杜氏違，辭理並可觀。」

【增補】〔補正〕《北史》條內「字尊賢」，「尊」當作「遵」。（卷七，頁十四）

【增補】〔補正〕蘇氏寬《左傳義疏》

佚。

」等十八字。

97霖案：《北史》卷八二，頁2745；又《周書》卷四五，頁814錄及相關文句。

98「尊賢」，應依《補正》、《四庫》本作「遵賢」。　霖案：《經義考新校》頁3211於「《四庫》」二字之前，另增校文如下：「《四庫薈要》本、文淵閣」等字。今考《北史》原文適作「遵賢」，而翁方綱、四庫館臣當係從《北史》之文校改。

99霖案：「人」字下，應依《北史》補入：「幼有成人之操，從徐遵明於趙、魏間，受《孝經》、《喪服》、《論語》、《詩》、《書》、《禮》、《易》、《左氏春秋》大義。尋而山東寇亂，學者散逸，遜於擾擾之中，猶志道不倦。大統七年，除子都督。九年，太尉李弼請遜教授諸子。既而周文盛選賢良，授以守令。相府戶曹柳敏、行臺郎中盧光、河東郡丞辛粲相繼舉遜，稱有牧人之才。弼請留不遣。魏廢帝二年，周文召遜教授諸子。在館六年，與諸儒分授經業，講《孝經》、《論語》、《毛詩》及服虔所注《春秋左氏傳》。周閔帝踐阼，以遜有理務材，除秋官府上士，轉小師氏下大夫。自譙王儉以下，並束脩行弟子之禮。遜以經術教授，甚有訓導之方。及衞公直鎮蒲州，遜為直主簿。武成元年六月，以霖雨經時，詔百官上封事。遜陳時宜十四條，其五條切於政要。其一，崇教方；其二，省造作；其三，明選舉；其四，重戰伐；其五，禁奢侈。保定二年，以訓導有方，頻加賞賜，遷遂伯中大夫。五年，詔魯公贇、畢公賢等，俱以束脩之禮，同受業焉。天和元年，岐州刺史陳公純舉遜以賢良。五年，遜以年在懸車，上表致仕，優詔不許。於是賜以粟帛及錢等，授湖州刺史，封安邑縣子。人多蠻左，未習儒風。遜勸勵生徒，加以課試，數年之間，化洽州境。蠻俗生子，長大多與父母異居，遜每加勸導，多革前弊。在任數載，頻被褒錫。秩滿還朝，拜皇太子諫議，復在露門教授皇子。大象初，進爵崇業郡公，又為露門博士。二年，進位」等字。

100霖案：「軍」字下，應依《北史》補入：「出為汾陰郡守。遜以老病固辭，詔許之，乃改授」。

101霖案：「刺史」下，應依《北史》補入：「仍賜安車、衣服及奴婢等，又於本郡賜田十頃，儒者以為榮。隋開皇元年，卒於家，年八十二。贈本官，加蒲、陝二州刺史。遜性柔謹，寡於交游。立身以忠信為本，不自矜尚。每在衆中，言論未嘗為人之先。學者以此稱之。」等字。

案：蘇氏此書，竹垞未載，當據孔穎達《正義・序》補入。（卷七，頁十四）

辛氏德源《春秋三傳集注》（北周）

三十卷。

佚。

《北史》[102]：「德源，字孝基，隴西狄道人[103]。仕周，為宣納上士。」

劉氏炫《春秋左傳杜預序集解》（隋）

【書名】《文獻通考・經籍考》卷九題作《春秋述議傳》（頁二二六）。

《隋志》：「一卷。」

【卷數】《文獻通考・經籍考》卷九著錄，不題卷數（頁二二六）。

佚。

【增補】〔校記〕黃奭有輯本。（《春秋》，頁四六）

《春秋左氏傳述義》（隋）

【書名】本書異名如下：

一、《春秋述議》：藤原佐世《日本國見在書目錄》頁十二著錄。

二、《劉炫春秋左氏傳述義》：《馬來西亞大學中文圖書目錄》七一三・九著錄。

三、《春秋左氏傳述義略》：《宋志》著錄。

《隋志》：「四十卷。」《唐志》：「三十七[104]卷。」《宋志》：「《述義略》一卷。」

【卷數】本書卷數如下：

一、三十卷：藤原佐世《日本國見在書目錄》頁十二著錄。

102霖案：《北史》卷五○，頁1824。又《隋書》卷五八，頁1422亦錄及相關文句。

103霖案：「隴西狄道人」五字，《北史》無之，蓋竹垞據《隋書》卷五八，〈辛德源列傳〉，頁1422之文所加。又「孝基」二字下，應依《北史》補入「祖穆，魏平原太守。父子馥，尚書左丞。　德源沈靜好學，十四解屬文，及長，博覽書記。美儀容，中書侍郎裴讓之特相愛好，兼有龍陽之重。齊尚書僕射楊遵彥、殿中尚書辛術皆一時名士，並虛襟禮敬，同舉薦之。後為兼員外散騎侍郎，聘梁使副。德源本貧素，因使，薄有資裝，遂餉執事，為父求贈，時論鄙之。中書侍郎劉逖上表薦德源：弱齡好古，晚節逾厲，枕藉六經，漁獵百氏。文章綺豔，體調清華。恭慎表於閨門，謙撝著於朋執。實後進之辭人，當今之雅器。由是除員外散騎侍郎。後兼通直散騎常侍，聘陳。及還，待詔文林館，位中書舍人。齊滅。」等字

104霖案：《經義考新校》頁3212新增校文如下：「『三十七』，文津閣《四庫》本誤作『二十七』。」。

二、一卷：程志〈現存唐人著述簡目〉頁二五九著錄，王謨、黃奭輯本。

三、二卷：程志〈現存唐人著述簡目〉頁二五九著錄，馬國翰輯本。

佚。

【存佚】原書久佚，今已有王謨、黃奭、馬國翰輯本，應改注曰「闕」。

【版本及藏地】本書版本及藏地如下：

一、清嘉慶三年(1798)金溪王氏刊本：(隋)劉炫撰《春秋左氏傳述義》一卷，《國立故宮博物院善本舊籍總目》上冊，頁八十六著錄，台北：故宮博物院有藏本。

二、馬國翰《玉函山房輯佚書》本：隋劉炫撰，清馬國翰輯《春秋左氏傳述義》十卷，二冊，馬來西亞大學圖書館有藏本。

【增補】〔校記〕馬國翰有輯本。（《春秋》，頁四六）

【增補】《續修四庫全書總目提要》：「春秋述義二卷　玉函山房輯佚書本　張壽林

隋劉炫撰。清馬國翰輯。劉炫字光伯。河間景城人也。少聰敏。與信都劉焯。閉戶讀書。十年不出。炫強記默識。莫與為儔。隋開皇中。奉敕與著作郎王劭同修國史。俄直門下省。以待顧問。又與諸術者修天文律曆。兼於內省史考訂羣言。除殿內將軍。坐事除名。歸家教授。後召至京師。與諸儒修定五禮。授旅騎尉。煬帝時除太學博士。歲餘以品卑去任。還河間。時盜賊蜂起。教授不行。炫饑餓無所依。時夜冰寒。因此凍餒而死。年六十有八。門人謚曰宣德先生。著尚書述義二十卷。論語孝經毛詩春秋諸述義各若干卷。算術一卷。並文集行於世。事蹟俱詳北史隋書兩儒林傳。按北史劉炫傳。稱其著春秋攻昧十卷。春秋述義四十卷。隋書經籍志著錄劉氏春秋左傳杜預序集解一卷。春秋左氏傳述義四十卷。兩唐志著錄劉氏春秋攻昧十二卷。春秋規過三卷。春秋述議三十七卷。是諸家著錄。書名卷數。皆略有不同。疑本傳載攻昧。不載規過。或規過本在攻昧十卷之中。為其中之一篇。非別為一書者。唐日本國書目。載述議止三十卷。近得其實。本傳之作四十卷者。或誤並攻昧十卷於其中歟。隋志述義作四十卷。不載規過。而兩唐志述議並作三十七卷。又有規過三卷。明隋志猶以規過附之述義四十卷中。蓋自唐以後。始分之也。又考崇文總目云。春秋述義一卷。本四十篇。今三十九篇亡。則兩宋之世。其書已亡。是編蓋清馬國翰輯本。全書都凡二卷。大抵皆從唐孔穎達正義採錄。今就其所輯諸條考之。其書蓋多自矜代。好輕侮當世。於賈逵何休服虔諸家之說。皆多所非難。然其間於經中微旨。探賾鉤深。亦多有發明。史稱炫強記默識。莫與為儔，故其為義疏。亦聰慧辯博。宜乎孔氏正義。稱其於沈文阿蘇寬數君之內。實為翹楚也。」(頁六七四~六七五)

三、黃奭《漢學堂叢書》本：隋劉炫撰，清黃奭輯《劉炫春秋左氏傳述義》，馬來西亞大學圖書館有藏本（二部）。

【增補】《續修四庫全書總目提要》：「春秋左氏傳述義一卷　漢學堂叢書本　楊鍾義

隋劉炫撰。清黃奭輯。北史炫傳。載春秋述議四十卷。隋志作春秋左氏傳述義。

卷同。唐志亦作述議三十七卷。崇文總目春秋述議傳。隋東京太學博士劉炫撰。本四十篇。唐孔達正義蓋據以為說而增損之。今三十九篇亡。宋志有述義畧一卷。其書久佚。爽從孔疏採錄為一卷。馬國翰玉函山房輯佚本分為二卷。兼輯陳沈文阿春秋左氏經傳義畧一卷。陳王元規續春秋左氏經傳義疏一卷。後魏蘇寬春秋左氏傳義疏一卷。文阿字國衛。吳興武康人。由博士遷通直散騎常侍兼國子監博士。南史陳書儒林傳並有傳。元規字正範。太原晉陽人。仕陳尚書祠部。入隋為秦王東閣祭酒。南史及陳書皆有傳。經典釋文左氏梁東宮學士沈文阿撰。春秋義疏。闕下袟。陳東宮學士王元規續成之。寬書隋唐志並不載。春秋正義序云。沈氏於義例粗可。於經傳極疏。蘇氏則全不體本文。唯旁攻賈服。劉君於數君之內實為翹楚。然聰惠辯博。固亦罕儔。而探賾鉤深。未能致遠。其經注易者。必具飾以文辭。其理致難者。乃不入其根節。又習杜義而攻杜氏。雖規杜過。義又淺近。然比諸義疏猶有可觀云云。蓋唐人專宗杜注。而後世又衹存孔疏。光伯全書不可究悉。網羅放佚未能完具。考正舊疏。則有劉孟瞻之書為詳。」(頁六七五)

四、清光緒九年(1883)長沙琅嬛館補校刊本：(隋)劉炫撰《春秋左氏傳述義》二卷，台北：國家圖書館有藏本。

五、清光緒十年(1884)湘遠堂刊本：(隋)劉炫撰《春秋左氏傳述義》二卷，台北：國家圖書館有藏本。

六、民國五十九年(1970)藝文印書館四部分類叢書集成續編影印清嘉慶三年(1798)金溪王氏刊本： (隋)劉炫撰《春秋左氏傳述義》一卷，線裝，台北：國家圖書館有藏本。

七、民國六十一年(1972)藝文印書館四部分類叢書集成三編影印清道光中甘泉黃氏刊民國十四年(1925)王鑒修補印本：(隋)劉炫撰《春秋左氏傳述義》一卷，台北：國家圖書館有藏本。

《春秋攻昧》（隋）

《唐志》：「十二卷。」　本傳：「十卷。」

【卷數】本書卷數異同如下：

一、一卷本：程志〈現存唐人著述簡目〉頁二五九著錄，馬國翰輯本。

佚。

【作者】孫殿起《販書偶記》卷二，頁三七著錄，題作「江陰薛承宣輯補」。

【存佚】本書已有馬國翰輯本，應改注曰「闕」

《春秋規過》（隋）

【書名】本書異名如下：

一、《規過》：孫殿起《販書偶記》卷二，頁三七、程志〈現存唐人著述簡目〉頁二五九著錄。

二、《劉炫規杜持平》：清光緒戊子(十四年;1888)江陰南菁書院刊本題作此名。

唐志：「三卷。」

【卷數】本書卷數異同如下：

一、二卷本：程志〈現存唐人著述簡目〉頁二五九著錄，馬國翰輯本。

二、一卷本：程志〈現存唐人著述簡目〉頁二五九著錄，王謨、黃奭輯本。

三、六卷本：張壽平《公藏先秦經子注疏書目》頁一一四著錄。

佚。

【存佚】本書雖為佚籍，但已有馬國翰、王謨、黃奭、薛承宣、邵瑛等人的輯本，雖非完本，但仍應改注曰「闕」。

【版本及藏地】本書版本及藏地如下：

一、鈔本：(隋)劉炫撰；(清)邵瑛輯《春秋規過》六卷，原題餘姚邵氏桂隱書屋輯，2冊；30公分，有有「柯氏珍玩」、「柯逢時印」、「藴生珍賞之章」等印記，台北：中研院史語所善本室有藏本。排架號: 0073，光碟代號: OD004A.

【增補】邵懿辰撰、邵章續錄：《增訂四庫簡明目錄標注》卷三曰：「《春秋規過》六卷，隋劉炫撰，鈔本，玉函山房輯佚書本。」（頁一〇四）

【增補】《中央研究院歷史語言研究所善本書目》曰：「《春秋規過》六卷二冊　隋劉炫撰　清邵瑛輯　鈔本。」（頁八）

【增補】《續修四庫全書總目提要》：「春秋規過六卷　舊鈔本　　張壽林

隋劉炫撰。清邵瑛輯。按北史儒林傳云。劉炫字光伯。河間景城人也。少聰敏。與信都劉焯。閉戶讀書。十年不出。炫強記默識。莫與為儔。隋開皇中。奉敕與著作郎王劭同修國史。俄直門下省。以待顧問。除殿內將軍。坐事除名。歸家教授。後召至京師。與諸儒修定五禮。授旅騎尉。煬帝時除太學博士。歲餘以品卑去任。還河間。時盜賊蜂起。教授不行。炫饑餓無所依。凍餒而死。門人諡曰宣德先生。著尚書述義二十卷。論語孝經毛詩春秋諸述義各若干卷。并文集行於世。瑛字桐南。號姚圃。餘姚人。乾隆四十九年甲辰一甲二名進士。授編修。改內閣中書。著有劉炫規杜持平六卷行於世。是編現藏東方圖書館。竹紙舊鈔。每半頁七行。行十九字。小註同。編首邵氏自序及第一卷前。有柯逢時朱文方印。目錄及各卷之首有蘊生珍賞之朱文長方印。考蘊生為梅植之字。植之江都人。道光舉人。少勤學。家貧無書。輒手自鈔寫。工書善琴。尤好為詩。有稽庵詩集行於世。是編書法勁秀。或出植之舊鈔。後歸武昌柯氏。展轉而入東方圖書館歟。按孔穎達春秋左氏傳正義序云。其為義疏者。則有沈文阿。蘇寬。劉炫。炫于數君之內。實為翹楚。然聰慧辯博。固亦罕儔。而探賾鈎深。未能致遠。又意在矜伐。性好非毀。規杜之失。凡一百五十餘條。習杜義而攻杜氏。猶蠹生於木。而還食其木。非其理也。又考唐書藝文志經部春秋類。亦著錄炫所撰規過三卷。惟本傳僅載炫所撰春秋攻昧十卷。春秋述義四十卷。而不載規過。隋志則僅載述義四十卷。於攻昧規過皆不載。清姚振宗隋書經籍志考證云。規過即在攻昧十卷中。乃其中之一篇。非別為一書。唐日本國書目載述義止三十卷。近得其實。疑本志四十卷并攻昧在其間。其說是也。又考宋志已不載其書。是其佚已久。是編為郡氏桂隱書屋輯本。蓋據孔氏正義輯錄一百七十餘條。勒為六卷。按杜氏作春秋左傳集解。往往棄經從傳。先儒多集矢焉。炫著規過一書。亦所以規杜之失。孔穎達作正義。據劉義以為本。而於規過概以為非。蓋拘於作疏之體。故多曲附。紀昀編纂四庫。嘗欲作規杜持平。以釋兩家之紛。而以故未果。屬瑛代成之。瑛既奉命。因先就孔氏正義。輯為是編。更本之而作規杜持平。故其卷數。亦與持平相同。今核其所輯。頗稱詳盡。殘文墜簡。搜羅略備。至於孔氏正義序謂炫規杜之失。凡一百五十餘條。而是編輯錄正義所引。乃有百七十餘條者。則多由劉書一條之內。連及數事。正義分載各注。遂視原書為多歟。至其書得失。則邵氏所撰規杜持平。論之詳矣。學者苟與是編合而觀之。亦足以見劉氏一家之學矣。」(頁六七四)

二、清嘉慶三年(1798)金溪王氏刊本：(隋)劉炫撰《規過》一卷，《國立故宮博物院善本舊籍總目》上冊，頁頁八十六著錄，台北：故宮博物院有藏本。

三、馬國翰《玉函山房輯佚書》本第二十九．三十冊等二冊：隋劉炫撰，清馬國翰輯《春秋規》一卷，馬來西亞大學圖書館有藏本。

【增補】邵懿辰撰、邵章續錄：《增訂四庫簡明目錄標注》卷三曰：「《春秋規過》六卷，隋劉炫撰，鈔本，玉函山房輯佚書本。」（頁一〇四）

【增補】〔校記〕馬國翰有輯本。（《春秋》，頁四六）

【增補】《續修四庫全書總目提要》：「春秋規過二卷　玉函山房輯本　　　張壽林

隋劉炫撰。炫字光伯。河間景城人。史稱其學實通儒。才堪成務。九流七略無不該覽。故生平著作等身。然性躁競。頗俳諧。多自矜伐。好輕侮。為執政所醜。由是官塗不遂。此書北史隋志皆不載。唐志有三卷。考隋志有春秋述議四十卷。唐志亦有述議。則作三十七卷。又別有規過三卷。知隋志北史皆以規過附於述議之內。至唐始分著之也。此書乃摘杜預義中之失以正之。自居乎杜之諍友。故名規過。按劉炫好名。此書特為爭名而作。吹毛求疵。在在可見。正義序中。略舉數事。亦可窺其大略。然亦有顯為杜失而劉之得者。如僖公十六年三月壬申。公子季友卒。杜云稱字者貴之。規云季為氏。季友仲遂皆生賜族。非字也。觀閔公二年傳。季友將生。卜辭知其為男。且名為友。又曰季氏亡則魯不昌。夫卜辭既鄭重預言其名。而桓公復以有文在手始名之。則未生之前。不得有字。生前既有季氏之稱。則季之非字也明矣。可知杜劉二氏。互有短長。學者比而觀之可也。正義序謂規杜氏之失凡一百五十餘條。而正義所引。乃有一百七十餘條。或有一條內連及數事。正義分載各經傳注下。遂覺條數增多。輯本復依年記載。雖若便於閱覽。實則原本之體例未必如是也。」（頁七三九）

四、清光緒九年(1883)長沙琅嬛館補校刊本：(隋)劉炫撰《春秋規過》二卷，台北：國家圖書館有藏本。

五、清光緒十年(1884)湘遠堂刊本：(隋)劉炫撰《春秋規過》二卷，台北：國家圖書館有藏本。

五、清光緒戊子(十四年;1888)江陰南菁書院刊本：(清)邵瑛撰《劉炫規杜持平》六卷，台北：國家圖書館有藏本。

六、民國五十九年(1970)藝文印書館四部分類叢書集成續編影印清嘉慶三年(1798)金溪王氏刊本：(隋)劉炫撰《規過》一卷，台北：國家圖書館有藏本。

七、民國六十一年(1972)藝文印書館四部分類叢書集成三編影印清道光中甘泉黃氏刊民國十四年(1925)王鑒修補印本：(隋)劉炫撰《規過》一卷，台北：國家圖書館有藏本。

《春秋義囊》（隋）

《宋志》：「二卷。」

佚。

顧氏啟期《大夫譜》（吳）

【書名】《郡齋讀書志》卷第三，頁一〇六著錄，書名題作《春秋世系》，不著撰者。又《文獻通考·經籍考》卷九題作《春秋世譜》（頁二四三）。

《唐志》：「十一卷。」　《隋志》有《春秋左氏諸大夫世譜》十三卷，疑即是書。

【卷數】《郡齋》卷三、《文獻通考·經籍考》卷九題作「一卷」（頁二四三）。

佚。

《崇文總目》105：「不著撰人名氏，凡七卷。起黃帝至周見於春秋諸國世系，傳久稍失其次矣。106按：隋、唐書目《春秋大夫世族譜》十三卷，顧啟期撰，而杜預《釋例》自有《世族譜》一卷，今書與《釋例》所載不同，而本或題云『杜預撰』者，非也。疑此乃啟期所撰云。」

晁公武曰107：「譜108《左氏》諸國君臣世系，獨秦無世臣。」

鄭樵曰109：「有杜預《春秋公子譜》，無顧啟期《大夫譜》，可也」

李氏謐《春秋叢林》（北魏）

105霖案：《文獻通考．經籍考》卷九，頁243。又張心澂：《偽書通考》頁481曾轉錄其文。

106霖案：「起黃帝至周見於春秋諸國世系，傳久稍失其次矣。」諸句，或當斷句為「起黃帝至周，見於春秋諸國，世系傳久，稍失其次矣。」，《點校補正經義考》所斷之句，容有商榷之處。

107霖案：《郡齋讀書志》卷第三，頁106、《文獻通考．經籍考》卷九，頁243。

108霖案：「譜」字之前，《文獻通考》另有「不著撰人名氏」六字。

109霖案：鄭樵：《通志》(京都：中文出版社，一九七八年六月)，卷七十一，〈書有名亡實不亡論一篇〉，頁832。

《唐志》：「十二卷。」　《隋志》不著姓氏。

佚。

《冊府元龜》[110]：「李謐，涿郡人[111]。鳩集諸經，廣校同異，比《三傳》事例，名《春秋叢林》十[112]二卷。徵拜著作佐郎，辭以授弟郁。」

【增補】《魏書·逸士傳》：「（謐）鳩集諸經，廣校同異，比三《傳》事例，名《春秋叢林》，十有二卷。」（頁一九三八）

沈氏仲義《春秋穀梁傳集解》（晉）

【霖案】陳明恩〈魏晉南北朝《春秋》學初探〉頁一九四著錄，其註五一云：「朱彝尊云：『唐新舊《志》均次在徐乾、徐邈、蕭邕、劉兆間，當是晉人。』」《經義考》，卷一七五，頁七。今從之。」，然考《經義考》未有任何解題，則陳氏之言，未詳出自何處。

《唐志》：「十卷。」

未見。

【霖案】本書未見其他傳本，當已久佚。

蕭氏邕《穀梁傳義》（梁）

《唐志》：「三卷。」

佚。

孔氏《春秋公羊傳集解》（梁）

【作者】陳明恩〈魏晉南北朝《春秋》學初探〉頁一九八著錄，題作「孔君揩」。

【書名】陳明恩〈魏晉南北朝《春秋》學初探〉頁一九八著錄，題作《孔氏春秋公羊傳集解》。

《唐志》：「十四卷。」

【卷數】陳明恩〈魏晉南北朝《春秋》學初探〉頁一九八著錄，卷數題作「《唐志》十二卷」。

佚。

孔氏《春秋穀梁傳指訓》（梁）

【作者】陳明恩〈魏晉南北朝《春秋》學初探〉頁一九八著錄，題作「孔君揩」。

110霖案：《冊府元龜》卷六○七，學校部.撰集，頁7282。

111霖案：「人」字下，應依《冊府元龜》補入「年十八，詣太學，受業後」等九字。

112霖案：「十」字下，應依《冊府元龜》補入「有」字。

《七錄》：「十四卷。」《隋志》：「五卷。」

佚。

張、程、孫、劉《穀梁傳四家集解》（晉）

【作者】陳明恩〈魏晉南北朝《春秋》學初探〉頁一九四著錄，作者題「張靖等著」，註五〇引黃逢元《補晉書藝文志》云：「四家當是張靖、程闡、孫毓、劉瑤。」。

《隋志》：「四卷。」

佚。

按：《四家集解》當是張靖、程闡、孫毓、劉瑤。

亡名氏《春秋左氏傳條例》

《隋志》：「二十五卷。」

佚。

《春秋義例》

《隋志》：「十卷。」

佚。

《春秋義林》

《隋志》：「一卷。」

佚。

《春秋大夫辭》

《隋志》：「三卷。」

佚。

《春秋辨證》　《唐志》作「《辨證明經論》」。

《隋志》：「六卷。」

佚。

《春秋左氏義略》

《隋志》：「八卷。」

佚。

《春秋五十凡義疏》（晉）

【書名】陳明恩〈魏晉南北朝《春秋》學初探〉頁二〇二著錄，書名題作《春秋五十五凡義例》。又李一遂〈左氏春秋著錄書目研究〉頁九八題作「《春秋五十古義疏》

。

《隋志》：「二卷。」

佚。

《春秋公羊穀梁二傳評》

《隋志》：「三卷。」

佚。

《左氏評》

《唐志》：「二卷。」

佚。

《左氏音》

《唐志》：「十二卷。」

佚。

《左氏鈔》

《唐志》：「十卷。」

佚。

《春秋辭苑》

《唐志》：「五卷。」

【著錄】李一遂〈左氏春秋著錄書目研究〉頁一〇〇著錄。

佚。

《春秋雜義難》

《唐志》：「五卷。」

佚。

《春秋井田記》（晉）

【卷數】馬國翰《玉函山房輯佚書》作「一卷」。

佚。

【存佚】本書有馬國翰《玉函山房輯佚書》本，雖非全本，但仍可據以改注曰「闕」。

【版本及藏地】本書版本及藏地如下：

一、馬國翰《玉函山房輯佚書》本：闕名（□）撰、馬國翰（清）輯《春秋井田記》一卷，（玉函山房輯逸書），馬來西亞大學有藏本。

二、清光緒九年(1883)長沙琅嬛館補校刊本：《春秋井田記》一卷，台北：國家圖書館有藏本。

三、清光緒十年(1884)湘遠堂刊本：《春秋井田記》一卷，台北：國家圖書館有藏本。

史繩祖曰[113]：「《後漢．循吏傳》[114]：『白首不入市井。』《注》引《春秋井田記》云[115]：『井田之義有五：一曰無泄天時地氣；二曰無費一家；三曰同風俗；四曰合巧拙；五曰通財貨。因井為市，交易而退，故稱市井也。』按[116]：《春秋井田記》不見於他書，獨此引用，故表而出之。」

113霖案：史繩祖：《學齋佔畢》卷三，〈市井字出春秋井田記〉，頁305。又另有《百川學海》本、《稗海》本、《說郛》卷八一、《學津討源》本等。

114霖案：「傳」字下，應依《學齋佔畢》補入「中云」等二字。

115霖案：「云」字，應依《學齋佔畢》改作「曰」，蓋「云」、「曰」字義雖同，卻不應彼此相代，應據原書改正。

116霖案：「按」字，《學齋佔畢》無此字，惟有「余因愛市井之名義起於此，且」等十二字，竹垞刪去相關文句，僅以「按」字代之，今據原書補入，以供讀者參考。